JN157264

標準理学療法学

専門分野

■シリーズ監修

奈良　勲　広島大学・名誉教授

神経理学療法学

第3版

■編集

森岡　周　畿央大学大学院健康科学研究科・教授

阿部浩明　福島県立医科大学保健科学部理学療法学科・准教授

医学書院

標準理学療法学　専門分野
神経理学療法学

発　　行　2013年3月15日　第1版第1刷
　　　　　2017年11月1日　第1版第5刷
　　　　　2018年12月1日　第2版第1刷
　　　　　2022年1月1日　第2版第4刷
　　　　　2022年12月15日　第3版第1刷©
　　　　　2025年2月1日　第3版第3刷

シリーズ監修　奈良　勲(なら いさお)
編　　者　森岡　周(もりおか しゅう)・阿部浩明(あべ ひろあき)
発 行 者　株式会社　医学書院
　　　　　代表取締役　金原　俊
　　　　　〒113-8719　東京都文京区本郷1-28-23
　　　　　電話　03-3817-5600(社内案内)
組　　版　ウルス
印刷・製本　大日本法令印刷

ISBN978-4-260-04989-4

執筆者一覧〈執筆順〉

阿部浩明　福島県立医科大学保健科学部理学療法学科・准教授
信迫悟志　畿央大学大学院健康科学研究科・准教授
石田和人　名古屋葵大学医療科学部理学療法学科・教授
松尾　篤　畿央大学大学院健康科学研究科・教授
犬飼康人　新潟医療福祉大学リハビリテーション学部理学療法学科・教授
生野公貴　西大和リハビリテーション病院リハビリテーション部・技師長
森岡　周　畿央大学大学院健康科学研究科・教授
山口智史　京都大学大学院医学研究科・教授
松木明好　四條畷学園大学リハビリテーション学部理学療法学専攻・教授
高村優作　国立障害者リハビリテーションセンター研究所運動機能系障害研究部・研究員
関口雄介　東北大学病院リハビリテーション部・主任
脇田正徳　関西医科大学リハビリテーション学部理学療法学科・助教
大住倫弘　畿央大学大学院健康科学研究科・准教授
野添匡史　関西医科大学リハビリテーション学部理学療法学科・准教授
中村潤二　西大和リハビリテーション病院リハビリテーション部・副技師長
石垣智也　名古屋学院大学リハビリテーション学部理学療法学科・講師
岡田洋平　畿央大学大学院健康科学研究科・准教授
板東杏太　国立精神・神経医療研究センター病院身体リハビリテーション部
寄本恵輔　国立精神・神経医療研究センター病院身体リハビリテーション部・理学療法主任
栅野浩司　関西福祉科学大学保健医療学部リハビリテーション学科・准教授
岩田健太郎　神戸市立医療センター中央市民病院リハビリテーション技術部・技師長代行
佐藤剛介　奈良県総合医療センターリハビリテーション部・主査
長谷川隆史　名古屋女子大学医療科学部理学療法学科・講師
有地祐人　総合せき損センター中央リハビリテーション部・主任理学療法士

刊行のことば

わが国において正規の理学療法教育が始まってから40年近くになる．当初は，欧米の教員により，欧米の文献，著書などが教材として利用されていた．その後，欧米の著書が翻訳されたり，主にリハビリテーション医学を専門とするわが国の医師によって執筆された書籍などが教科書，参考書として使われる時期が続いた．

十数年前より，わが国の理学療法士によって執筆された書籍が刊行されるようになり，現在ではその数も増え，かつ理学療法士の教育にも利用されている．これは，理学療法の専門領域の確立という視点から考えてもたいへん喜ばしい傾向であり，わが国の理学療法士の教育・研究・臨床という3つの軸がバランスよく噛み合い，“科学としての理学療法学”への道程を歩み始めたことの証ではないかと考える．

当然のことながら，学問にかかわる情報交換も世界規模で行われる必要があり，また学際領域での交流も重要であることはいうまでもない．さらに，情報を受けるだけではなく，自ら発信する立場にもなることが，真に成熟した専門家の条件ではないかと思われる．

1999年5月に横浜で開催された第13回世界理学療法連盟学会では，わが国の数多くの理学療法士によって演題が報告され，上記の事項が再確認されると同時に，わが国の理学療法学が新たな出発点に立ったことを示す機会ともなった．

一方で，医療・保健・福祉のあり方が大きな転換点にさしかかっている現在，理学療法士には高い専門性が求められ，その領域も拡大している．これらの点から，教育・研究・臨床の専門性を構築していくためには，理学療法学の各領域における現段階でのスタンダードを提示し，卒前教育の水準を確保することが急務である．

このような時期に，「標準理学療法学・作業療法学 専門基礎分野」シリーズ全12巻と並行して，「標準理学療法学 専門分野」シリーズ全8巻が刊行の運びとなった．

20世紀を締めくくり，21世紀の幕開けを記念すべく，現在，全国の教育・研究・臨床の分野で活躍されている理学療法士の方々に執筆をお願いして，卒前教育における必修項目を網羅することに加え，最新の情報も盛り込んでいただいた．

本シリーズが理学療法教育はもとより，研究・臨床においても活用されることを祈念してやまない．

2000年12月

シリーズ監修者

昭和 40 年（1965 年）に「理学療法士及び作業療法士法」が制定され，わが国に理学療法士が誕生した．しかし，それ以前から理学療法従事者によって理学療法が行われていた経緯がある．その過程で，いつしか“訓練”という言葉が，“理学療法”，“運動療法”，“ADL”などに代わる用語として頻繁に用いられるようになってきた．その契機の 1 つは，かつて肢体不自由児（者）に対して“克服訓練”が提唱された名残であるともいわれている．しかし，“訓練”という概念は，上位の者や指揮官が特定の行為・行動などを訓示しながら習得させるという意味合いが強い．軍事訓練，消火訓練などはその例である．また，動物に対して，ある芸や行為，行動などを習得させるときにも用いられる．

理学療法士は対象者と同等の目線で対応することや，インフォームドコンセント（informed consent）が重要視されている時代であることからも，「標準理学療法学 専門分野」シリーズでは，行政用語としての“機能訓練事業”および引用文献中のものを除き，“訓練”という用語を用いていないことをお断りしておきたい．

シリーズ監修者

第3版 序

2013年に初版，2018年に第2版を発行した『神経理学療法学』も第3版となった．そして，長年，神経理学療法学を牽引された吉尾雅春先生が編集者から退任された．先生は私たち後輩に対して神経理学療法学の向かうべき道を示してくれた．まずは先生のこれまでの多大なる功績に感謝を申し上げたい．

本書『神経理学療法学』は「標準理学療法学 専門分野」シリーズの1冊として9年前に産声をあげた．当初から「標準とは何か？」を編集者の1人として自問しながら，その目次や内容を吟味してきた．第3版にしてやっと骨格が完成したように思える．これには神経理学療法学にかかわる人材が豊富になったことが背景にあるように思う．

理学療法あるいは理学療法学は運動器領域と神経領域によって発展してきたことは自明である．古くから存在してきた領域であるがゆえに，呪縛からの脱却が難しいととらえることもできる．脳・神経系の機能のほとんどがブラックスボックスと称されていた時代においては，経験中心的な理学療法に頼らざるをえなかった．それ自体はなんら否定されるべきものではなく，個々の経験によって開発された各種アプローチは神経理学療法の草創期を支え，黎明期として1つの文化を構築してきた．それから時代は経過し，脳・神経系の科学が発展し，脳・神経系の機能がある程度解明されてきた．一時期は“脳ブーム”がおこり，あることないこと脳が重要と脳科学が独り歩きした時代も過ぎ去り，やっと落ち着いてきた．今こそ，標準的な神経理学療法学とは何かを明示し，理学療法を学ぶ者に対して標準神経理学療法学を提供すべきときであると考える．

標準的な学びがなぜ必要か．それはもちろん神経障害を呈する対象者のためである．そして，共通言語で議論するためでもある．そういう意味で教科書の責任は重い．神経理学療法学は神経障害を呈する対象者のためにある．ゆえに，学術情報の品質管理・担保はきわめて重要である．情報が明らかに誤っていたり，個人の経験によって大いに歪められたりしてはならない．本書はその点にこだわり，第3版では信頼のおける執筆者を新たに迎えた．第3版ではそれぞれの章にその領域のスペシャリストを配置した．また，第2版までは含んでいなかった「脊髄損傷の理学療法」を加えた．再生医療の進歩とともに脊髄損傷の理学療法は進化している．だからこそ，学び直さないといけないし，新たな知見を常識化させないといけないと思う．さらに今版では，「病期別の脳卒中理学療法」に関する章を設けた．急性期，回復期，生活期において理学療法の役割は異なる．健康寿命の延伸に貢献すべき理学療法にとって，この役割の相違を理解することが求められる．

いずれにしても，本書はわが国における“神経理学療法学の羅針盤”であるといえる．ゆえに，神経障害の理学療法に携わる，あるいはこれから携わろうとする，多くの関係者に手に取っていただきたい．

2022 年 9 月

編集者を代表して
森岡 周

初版 序

「標準理学療法学 専門分野」シリーズが刊行され始めて12年が経過した．このシリーズが次々に刊行されることで，わが国における理学療法教育が格段に底上げされたことは，喜ぶべき事実である．また，これらの刊行を契機に「理学療法の標準(standard)とは何か」という議論が関連学会などで巻き起こり，根拠ある理学療法の提供が意識されるようになった．その成果あってか，幅広い知識を有し，問題を解決しようとする高い志をもつ理学療法士が増えてきたように思える．このたび，この「標準理学療法学 専門分野」のなかに長年の読者の要望に応える形で本書が新たに加わることになった．

高齢社会を迎えたわが国においては，理学療法の対象のうち，神経障害はその中心に据えられている．中枢神経障害によっておこる症状・病態は多彩であり，根拠ある理学療法を適切かつ柔軟に行っていくためには，それぞれの症状・病態に関する知見を1つひとつ詳細に知る必要がある．特に常に変化する症状に対し柔軟に対応するためには，表面だけの知識ではなく，病態に関する知見を深く理解することが大切である．

「標準理学療法学」は箇条書きによって知見を羅列し記憶するといったスタイルをとらず，読者が文章を読み込み，前後の文脈や関係性から理学療法を理解することをねらいとしている．これは多彩な症状・病態を示す神経障害を深く理解するために最もふさわしいスタイルであるといえるであろう．

ご存知のとおり，人間の脳機能に関しては，今なお世界中の科学者によって，その解明作業が進められている．現代の理学療法士は，近年の神経科学(neuroscience)の発展動向に伴い，そこで明らかにされた科学的知見を適宜臨床に応用し，新たな根拠に基づいた理学療法をつくっていくことが求められている．臨床における新たな根拠の構築のためには，日々更新される基礎科学の知見と臨床でおこる現象を統合し，理学療法士自らの手でそれを解釈しなければならない．

この解釈過程は臨床推論(クリニカルリーズニング)とも呼ばれる．科学的知見と臨床的経験の融合に伴うクリニカルリーズニング作業を経て，最適化された臨床意思決定(clinical decision making)が行われるわけである．こうしたクリニカルリーズニングに基づく臨床計画およびその実践による検証作業の積み上げが臨床の場で行われることで，新しい根拠がつくられる．そして，それがわが国のみならず諸外国に公表されることによって，標準化が行われていく．

今日，脳卒中リハビリテーションの世界的な潮流においては，McDonnell Project(2011年)と題され，「患者と医療チームの契約」「脳機能解剖と行動障害の関係」「信頼性と妥当性のある客観的な評価」「介入目的および一般的な予後」「治療時間内に提供される治療量(dose)」，そして「運動学習に関係する治療環境」が検討されている．しかしながら，いまだ世界的にみても標準化に相当するような根拠ある理学療法の提案は足りていない．

現代の理学療法士には，根拠を利用するだけでなく，新たな根拠をつくることが求められている．本書にクリニカルリーズニングの内容を含んだ意図は，新たな根拠の構築に挑む理学療法士(学生)がわが国から出現することを期待していることにある．

神経病変によって生じるさまざまな病態の詳細な理解，そして神経科学に基づいた神経障害に対するクリニカルリーズニング作業なくして，新しい根拠ある理学療法の構築ならびに提案は難しい．その構築の礎を築くうえで，本書を役立てていただければ，編者・執筆者一同この上ない喜びである．

2013 年 3 月

森岡 周・吉尾雅春

目次

I 脳卒中の理学療法

1 脳卒中の障害総論

1 中枢神経系の構造と脳画像 阿部浩明 4

A 脳の構造——中枢神経の構造と機能 …… 4
1 神経構造の基礎 …… 4
2 大脳の構造 …… 7
3 基底核の構造と機能 …… 14
4 間脳の構造と機能 …… 14
5 大脳辺縁系の構造と機能 …… 15
6 小脳 …… 16
7 脳幹の構造 …… 17
B 神経線維束の構造と連絡——脳内の主要神経線維束 …… 18
1 投射線維 …… 18
2 連合線維 …… 19
3 交連線維 …… 20
4 小脳脚 …… 21
C 脳血管の走行と灌流領域 …… 21
1 後方循環系 …… 22
2 前方循環系 …… 22
3 Willis 動脈輪 …… 23
D 脳画像の基礎知識 …… 23
1 脳卒中の診断に用いられる各種脳画像 · 23
2 脳画像における脳卒中病変の経時的な変化 …… 28
3 脳画像の限界(部分容積効果) …… 31

2 中枢神経系のネットワークと機能障害 信迫悟志 32

A はじめに …… 32
B 大脳皮質連合野と神経ネットワーク …… 32
1 視覚ネットワーク …… 32
2 体性感覚ネットワーク …… 34
3 聴覚ネットワーク …… 34
4 注意ネットワーク …… 34
C 各大脳皮質連合野からなる神経ネットワークの機能損傷，症状との関連 …… 35
1 前頭連合野の損傷による遂行機能障害・注意障害・脳卒中後うつ・アパシー・社会的行動障害・脳血管性認知症 …… 35
2 前頭葉内側面の損傷による行為の抑制障害 …… 38
3 右前頭–頭頂・側頭ネットワークの損傷による半側空間無視 …… 41
4 右前頭–頭頂ネットワークの損傷による半側身体失認・病態失認 …… 41
5 左前頭–頭頂・側頭ネットワークの損傷による失行 …… 42
6 両半球の前頭–頭頂ネットワーク(背側–背側視覚路)の損傷による視覚性運動失調 …… 43
7 側頭連合野の損傷による視覚失認 …… 43
8 側頭連合野および辺縁連合野の損傷による記憶障害 …… 45
D 大脳と大脳以外の中枢神経系構造からなる神経ネットワークの機能，損傷，症状との関連 …… 46

1 随意運動と姿勢制御を出力する遠心路（下行路） 46
2 姿勢定位・姿勢制御ネットワーク 47
3 大脳基底核による神経ネットワーク 49
E おわりに 52

3 脳卒中の回復メカニズム 石田和人 53

A 神経の可塑性 53
1 シナプス可塑性における形態的変化 54
2 シナプスの機能的変化 55
B 脳卒中後の機能回復に影響する因子 55
1 脳卒中後の機能回復機序 55
2 機能回復に影響する因子 57
●コラム：水頭症 信迫悟志 61

4 脳卒中の障害構造と評価 松尾 篤 63

A 脳卒中と障害 63
1 疾病・障害をめぐる概念枠組みと分類 63
2 障害の観点からの患者の諸問題の把握 64
3 理学療法の治療的側面からとらえた障害 66
B 脳卒中後の障害に対する評価の意義 67
1 理学療法のゴール設定 67
2 治療プログラムの立案 68
3 実施した理学療法の効果判定 69
C 脳卒中理学療法の代表的評価法 71
1 機能障害 71
2 活動制限 74
3 参加制約 76
D 脳卒中後の障害に対する病期別の理学療法士の役割 76
1 脳卒中急性期の理学療法士の役割 76
2 脳卒中回復期の理学療法士の役割 77
3 脳卒中維持期の理学療法士の役割 78

5 脳卒中の病態とリスク管理 阿部浩明 80

A 脳卒中の病態 80
1 脳出血（ICH） 80
2 脳動静脈奇形からの頭蓋内出血 80
3 くも膜下出血（SAH） 81
4 脳梗塞 82
B 脳卒中理学療法におけるリスク管理 86
1 各種脳卒中に共通するリスク 86
2 各病態ごとのリスク管理 87
C 理学療法開始時期と中止基準 91
●コラム：眼症状 阿部浩明 94

2 脳卒中の障害と理学療法

1 運動麻痺 犬飼康人 98

A 運動制御に関与する神経機構 98
1 大脳皮質の運動関連領野の機能および損傷に伴い出現する障害 98
2 下行性伝導路 98
3 外側運動制御系と内側運動制御系 100
4 皮質網様体路と皮質網様体脊髄路 100
B 運動麻痺 100
1 運動麻痺の定義と発生メカニズム 100
2 運動麻痺の型 101
3 痙性麻痺と弛緩性麻痺 101
4 脳卒中と運動麻痺 101
5 脳卒中片麻痺者の運動麻痺評価 102
6 脳卒中発症後にみられる大脳皮質活動の変化 104
7 脳卒中発症後の運動機能の回復 104
8 皮質脊髄路，皮質網様体路の損傷と歩行障害 105
9 運動麻痺に対する理学療法の目的 105

10　理学療法のエビデンス …………………… 106
11　運動機能障害に対するアプローチ（上肢） …………………………………… 106
12　運動機能障害に対するアプローチ（下肢） …………………………………… 110
C　まとめ ………………………………………… 110

2　感覚障害　生野公貴　112

A　感覚障害とは ………………………………… 112
1　感覚障害の定義 ………………………… 112
2　体性感覚の神経機構 …………………… 112
B　脳卒中後感覚障害とは …………………… 113
1　感覚障害の疫学 ………………………… 113
2　感覚障害が動作に及ぼす影響 ………… 115
C　感覚障害の評価 …………………………… 117
1　感覚モダリティの検査 ………………… 117
2　感覚障害に対する神経生理学的検査 … 118
3　感覚障害に対する評価バッテリー …… 118
D　感覚障害への理学療法 …………………… 119
1　受動的介入 ……………………………… 119
2　能動的介入 ……………………………… 119
3　ミラーセラピー ………………………… 119
4　下肢感覚障害に対するアプローチ …… 121
5　新たな介入方法（非侵襲的脳刺激） …… 121
E　感覚障害に対する理学療法戦略とは …… 121
●コラム：視床 ………………………… 森岡 周　123

3　異常筋緊張　山口智史　126

A　はじめに ……………………………………… 126
B　異常筋緊張の種類 ………………………… 126
1　筋緊張亢進（hypertonus） ……………… 126
2　筋緊張低下（hypotonus） ……………… 127
C　痙縮の病態と発生メカニズム …………… 127
1　痙縮の定義 ……………………………… 127
2　痙縮の疫学 ……………………………… 129
3　痙縮の発生メカニズム ………………… 129
4　痙縮の病態 ……………………………… 131
D　spastic movement disorder ……………… 132
E　痙縮の評価 …………………………………… 132
F　痙縮の治療 …………………………………… 133
1　痙縮に対する理学療法 ………………… 133
2　関節可動域練習 ………………………… 134
3　運動療法 ………………………………… 134
4　電気刺激療法 …………………………… 134
5　装具療法 ………………………………… 135

4　運動失調　松木明好　137

A　運動失調とは ………………………………… 137
B　協調運動の神経機構 ……………………… 137
1　協調運動の神経基盤 …………………… 137
2　協調運動制御の機序 …………………… 138
3　小脳の構造 ……………………………… 139
4　小脳の機能 ……………………………… 141
C　運動失調の発生メカニズム ……………… 141
D　運動失調の種類とその症状 ……………… 142
1　小脳性運動失調 ………………………… 142
2　感覚性運動失調 ………………………… 145
3　前庭性運動失調 ………………………… 145
E　運動失調の評価 …………………………… 146
1　運動失調の原因の推測 ………………… 146
2　包括的運動失調評価 …………………… 146
3　協調運動障害の評価 …………………… 146
4　バランス障害の評価 …………………… 146
5　歩行障害の評価 ………………………… 147
6　疾患別評価スケール …………………… 147
7　ICF における位置づけ ………………… 148
8　その他 …………………………………… 149
F　運動失調症例の理学療法 ………………… 149
1　基本的な考え方 ………………………… 149
2　バランス練習 …………………………… 150
3　歩行練習 ………………………………… 151
4　協調運動練習 …………………………… 152

5 歩行補助具 …… 152
6 環境調整 …… 152

5 身体失認，病態失認 森岡 周 153

A 身体・病態失認とは …… 153
1 特異的症候 …… 154
B 責任病巣 …… 155
C メカニズム …… 156
D 評価 …… 156
1 質問紙 …… 157
2 Catherine Bergego Scale …… 157
3 身体ポインティングと Fluff test …… 158
E 理学療法 …… 158
1 麻痺肢の使用 …… 158
2 物理療法 …… 159
3 セルフタッチ …… 160
4 メタ認知の利用 …… 160

6 半側空間無視 高村優作 162

A 半側空間無視とは …… 162
1 概念・症状 …… 162
B 注意の分類とその神経機構 …… 162
C 半側空間無視のメカニズム …… 163
1 責任病巣 …… 163
2 Mesulam と Kinsbourne の仮説 …… 164
3 Corbetta らの仮説 …… 165
D 半側空間無視の評価 …… 165
1 一般的評価 …… 165
2 理学療法における評価(歩行や姿勢との関係性) …… 167
3 予後および回復過程 …… 167
E 半側空間無視のサブタイプおよび応用的な評価の視点 …… 167
1 半側空間無視の臨床的サブタイプ …… 167
2 半側空間無視の臨床症状の背景にある機能障害 …… 169
3 視線計測やバーチャルリアリティなどによる評価の可能性 …… 169
F 半側空間無視のリハビリテーション …… 169
1 一般的対応 …… 169
2 特異的なアプローチ …… 170
3 立位や歩行に対する介入 …… 172
G おわりに …… 172

7 姿勢定位障害 阿部浩明 174

A pusher 現象 …… 174
1 pusher 現象とは …… 174
2 pusher 現象の評価 …… 175
3 pusher 現象の責任病巣 …… 176
4 pusher 現象の予後 …… 177
5 pusher 現象と垂直判断の関係 …… 177
6 pusher 現象に対する理学療法の概念 …… 178
7 押すこと自体を抑制する工夫 …… 179
B lateropulsion …… 180
1 延髄の解剖と Wallenberg 症候群 …… 181
2 lateropulsion に関連する病巣 …… 181
3 lateropulsion と垂直判断，およびその予後 …… 182
4 lateropulsion の理学療法 …… 182

8 失行 信迫悟志 185

A 失行の定義と種類 …… 185
B 失行の評価 …… 186
1 8 つの入力-出力様式を考慮した評価 …… 186
2 標準化された評価 …… 186
3 臨床場面での評価 …… 187
C 失行の病巣と発生メカニズム …… 189

1 観念失行(使用失行)と観念運動失行(パントマイム，ジェスチャー障害)の病巣とメカニズム …… 190
2 観念運動失行(模倣障害)の病巣とメカニズム …… 191
D 失行に対するリハビリテーション …… 193
1 効果のエビデンスレベルが高いリハビリテーション …… 193
2 新しいリハビリテーション …… 195
●コラム：失語症 …… 信迫悟志 197

9 歩行障害①——基礎(神経生理・バイオメカニクス) 200
関口雄介

A 歩行に関する神経機構 …… 200
1 神経システムの階層性制御について …… 200
2 自動化された歩行に関する制御 …… 201
3 適応に関する制御 …… 202
B 脳卒中片麻痺の歩行障害 …… 203
1 地域社会での歩行障害 …… 203
2 一般的な歩行障害 …… 203
3 神経科学の観点から …… 204
4 バイオメカニクスの観点から …… 204
5 歩行中の安定性について …… 207
6 歩行障害の違い …… 208

10 歩行障害②——臨床(評価・治療) 脇田正徳 211

A 歩行評価 …… 211
1 歩行評価の目的 …… 211
2 歩行評価の実際 …… 211
B 理学療法の目的と実際 …… 214
1 理学療法の目的 …… 214
2 理学療法の実際 …… 215
●コラム：歩行自立度 …… 犬飼康人 220

11 上肢機能障害 森岡 周 225

A 上肢運動にかかわる神経機構とその障害の特徴 …… 225
1 道具操作に関与する上肢機能 …… 225
2 随意運動に関与する皮質脊髄路 …… 227
3 両手動作の神経機構 …… 227
4 左右半球間における抑制システム …… 228
5 上肢機能障害にかかわる学習性不使用 229
B 上肢機能障害の評価 …… 230
1 身体構造・機能レベルの評価法 …… 230
2 活動レベルの評価法 …… 231
3 上肢の使用頻度をみる評価法 …… 233
C 上肢機能障害に対するアプローチとそのエビデンス …… 234
1 エビデンス …… 234
2 代表的なアプローチ …… 236
3 課題指向型練習のポイント …… 238
D 複合的アプローチ …… 240

12 脳卒中後疼痛 大住倫弘 243

A 痛みの定義と分類 …… 243
1 急性疼痛と慢性疼痛 …… 243
2 痛みの原因による分類 …… 243
B 脳卒中後疼痛の分類 …… 244
1 痙縮による痛み …… 244
2 肩関節痛 …… 245
3 筋骨格系疼痛 …… 245
4 中枢性脳卒中後疼痛 …… 245
5 頭痛 …… 248
C 脳卒中後疼痛の評価 …… 248
1 筋骨格系疼痛と中枢性脳卒中後疼痛の鑑別 …… 248
2 痛みの強さの評価 …… 248
3 痛みの性質の評価 …… 249
4 心理的側面の評価 …… 249

D　脳卒中後疼痛の理学療法 …… 249
1　脳卒中後の筋骨格系疼痛に対する理学療法 …… 249
2　中枢性脳卒中後疼痛に対する理学療法 252
3　教育的かかわりの重要性 …… 252

13　二次性機能障害（関節可動域制限，サルコペニア・フレイル）　野添匡史　254

A　脳卒中における関節可動域制限 …… 254
1　関節可動域制限の疫学 …… 254
2　脳卒中における関節可動域制限のメカニズム …… 254
3　脳卒中における関節可動域制限の理学療法 …… 255
B　脳卒中におけるサルコペニア・フレイル 257
1　脳卒中におけるサルコペニア・フレイルの疫学 …… 257
2　脳卒中におけるサルコペニア・フレイルのメカニズム …… 257
3　脳卒中におけるサルコペニア・フレイルの影響 …… 259
4　脳卒中におけるサルコペニア・フレイルの理学療法 …… 259

3　病期別の脳卒中理学療法

1　急性期　野添匡史　266

A　急性期とは …… 266
B　急性期における理学療法士の役割 …… 266
C　早期離床 …… 266
1　早期離床の効果 …… 267
2　早期離床のリスクとベネフィット …… 267
3　早期離床の実際 …… 267
4　早期離床から病棟 ADL の拡大 …… 271
5　姿勢管理（ポジショニング） …… 272
D　急性期予後予測 …… 273
1　運動障害（下肢） …… 273
2　体幹機能 …… 273
3　併存疾患 …… 273
4　重症度，損傷側，高次脳機能障害 …… 273
5　病前情報 …… 273
6　画像情報 …… 274
7　歩行自立度予測のアルゴリズム …… 274
8　くも膜下出血例の予後予測 …… 274
E　急性期から行う運動機能改善のための理学療法 …… 274
1　運動療法（早期立位・歩行，装具，課題指向型） …… 275
2　電気刺激療法・各種機器 …… 275
3　意識障害例への介入 …… 276
4　身体活動指導 …… 276
F　おわりに …… 277

2　回復期　中村潤二　279

A　回復期とは …… 279
B　回復期における理学療法士の役割 …… 279
C　回復期における脳卒中患者の歩行障害の目標 …… 279
D　回復期における脳卒中患者の理学療法の流れ …… 280
E　脳卒中患者の歩行と下肢運動障害 …… 281
F　下肢運動障害に対するアプローチ …… 281
1　筋力増強運動 …… 281
2　電気刺激療法 …… 282
3　持久力増強運動，フィットネストレーニング …… 283
4　脳卒中患者の歩行練習 …… 283
5　屋外歩行 …… 284
G　回復期脳卒中後片麻痺患者に対する装具療法 …… 285

H　脳卒中患者の起居動作 287
I　退院後の生活環境の調整 287
J　おわりに 289

3 生活期　石垣智也　291

A　生活期とは 291
B　本章を理解するための対象者像 292
C　生活期に生じる脳卒中後遺症者の諸問題 292
1　死亡率と再発率の問題 292
2　身体機能と ADL の問題 292
3　認知機能の問題 294
4　精神・心理機能の問題 294
5　QOL の問題 294
6　家族関係の問題 294
D　生活期の脳卒中理学療法に求められる視点と対応 295
1　わが国の生活期理学療法の状況 295
2　生活期に求められるセルフマネジメントの視点 295
3　脳卒中後遺症者の問題に対する身体活動の有効性 296
4　身体活動のセルフマネジメントを目的とした行動変容介入 298
5　家族へのかかわりと家族支援による可能性 301
6　社会参加の意義 301
7　社会参加を支援する理学療法士の役割 302

II 神経筋疾患の障害と理学療法

1 Parkinson 病の理学療法　岡田洋平　309

A　疾患概要 309
1　疫学 309
2　大脳基底核の構造と機能 309
3　病態 310
4　疾患由来の症状 311
5　経過 312
6　医師による治療とリハビリテーション 312
B　理学療法評価 313
1　UPDRS 313
2　機能障害の評価 314
3　活動制限の評価 316
4　抗 PD 薬，症状の日内変動への配慮 319
C　理学療法の実際 319
1　PD の理学療法の効果に関するエビデンス 319
2　病期別理学療法 319
3　理学療法介入 320
4　症状の日内変動への配慮 324
●コラム：嚥下障害　岡田洋平　325

2 脊髄小脳変性症の理学療法　板東杏太　327

A　疾患の概要と障害の特徴 327
1　わが国における SCD の全体像 327
2　マシャド・ジョセフ病（MJD/SCA3） 328
3　脊髄小脳変性症 6 型（SCA6） 328
4　脊髄小脳変性症 31 型（SCA31） 328
5　歯状核赤核淡蒼球ルイ体萎縮症（DRPLA） 328
6　多系統萎縮症（MSA） 328
7　各病型における予後の違いについて 329
B　理学療法の実施に必要な基礎知識 329
1　姿勢・歩行制御に関する小脳の機能区分 329

2 姿勢・歩行制御以外の小脳・脳幹の機能 …… 331
3 小脳における内部モデル仮説と失調症状との関係 …… 331
C 標準的な理学療法評価 …… 331
1 一般情報 …… 331
2 失調症状の評価 …… 331
3 失調症状以外の評価 …… 332
4 歩行評価 …… 333
5 バランス障害の評価 …… 334
6 自律神経機能の評価 …… 335
7 磁気共鳴画像(MRI)の評価 …… 338
8 小脳性認知情動症候群(CCAS)の評価 338
9 SCD の理学療法介入に使用する標準的なエンドポイント …… 338
D 標準的な理学療法介入 …… 339
1 理学療法介入の全体像 …… 339
2 バランストレーニング …… 339
3 病型別の注意点 …… 339
4 継続的な理学療法介入の重要性 …… 339
5 転倒予防に対する介入 …… 340

3 **筋萎縮性側索硬化症の理学療法** 寄本恵輔 342

A 疾患の概要 …… 342
1 疾患概念 …… 342
2 病態と疫学 …… 342
3 診断基準 …… 343
4 症状 …… 343
5 予後 …… 345
6 治療法 …… 346
7 障害像 …… 346
B 疾患・障害のとらえ方 …… 347
1 ガイドライン …… 347
2 病歴聴取 …… 347
3 活動性評価 …… 347
4 神経学的所見 …… 348
5 姿勢・歩行評価 …… 348
6 呼吸評価 …… 348
7 口腔内唾液分泌物スケール(OSS) …… 349
8 ALSFRS-R …… 349
9 厚生省重症度分類，その他のALS 評価スケール …… 350
10 QOL 評価 …… 351
C 理学療法の実際 …… 351
1 目的と役割 …… 351
2 重症度に合わせた介入 …… 351
3 補装具と車椅子 …… 353
4 呼吸理学療法 …… 353
D 理学療法士の役割 …… 355

4 **多発性硬化症の理学療法** 寄本恵輔 357

A 疾患の概要 …… 357
1 疾患概念 …… 357
2 病態と疫学 …… 357
3 診断基準 …… 358
4 症状 …… 359
5 予後 …… 360
6 治療法 …… 361
7 障害像 …… 362
B 疾患・障害のとらえ方 …… 362
1 ガイドライン …… 362
2 病歴聴取 …… 362
3 活動性評価 …… 362
4 神経学的所見 …… 363
5 姿勢と歩行の評価 …… 363
6 視力・視覚の評価 …… 363
7 感覚障害と疼痛の評価 …… 363
8 筋力低下の評価 …… 363
9 痙縮・筋緊張の評価 …… 364
10 運動失調の評価 …… 364
11 疲労の評価 …… 364
12 排尿・排泄の評価 …… 364
13 EDSS …… 364
C 理学療法の実際 …… 366

1 目的 …… 366
2 治療に沿った理学療法プログラム …… 366
3 進行型に合わせたプログラム …… 368
4 社会制度と福祉について …… 368
D 理学療法に求められるもの …… 369

5 Guillain-Barré 症候群の理学療法 椰野浩司 370

A 疾患概念 …… 370
B 亜型 …… 370
C 診断 …… 371
1 電気生理学的特徴 …… 372
2 抗ガングリオシド抗体 …… 373
D 病態 …… 373
E 治療 …… 374
1 免疫療法 …… 374
2 急性期のケア …… 374
F 理学療法 …… 374
1 呼吸管理 …… 375
2 関節可動域の維持・拡大 …… 376
3 筋力の維持・増強 …… 376
4 日常生活活動(ADL)トレーニング …… 376
5 自律神経障害と痛み …… 377

III 頭部外傷の障害と理学療法

1 頭部外傷の理学療法 岩田健太郎 381

A 疾患概念 …… 381
B 定義と重症度分類 …… 381
C 形態的分類と画像所見の特徴 …… 382
1 頭蓋骨骨折 …… 382
2 局所性脳損傷 …… 382
3 びまん性脳損傷 …… 384
D 治療 …… 385
1 脳挫傷，急性硬膜外血腫，急性硬膜下血腫，外傷性脳内血腫，びまん性軸索損傷 …… 385
2 慢性硬膜下血腫 …… 386
E 急性期の理学療法 …… 386
1 理学療法士が把握しておくべき情報 …… 386
2 TBI 患者において理学療法士が注意すべき病態 …… 387
3 理学療法の実際 …… 388
F 回復期の理学療法 …… 390
1 障害像 …… 390
2 理学療法の実際 …… 390
G 理学療法に求められるもの …… 390

IV 脊髄損傷の障害と理学療法

1 脊髄損傷の病態 佐藤剛介 397

A 中枢神経系における脊髄の構造と機能 …… 397
1 脊髄の構造 …… 397
2 脊髄の機能 …… 399
B 疾患概要 …… 405
1 疫学 …… 405

2 病態と症状 …… 406
C 脊髄損傷後の運動機能回復のメカニズム 410
1 受動運動 …… 411
2 自動運動 …… 411

2 不全損傷の理学療法 長谷川隆史 412

A 評価から理学療法までの流れ …… 412
B 不全損傷者の機能および動作能力評価，予後 …… 412
1 残存機能評価 …… 412
2 予後の推定 …… 413
3 現状の動作能力 …… 414
C 不全損傷者の理学療法 …… 415
1 急性期から回復期における理学療法 … 415
2 機能回復が見込める不全脊髄損傷者への装具歩行トレーニング …… 418
3 短下肢装具の効果や注意点 …… 418

3 完全損傷の理学療法 有地祐人 421

A 脊髄損傷の診断と評価 …… 421
1 画像所見 …… 421
2 脊髄損傷に用いられる神経学的評価 … 424
3 ADL 能力の評価 …… 428
4 呼吸機能評価 …… 428
B 脊髄損傷完全麻痺者の理学療法 …… 429
1 脊髄損傷完全麻痺者の運動学習 …… 429
2 急性期からの ADL 獲得に向けた流れ 429
3 脊髄損傷高位レベルに応じた病態像の把握 …… 434
C 脊髄損傷後の機能予後 …… 435

索引 …… 437

I

脳卒中の理学療法

1
脳卒中の障害総論

第1章

中枢神経系の構造と脳画像

学習目標

- 神経系の構造と機能について理解する.
- 脳の構造を水平断スライスにて理解する.
- 各種神経経路の走行を理解する.
- 脳血管の走行と支配領域を理解する.
- 脳画像の特徴と病変のとらえ方を理解する.

A 脳の構造 —— 中枢神経の構造と機能

1 神経構造の基礎

a ニューロンとグリア

脳や脊髄などの中枢神経系を構成している基本構造は**ニューロン**と**グリア細胞**である(▶図1).ニューロンは**神経細胞**と**軸索**から構成される.グリア細胞には**アストロサイト**,**オリゴデンドロサイト**,**ミクログリア**などがあり,これらはニューロンを埋めるように存在し,ニューロンに栄養を供給したり,ニューロンを固定したりする.

b 灰白質と白質

中枢神経は**灰白質**と**白質**に大別できる.大脳の表面はニューロンを構成する神経細胞の集合体で灰白質と呼ばれ,その深部には神経軸索の集合体である白質が存在する.

図2に示すように脳では外側に灰白質が,脊髄では逆で外側に白質が存在する.脳の深部にも灰白質の領域が存在するがそれらは**神経核**であり,シナプス接合する神経細胞と神経軸索が存在する領域である.図2中の**被殻**,**淡蒼球**,**尾状核**などが神経核である.

c 中枢神経の基本的構造

中枢神経の構造は図3のように**大脳**,**脳幹**,**小脳**,**脊髄**などに分類される.脊髄からは末梢神経が走行する(▶図4).頭蓋骨の後頭蓋窩より上位が**脳幹**となり,それより下位は脊髄(頸髄)に該当する.脳幹は**延髄**,**橋**,**中脳**を指す.脳幹の後方には**小脳**が位置し,主として橋と構造的に結合し中脳・橋・延髄と連絡している.小脳と橋の結合

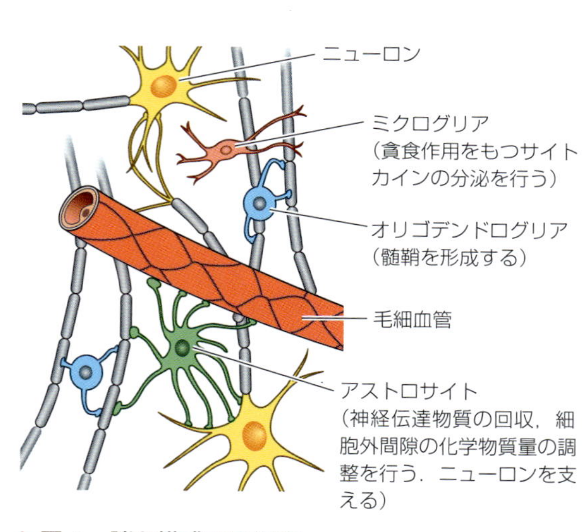

▶図1 脳を構成する細胞

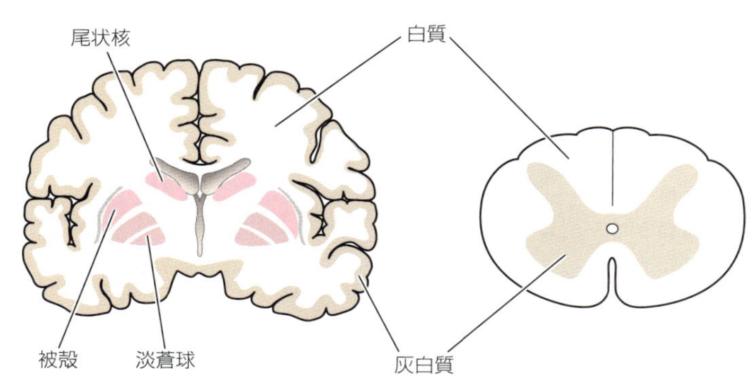

▶図 2　灰白質と白質の構造

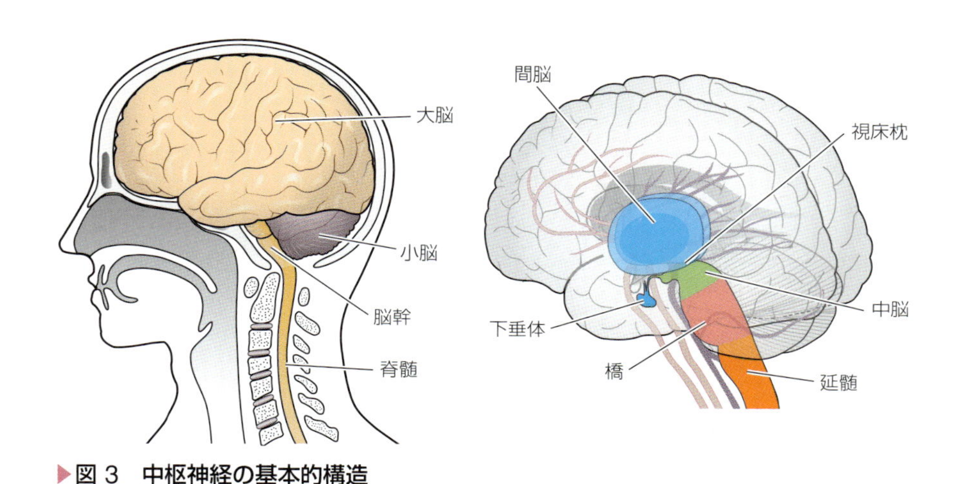

▶図 3　中枢神経の基本的構造

部は神経線維束による結合であり，この部分を**小脳脚**と呼ぶ(▶図 5)．

d 末梢神経

中枢神経が脳と脊髄であるのに対し，それらから各身体部位へ連絡する神経は**末梢神経**と呼ばれる．その末梢神経として，脊髄からは脊髄神経が，脳からは脳神経が走行する(▶図 4)．

脳神経は以下のとおり 12 ある(▶図 4，5)．嗅神経を除く 11 対が脳幹から出入りする．

- **第Ⅰ脳神経：嗅神経**

嗅神経とは嗅糸の総称で鼻粘膜の最上部の粘膜に分布する．嗅覚情報を伝え，他の脳神経と異なり脳幹から出ずに，大脳に直接連絡する唯一の神経である．嗅細胞からの軸索は，嗅球でニューロンを変え，嗅索を通り，外側嗅条一次嗅覚野に至る．

- **第Ⅱ脳神経：視神経**

網膜の神経節細胞の軸索が集まり視神経となる．網膜でとらえた視覚情報を伝える．視神経はやがて視交叉し，その後視索となり，視床の外側膝状体や上丘に投射する．外側膝状体から視放線を通じて後頭葉の一次視覚野に投射され，視覚情報として認識される．

- **第Ⅲ脳神経：動眼神経**

動眼神経は眼瞼挙上と眼球の運動を担う．眼球の運動としては内側直筋，上直筋，下直筋，下斜筋，上眼瞼挙筋を支配する．さらには瞳孔の大きさや水晶体の厚みの制御にかかわる瞳孔括約筋と毛様体筋を支配する．動眼神経は中脳

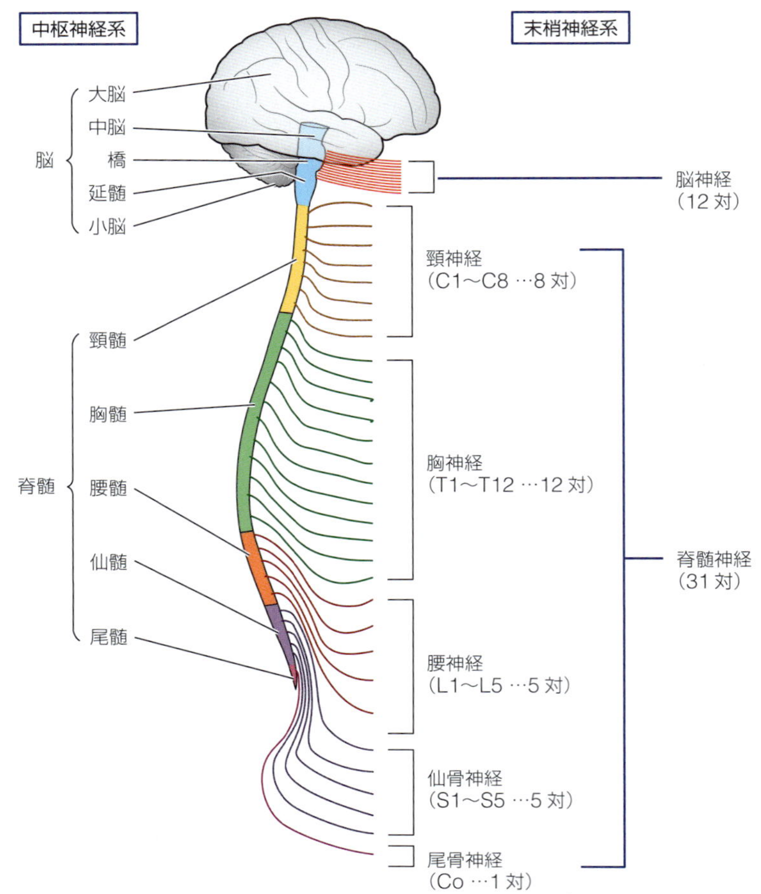

▶図 4　中枢神経と末梢神経

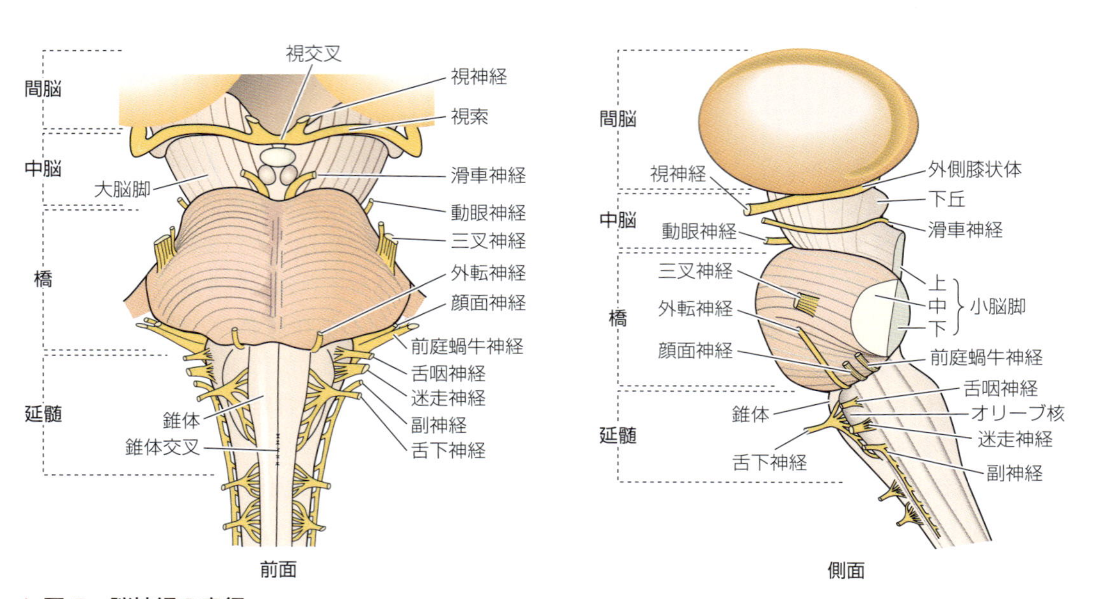

▶図 5　脳神経の走行

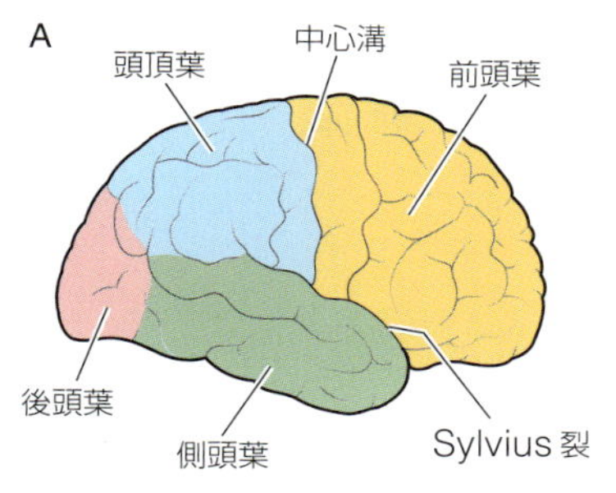

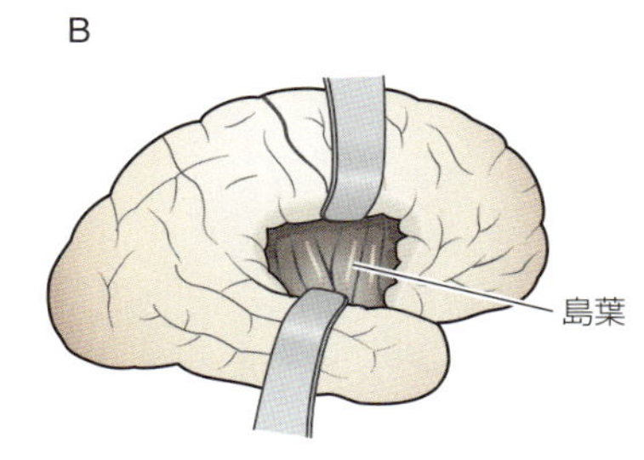

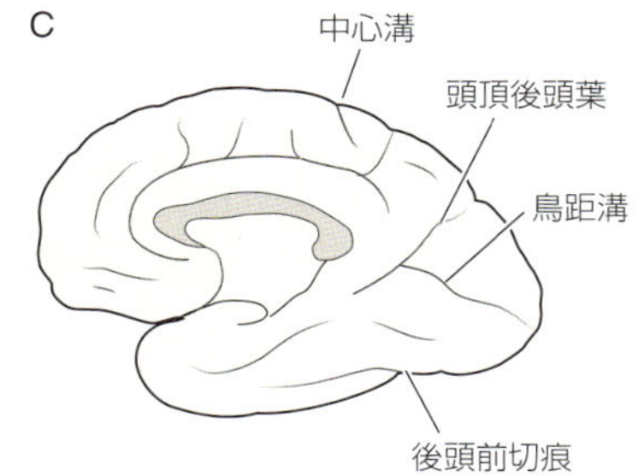

▶図 6　各葉の分類

の脚間窩から出て，後方から長く走行し眼窩内に入る．

- **第 Ⅳ 脳神経：滑車神経**

滑車神経は眼球運動にかかわり，上斜筋を支配する．

- **第 Ⅴ 脳神経：三叉神経**

三叉神経は眼神経，上顎神経，下顎神経に分かれる．顔面の温度覚，痛覚，触覚，深部知覚と咀嚼筋の運動にかかわる．

- **第 Ⅵ 脳神経：外転神経**

外転神経は眼球の外転運動にかかわる外側直筋を支配する．

- **第 Ⅶ 脳神経：顔面神経**

皮膚に付着する顔面の表情筋の運動を支配し表情をつくり，耳下腺を除く顔面の分泌腺(涙腺，顎下腺，舌下腺)からの分泌，舌前方部の味覚にかかわる．

- **第 Ⅷ 脳神経：内耳神経**

内耳の蝸牛と前庭に分布し，聴覚と平衡感覚にかかわる．音の振動を感知する蝸牛からの蝸牛神経が障害されると難聴や耳鳴りが生じる．特殊感覚の平衡感覚を伝える前庭神経の障害ではめまいや吐き気，眼球運動異常がおこる．橋・延髄移行部に存在する前庭神経核と連絡して，頭部の位置変化に連動して眼球運動が反射的に制御される(前庭動眼反射)．小脳からの情報や体性感覚情報などの情報を受け，前庭神経核より前庭脊髄路として出る遠心路は姿勢調整にかかわる．

- **第 Ⅸ 脳神経：舌咽神経**

舌と咽頭部の感覚と運動，舌根部の味覚，耳下腺の分泌にかかわる．舌咽神経と迷走神経は末梢における分布域が異なるが，その神経機能は本質的には同じである．

- **第 Ⅹ 神経：迷走神経**

迷走神経は咽頭から横行結腸までの感覚と運動，咽頭筋の運動，咽頭蓋付近の味覚にかかわる．迷走神経の一部は心臓に分布し，血圧の反射的調節では心拍数や心拍出量を減少させ，血圧を低下させる．また，咽頭筋の運動に関与し，声帯の緊張度や幅が制御されて発声がおこる．

- **第 Ⅺ 脳神経：副神経**

僧帽筋と胸鎖乳突筋の運動にかかわる．

- **第 Ⅻ 脳神経：舌下神経**

舌自体を構成する固有舌筋と外舌筋を支配する．

2 大脳の構造

a 大脳の概観

大脳は図 6A に示したように**前頭葉**，**頭頂葉**，**側頭葉**，**後頭葉**に分類される．このほか，島葉，辺縁系(葉)の各葉に分類される．前頭葉と頭頂葉は**中心溝**と呼ばれる縦に走る大きな溝で分けられる．すなわち，前頭葉の最後部は中心溝であり頭頂葉の最前部は中心溝である(▶図 6A)．前頭葉および頭頂葉と側頭葉は Sylvius(シルビウス)**裂**(外側溝とも呼ばれる)によって明瞭に区分され

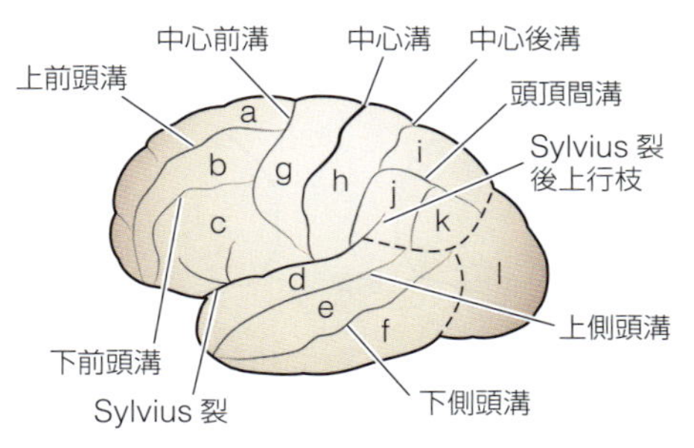

▶図7　各脳溝と脳回

る（▶図6A）．このSylvius裂に覆われるように，その深部に位置するのが**島葉**である（▶図6B）．後頭葉は外側から明確に区分できず内側の溝などから区分する．頭頂葉と後頭葉を区分する溝は頭頂後頭溝と呼ばれ，側頭葉と後頭葉を区分するのは後頭前切痕と呼ばれる．この2つとSylvius裂の最後部を参考として後頭葉をおおよそ区分することになる（▶図6C）．

大脳を外側からみると中心溝とSylvius裂がはっきり確認できるが，このような溝（脳溝）はほかにも複数存在する．前頭葉では，中心溝の前方に**中心前溝**が位置し，この2つの溝に挟まれた脳回は**中心前回**である．水平方向に走行したのちに放物線状に下行する上前頭溝と下前頭溝がある．大脳縦列と上前頭溝の間に**上前頭回**が，上前頭溝と下前頭溝の間に**中前頭回**が，下前頭溝とSylvius裂の間に**下前頭回**がそれぞれ位置する．側頭葉では前頭葉と同様に，2つの水平方向に走行する上側頭溝と下側頭溝がある．Sylvius裂と上側頭溝の間に**上側頭回**が，上側頭溝と下側頭溝の間に**中側頭回**が，下側頭溝より下方に**下側頭回**がそれぞれ位置する．頭頂葉は中心溝の後方に位置し，中心溝と中心後溝との間が**中心後回**となる．中心後溝の後方にはまず水平方向に走行する頭頂間溝があり，その上方が**上頭頂小葉**で，下方が**下頭頂小葉**である．さらに，下頭頂小葉は前方が**縁上回**，後方が**角回**となる（▶図7）．

b 各葉の水平断面像

脳の外観をみるということは通常なく，理学療法士が脳の状態を確認するのは断面像となる脳画像である．脳画像に関する情報については後述するが，臨床上目にすることの多い水平断面像で前頭葉や頭頂葉，側頭葉，後頭葉がどのようにみえるかを示す（▶図8）．水平断面をみるための基礎知識として各スライスについて解説する．

スライスには**水平断**，**矢状断**や**前額断**（冠状断）があるが，臨床では水平断を利用する頻度が高い．さまざまなラインに基づいた撮像条件（方法）があるが，臨床では**眼窩耳孔線**（orbitomeatal base line; OMライン）で撮像されることが多いため，これに基づいて解説する．水平断では足底から頭部を覗くような形で尾頭方向にみるため，脳画像の右側が左半球をみていることになる（▶図9）．同様に左側は右半球となる．通常は左上方から下位（脊髄に近い側）のスライスを提示し，右にいくにつれて上方（頭頂部に近い側）のスライスを提示するため，右下のスライスが最も高位のスライスとなる．

c 水平断面で把握する脳画像

図10〜21に各スライスの画像と図譜ならびに三次元不等方性コントラスト（3 dimensional anisotropy contrast; 3DAC）画像のカラーマップを示す．3DACは白質線維の走行によって色彩が変化し，頭尾・尾頭方向に線維が通過する部位は

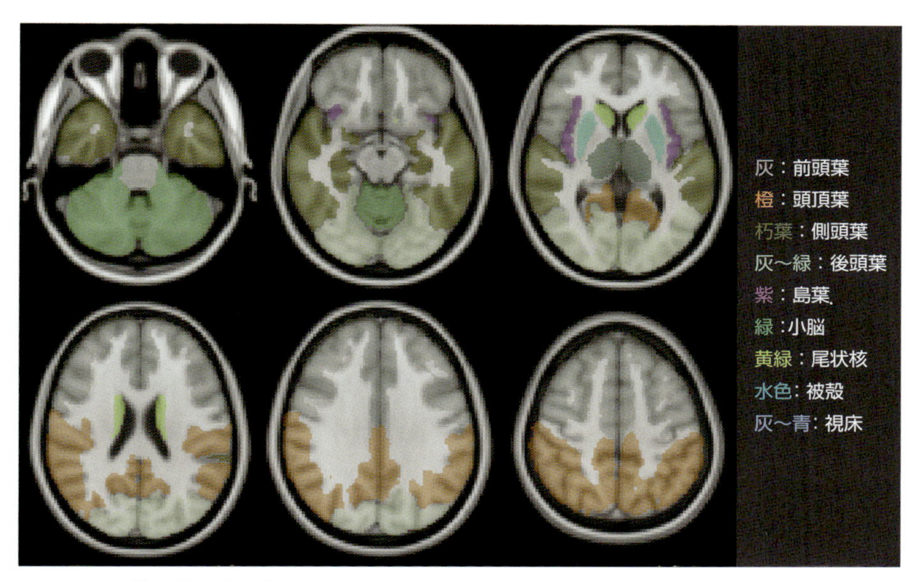

▶図 8　各葉の水平断面像

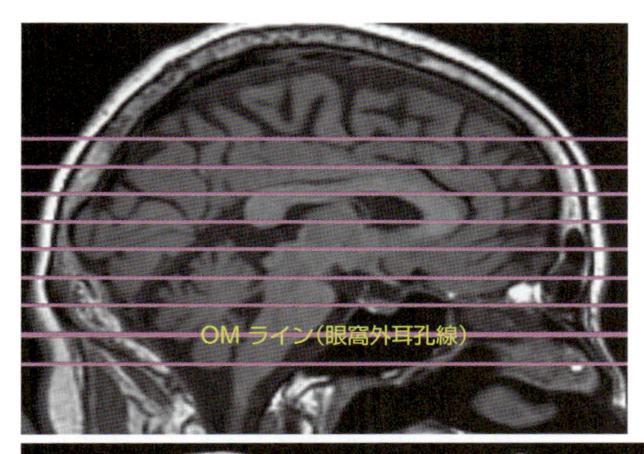

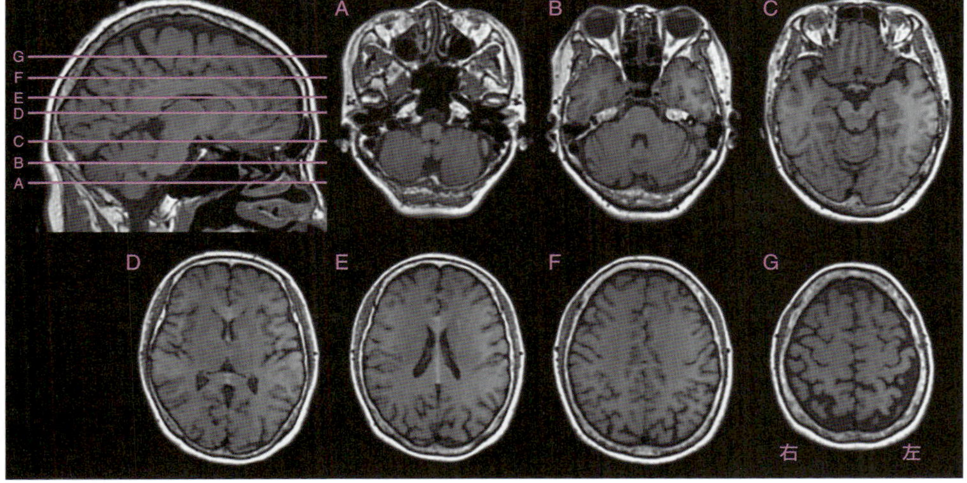

▶図 9　OM ラインと OM ラインに沿った水平断スライス

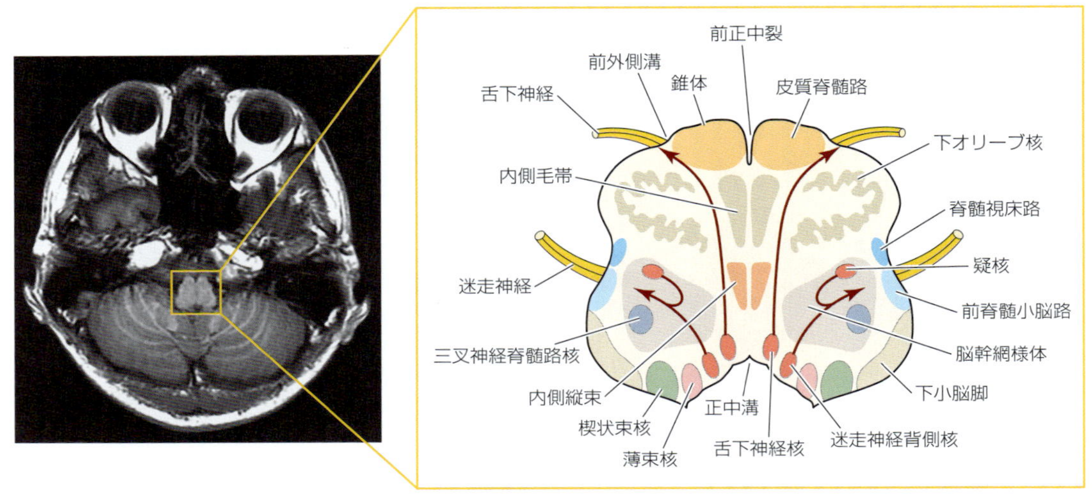

▶**図 10　延髄のスライス**
〔Kretschmann, H.J., Weinrich, W.: Klinische Neuroanatomie und Kranielle Bilddiagnostik. Georg Verlag, Stuttgart, 1982 より改変〕

青，左右・右左方向に線維が通過する部位は赤，前後・後前方向に線維が通過する部位は緑で表示される．

■延髄のスライス

図 10 は延髄のスライスと同部位の図譜[1]である．延髄の腹側部に**錐体**が位置し，その後ろの正中部には**内側毛体**が通過する．延髄の外側に**脊髄視床路**が通過し，その後方には**脊髄小脳路**(下小脳脚として小脳へ向かう)が通過する．

■橋のスライス

図 11 は橋のスライスと同部位の図譜[1]である．橋の腹側を**橋底部**と呼び，ここには皮質から下行する**橋縦束**(皮質脊髄路，皮質橋路)が通過する．皮質脊髄路はそのまま下行を続けるが，**皮質橋路**は橋底部に散在する**橋核**でシナプス接合し，その後，**橋小脳路**(横橋線維)となり，橋を横切るように走行し，やがて**中小脳脚**を通じ小脳へ連絡する．橋とその後方に位置する小脳との間には**第四脳室**と呼ばれるスペースがあり，脳脊髄液で満たされている．第四脳室の前方には**網様体**が存在し，そのやや前方に**内側毛帯**が通過し，その外側に**脊髄視床路**が通過する．内側毛帯から背側部を橋被蓋部と呼ぶ．

図 12 では，**横橋線維**が赤，**橋縦束**と**内側毛帯**が青，**中小脳脚**が緑色で表示されているのがはっきりと確認できる[2]．また，第四脳室の側方には**上小脳脚**が確認され，上小脳脚のやや前方には**下小脳脚**が確認できる．

■中脳のスライス

図 13 は中脳(下丘)のスライスと同部位の図譜[1]である．中脳の腹側には左右 2 つの隆起物があり，これを左右の**大脳脚**と呼ぶ．この大脳脚の内側を**前頭橋路**が，中央やや内側に**皮質延髄路**が，ほぼ中央に**皮質脊髄路**が，外側には**後頭・側頭・頭頂橋路**が通過している．大脳脚のすぐ後方には基底核である**黒質**が位置し，その後方に**内側毛帯路**が，内側毛帯路の外側後方に**脊髄視床路**が走行する．背側には**中脳水道**があり，その背側部分を**中脳蓋**(上丘と下丘からなる)と呼び，中脳蓋と大脳脚の間を**中脳被蓋**と呼ぶ．中脳蓋の中心部には**上小脳脚交叉**が確認できる．**上小脳脚**は小脳の歯状核から対側の視床の外腹側核に向かい，シナプス後に運動野や運動前野に投射される．この

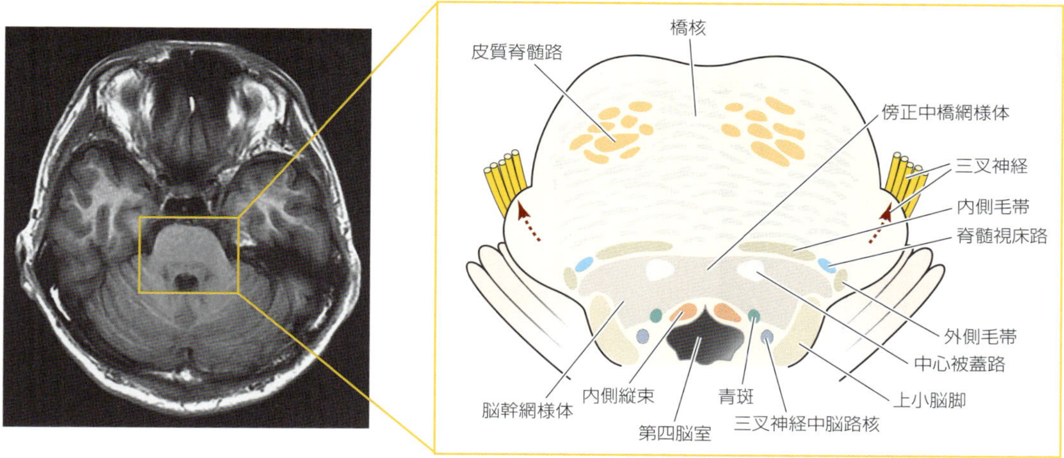

▶**図 11　橋のスライス**
〔Kretschmann, H.J., Weinrich, W.: Klinische Neuroanatomie und Kranielle Bilddiagnostik. Georg Verlag, Stuttgart, 1982 より改変〕

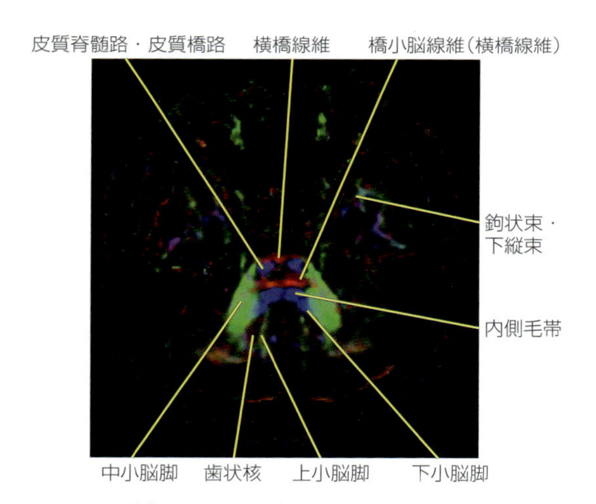

▶**図 12　橋のスライス(3DAC)**
〔阿部浩明(編)：高次脳機能障害に対する理学療法. p.7, 文光堂, 2016 より〕

間に赤核にも投射があり，この経路を**歯状核赤核視床路**(dentatorubrothalamic tract)と呼ぶ．

図 14 の中脳大脳脚は上下に走行する線維束(**前頭橋路**，**皮質延髄路**，**皮質脊髄路**，**後頭・側頭・頭頂橋路**)が通過するため青で表示され，中脳被蓋中心部の**上小脳脚交叉**が赤で表示され，左右交叉している様子が描出されている．

基底核のスライス

図 15 は基底核のスライスと概略図を MRI 上に描いたものである．“Y” の字のようにみえる前方部分は**側脳室前角**で，後方部分は**第三脳室**である．第三脳室の後外側にみえる逆三角形に似た部分が**側脳室後角**(側脳室三角)である．第三脳室の両隣に位置するのが左右の**視床**である．視床は嗅覚以外のすべての感覚性入力や線条体，小脳などからの投射があり，広く大脳へ投射するさまざまな神経核を有する．**図 15** のスライスでは外側後方に**後外側腹側核**(ventral posterolateral nucleus; VPL 核)が，その前方に**外側腹側核**(ventral lateral nucleus; VL 核)が，さらにその前方に**前腹側核**(ventral anterior nucleus; VA 核)が位置し，内側には**背内側核**(dorsomedial nucleus; DM 核)，後方に**視床枕**(pulvinar; P)が位置する[3]．視床の外側には**内包後脚**が，その外側には**レンズ核**(被殻・淡蒼球)が，その外側に**外包**，**前障**，**最外包**，**島葉**が位置する．側脳室前角の外側には**尾状核頭部**が位置し，その外側が**内包前脚**となる．内包は “く” の字に曲がり，この曲がった部分を**内包膝**と呼ぶ．

図 16 には内包の前脚が緑，後脚が青で示されている．**内包前脚**の走行をたどると前方に伸び，

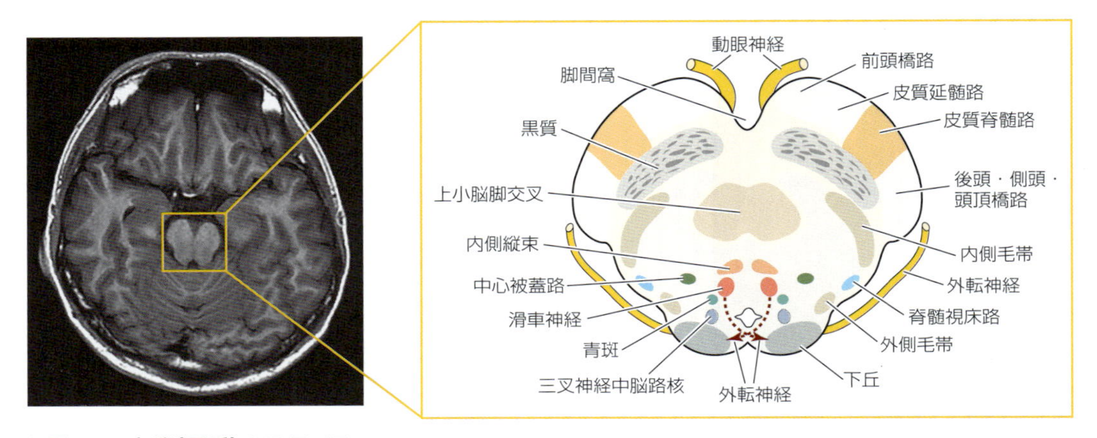

▶図 13　中脳(下丘)のスライス
〔Kretschmann, H.J., Weinrich, W.: Klinische Neuroanatomie und Kranielle Bilddiagnostik. Georg Verlag, Stuttgart, 1982 より改変〕

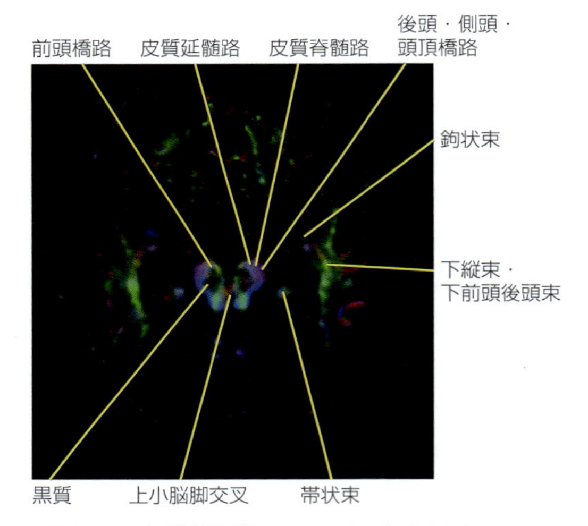

▶図 14　中脳(下丘)のスライス(3DAC)

これらの線維が主に前頭葉に投射されていることがわかる．そして視床の VA 核や DM 核へ通じる様子が観察され，これらは内包前脚を通過する線維の一部として**前視床放線**を反映していることを示している．また，この部分は前頭葉から橋・小脳へ向かって投射される**前頭橋路**を反映している．**内包後脚**は中心溝近傍に向かって視床から走行する感覚路を含む**上視床放線**や，一次運動野から下行する皮質脊髄路や皮質延髄路が走行する．

脳表面から島皮質に入り込む Sylvius 裂が外側に確認でき，その内側には島葉が確認できる(▶**図 15**)．Sylvius 裂の前方が**下前頭回**となり，その後方が**横側頭回**，そしてその後方に続く部分が**上側頭回**となる．優位半球における下前頭回は Broca(ブローカ)**野**，上側頭回の後方は Wernicke(ウェルニッケ)**野**に相当する(▶**図 15**)．

■側脳室体部のスライス

図 17 は側脳室体部のスライスである．“ハ”の字にみえるのが左右の**側脳室体部**である．その外縁に**尾状核体部**が位置し，そのすぐ側方から皮質まで広い範囲にわたり白質が占める．内包を通過し皮質に至る投射線維は**放線冠**と呼ばれ，皮質から内包まで下行する線維もまた放線冠と呼ばれる．この放線冠や，前頭葉と頭頂葉そして側頭葉を連絡する**上縦束**などの神経線維束が走行する．**図 18** 左の側脳室近傍に青で描出されているのが**上放線冠**で，放線冠は前頭葉や頭頂葉，後頭葉，側頭葉に向かって投射があるが，このスライスでは青の放線冠が前方で緑に移行し，後方でも緑に移行しており，これらが水平方向に走行して**放線冠前部**，**放線冠後部**となり，大脳皮質の近位まで到達する様子が観察できる[2]．放線冠の外側前方に緑で描出されているのが**上縦束**で，内側前方に緑で描出されているのが**上後頭前頭束**である．こ

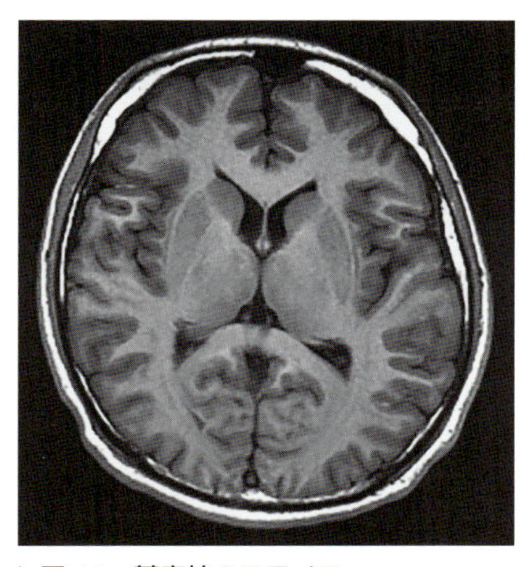

▶図 15　基底核のスライス

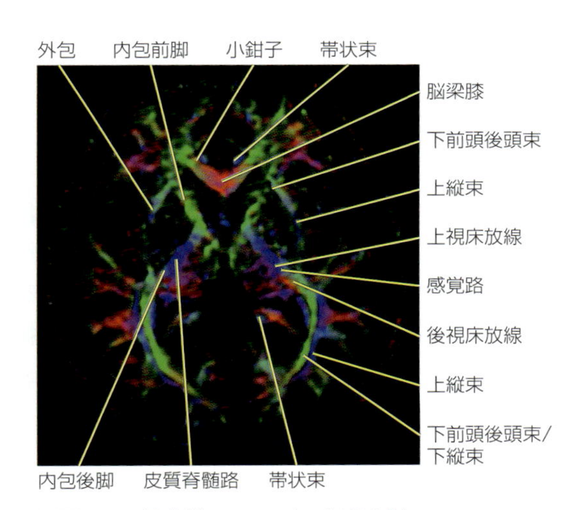

▶図 16　基底核のスライス（3DAC）

▶図 17　側脳室体部のスライス

の**図 18** 左のスライスでは脳梁の膨大部と脳梁膝のやや上方の部分が明瞭な赤で描出され，左右の半球を連絡している様子がうかがえる．**図 18** の右に主要な線維束の通過の様子とスライスとの関係を示す．

■半卵円のスライス

図 19 は半卵円のスライスである．このスライスでは脳室はすでに存在せず，表面に皮質が存在し，その深部はすべて白質である．よって大部分が白質となり，それゆえ多様な神経線維束が走行する．Sylvius 裂はすでに確認できず，中心溝の後方は**頭頂葉**となり，中心溝より前方は**前頭葉**となる．

図 20 左には放線冠が描出されている．この部分では脳梁がすでに上方に向かって走行しているため青で描出され，放線冠と区分することが難しい．**図 20**[2] の右に主要な線維束の通過の様子とスライスとの関係を示す．

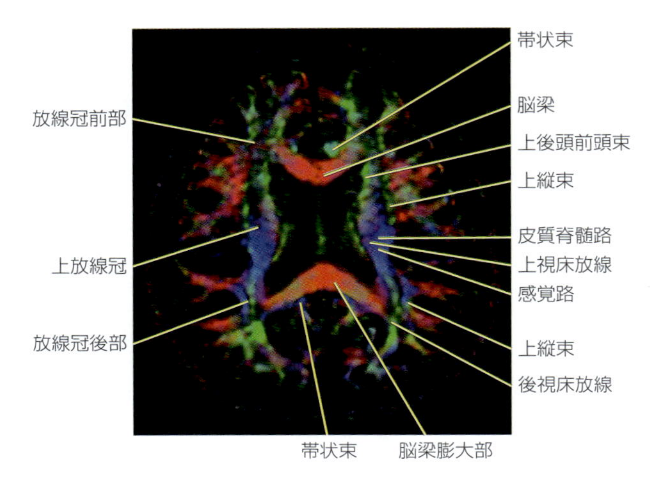

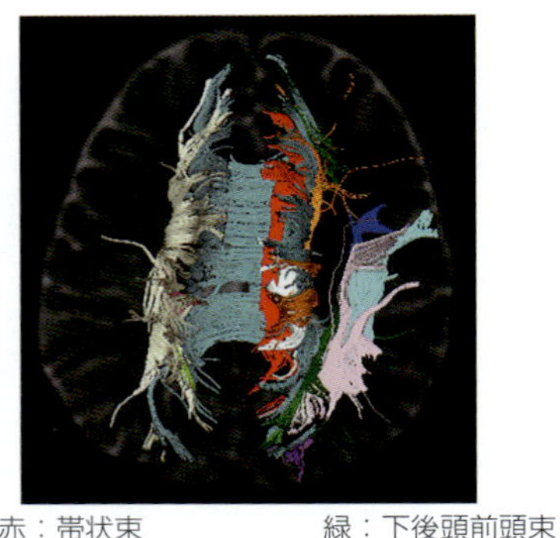

▶図 18　側脳室体部のスライスと FT(fiber tractography)にて描出した線維束
〔阿部浩明(編)：高次脳機能障害に対する理学療法. pp.10–12, 文光堂, 2016 より〕

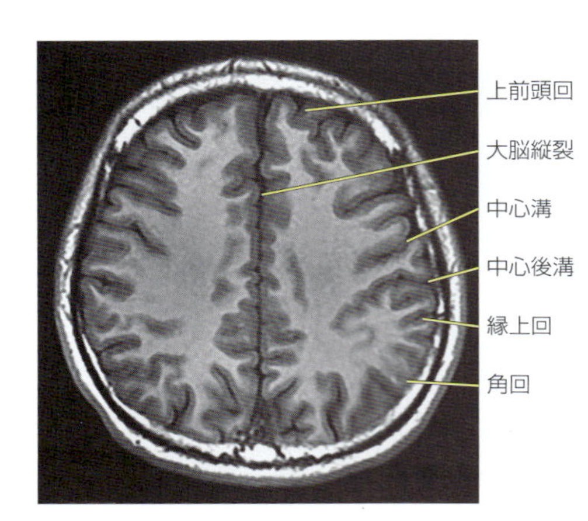

▶図 19　半卵円のスライス

■頭頂部のスライス

図 21 は頭頂部のスライス(または中心溝のスライス)である．中心溝は他の溝とは交わらず，中心溝と同じように走行する**中心前溝**と**中心後溝**はそれぞれ他の溝と交わる．すなわち，中心前溝は**上前頭溝**と，中心後溝は**頭頂間溝**と交わる．頭頂間溝の外側は**下頭頂小葉**で，内側は**上頭頂小葉**となる．中心溝には逆 “Ω” のような部分(**図 21** の＊の部分)があり，pre-central knob と呼ばれる．この部分の前方の中心前回は手の領域の一次運動野に相当する．同様に後方が**中心後回**となり，手の領域の一次体性感覚野に相当する．

3 基底核の構造と機能

基底核は**尾状核**，**淡蒼球**，**被殻**，**視床下核**，**中脳黒質**が含まれる．被殻と尾状核はもともと発生的に結合しており**線条体**と呼ばれる．被殻と淡蒼球を含めて**レンズ核**と表現される．基底核の詳細については，第 2 章 D.3 項「大脳基底核による神経ネットワーク」(➡ 49 ページ)を参照されたい．

4 間脳の構造と機能

a 間脳の概観

間脳は中脳と大脳の間に位置し，**視床**，**視床上部**，**視床下部**に大別される．視床は脳卒中の好発部位の 1 つであり，脳画像をみるうえで頻回に確認することになる領域である．視床は中継核であり，灰白質である．嗅覚以外の感覚情報はすべて視床を経由し，視床下部は自律神経系や内分泌系の最高中枢として機能する．視床は大脳皮質への中継核として機能し，多くは関連する大脳皮質に投射される．

視床の核を**視床核**と呼び，特殊核，非特殊核，特

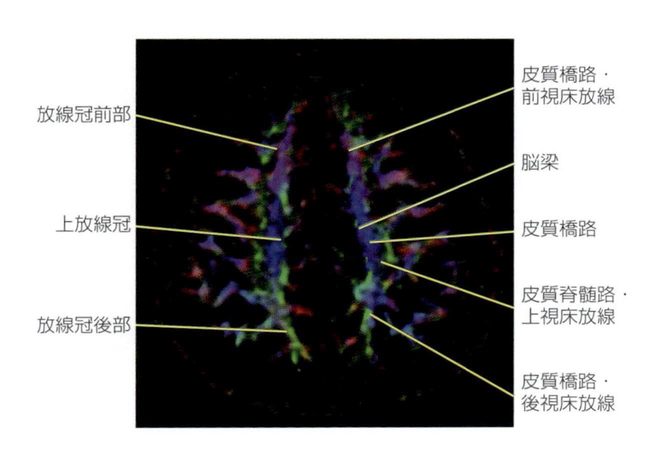

赤：帯状束　　緑：下後頭前頭束
橙：上後頭前頭束　　白黄：放線冠
白：上縦束(SLF I)　　青灰：脳梁
桃：上縦束(SLF II)　　黄緑：感覚路
水色：上縦束(SLF III)　　赤紫：皮質脊髄路

▶**図 20　半卵円のスライスと FT にて描出した線維束**
〔阿部浩明(編)：高次脳機能障害に対する理学療法. p.13, 文光堂, 2016 より〕

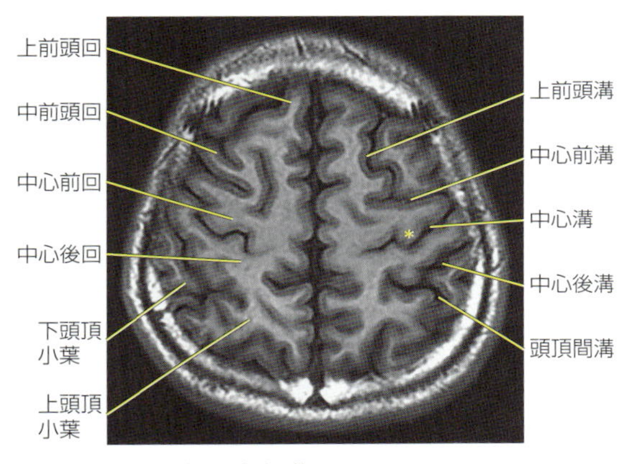

▶**図 21　頭頂部・中心溝のスライス**
* pre-central knob(逆 Ω の部分)

殊連合核に分類される．**特殊核**は大脳皮質の特定の領域と結合して投射を行う核である．**非特殊核**は大脳皮質と直接の結合がなく，覚醒系の一部として脳幹と直接結合している．**特殊連合核**はその他の核で他の神経核群や皮質下との結合はなく，主に大脳皮質と間脳核の間を広く結合している．

視床は背側視床と腹側視床からなる．背側視床は薄い白質である内側髄板および外側髄板によって区分される．コラム「視床」の図 1 (➡ 124 ページ)に示すように内側髄板が Y 字に別れてそこに**前核**が位置する．前核は大脳辺縁系，特に乳頭体から入力を受け(乳頭視床束)，帯状回に投射する．**辺縁系**が本能や情動と関連し，これを中継する．内側髄板の内側には**内側核**または**背内側核**があり，大脳辺縁系，特に扁桃体や側頭葉から情動，体性および臓性感覚に関する入力を受け，前頭前野へ投射する．その他の神経核とその投射についてはコラム「視床」(➡ 123 ページ)を参照されたい．

b 視床の水平断像

視床は基底核スライスにて明瞭に確認できる．両側の視床の間に**第三脳室**が挟み込まれるような形となっている．第三脳室のほか，側脳室の前角と後角も確認できる．このスライスでは視床の外側に内包後脚が，その外側にレンズ核が位置する(▶図 22)[4]．

5 大脳辺縁系の構造と機能

大脳辺縁系は発生学的に古い領域で，大脳の内側部にあり，脳梁を取り囲むように存在する(▶図 23)．辺縁葉(梁下野，帯状回，海馬傍回)，海馬，扁桃体，乳頭体，中隔核などがあり，これらをつなぐ脳弓や分界条などが含まれることもある．**扁桃体**は下界からの刺激に対して有益・有害，快・不快などの判断を行い，これらに応じて出現する身体的・感情的な反応である情動を引き

淡蒼球-松果体レベル

脳梁膨大レベル

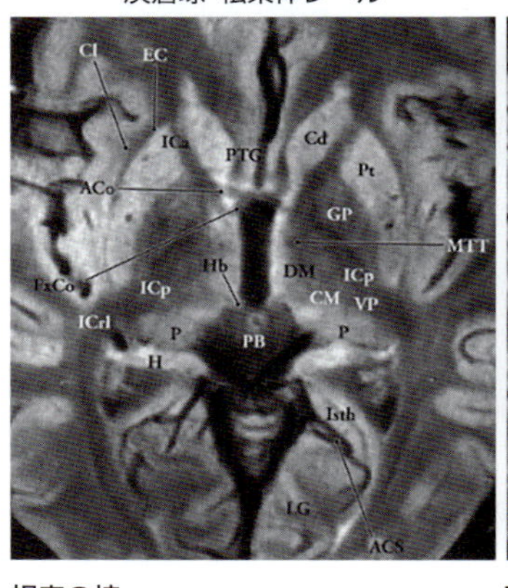

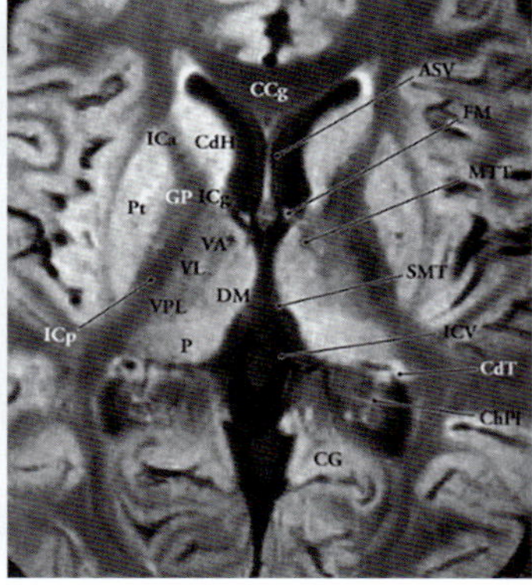

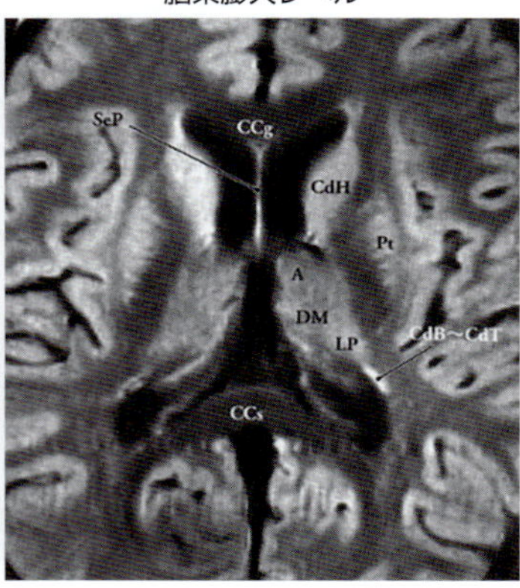

視床の核
前核群(A)
背内側核(DM)
中心内側核(CM)
後腹側核(VP)
視床枕(P)
視床乳頭路(MTT)
後外側核(LP)
前腹側核(VA)
外側腹側核(VL)
後外側腹側核(VPL)

略語
IC：内包後脚
GP：淡蒼球
Pt：被殻
FxCo：脳弓
Cd：尾状核
PB：松果体
H：海馬
Isth：帯状回峡部
ACS：鳥距溝前部
LG：舌状回
Aco：前交連
Ica：内包前脚
EC：外包
Cl：前障
CdH：尾状核頭部
CCg：脳梁膝
ICg：内包膝
FxCo：脳弓
ASV：脈絡叢
FM：Monro 孔
SMT：視床髄条
ICV：内大脳静脈
CdT：舌状回
ChPl：脈絡叢
CG：内包前脚
SeP：透明中核
CCs：脳梁膨大
CdB：尾状核体部
CdT：尾状核尾部

▶**図 22　視床の水平断**
〔高橋昭喜(編著)：脳 MRI 1. 正常解剖. 第 2 版, p.69, 学研メディカル秀潤社, 2005 より〕

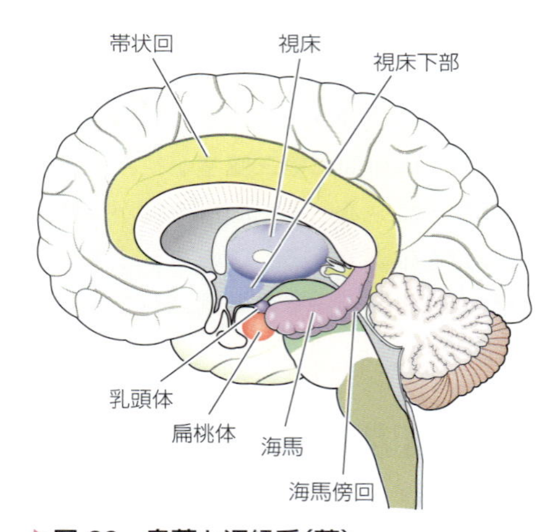

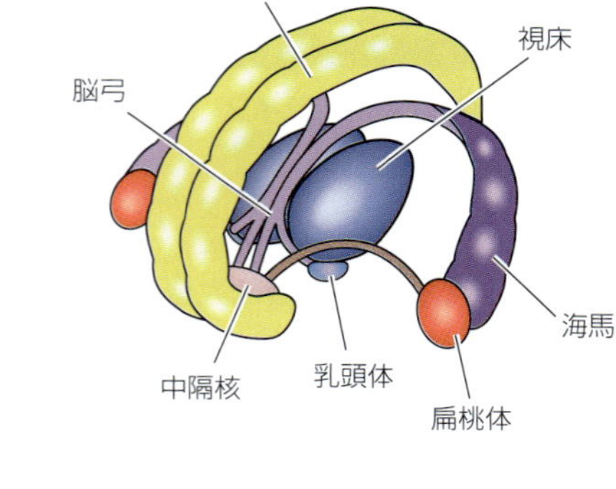

▶**図 23　島葉と辺縁系(葉)**

起こす．

海馬は記憶の形成にかかわる．海馬-脳弓-乳頭体-視床前核-帯状回-海馬傍回-海馬を結ぶ回路を**Papez(パペッツ)回路**と呼び，記憶の形成にかかわっている．大脳辺縁系の詳細については，第2章C.8項「側頭連合野および辺縁連合野の損傷による記憶障害」(➡ 45 ページ)を参照されたい．

6 小脳

a 小脳の構造

小脳は脳幹の背側に位置する．その小脳は**小脳**

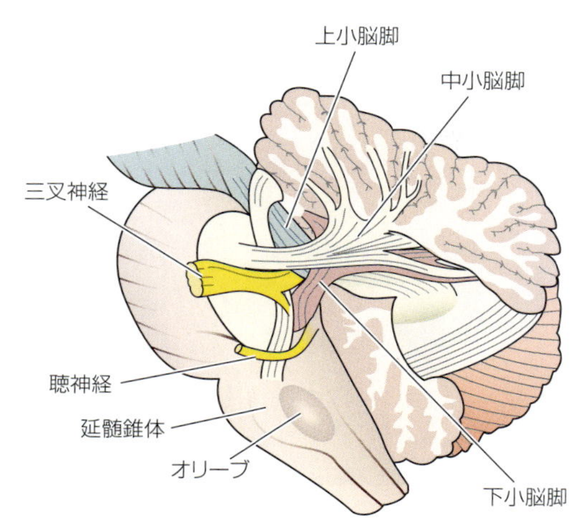

▶図 24　小脳と小脳脚

半球と**小脳虫部**に区分される．また，**前葉**，**後葉**，**片葉小節葉**に区分される．小脳は**前庭小脳**，**脊髄小脳**，**大脳小脳**に分類され，それぞれ機能的役割が異なる(▶図 24)．

b 小脳の機能

小脳は複雑で巧緻な運動を行う際の複数の正確なタイミングの調整を行い，四肢や体幹の精密で円滑な協調的運動を可能とする．また，運動学習にかかわり，練習を繰り返すことによって運動の技能が上達することに深く関与する．

前庭小脳は古小脳とも呼ばれ，片葉小節葉が該当し，前庭系との密接な連絡があり，眼球運動や頭頸部の平衡の制御にかかわる．**脊髄小脳**は旧小脳とも呼ばれ，前葉，虫部，後葉の内側部が該当し，姿勢を制御するための筋緊張の調整にかかわる．**大脳小脳**は新小脳とも呼ばれ，後葉の外側部が該当し，随意運動を調整し熟練した運動にかかわる．さらには認知機能にも関連する．

7 脳幹の構造

脳幹は上に間脳，下に脊髄が位置して両者をつなぐ構造になっており，その構造は上位から，**中脳**，**橋**，**延髄**からなる(▶図 5)．

a 中脳

一般的に脳幹とは間脳の尾側に位置する中脳と橋と延髄のことを指す．間脳と橋の間にあるのが中脳である．**図 13** に中脳の水平断面図を示す．中脳は水平断面でみた場合，ミッキーマウスのような形状となる．ミッキーマウスの耳に該当する腹側に 2 つ出る隆起を**大脳脚**という．ミッキーマウスの口の部分に該当する髄液の通り道は**中脳水道**という．この背側部は，上丘と下丘からなる**四丘体**と呼ばれる部位で，**中脳蓋**とも呼ぶ．中脳蓋と大脳脚の間の領域を**中脳被蓋**と呼ぶ．

大脳脚には皮質脊髄路，皮質延髄路，皮質橋路(前頭橋路，頭頂橋路，後頭橋路，側頭橋路)が走行する(▶図 13)．その背側に**中脳黒質**や**内側縦束**，**内側毛帯**，**脊髄視床路**などが存在する．

b 橋

図 11 に橋の水平断面図を示す．**橋**の吻側には中脳，尾側には延髄があり，その間にある．小脳と橋の間には**第四脳室**が位置している．水平断面でみたとき，橋と小脳はまさしく橋のように連絡しており，この連結部を**橋腕**とも呼び，橋腕は中小脳脚が構成する．橋の腹側を**橋底部**と呼び，第四脳室の前方の領域を**橋被蓋部**と呼ぶ．

橋底部には橋核と呼ばれる神経核がある．大脳皮質から下行する皮質橋路がここでシナプス接合して，橋核から対側の小脳に向かって投射がある．この投射路を**橋小脳路**という．中小脳脚はこの橋小脳路からなる．

橋被蓋部は第四脳室の前方に**橋網様体**が存在し，その前方に内側毛帯，脊髄視床路，中心被蓋路(赤核オリーブ路を含む)，内側縦束，顔面神経核，前庭神経核(橋と延髄の移行部に存在)などが存在する．

c 延髄

延髄は橋の尾側，脊髄の吻側に位置する．前方に 2 つ隆起する部位が**錐体**である(▶図 10)．錐

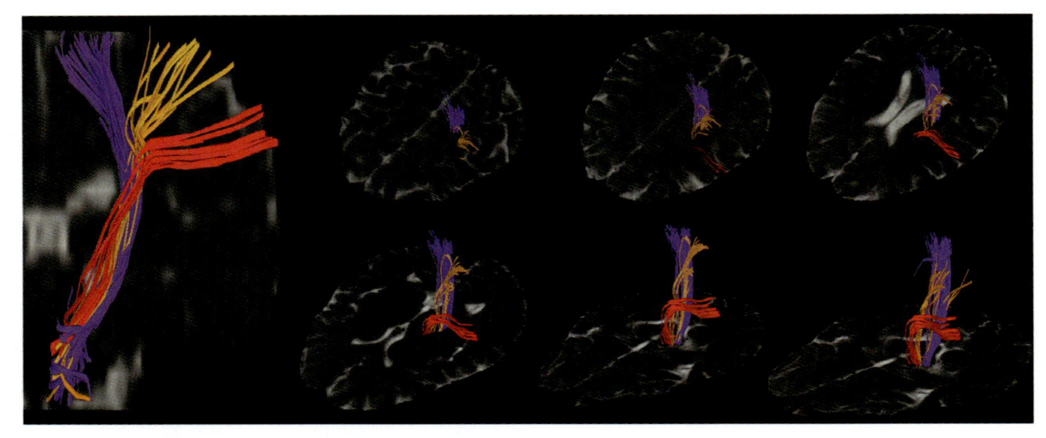

▶図 25　皮質脊髄路，皮質延髄路の走行と水平断スライス
橙・紫：皮質脊髄路，赤：皮質延髄路

体には皮質脊髄路(錐体路)が通過し，ここで約 80〜90% が**錐体交叉**して体側の**脊髄前角**まで至る．皮質脊髄路の走行する背側には内側毛帯が存在し，さらに後方に**内側縦束**が走行する．内側縦束の外側には**網様体**が位置し，そのほか，**三叉神経脊髄路核**や**疑核**，**舌下神経核**，**迷走神経背側核**が位置する．錐体の外側でかつ背側には**オリーブ核**が存在し，側方に突出したような形となる．オリーブ核の外背側には**脊髄視床路**が走行する．脊髄視床路の背側には**前脊髄小脳路**，その背側に**下小脳脚**が走行し，この経路を**後脊髄小脳路**が走行して小脳に至る．

B 神経線維束の構造と連絡──脳内の主要神経線維束

脳内には投射線維，連合線維，交連線維が存在する．**投射線維**とは頭尾・尾頭方向に走行する線維で，皮質脊髄路や皮質延髄路，感覚路などがある．**連合線維**とは同一半球内を連絡する線維のことを指し，前頭葉と頭頂葉そして側頭葉を結ぶ上縦束や，前頭葉と側頭葉を結ぶ鉤状束，後頭葉と側頭葉を結ぶ下縦束などがある．**交連線維**とは左右の半球間を結ぶ線維を指し，脳梁などがある．

1 投射線維

a 皮質脊髄路

皮質脊髄路は上下肢および体幹の随意運動を支配する経路である．この経路は一次運動野から下行し，放線冠，内包後脚，中脳大脳脚，橋底部，延髄錐体を通過し，延髄錐体にて錐体交叉し，およそ 80〜90% の線維が対側の脊髄前角細胞に至り，シナプス結合して，末梢神経を経由して各筋に到達し，手や脚そして体幹の随意運動を支配する(▶**図 25**)．なお，運動の小人〔第 3 章の図 2(➡ 54 ページ)参照〕の配列に従い，下肢の随意運動を制御するのは一次運動野の内側面で，上肢はそれより外側で，それらが神経活動することで随意運動がおこる．

b 皮質延髄路(皮質核路)

皮質脊髄路と同様に随意運動の経路で，**図 25** の顔面の運動を支配する経路が**皮質延髄路**に該当する．顔面の随意運動を担うのは顔面神経や舌咽脳神経などの脳神経であり，これらの神経は脳幹の延髄より下位に届く前に分岐するため脊髄まで到達しない．

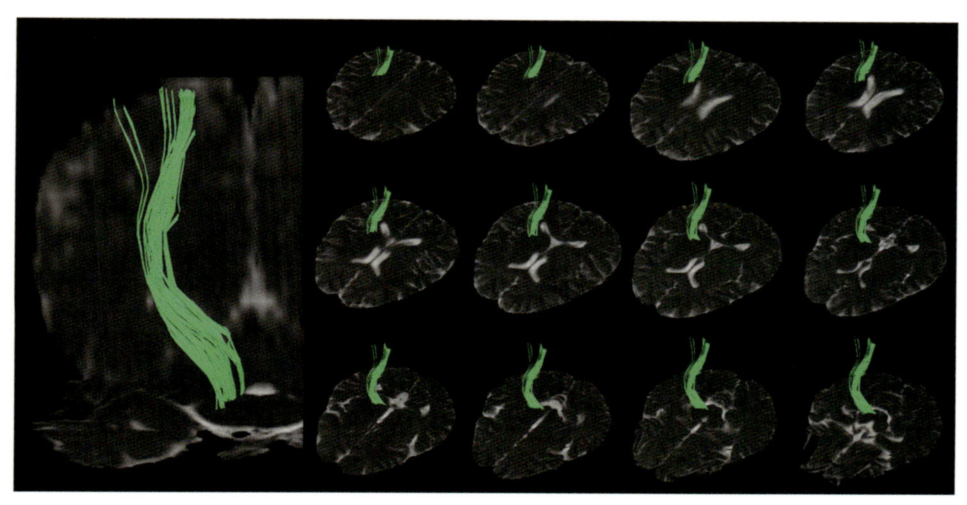

▶図 26　感覚路の走行と水平断スライス

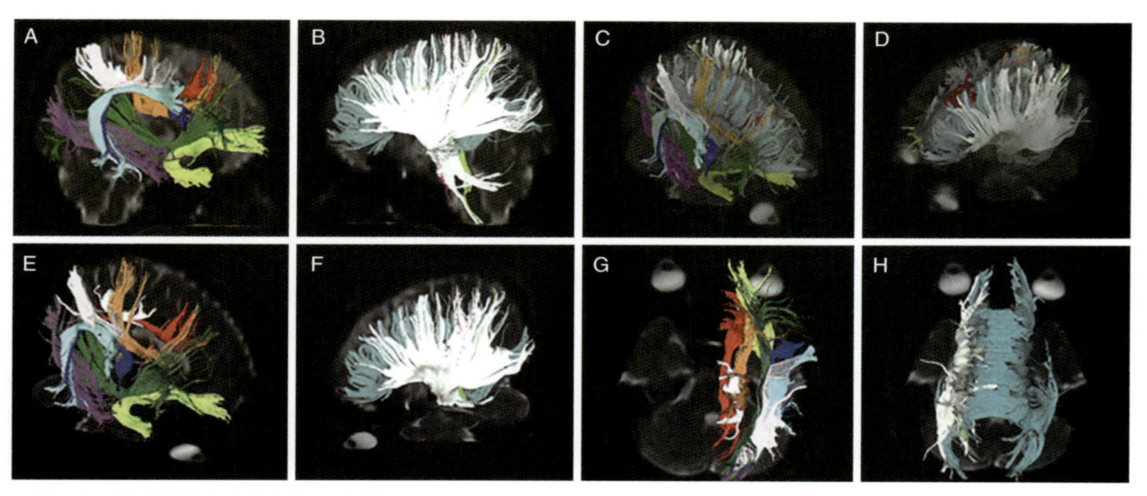

▶図 27　連合線維と交連線維の走行

A，C，E，G　赤：帯状束，橙：上前頭後頭束，白：上縦束（SLF I），桃：上縦束（SLF II），水色：上縦束（SLF III），青：弓状束，緑：下前頭後頭束，黄色：鉤状束，紫：下縦束

B，D，F，H　白黄：放線冠，青灰：脳梁，黄緑：感覚路，赤紫：皮質脊髄路

〔阿部浩明（編）：高次脳機能障害に対する理学療法．文光堂，2016 より〕

c 感覚路

脊髄から**内側毛帯（脊髄後索）路**と**脊髄視床路**が上行し，脳幹を経て，間脳である視床の後外側腹側核（顔面の感覚は後内側腹側核）に投射する．ここでシナプス接合して，内包後脚，放線冠を経て一次体性感覚野に至る．**図 26** にその経路を示した．内側毛帯路は触覚，圧覚，識別覚，位置覚そして振動覚などの感覚を伝える経路である．脊髄視床路は主として温度覚と痛覚を伝える経路である．

2 連合線維（▶図 11，13，15，17，19，27）

a 上後頭前頭束（▶図 27）

定説的な走行はなく，どこを走行するのかはっ

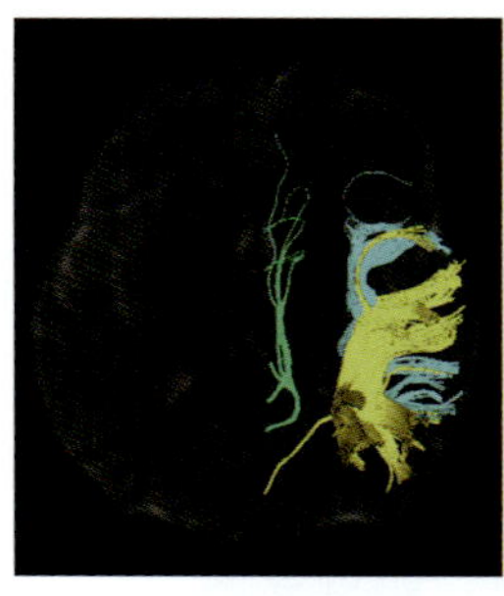

▶図 28　上縦束と矢状断・水平断スライス
緑：第Ⅰ枝(SLF Ⅰ)，黄：第Ⅱ枝(SLF Ⅱ)，水色：第Ⅲ枝(SLF Ⅲ)

きりしていないのだが，前頭葉と頭頂葉を結ぶ線維で，尾状核の周辺(上部)を通過する線維であることは確認できる．

b 上縦束(▶図 27，28)

上縦束(superior longitudinal fasciculus; SLF)は，前頭葉と頭頂葉そして側頭葉を連絡する大きな連合線維である[2]．頭頂葉の下・上頭頂小葉から前頭葉の下・中前頭回へ，側頭葉では上・中側頭回へ投射される．上縦束は第Ⅰ，Ⅱ，Ⅲ枝に分類される．最も上内側の枝が第Ⅰ枝となる．第Ⅰ枝は上頭頂小葉と補足運動野，背外側前頭前野，背側運動前野および一次運動野吻側部を結ぶ．第Ⅱ枝は第Ⅰ枝より下外側方に位置し，後部の下頭頂小葉，頭頂間溝周囲と背側運動前野および背外側前頭前野を結ぶ．第Ⅲ枝は第Ⅱ枝の下外側方に位置し，前部の下頭頂小葉から投射があり，弁蓋部皮質下を中心に下前頭前野の後方と腹側運動前野を結ぶ．第Ⅲ枝の最下方は弓状束となるが，これと上縦束とを明確に区分するのは難しい．弓状束は下前頭回の運動性言語領域と上側頭回の感覚性言語領域を結ぶ．

c 弓状束(▶図 27)

弓状束は前述の上縦束の最下端部となる．そのため，弓状束と上縦束を明瞭に区分することは難しい．下前頭回からおこり弓状に曲がって上側頭回に向かう．感覚性言語野と運動性言語野を連絡している．古くは弓状束の損傷によって伝導失語が出現すると考えられていたが，近年では弓状束の損傷度が失語の重症度と相関することが報告されており，伝導失語のみならず流暢性および非流暢性の失語の重症度とも関連する．

d 下縦束(▶図 27)

側頭葉前部からおこり，後頭葉に向かい走行する．下後頭前頭束と並走するため明確に区分することは難しい．

e 下後頭前頭束(▶図 27)

前頭葉と後頭葉を結び，外包底部でレンズ核と鉤状束の間を通る．前後に非常に長く，かつ縦に長い神経線維で，FT で描出すると前頭葉からおこり，一度，収束するように走行して鉤状束と接し，その後は頭頂葉や後頭葉に向かって再び広がるように走行する．後方では下縦束と並走するように走行する．

f 鉤状束(▶図 27)

鉤状束は前頭葉の底面と側頭極を結ぶ鉤のように曲がって走行する神経線維束である．背側と腹側の 2 つの成分に分けられ，腹側の成分は前頭葉の眼窩回と側頭極を連絡し，背側成分は中前頭回付近と側頭葉前外側部と連絡する．前頭葉と頭頂葉および後頭葉を連絡する下後頭前頭束と合流するように走行する．

g 帯状束(▶図 27)

脳梁を覆うように位置する帯状回の深部を走行し，前頭葉内側面，頭頂葉内側面そして側頭葉内側の海馬傍回の深部に至る．

3 交連線維

a 脳梁(▶図 29)

脳梁は左右半球間を結ぶ非常に大きな線維束である．脳梁の前方で“く”の字に曲がるような部

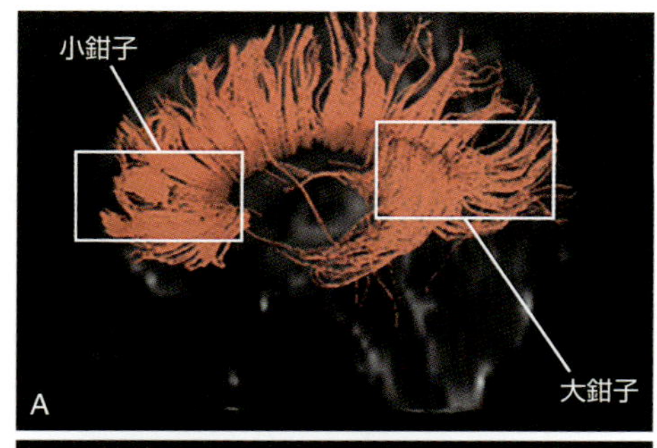

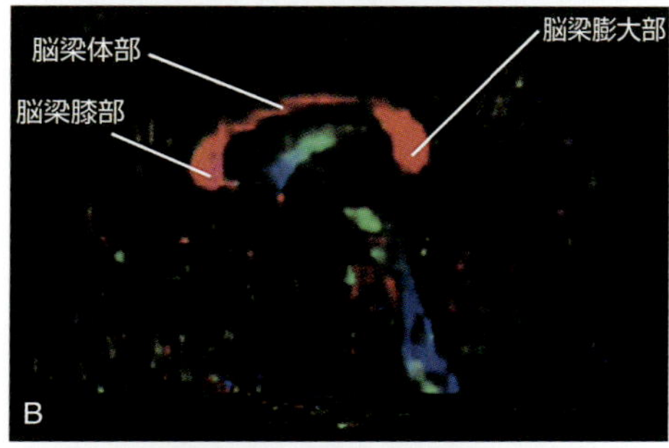

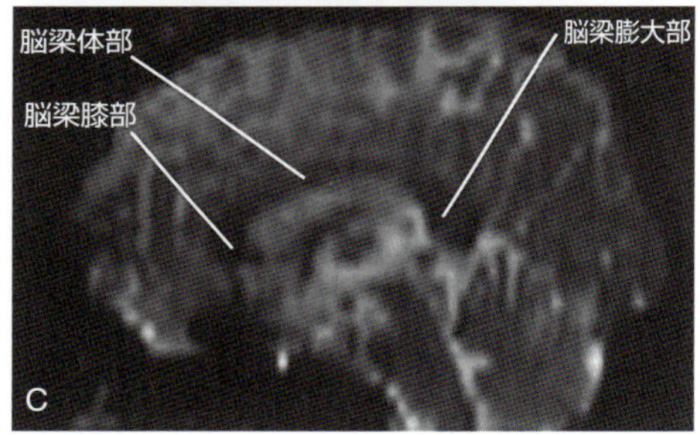

▶図 29　脳梁
A：FT，B：3DAC，C：矢状断像

分を**脳梁膝部**と呼び，後方の膨隆した部分を**脳梁膨大部**と呼ぶ．脳梁膝部と脳梁膨大部の間を**脳梁体部**と呼ぶ．脳梁膝部を通過する神経線維束は小鉗子と呼ばれ左右の前頭葉を連絡する．脳梁膨大部を通過する神経線維束は大鉗子と呼ばれ左右の後頭葉を連絡する．

4 小脳脚

a 小脳脚の概観

前述のとおり，小脳は**小脳脚**（上小脳脚，中小脳脚，下小脳脚）によって脳幹と結合している（▶図 12，24）．

■上小脳脚

上小脳脚は主に出力線維であり，小脳の神経核である歯状核から出て中脳で交差し，対側の赤核や視床の VL 核に投射する歯状核赤核視床路や室頂核から前庭神経核や脳幹網様体に連絡する鉤状束（側頭葉と前頭葉を結ぶ線維と同名だが異なる）が出る．入力線維としては前脊髄小脳路が小脳の主に前葉内側部に分布する．

■中小脳脚

中小脳脚は入力線維のみとなる．最も大きな線維束で橋腕とも呼ばれる．前頭葉・頭頂葉・側頭葉・後頭葉と大脳から広く下行し，小脳へ至る線維である皮質橋小脳路が走行する．この皮質橋路・橋小脳路は，大脳皮質から下行して橋核にてシナプス接合し，その橋核から対側の小脳半球へと投射する．その際に中小脳脚を通過する．

皮質橋路のうち，前頭葉から投射されるものを**前頭橋路**，頭頂葉から投射されるものを**頭頂橋路**，後頭葉から投射されるものを**後頭橋路**，側頭葉から投射されるものを**側頭橋路**と呼ぶ．

■下小脳脚

下小脳脚は多くは入力線維からなる．その入力線維にはオリーブ小脳路，後脊髄小脳路，前庭小脳をなどが含まれる．また，前庭神経核と片葉小節葉とを結ぶ入力線維と出力線維がある．

b 断面像でみる小脳脚

小脳脚の水平断面像を図 12 に示した．橋のスライスで中小脳脚を経て脳幹と連絡している様子が確認できる．この中小脳脚の部分が橋腕とも呼ばれる部分である．そのほか，上小脳脚と下小脳脚も存在する．

C 脳血管の走行と灌流領域

脳への血液は内頸動脈と椎骨動脈から送られ

る．脳の動脈系を前方循環系（内頸動脈の分枝）と後方循環系（椎骨および脳底動脈の分枝）と呼ぶ．

1 後方循環系

左右の**椎骨動脈**は椎骨の椎間孔を走行して上行し，橋の腹側部にて１本の**脳底動脈**となる．脳底動脈となる以前に**後下小脳動脈**を分岐して脳幹および小脳の下方部を灌流する．脳底動脈は橋の腹側面を上行してやがて左右の**後大脳動脈**を分岐する（▶図 30）[5]．その前に脳底動脈から**前下小脳動脈**，**上小脳動脈**を分岐する．これらは脳幹および小脳に血液を供給する．後大脳動脈は脳底動脈の頂上部分から左右に分岐して後方に走行し，後頭葉や中脳の大脳脚，そして穿通枝は視床に血液を供給する．

2 前方循環系

内頸動脈は総頸動脈から分岐したのち，外頸動脈の後方を走行する．内頸動脈から前大脳動脈と中大脳動脈が分岐する（▶図 31）[3]．**前大脳動脈**は大脳の内側面を主に灌流する．**中大脳動脈**は外側に走行して島葉近傍へ，そして，Sylvius 裂から弁蓋部へさらに脳の外側の表面を走行して，脳の外側面に広く血液を供給する（▶図 32，33[3]，34[4, 6]）．中大脳動脈の穿通枝動

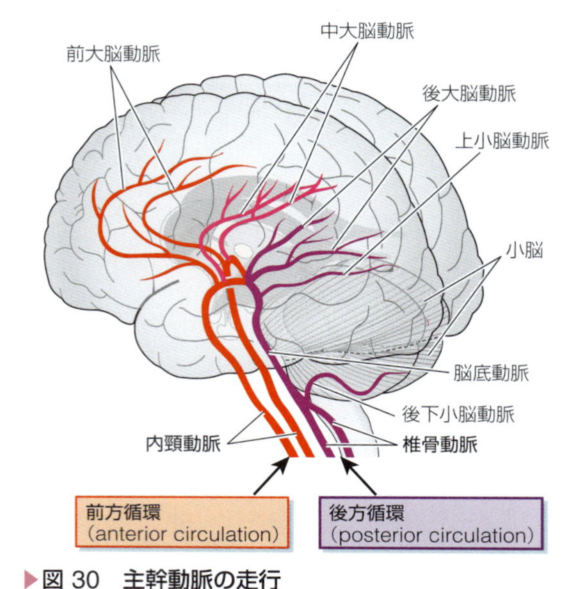

▶図 30　主幹動脈の走行
〔森 惟明ほか：PT・OT・ST のための脳画像のみかたと神経所見．第 2 版，医学書院，2010 より改変〕

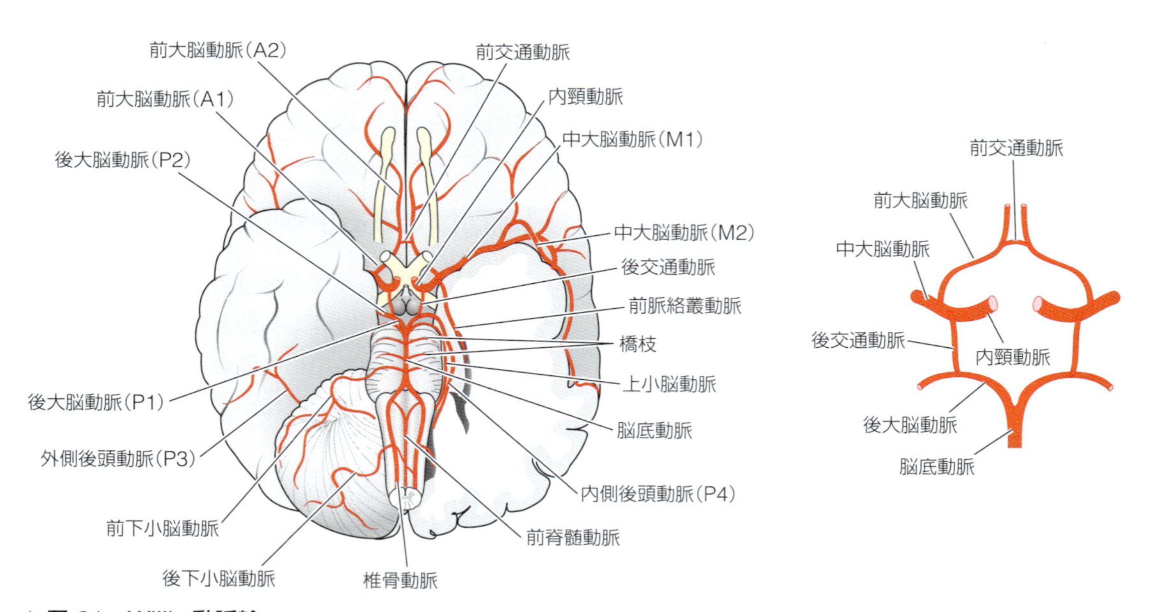

▶図 31　Willis 動脈輪
〔坂井建雄，河田光博（監訳）：プロメテウス解剖学アトラス 頭部/神経解剖．pp.246–265，医学書院，2009 より〕

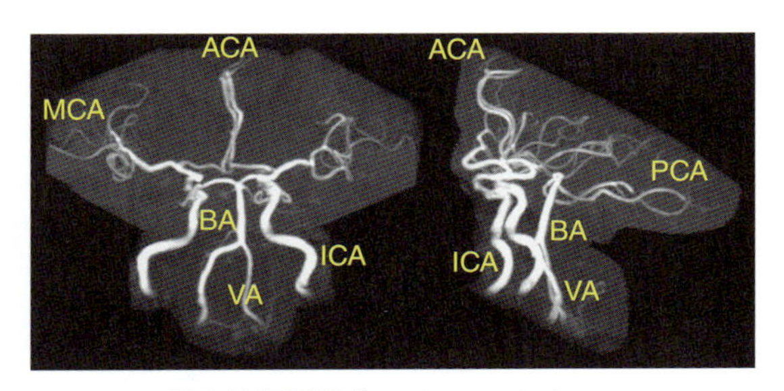

▶図 32　脳血管撮影像(angiography)
ACA：前大脳動脈，ICA：内頸動脈，MCA：中大脳動脈，PCA：後大脳動脈，VA：椎骨動脈，BA：脳底動脈

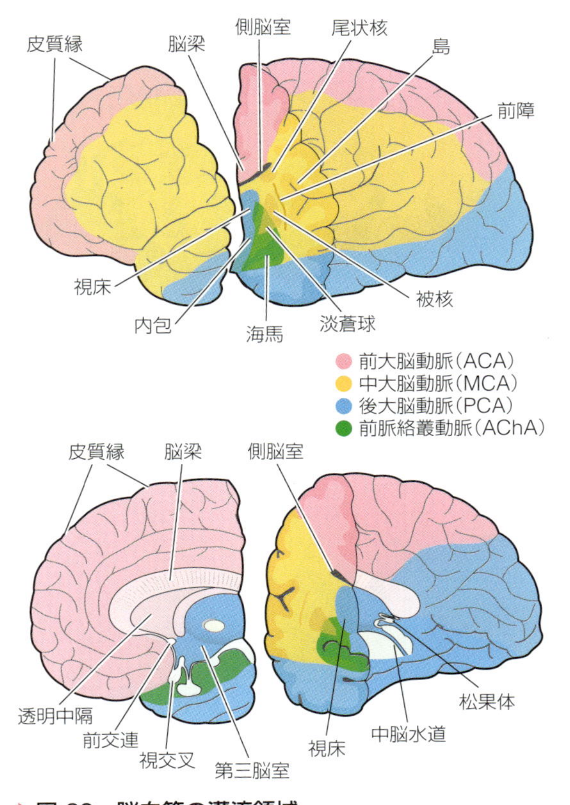

▶図 33　脳血管の灌流領域
〔坂井建雄，河田光博(監訳)：プロメテウス解剖学アトラス 頭部/神経解剖．pp.246–265，医学書院，2009 より〕

脈である外側線条体動脈(レンズ核線条体動脈)は深部を灌流し被殻や放線冠を灌流する．中大脳動脈・前大脳動脈が分岐する前に前脈絡叢動脈が内頸動脈から分岐し，内包後脚や海馬傍回を灌流する．

3 Willis 動脈輪

前交通動脈によって左右の前大脳動脈はつながり，後交通動脈によって内頸動脈と後大脳動脈がつながる．これらは Willis(ウィリス)**動脈輪**と呼ばれる(▶図 31)．この輪のような形状によって，仮にどこかの血管が閉塞しても他の血管から血液供給が可能となる．

D 脳画像の基礎知識

1 脳卒中の診断に用いられる各種脳画像

a 脳構造画像

■ CT

CT(computed tomography)は，非侵襲的に頭蓋内の構造を可視化した検査手法で，これにより，**脳出血**(▶図 35 A)，**くも膜下出血**(▶図 35 B)，**脳梗塞**(▶図 35 C)の診断が明瞭になった．脳卒中が疑われる場合，出血性病変か虚血性病変かを判断するために MRI よりも格段に撮像時間が短い CT を撮像して出血性病変の有無を確認することが一般的な流れとなる．なお，虚血性病変の場合には，後述する MRI の拡散強調画像のほうが，より早期から的確に病変を描出できる．そのため，脳卒中が疑われ，CT の撮像で出血性病変が確認されない場合には，MRI 撮像がなされることになる．

(1)　CT 値

CT 画像に現れる明暗は，病変や組織の X 線吸収係数を反映したものである[7]．胸部の単純 X 線撮像と同様に肋骨は白くみえ，空気をたくさん含む肺は黒く映し出される．CT でも吸収係数が大きい骨などの構造物は白く，脳脊髄液などの吸収係数の小さいものは黒く表現される．これを量的に表すのが **CT 値**である．

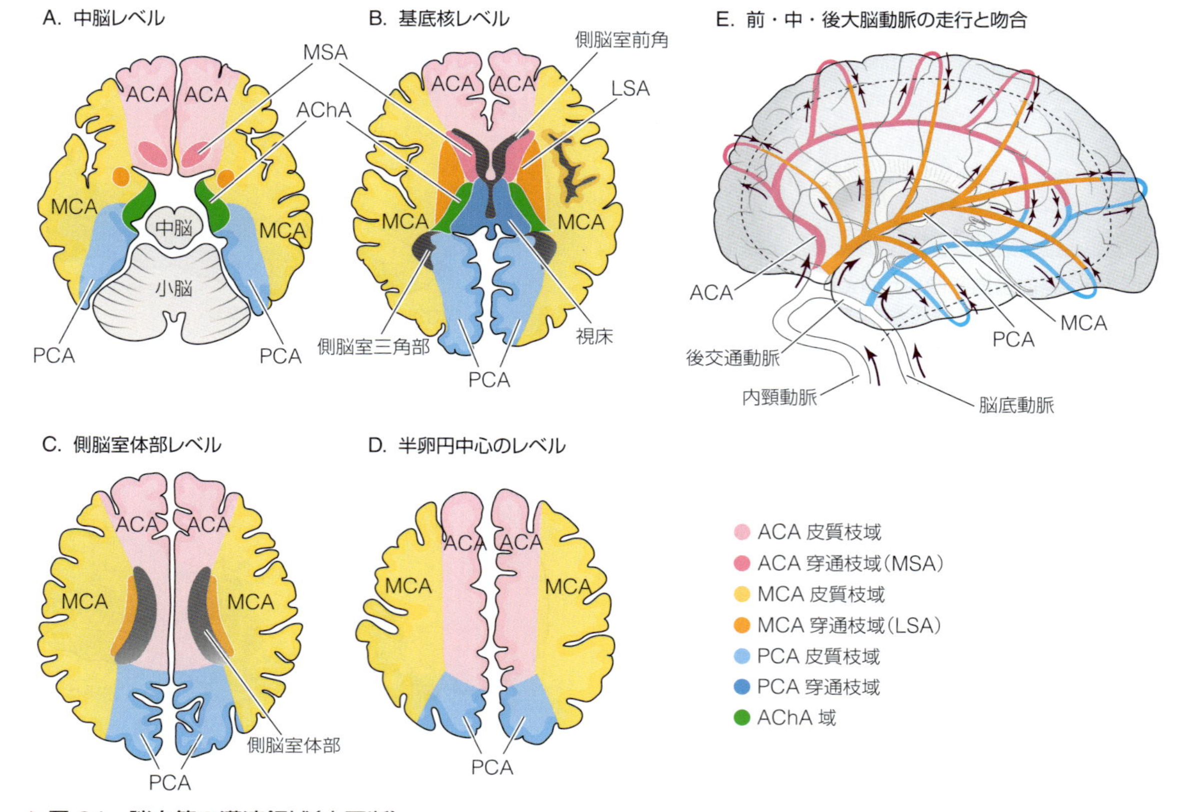

▶図 34 脳血管の灌流領域(水平断)

MCA：中大脳動脈，ACA：前大脳動脈，PCA：後大脳動脈，AChA：前脈絡叢動脈，MSA：内側線条体動脈，LSA：外側線条体動脈(レンズ核線条体動脈)

〔A～D. 高橋昭喜(編著)：脳 MRI 1. 正常解剖. 第2版, 学研メディカル秀潤社, 2005 より改変〕

〔E. Zülch, K.J.: Cerebral Circulation and Stroke. p.116, Springer-Verlag, Berlin, 1971 より改変〕

(2) 低吸収と高吸収

CT 診断では病変の CT 値が正常組織の CT 値に比較して高いか低いかを判断し，病変が正常組織より白い場合には**高吸収**(hyperdense, high density)，低い場合には**低吸収**(hypodense, low density)という．そして，同じなら**等吸収**(isodense, iso density)と呼ばれる．

一般に，明瞭な高吸収を示す病変は，石灰化病変，および急性期の血腫(出血性病変)(▶**図 35 A, B**)である．急性期の血腫の CT 値が高いのは凝血塊の密度が高いことによる．それ以外の病変は，大部分が正常組織に比較して低吸収となる．

■ MRI

基本的に，CT では水平断面の一方向のみで病変の評価をすることがほとんどであり，また，義歯などによるアーチファクトが生じやすい後頭蓋窩や脳幹などの微細構造内の病変を検出することが困難な場合がある[8]．

このような短所を MRI(magnetic resonance imaging)は補い，CT 以上の情報を提供してくれる．MRI の水平断(axial plane)，矢状断(sagittal plane)，前額面状の断面である冠状断(coronal plane)を**図 35 D～F** に示した．

(1) 信号強度

MRI 画像の濃淡は，組織から出る電磁波の強度，すなわち信号強度を表しており，信号強度

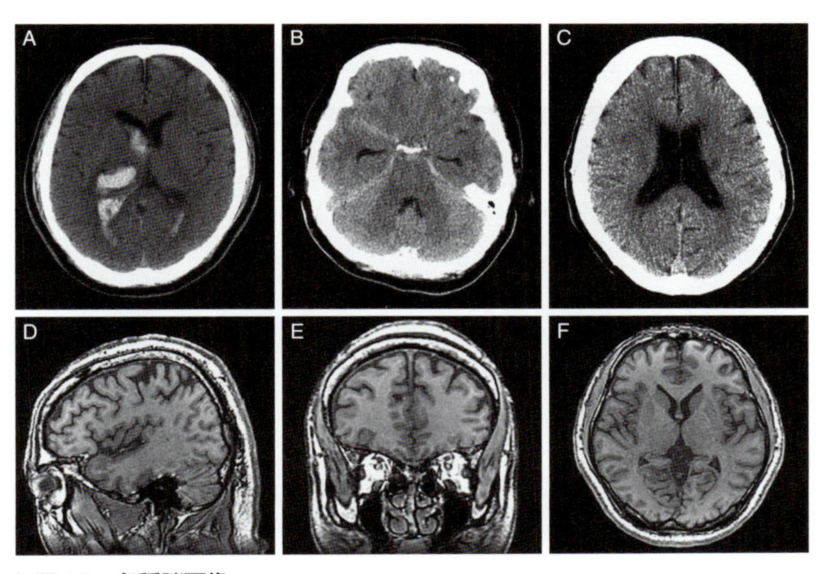

▶図 35　各種脳画像
A：右視床出血例の CT 画像，B：くも膜下出血例の CT 画像，C：左放線冠梗塞例の CT 画像，D：MRI 矢状断像，E：MRI 冠状断像，F：MRI 軸位(水平)断像

が大きいほど白く表示されている．CT と同様に注目する病変の信号強度と周囲の正常組織の信号強度を比較し，より白ければ**高信号**(hyperintense, high intensity)，より黒ければ**低信号**(hypointense, low intensity)，同程度なら**等信号**(isointense, iso intensity)と表現する．

(2) MRI 撮像条件と画像所見

MRI は撮像条件が種々に設定できるが，目的に応じて使い分けられている．

◉ T1 強調画像(T1 weighted image; T1WI)

脳実質を等信号，髄液を低信号[8]で示す(▶**図 36**)．解剖学的構造の同定がしやすく脳表の変化をとらえやすいことから，脳萎縮の程度を観察するのに適しているが，急性期の脳梗塞や炎症性・脱髄性病変は区別しにくいため，病変の描出には向いていない．脳梗塞の慢性期には低信号を呈すため同定可能である．脳出血の場合には亜急性期に高信号となる[8]．

◉ T2 強調画像(T2 weighted image; T2WI)

脳実質を低〜等信号(黒色ないし灰色系)，髄液を高信号(白色)[8]で示す(▶**図 36**)．白黒のコントラストがはっきりしているため，脳実質内の病変の検出に適している．たとえば，脳梗塞は急性期から高信号病変で示され，慢性期でも(程度の差はあるが)基本的には高信号のままで観察される．

脳表面上の病巣，脳表に接するように存在する病巣については，隣接する髄液が高信号となるため非常にわかりづらくなり，同定が困難となる場合が多い．

◉ FLAIR(水抑制画像)
(fluid attenuated inversion recovery image)

FLAIR は先に示した T2 強調画像を改良したものであり，脳脊髄液を低信号で描出する．解剖学的な構造を T1WI と同程度の精度で示し，かつ病変を T2WI と同程度の明瞭度で示すという方法[8]である(▶**図 36**)．脳表面における病変の検出において非常に有用である．

急性期から亜急性期における病変は高信号(白色系)で，慢性期の病巣は低信号(黒色系)で描出される[8]．

◉ T2* 強調画像
(T2 star weighted image; T2* WI)

出血性病変の場合，出血した血液中のヘモグロ

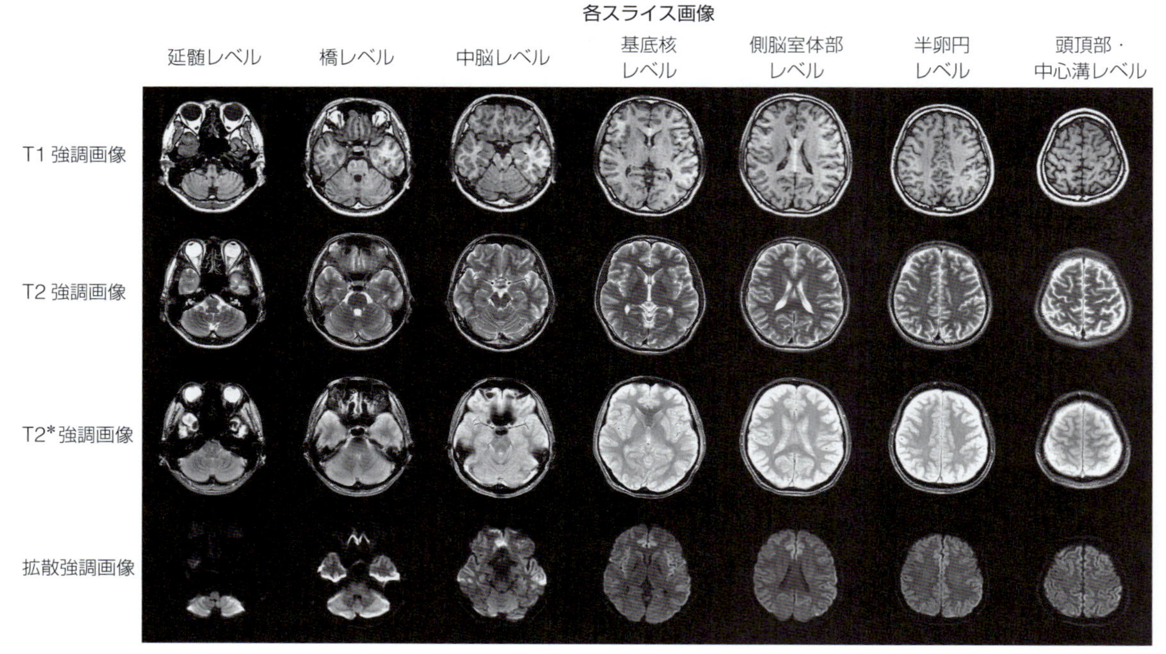

▶図 36　各種 MRI

ビンは経時的にオキシヘモグロビン→デオキシヘモグロビン→メトヘモグロビン→ヘモジデリンへと変化するが，T2*WI は微量のヘモジデリンの沈着の検出に優れている[9]（▶図 36）．陳旧性の微小出血性病変を低信号としてとらえることができる．

T2WI では確認されない無症候性の陳旧性の微小出血病変が T2*WI にて低信号として確認される様子を図 37 に示す．

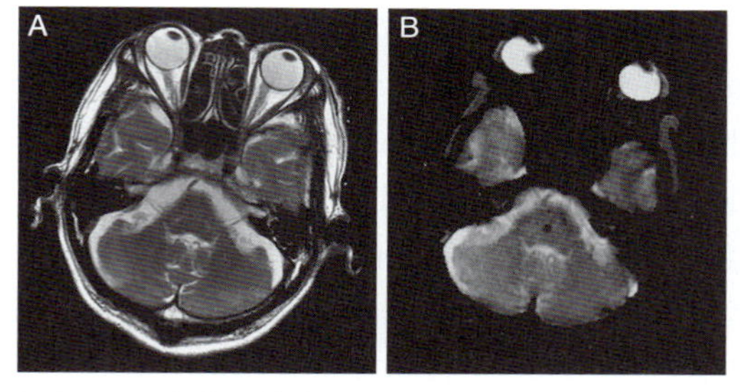

▶図 37　高血圧性右視床出血例の T2WI(A)と T2*WI(B)

T2*WI では橋に散在する無症候性の陳旧性微小出血が低信号として確認される．

◉拡散強調画像

(diffusion weighted image; DWI)

細胞内における水素分子のブラウン運動を三次元的にとらえ，これが減衰している部位を病変として表現する方法である[8]（▶図 36）．

脳虚血の初期には，細胞膜の透過性が亢進し，細胞外から細胞内へ水が流入して細胞性浮腫を生じるが，DWI ではこれをとらえることができる[9]．超急性期の病変（発症 1～2 時間後から描出可能とされる）を描出することが可能である．図 38 に超急性期の DWI と T2WI を示す．

◉拡散テンソル画像

(diffusion tensor image; DTI)

DTI は水分子拡散をとらえる DWI を応用したもので，6 軸以上の多軸撮像を行い，テンソルモデルを応用して拡散の等方性・異等方性（fractional anisotropy; FA）を求める．FA を参考として神経線維の連絡性を評価でき，これを応用した FT が描出可能である．図 39 A は主要な連合線維を FT で描出したものである[2]．FT は理学療法士が

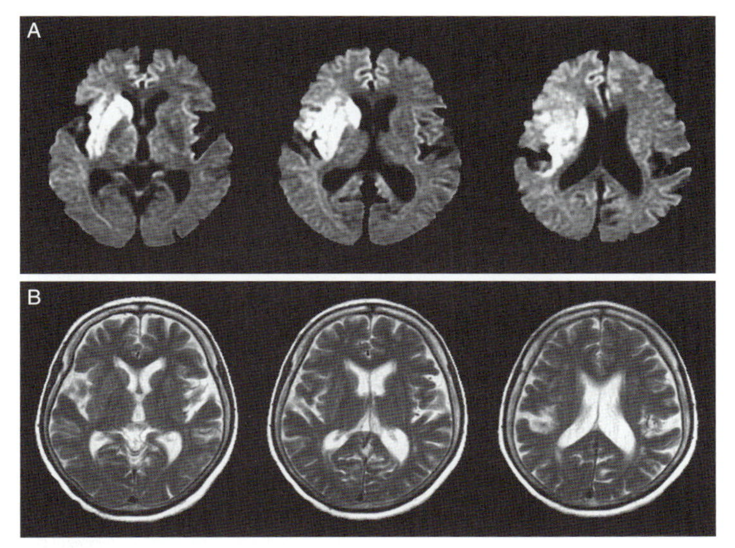

▶図 38　超急性期の虚血性病変における DWI(A)と T2WI(B)との差異

超急性期の虚血性病変に対して DWI は鋭敏であり，病変を高信号で描出する．

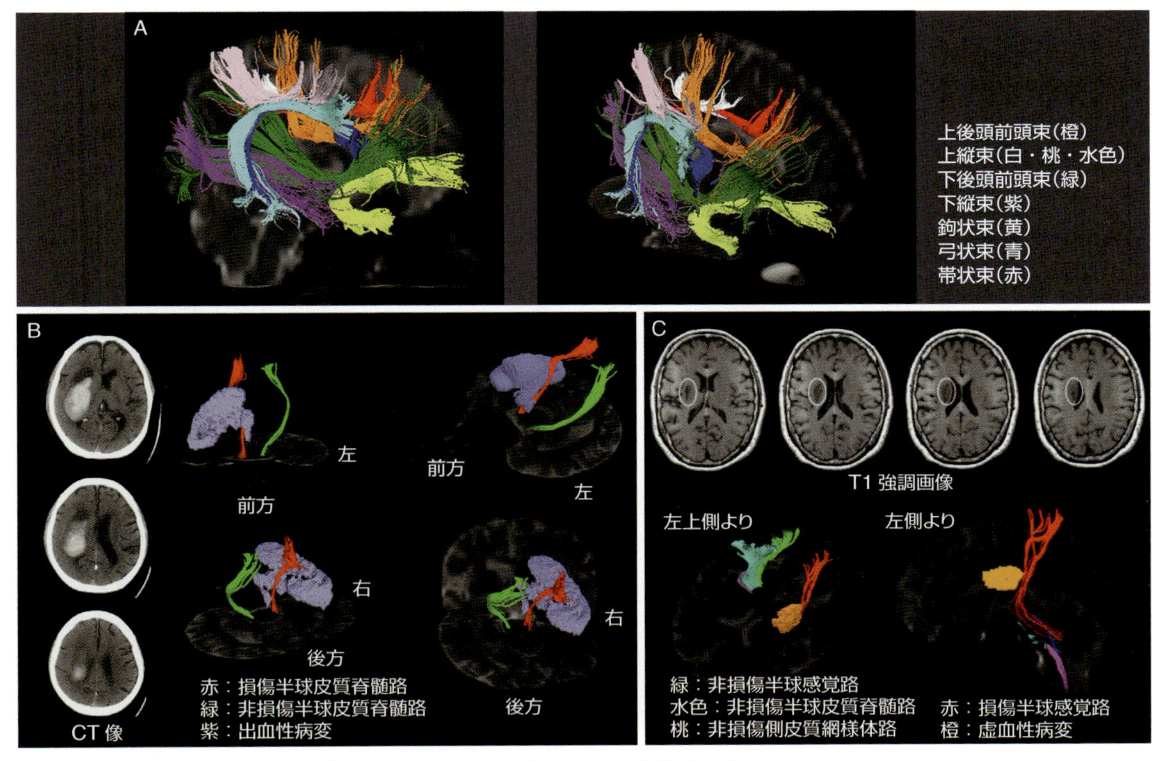

▶図 39　拡散テンソル画像を応用した FT にて描出した神経線維と臨床応用

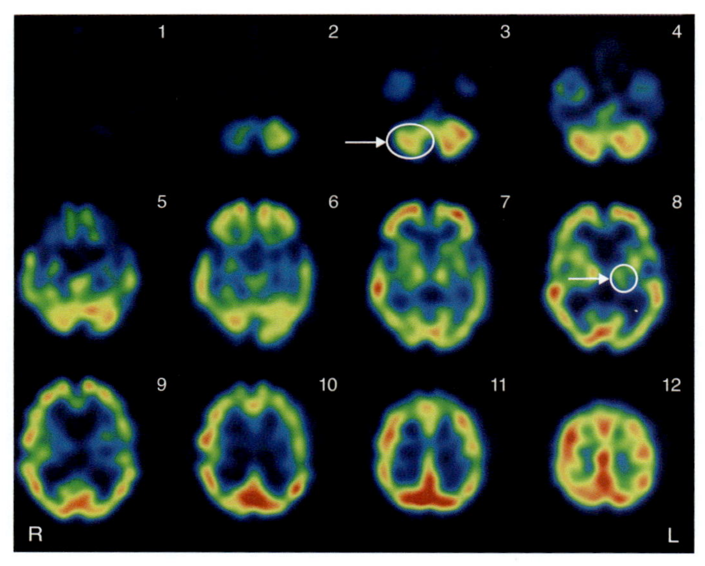

▶**図 40　左視床出血例の SPECT 画像**
左視床出血後に右上下肢の運動失調が出現した．左視床と密な線維連絡のある右の小脳に脳血流の低下（crossed cerebellar diaschisis）がみられる（矢印）．
〔阿部浩明ほか：理学療法領域における神経画像情報の活用．PT ジャーナル，42(12):1043–1051, 2008 より〕

把握すべき各種神経経路と病巣との関係性を明瞭に映し出せるため，治療方針の決定や予後予測に際して有益である[10)]．

図 39 B[10)] は，下肢運動麻痺の予後予測のために撮像された DTI で皮質脊髄路の FT が病巣を避けるように明瞭に皮質まで描出されている様子が確認できる．本症例は早期に下肢運動麻痺が回復した症例で，発症時には下肢随意運動がきわめて困難な状態であったが，4 週後には運動麻痺は劇的に改善し，装具や杖を使用せずに歩行が可能となった．

図 39 C[10)] は，脳梗塞例で右の片麻痺を呈した症例である．FT 所見は損傷半球の皮質脊髄路と皮質網様体路はまったく描出できなかった．この所見は重度の右片麻痺の所見と合致した．一方で，感覚経路は明瞭に描出されており，その所見どおり感覚障害は出現しなかった．

b 脳機能画像

脳の構造を描出することを目的とした画像とは異なり，脳の機能を脳血流などの指標を用いて把握するための画像には，以下のものがある．

■ SPECT（single photon emission computed tomography）

造影剤を用いて脳血流の状態を評価でき，バイパス術の適応や経皮的内頸動脈内膜剝離術の適応などを判断することに用いられる[8)]．図 40 に視床出血後に片側上下肢の運動失調が出現した小脳の交叉性のディアシーシス（diaschisis）を呈した症例[11)] の SPECT 画像を示す．

■ PET（positron emission computed tomography）

放射性物質を体内に注入して脳血流量を反映する指標が評価でき，定量性に最も優れているとされる．

2 脳画像における脳卒中病変の経時的な変化

脳卒中後の病変は経時的な変化により，所見が

▶表 1　脳梗塞の一般的経過と画像所見

		脳循環代謝	画像	
			CT	MRI
超急性期	6 時間以内	血流低下を代謝で代償しようとする →通常の代謝率 40～90% まで亢進(misery perfusion)	栓塞性梗塞で early CT sign を認める	3 時間以内でも DWI で高信号
	6～24 時間		明らかな低吸収域，脳浮腫進行	T2 強調，FLAIR で高信号
急性期	3 日前後	血管の再開通に伴い多くの場合は，脳血流は回復に向かうが，すでに不可逆的な障害が生じて代謝が行えなくなった組織には，過剰な血流量が供給される(luxury perfusion)出血性梗塞をおこしやすい	最もよく梗塞巣が描出， 脳浮腫のピーク	T1 強調で低信号
亜急性期	1～3 週		白質を中心に梗塞巣がぼける(fogging effect)	DWI は 2 週間で正常組織と同程度になる
慢性期	1～2 か月以上	梗塞は完成し，残存組織に見合う血流が供給されるようになる(matched low perfusion)	梗塞巣は境界鮮明な低吸収域として描写 梗塞周囲の脳溝開大と脳室拡大(脳萎縮)	

〔寺尾詩子ほか：脳血管障害. 聖マリアンナ医科大学病院リハビリテーション部理学療法科(編)：理学療法リスク管理マニュアル. 第 3 版, p.13, 三輪書店, 2011 より〕

▶表 2　高血圧性脳出血の一般的経過と画像所見

		脳循環代謝	画像		
			CT	MRI	
				T1 強調	T2 強調
超急性期	6 時間以内	血腫の完成	直後より血腫が高吸収域として出現	血腫は等信号 (～軽度の低信号)	血腫は等信号 (～軽度の高信号)
	6～24 時間	血腫の周囲に脳浮腫の出現			
急性期	1～2 日	脳浮腫の出現	血腫を取り囲むように低吸収域出現	血腫と周囲の浮腫が軽度の低信号	血腫が低信号 周囲の浮腫が高信号
亜急性期	1～2 週	脳浮腫の極期 血腫の吸収	高吸収域の縮小 境界域不鮮明	血腫が高信号	血腫が高信号
	2～4 週	脳浮腫が縮小し，消失していく	血腫を示す高吸収域が縮小・減退 mass effect, midline shift は軽減	mass effect，midline shift は軽減	
慢性期	1～2 か月以上	完全に血腫が吸収されて，髄液が貯留する	高吸収域が消失し低吸収域となる	高信号が血腫外縁部より縮小し，低信号となる	● 高信号が縮小 ● 血腫を縁どるように低信号がリング状に出現 ● 完全に吸収されると高信号となる

〔寺尾詩子ほか：脳血管障害. 聖マリアンナ医科大学病院リハビリテーション部理学療法科(編)：理学療法リスク管理マニュアル. 第 3 版, p.33, 三輪書店, 2011 より〕

変化する(▶**表 1～3, 図 41**)[12, 13]．つまり，急性期では CT にて高吸収域でとらえることのできた出血性病変が，回復期の理学療法が開始される時期においては低吸収域の病変として確認されることもある．そのような画像所見の経時的変化を理解することで，画像情報をより的確に入手できるようになる．

脳出血では発症直後から CT にて明瞭な高吸収域が確認され，MRI の T1WI では等信号～やや低信号，T2WI では等信号～やや高信号となり，

▶表 3　脳内血腫の MRI 所見の継時的変化

	発症後の時間	血腫の主成分	T1WI	T2WI	T2*WI	DWI
超急性期	数時間以内	オキシヘモグロビン	等信号	等〜やや低信号	等信号	高信号
急性期	数時間〜数日	デオキシヘモグロビン	等〜やや低信号	低信号	低信号	低信号
亜急性期早期	数日	メトヘモグロビン	高信号	等〜やや低信号	低信号	低信号
亜急性期後期	数日〜数週間	細胞外メトヘモグロビン	高信号	高信号	低〜等信号	高信号
慢性期	2 か月以降	ヘモジデリン・フェリチン	等〜やや低信号	低信号	低信号	低信号/高信号

〔木下俊文：脳出血. 高橋昭喜(編著)：脳 MRI 3. 血管障害・腫瘍・感染症・他. p.100, 学研メディカル秀潤社, 2010 より改変〕

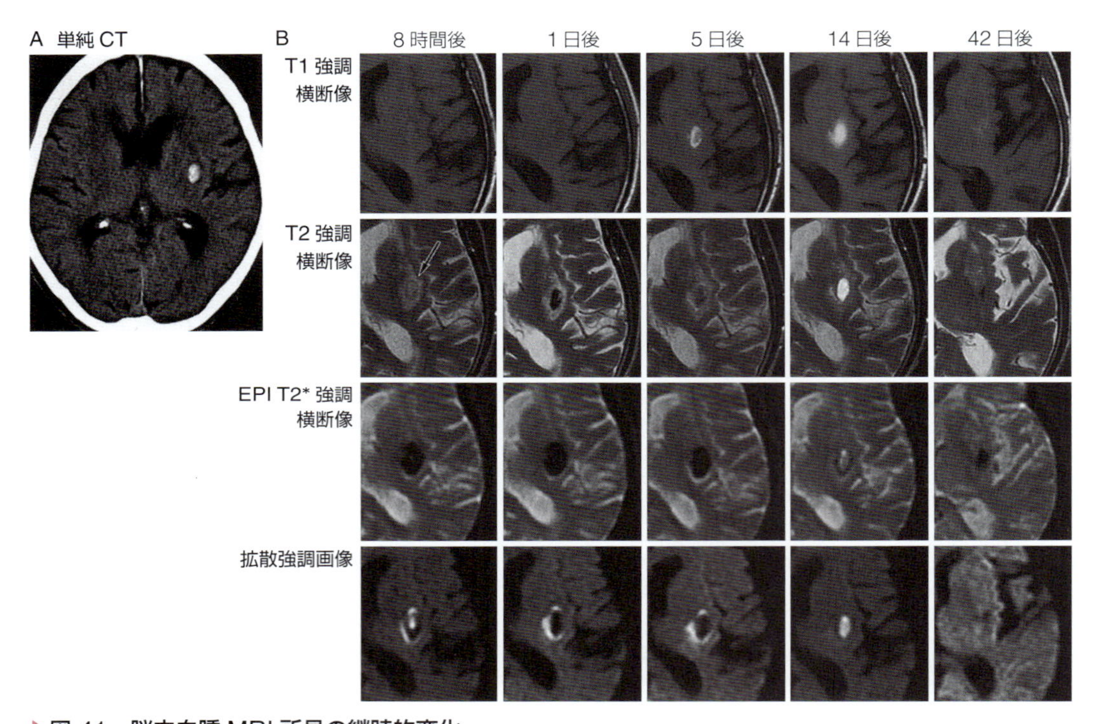

▶図 41　脳内血腫 MRI 所見の継時的変化

EPI：エコープラナー法(echo planar imaging)

〔木下俊文：脳出血. 高橋昭喜(編著)：脳 MRI 3. 血管障害・腫瘍・感染症・他. p.100, 学研メディカル秀潤社, 2010 より改変〕

CT ほどの明らかな信号変化が認められない. 発症翌日には血腫周辺浮腫が生じ, CT ではそれが高吸収域を囲うような低吸収域として認められる. T1WI では血腫および周辺浮腫はやや低信号となり, T2WI では血腫は明瞭な低信号となり, その周辺の浮腫が高信号として描出される(▶表 2).

脳梗塞では塞栓性機序の場合, 発症直後の CT で early CT sign として脳溝の不明瞭化や被殻や淡蒼球の不明瞭化として確認できることもある. しかし, MRI の DWI のほうがはるかに鋭敏に病変を把握できる. この時期には T1WI, T2WI, FLAIR, T2*WI ともに病変をとらえることが難しいが, DWI は明瞭な高信号として病変を把握できる. なお, 発症から 6 時間後には T2WI で高信号としてとらえられる(▶表 1).

3 脳画像の限界（部分容積効果）

CT や MRI には**部分容積効果**(partial volume effect)というものがある．前述したとおり，時間をかけて高解像度の画像を撮像するわけにはいかず，ある部分では精度を犠牲にして撮像されることが多い．

臨床で最もみる機会が多いのは水平断像である．一般的に急性発症した症例に多くの時間を割いて高解像度の画像撮影は行われない．臨床で利用する構造画像では水平断面の解像度を高くし，スライスは厚めに設定され，スキャンしない部位(スライスギャップ)を設定する場合がある．

脳画像を構成するボクセル(voxel)はある程度の大きさがあり，1 つのボクセル内にさまざまな組織が含まれることがある．したがって，含まれる内容物の占める割合によって値が変化する(partial volume effect)．つまり，剖検とは異なり，病変そのものを完全に映しているわけではない．

脳画像は理学療法評価で得られた情報の解釈の一助であり，より適切な治療選択のための情報である．

●引用文献

1) Kretschmann, H.J., Weinrich, W.: Klinische Neuroanatomie und Kranielle Bilddiagnostik. Georg Verlag, Stuttgart, 1982.
2) 阿部浩明(編)：高次脳機能障害に対する理学療法. 文光堂, 2016.
3) 坂井建雄, 河田光博(監訳)：プロメテウス解剖学アトラス 頭部/神経解剖. pp.246–265, 医学書院, 2009.
4) 高橋昭喜(編著)：脳 MRI 1. 正常解剖. 第 2 版, p.69, 学研メディカル秀潤社, 2005.
5) 森 惟明ほか：PT・OT・ST のための脳画像のみかたと神経所見. 第 2 版, 医学書院, 2010.
6) Zülch, K.J.: Cerebral Circulation and Stroke. p.116, Springer-Verlag, Berlin, 1971.
7) 百島祐貴：ゼッタイわかる頭部写真の読み方. 改訂第 3 版, pp.1–31, 医学教育出版社, 2003.
8) 三村 將ほか：画像の見かた・使いかた. 高次脳機能障害マエストロシリーズ②. pp.4–6, 医歯薬出版, 2006.
9) 井田正博：脳血管障害. 青木茂樹ほか(編)：新版 よくわかる脳 MRI. pp.180–253, 秀潤社, 2004.
10) 阿部浩明ほか：拡散テンソル画像・拡散テンソルトラクトグラフィーの理学療法領域における臨床応用. 理学療法学, 43(4):349–357, 2016.
11) 阿部浩明ほか：理学療法領域における神経画像情報の活用. PT ジャーナル, 42(12):1043–1051, 2008.
12) 寺尾詩子ほか：脳血管障害. 聖マリアンナ医科大学病院リハビリテーション部理学療法科(編)：理学療法リスク管理マニュアル. 第 3 版, p.13, 三輪書店, 2011.
13) 木下俊文：脳出血. 高橋昭喜(編著)：脳 MRI 3. 血管障害・腫瘍・感染症・他. p.100, 学研メディカル秀潤社, 2010.

(阿部浩明)

第2章

中枢神経系のネットワークと機能障害

学習目標

- 各大脳皮質連合野とその神経ネットワークの機能，損傷，症状の関連を理解する．
- 大脳と大脳以外の中枢神経系構造からなる神経ネットワークの機能，損傷，症状の関連を理解する．

A はじめに

中枢神経系は大脳，間脳，中脳，小脳，橋，延髄，脊髄から成り立っている．視覚や体性感覚，聴覚，前庭感覚といった感覚情報は，それぞれの伝導路を通じて大脳皮質に入力される．大脳皮質には，特異的な機能を有する連合野が広がっており，それら連合野間は機能解剖学的に連絡することで各種神経ネットワークを形成し，感覚情報の認知処理(高次脳機能)を営んでいる．そして，大脳と他の中枢神経系構造(間脳，中脳，小脳，橋，延髄，脊髄)は，神経ネットワークを形成し，認知処理を受けた情報を出力・修飾することで，随意運動や筋緊張調整，協調運動，姿勢定位，姿勢制御を営んでいる．本章では，主に大脳皮質連合野と各連合野間を結合する神経ネットワークの機能，損傷，症状との関連性，および大脳と大脳以外の中枢神経系構造からなる神経ネットワークの機能，損傷，症状との関連性について学ぶ．

B 大脳皮質連合野と神経ネットワーク

大脳皮質を機能的に大きく区分すると，一次運動野，高次運動野，一次体性感覚野，視覚野，一次聴覚野，そしてそれ以外の連合野に分けられる．皮質連合野は感覚野(体性感覚，視覚，聴覚)と運動野の間をつなぐネットワークのなかで，情報の統合などの高次の認知処理を担っている．皮質連合野は4葉に分かれており，前頭連合野，頭頂連合野，側頭連合野，辺縁系(辺縁連合野)がある(▶図1)．

前頭連合野は，ワーキングメモリや意思決定など行動の組織化において重要な役割をもつ．**頭頂連合野**は，空間認知や感覚情報に基づく運動行動の誘導に欠かすことのできない役割を果たしている．**側頭連合野**は，感覚刺激の認知や意味的知識の貯蔵にとって重要である．**辺縁系**は，エピソード記憶や情動に関連した複雑な機能を有している．

各連合野間は，多数の連合線維および交連線維によって解剖学的かつ機能的に結合され，さまざまな神経ネットワークを形成することで，感覚情報の認知処理(高次脳機能)を営む．代表的かつ高次脳機能障害の発症にかかわる神経ネットワークには，以下のようなものがある．

1 視覚ネットワーク(▶図2)[1)]

- **背側−背側視覚路**：背側の前頭−頭頂ネットワークであり，後頭葉から頭頂後頭溝，上頭頂小葉，頭頂間溝へ至る経路であり，その後に前頭葉

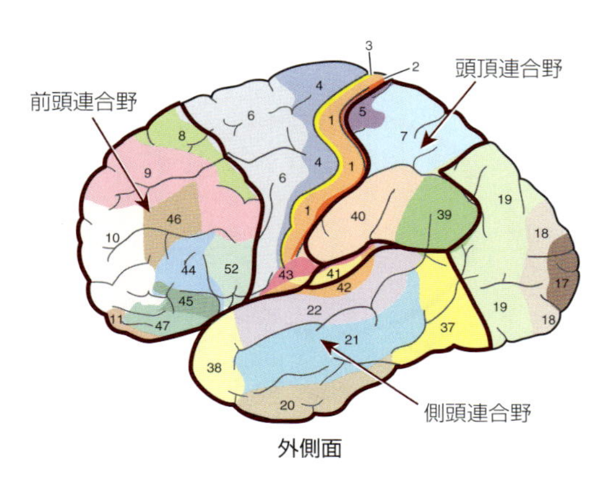

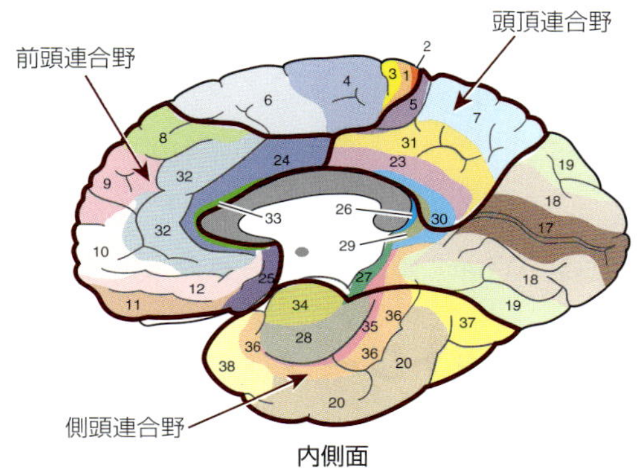

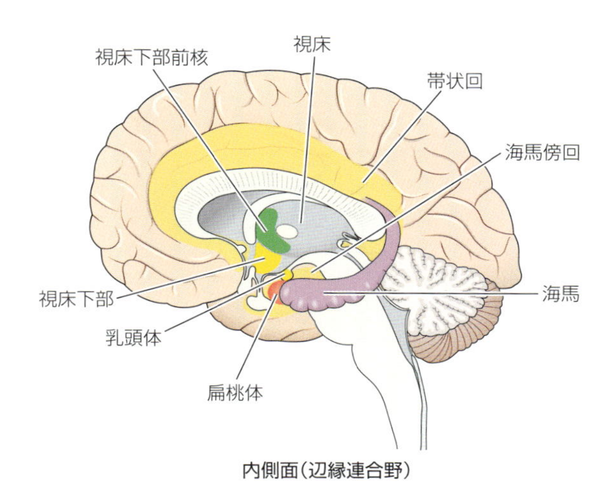

▶図 1　4 つの大脳皮質連合野

前頭連合野，頭頂連合野，側頭連合野，辺縁連合野を線で囲って示した．
前頭連合野のうち，外側面の 46，9 野（中前頭回）が背外側前頭前皮質，外側面の 10，11，47 野（下前頭回前部）が眼窩前頭前皮質，内側面の 10，32 野（前部帯状回の 24 野を含む）が内側前頭前野である．頭頂連合野の 5，7 野が上頭頂小葉，39（角回），40（縁上回）野が下頭頂小葉，上・下頭頂小葉の間に頭頂間溝がある．前頭・頭頂・側頭連合野は外側面が注目されがちであるが，内側面にも存在し，前頭・側頭連合野には底（眼窩）面も存在する．辺縁連合野（辺縁系）は，大脳の内側に位置している．

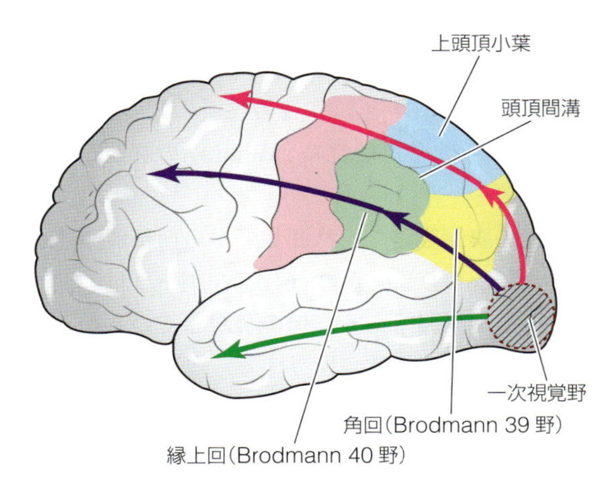

▶図 2　背側視覚路と腹側視覚路

視覚処理のための背側視覚路と腹側視覚路．背側視覚路は，上頭頂小葉へ向かう背側‒背側視覚路と下頭頂小葉へ向かう腹側‒背側視覚路に分かれる．
背側視覚路は，対象の空間的位置関係の認知に，腹側視覚路は，対象の形態認知に特化している．
〔Binkofski, F., Buxbaum, L.J.: Two action systems in the human brain. *Brain Lang.*, 127(2):222–229, 2013 より〕

の背側運動前野，前頭眼野へ投射している．対象の空間認知とそれに基づく運動制御を担う．“Where” および “How” の経路とも呼ばれる．

- **腹側‒背側視覚路**：腹側の前頭‒頭頂ネットワークであり，後頭葉から頭頂間溝，下頭頂小葉へ至る経路であり，その後に前頭葉の下前頭回および腹側運動前野へ投射している．背側‒背側視覚路と同様に，対象の空間認知を担い，かつ腹側視覚路と同様に形態認知に関する情報を受け取り，それらに基づく運動の選択および計画を担う．したがって，“Where”，“How”，および “What” のいずれをも担うハイブリッドな経路である．
- **腹側視覚路**：後頭葉から側頭連合野を経過して側頭極および側頭葉底面に至る経路であり，その後に UF により前頭葉とも結合をもつ．対象の形態認知と意味的知識との結合を担う．“What” の経路と呼ばれる．腹側‒背側視覚路

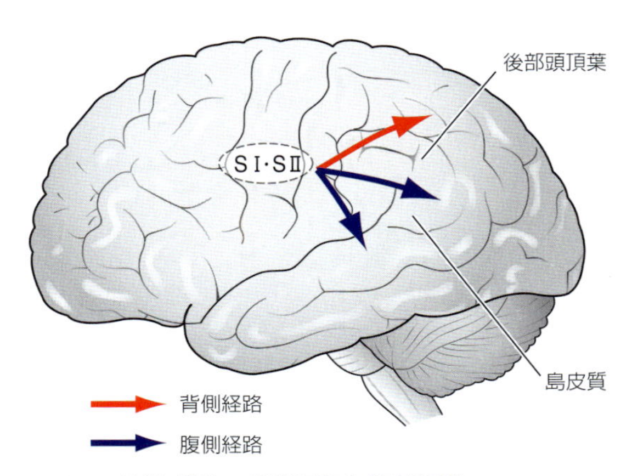

▶図３　体性感覚の背側経路と腹側経路
体性感覚の背側経路は，SⅠ/SⅡから後部頭頂葉（上頭頂小葉，下頭頂小葉）へ投射する経路．体性感覚の腹側経路は，SⅠ・SⅡから島皮質と後部頭頂葉へ投射する経路．

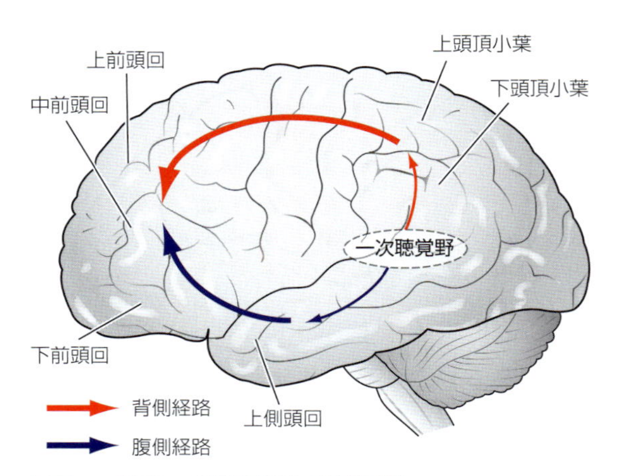

▶図４　聴覚の背側経路と腹側経路
聴覚の背側経路は音源定位にかかわり，聴覚の腹側経路は音の種類の知覚にかかわる．

の“What”機能との決定的な違いは，単に形態認知処理を担うだけでなく，その意味的知識の貯蔵を担っているところにある．

2 体性感覚ネットワーク（▶図３）

- **体性感覚の背側経路**：SⅠから直接あるいはSⅡを介して，後部頭頂葉（上頭頂小葉，頭頂間溝領域，下頭頂小葉）に至る経路であり，体性感覚に基づいた物体の空間的位置の認識と体性感覚で対象を探索するときの運動制御（体性感覚誘導性運動），および身体図式の生成・更新とそれに基づく姿勢制御や運動の調整に関与している．体性感覚の“Where”と“How”の経路とも呼ばれる〔身体図式と姿勢制御については，D.2 項「姿勢定位・姿勢制御ネットワーク」（➡ 47 ページ）も参照〕．
- **体性感覚の腹側経路**：SⅠからSⅡを介して，後部頭頂葉（主に下頭頂小葉）に加え，島皮質に至る経路であり，体性感覚に基づいた物体の形態認知と身体イメージの生成に関与している．身体イメージとは，意識的にアクセス可能な自己の身体についての知覚的側面であり，たとえば自画像を描いたりするような活動に使用される．したがって，体性感覚の腹側経路は，体性感覚の“What”の経路とも呼ばれる．

3 聴覚ネットワーク（▶図４）

- **聴覚の背側経路**：一次聴覚野から頭頂連合野（上頭頂小葉，下頭頂小葉）に向かい，前頭葉の上・中・下前頭回へ投射する経路であり，どこから音がしているかという音の場所の知覚（音源定位）に関与する．聴覚の“Where”の経路とも呼ばれる．
- **聴覚の腹側経路**：一次聴覚野から前部側頭連合野（上側頭回）に向かい，前頭葉の中・下前頭回へ投射する経路であり，何の音がしているかという音の種類の知覚に関与する．聴覚の“What”の経路とも呼ばれる．

4 注意ネットワーク（▶図５）[2]

- **両半球の背側注意ネットワーク**：両半球の背側に位置する前頭–頭頂ネットワークであり，両半球のSLF Ⅰで構成されている．これは主に前頭葉の前頭眼野と頭頂葉の上頭頂小葉・頭頂間溝を結ぶネットワークである．背側注意ネットワークは，自発的に何かに注意を向けて，そ

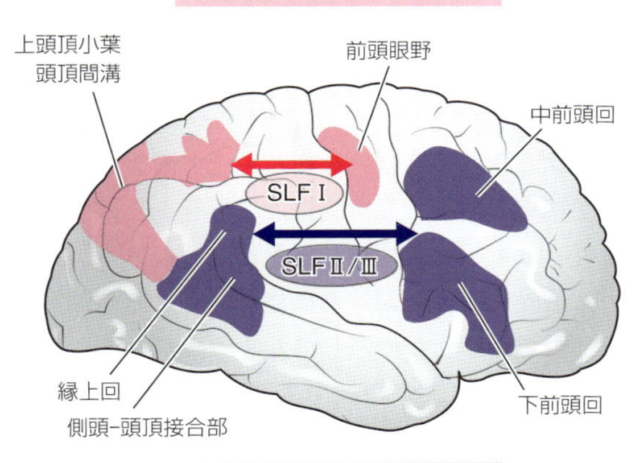

▶図 5　背側と腹側の注意ネットワーク

注意ネットワークにおいて特徴的なことは，背側注意ネットワークが両半球で機能しているのに対して，腹側注意ネットワークは，右半球に強く側性化していることである．主に背側注意ネットワークは能動的注意にかかわり，腹側注意ネットワークは受動的注意にかかわる．

〔Aboitiz, F., et al.: Irrelevant stimulus processing in ADHD: Catecholamine dynamics and attentional networks. *Front. Psychol.*, 5:183, 2014 より〕

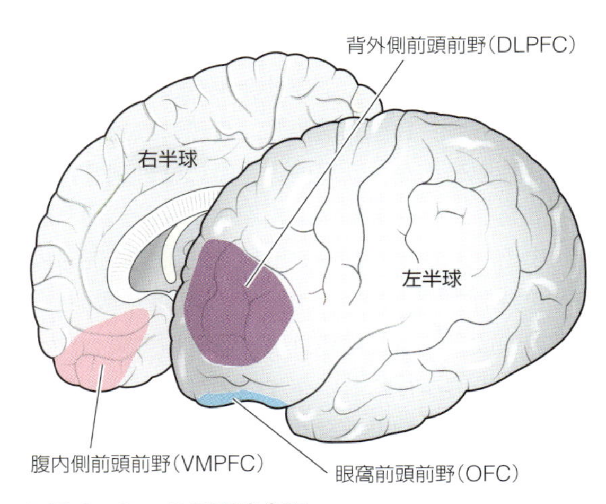

▶図 6　3 つの前頭連合野

れを維持するような能動的注意を担う．

- **右半球の腹側注意ネットワーク**：右半球の腹側に位置する前頭–頭頂・側頭ネットワークであり，主に右半球の SLF II と III で構成されており，右中・下前頭回と右側頭–頭頂接合部・右縁上回・右上側頭回を結ぶネットワークである．腹側注意ネットワークは，顕著な感覚刺激に対して注意を切り替える（再定位する）ような受動的注意を担う．

注意ネットワークにおいて特徴的なことは，背側注意ネットワークが両半球に存在するのに対して，腹側注意ネットワークは右半球に強く側性化していることである．

その他，言語ネットワークについては，コラム「失語症」（➡ 197 ページ）を参照のこと．このように，高次な認知処理を担う連合野は，さまざまな神経結合により複雑な神経ネットワークを構成している．したがって，連合野およびそのネットワークの損傷は，さまざまな高次脳機能障害を引き起こす．

C　各大脳皮質連合野からなる神経ネットワークの機能損傷，症状との関連

1　前頭連合野の損傷による遂行機能障害・注意障害・脳卒中後うつ・アパシー・社会的行動障害・脳血管性認知症

前頭前野は，**背外側前頭前野**（dorsolateral prefrontal cortex; DLPFC）と**腹内側前頭前野**（ventromedial prefrontal cortex; VMPFC），そして**眼窩前頭前野**（orbitofrontal cortex; OFC）の 3 領域に大別される（▶図 6）．

■背外側前頭前野（DLPFC）

DLPFC は，VMPFC や OFC といった他の前頭連合野だけでなく，視床や大脳基底核，海馬，そして頭頂・側頭連合野，後頭葉とも接続がある．また背側視覚路のエンドポイントでもある．DLPFC は知性や理性の最高次中枢である．DLPFC の重要な機能は，ワーキングメモリや行動の計画，抑制，抽象的な推論のような**遂行機能**（executive function）である．

行動を計画的かつ合理的に実行していくことは，ヒトの日常生活および社会生活において非常に重要である．目標を構想し，目標に到達するために行動を適正かつ効率的に，時には抑制することで調整し，行動を順序よく開始，維持，切り替え，中止し，さらに行動を監視し評価する能力のことを遂行機能という．体系的には遂行機能は，①目標の設定，②行動の計画，③計画の実行，そして④効果的な行動という4つのコンポーネントで構成される．効果的な行動とは，自己監視や自己修正のことであり，自己行動を自ら監視し，目標と実行状況との間の誤差に基づいて，行動を修正していくことである．

ワーキングメモリとは，重要な情報を選択し，一時的に保持し，操作する過程やその構造のことであるが，情報保持・操作を行う中央実行系と，その対象となる音韻ループ，視空間スケッチパッド，エピソードバッファから構成されており，DLPFCが中央実行系を担う．音韻ループは言語・音韻情報を保持・操作する機構，視空間スケッチパッドは視覚的および空間的な情報を保持・操作する機構，エピソードバッファは過去の経験(エピソード記憶)を保持・操作する機構である．またDLPFCは，リスクのある意思決定と道徳的な意思決定の両方に関与している．このようにDLPFCは，ワーキングメモリや意思決定といった機能を使用することにより，遂行機能を担っている．

したがって，DLPFCの損傷は，遂行機能障害をもたらし，行動計画の障害，行動の開始困難，自発性の低下，衝動・感情や行動の抑制障害，行動や思考の切り換え(転換)障害，行動の維持困難，行動の中断，誤りの修正困難，保続などが認められる．具体的には，計画が立てられない，計画を立てても実行できない，仕事が時間どおりに終わらない，途中で仕事を投げ出してしまうなどである．これらは，言語や記憶，行為などの他の認知機能とは独立して生じる．

DLPFCは注意機能にもかかわる．注意機能には，覚醒度，持続性，選択性，転導性，分配性があるが，これらはいずれも能動性の注意機能であり，こうした**全般性の注意障害**の主な病巣はDLPFCとなる．**覚醒度**とは刺激に対する適切な反応がおこせる状態の度合いを指し，その障害ではその他すべての活動や高次脳機能に影響を及ぼす．**持続性**とは選択した情報に注意を向け続ける，あるいは活動を維持し続ける機能であり，その障害では活動をたびたび中断してしまう，活動時間の延長によってミスが増加するなどの症状がみられる．**選択性**とは雑多な情報のなかから，ある特定の情報を選択し，その情報に注意を集中させる機能であり，その障害では最も有効な情報を選択できず，注意の転導が生じやすくなり，集中力がない状態に陥る．**転導性**とは必要に応じて注意を切り替える機能であり，その障害には，1つのことに注意が偏ってしまい注意を切り替えることができなくなる症状(**転導性の欠如**)と，次々に注意が転導してしまい落ち着かない症状(**転導性の亢進**)がある．**分配性**とは複数の刺激に同時に注意を集中し，維持する機能であり，その障害では同時に複数の作業を行うとミスが増加するなどの症状がみられる．しかしながら，受動的注意の障害は頭頂・側頭連合野，空間性の注意障害は右半球，非空間性の注意障害は左半球であり，注意障害自体は，DLPFCの損傷のみならず，脳のあらゆる領域の損傷で生じうる．

脳卒中患者の約3割に出現するのが，**脳卒中後うつ**(post-stroke depression; PSD)である．PSDでは，抑うつ気分，興味・喜びの減退，空虚感・絶望感，疲労感，無気力，思考力・集中力の減退，自殺念慮などの精神心理症状や，食欲不振，睡眠障害といった身体症状が表れる．DLPFCやその前方に位置する前頭極の機能不全は，PSDの発生および慢性化とかかわっているとされている．またDLPFCの局所損傷はなくとも，DLPFCと機能解剖学的に接続のある頭頂皮質や島皮質，それらを接続するSLF，あるいは大脳基底核(前頭前野ループ)の機能不全もPSDの発生および重症度と関連している．PSD は，こうした脳の器質的損傷を原因とするだけではなく，脳卒中後の後遺症（身体運動障害，高次脳機能障害）によって日常生活や社会生活に困難をかかえることによる心理社会的要因によって発症あるいは増悪する側面もある．

PSD と混同されやすいが，異なる症状として**アパシー**（apathy）がある．アパシーとは，動機づけられた目標指向行動（goal-directed behavior; GDB）の量的減少，いわゆる自発性の低下・欠如のことである．GDB には，目的指向性のある思考・情動も含まれる．PSD が自己に対して否定的な感情をもち，自己の状態に悩むのに対して，アパシーは肯定的にも否定的にも興味・関心，情動・感情が欠如した状態であり，自己の状態に無関心で悩むことは少ない．努力に基づく意思決定（肉体的な努力の見返りとしての金銭的報酬を受け入れるか拒否するかの意思決定）を担う神経ネットワークとして，前帯状皮質，内側 OFC，腹側線条体，内側視床，および腹側被蓋野をコア領域とする GDB 神経ネットワークがある．脳卒中によって GDB 神経ネットワーク内のコア領域が限局的に損傷された場合は，急性にアパシーを発症することになる．一方で，アパシーは罹患期間の経過によって徐々に出現してきたりすることがあるが，それは GDB 神経ネットワーク外の脳領域の損傷（小血管病変によるびまん性白質損傷など）であったとしても，diaschisis（機能解離，遠隔機能障害）などの二次的な神経生物学的変化が GDB 神経ネットワークに及ぶことで生じると考えられている．

また理論的にはアパシーは，感情的鈍化・感情的共感欠如を主体とする**感情–情動的アパシー**（emotional-affective apathy），行動計画・遂行機能障害を主体とする**認知的アパシー**（cognitive apathy），自発性（自発的な思考・感情・行動）の欠如を主体とする**自発性アパシー**（auto-activation apathy）の 3 つのサブタイプに分けることができる．OFC と前帯状皮質の機能不全は感情–情動的アパシーの，腹外側前頭前野と後部頭頂皮質の機能不全は認知的アパシーの，大脳基底核（尾状核，被殻，淡蒼球）と補足運動野の機能不全は自発性アパシーの，それぞれ原因となるとされている．そして DLPFC と基底核の回路（前頭前野ループ）の機能不全は，3 つのサブタイプすべてに関与する．PSD とアパシーは異なる病態であるが，共通して DLPFC の機能不全があるなど，それぞれに関与する脳領域やネットワークには重なりがあることから，この 2 つの症状は頻繁に併存する．

■腹内側前頭前野（VMPFC）

VMPFC は，特に辺縁系（扁桃体や海馬）および側頭連合野（腹側経路）との接続を有し，情動・感情の最高次中枢である．DLPFC とは相互抑制関係にあるが，実態的には DLPFC と共同して，知性，理性，情動・感情を加味した行動の意思決定を担っている．

VMPFC の主な機能は，ソマティックマーカー〔刺激によって引き起こされる潜在的な身体的情動反応（例：心臓がドキドキする，口が乾く，冷や汗が出る）〕を解釈し，その情動・感情を意思決定に組み込むことである．また VMPFC は，視点取得（他者の視点に立って物事を考える）や他者への共感，他者の意図推定や心の理論，他者の心的状態を推論するメンタライジング，そして利己的行動の抑制といった社会的認知機能の主要領域でもある．

■眼窩前頭前野（OFC）

OFC は，その名のとおり，前頭葉の眼窩面に位置し，人格や道徳心，責任感，気分のコントロール，意欲，報酬，そして意思決定などの高次な感情的および社会的特性に影響を及ぼす領域である．

したがって，VMPFC や OFC は，**社会的行動障害**の病巣となる．社会的行動障害には，依存性，退行現象，感情および欲求のコントロール障害，対人技能拙劣，固執傾向，意欲・発動性の低下，抑うつ，感情失禁，反社会的行動が含まれる．依存性とは何でも他者に頼る傾向のことであり，退行現象とは子どもっぽくなることである．特に怒りを抑制できず，攻撃的な行動をとりやすくなったり，欲求を自制することができず，迷惑行為，不道徳行為，反社会的行動につながったりする．一方で意欲や発動性の低下があり，自ら行動を開始できない，あるいは開始してもすぐにやめてしまう症状がみられる．対照的に，言語，注意，記憶などは正常範囲内であり，十分な知的能力を保持する．

脳卒中後の認知症として，**脳血管性認知症**（vascular dementia; VaD）がある．VaD のタイプとしては，皮質性 VaD（多発梗塞性認知症），単一病変性 VaD（前大脳動脈領域，中大脳動脈領域，後大脳動脈領域，視床），小血管病変性 VaD〔多発性ラクナ梗塞，Binswanger（ビンスワンガー）型認知症など〕，低灌流性 VaD，脳出血性 VaD（脳内出血，くも膜下出血）に分類され，損傷部位に応じたさまざまな認知症状を呈す．VaD では，脳卒中発症後早期（3 か月以内）に記憶障害，言語障害，失行，失認，遂行機能障害，あるいは人格障害，意欲低下，抑うつ，感情失禁といった高次脳機能障害に加え，歩行障害，排尿障害，仮性球麻痺といった身体症状が表れる．

2 前頭葉内側面の損傷による行為の抑制障害

ヒトの大脳における行為の制御に関与するシステムは，2 つに大別することができる．すなわち，行為の実行システム（外発性運動制御系）と抑制システム（内発性運動制御系）である（▶図 7）[3]．

■行為の実行システム

実行システムは，行為を産出するシステムであり，主に頭頂連合野と運動前野との接続からなる前頭–頭頂ネットワークと大脳–小脳連関によって構成される．

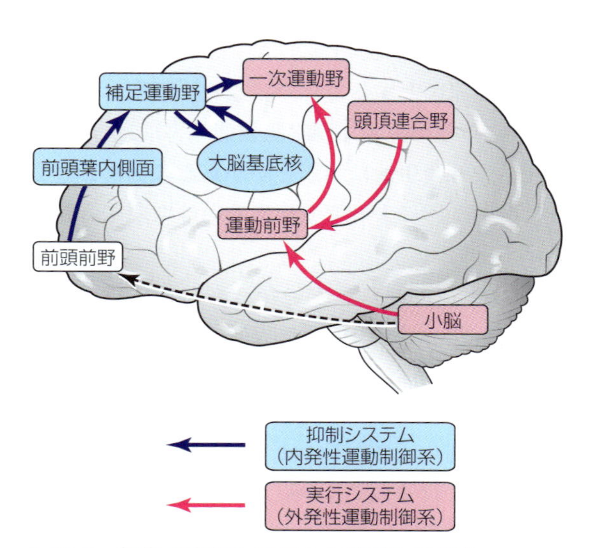

▶図 7　行為の実行システムと抑制システム
〔Archibald, S.J., et al.: Utilization behavior: Clinical manifestations and neurological mechanisms. *Neuropsychol. Rev.*, 11(3):117–130, 2001 より改変〕

たとえば，コップに手を伸ばしてつかんで，口に運ぶ場面を想定する．コップの視覚的な位置情報は後頭葉から頭頂連合野（上頭頂小葉）へ伝達され，身体感覚（体性感覚）と統合されることで身体座標上でのコップの位置情報に変換される．その情報は前頭葉の背側運動前野に伝達され，最も効率よくコップに手を伸ばすための到達運動が計画される（背側–背側視覚路）．同時にコップの視覚的な属性情報（形，大きさなど）は，後頭葉から頭頂連合野（下頭頂小葉），そして腹側運動前野（下前頭回を含む）へと伝えられ，コップをつかむのに最適な手の把握パターンの選択と計画が行われる（腹側–背側視覚路）．こうして作成された到達・把握運動計画は，一次運動野から出力情報として脊髄へ投射される．その際，到達・把握運動のコピー（遠心性コピー）情報は，その運動を行ったら，どのような感覚的結果が返ってくるかという運動結果の予測情報に変換される．そして頭頂連合野および小脳では，運動結果の予測と実際の感覚フィードバックとの比較が行われ，誤差を抽出する．

頭頂連合野は視空間情報の，小脳は身体感覚情報の比較・統合プロセスにかかわる．頭頂連合野と小脳は，誤差信号を運動前野へ伝達することで，運動のオンライン修正を行う．ヒトは生後から日常生活においてこのプロセスを反復し続けることにより，頭頂連合野および小脳に内部モデルを形成する．**内部モデル**とは，運動の記憶(ハサミや鉛筆，箸の持ち方・使い方などの身体運動の記憶)であり，運動の実施前に，この運動を行ったら，どのような感覚的結果が返ってくるかを予測することを可能にする．したがって，内部モデルのことを**予測的運動制御機構**とも呼ぶ．

こうして実行システムは，対象を実際に使用するか否かにかかわらず，その対象を見たり触れたりするだけで自動的に活性化するようになる．実行システムは，対象に関する感覚(視覚や体性感覚)刺激に対して自動的に活性化することで，いつでも即座に適切な運動を実行できるように準備している．したがって，実行システムは，外部からの感覚入力(主に視覚)に誘導された運動の計画・実行・修正を担うことから，**外発性運動制御系**とも呼ばれる．

■行為の抑制システム

行為は，必要なときに適切なぶんだけ実行される必要があり，文脈や状況に見合わない不適切な行為は抑制し，必要な場面で適切な量に調整する必要がある．これを担っているのが**抑制システム**であり，その神経基盤は補足運動野などの前頭葉内側面にある．抑制システムは，感覚入力ではなく，自らの意図に基づいた運動を担うことから，**内発性運動制御系**とも呼ばれる．

前頭葉内側面は，後方から前方に向かって，単純な運動からより複雑な行為の抑制機能を有している．したがって，前頭葉内側面の損傷では，さまざまな運動・行為・行動の抑制障害が出現することになる．すなわち，把握反射，本能性把握反応，道具の強迫的使用，拮抗失行，使用行動，模倣行動，環境依存症候群，意図の抗争，収集行動などである(▶図 8)．

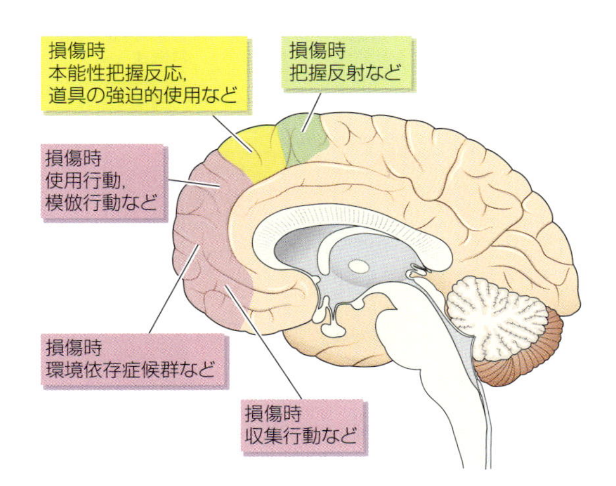

▶図 8　前頭葉内側面と損傷時の抑制障害の概念図
緑：補足運動野，黄：前補足運動野，紫：前頭葉内側面
前頭葉内側面は，後方から前方に向かって，単純な運動からより複雑な行為の抑制機能を有しており，病巣が前方に位置するほど，複雑な抑制障害が出現する．

◉把握反射

把握反射は，手掌面の触覚刺激によって対象を握ってしまう現象である．握らないようにという指示理解があり，患者に握る意図がなかったとしても生じる．把握反射は前頭葉内側面最後方部の補足運動野の損傷によって生じる．

◉本能性把握反応

本能性把握反応は，手掌面に限らず，対象が手のどこかに触れた場合，または対象を眼前に提示された場合に，その対象を把握してしまう現象である．把握反射と同様に，患者に握る意思がなかったとしても生じる．本能性把握反応は，内的な意思に基づく抑制機能を有する前補足運動野や補足運動野に加えて，情動(欲求)に対する抑制機能を有する前部帯状回の損傷によって生じる．

◉道具の強迫的使用

道具の強迫的使用は，患者の意思とは関係なく，道具を見ると使用してしまう現象であり，基本的に右上肢で認められる．この現象の解釈には，各半球内・各半球間の抑制システムと実行システムの均衡関係を理解する必要がある(▶図 9)[4]．

各半球内においては，前頭葉内側面の抑制システムは，実行システムである運動前野や一次運動

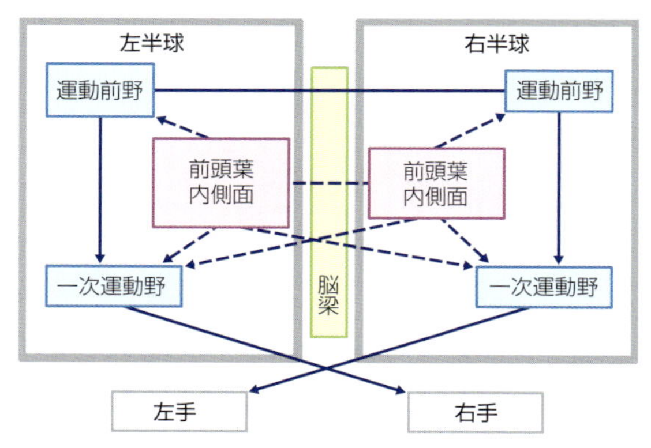

▶図9 半球内・半球間の均衡関係の概念図
実線は興奮性入力，破線は抑制性入力．青色の運動前野，一次運動野が実行システム，赤色の前頭葉内側面が抑制システムである．左半球は他動詞動作優位，右半球は自動詞動作優位．左半球のほうが，右半球と比較して，実行システムも抑制システムも強力である．
〔Della, S.S., et al.: The anarchic hand: A frontomesial sign. Handbook of Neuropsychology, 9, pp.233–255, Elsevier, Amsterdam, 1994 より改変〕

野に対して抑制性の投射をもち，文脈に沿わない不適切な道具使用が出現しないように抑制し，必要なときに抑制を弱めたり，解除することで，道具使用を制御している．両半球間においては，左半球の他動詞動作(物品や道具など対象物の存在する動作)優位と右半球の自動詞動作(対象が存在しないジェスチャーなどの動作)優位の均衡関係が形成されている．さらに一側の前頭葉内側面は，同側半球内の外発性運動制御系を抑制するだけでなく，脳梁を介して対側半球の外発性運動制御系を抑制する働きも有している．そして，右利きの場合，右手で外発性運動や他動詞動作を実施することが多いため，外発性運動制御系が左半球に側性化しているのと同様に，前頭葉内側面の抑制機能も左半球のほうが強い．そのため，左前頭葉内側面と脳梁に損傷が生じた場合，両半球からの抑制がなくなることから，左半球の外発性運動制御系が抑制から解放され，右手の道具の強迫的使用を呈する．すなわち，道具の視覚刺激に誘導され，右手が自動的に道具を把持して使用してしまい，左手が意思を反映して，右手の運動を制止しようとする現象が生じる．

このように，道具の強迫的使用は，脳梁損傷に伴う両手間抗争(左右の手が違う運動を行う)が認められる．

◉拮抗失行

通常，右利きの患者の左手が，右手と拮抗する，あるいは右手に対して非協調的な運動をする現象を**拮抗失行**と呼ぶ．これは脳梁損傷(特に脳梁体部後方部分)による脳梁離断あるいは脳梁離断に加えて他の内側面損傷に伴って生じる．

◉使用行動

使用行動は，使用する意図がないにもかかわらず，道具を見たり触れたりすると，その道具を使用してしまう現象である．しかしながら，道具の強迫的使用とは異なり，両手間抗争は認められず，一側半球の損傷によって両手に現れる．また，教示によって抑制が可能なこともある．前頭葉内側面の補足運動野より前方の前補足運動野，前部帯状回，内側前頭前野などの損傷によって生じる．

◉模倣行動

使用行動と同様に，前頭葉内側面の補足運動野，前補足運動野，前部帯状回，内側前頭前野の損傷で生じる抑制障害に，**模倣行動**がある．模倣行動とは，模倣する意図がなくても他者の行動を模倣してしまう行動であり，一側半球の損傷によって，両手だけでなく全身に生じる．

◉環境依存症候群

環境依存症候群は，ベッドを見ると状況に関係なくそこに寝てしまう現象や，トイレを見ると尿意がないにもかかわらずトイレに入ってしまうなど，環境刺激に誘発されて行為を行ってしまう現象である．これも前頭葉内側面の損傷に起因する行為の抑制障害である．

◉意図の抗争

たとえば，「階段を昇っている途中で，降りようという気持ちが湧いてきて立ち止まってしまう」や，他者が着ている服装に対して「その服似合ってるね」と言おうとして「その服よくないね」と言ってしまうなど，2つの意図の生成と競合が生じる現象のことを**意図の抗争**という．これは脳梁損傷後の両手間抗争の回復時に生じる．

脳梁損傷によって両手間抗争が発現しても，時間が経過すると各半球内の機能が再編成され，両半球の前頭葉内側面の抑制機能は回復し，それぞれ単独で同側の外発性運動を制御し始める．そのことは同時に，脳梁損傷によって左右半球は離断されたまま，左右半球それぞれの内発性運動制御系が機能し始めることを意味しており，そのため左右半球それぞれの 2 つの意図が意識され始める．これが意図の抗争の発症メカニズムと考えられている[5]．

◉収集行動

前頭葉内側面のなかでも最高次の抑制機能をもつとされるのが内側前頭前野と前部帯状回であり，これらは行為の実行システムの抑制だけでなく，大脳辺縁系や中脳が担う基本的欲求の抑制を担っている．基本的欲求の 1 つに収集欲求があるが，内側前頭前野や前部帯状回の損傷によって，**収集行動**という抑制障害が生じることもある．収集行動では，対象の金銭的，実用的な価値とは関係なく，無差別にあるいは特定の対象を，探索し，収集して，特定の場所に蓄える行動のことである．

その他，さまざまな行動や欲求に対する抑制障害が前頭葉内側面の損傷によって生じ得る．

3 右前頭‒頭頂・側頭ネットワークの損傷による半側空間無視

右の前頭‒頭頂・側頭ネットワークの損傷によって頻発するのが**半側空間無視**である．半側空間無視は，特に病巣と反対側（主に右半球の損傷で左側空間）の刺激（主に視覚）に対して，気がついたり，反応したり，その方向を向いたりすることが困難になる症状である．

これは，前述した背側および腹側注意ネットワークにおける方向性注意機能の右半球側性化や半球間抑制機構の破綻が原因となって生じる〔詳細は，第 2 部第 6 章「半側空間無視」（➡ 162 ページ）を参照〕．

4 右前頭‒頭頂ネットワークの損傷による半側身体失認・病態失認

半側身体失認とは，麻痺側の身体を自己のものと認識することができない症状のことであり，**病態失認**とは，麻痺があるにもかかわらず，その麻痺に気がつかない症状のことである．両者とも右半球の前頭‒頭頂ネットワークの損傷で，左片麻痺を伴う場合に，その麻痺側上肢に対して生じることが多い．

内部モデルについては前述した．内部モデルは運動制御に重要な機能であるが，同時に自己の身体性（自己身体認知）を形成するシステムでもある（▶図 10）．すなわち内部モデルにおいて，視覚や体性感覚などの異種感覚どうしが時空間的に一致することにより，**身体所有感**（sense of ownership，この身体は私の体である）が生起し，運動の結果の予測と実際の感覚フィードバックが時空間的に一致することにより，**運動主体感**（sense of agency，この運動は自分が引き起こしたものである）が生起する．したがって，前頭‒頭頂ネットワークは，身体意識の神経基盤ともされているが，身体意識生成に関しては，発達に伴い右半球の前頭‒頭頂ネットワークに側性化してくることがわかっている．また方向性注意のネットワークと同様に，右前頭‒頭頂ネットワークは左右身体の認識に，左半球は右側身体の認識に関与することも示唆されている．したがって，右半球の前頭‒頭頂ネットワーク，主に右運動前野と右下頭頂小葉，および島皮質に損傷を負うと，身体意識の歪みが生じることになる．島皮質は，前頭‒頭頂葉と側頭葉を分ける外側溝〔Sylvius（シルビウス）溝〕の中に位置しており，下前頭回や縁上回に覆われた領域である．島皮質は，視覚，体性感覚，聴覚，嗅覚などさまざまな入力を受け取り，自己認識，エラーへの気づき，意思決定，時間知覚，内受容感覚など身体意識に必要な認知機能を有している．

半側身体失認は，右下頭頂小葉（特に縁上回）や

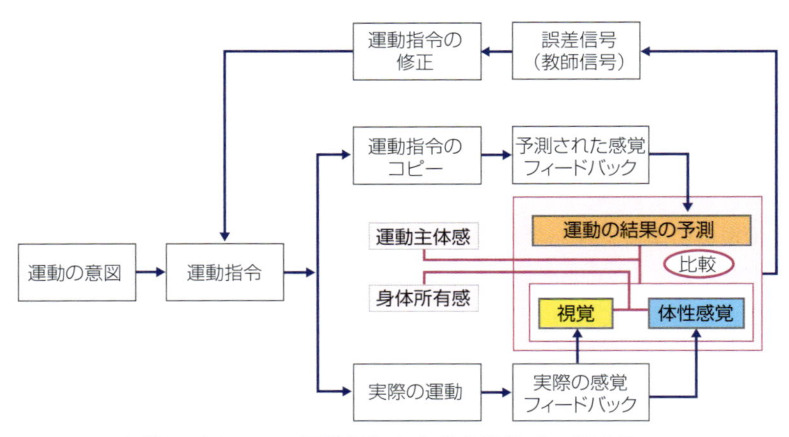

▶図 10　内部モデルによる運動制御と身体意識生成の概念図
運動制御においては，運動の結果の予測と実際の感覚フィードバックとの誤差に基づいて，運動の修正が行われる．身体意識においては，視覚と体性感覚の時空間的一致によって身体所有感が生起し，運動の結果の予測と実際の感覚フィードバックの時空間的一致によって運動主体感が生起する．

右側頭–頭頂接合部の損傷によって生じる．右下頭頂小葉は，体性感覚と視覚の時空間的統合を行うことで，半球反対側肢の身体所有感を生成するだけでなく，運動の意図の生成にもかかわっている．また右下頭頂小葉や右側頭–頭頂接合部は，異種感覚間の時空間的不一致の検出や自他区別にも関与している．したがって，右下頭頂小葉（右側頭–頭頂接合部を含む）を損傷すると，視覚と体性感覚を統合することも，左身体を動かす意図を生成することもできなくなるため，左半身を自己のものと認識できなくなる．

一方，病態失認は，右下頭頂小葉や島皮質を含む右前頭–頭頂ネットワークの広範な損傷で生じる．病態失認は，右前頭–頭頂ネットワークの損傷によって，運動結果の予測と実際の感覚フィードバックとの比較が困難，あるいは感覚フィードバック信号を無視し，運動結果の予測信号が優勢になることで，実際の運動は生じていないにもかかわらず，運動が実行できたと誤認し，「運動が実行できたわけであるから麻痺はない」と認識することで生じる〔詳細は，第 2 部第 5 章「身体失認，病態失認」（➡ 153 ページ）を参照〕．

5 左前頭–頭頂・側頭ネットワークの損傷による失行

左半球の腹側–背側視覚路（左半球の腹側の前頭–頭頂ネットワーク）の左下頭頂小葉と左下前頭回の損傷によって生じるのが**四肢の失行**である．失行は，有意味・無意味にかかわらず，模倣，自動詞ジェスチャー，他動詞ジェスチャー（パントマイム）の実行が困難，時に道具使用も困難になる，習熟した行為の障害である．

行為のネットワークは左右の前頭–頭頂ネットワークで担われる．しかしながら，前項でふれたように，行為においては左半球が優勢である．また自動詞ジェスチャーは言語の身体的表出であり，言語機能が左半球に側性化していること，さらに道具の意味表象は左半球に側性化していることから，失行は左半球の腹側–背側視覚路の損傷で生じる〔詳細は，第 2 部第 8 章「失行」（➡ 185 ページ）を参照〕．

このように，前頭–頭頂ネットワークの機能は左右半球間で異なっている．右半球は視空間認知および自己身体認知に特化しているため，半側空間無視や半側身体失認，病態失認の主要な病巣となる．一方，左半球は言語機能に代表されるように身体と環境(対象・他者)とのインタラクションに優れているため，損傷時に模倣障害，自動詞・他動詞ジェスチャー障害，道具使用障害といった失行症状を引き起こす．

6 両半球の前頭–頭頂ネットワーク(背側–背側視覚路)の損傷による視覚性運動失調

視覚性運動失調は，視覚的にとらえられた目標への到達運動および把握運動が困難になる．視覚性運動失調には，中心視野でとらえた対象物に対して生じる optische ataxie と周辺視野でとらえられた対象物に対して生じる ataxie optique がある．到達運動はスムーズではなく，目標に正しく到達しない．把握運動も対象に対して過剰な指(母指–示指)間開口距離を示し，到達・把握運動に多大な時間を要す．

C.2 項「前頭葉内側面の損傷による行為の抑制障害」の項(➡ 38 ページ)で説明したように，背側–背側視覚路の上頭頂小葉(頭頂–後頭溝，頭頂間溝を含む)では，視覚的な対象の位置情報(視覚座標)と体性感覚情報(身体座標)を統合し，背側運動前野はその情報に基づいて到達運動を計画している．このように，背側–背側視覚路の特に上頭頂小葉(頭頂間溝，頭頂–後頭溝を含む)は，視覚と体性感覚，および運動への変換・統合を担っているため，上頭頂小葉付近の損傷は視覚性運動失調を呈することとなる(▶図 11)[6]．

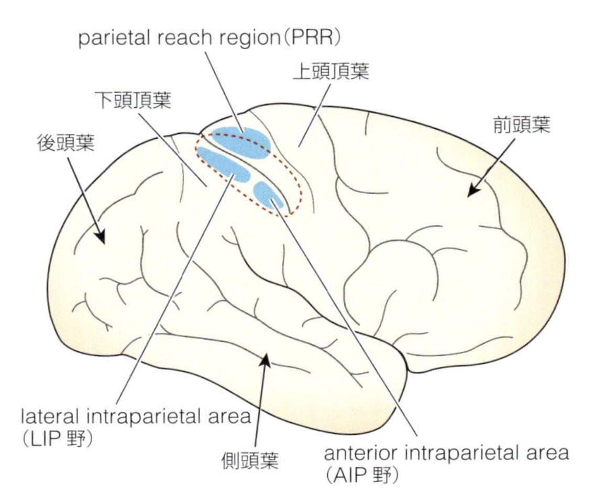

▶図 11 視覚性運動失調の病巣

頭頂葉を上頭頂小葉と下頭頂小葉に分ける頭頂間溝の上後方部には，parietal reach region (PRR) と呼ばれる領域がある．PRR は，対象の位置に関する情報を視覚座標から身体座標に変換し，最適な到達運動の計画と実行にかかわる領域である．したがって，この領域の損傷は，対象に対して適切に手を伸ばすことができないという到達運動の障害(視覚性運動失調)を呈す．

〔Andersen, R.A., et al.: Optic ataxia: From Balint's syndrome to the parietal reach region. *Neuron*, 81(5):967–983, 2014 より〕

7 側頭連合野の損傷による視覚失認

要素的感覚の障害，知能低下，注意障害，言語障害がないにもかかわらず，形態，色などの静止した視覚特徴から対象が何であるか同定できない状態を**視覚失認**という．視覚以外の感覚入力である体性感覚や聴覚，すなわち対象に触れたり，対象から出る音を聞いたりすれば，対象を同定することができる．また視覚情報でも，対象の特徴的な動きを見れば，対象が何であるか同定可能である．

視覚失認は障害されている過程により，知覚型(apperceptive)，統合型(integrative)，連合型(associative)に分けられる．**知覚型視覚失認**は，要素的感覚は保たれているが，形態認知処理に障害があるため対象認知に至らない状態をいう．**統合型視覚失認**は，個々の形態は認知可能なものの，それをまとめて全体の形態としてとらえることが困難な状態をいう．**連合型視覚失認**は，前述の段階は完了し，対象の形態を把握しているにもかかわらず，それを意味と結びつけることができない状態をいう．視覚失認の 3 型の識別に優れた検査法は物品の模写である．知覚型では形態認知が部分的にも行えないため，模写はまったくでき

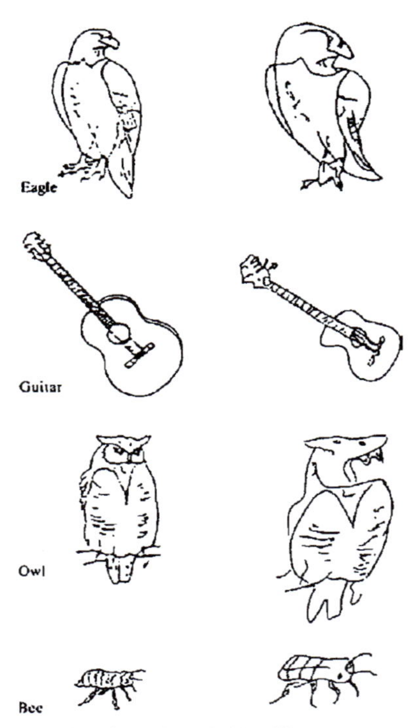

▶**図 12　統合型視覚失認患者の模写**
かつて視覚失認は，知覚（統覚）型と連合型に分類されていた．Riddoch と Humphreys は，知覚型にも連合型にも類しない症例（上記模写）を報告し，統合型とした．
〔Riddoch, M.J., Humphreys, G.W.: A case of integrative visual agnosia. *Brain*, 110(Pt 6):1431–1462, 1987 より〕

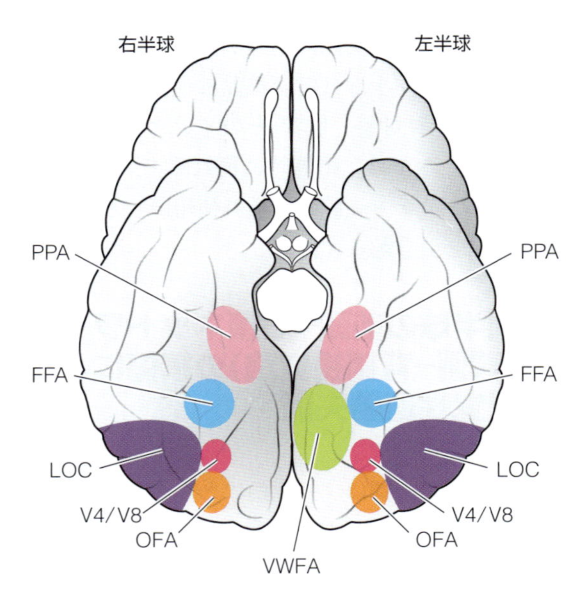

▶**図 13　さまざまな視覚失認にかかわる領域**
LOC：lateral occipital complex（後頭葉腹外側領域）
OFA：occipital face area（後頭葉顔領域）
FFA：fusiform face area（紡錘状回顔領域）
PPA：parahippocampal place area（海馬傍回場所領域）
VWFA：visual word form area（視覚的単語形状領域）
V4/V8：visual cortex 4/8（4 次視覚野/8 次視覚野）

ない．統合型では部分的な形態認知は可能であるため断片的に描くが，全体を統合して認知することが困難なため，模写が不完全になったり，完成しても非常に時間がかかる（▶図 12）[7]．一方，連合型は全体の形態認知は可能であるため，すばやく描くことができる（しかしながら，その絵の意味が何であるのかわからない）．

視覚失認は対象の形態認知経路である視覚の腹側経路上の損傷で生じる．特に後頭葉腹外側領域（lateral occipital complex; LOC）周辺が主な病巣である（▶図 13）．知覚型は後頭葉から LOC に至るまでの領域の完全損傷により生じ，統合型は後頭葉から LOC に至るまでの部分損傷により生じ，連合型は LOC で形態認知を完了し，側頭葉前部領域に貯蔵されている意味との結合に至る経路上での損傷により生じる．

統合型と連合型の視覚失認では，特定のカテゴリーに属する対象だけが認識できなくなるという現象が生じる．すなわち，熟知しているはずの顔の識別が困難になる**相貌失認**（prosopagnosia），街並みを認識できなくなる**街並失認**（agnosia for streets, landmark agnosia），色の識別が困難な**色彩失認**（achromatopsia），文字の読みだけが障害される**純粋失読**（pure alexia）などがある．

腹側経路上には特定の対象認知に特化した情報処理を有する領域がある（▶図 13）．顔に特化した処理を行う領域は 2 か所存在し，後頭葉顔領域（occipital face area; OFA）と紡錘状回顔領域（fusiform face area; FFA）である．OFA の損傷では顔認知そのものが障害され，FFA の損傷では顔認知は可能なものの，それが誰であるかわからなくなるという相貌失認を呈する．FFA や OFA は両半球に存在するが，右半球に側性化しており，相貌失認は右半球損傷で生じやすい．FFA の

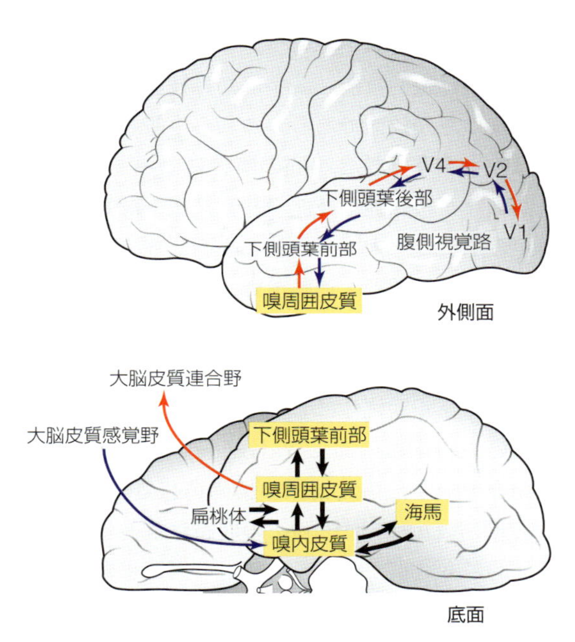

▶図 14　視覚情報の認知から記憶に至る経路

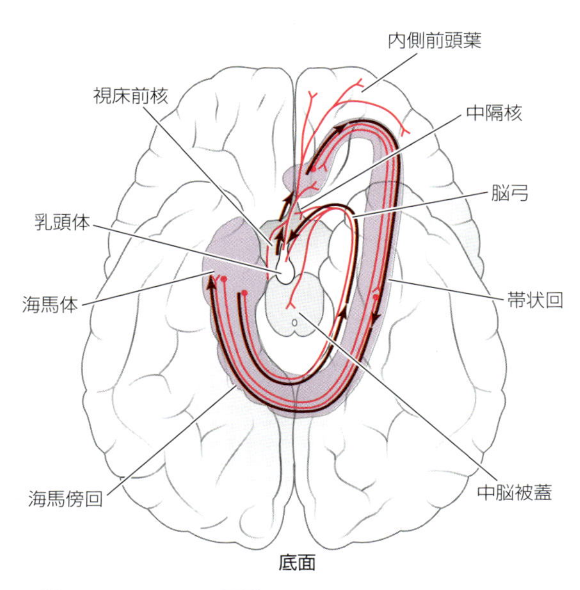

▶図 15　Papez の回路

内側の海馬傍回には場所領域(parahippocampal place area; PPA)といって風景や建物などの視覚処理に特化した領域が存在する．この領域の損傷では街並失認を呈し，よく知っている場所を視覚的に認識することができず，しばしば道に迷う．この領域も右半球に側性化している．一方で，左半球の紡錘状回に強く側性化しているのが視覚的単語形状領域(visual word form area; VWFA)である．この領域は，その名のとおり，文字を視覚的に認識するのに特化しているため，損傷時には純粋失読が現れる．LOC は道具の視覚表象および意味の貯蔵を行っているが，これも左半球に側性化している．4 次視覚野(V4)や 8 次視覚野(V8)は，視覚情報のなかでも色の認識に特化した作業に従事しているため，形態は認識できても色の識別はできないという色彩失認(色覚異常)を呈する．局所的な損傷は稀であり，臨床的にはこれらの症状が合併して現れることが多い．

8 側頭連合野および辺縁連合野の損傷による記憶障害

記憶には，**陳述(宣言的，意識的)記憶**と**非陳述(非宣言的，潜在的)記憶**がある．陳述記憶にはエピソード記憶と意味記憶があり，非陳述記憶には手続き記憶(ほかに古典的条件づけやプライミング効果)がある．

感覚情報は，それぞれの認知処理を受けたのち，嗅内皮質，嗅周囲皮質を経て，海馬や扁桃体に伝達される(▶図 14)．海馬は，海馬–脳弓–乳頭体–視床前核–帯状回–帯状束–海馬傍回–海馬という閉鎖回路〔Papez(パペッツ)の回路〕(▶図 15)を形成し，長期増強という細胞学的メカニズムによりエピソード(出来事)記憶にかかわる．

より具体的には，嗅内皮質は腹側経路からもたらされる「項目(what)」情報を処理し，海馬傍回は「文脈(context)」(記憶内容に付随する内容)情報を処理し，それぞれ嗅内皮質を経て情報を伝達し，海馬において「項目」と「文脈」が結合した形でエピソード記憶がなされる．そして海馬で処理された情報は，再び嗅内皮質・嗅周囲皮質などを経て大脳皮質連合野（側頭，頭頂，前頭）へ送られることで，それぞれの認知処理において記憶情報が利用される．

したがって，側頭葉内側部（海馬，嗅内皮質，嗅周囲皮質，海馬傍皮質）の損傷は，**健忘症候群**（記憶障害）を引き起こす〔その他，間脳（視床，乳頭体），前脳基底部の損傷によっても生じる〕．健忘症候群は，エピソード記憶のみが障害され，他の記憶や高次脳機能には障害はみられない．短期記憶，意味記憶，手続き記憶やプライミング効果などの非陳述記憶は保たれており，基本的には知的機能，注意機能，言語機能，ワーキングメモリは正常である．健忘症候群では，通常，前向性健忘（受傷後に新たな記憶を形成することが困難になった状態）と逆向性健忘（受傷前の記憶が障害）の両方が認められる．前向性健忘は記銘の障害なのか想起の障害なのかは簡単には特定できない場面も多いが，逆向性健忘は記憶の破壊あるいは想起の障害である．逆向性健忘には時間勾配がみられ，発症時点に近い出来事ほど思い出しにくく，遠い出来事ほど思い出しやすい．また縮小逆向性健忘といって，逆向性健忘が回復するときには，より遠い出来事から想起できるようになる．

一方で，情報が海馬に到達する前の側頭葉前方部，特に側頭極は，形態認知の最高次中枢であり，認識された形態と意味とを結合した状態で貯蔵している．したがって，側頭葉前方部の側頭極や底面の損傷では，**意味記憶障害**が生じる．この意味記憶障害は，連合型視覚失認とほぼ同義である．意味記憶障害にはカテゴリー特異性が頻繁に伴う．カテゴリー特異的意味記憶障害とは，語や物の意味がカテゴリーごとに別々に失われる症状であり，たとえば，ある症例では道具や家具などの物品に関する意味記憶は保たれているが，野菜や果物などの意味記憶は失われているという症状が出現する．

手続き記憶は，運動技能，知覚技能，認知技能の３タイプに分類される．例として，自転車を運転するのは運動技能，読字は知覚技能，ジグソーパズルは認知技能である．これら手続き記憶の障害は，大脳基底核と小脳の障害によって生じる．しかしながら，運動技能→知覚技能→認知技能へと至る過程で，大脳基底核と小脳に加えて，前頭前野，補足運動野，運動前野，頭頂葉といった連合野もかかわっている．

大脳連合野で認知処理を受けた感覚情報は，海馬だけでなく扁桃体にも伝達される．扁桃体は前頭前野や視床との間で Yakovlev（ヤコブレフ）の回路を形成し，感覚情報の情動情報処理を担う．Yakovlev の回路と Papez の回路は解剖学的にも機能的にも連携が強く，Papez の回路における記憶情報に対して，情動的価値づけを行う．また，扁桃体は視床下部，中脳，橋，延髄にある神経核に情動情報（特に恐怖情報）を投射することで，心拍数増加，血圧上昇，驚愕反応，すくみ反応，恐怖の表情，ストレスホルモンの分泌といった情動反応（恐怖反応）を表出する．加えて扁桃体は，基底核，前頭前野，帯状皮質運動野にも投射し，認知情報だけでなく情動情報も加味した運動・行為・行動の生成に関与する．

D 大脳と大脳以外の中枢神経系構造からなる神経ネットワークの機能，損傷，症状との関連

1 随意運動と姿勢制御を出力する遠心路（下行路）

大脳，脳幹と脊髄は，いくつかの遠心路によって接続されており，これら遠心路は一次運動野からの随意運動指令を脊髄前角運動ニューロンに伝えたり，運動指令を修飾して運動を調整する役割を担っている（▶図 16）．遠心路は機能解剖学的に，随意運動（目的運動）を担う外側運動制御系と，

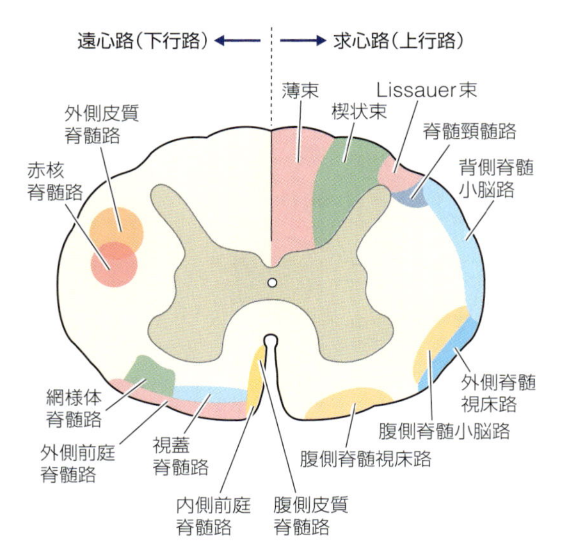

▶図 16　脊髄の遠心路と求心路
左側が遠心路(下行路)，右側が求心路(上行路)を示す．カラー部分は交叉性経路を表す．

随意運動に先行・随伴する姿勢制御を担う内側運動制御系に分けられる(▶図 17)．

■外側運動制御系

主に対側上下肢の遠位筋の運動制御を担う経路．

- **外側皮質脊髄路**：一次運動野から起始する皮質脊髄路のうち，延髄で交叉して分かれる経路であり，対側の脊髄側索を下行し，脊髄前角運動ニューロンに接続している．
- **赤核脊髄路**：中脳の赤核から起始し，脊髄側索を下行し，脊髄介在細胞を介して脊髄前角運動ニューロンに影響を及ぼす．

■内側運動制御系

両側の体幹・上下肢の近位筋の運動制御や姿勢制御を担う経路．

- **前皮質脊髄路**：一次運動野から起始する皮質脊髄路のうち，延髄で交叉せず，同側の脊髄前索を下行し，脊髄前角運動ニューロンに接続している．
- **皮質網様体脊髄路**：運動前野や補足運動野といった高次運動野から起始し，脳幹(橋，延髄)の網様体に接続する皮質網様体路と，脳幹(橋，延髄)の網様体から起始し，脊髄前角運動ニューロンへ接続する網様体脊髄路からなる．
- **前庭脊髄路**：脳幹(橋，延髄)の前庭神経核から起始し，脊髄前角運動ニューロンへ接続している．
- **視蓋脊髄路**：中脳上丘で起始し，脊髄へ投射している．

したがって，これら遠心路が損傷すると，運動麻痺や筋緊張異常あるいは姿勢定位障害を呈することとなる〔詳細は，第 2 部第 1 章「運動麻痺」(➡ 98 ページ)，第 2 部第 3 章「異常筋緊張」(➡ 126 ページ)，第 2 部第 7 章「姿勢定位障害」(➡ 174 ページ)を参照〕．

身体感覚を収集する求心路(上行路)については第 2 部第 2 章「感覚障害」(➡ 112 ページ)を参照のこと．

2 姿勢定位・姿勢制御ネットワーク

たとえば，コップに手を伸ばしてつかんで，口に運ぶ場面を想定する．コップに対する上肢および手による到達把握運動は，行為の実行システム(前頭–頭頂ネットワーク)によって生成され〔詳細は，「行為の実行システム」の項(➡ 38 ページ)を参照〕，その運動指令は外側運動制御系によって出力される．一方，上肢・手による到達把握運動(随意運動，目的運動)に応じて生じる外乱に対する姿勢制御，および随意運動に先行し，その円滑かつ最適な遂行を支える予測的姿勢制御には，内側運動制御系が重要な働きを担う(▶図 17，18)[8]．

身体図式とは，自覚(awareness)を必要とせず機能する感覚–運動システムのことであり，意識にのぼらない姿勢の維持や運動の調整に関与する身体情報のことである．絶え間なく変化する身体の姿勢に関する各種感覚情報(平衡感覚，視覚，聴覚など)は視床を中継して，それぞれ大脳皮質に入力される．それら感覚情報のなかには，自己身体

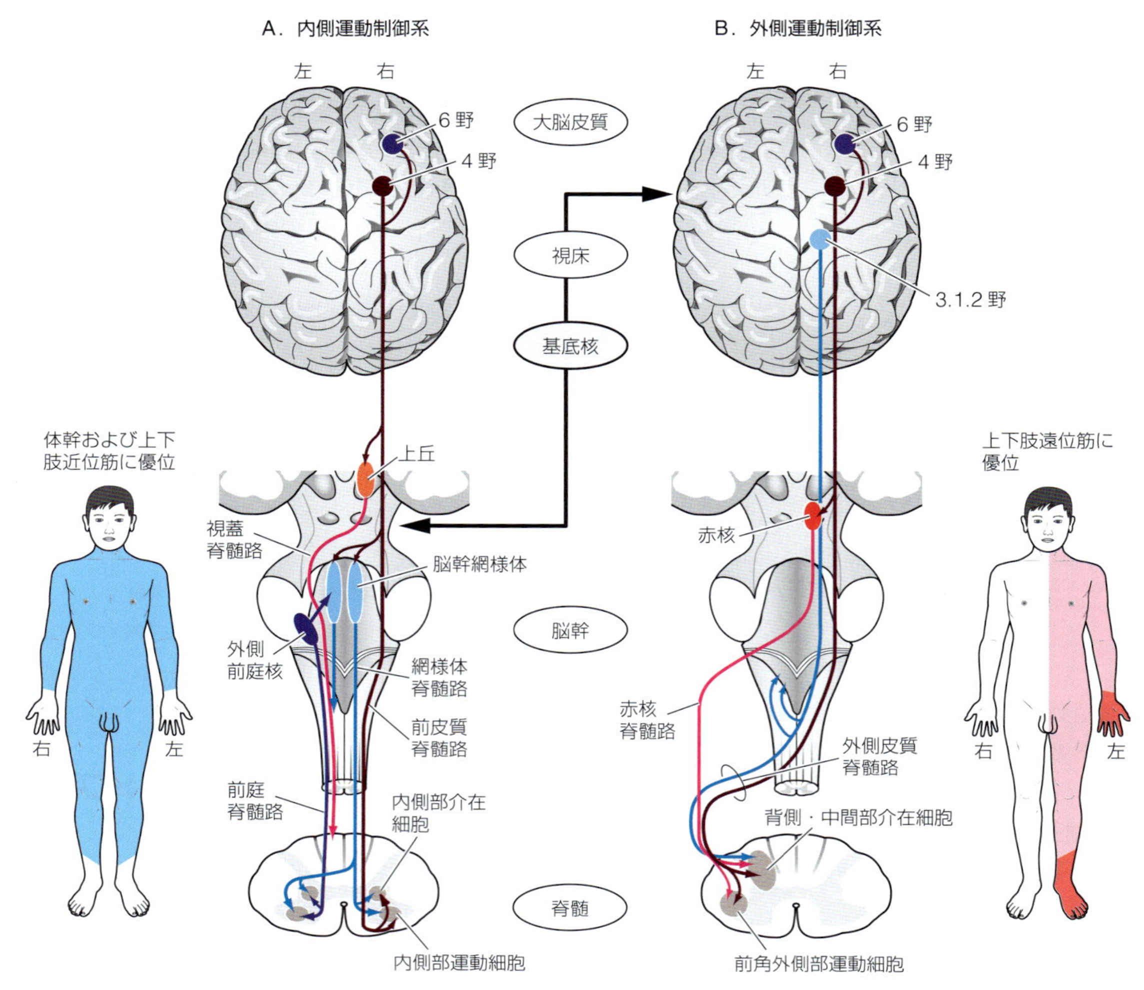

▶図17　内側運動制御系と外側運動制御系

の傾きに関する視覚的あるいは姿勢的な垂直知覚情報も含まれている．それら感覚情報は頭頂・側頭連合野において統合され，身体図式の生成・更新が行われている(▶図18A)．生成・更新された身体図式をもとに，運動前野・補足運動野といった高次運動野は，大脳基底核や小脳の調整を受けて，姿勢制御プログラムを作成する(▶図18B)．その姿勢制御プログラムは，皮質網様体脊髄路(皮質網様体路→網様体脊髄路)を介して脊髄に投射され，随意運動に先行・随伴する姿勢制御が行われる(▶図18C)．

したがって，身体の姿勢に関する各種感覚情報を大脳皮質に中継する視床，感覚情報を統合して身体図式を生成する頭頂・側頭連合野，姿勢制御プログラムを作成する運動前野の損傷では，**pusher現象**が生じる場合がある．pusher現象とは，身体軸が麻痺側へ傾斜し，非麻痺側肢で床や座面を押し，姿勢の修正に抵抗を示す現象のことである．一方，延髄外側部梗塞で生じるWallenberg症候群では，**lateropulsion(側方突進)**が出現する．lateropulsionは，pusher現象のような積極的な押す現象，修正への抵抗はないものの，不随意的に一側に身体が倒れる現象である．延髄外側部には，平衡感覚に基づいて身体の平衡を維持する前

A. 感覚の統合と認知（身体図式の生成）

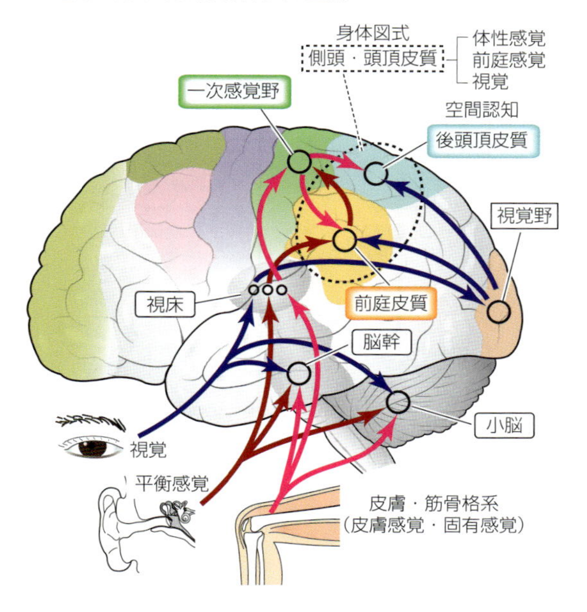

B. 身体認知に基づく運動プログラムの生成

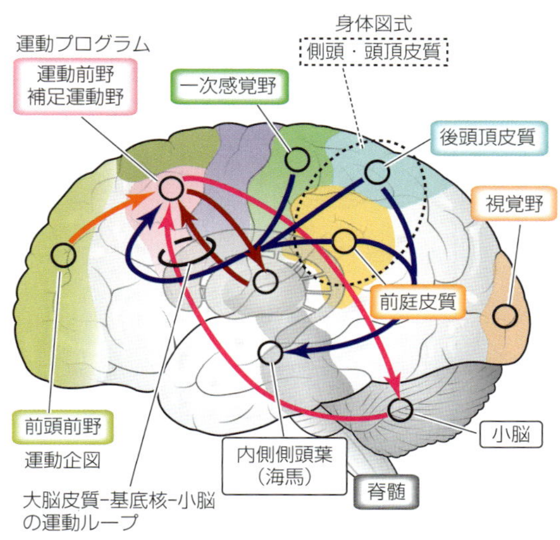

C. 予期的姿勢調節と随意運動（巧緻動作）

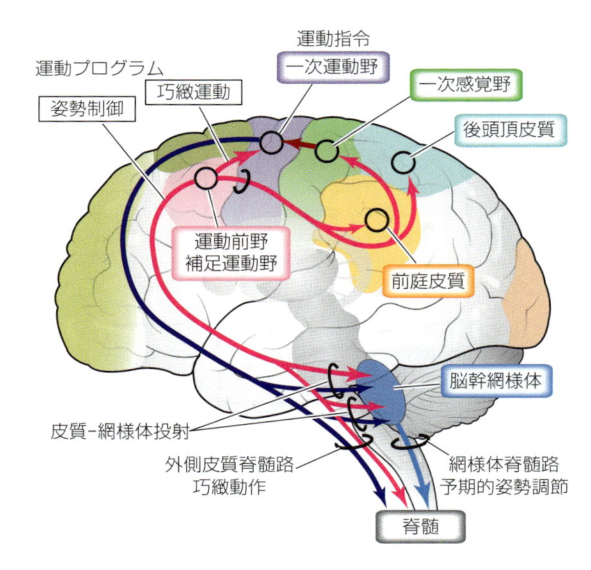

▶**図 18　身体図式の形成と予測的姿勢制御**

A：側頭・頭頂皮質にリアルタイムな視覚，平衡感覚，体性感覚が入力され，自己身体（身体図式）と周囲環境に対する時空間認知情報が生成される．

B：身体図式，空間認知情報が運動関連領野（6 野）に伝達され運動プログラムが生成され，前頭前野（運動企図）–基底核–小脳との運動ループから巧緻運動と姿勢制御プログラムが生成される．

C：姿勢制御プログラムは皮質網様体投射と網様体脊髄路を介して制御，巧緻運動プログラムは一次運動野から脳幹–脊髄へ（遠心性コピーが側頭・頭頂皮質へ）投射される．

〔高草木 薫ほか：姿勢と歩行の神経科学—最近の動向．*Clin. Neurosci.*, 33(7):740–744, 2015 より〕

庭脊髄反射を担う前庭脊髄路や固有受容覚情報に基づいた姿勢制御を担う脊髄小脳路などが存在しており，それらの損傷が lateropulsion を引き起こすと考えられる〔詳細は，第 2 部第 7 章「姿勢定位障害」（➡ 174 ページ）を参照〕．

3 大脳基底核による神経ネットワーク

　大脳基底核は線条体（尾状核，被殻），淡蒼球（外節，内節），視床下核，黒質（緻密部，網様部）で構成され，大脳皮質から入力を受け，視床を介し

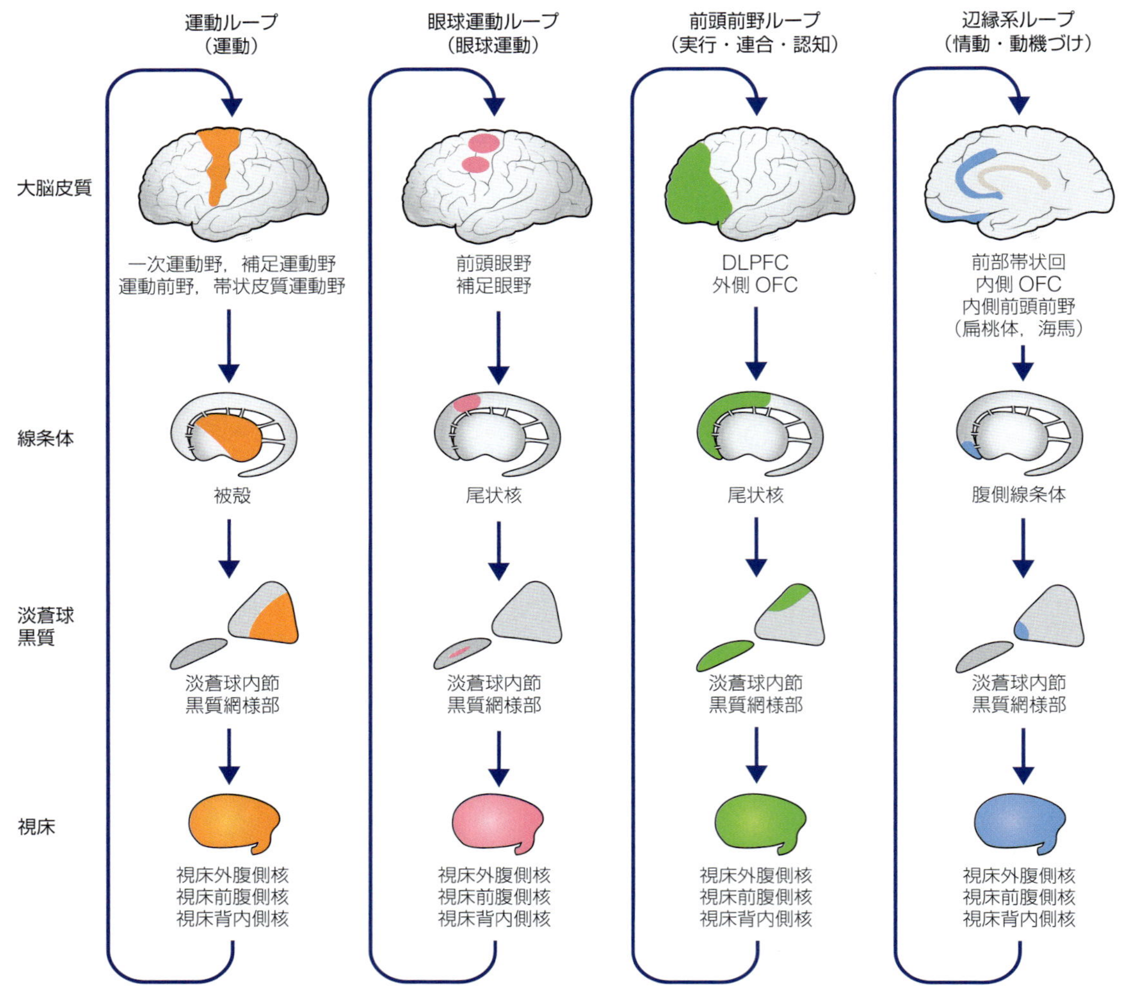

▶**図 19　大脳皮質–基底核ループ**
〔Wichmann, T., Delong, M.R.: Deep brain stimulation for neurologic and neuropsychiatric disorders. *Neuron*, 52(1): 197–204, 2006；Macpherson, T., Hikida, T.: Role of basal ganglia neurocircuitry in the pathology of psychiatric disorders. *Psychiatry Clin. Neurosci.*, 73(6):289–301, 2019 より改変〕

て大脳皮質に再投射するという**大脳皮質–基底核ループ**（▶**図 19**）[9, 10] を形成している．基底核は，すべての感覚の中継核である視床に対して抑制性の入力を有しており，大脳皮質活動の源となる情報を提供する視床の働きを調節することで，大脳皮質（および脳幹）の活動を制御している．すなわち，基底核から視床への抑制性入力が増加すると大脳皮質活動は低下し，抑制性入力が減少すると大脳皮質活動が増加することになる．

大脳皮質–基底核ループのなかでも理学療法において重要となる運動ループについて概説する（▶**図 20**）[11]．運動ループでは，被殻と大脳皮質運動関連領野（一次運動野，補足運動野/前補足運動野，運動前野，帯状皮質運動野）がループを形成することで，運動プログラムの作成，運動の準備，運動の開始や調整といった運動制御に関与している．**図 20** に示した**大脳基底核回路**は，黒質緻密部からのドパミンによって作動しており，線条体から淡蒼球内節・黒質網様部に投射する経路が直接路，淡蒼球外節や視床下核を介して淡蒼球内節・

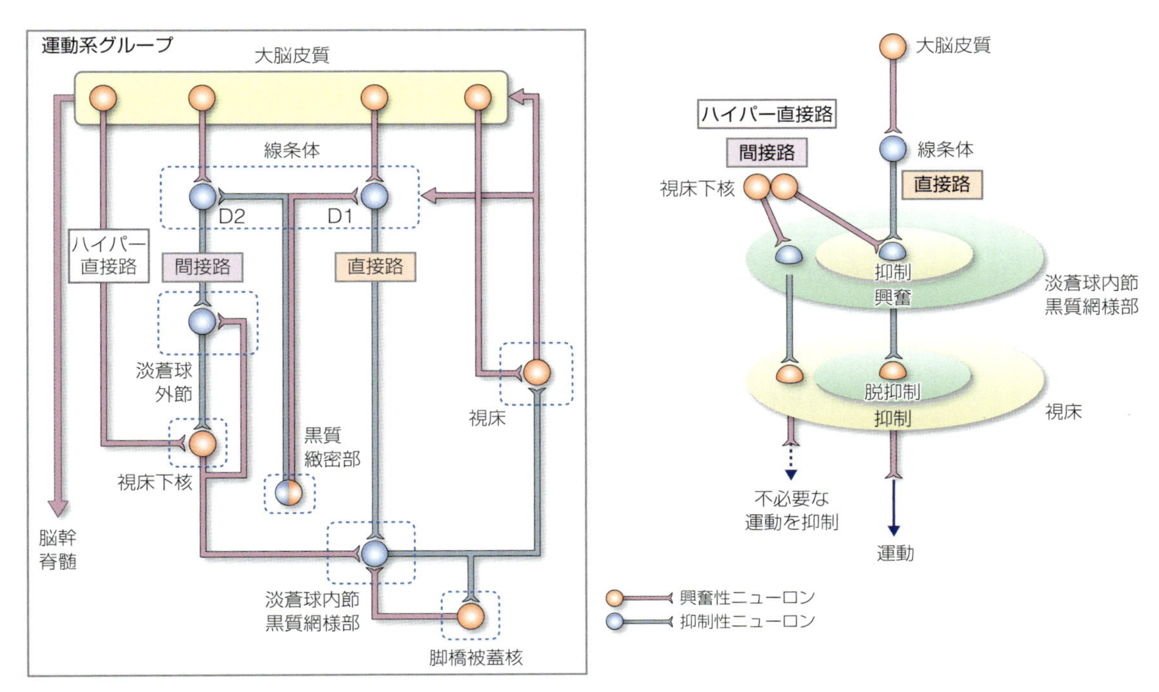

A. 基底核の神経回路

B. 基底核の機能（直接路と間接路の作用）

▶**図 20　基底核の神経回路とその機能**

A：大脳基底核の入力部である線条体と出力部である淡蒼球内節・黒質網様部は，直接路と間接路の 2 経路により連結されている．黒質緻密部からのドパミン作動性投射は，線条体の直接路のニューロンと間接路のニューロンに，それぞれ逆の作用を及ぼす．このような回路が複数，並列に存在している．

B：直接路と間接路からの入力による淡蒼球内節・黒質網様部，視床の興奮性の空間的分布を模式的に示す．直接路は脱抑制によって必要な運動を引き起こすのに対して，間接路は不必要な運動を抑制していると考えられる．

〔南部 篤：大脳皮質運動野と大脳基底核．小澤瀞司ほか（編）：標準生理学．第 8 版，pp.355, 360, 医学書院，2014 より一部改変〕

黒質網様部に投射する経路が間接路となる．加えて，大脳皮質から直接，視床下核へ投射するハイパー直接路がある．直接路は淡蒼球内節・黒質網様部に対して抑制性入力を有しており，一方，間接路とハイパー直接路は淡蒼球内節・黒質網様部に対して興奮性入力を有している．基底核（淡蒼球内節・黒質網様部）は視床に対して抑制性に働いているため，直接路は脱抑制（抑制機能を抑制）によって運動の発現に作用し，間接路とハイパー直接路は不必要な運動の抑制に作用している．自動車のブレーキに例えると，直接路はブレーキをゆるめて運動を促進する働きをもち，間接路・ハイパー直接路はブレーキを強めて運動を抑制する働きを有している．加えて，基底核は脳幹（中脳被蓋の脚橋被蓋核，中脳歩行誘発野など）への抑制性入力も有しており，脚橋被蓋核は筋緊張の抑制機能を有しており，歩行誘発野はその名のとおり歩行運動パターンを生成する．

したがって，Parkinson 病のように黒質緻密部のドパミンニューロンの脱落・変性が生じると，ドパミンが枯渇することで淡蒼球内節・黒質網様部への抑制性入力が減弱し，結果的に淡蒼球内節・黒質網様部から視床および脳幹への抑制性入力が増加することになる．視床への抑制性入力の増大は，大脳皮質運動関連領野における運動プログラムの作成や運動指令の出力を低下させる．また脳幹への抑制性入力の増大は，筋緊張抑制機能を低下させ，歩行障害を誘発することになる．このため，Parkinson 病では無動，固縮，歩行障害といった症状を呈することになる．一方，尾状核に変性が生じるHuntington（ハンチントン）**舞踏病**や視床下核の損傷によって生じる**バリスム**では，Parkinson病とは対照的に淡蒼球内節・黒質網様部から視床および脳幹への抑制性入力が低下し，不随意運動や筋緊張の低下などが生じることになる．

大脳皮質–基底核ループ（▶図19）[9, 10]には運動ループだけでなく，眼球運動ループ，前頭前野ループ，辺縁系ループがある．眼球運動ループでは，通常のループに加えて黒質網様部から中脳上丘への下行性投射も存在し，衝動性急速眼球運動（サッケード）に関与している．前頭前野ループにはDLPFCループと外側OFCループがあり，前者は遂行機能，行動計画，意思発動に関与し，後者は共感的な行動や社会的に適切な行動に関与している．辺縁系ループでは，前部帯状回や内側OFCからだけでなく，大脳辺縁系（扁桃体，海馬，嗅内皮質）からも入力を受けており，認知情報の評価，情動・感情の表出，動機づけ，意欲（モチベーション）に関与する．したがって，Parkinson病など大脳皮質–基底核ループの機能不全・損傷では，運動障害だけでなく，遂行機能障害や注意障害などの高次脳機能障害や，抑うつや不安障害といった精神症状も生じやすい〔詳細は，第Ⅱ編第1章「Parkinson病の理学療法」（➡309ページ）を参照〕．

その他，小脳による神経ネットワークについては，第2部第4章「運動失調」（➡137ページ）を参照のこと．

E おわりに

本章では，大脳皮質連合野間および中枢神経系構造間の神経ネットワークにおける機能と損傷と症状との関連性について述べた．体裁上，機能局在的に記載した箇所もあったが，局所損傷であることは稀であり，記載したさまざまな機能障害が併存しているのが，実際の臨床で出会う患者であることに留意されたい．

●引用文献

1) Binkofski, F., Buxbaum, L.J.: Two action systems in the human brain. *Brain Lang.*, 127(2):222–229, 2013.
2) Aboitiz, F., et al.: Irrelevant stimulus processing in ADHD: Catecholamine dynamics and attentional networks. *Front. Psychol.*, 5:183, 2014.
3) Archibald, S.J., et al.: Utilization behavior: Clinical manifestations and neurological mechanisms. *Neuropsychol. Rev.*, 11(3):117–130, 2001.
4) Della, S.S., et al.: The anarchic hand: A frontomesial sign. Handbook of Neuropsychology, 9, pp.233–255, Elsevier, Amsterdam, 1994.
5) 阿部浩明：高次脳機能障害に対する理学療法．文光堂，2016.
6) Andersen, R.A., et al.: Optic ataxia: From Balint's syndrome to the parietal reach region. *Neuron*, 81(5):967–983, 2014.
7) Riddoch, M.J., Humphreys, G.W.: A case of integrative visual agnosia. *Brain*, 110(Pt 6):1431–1462, 1987.
8) 高草木 薫ほか：姿勢と歩行の神経科学—最近の動向. *Clin. Neurosci.*, 33(7):740–744, 2015.
9) Wichmann, T., Delong, M.R.: Deep brain stimulation for neurologic and neuropsychiatric disorders. *Neuron*, 52(1):197–204, 2006.
10) Macpherson, T., Hikida, T.: Role of basal ganglia neurocircuitry in the pathology of psychiatric disorders. *Psychiatry Clin. Neurosci.*, 73(6):289–301, 2019.
11) 南部 篤：大脳皮質運動野と大脳基底核．小澤瀞司ほか（編）：標準生理学．第8版，pp.355, 360, 医学書院，2014.

（信迫悟志）

第3章 脳卒中の回復メカニズム

学習目標
- 脳卒中後の神経可塑性の機序について理解する.
- 脳卒中後の機能回復に影響する因子について理解する.

A 神経の可塑性

中枢神経はいったん障害されると，再生しないといわれてきた．しかし近年，一部の脳領域(海馬歯状回および側脳室周囲)では，**神経新生**(neurogenesis)がおこることが明らかとなり，再生しないという原則は現在，否定されている．しかしながら，脳卒中など中枢神経障害後の機能回復において，**神経細胞の再生**(regeneration)が寄与するという報告は少なく，もっぱら**神経の可塑的変化**(plastic change)の貢献が大きいとされている．

本来，「**可塑性**」(plasticity)とは，「**弾性**」(elasticity)に相対する用語である．たとえば**図 1** のように，ゴムボールをある方向から一定の力で押さえ込むと，ボールは凹み，その状態からもとの状態に戻ろうとする．つまり，力を取り除くことによりもとの球形に戻ろうとする．これを**弾性**という．これに対し，その力を取り除いても変形したままの状態が維持される性質を**可塑性**という[1]．日常品の材料として普及しているプラスチック素材は，熱を加えると変形し加工しやすくなる．その後，熱を取り除くと，変形した状態のまま維持されることになるが，可塑性は，まさにその語源と同じである．

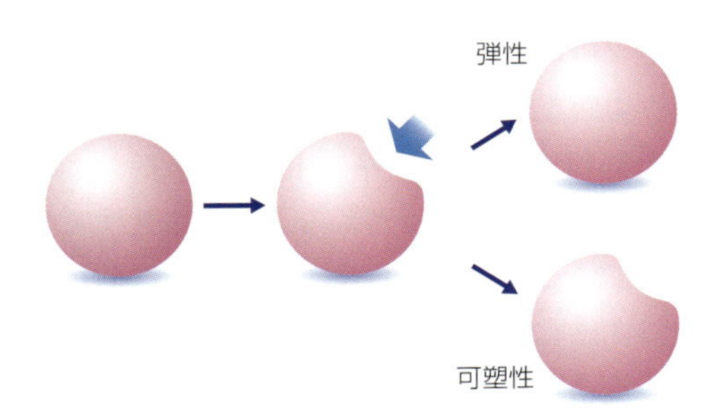

▶図 1　可塑性の意味
一定の力が加えられたとき，もとの状態に戻ろうとする性質を弾性，加えられた力を取り除いても状態が維持される性質を可塑性と呼ぶ．

脳卒中患者の場合，本人をとりまく生活環境の工夫や適切な運動療法を反復して実施することにより，神経系の可塑的変化が生じ，これらの外的要因が除かれた(一定の治療を終了した)としても，一定以上の期間，その神経系の変化が維持されることとなる．

神経可塑性は，生理学的にはシナプス伝達の効率変化ととらえられる．すなわち，**シナプスの可塑性**を意味する．ここでは，この可塑的変化をシナプスの形態的変化と機能的変化に分けて述べる．

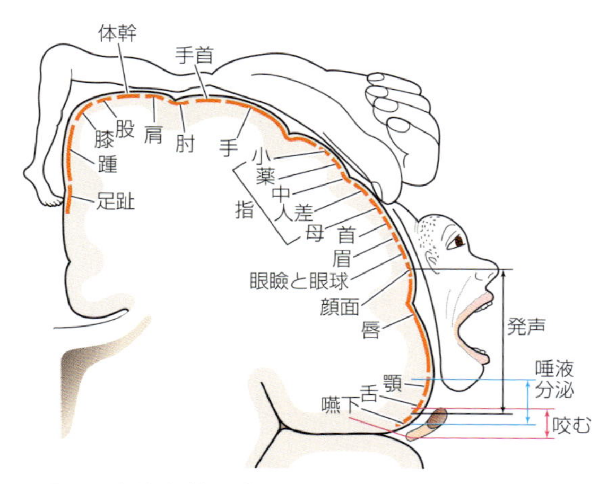

▶図 2　大脳皮質運動野の機能局在
〔Penfield, W., Rasmussen, T.: The Cerebral Cortex of Man. Macmillan, New York, 1950 より改変〕

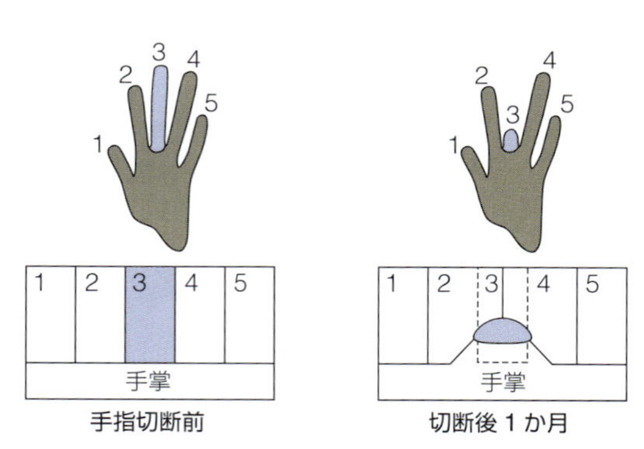

▶図 3　手指切断前後の体性感覚野脳地図の変化
〔Lundy-Ekman, L.: Neuroscience: Fundamentals for Rehabilitation. 2nd ed., W.B. Saunders, Philadelphia, 2002 より〕

1 シナプス可塑性における形態的変化

a 神経発芽

神経線維の末端が突起を伸ばし成長することを**発芽**(sprouting)という〔図 5(➡ 57 ページ)参照〕．神経系の発達過程や，学習に伴うシナプスの可塑的変化として活動依存的に発芽がおこるといわれているが，ニューロンがシナプスをつくるために神経突起を伸ばすメカニズムの一要因と考えられている．また，発芽には，神経栄養因子(neurotrophic factor)の発現が関与しており，発芽を含めた神経細胞の分化・成長・再生などを誘導する．

b 樹状突起とシナプス数の変化

適切な運動療法を繰り返すことにより，中枢神経系では神経栄養因子の発現が高まり，それが刺激となって**樹状突起**(dendrite)を伸長させ，**分枝**(arborization)を促進して，さらにその枝には，**棘**(spine)を増加させ，新しいシナプスを形成する(synaptogenesis)．すなわち，これらの変化は神経ネットワークを形成することにつながる．また，シナプス数の増加のみならず，前シナプス末端に存在するシナプス小胞の数も増加を示す(次項「シナプスの機能的変化」も参照)．

c 脳地図の変化

シナプスの可塑性は中枢神経系のあらゆる部位でみられる現象と考えられるが，特に感覚運動領域でのシナプス可塑性は，リハビリテーション医学が対象とする運動機能の改善に直結し，重要な意味を有すると考えられる．体性感覚野は大脳皮質中心溝の後ろに位置する中心後回に，また運動野は中心溝の前に位置する中心前回に存在し，Penfield(ペンフィールド)が発見したホモンクルス(脳の中の小人)に従って，身体の各部位に対応した支配領域が存在する(▶図 2)[2]．

図 3[3] は手指および手掌部の感覚領域を示したシェーマであるが，たとえば，第 3 指を切断した場合，切断 1 か月後，受傷前まで第 3 指の領域であった部位を隣接する第 2 指，第 4 指および手掌部の領域として使用されるように変化することを示している．こうしたマッピング(地図)の変化は，体性感覚野のみならず運動野でも示されており，ある運動を繰り返し実施すると，関連脳部位の支配領域面積が増え，逆に，あまり使用しない領域は減る．すなわち，体性感覚刺激で観察された変化と同様に体部位局在の再構築が生じる[3]．

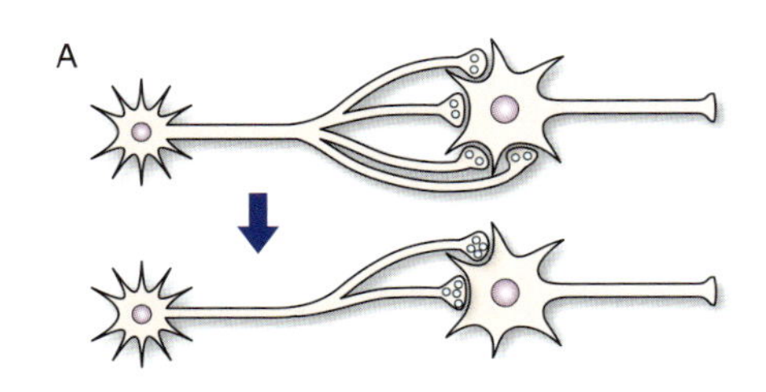

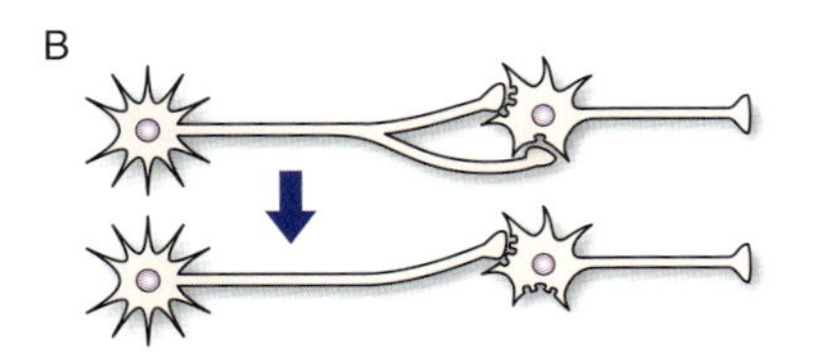

▶図 4　神経損傷後のシナプスの変化

A：シナプス小胞の発現および神経伝達物質の増量(シナプス前メカニズム)

B：脱神経過敏による受容体の発現増加(シナプス後メカニズム)

〔Lundy-Ekman, L.: Neuroscience: Fundamentals for Rehabilitation. 2nd ed., W.B. Saunders, Philadelphia, 2002 より一部改変〕

2 シナプスの機能的変化

情報がシナプスを伝達されるとき，シナプス間隙には**神経伝達物質**(neurotransmitter)が放出され，シナプス後ニューロンの受容体と反応して**興奮性シナプス後電位**(excitatory post-synaptic potential; EPSP)を誘発する．シナプスの可塑的変化により，シナプスの伝達効率が高まった状態では，放出される神経伝達物質が増量する(シナプス前メカニズム)(▶図 4A)か，あるいは，受容体の発現が高まり反応しやすくなる(シナプス後メカニズム)(▶図 4B)ことが想定されている[3]．

また，シナプスの伝達効率を変える代表的な機構として，**長期増強**(long-term potentiation; LTP)および**長期抑圧**(long-term depression; LTD)が知られている．

a 長期増強(LTP)

興奮性入力を高頻度で短時間刺激すると，その後，高頻度入力を受けたシナプスの伝達効率が顕著に上昇し，その状態が長期にわたり持続する現象を**長期増強**(LTP)という．LTP は海馬でよく研究されており，まず入力線維束を低頻度で電気刺激し，EPSP を誘発する．次いで，同線維束に短時間(1〜10 秒)のテタヌス刺激を加えると，再び低頻度の刺激に切り替えても，EPSP 振幅の増大がその後長期間にわたり観察される．この現象が LTP で，シナプスの可塑的変化を機能的に示すものである．

b 長期抑圧(LTD)

長期抑圧(LTD)は小脳においてよく研究されている．小脳の Purkinje(プルキンエ)細胞は小脳皮質から出力する唯一のニューロンであり，顆粒細胞の軸索である平行線維と下オリーブ核ニューロンの軸索である登上線維の 2 経路から興奮性の入力を受けている．平行線維からの入力信号と登上線維からの刺激が組み合わさり，これを繰り返すと，平行線維による Purkinje 細胞の EPSP の振幅が長期間減少する．これを LTD という．

B 脳卒中後の機能回復に影響する因子

1 脳卒中後の機能回復機序

a 急性期における機能回復

中枢神経系はいったん障害されると比較的回復しにくい組織であるが，ほとんどの症例において，ある程度の回復が認められることも事実である．脳卒中の自然回復は，特に発症後急性期に顕著であり，時間が経過すればするほど回復は乏しくなる．脳卒中の機能回復予後は，脳障害の部位や大きさ，また，発症年齢や発症前の状態などにより異なるが，一般的に，発症後 3 か月までの回復は著しく，その後 6 か月までも，ゆるやかではあるが回復を認めるとされている．しかし，これはあ

▶**表1　脳卒中急性期における機能回復機序**

- 脳浮腫の改善
- 出血の吸収（脳出血の場合）
- 脳の循環改善
- 脳血管の攣縮改善
- 機能解離〔ディアシーシス（diaschisis）〕の消失

くまでも一般的な傾向であり，6か月を過ぎても回復を認める症例もあることから，脳卒中の機能予後については，慎重に十分な検討のうえ治療を進めることが大切である．

脳梗塞の急性期には，梗塞に陥った部位（ischemic core）のまわりに，梗塞には陥っていないが脳血流が低下した状態にある領域として，**ペナンブラ**（penumbra）領域が存在する．この領域にある神経細胞は，血流低下（虚血）状態が継続することにより壊死をおこし梗塞層の拡大をまねく可能性がある一方，適切に脳の循環状態が改善，または脳浮腫が軽減することにより神経活動が回復する可能性も有する．このように，神経細胞をとりまく環境の変化が引き金となり，機能回復がおこる．これは神経の再生や可塑的変化によるものではなく，**脳の可逆性**という．

一般に，脳卒中急性期における機能回復の機序として，**表1**の内容があげられる．

b 回復期における機能回復

脳卒中の機能回復機序を一概に急性期と回復期を分けて考えることは困難であるが，急性期の回復の多くが脳の可逆性に依存するのに対し，回復期以降の機能回復に貢献する機序は神経の可塑性がメインである〔A項「神経の可塑性」（➡53ページ）参照〕．

神経の可塑性は神経の再生とは異なり，発芽やシナプス形成がベースとなって神経ネットワークを再構築していくことによる機能回復である．その回復過程は，障害の程度や時間的経過の違いなどによって異なる対応がおこるものと考えられるが，発症からの経過により，代償（substitution），再学習（relearning），中枢神経再構築（reorganization）などの機序に分けて考えられる．

(1) 代償（substitution）

中枢神経系のなかで限局した小範囲が一時的に障害されたとき，本人はその症状を特に自覚することなく過ごすことがある．このとき，中枢神経内では即座に障害されていない近傍の領野によって（たとえば，運動野に対して体性感覚野など）障害された部位の機能を代償することができる．

また，1つの神経ネットワーク（軸索）が障害されたのち，それまで存在していながら抑制を受けて働いていなかった別のネットワークを呼び覚まし，機能回復に貢献させる機序があるといわれている．これを**脱抑制**（unmasking）という．

(2) 再学習（relearning）

中枢神経内の一部分が障害されたとき，必ずしも上述のように即座の対応が行われるものとは限らない．しかしその場合でも，数日単位の時間経過によって，本来の機能を他の部位の神経回路で再学習し，機能を持ち直すことができる．

(3) 中枢神経再構築（reorganization）

中枢神経系が部分的に障害されたとき，神経回路を再構築し機能の回復や代償をすることができる．ニューロンが損傷を受けると，まずミクログリアによって食作用を受ける．ミクログリアは同時にサイトカインなどを放出し，それが引き金となってアストロサイトによるグリア化（gliosis）がおこる．このときアストロサイトは神経栄養因子を放出し，神経の修復に有利な微小環境を形成し，近傍のニューロンの発芽を促す（▶**図5**）[3]．これがきっかけとなり，新しいシナプスの形成，ニューロンネットワークの再構築がおこるものと考えられる．

Nudoらは，運動野の一部を電流で破壊して作成した脳梗塞サルに対して，運動機能の推移を記録した．大小の穴から餌を取り，自らの口に運ぶ動作を繰り返すことを課題とした運動療法を実施し，その前後で運動野地図を調べた[4]．繰り返し行う運動により，運動野の体部位局在が再構築

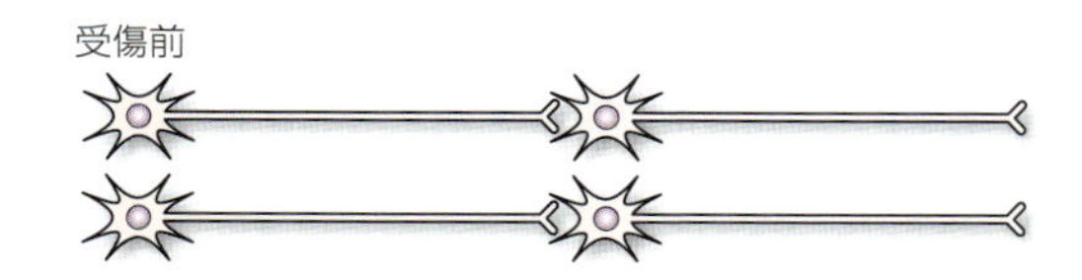

A. 神経線維損傷後の側副発芽

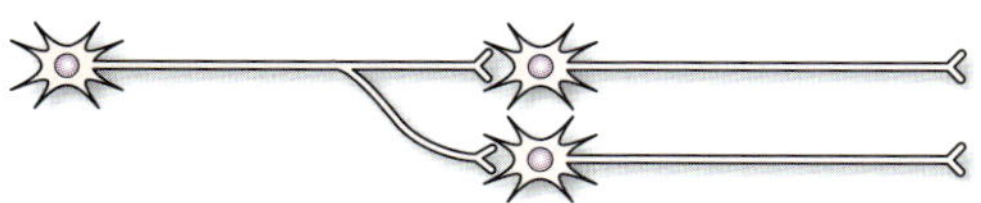

B. 神経線維の損傷と軸索の損傷

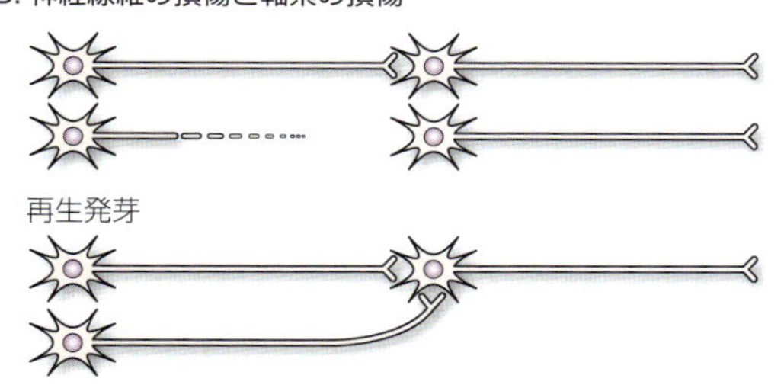

▶**図 5　神経線維の発芽の様式**

神経線維が損傷されたのちにみられる発芽には 2 種類の様式がある．

A：軸索が損傷されたのち，周囲の障害されていない神経細胞から脱神経領域に発芽する様式であり，側副発芽(collateral sprouting)という．

B：軸索が損傷されたのち，中枢側から再生がおこる様式であり，再生発芽(regenerative sprouting)という．

〔Lundy-Ekman, L.: Neuroscience: Fundamentals for Rehabilitation. 2nd ed., W.B. Saunders, Philadelphia, 2002 より一部改変〕

され，脳梗塞後の運動障害に対するリハビリテーションの作用メカニズムの 1 つとして示されたが，それは単なる運動刺激によるものではなく，運動遂行にある程度の難易度を有する動作を選び，運動学習を求めることによりもたらされる反応であるといえる．

このような運動野地図の再構築は脳卒中患者においても示されており，麻痺側上肢の集中的な運動の繰り返しを実施すると，上肢の運動を引き起こす運動野の支配領域が広がることなどが示されている．このように，運動刺激による運動野の可塑的変化とそれによる機能の改善効果は臨床研究でも報告がある[5)]．

C 脳卒中の機能回復機序にかかわる知見

(1) 脳卒中後の脳内神経活動

脳梗塞に陥ると，その直後，損傷側の脳活動は低下する．その際，代償的に非損傷側の脳活動は高まることが知られている[6)]．その後，非損傷側の脳における神経活動が継続し，動物実験のデータでは 1 週間後，樹状突起に存在するスパインの形態変化を促し，損傷側(健常側)の前肢機能の改善が認められている[7)]．すなわち，同側性支配による機能改善が得られた可能性が示唆される．このように，損傷直後から急性期においては，非損傷側の脳活動が一定期間高まり，その結果，ある程度，機能回復を促すことが考えられる．

(2) 皮質間抑制と結合性変化

正常な脳では，左右の大脳半球が相互に反対側半球を抑制し合っている．しかし，一側の脳が傷害されると，傷害側から非傷害側への抑制が減弱し，逆に非傷害側から傷害側への抑制が強くなるため，半球間のアンバランスが生じる．よって，脳卒中により傷害された側の運動野に対して促通性の刺激を与えるか，あるいは，非傷害側に抑制性の刺激を与えることにより，機能回復を手助けすることができる．具体的には，非麻痺肢を使用せず，麻痺肢を集中的に使用すること〔CI 療法(constraint-induced movement therapy)として知られている〕により，半球間抑制を利用して機能回復をはかると考えられている．また，経頭蓋磁気刺激などを適切な条件で用いることで，半球間のバランスを調整することが可能である．このような脳内の異なる部位が連動して働くことを神経ネットワークの結合性(connectivity)といい，脳内各部位における結合性変化が脳卒中後の機能回復に関連していることが知られている[8)]．

2 機能回復に影響する因子

脳卒中の機能回復は種々の要因が絡み，機能の

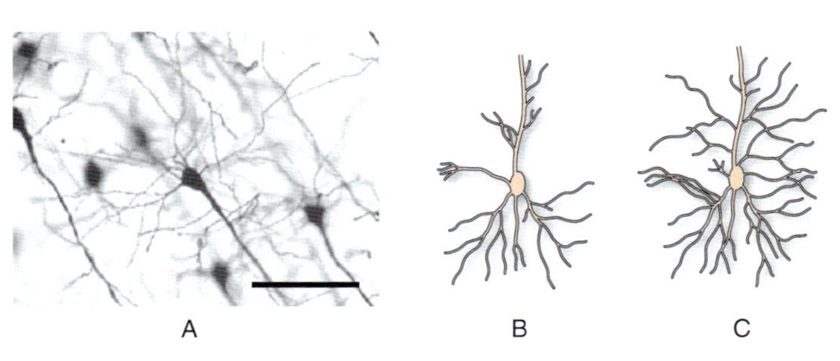

▶図6　運動による樹状突起の拡大効果
ラット大脳皮質運動野の神経細胞を Golgi-Cox 染色すると，A のような樹状突起の像が確認できる（右下のスケールバーは，40 μm を示す）．脳卒中をおこしたラットに一定期間の運動を実施させると，運動野の樹状突起は，B から C のように拡大する．

回復を促進する因子もあれば，逆に阻害する因子もある．以下に，その具体例を示す．

a 回復を促進する因子

(1) 運動

脳卒中発症後，可及的早期から離床して運動療法を実施することが機能的予後の改善に有効であるといわれている．脳卒中モデル動物を用いた研究では，全身的な有酸素運動（トレッドミル運動，輪車運動など）および局所の巧緻性運動（リーチ練習，一側肢の強制使用など）を一定期間実施すると，大脳皮質運動野や線条体において，神経栄養因子の発現，樹状突起の分枝増大および棘の密度増加などが報告されている[9]（▶図6）．

(2) 豊かな環境

運動のみならず，視覚，前庭感覚，触覚など多種類の刺激を経験することが，脳卒中の機能回復を促進する可能性がある．

動物実験では，“豊かな環境”（environmental enrichment：通常よりも広いスペースで飼育し，輪車，トンネル，おもちゃなどを並べ，毎日その配置を変える）で飼育すると，海馬歯状回の顆粒細胞層でニューロン新生が増加すること[10]や，脳梗塞モデルラットでは側脳室下帯で内在性の前駆細胞産生が高まり，新生ニューロンへと分化が進むことや運動野の樹状突起が拡大することなどが報告されている[11]．

(3) 意欲・動機づけ

脳卒中後の機能回復を高める要素として，意欲や動機づけも重要なファクターであるといわれている．

b 回復を妨げる因子

(1) 代謝的要因

中枢神経系が虚血状態に陥るとニューロンから神経伝達物質であるグルタミン酸の過剰放出がおこる．正常時は，アストロサイトに存在するグルタミン酸トランスポーターが機能するため，いったんシナプス間隙に放出されたグルタミン酸は，組み上げられて再利用される．

しかし，脳卒中で虚血状態になると，必要なエネルギーが枯渇するためグルタミン酸トランスポーターの働きが障害され，結果としてシナプス間隙のグルタミン酸濃度が高まる．このことは，シナプス後ニューロンのカルシウムチャネルを活性化し，内在のカルシウムイオンを放出させる．よって細胞内カルシウムイオンが過剰となり，さまざまな**興奮性神経毒性**（excitatory neurotoxicity）を誘導する．

具体的には，神経細胞内で解糖系が亢進し，乳酸が蓄積するため細胞内 pH が酸性に傾く，細胞内の水分が増加して細胞が膨張する，また，種々の蛋白質分解酵素が活性化されて活性酸素やフリーラジカルが産生されるなどの変化が生じ，神経細胞

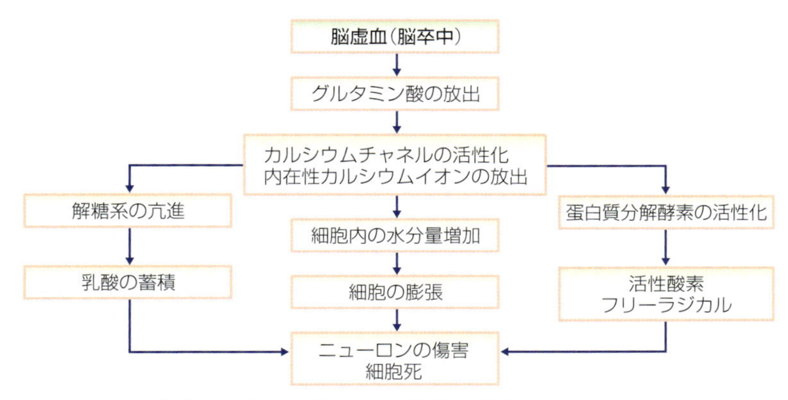

▶図 7　脳卒中後の回復を悪化させる代謝的要因
〔Lundy-Ekman, L.: Neuroscience: Fundamentals for Rehabilitation. 2nd ed., W.B. Saunders, Philadelphia, 2002 より一部改変〕

の傷害性を高め，細胞死に至らしめる（▶図 7）[3]．つまり，こうした一連の代謝的要因が脳卒中の回復を悪化させる因子となる．

(2) ストレス

脳卒中は多くの場合，本人にとって予期せぬ出来事であり，程度の差はあれ，身体的または精神的な障害をもたらすことから，精神的なストレスとなる．

過剰なストレスは，大脳辺縁系（扁桃体）で感知して，不快であるという情報を視床下部に送る．視床下部は副腎皮質刺激ホルモン放出ホルモンを放出して脳下垂体を刺激し，脳下垂体から副腎皮質刺激ホルモンが分泌される．その結果，副腎よりグルココルチコイドが分泌されるが，これにより不必要な血糖上昇や胃粘液の減少を引き起こし，ストレスによる自律神経系（特に交感神経系）の興奮による胃の血流量低下も併せて引き起こされ，ストレス状態はより悪い状態となる．

近年の研究では，ストレス時に過剰発現するグルココルチコイドが，脳梗塞後の傷害や機能をいっそう悪化させること，樹状突起の拡大など可塑的変化を引き起こす鍵となる脳由来性神経栄養因子（brain-derived neurotrophic factor; BDNF）の発現を抑えること，また，海馬歯状回においては神経新生を抑制するなど，中枢神経系の機能回復を悪化させる要因になることが指摘されている．

(3) 生活不活発病

心身の不使用または不活発により機能の低下をもたらすことを**生活不活発病**（または，**廃用症候群**）という．脳卒中後，運動麻痺および活動性低下が生じることから，長期間の安静臥床を強いられることが多く，その弊害として次のような種々の問題を引き起こす．

生活不活発病は脳卒中の二次障害であるが，脳卒中後の機能回復を阻害する大きな要因となる．また，脳卒中発症に伴う種々の合併症により，脳卒中の機能回復を著しく遅らせる要因となり，その予防と対策が臨床上重要である．

●引用文献

1) 石田和人：脳の可塑性．理学療法 MOOK 16, 脳科学と理学療法, pp.41–49, 三輪書店, 2009.
2) Penfield, W., Rasmussen, T.: The Cerebral Cortex of Man. Macmillan, New York, 1950.
3) Lundy-Ekman, L.: Neuroscience: Fundamentals for Rehabilitation. 2nd ed., W.B. Saunders, Philadelphia, 2002.
4) Nudo, R.J., et al.: Neural substrates for the effects of rehabilitative training on motor recovery after ischemic infarct. *Science*, 272(5269):1791–1794, 1996.
5) Liepert, J., et al.: Motor cortex plasticity during

constraint-induced movement therapy in stroke patients. *Neurosci. Lett.*, 250(1):5–8, 1998.
6) Calautti, C., Baron, J.C.: Functional neuroimaging studies of motor recovery after stroke in adults: A review. *Stroke*, 34(6):1553–1566, 2003.
7) Takatsuru, Y., et al.: Neuronal circuit remodeling in the contralateral cortical hemisphere during functional recovery from cerebral infarction. *J. Neurosci.*, 29(32):10081–10086, 2009.
8) Grefkes, C., Fink, G.R.: Connectivity-based approaches in stroke and recovery of function. *Lancet Neurol.*, 13(2):206–216, 2014.
9) Takamatsu, Y., et al.: Treadmill running improves motor function and alters dendritic morphology in the striatum after collagenase-induced intracerebral hemorrhage in rats. *Brain Res.*, 1355:165–173, 2010.
10) Kempermann, G., et al.: More hippocampal neurons in adult mice living in an enriched environment. *Nature*, 386(6624):493–495, 1997.
11) van Praag, H., et al.: Functional neurogenesis in the adult hippocampus. *Nature*, 415(6875):1030–1034, 2002.

（石田和人）

COLUMN 水頭症

脳脊髄液は中枢神経系を保護し，機能維持する役割をもつ．**水頭症**(hydrocephalus)は，この髄液の循環障害によって頭蓋内圧が上昇するとともに，貯留した髄液によって脳室が拡大する病態である[1]．主に脈絡叢で産生された髄液は側脳室からMonro(モンロー)孔を通り第三脳室に入り，中脳水道を経て第四脳室に到達後，Magendie(マジャンディー)孔およびLuschka(ルシュカ)孔から脳室を出て，くも膜下腔を流れ上矢状洞近傍のくも膜顆粒から吸収されて静脈洞に入る[2]．成人における正常頭蓋内圧と髄液産生吸収量は，臥位での正常髄液圧が5～15 mmHg(60～150 mmH_2O)，髄液産生量が21 mL/時間，450～500 mL/日，頭蓋内髄液量が140～150 mLである．つまり正常な場合は，24時間で3～4回入れ替わる計算となる．

髄液循環が障害される原因には，①脈絡叢からの髄液の過剰産生，②脳室系における通過障害(非交通性水頭症)，③髄液の吸収障害(交通性水頭症)という3要因があげられる．水頭症は，脳萎縮によって生じた脳室の拡大ではなく，頭蓋内圧が上昇した結果として生じる．したがって，脳室の拡大が，脳萎縮によるものか水頭症によるものかの鑑別が重要となる．水頭症では，側脳室前角が丸みを帯びて拡張し，両側側脳室前角の上前縁のなす角度が狭小化するのが鑑別点となる[3]．

正常圧水頭症(normal pressure hydrocephalus; NPH)は，1965年にHakimとAdamsにより報告され，脳室拡大を認めるが髄液圧は正常範囲(180 mmH_2O以下)にあり，歩行障害，認知機能障害，排尿障害を3主徴とし，髄液シャント術により症状改善を得る症候群である[4]．NPHは，症状が60歳以上の高齢者に非特異的で，先行疾患が明らかでない原因不明の**特発性正常圧水頭症**(idiopathic NPH; iNPH)と，先行疾患(髄膜炎，くも膜下出血，頭部外傷など)に続発して発症する**二次性正常圧水頭症**(secondary NPH; sNPH)に分類される．NPHの大部分はiNPHが占め，iNPHの有病率は60歳以降の高齢者の1.1%と見積もられている．iNPHの病理報告では，①脳軟膜・くも膜の線維化・肥厚，②くも膜顆粒の炎症性変化，③脳室壁の上衣細胞の脱落，④上衣下のグリオーシス，⑤くも膜下腔や脳実質内の血管壁の硬化性変化や脳実質内の虚血病変，⑥Alzheimer(アルツハイマー)病の病理変化などが報告されているが，iNPHに特異的な病理学的変化は明らかになっていない．iNPHは“特発性”と称されているように，その原因は不明であるが，遺伝素因，加齢，環境要因，生活習慣などの複数の因子が複雑に影響する多因子疾患ととらえられる[5]．

症状

iNPHの臨床症状は，歩行障害，認知機能障害，排尿障害が3主徴であるが，精神症状もしばしば認められる[5]．歩行障害は91～100%，排尿障害は60～83%，認知機能障害は78～98%と報告されている[5]．

- **歩行障害**：歩行障害の特徴は，小刻み歩行(small-step gait)，すり足歩行(magnet gait)，開脚歩行(broad-based gait)である．小刻み歩行では歩幅の減少が認められ，すり足歩行では足の挙上不足が生じる．歩行速度が低下し，両足が地面についている時間が延長する．Parkinson(パーキンソン)病とは異なり，外的キューによる歩行の改善効果は少ない．特に方向転換時に不安定となりやすく，転倒のリスクを伴うため，理学療法士はリスク管理に努めなければならない．
- **認知機能障害**：精神運動速度の低下，思考緩慢，概念転換の障害，ワーキングメモリの障害，語想起能力の障害など，前頭葉機能に関連した障害が主体である[6]．したがって，遂行機能障害症候群の行動評価法や前頭葉機能検査によって症状を把握する必要がある．ただし，iNPHの重症例では，脳全般の機能低下をきたす．
- **排尿障害**：尿意切迫，尿失禁が主体であり，膀胱機能亢進（過活動膀胱）を認める．
- **精神症状**：無為・無関心，易刺激性情動的興奮などが認められる．

タップテストとドレナージテスト

診断で行う検査法には，**タップテスト**と**ドレナージテスト**がある[7]．タップテストは髄液を少量短期間排除し，ドレナージテストは髄液を大量長期間排除し，それぞれ臨床症状が改善するか否かを判定することで，iNPH の診断を行う検査である．タップテストでは，髄液排除は単回で 1 回の排除量は 30 mL までとされている．ドレナージテストは，通常，髄液を 10 mL/時間の速度で，あるいは 1 時間ごとに自然滴下させて，3～5 日間で総量 300～500 mL 程度を排除する．

判定には，タップテストあるいはドレナージテストの前後での iNPH 重症度評価（iNPH grading scale; iNPHGS）や，歩行での 3 m timed up and go test（TUG），認知機能評価での Mini-Mental State Examination（MMSE）などが用いられている．TUG は，患者が椅子から立ち上がり，3 m 先の指標で方向転換し，再度，椅子座位になるまでに要する時間，歩数を計測する検査方法である．陽性であれば，タップやドレナージ後にこうした症状の改善が認められる．タップやドレナージ後に，iNPHGS で 1 点以上の改善あるいは TUG で 10% 以上の改善，MMSE で 3 点以上の改善が認められれば陽性となる．

治療法

NPH の治療法として，**髄液シャント術**がある[8,9]．髄液シャント術は，髄液循環障害によって脳室に貯留した髄液を，非生理的に脳室内から排除させるためのシリコンチューブを体内に設置する外科的処置である．

髄液シャント術には，脳室腹腔シャント術（ventriculo-peritoneal shunt; VP shunt），腰椎腹腔シャント術（lumbo-peritoneal shunt; LP shunt），脳室心房シャント術（ventriculo-atrial shunt; VA shunt）がある．一般的には脳室腹腔シャント術が用いられることが多いが，iNPH 症例に対しては，より低侵襲と考えられる腰椎腹腔シャント術が選択されることも多くなっている．

髄液シャント術の効果としては，歩行障害が 80% 以上で改善が認められ，認知機能障害，排尿障害でも 50～60% の改善が認められるとされている．髄液シャント術は 5 年間の長期追跡調査でも効果が持続しているとの報告があり，高齢者の ADL を改善させ，介護者の負担を軽減する治療として，有用であると考えられている．

リハビリテーション[10]

髄液シャント術後の退院後の生活目標は，①太らない，②転ばない，③閉じこもらない，の 3 つとされている．シャント機能を適切に発揮させるためにも，規則正しい生活リズムを形成し，積極的に外出する機会をつくることが望ましいとされている．

●引用文献

1) 馬場元毅：絵でみる脳と神経—しくみと障害のメカニズム．pp.172–175, 医学書院, 1991.
2) 白根礼造：脳脊髄液循環の生理．*Clin. Neurosci.*, 30(4):384–386, 2012.
3) 神谷昴平, 佐藤典子：脳室の画像検査．*Clin. Neurosci.*, 30(4):391–394, 2012.
4) Hakim, S., Adams, R.D.: The special clinical problem of symptomatic hydrocephalus with normal cerebrospinal fluid pressure. Observations on cerebrospinal fluid hydrodynamics. *J. Neurol. Sci.*, 2(4):307–327, 1965.
5) 高橋賛美, 加藤丈夫：疾患概念と診断基準．*Clin. Neurosci.*, 30(4):413–416, 2012.
6) 菅野重範, 森 悦朗：iNPH と高次脳機能障害．*Clin. Neurosci.*, 30(4):417–419, 2012.
7) 徳田隆彦：タップテストとドレナージテスト．*Clin. Neurosci.*, 30(4):425–428, 2012.
8) 橋本正明：特発性正常圧水頭症の治療．*Clin. Neurosci.*, 24(11):1263–1267, 2006.
9) 三宅裕治：シャント手術．*Clin. Neurosci.*, 30(4):429–431, 2012.
10) 石川正恒：リハビリテーション, 保険と介護．*Clin. Neurosci.*, 30(4):432–433, 2012.

（信迫悟志）

第4章

脳卒中の障害構造と評価

- 脳卒中後の障害構造を理解する.
- 脳卒中後の障害に対する評価,ゴール設定,プログラム立案,効果判定について理解する.
- 脳卒中後の障害に対する代表的評価方法を知る.
- 脳卒中後の障害に対する病期別の理学療法士の役割を理解する.

A 脳卒中と障害

脳卒中という名称は,脳梗塞や脳出血を代表とした**脳血管疾患**の総称である.この疾患によって,脳細胞の死がおこり,その結果として"脳"という臓器が有している機能の"障害"が惹起されることになる.理学療法士は,脳卒中という疾患を障害の観点からとらえる必要があり,それは理学療法の対象が「身体に障害を有する者」という定義に従うことに由来する.よって,われわれは疾患に対する理学療法を行うのではなく,疾患によって惹起された障害をもつ人を対象として,種々の理学療法を展開するのである.

しかしながら,疾患に関する知識が必要なことはいうまでもなく,特に疾患と障害が共存する場合は重要になってくる.たとえば,Parkinson 病などの進行性変性疾患がそれに当てはまる.この場合,疾患の予後と障害の予後が密接にかかわり合い,疾患の進行によって障害も増悪することが予測されるからである.

一方,脳卒中の場合には,疾患と障害が同時に存在することはなく,"脳卒中後の障害"という形をとり,基本的には疾患や障害の増悪は発生することはないと考えられる.よって理学療法士は,専門科領域の医師のような病理学的所見の判断や,病態メカニズムの理解などの病態生理学的範囲に焦点化した知識を有することは最優先事項ではない.それは,理学療法士が障害を有する人に対して,全人的なレベルで理学療法評価を行い,治療を行うからである.

1 疾病・障害をめぐる概念枠組みと分類

1893 年,国際統計協会において**国際疾病分類**(International Statistical Classification of Diseases and Related Health Problems; ICD)が採択され,疾病に関する国際的な共通言語が制定された.この ICD によって,疾患統計や死亡統計の国際比較が可能になった.しかし 1960 年代ころから徐々に,慢性疾患の増加,寿命延長による高齢障害者の増加などを背景に,ICD のような疾患の国際分類だけでは不十分であり,疾患後の障害をとらえる必要性があるという認識が高まってきた.

そのような時代背景から,ICD を補完するものとして,1980 年に**国際障害分類**(International Classification of Impairments, Disabilities and Handicaps; ICIDH)が誕生した(▶図 1)[1].この ICIDH は,障害を疾患そのものが問題ではなく,疾患の諸帰結(結果)が問題であると定義し,障

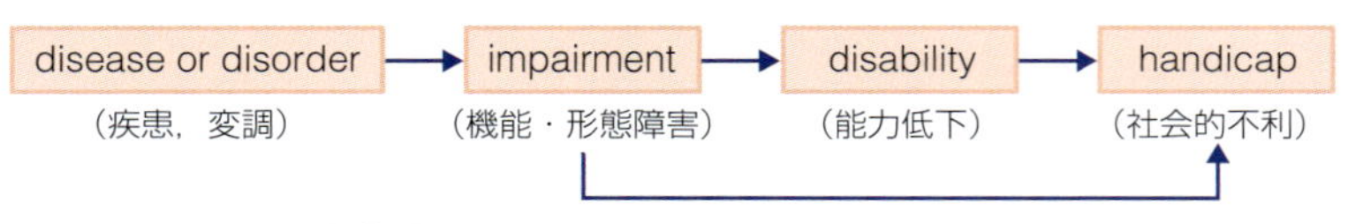

▶図1　国際障害分類（ICIDH）

▶表1　国際障害分類（ICIDH）の要素

疾病/変調（disease/disorder）	身体的疾病/精神障害
機能障害（impairment）	障害の一次レベルであり，疾病から直接生じる心理的，生理的，または解剖的な構造や機能の欠陥あるいは異常である．機能障害には，一時的なものと永続的なものがある
能力低下（disability）	障害の二次レベルであり，人間にとって普通とみなされる様式や範囲内で活動する能力の制限，あるいは能力の欠損している状態をいう
社会的不利（handicap）	障害の三次レベルであり，機能障害あるいは能力低下によって個人にもたらされる不利益で，年齢や性別，社会文化的要因によって決まる

害が生物学的レベルの3階層〔**機能障害**（impairment），**能力低下**（disability），**社会的不利**（handicap）〕からなるという障害観を初めて提示した（▶**表1**）．ICIDHの誕生は，リハビリテーション医学や理学療法学における医学的評価および治療の概念的枠組みの構築に寄与し，障害論としての学問的位置づけを可能にした．しかしながら，ICIDHにも問題点が提示されるようになった．ICIDHの問題点としては，患者の障害のマイナス面にのみ焦点が当てられていること，環境要因を考慮していないこと，障害を有した患者の主観要因への考慮が乏しいことなどがあげられた．

これらの問題を受け，2001年の世界保健会議において，**国際生活機能分類**（International Classification of Functioning, Disability and Health; ICF）が誕生した[2]．このICFの構成要素の定義，相互作用は**図2**，**表2**に示す．

患者は脳卒中の発症と同時に**機能障害**，**活動制限**（activity limitation），**参加制約**（participation restriction）の障害を有することになる．ここには機能障害から活動制限，そして参加制約が生じるという時間的経過は関係なく，脳卒中の発症と同時にすべてのレベルで障害が発生することがポイントである（▶**図3**）．脳卒中では発症と同時に障害が引き起こされ，脳卒中の再発がなければ，それ以降は脳卒中という疾患そのものの病理学的変化は生じない．

一方，Parkinson病や多発性硬化症，脊髄小脳変性症などの進行性の変性疾患の場合は，疾患と障害が同時に存在することになり，疾患の予後が障害の予後にも大きな影響を与えることになる．これらの疾患と障害の因果関係を理解しておくことは，理学療法評価や治療を考えていくうえでは大変重要である．

2 障害の観点からの患者の諸問題の把握

理学療法士が，疾患レベルではなく，障害の観点から患者の諸問題を把握することには必然性がある．機能障害は，疾患により侵される臓器・器官の部位や領域が同じであれば，疾患に関係なくその臓器・器官の機能障害がほぼ共通しておこる．たとえば，脳という器官を侵す疾患は，脳梗塞や脳出血などの脳卒中ばかりでなく，脳腫瘍，頭部外傷など複数に存在する．しかし，これらの疾患により侵される脳の領域が同じであれば，意識障害，高次脳機能障害，感覚障害，運動障害，排尿・排便障害などの機能障害が共通しておこる．さらに例をあげると，大脳皮質の頭頂葉にある感覚皮質に脳梗塞を発症した場合でも，外傷により感覚皮質を損傷した場合でも，あるいは感覚皮質

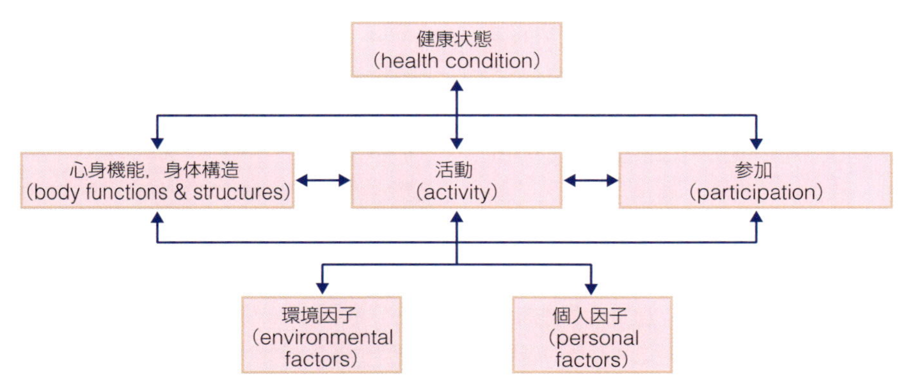

▶図 2　国際生活機能分類(ICF)の要素間の相互作用

▶表 2　国際生活機能分類(ICF)の概観

	第 1 部：生活機能と障害		第 2 部：背景因子	
構成要素	心身機能 身体構造	活動，参加	環境因子	個人因子
領域	心身機能 身体構造	生活・人生領域(課題，行為)	生活機能と障害への外的影響	生活機能と障害への内的影響
構成概念	心身機能の変化 (生理的) 身体構造の変化 (解剖学的)	能力 標準的環境における課題の遂行 実行状況 現在の環境における課題の遂行	物的環境や社会的環境，人々の社会的な態度による環境の特徴がもつ促進的あるいは阻害的な影響力	個人的な特徴の影響力
肯定的側面	機能的・構造的統合性	活動 参加	促進因子	非該当
	生活機能			
否定的側面	機能障害 (構造障害を含む)	活動制限 参加制約	阻害因子	非該当
	障害			

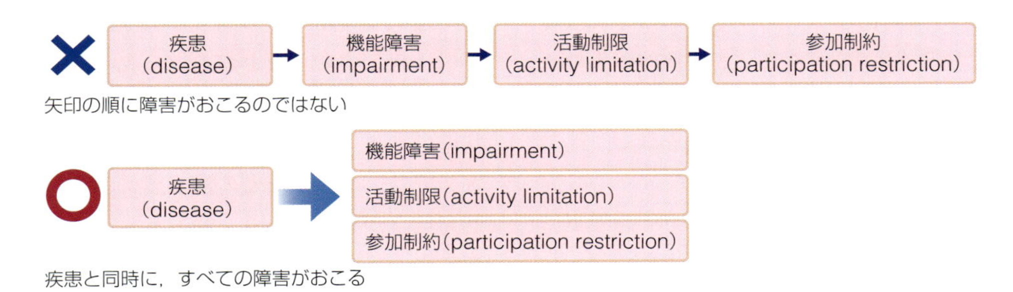

▶図 3　疾患と障害の関係

に脳腫瘍が発症した場合でも，程度の差はあるかもしれないが，すべて共通して感覚障害という機能障害が発生すると考えることができる．臓器・器官の部位や領域の機能に一致した機能障害が出現し，この場合にはその原因となる疾患は関係なく，その部位や領域に病巣や傷害が存在するかどうかが重要になってくる．これは脳という器官についてのみいえることではなく，脊髄，末梢神経，関節，筋，心臓，肺などの他の臓器・器官にも当てはまる．よって，理学療法士は疾患別という観点から，臓器・器官別に障害を整理しておく必要性があり，この視点をもつことで理学療法評価や治療の基本軸が構成されると思われる．

活動制限のレベルからいえば，種々の機能障害が原因となり，歩行能力の低下やセルフケア動作などに問題を引き起こすことになる．また，参加制約のレベルでは，このような活動制限の状態をさらに社会的な立場に還元した際に，通勤や通学などの移動，職場復帰，地域・社会活動への参加などの不利益が生じることで表される．ただし，ICF の分類においては，活動制限と参加制約の間に明確な区別がなされておらず，今後，世界共通の基準を作成する必要があるとされている．

3 理学療法の治療的側面からとらえた障害

理学療法の治療的側面から障害を考えた場合には，次のようなポイントが重要である．

①疾患から直接おこる**一次障害**(一次性機能障害)があり，この機能障害の回復を高める治療を実施し，活動制限の改善をはかる．

②疾患とは直接関係なく，間接的におこる**二次障害**(二次性機能障害)があり，この機能障害の予防と治療を行い，活動制限の改善をはかる．

③疾患に侵されていない器官の機能を高め，活動制限の改善をはかる．

④人的介助や物的介助の利用や動作方法の変更により活動制限の改善をはかる．

①で述べられた脳卒中後の**一次性機能障害**とは，疾患は何であれ脳の障害に起因する機能障害のことであり，具体的には**表３**のとおりである．これらの一次性機能障害の予後に関しては，脳卒中の場合は回復する場合と後遺する場合の両方があることを前提として理学療法評価と治療を考え，これら一次性機能障害の回復を高めるような治療を実施し，活動制限の改善をはかる．

表３　脳卒中によっておこる一次性機能障害

意識障害	意識水準の低下・変化
精神障害	注意障害，感情障害
知能障害	知能障害，記憶障害
運動障害	運動麻痺，失調，不随意運動など
感覚障害	表在感覚，深部感覚障害など
高次脳機能障害	失語・失行・失認，遂行機能障害
排尿・排便障害	排尿・排便障害
中枢性疼痛	視床痛

次に，②で述べられた**二次性機能障害**とは，疾患とは直接的には関係なく，間接的におこる機能障害のことであり，その予防と治療を行い，活動制限の回復をはかる．二次性機能障害とは，一般的には廃用症候群，誤用症候群，過用症候群のことを指す．**廃用症候群**は，点滴などの医学的管理のためのベッド上安静，運動麻痺などの一次性機能障害による自発的な体動困難により，関節可動域制限，筋力低下，体力低下，褥瘡などが惹起されることをいう．**誤用症候群**とは，不適切な身体活動や道具の使用によって生じる病的状態であり，理学療法における治療の不適切さにも関係する．たとえば，杖の使用で歩行可能になったが，杖の選択や使用方法に誤りがあり，手関節に疼痛を引き起こすことなどがあげられる．**過用症候群**とは，過度の身体活動により引き起こされる病的状態であり，いわゆる使いすぎの状態である．例としては，ポリオなどの筋疾患にみられる過用性筋力低下が有名であり，筋力トレーニングの過負荷によって惹起される単なる筋疲労ではない筋力低下である．二次性機能障害は一般的には可逆性であるが，長期間にわたって存在する場合や重症化すると不可逆性となる．また，一次性機能障害に二次性機能障害が加われば，活動制限を重度化することになるので，機能障害を一次性と二次性に区別して把握することが障害の予防と治療に役

活動制限 (activity limitation)	=	機能障害 (impairment) の総和	+	残存機能・正常器官の機能

▶図 4　活動制限の成り立ち

立つ．

③の「疾患に侵されていない器官の機能を高め，活動制限の改善をはかる」とは，いわゆる非罹患肢の身体機能を高めることである．脳卒中後方麻痺の場合には，麻痺肢以外の機能が活動制限の改善に非常に重要な役割を果たす場合がある．たとえば，下肢に重度な運動麻痺を有していても，非麻痺肢の下肢筋力が十分に強力であれば，起居動作や立位，移動動作が可能になる場合もある．また，上肢の筋力が十分にあれば，さまざまな物的介助を利用することが可能になり，これによって活動制限を改善させることが可能になる．これは，活動制限が機能障害の総和で形成されうるものではなく，機能障害の総和に非罹患肢の機能を加えた身体全体のレベルを含んだ機能で形成されることを示す(▶図 4)．身体に障害を有する者は，障害肢のみを使用して動作を実行しているわけではなく，障害肢以外の身体部位を含めた全身運動として動作を実行する．よって，脳卒中後方麻痺の場合にも，麻痺肢のみではなく，非罹患肢の機能を評価すべきであり，これらの機能の向上が活動制限の改善に貢献する場合が多くある．

最後のポイントである④は，患者の機能障害自体は変化しないが，患者周辺の人や物の環境変化によって活動制限が改善することである．具体的には，介助の方法を患者の家族に指導することで，より実用的な移乗動作が可能となることや，玄関の段差を乗り越えるために手すりを設置することで，自宅への出入りが可能になることなどである．この場合には，患者の機能障害は変化しておらず，周辺環境が変化したことにより活動制限が変化したことになる．そのことから，機能障害の評価や治療に固執しすぎずに，より広い範囲で患者をとりまく環境要因も含めて理学療法評価および治療を実施していく必要がある．

B 脳卒中後の障害に対する評価の意義

脳卒中後の障害に対する評価の意義は，大きく分けて 3 つある．これは脳卒中に限ったものではなく，理学療法評価そのものの意義ともいえる．

1 理学療法のゴール設定

まず第 1 には，機能障害と活動制限の関係を明らかにしたうえで患者の問題点を抽出し，理学療法のゴールを設定するためである．理学療法の目的は，基本的動作能力の回復であり，1965(昭和40)年制定の**理学療法士及び作業療法士法**にも明示されている．すなわち，患者の活動制限の原因を追究し，対策を検討し，さまざまなレベルで治療的にかかわり，その解決をはかることが理学療法士には求められる．その際，理学療法のゴールは，基本的動作レベルで立案されるべきである．基本的動作とは，寝返り，起き上がり，座位保持，立ち上がり，立位保持，歩行のことを指し，これらの動作が遂行できるか否かは当然重要である．さらには，これらの動作が，病院内や自宅内，屋外など，患者の日常生活におけるさまざまな環境で実用的に実施可能かどうかを評価し，判断する必要がある．単に動作が「できる」「できない」ことを明らかにするだけでなく，生活場面における実用性の観点からも基本動作をとらえることが要求される．具体的には，**動作の実用性**とは，安全性，安定性，耐久性，速度，社会的容認などに分かれる．

- **安全性**：「動作が安全に遂行可能かどうか」「転倒しないかどうか」をみる．いつ，どこで，どのように，どの程度といった観点から安全性を評価することが要求され，これには理学療法士の意図的な観察が重要となってくる．

- **安定性**：「動作が一定の規則性をもって実施可能かどうか」をみる．たとえば，歩行できる時間帯とそうでない時間帯がある，午前中は起立が不可能であるが，午後からなら起立が可能となるなどである．いつも同じような動作遂行の結果が得られるかどうかがポイントとなる．
- **耐久性**：「動作が継続的にどの程度遂行可能かどうか」をみる．動作の反復回数，時間，距離といった要素から評価を行うことができる．たとえば，1 回しか起立動作ができない耐久性であれば，患者はトイレに行ってもそこから立ち上がれないことになる．また，患者の生活背景によって要求される耐久性は異なることから，各人に必要な耐久性を判断しながら評価を進める必要がある．
- **速度**：「動作遂行の速度」をみる．動作の開始から終了までに要する時間で評価する．ゆっくり時間をかければ動作が実施できても，実際の生活場面においては実用的な速度が存在する．たとえば，自室のベッドからトイレまでの歩行時間が 10 分を要するとなると，これでは排泄に間に合わないことになる．歩行はできるが時間がかかりすぎるのでは実用的とはいえない．よって，この速度という実用性も，耐久性と同様に患者によって要求される速度は異なる．
- **社会的容認**：「動作遂行の際のやり方を判断し，それが社会的に容認される方法であるか」をみる．単に動作の見た目ではなくて，それが社会のなかで受け入れられるものかを判断する必要がある．これにも患者の生活背景や価値観が関係することから，容易に判断できるものではなく，慎重な評価が要求される．

これら実用性の観点から活動制限を評価し，さらにその原因となっている予想される機能障害の有無や程度を検証していく．このようにして，活動制限と機能障害の因果関係が顕在化してくるのである．また，この理学療法のゴールは，個々の患者の身体的要因ばかりでなく，社会的，心理的要因といったさまざまな要素の影響を受けるので，単純に運動麻痺や高次脳機能障害などの機能障害の重症度だけで決定できるものではない．

2 治療プログラムの立案

第 2 の評価の意義としては，個々の患者の治療プログラムを立案することである．前述した理学療法のゴールの設定とも関連するが，設定したゴールを達成するために，理学療法士はさまざまな介入を実施することになる．その介入のレベルにはいくつかある．一次性機能障害に対する治療，非罹患肢の強化，二次性機能障害の予防と治療，補助具・装具の使用，家族など介助者に対する介助・動作方法の指導，住環境の修正などさまざまな介入がある．この場合，当然であるが機能障害と活動制限の因果関係のうえに，問題点を抽出しゴールを設定しているので，機能障害の回復が活動制限の改善に関与することはいうまでもない．たとえば，運動麻痺という機能障害の回復が，歩行の安全性の向上という活動制限の改善につながっていることなどがそうである．

しかしながら，脳卒中という病態を考えると，機能障害が必ずしも完全に回復するわけではない．脳卒中の場合，意識障害，高次脳機能障害，感覚障害，運動障害，排尿・排便障害などの一次性機能障害の予後は，脳細胞の損傷範囲や部位，損傷の大きさ，年齢などが関係し，機能障害が完全に消失することはほとんどない．よって，理学療法士は機能障害の治療と同時に，代償動作などを使用した活動制限に対する直接的な介入，有効な物的介助や人的介助の方法の検討，環境調整などを含めて治療プログラムを立案する必要がある．脳卒中患者の活動制限の改善を考えた場合，**表 4** のような観点から組織化したリハビリテーション（以下，リハ）を実践していく必要がある．

▶表 4　活動制限に対する組織化したアプローチ

レベル	問題	介入
機能回復	運動麻痺	麻痺改善
機能代償	非麻痺側筋力低下	筋力増強
二次性機能障害	関節可動域制限（拘縮）	拘縮改善
補装具	足内反尖足 立位バランス低下	短下肢装具 四点杖
環境改善	段差あり	段差解消・手すり設置
家族指導	介助方法不明	介助方法指導・習得

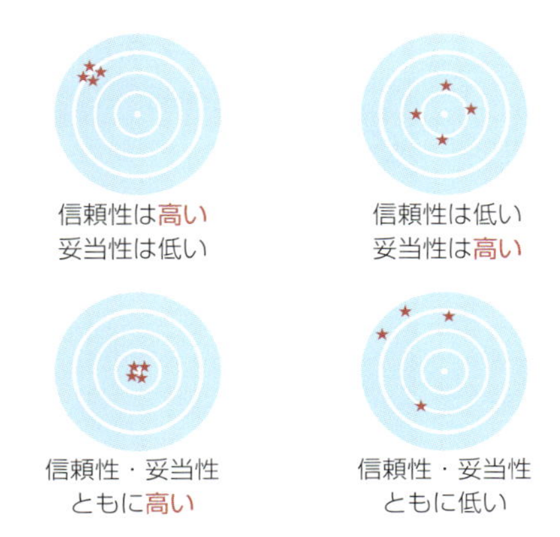

▶**図 5　信頼性と妥当性の関係**

信頼性：同じ対象に対する測定アウトカムの再現性があるかどうか．図では星印どうしの距離に相当する．
妥当性：測定アウトカムが意図したものを正しく測っているかどうか．図では的の中心からの距離に相当する．

3 実施した理学療法の効果判定

第 3 としては，実施した理学療法の効果を判定するために，理学療法評価を実施するという意義がある．理学療法における治療効果の判定は，重要な課題である．なぜなら，理学療法やリハにおけるアウトカムは多様であり，さまざまなレベルから測定することが可能である．つまり，機能障害，活動制限，参加制約それぞれのレベルで測定指標がある．よって，治療の効果をどの障害レベルから判定するかで，その治療が効果的であったり，あるいはそうでなかったりする場合がある．この問題は，リハ医学におけるランダム化比較研究(randomized controlled trial; RCT)を困難にさせてきた理由の 1 つである．

しかしながら，近年では研究方法論の確立やアウトカム測定の標準化が進み，リハ医学における RCT が増加してきている．筆者の執筆時点での脳卒中リハにおける RCT の数は約 4,000 件発表されており，2013 年の本書第 2 版執筆時から 1,500 件ほど増加している．治療効果の判定においては，その測定アウトカムの決定と測定方法の標準化を前提に，客観的かつ実際的な測定を実現することが必要である．ここで大切なことは，客観的測定とは，高価な機器を使用し，数値化した厳密なデータを得ることではない．臨床場面で実施可能な実際的な測定方法が必要であり，一般化できる情報となるのである．よって，一定した測定が可能であること，すなわち再現性があることと，測定したい事象とアウトカム測定の方法が妥当かどうかが重要となってくる．信頼性と妥当性に関しては**図 5** のような関係になり，理学療法士は信頼性と妥当性を一定水準備えたアウトカム測定を実施する必要がある．

治療効果の判定に関して，もう 1 つ重要な点がある．理学療法の目的は基本的動作能力の回復にある．このことから，治療の効果が基本的動作の実用性レベル，すなわち活動制限のレベルにおいて，どのような改善が認められるかが重要になる．たとえば，「運動麻痺スコアが 3 ポイント改善した」「半側空間無視のテストで 2 点改善した」などの単に機能障害が改善した結果から，その治療効果の有無や治療効果の大きさを説明するべきではない．それら機能障害の改善の結果が，活動制限のレベル，すなわち基本的動作の実用性においてどのような改善を引き起こしたかを明らかにする必要がある．これは，臨床研究における患者立脚型アウトカムの考え方に類似しており，たとえば生死というアウトカムや日常生活活動(ADL)や生活の質(QOL)なども該当するかもしれない．対照的に，疾患立脚型アウトカムとは，血液デー

▶表 5　脳卒中理学療法における一般的評価スケール

項目		評価スケール
機能障害	意識	● Glasgow Coma Scale ● Japan Coma Scale
	知能・認知機能	● Mini-Mental State Examination(MMSE) ● 改訂長谷川式簡易知能評価スケール
	記憶機能	● Rivermead Behavioural Memory Test ● 三宅式記銘検査
	注意機能	● Behavioural Inattention Test ● Trail Making Test ● 線分抹消課題
	嚥下障害	● 水飲みテスト
	運動機能	● Fugl-Meyer Assessment ● Brunnstrom Stage ● Motricity Index ● Modified Ashworth Scale(MAS)
	包括的神経学的評価	● National Institutes of Health Stroke Scale ● Canadian Neurological Scale ● Japan Stroke Scale
活動制限	基本動作	● Motor Assessment Scale ● Rivermead Mobility Index
	日常生活活動(ADL)	● Barthel Index ● Functional Independence Measure
	バランス	● Berg Balance Scale ● Timed Up and Go Test ● Functional Reach Test
	歩行	● 10 m 歩行速度 ● 6 分間歩行距離テスト ● Functional Ambulation Category
	上肢巧緻性	● Nine-Hole Peg Test ● Action Research Arm Test ● Wolf Motor Function Test
	手段的日常生活活動(IADL)	● Frenchay Activities Index
参加制約	生活の質(QOL)	● SF-36 ● Stroke Impact Scale

〔福井圀彦ほか(編)：脳卒中最前線—急性期の診断からリハビリテーションまで. 第 4 版, p.83, 医歯薬出版, 2009；Küçükdeveci, A.A., et al.: Strategies for assessment and outcome measurement in physical and rehabilitation medicine: An educational review. *J. Rehabil. Med.*, 43(8):661–672, 2011 より改変〕

タ，画像所見などの情報のことである．脳卒中に関連する研究例からみると，たとえば，脳画像を用いた神経イメージング研究で脳活動の変化を示した場合，理学療法の治療効果を脳活動の変化のみで説明するのではなく，患者のパフォーマンスや動作・活動レベルの変化を明示する必要がある．理学療法士自身の興味や関心，研究の新規性を追求するあまり，基本的動作能力の回復という理学療法の本来の目的を見失うことがないようにしながら患者と向き合う必要がある．よって，リハや理学療法の臨床においても，機能障害レベルのスコア変化のみで治療効果の大きさを検証せず，ADL や QOL を含めた活動制限のレベルから治療効果を示す必要がある．

▶表 6　Glasgow Coma Scale(GCS)

A. 開眼(eye opening)	スコア
● 自発的に(spontaneous)	E4
● 言葉により(to speech)	E3
● 痛み刺激により(to pain)	E2
● 開眼しない(nil)	E1
B. 言葉による最良の応答(best verbal response)	
● 見当識あり(orientated)	V5
● 錯乱状態(confused conversation)	V4
● 不適当な言葉(inappropriate words)	V3
● 理解できない言葉(incomprehensible sounds)	V2
● 発声がみられない(nil)	V1
C. 運動による最良の応答(best motor response)	
● 命令に従う(obeys)	M6
● 痛み刺激部位に手足をもってくる(localizes)	M5
● 四肢を屈曲する(flexes)	
逃避(withdraws)	M4
異常屈曲(abnormal flexion)	M3
● 四肢を伸展する(extends)	M2
● まったく動かさない(nil)	M1

▶表 7　Japan Coma Scale(JCS)

I. 刺激しないでも覚醒している状態(1 桁で表現)
1. だいたい清明だが，いまひとつはっきりしない
2. 見当識障害がある
3. 自分の名前，生年月日が言えない
II. 刺激すると覚醒する状態—刺激をやめると眠り込む(2 桁で表現)
10. 普通の呼びかけで容易に開眼する(合目的的な運動，たとえば右手を握れ，離せをするし，言葉も出るが間違いが多い)
20. 大きな声または身体を揺さぶることにより開眼する(簡単な命令に応じる．たとえば離握手)※
30. 痛み刺激を加えつつ呼びかけを繰り返すとかろうじて開眼する
III. 刺激しても覚醒しない状態(3 桁で表現)
100. 痛み刺激に対し，払いのけるような動作をする
200. 痛み刺激で少し手足を動かしたり，顔をしかめる
300. 痛み刺激に反応しない

※ なんらかの理由で開眼できない場合

このような治療効果の判定や再評価の過程を通して，理学療法士は治療プログラムの修正や微調整を施す必要がある．効果的でない治療や効果が明らかでない治療を，慣習的に，なんとなく続けることはプロフェッショナルの治療ではない．治療的観点から理学療法をとらえ，患者の障害をどのように改善させるかを考察し続ける必要がある．

また，脳卒中後の障害を評価するうえでは，患者の発症後期間がどの程度経過しているかも大切な情報となる．これは，一次性機能障害の回復の可能性や程度，回復速度などが，発症後の時間的経過によって変化することが予測されるからである．一般的には，急性期，亜急性期，慢性期の順に自然回復も含めた回復の程度が減少してくるので，廃用症候群などの二次性機能障害の重症度にもこれらは影響すると考えられる．理学療法士は発症後期間を知り，機能障害の予後を予測し，治療目標や治療プログラムを導き出す必要がある．

C 脳卒中理学療法の代表的評価法

脳卒中の理学療法において，一般的によく使用されている評価方法がいくつかある(▶表 5)[3,4]．ここでは，その代表的な評価法について述べる．

1 機能障害

a 神経学的スケール

(1)　Glasgow Coma Scale(GCS)(▶表 6)[5]

意識障害の評価法として世界的に広く知られている．意識状態を開眼の状態，言語による応答，運動による応答の 3 項目で評価し，各項目について数字が大きい，もしくは合計点数が大きいほど意識状態がよいと判断する．わが国では Japan Coma Scale(JCS)(▶表 7)[5] を使用する場合も多い．

(2)　Mini-Mental State Examination(MMSE)

認知機能障害の評価法として知られており，高齢期の入院患者にベッドサイドで実施できるス

▶表 8　改訂長谷川式簡易知能評価スケール（HDS-R）

	質問内容		配点		
1	お歳はいくつですか？ （2 年までの誤差は正解）		0	1	
2	今日は何年の何月何日ですか （年月日，曜日が正解でそれぞれ 1 点ずつ）	年	0	1	
		月	0	1	
		日	0	1	
		曜日	0	1	
3	私たちがいまいるところはどこですか？ （自発的に出れば 2 点，5 秒おいて家ですか？ 病院ですか？ 施設ですか？ のなかから正しい選択をすれば 1 点）		0	1	2
4	これから言う 3 つの言葉を言ってみてください．あとでまた聞きますのでよく覚えておいてください． （以下の系列のいずれか 1 つで，採用した系列に○印を付けておく） 1：a）桜　b）猫　c）電車 2：a）梅　b）犬　c）自動車		0 0 0	1 1 1	
5	100 から 7 を順番に引いてください． （100 − 7 は？ それからまた 7 引くと？ と質問する．最初の答えが不正解の場合，打ち切る）	（93）	0	1	
		（86）	0	1	
6	私がこれから言う数字を逆から言ってください． （6–8–2，3–5–2–9 を逆に言ってもらう．3 桁逆唱に失敗したら打ち切る）	2–8–6	0	1	
		9–2–5–3	0	1	
7	先ほど覚えてもらった言葉をもう一度言ってみてください． （自発的に回答があれば各 2 点，回答がない場合以下のヒントを与え正解であれば 1 点） a）植物　b）動物　c）乗り物		a：0	1	2
			b：0	1	2
			c：0	1	2
8	これから 5 つの品物を見せます．それを隠しますので，なにがあったか言ってください． （時計，鍵，タバコ，ペン，硬貨など必ず相互に無関係なもの）		0 3	1 4	2 5
9	知っている野菜の名前をできるだけ多く言ってください． （答えた野菜の名前を右欄に記入する．途中で，つまり約 10 秒間待っても答えない場合にはそこで打ち切る） 0〜5=0 点，6=1 点，7=2 点，8=3 点，9=4 点，10=5 点	…………… …………… …………… ……………	0 3	1 4	2 5
		合計得点			

〔山中克夫：リハビリテーションにおけるアウトカム評価尺度—改訂長谷川式簡易知能評価スケール（HDS-R），Mini-Mental State Examination（MMSE）．臨床リハ，16(1):78–82, 2007 より〕

クリーニング検査として，1975 年に Folstein らによって開発された．認知症のスクリーニング検査としても，国際的に最も広く使用されている検査の 1 つである．満点は 30 点であり，認知障害のカットオフ値は 23/24 点が推奨されている．わが国では改訂長谷川式簡易知能評価スケール（HDS-R）（▶表 8）[6] がよく使用されている[7]．

(3) National Institutes of Health Stroke Scale (NIHSS)

脳卒中急性期診療における神経所見の変化を客観的に評価するスケールである．評価項目は，意識水準，意識障害，注視，視野，顔面麻痺，上肢運動，下肢運動，運動失調，感覚，言語，構音障害，消去現象と注意障害である．

▶表 9　Motricity Index

上肢テスト	下肢テスト
(1)親指と示指で 1 インチ(約 2.54 cm)の箱を握る (2)肘関節を屈曲 (3)肩関節を外転	(4)足関節を背屈 (5)膝関節を伸展 (6)股関節を屈曲
テストの得点	
(1)について	
00＝ 動かない 33＝ 把握の始まり 56＝ 重力なしで箱を握る	65＝ 重力に抗して箱をつかむ 77＝ 引っ張りに抗して握る 100＝ 正常
(2)～(6)	
00＝ 動かない 28＝ 収縮はみられるが動かない 42＝ 重力なしで動く	56＝ 重力に抗して動く 74＝ 抵抗に逆らって動くが弱い 100＝ 正常
得点の合計	
上肢得点 ＝[(1)＋(2)＋(3)の合計]/3 下肢得点 ＝[(4)＋(5)＋(6)の合計]/3 総合得点 ＝[上肢＋下肢]/2	

〔内山 靖(編)：標準理学療法学 専門分野 理学療法評価学. 第 2 版, p.328, 医学書院, 2004 より〕

b 運動障害に関するスケール

(1)　Brunnstrom(ブルンストローム)Stage

運動麻痺の評価指標であり，わが国では最も一般的な評価方法として頻繁に使用されている．この評価方法は，共同運動という特有の運動パターンを軸として，随意運動の内容を段階づけた検査方法であり，判定は上肢，手指，下肢それぞれ 6 段階(stage I～VI)で行う．

(2)　Motricity Index (▶表 9)[8]

運動障害の評価スケールであり，徒手筋力検査(MMT)の方法で，上下肢それぞれ 3 か所の筋力を評価し，100 点満点の得点に換算する評価方法である．Brunnstrom Stage が共同−分離運動の側面から評価しているのに対して，Motricity Index は筋力による評価方法である．

▶表 10　Modified Ashworth Scale(MAS)

0	筋緊張に増加なし
1	軽度の筋緊張の増加あり．患部の屈曲または伸展運動をすると，引っかかりとその消失，あるいは可動域の終わりに若干の抵抗がある
1+	軽度の筋緊張の増加あり．引っかかりが明らかで，可動域の 1/2 以下の範囲で若干の抵抗がある
2	さらにはっきりとした筋緊張の増加がほぼ全可動域を通して認められるが，患部は容易に動かすことができる
3	かなりの筋緊張の増加があり，他動運動は困難である
4	患部は固まっていて，屈曲あるいは伸展できない

〔内山 靖(編)：標準理学療法学 専門分野 理学療法評価学. 第 2 版, p.328, 医学書院, 2004 より〕

(3)　Fugl-Meyer(フーグルマイヤー) Assessment

Brunnstrom Stage を基盤にした運動機能評価と，体幹バランス，感覚機能，関節可動域，疼痛の評価を含めた包括的な評価スケールである．欧米ではよく使用されているが，わが国ではほとんど使用されていない．検査項目はすべて 0(機能していない)，1(機能しているが不十分)，2(完全に機能している)の 3 段階の順序尺度により得点化され，運動機能が 100 点満点，その他を含めて 226 点満点とする．

(4)　Modified Ashworth(アシュワース) Scale (MAS)(▶表 10)[8]

Ashworth Scale をもとにした痙縮の評価スケールであり，広く使用されている．Ashworth Scale の軽度の筋緊張を示すグレード 1 を 1 と 1+ の 2 つに分けた方法である．痙縮を示す四肢を検者が他動的に動かした際の抵抗量をグレード 0(筋緊張の増加なし)からグレード 4(四肢は屈曲または伸展位で動かない)の 6 段階で評価する方法である．

2 活動制限

a ADL に関するスケール

(1) Barthel(バーセル) Index(BI)(▶表 11)[7,9-11]

ADL 評価法のスタンダードとして広く使用されている．各項目 5〜15 点満点で，食事(10 点)，移乗(15 点)，整容(5 点)，トイレ(10 点)，入浴(5 点)，歩行(15 点)，階段(10 点)，更衣(10 点)，排便(10 点)，排尿(10 点)の全 10 項目の合計が 100 点となる．

(2) 機能的自立度評価法(FIM)(▶表 12)[7,9]

機能的自立度評価法(Functional Independence Measure; FIM)は世界的に普及している ADL 評価法の 1 つである．評価者は患者の“している ADL”を評価し，患者に動作をさせて採点するのではなく，日常生活における実際の状況を観察して採点する．18 項目おのおのを 1 点(全介助)〜7 点(自立)で採点し，合計点を算出する．13 個の運動項目(食事，清拭など)と 5 個の認知項目(表出，理解など)を分けて扱うこともある．

(3) modified Rankin(ランキン) Scale(mRS)(▶表 13)[12,13]

脳卒中患者における活動制限の全体像を評価する方法である．病前の ADL との対比をスコア化したものであり，病前の生活状況が鍵になっている．グレード 0(まったく症状なし)からグレード 6(死亡)までで段階づけされる．セルフケア，移動，排泄などの ADL において，なんらかの機能障害のために介助を必要とする状態にあるかどうかが包括的に評価される．

b 運動パフォーマンスに関するスケール

(1) Timed Up and Go Test

バランス評価のためのパフォーマンステストである．高齢者の移動能力評価として開発されたが，脳卒中患者にも応用可能である．椅子に座った状態から合図で立ち上がり，3 m 先の目印まで歩行し，方向変換し，椅子に戻るまでの時間を計

▶表 11　Barthel Index(BI)

		independent	with help	dependent
1.	食事	10	5	0
2.	移乗	15	10〜5	0
3.	整容	5	0	0
4.	トイレ	10	5	0
5.	入浴	5	0	0
6.	歩行	15	10	0
	(車椅子)	5	0	0
7.	階段昇降	10	5	0
8.	着替え	10	5	0
9.	排便	10	5	0
10.	排尿	10	5	0
	合計点	(　　　　)点		

点	内容
食事	
10	自立，自助具などの装着可，標準的時間内に食べ終える
5	部分介助(たとえば，おかずを切って細かくしてもらう)
0	全介助
車椅子からベッドへの移乗	
15	自立，車椅子のブレーキ，フットサポートの操作も含む(歩行自立も含む)
10	軽度の部分介助または監視を要する
5	座ることは可能であるがほぼ全介助
0	全介助または不可能
整容	
5	自立(洗面，整髪，歯磨き，ひげ剃り)
0	部分介助または全介助
トイレ動作	
10	自立(衣服の操作，後始末を含む，ポータブル便器などを使用している場合はその洗浄も含む)
5	部分介助，体を支える，衣服，後始末に介助を要する
0	全介助または不可能
入浴	
5	自立
0	部分介助または全介助
歩行	
15	45 m 以上の歩行，補装具(車椅子，歩行器は除く)の使用の有無は問わず
10	45 m 以上の介助歩行，歩行器の使用を含む
5	歩行不能の場合，車椅子にて 45 m 以上の操作可能
0	上記以外
階段昇降	
10	自立(手すりや杖を使用してもよい)
5	介助または監視を要する
0	不能
着替え	
10	自立，靴，ファスナー，装具の着脱を含む
5	部分介助，標準的な時間内，半分以上は自分で行える
0	上記以外
排便コントロール	
10	失禁なし，浣腸，坐薬の取り扱いも可能
5	時に失禁あり，浣腸，坐薬の取り扱いに介助を要する者も含む
0	上記以外
排尿コントロール	
10	失禁なし，収尿器の取り扱いも可能
5	時に失禁あり，収尿器の取り扱いに介助を要する者も含む
0	上記以外

〔石田 暉：脳卒中後遺症の評価スケール．脳と循環，4(2):151-159，1999；篠原幸人：脳卒中治療ガイドライン 2009．p.352，協和企画，2010 より〕

▶表 12　Functional Independence Measure (FIM)の評価項目

大項目	中項目	小項目
運動項目	セルフケア	食事
		整容
		清拭(入浴)
		更衣(上半身)
		更衣(下半身)
	排泄コントロール	トイレ動作
		排尿管理
		排便管理
	移乗	ベッド，椅子，車椅子
		トイレ
		浴槽，シャワー
	移動	歩行，車椅子
		階段
認知項目	コミュニケーション	理解
		表出
	社会的認知	社会的交流
		問題解決
		記憶

▶表 13　日本版 modified Rankin Scale(mRS)

	modified Rankin Scale	参考にすべき点
0	まったく症候がない	自覚症状および他覚徴候がともにない状態である
1	症候はあっても明らかな障害はない： 日常の勤めや活動は行える	自覚症状および他覚徴候はあるが，発症以前から行っていた仕事や活動に制限はない状態である
2	軽度の障害： 発症以前の活動がすべて行えるわけではないが，自分の身のまわりのことは介助なしに行える	発症以前から行っていた仕事や活動に制限はあるが，日常生活は自立している状態である
3	中等度の障害： なんらかの介助を必要とするが，歩行は介助なしに行える	買い物や公共交通機関を利用した外出などには介助を必要とするが，通常歩行，食事，身だしなみの維持，トイレなどには介助を必要としない状態である
4	中等度から重度の障害： 歩行や身体的要求には介助が必要である	通常歩行，食事，身だしなみの維持，トイレなどには介助を必要とするが，持続的な介護は必要としない状態である
5	重度の障害： 寝たきり，失禁状態，常に介護と見守りを必要とする	常に誰かの介助を必要とする状態である
6	死亡	

〔日本脳卒中学会脳卒中ガイドライン委員会(編)：脳卒中治療ガイドライン 2021. p.297, 協和企画, 2021 より〕

測するテストである．脳卒中患者の院内実用歩行達成レベルのカットオフ値は 20 秒，屋外実用歩行では 17 秒といわれている．

(2)　Berg(ベルグ) Balance Scale

機能的バランス能力の評価法である．座位，立位での静的姿勢保持と動的バランスなど，臨床的によく使用される動作を評価項目としている．評価項目は全 14 項目で，課題到達度や実施時間などから，各項目を 5 段階(0～4 点)で評価する．合計点の範囲は 0～56 点であり，得点が高いほどバランスがよいことを示す．

(3)　Rivermead(リバーミード) Mobility Index

寝返りや歩行など基本動作に関する運動機能評価法である．14 個の質問項目(寝返りから歩行・階段昇降)と 1 項目の観察(10 秒間の立位保持)からなる．各項目に対して，可(1 点)か不可(0 点)で評価する．得点範囲は 0～15 点で，得点が高いほど運動機能が高いことを示す．

(4)　10 m 歩行速度

10 m の歩行路を普通の速さ(自由歩行速度)，または，できるかぎり速く(最大歩行速度)歩行した際の所要時間を測定し，速度を計算する．検査手技が簡単で，治療効果の評価手段として非常に有用である．

(5)　6 分間歩行距離テスト

患者の全身持久力を 6 分間の最大歩行距離として測定する．最大酸素摂取量と高い相関があるとされ，歩行距離については，さまざまな予測式が報告されている．

(6)　Action Research Arm Test

麻痺側上肢の運動機能検査であり，ブロックの把持，筒状物品の把持，つまみ，粗大動作の 4 つの動作項目と 3～6 の下位項目(全 19 項目)からなる．麻痺側，非麻痺側ともに評価し，それぞれの下位項目に対し，動作が可能であれば3点を加算し，全19項目の合計点を最終スコア(満点は両側114点，片側57点)とする．

(7) Wolf(ウォルフ) Motor Function Test

米国において，特にconstraint induced movement therapy(CI療法)の効果判定に広く用いられている上肢運動機能評価法である．運動項目6項目と物品操作項目9項目の合計15項目からなり，それぞれの動作に要する時間を測定する．全15項目の所要時間(秒数)の合計を最終得点として扱う．また，動作の質に関しては，Functional Ability Scale(FAS)を用いて0(まったく動かせない)〜5(健常に近い動作が可能)の6段階で評価する．

3 参加制約

(1) Stroke Impact Scale(SIS)

患者のQOLを評価するスケールである．自己記入式の質問紙であり，軽度から中等度の脳卒中患者に特異的なスケールといわれている．8領域(筋力，記憶，感情，コミュニケーション，ADL・IADL，移動能力，手指機能，社会参加)，59項目の質問に分かれている．

(2) Medical Outcome Study Short Form 36

健康関連QOL尺度のなかで，最も広く使用されている検査の1つである．疾患の種類に限定されない包括的尺度に分類され，アウトカム測定や異なる集団の比較など，さまざまな目的に使用される．

D 脳卒中後の障害に対する病期別の理学療法士の役割

脳卒中後の理学療法は，病期別にその役割が異なり，それぞれの段階における治療の意義および神経学的な理論背景が存在している[14]．また，各段階における治療ガイドラインの整備も徐々に進んできている[15]．

1 脳卒中急性期の理学療法士の役割

脳卒中急性期では，疾患の医学的治療を優先するために安静を強いられることが多い．そのような状況下で急性期の理学療法が開始されることから，心電図などのモニタリングをしつつ，リスク管理を慎重に行いながら理学療法を行わなければならない．そのためには，理学療法士のみならず，医師，看護師などと連携をとりながら，効果的で効率的なチーム医療が要求され，stroke care unit(SCU)に代表されるようなチーム医療体制の充実が患者の予後に影響することが知られている．

そのようななかで，理学療法士は早期リハによる運動麻痺や高次脳機能障害などの一次性機能障害への対応のみならず，安静による弊害である廃用症候群といった二次性機能障害の予防と治療を行うことが重要となる．具体的には，体位変換・ポジショニング，関節可動域の維持・改善，全身の生理機能の維持・改善，筋力の維持・改善などである．

体位変換・ポジショニングでは，拘縮などによる関節可動域制限，浮腫，褥瘡などの二次性機能障害の予防が目的となる．患者は，意識障害，運動障害，高次脳機能障害などの一次性機能障害のために，自己の身体を適切な肢位に保つことが困難となるので，理学療法士によるポジショニングが必要になってくる．理学療法士は，体位変換・ポジショニングに必要なマット，クッションなどの道具を準備すること，ベッドまわりの環境や身体状況に合わせて適切に道具を使用することが要求される．また，病棟の看護師などと連携して，頻回な体位変換が達成されるようなスケジュール管理も必要になる．

関節可動域の維持・改善では，安静の余儀なくされた患者では拘縮など関節可動域制限が発生しやすいので，これの予防と治療にあたる．この際の注意点としては，意識障害などにより意思疎通が困難なことから，痛みや不快感といった反応がとらえにくい場合がある．よって，理学療法士は患者の反応に細心の注意をはらいながら，関節可動域運動を行うべきである．また，急性期では弛緩性の運動麻痺を呈している場合があるので，筋緊張の低下がおこっている場合がある．この場合には，筋，靱帯，関節包といった関節構成体への機械的ストレスが大きくなるおそれがあり，理学療法士の誤用による疼痛などの機能障害を追加しないように注意すべきである．

全身の生理機能の維持・改善，**筋力の維持・改善**では，脳卒中患者は全身性に体力や持久力，そして筋力が低下することから，これらの廃用症候群にも適切にアプローチすることが求められる．これについては，麻痺肢のみに対する治療ではなく，非麻痺肢や全身の運動を含めた二次性機能障害の予防と治療が必要である．具体的には，リスク管理上の問題がなければ，早期から離床を促し，座位や起立運動を行わせ，身体を抗重力位の姿勢にさせるよう治療を実施する．また，麻痺肢だけでなく，非麻痺肢の筋力低下を予防し，維持・増強させることも活動制限の改善には重要な手段であることを忘れてはならない．

神経学的観点から運動障害に対する急性期の理学療法を考えると，急性期から漸減的に皮質脊髄路の興奮性は低下するので，可能なかぎりにおいてこの興奮性を維持させるようなアプローチを検討する必要がある．その具体的方法としては，**電気刺激**などの物理療法を使用して神経筋に刺激を入力することである．急性期のベッド上安静が求められる時期であっても，電気刺激であれば体動が少ないことから実施可能であり，また患者自身の努力も大きく要求しないことから現実的な治療であると思われる．

2 脳卒中回復期の理学療法士の役割

脳卒中回復期では，発症後 1 か月以内の亜急性期に急性期病院や病棟から転院・転棟して開始される．ここでは，理学療法のみならず，作業療法や言語療法といったリハ治療も併せて実施され，集中的な治療的介入により基本的動作および ADL の回復を目指すことになる．よって，多くの医療専門職が 1 人の患者にかかわることから，患者の負担やストレスを増大させないようなチームの有機的な連携が重要となってくる．

回復期の理学療法で重要なポイントは，十分な強度と頻度の治療を集中的に実施すること，退院に向けた計画的な支援を実施することである．発症早期から十分な時間をかけた集中的なリハが，ADL や自宅退院率を向上させることが知られている．回復期リハ病棟などでは，365 日無休のリハが実施されており，より強度の高いリハが可能となっている状況がある．ここで重要なのは，理学療法士は治療実施の日数や時間，単位数で治療強度を決定するのではなく，実際の治療のなかで患者がトレーニングを能動的・積極的に実行した時間や回数を考慮に入れることである．たとえば，60 分の理学療法を実施したとしても，ベッド上での他動的なストレッチ運動やトレーニング間の休憩時間などに合計 20 分間を費やしていた場合には，実質 40 分間のトレーニング時間と計算される．すなわち，実際のトレーニング時間は過大評価され，十分な治療量を提供していない可能性がある．

退院に向けた計画的な支援については，理学療法士のみでなく，その他の医療スタッフ，医療ソーシャルワーカー，ケアマネジャーなどの地域との架け橋となる専門職とチームを組んで，地域・社会における安全で安心な患者の生活を保障できるような連携が必要となる．そのためには，理学療法士も医療だけでなく，介護や福祉などの制度を理解し，社会的・経済的な視点からもサポートできるような知識を備えておくことが求められる．

神経学的観点から運動障害に対する回復期の理学療法を考えると，この段階では損傷した神経ネットワークを修正しながら，新たな神経ネットワークを構築する段階と考えることができる．よって，残存している皮質脊髄路や非損傷半球の興奮性を利用して，積極的なリハによる神経ネットワークの再構築をはかることが重要となる．この段階で神経ネットワークが再構築されなければ，これ以降の維持期における回復にも影響を及ぼすことから，集中的な理学療法が重要であると考えられる．具体的には，課題指向型トレーニングを中心とした介入を行い，適切な環境，治療量，難易度調整，フィードバックなどを考慮に入れた治療計画が実施される．

3 脳卒中維持期の理学療法士の役割

脳卒中維持期では，急性期や回復期の理学療法やリハで獲得された機能や能力が，加齢や活動量の低下などによる廃用症候群の進展などによって低下することを予防する．そして，理学療法は在宅や施設を問わずに，身体的・精神的かつ社会的に最も適した生活を獲得するために行われる．

ここでの主な目的は，獲得した機能や能力，活動レベルをできるだけ維持および向上することである．維持期であってもトレーニングの成果があることは知られており，機能障害や活動制限を改善させることも可能であることから，ここでも積極的な治療的介入を可能なレベルで実施する必要がある．また，在宅期でのかかわりの場面では，より実際的な生活場面でのトレーニングが可能になるので，トレーニング課題が明確になり，実践に即した形式での治療が行えるメリットがある．具体的な手段としては，ホームプログラム，訪問リハ，通所リハ，外来リハなどがある．これらを実施するためには，家族や地域との連携，訪問介護サービスなどとの連携，介護・福祉施設との連携が必要となる．

神経学的観点から運動障害に対する維持期の理学療法を考えると，急性期や回復期で再構築し，獲得された新たな神経ネットワークをより効率的に利用できるような回復を促進することが必要である．よって，神経学的レベルでは機能の維持という意味よりも，さらなる改善という意味が大きくあるようにも考えられる．神経ネットワークが効率的に利用できるならば，患者の運動に対する努力量は減少し，より実用的な動作が獲得できると推測できる．よって，維持期においても積極的な理学療法が運動障害の回復を促進でき，永続的な機能の維持・向上に寄与することが可能となる．さらに，麻痺肢以外の全身のトレーニング，たとえば有酸素運動を組み合わせることによって，より高い活動レベルを獲得できると考えられる．

●引用文献

1) 細田多穂(監)，星 文彦ほか(編)：理学療法評価学テキスト．シンプル理学療法学シリーズ，pp.23–34，南江堂，2010.
2) 障害者福祉研究会(編)：ICF 国際生活機能分類—国際障害分類改定版．中央法規出版，2002.
3) 福井圀彦ほか(編)：脳卒中最前線—急性期の診断からリハビリテーションまで．第 4 版，p.83，医歯薬出版，2009.
4) Küçükdeveci, A.A., et al.: Strategies for assessment and outcome measurement in physical and rehabilitation medicine: An educational review. *J. Rehabil. Med.*, 43(8):661–672, 2011.
5) 沖田 実ほか(編)：機能障害科学入門．p.345，神陵文庫，2010.
6) 山中克夫：リハビリテーションにおけるアウトカム評価尺度—改訂長谷川式簡易知能評価スケール(HDS-R)，Mini-Mental State Examination(MMSE)．臨床リハ，16(1):78–82，2007.
7) 赤居正美(編著)：リハビリテーションにおける評価法ハンドブック—障害や健康の測り方．医歯薬出版，2009.
8) 内山 靖(編)：標準理学療法学 専門分野 理学療法評価学．第 2 版，p.328，医学書院，2004.
9) 潮見泰藏ほか(編)：リハビリテーション基礎評価学．pp.283–305，羊土社，2014.
10) 石田 暉：脳卒中後遺症の評価スケール．脳と循環，4(2):151–159，1999.

11) 篠原幸人：脳卒中治療ガイドライン 2009. p.352, 協和企画, 2010.
12) 日本脳卒中学会脳卒中ガイドライン委員会(編)：脳卒中治療ガイドライン 2021. p.297, 協和企画, 2021.
13) 篠原幸人ほか：modified Rankin Scale の信頼性に関する研究—日本語版判定基準書および問診表の紹介. 脳卒中, 29(1):6–13, 2007.
14) 原 寛美：脳卒中運動麻痺回復可塑性理論とステージ理論に依拠したリハビリテーション. 脳神外ジャーナル, 21(7):516–526, 2012.
15) 日本脳卒中学会脳卒中ガイドライン委員会(編)：脳卒中治療ガイドライン 2021. pp.48–49, 254–256, 協和企画, 2021.

（松尾 篤）

第5章

脳卒中の病態とリスク管理

学習目標
- 脳卒中の病態について理解する.
- 脳卒中理学療法におけるリスク管理について理解する.
- 理学療法開始基準について理解する.

A 脳卒中の病態

脳卒中とは，脳の血管の器質的あるいは機能的異常によって神経症状をもたらす病態の総称である脳血管障害の1つである．脳卒中は局所性脳機能障害に該当し，出血性脳血管障害(出血性脳卒中)(▶図1A)[1]である脳出血，くも膜下出血，脳動静脈奇形からの頭蓋内出血，そして虚血性脳血管障害(虚血性脳卒中)(▶図1B)[1]である脳梗塞に分類される(▶表1).

近年の発症頻度としては，脳梗塞が70%程度で最も多く，次いで脳出血(15〜20%)，くも膜下出血(5〜10%)が多い．以下にそれぞれの疾患の病態について述べる.

1 脳出血(ICH)

脳出血(intracranial hemorrhage; ICH)とは，なんらかの原因で脳実質に血腫が生じる病態である．脳腫瘍からの出血や外傷機序によるものもあるが，脳血管あるいは血液凝固能の異常によって生じる，**高血圧性脳出血**が最も多い[2]．脳出血は出血した時点で脳実質そのものを損傷してしまうため，発症時にある程度の機能的予後が完結していることになる．治療は，それ以上の悪化が生じないように降圧し，血腫によって圧迫された周辺の脳組織を保護することなどが中心となる．治療手段として薬物療法が行われるが，救命を要する場合には外科的治療が行われることがある．ただし，外科的治療によって機能的予後が改善されるわけではない．あくまで重症例における救命効果しかなく，機能転帰までは改善しないと考えられている．手術適応となることが多いのは，血腫量が多く，Japan Coma Scale(JCS)で20〜30程度の意識障害を伴う被殻出血例，皮質下出血例，小脳出血例であり，神経症状が増悪したり，水頭症をきたしているような症例となる．一方で，視床出血や脳幹出血では手術適応は低いとされ，脳室穿破に伴い水頭症の合併や脳室拡大が強い場合には手術の施行が検討されることがある.

2 脳動静脈奇形からの頭蓋内出血

脳動静脈奇形(arteriovenous malformation; AVM)は流入動脈，異常血管吻合(ナイダス)(▶図2)[1]，流出静脈からなる胎生期第3週に生じる先天性の異常である[3]．頭蓋内出血は最も多い症状で，40〜60%に認められる[3]．脳内に出血し巣症状を示す場合のほか，くも膜下出血となる症例もある.

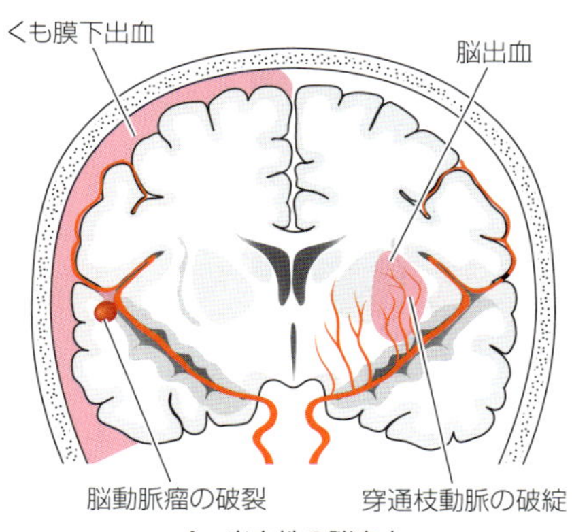

A．出血性の脳卒中

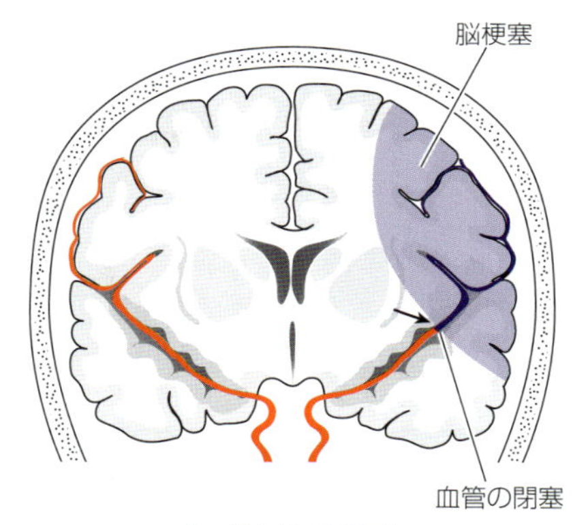

B．虚血性の脳卒中

▶**図 1　出血性疾患と虚血性疾患**
〔牧原典子ほか：脳卒中の原因と病態．原 寛美ほか(編)：脳卒中理学療法の理論と技術，第 4 版，p.104，メジカルビュー社，2022 より〕

▶**表 1　脳血管障害の臨床病型分類**
〔NINDS の脳血管障害の分類 III（1990）〕

A. 無症候性
B. 局所性脳機能障害
1. 一過性脳虚血発作（transient ischemic attack; TIA） 2. **脳卒中** 1）脳出血（ICH） 2）くも膜下出血（SAH） 3）脳動静脈奇形（AVM）に伴う頭蓋内出血 4）脳梗塞（INF） a）機序 ①血栓性（thrombotic） ②塞栓性（embolic） ③血行力学性（hemodynamic） b）臨床カテゴリー ①アテローム血栓性脳梗塞（atherothrombotic） ②心原性塞栓症（cardioembolic） ③ラクナ梗塞（lacunar） ④その他
C. 血管性認知症
D. 高血圧性脳症

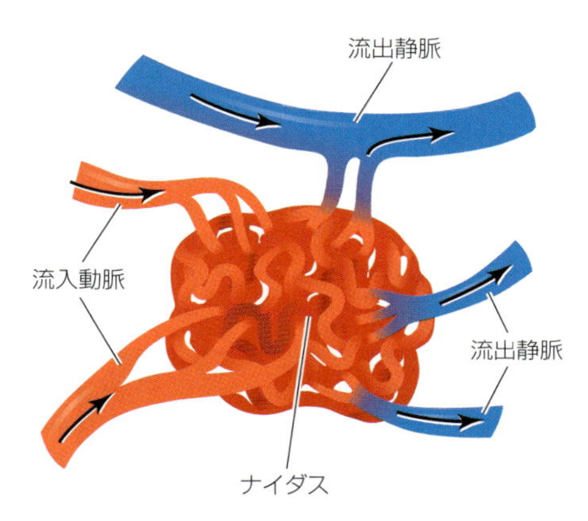

▶**図 2　ナイダス**
〔牧原典子ほか：脳卒中の原因と病態．原 寛美ほか(編)：脳卒中理学療法の理論と技術，第 4 版，p.114，メジカルビュー社，2022 より〕

3 くも膜下出血（SAH）

脳は軟膜に覆われ，その上に主幹動脈や静脈が走行している．軟膜の上には**くも膜**があるが，くも膜と軟膜の間には**くも膜下腔**と呼ばれる脳脊髄液に満たされた領域がある．**くも膜下出血**（subarachnoid hemorrhage; SAH）は，くも膜下腔に生じる出血であり，外傷性などの場合もあるが，ほとんどの場合，主幹動脈に動脈瘤が形成され，それが破裂して生じ，血腫がくも膜下腔に広がる．破裂した脳動脈瘤は高い確率で再破裂することから，再破裂・再出血を予防するために，クリッピング術（▶**図 3**）やコイル塞栓術（▶**図 4**）などの外科的治療が検討される[3]．そのため，くも膜下出血と診断された場合は速やかに鎮痛と鎮静，降圧などの血圧管理が行われ，外科的治療を待機する[4]．

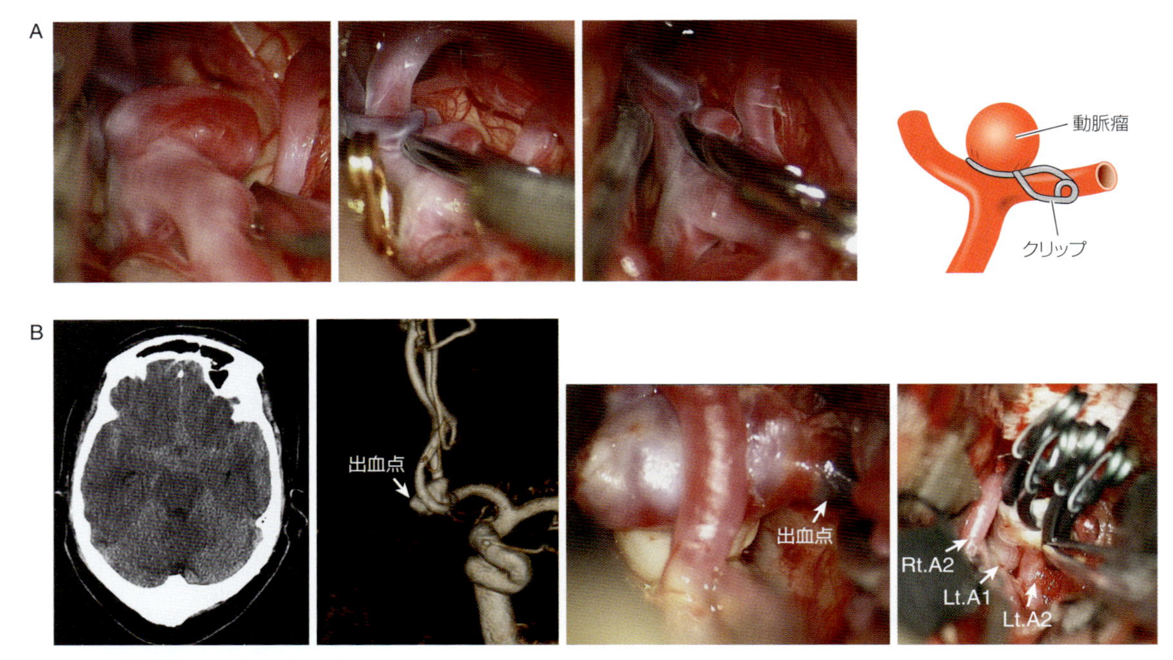

▶**図 3　動脈瘤とクリッピング術**

A：中大脳動脈分岐部に生じた未破裂動脈瘤に対するクリッピング術

B：左から前交通動脈瘤破裂によるくも膜下出血を発症した症例の CT 像．血管造影（3D 像）．動脈瘤と出血点．専用クリップ 3 本を使用したクリッピング術．A1：前大脳動脈（A1），A2：前大脳動脈（A2）

〔広南病院副院長（兼）脳神経外科部長 遠藤英徳先生の御厚意により掲載〕

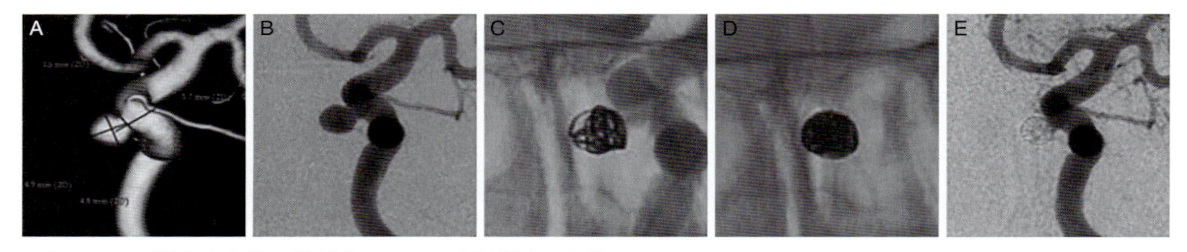

▶**図 4　くも膜下出血例の動脈瘤とコイル塞栓術中の画像**

3D 画像（A）と平面像（B）で動脈瘤が確認できる．コイル塞栓術（C，D）により，術後（E）は動脈瘤が映し出されていない．

〔広南病院血管内脳神経外科部長 松本康史先生の御厚意により掲載〕

軟膜の上の出血であるため脳実質の直接損傷はない場合が多いが，動脈瘤の形成された位置や動脈瘤の形状などの影響で，くも膜下出血が生じた際にすでに脳実質に損傷（一次性脳損傷）が生じている場合もある．また，出血量が多い場合には，頭蓋内圧の著しい亢進により皮質が広い範囲にわたって圧排を受ける．

くも膜下出血では，発症後 4〜14 日以内に脳血管攣縮が生じる．この脳血管攣縮とは Willis（ウィリス）動脈輪を中心とした主幹動脈に生じる可逆的な血管の狭窄で，対処しなければ虚血となるため，結果的にその動脈の栄養領域が脳梗塞に陥ってしまう．そのほか，慢性期には水頭症を合併することがある．

4 脳梗塞

脳梗塞（cerebral infarction; C-INF）の臨床病

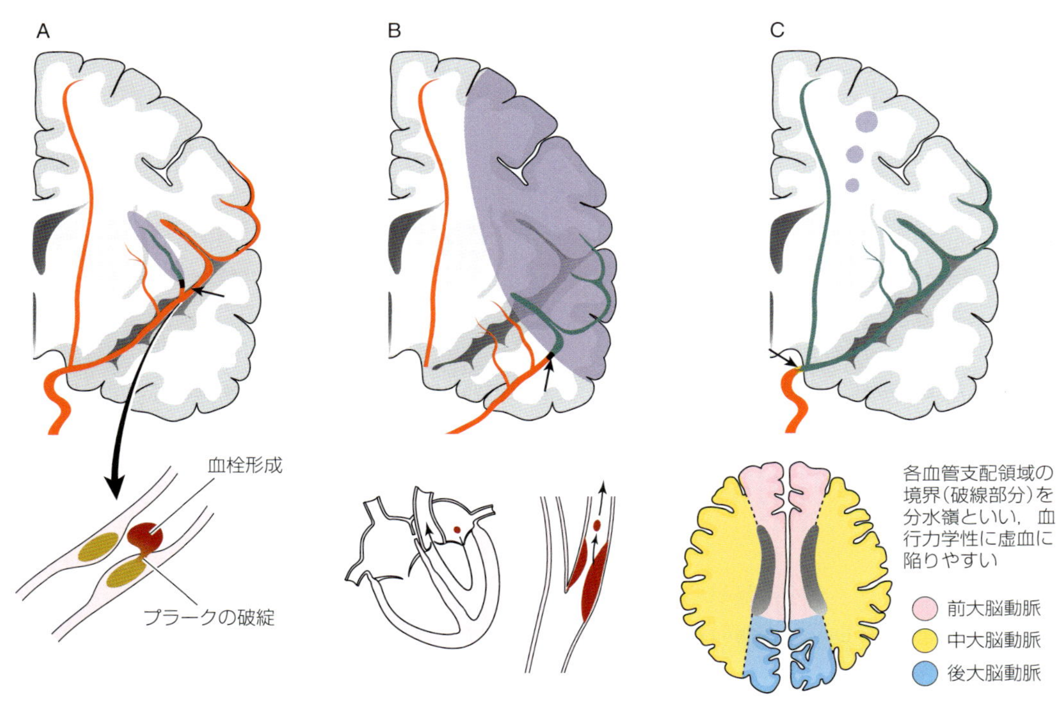

▶図 5　脳梗塞の発症機序

A：血栓性：脳血管そのものの動脈硬化が進展し，内腔が閉塞して生じる．
B：塞栓性：心臓や近位動脈の動脈硬化病変にできた血栓が遊離して，末梢の血管を閉塞して生じる．
C：血行力学性：近位動脈に高度狭窄や閉塞があるとき，脳灌流圧の低下が加わると，前大脳動脈や中大脳動脈，後大脳動脈の灌流領域の境界(分水嶺)に梗塞を生じる．
〔牧原典子ほか：脳卒中の原因と病態．原 寛美ほか(編)：脳卒中理学療法の理論と技術，第 4 版，pp.106，108，メジカルビュー社，2022 より改変〕

型として，アテローム血栓性脳梗塞と心原性塞栓症，ラクナ梗塞，その他の脳梗塞に分類される．発症機序としては，血栓性機序，塞栓性機序，血行力学性機序がある(▶図 5)．

a アテローム血栓性脳梗塞

アテローム血栓性脳梗塞とは，頸部の血管や脳の主幹動脈にアテローム硬化性病変(50% 以上の狭窄や閉塞)が生じ，それが原因となって発症する脳梗塞のことを指す．高血圧や糖尿病，脂質異常症，喫煙などが危険因子となる．アテローム血栓性脳梗塞の発症機序は，**アテローム硬化**により形成された血栓が血管を閉塞し梗塞が生じる血栓性の機序，プラーク状に形成された血栓やプラーク断片が塞栓物質となり，血流に乗って遠位側の末梢の動脈血管を閉塞し梗塞が生じる塞栓性の機序(artery to artery embolism)，さらには主幹動脈の高度の狭窄または閉塞下で，過度の降圧や心拍出量減少などにより脳灌流圧が高度に低下し，側副血行による代償が不十分な状態で梗塞が生じる血行力学性の機序のいずれの機序(▶図 5)によっても生じうる[1,5]．血行力学性機序による脳梗塞では，前大脳動脈や中大脳動脈，後大脳動脈の灌流領域の境界である分水嶺領域に梗塞巣が生じる(watershed infarction)のが特徴である．

b 心原性塞栓症

心原性塞栓症とは，心内で形成されたり，あるいは心内を経由した栓子が流速の速い血流に乗り，血管径が急に細くなる分岐部に引っかかり閉

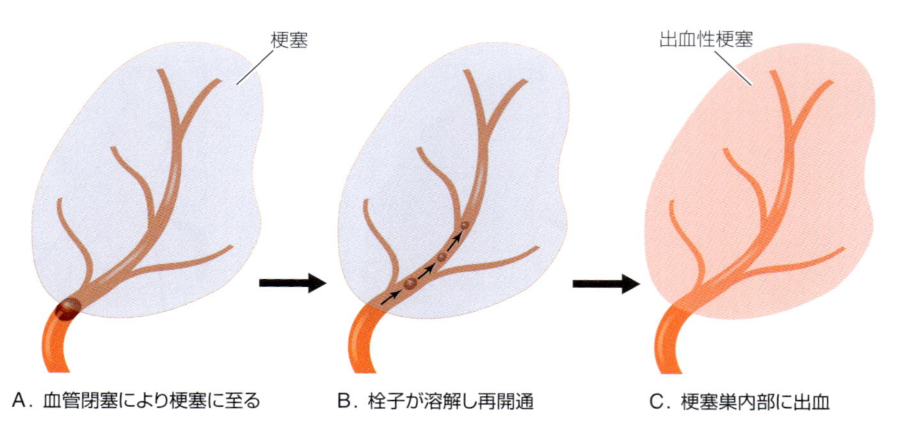

▶図6　出血性梗塞
〔牧原典子ほか：脳卒中の原因と病態. 原 寛美ほか(編)：脳卒中理学療法の理論と技術, 第4版, p.110, メジカルビュー社, 2022より改変〕

塞して発症する．また，血栓は起始部を閉塞したのちに自然溶解，分解し，末梢側の複数の皮質枝を閉塞することもある．

心原性塞栓症は，側副血行路の発達が不十分なため灌流領域に一致した境界明瞭な梗塞巣となること，皮質枝を閉塞し皮質を含んだ梗塞巣を形成すること，虚血の程度が強く浮腫が強いこと，そして出血性梗塞となることがあるといった特徴[1,5]がある．アテローム血栓性脳梗塞では側副血行路が発達し，ラクナ梗塞では穿通(枝)動脈梗塞のため病巣が小さく，境界明瞭な梗塞巣となる心原性塞栓症は先の2病型よりも重症度が高い傾向がある．一般的にはラクナ梗塞＜アテローム血栓性脳梗塞＜心原性塞栓症の順で重症化する傾向がある．

なお，**出血性梗塞**(▶図6)とは，栓子が血管を閉塞して梗塞に至った(▶図6A)のちに，栓子の自然溶解に伴い再開通がおこり(▶図6B)，すでに梗塞巣が生じていて，その梗塞巣内に出血が生じる(▶図6C)ことを指す．図7に示したCT像のように，低吸収域となる梗塞巣の内部に高吸収域となる出血性変化が確認される．

心原性塞栓症では，再度栓子が脳血管を閉塞しないよう，再発を予防するための医学管理がなされることが必要であり，抗凝固療法などが開始されたのちに理学療法が開始される．

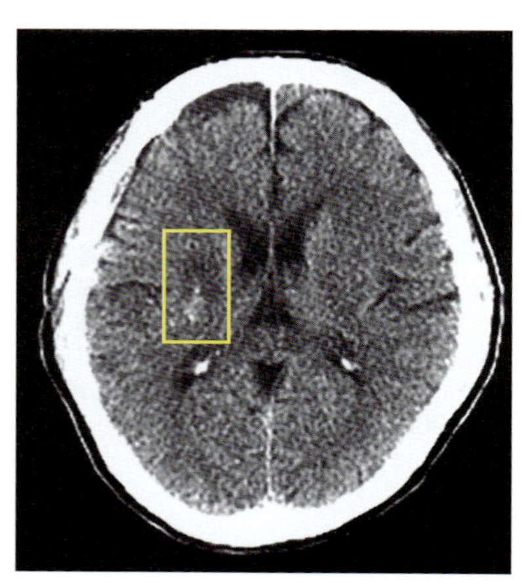

▶図7　出血性梗塞を呈した症例のCT像

C ラクナ梗塞

ラクナ梗塞とは，アテローム血栓性脳梗塞や心原性塞栓症とは異なり，主幹動脈の閉塞原因ではなく，穿通枝〔径50～400 μm程度の小動脈であり，脳実質内に到達する動脈はすべて穿通枝(動脈)である〕の梗塞で長径が15 mm以下のもの[1,5]である(▶図8)[6]．なお，脳出血もまた穿通枝の病変であり，穿通枝が閉塞すればラクナ梗塞，穿通枝から出血するのが脳出血である．

穿通枝は終動脈であるため閉塞するとそれ以上の増悪もなく，側副血行もないため改善も期待しにくく，症状の変動がないため最もリスクが少ない．ラクナ梗塞の診断が確定した場合には，同日中の理学療法介入も可能である．

ラクナ梗塞と診断されていた症例でも，進行性の脳梗塞となり，BAD(branch atheromatous disease)と診断されることがある(▶図 8)．BAD は病理学的概念であるが，臨床的な定義は定まっていない[1, 5]．穿通枝の入口部が閉塞していると想定されているため，ラクナ梗塞よりはアテローム血栓性脳梗塞に近い病態と考えられる(▶図 9A～C)[7]．進行した場合には，リスク管理について個別に主治医やリハビリテーション科医師と検討する必要がある．このような進行性の脳梗塞となる例の病巣は橋(▶図 9D)[7] や放線冠の梗塞例に多い．

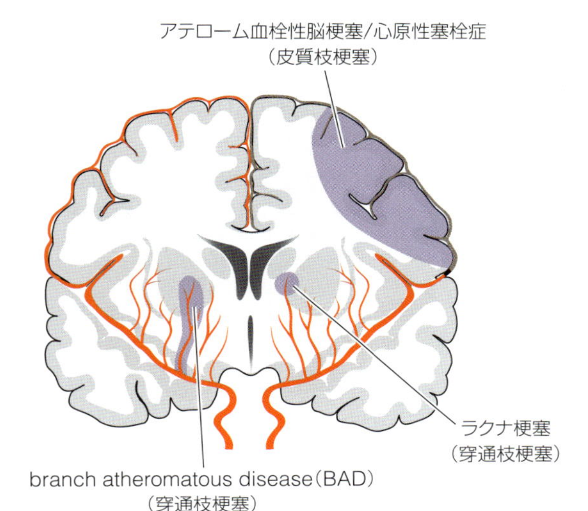

▶図 8　脳梗塞の病型と病巣の広がり
〔湯浅浩之：脳卒中の内科的治療．原 寛美ほか(編)：脳卒中理学療法の理論と技術，第 4 版，p.130，メジカルビュー社，2022 より改変〕

d その他の脳梗塞

その他の脳梗塞として代表的なものに動脈解離による脳梗塞がある．血管は外膜，中膜，内膜の 3 層構造で構成される．内膜と中膜の間になんらかの原因で亀裂が生じ，血腫が生じて血管腔を塞ぐような状態となって脳梗塞が生じる．アテローム硬化などの動脈硬化の有無は関連がなく，若年でも発症しうる脳梗塞である．脳血管には知覚神経があり痛みを感じるため，脳梗塞としての神経症状の発現の前に頸部痛や頭痛などの痛みが先行することがある．若年発症の延髄外側部梗塞例などに多い．

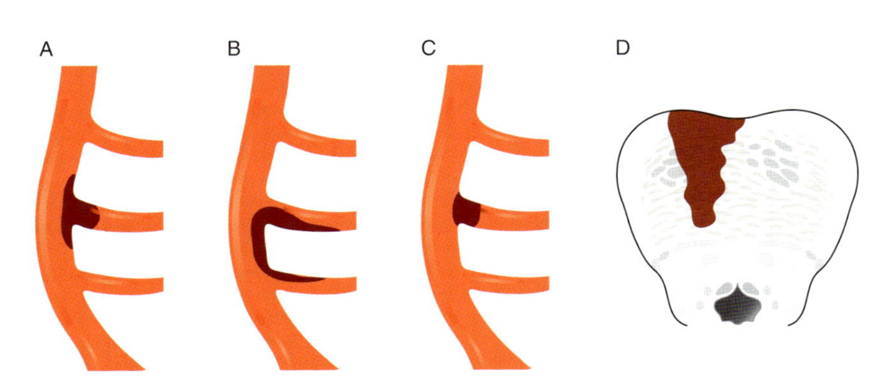

▶図 9　BAD の機序と橋梗塞の典型例
A：親動脈のプラークが穿通枝起始部を閉塞
B：親血管プラークが穿通枝内へ進展
C：穿通枝入口に微小プラーク形成
D：橋病変で脳表にも病変があり，それが深部に到達
〔Caplan, L.R.: Intracranial branch atheromatous disease: A neglected, understudied, and underused concept. *Neurology*, 39(9):1246–1250, 1989 より改変〕

B 脳卒中理学療法におけるリスク管理

1 各種脳卒中に共通するリスク

a 自動調整能とその障害

■脳循環の自動調節能とは

脳は酸素とブドウ糖をエネルギーとして大量に消費し，脳組織内の糖貯蔵が低いため，血流が途絶えた場合に数分で代謝障害がおこる．このいわばデリケートな脳は次の構造機能から保護されている．まず，頭蓋骨という骨性の容器により物理的な衝撃から保護されている．また，血液脳関門の機能により全身循環の酸塩基平衡や液性因子の変動の影響を受けにくい．そのうえ，脳血流の自動調節能（autoregulation）[8] が備わっていることから，脳は他臓器に比べ比較的広い血圧範囲で一定の脳血流量を保つことができる．脳血管の灌流圧は 60～150 mmHg の間で自己調節することによって一定に保たれる．脳灌流圧が低下すると脳血管が拡張して脳血管抵抗を減らし，脳血流量の低下を代償しようとするが，脳灌流圧が 50 mmHg 以下になると自動調整能では制御できなくなり，脳血流は低下する．逆に脳灌流圧が上昇すると血管は収縮して脳血流量を一定に保とうとするが，自動調節の作動範囲以上に上昇すると対応できず，脳血流量は上昇する．

脳灌流圧は〔脳灌流圧≒平均血圧－頭蓋内圧〕で示される．なお，平均血圧は〔平均血圧＝拡張期血圧＋（収縮期血圧－拡張期血圧）/3〕で求める．正常血圧者で頭蓋内圧が一定の場合，平均血圧 50～160 mmHg の範囲内では脳血流は一定に維持される．理学療法は通常，脳圧がコントロールされている状態で行われるため，血圧を管理することは脳血流量を表す指標としてきわめて重要な判断基準となる[3]．

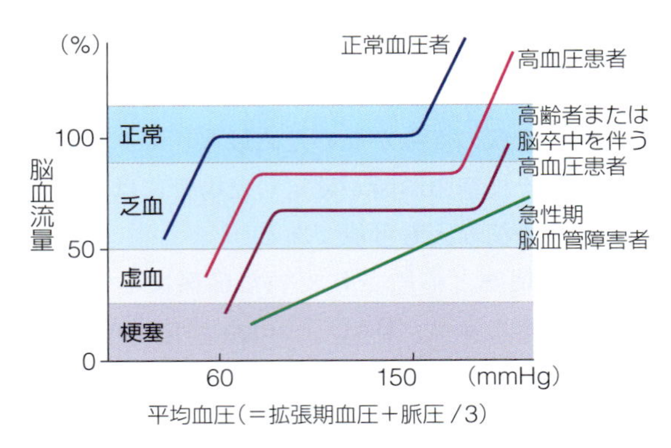

▶図 10　脳血流自動調整能
〔藤島正敏：脳血管障害を伴った高血圧．高血圧：診断と治療の進歩，日内会誌，79(1):65–70，1990 より改変〕

▶表 2　脳梗塞における自動調節の障害期間

血管障害のタイプ	自動調節の障害期間
脳梗塞	
●脳主幹動脈領域	30～40 日
●分枝領域	2 週間
●ラクナ梗塞	4 日
TIA	半日
脳幹部梗塞	時に 100 日以上に及ぶ

〔海老原進一郎ほか：脳卒中の脳循環動態．クリニカ，7:426–433，1980 より〕

■自動調節能の破綻（dysautoregulation）

脳卒中の急性期には，血管運動麻痺により病巣周辺部を含めて脳血流の自動調節能は損なわれる．正常血圧者と高齢者および急性期脳血管障害患者の自動調節能についての概略図を**図 10**[9] に示す．脳卒中急性期には身体血圧の増減に依存して脳血流が左右されることになる．よって，急激な血圧の上昇も低下も回避する必要がある．姿勢変換によって血圧低下が生じた場合，虚血に至り病巣が拡大するような危険な状態となる可能性があることを十分に理解する必要がある[3]．自動調節能が障害される期間は病態により異なる（▶**表 2**）[10] が，主幹動脈梗塞の場合には 1 か月以上続く[8] ため，急性期はもちろんのこと，回復期病棟でもこまめな血圧のモニタリングが必要となる．変動に関する基準は後述する土肥・Anderson（アンダーソン）の基準（▶**表 3**）[11] が参考となるが，この基準に該当しない各種病態ご

▶表 3　土肥・Anderson の基準

I. 運動を行わないほうがよい場合
●安静時脈拍数 120/分以上 ●拡張期血圧 120 mmHg 以上 ●収縮期血圧 200 mmHg 以上 ●労作性狭心症を現在有するもの ●新鮮心筋梗塞 1 か月以内のもの ●うっ血性心不全の所見の明らかなもの ●心房細動以外の著しい不整脈 ●運動前，安静時にすでに動悸，息切れのあるもの
II. 途中で運動を中止する場合
●中等度の呼吸困難，めまい，嘔気，狭心痛などの出現 ●脈拍数が 140/分を超えたとき ●不整脈(期外収縮)が 1 分間 10 回以上出現 ●頻脈性不整脈の出現 ●徐脈の出現 ●収縮期血圧 40 mmHg 以上，または拡張期血圧が 20 mmHg 以上上昇したとき
III. 運動を一時中止し，回復を待って再開する場合
●脈拍数が運動前の 30% 以上増加したとき．ただし，2 分間の安静で 10% 以下に戻らない場合は中止するか，きわめて軽労作のものに切り替える ●脈拍数が 120/分を超えたとき ●1 分間に 10 回以下の不整脈(期外収縮)の出現 ●軽い動悸，息切れの出現

〔土肥 豊：脳卒中リハビリテーション―リスクとその対策．*Medicina*, 13:1068–1069, 1976 より〕

とに管理すべき特性があるため，それらの疾患特性を優先したうえで参考にする必要がある．たとえば，土肥・Anderson の基準では収縮期血圧が 200 mmHg を超える際には運動療法を行わないことになるが，脳出血の場合には後述するように 140〜180 mmHg で管理されることが多い．このような場合，土肥・Anderson の基準に従って遂行するわけにはいかず，脳出血急性期の各施設の血圧管理上限設定値に従って管理することになる．

b ディアシーシス(diaschisis)

ディアシーシスとは，脳血管障害に際し，病巣部位と神経線維連絡のある遠隔部位におこる可逆性の機能抑制現象をいう．発作後 1 週間前後がピークであり，多くは 2〜3 週間で改善する．小脳損傷後に前頭葉症状が出現する**小脳性認知情動症候群**(cerebellar cognitive affective syndrome; CCAS)や，視床損傷後に反対側の小脳の血流が低下して運動失調をきたす **CCD**(crossed cerebellar diaschisis)などが知られている．発症早期にはディアシーシスが生じうることを理解し，直接損傷がないにもかかわらず線維連絡のある領域の巣症状などが出現しうることも念頭におき評価にあたる．

2 各病態ごとのリスク管理

a 脳出血

脳出血の急性期治療の目的は止血と再出血の予防，そして血腫で圧迫された周辺脳の保護である．治療法として薬物療法(内科的治療)，手術療法(外科的治療)がある．

『脳卒中治療ガイドライン 2021』[12] において，「脳出血急性期における血圧高値をできるだけ早期に収縮期血圧 140 mmHg 未満に降下させ，7 日間維持することは妥当である(推奨度 B，エビデンスレベル中)．その下限を 110 mmHg 超に維持することを考慮してもよい(推奨度 D，エビデンスレベル低)」と記載されている．この背景には，The Second Intensive Blood Pressure Reduction in Acute Cerebral Hemorrhage Trial (INTERACT2 試験)[12, 13] や The Intracerebral Hemorrhage Acutely Decreasing Arterial Pressure Trial(ICH ADAPT 試験)の結果などが反映されている．INTERACT2 試験[12, 14] では，2,839 例の脳出血急性期の患者を強化治療群(割り付け後 1 時間以内に目標収縮期血圧 140 mmHg 未満に降下させ，7 日間維持する：$n = 1,399$)と標準治療群(目標収縮期血圧 180 mmHg 未満：$n = 1,430$)とに無作為に割り付けたところ，主要評価項目である 90 日後の死亡＋重大な機能障害に差はなかったものの，副次評価項目である modified Rankin(ランキン) Scale の順序を考慮した機能転帰の解析は強化治療群で有意に良好であった．また，致死的でない重大事象の発生率において両群に差はなく，強化治療の安全性も示された[12]．ICH ADAPT 試験において，脳出血発症24時間未満の患者75人を降圧目標収縮期血圧150 mmHg未満と180 mmHg未満に無作為に割り付け，CT灌流画像による評価を施行した結果，血腫周辺の脳血流量には差がなかったことが報告された．

血腫周辺は，これまで存在しなかった血腫というmassの圧排(mass effect*1)を受け，血液灌流量が減少することが想定される．このような状態にあるなかで血圧を積極的に降圧した場合，なんらかの不利益が生じることが懸念されるが，臨床試験の結果，積極的な降圧を行っても死亡や機能障害は増加せず，有害事象も増えず，機能帰結が改善し，しかも血腫周辺血液量の低下を認めなかった．安定的な降圧維持が転帰良好につながる可能性が示唆されている[12]．脳出血例に対する理学療法における血圧管理の考え方としても，血圧の上昇に対して細心の注意を払うべきであり，急性期の血圧上限設定値を超えないように，細やかな血圧モニタリングを行うことが肝要である．ただし，急激な血圧の低下は，自動調整能の破綻を考慮して避けなければならない．なお，外科的治療が行われた場合でも特に運動を制限する必要はないため，非手術例と同様に開始基準や中止基準を参考にしながら積極的な離床を進める．

b くも膜下出血

くも膜下出血の場合，原則的には外科的治療が行われ，動脈瘤からの再出血のリスクがない状態で理学療法が開始される．ただし，出血源が不明であったり，なんらかの理由によって手術が行われない状態で理学療法を開始しなければならない場合もある．その場合にはきわめて厳格な血圧管理が必要であり，血圧の上昇は厳重に注意しなければならない．

▶表4　Fisher分類

分類	定義
グループ1	くも膜下腔に血液が認められない
グループ2	びまん性または薄い血液ですべてのCT断面に垂直な層(半球間裂，島槽，迂回槽)において1 mm未満
グループ3	限局性凝血塊やCT断面に垂直な層において1 mm以上の厚さの血液
グループ4	びまん性またはくも膜下腔の血液がないが，脳内または脳室内血腫がある

発症4〜14日以内に脳血管攣縮が生じる[1]ため，その間，集中治療棟で管理される．脳血管攣縮の予測としてFisher(フィッシャー)分類(▶表4)が用いられ，血腫量が多いほど脳血管攣縮が生じやすい[1]．生じた場合にはファスジルやオザグレルナトリウムなどの投与[4]が行われるが，それでも脳梗塞を合併し，後遺症をきたす場合もある．

脳血管攣縮の出現を避けることを考慮してか，くも膜下出血後の急性期理学療法は十分な安静期間を設けたのちに保守的に行われることが少なくない．その一方で，クリッピング術やコイル塞栓術が行われた翌日(血管内治療の場合には穿刺部の仮性動脈瘤を予防するために穿刺したカテーテルの太さに応じて数日後より介入開始)には，厳重なリスク管理のもとに理学療法の開始が許可されている施設もある．そのような施設では外科的治療後は再破裂の危険性がないため運動を制限する必要がなく，発症翌日から可能な症例では座位，立位，歩行トレーニングを行うという方針で進められる．現時点で早期から理学療法を行うべきか，それとも待機的に行うべきかについて明確な答えが出ているわけではない．すなわち，くも膜下出血後の明確な理学療法開始基準がなく，施設ごとに大きく異なるのが現状のようである．早期介入においては，脳血管攣縮発症時には即座に対応できる環境で理学療法を実施することがきわめて重要で，脳血管攣縮が疑われる場合には，速や

*1：mass effect：頭蓋内はある一定の陽圧環境下にあり，その中に脳実質や脳脊髄液が存在する．血腫という異物が出現した場合，容積の限られたなかで血腫の周辺構造物は物理的に圧排される．

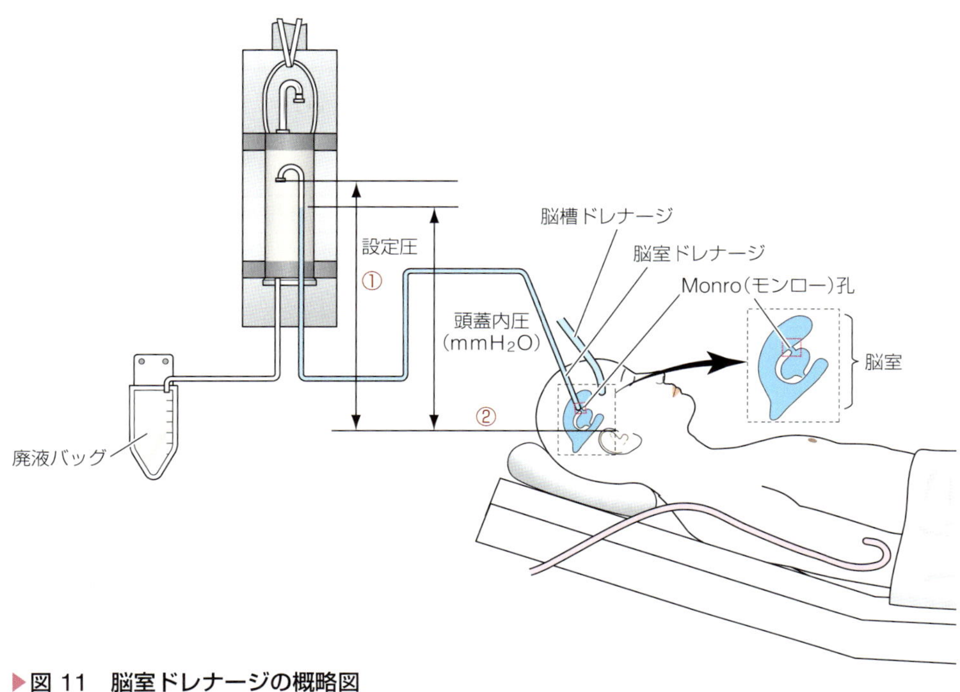

▶**図 11　脳室ドレナージの概略図**
①この距離を調節することによって脳圧を調整する.
②小脳延髄槽(大槽)の高さを基準にする.

かに検査と治療を開始しなければならないため，理学療法は原則的に集中治療棟で実施される．集中治療棟内では運動量が不足するような症例の場合にはリハビリテーション室で実施することもあるが，急変時に速やかに集中治療棟に移動できるような体制と緊急コール体制が構築されたリハビリテーション室で実施することが望ましい．

外科的治療後であれば再出血のリスクはきわめて低いため，血圧上昇に対しての管理は，自動調節能の破綻を考慮し，急激な血圧の上昇を防ぐ管理が中心となる．血圧の上限として，収縮期血圧は 180 mmHg に設定されることが多い．一方，血圧の低下には十分に配慮する必要がある．先に述べたとおり，くも膜下出血後には脳血管攣縮が生じ，ただちに積極的加療をしても脳梗塞に至る場合もある．脳血管攣縮が出現している場合は血管が狭窄してしまうため，トリプル H 療法〔人為的高血圧(hypertension)，循環血液量の増加(hypervolemia)，血液希釈(hemodilution)〕が行われる[11]．人為的高血圧として管理されているなかで，理学療法の実施によって血圧低下をまねくことは避けたい．健常者の場合，臥位から座位や立位に移行しても 20 mmHg 以上の収縮期血圧の低下はおきない[3]．20 mmHg 以上の低下(起立性低血圧の発生)がないことを確認しつつ離床をはかる必要がある．

そのほか，くも膜下出血の術後には血液や髄液を排出するため，脳室ドレナージ(▶**図 11**)や腰椎ドレナージ[3]が留置されることにも注意が必要である．脳脊髄液は脈絡叢にて 450〜500 mL/日ほど生成され，総量が 150 mL 程度であることから，おおよそ 1 日に 3〜4 回程度入れ替わる．また，頭蓋内圧は臥位では 60〜150 mmH_2O の範囲で一定である．頭蓋内圧が一定であることと，脳脊髄液で常に満たされているという点が利用され，脳槽(腰椎)ドレナージは設置される．ドレナージ圧は頭部の高さとドレナージバッグの高さの違いによって調整されているため，頭部の高さを変更

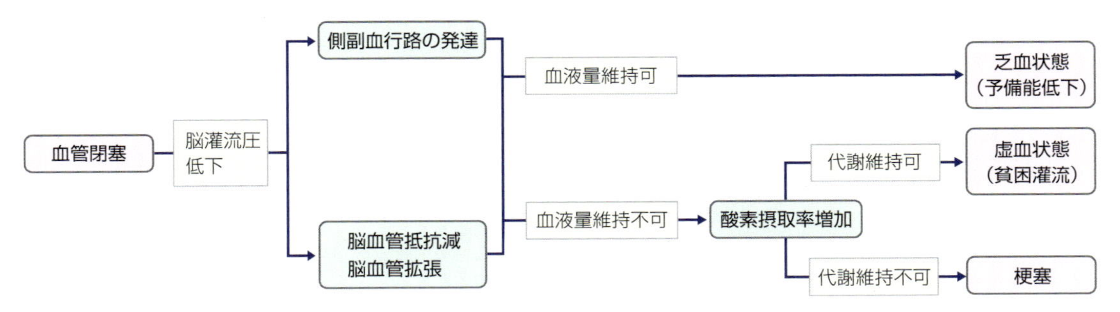

▶図 12　脳梗塞の発症と脳虚血状態時の代謝機構の概略
〔牧原典子ほか：脳卒中の原因と病態．原 寛美ほか（編）：脳卒中理学療法の理論と技術，第 4 版，p.106，メジカルビュー社，2022 より〕

してはいけない．理学療法実施前に看護師などに依頼し，必ずドレナージクランプしたのちに離床を進める．

くも膜下出血後の慢性期には，10～37％の確率で正常圧水頭症が生じることにも留意しなければならない．なぜならば，正常圧水頭症の 3 徴候である歩行障害，認知症，失禁のうち，歩行障害は理学療法士が最も専門的に関与するため，その変化を最も鋭敏にとらえることができる．歩行機能の変化には注意を払い，異常所見出現時には医師へ報告するなどの対応が必要となる．

C 脳梗塞

脳梗塞発症に至る機序と代謝機構の概略図を**図 12**[1] に示す．脳血流を一定に保ち，代謝を維持するために，さまざまな調節・代償機構が働く．脳への血液供給が途絶えると，虚血の中心部は高度に血流が低下し，やがて脳梗塞に至るが，その周囲には血流の低下によって神経活動は停止しているものの梗塞には至っていない**ペナンブラ**と呼ばれる可逆性の領域が存在する（▶**図 13**）[1]．血流が低下すると，血管を拡張して脳血流量を増加させ，さらには組織での酸素の取り込み（酸素摂取率）を増やして代謝を維持しようとするが，この酸素摂取率が増加した状態は貧困灌流と呼ばれ，梗塞に至る一歩手前の状態である[1]．ペナンブラは貧困灌流に該当し，この領域を救済することが超急性期治療の鍵となる．

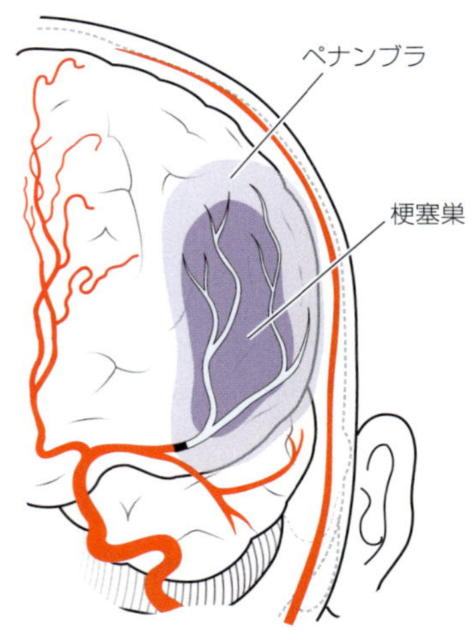

▶図 13　ペナンブラ
〔牧原典子ほか：脳卒中の原因と病態．原 寛美ほか（編）：脳卒中理学療法の理論と技術，第 4 版，p.107，メジカルビュー社，2022 より〕

発症から 4.5 時間以内の場合には，すべての虚血性脳血管障害患者に対して血栓溶解療法〔rt-PA（アルテプラーゼ）の静脈内投与〕の適応が検討される．rt-PA は血管を閉塞した血栓を溶解し，血流を再開させる薬物である．この投与により虚血性脳血管障害者の 3 か月後の転帰良好例を増大させる効果が得られ，虚血性脳血管障害に対するきわめて有効な治療で，投与が早ければ早いほど有効である．一方で，症候性頭蓋内出血の頻度も高くなるため，その適応は慎重に検討される．血栓溶解療法により血流再開が得られなかった場合や

rt-PA の投与が行えなかった場合には，機械的血栓回収療法が検討される．

脳梗塞発症後は虚血に応答するように血圧は上昇する．脳梗塞超急性期の降圧は原則的に行わず，血圧は高めに管理され，収縮期血圧で 220〜200 mmHg あるいは拡張期血圧で 120 mmHg を超過した場合に降圧が検討される[1]．ただし，血栓溶解療法（rt-PA の投与）が行われる場合には，収縮期血圧 185 mmHg，拡張期血圧 110 mmHg 以下にコントロールする[1]．そのほか，心不全や腎不全，未破裂の脳動脈瘤や大動脈瘤を合併する場合には個別に検討する．ただし，血圧の急激な上昇は自動調整能の障害があることを考慮すると避けるべきであり，特に高齢者や心疾患合併例における急激な心臓への負荷には配慮すべきである．

脳梗塞のリスク管理で特に重要なのは理学療法の実施によって生じうる血圧低下の管理で，脳血流量の減少には十分な注意を払わなければならない．特にアテローム血栓性梗塞などでは，脳血流量の低下をまねけば症状の増悪をまねく重大な問題となる．血行力学性機序による発症の場合，脱水や血圧の低下が症状増悪因子となるため，頻回な血圧測定を行いモニタリングする．

機械的血栓回収の術後は穿刺部（鼠径部の大腿動脈が多い）の仮性動脈瘤の形成を防ぐために十分な圧迫と安静が必要となり，運動も数日間は制限される．そのため，離床が血栓回収非実施群より遅れることになり，車椅子座位が開始されるまでの期間が延びる．血栓回収術はその有効性が報告され，血管内治療が可能な専門施設で施行されるようになっているが，離床が遅れるためか，術後の異常血圧変動の出現率が高いことが報告されており[15]，理学療法実施時には注意が必要である．

その他，脳梗塞に伴う脳浮腫の出現が 3〜7 日でピークを迎え，その後は縮小していくことや，出血性梗塞では発症数日以内と 2〜4 週の 2 つのピークがあり[3]，血腫とそれに伴う浮腫により頭蓋内圧が上昇することなども経過を観察するうえで理解しておきたい．脳梗塞治療例は血栓溶解療法のみならず，ダビガトラン，リバーロキサバン，アピキサバン，エドキサバンといった直接作用型経口抗凝固薬（direct oral anticoagulant; DOAC）や，ワルファリンなどの抗凝固療法，あるいはアスピリンやシロスタゾール，クロピドグレルといった抗血小板療法など，種々の薬物が投与される影響で易出血性となるため，理学療法実施時には転倒，外傷などには十分に注意する必要がある．心原性塞栓では心房細動などの不整脈やその他の心疾患を合併しており，心疾患に応じて心電図装着下で行うなどの対処を検討する必要がある場合もある．

C 理学療法開始時期と中止基準

脳卒中のリハビリテーションの開始基準は，『脳卒中治療ガイドライン 2021』[12]には「合併症を予防し，機能回復を促進するために，24〜48 時間以内に病態に合わせたリハビリテーションの計画を立てることが勧められる（推奨度 A，エビデンスレベル高）」とある．これは長期の臥床によって生じるさまざまな弊害を予防し，機能回復をはかるための早期リハビリテーションを推奨するものである．脳卒中患者を対象とした超急性期の早期離床の有効性を検証した大規模な無作為割り付け臨床試験である AVERT 試験[16]では，発症 24 時間以内の高頻度離床を行ったグループは，通常のケアを受けたグループよりも 3 か月後の modified Rankin Scale において予後良好であった割合が低下していた．この AVERT 試験を含む臨床試験のメタアナリシス[17]でも，超早期離床によって予後良好となる結果は得られていない．超早期介入の有効性は疑問視されるものの，安静臥床が長く続けばそれに伴う弊害は生じる．現時点で，この時期にということを明確に言及できないものの，

▶表 5　脳卒中早期離床開始基準

1. 一般原則
意識障害が軽度(JCS 10 以下)であり，入院後 24 時間神経症状の増悪がなく，運動禁忌の心疾患のない場合には離床開始とする
2. 脳梗塞
入院 2 日までに，MRI/MRA を用いて病巣と病型の診断を行う 1)アテローム血栓性脳梗塞：MRI/MRA にて主幹動脈の閉塞ないし狭窄が確認された場合，進行型脳卒中へ移行する可能性があるため，発症から 3～5 日は神経症状の増悪がおこらないことを確認して離床開始する 2)ラクナ梗塞：診断日より離床開始する 3)心原性脳塞栓：左房内血栓の有無，心機能を心エコーにてチェックし，左房内血栓と心不全の徴候がなければ離床開始とする．rt-PA 投与例では出血性梗塞の危険性を考慮する
3. 脳出血
● 発症から 24 時間は，CT にて血腫の増大と水頭症の発現をチェックし，それらがみられなければ離床開始する ● 脳出血手術例：術前でも意識障害が軽度(JCS 10 以下)であれば離床開始する．手術翌日から離床開始する
4. 離床開始ができない場合
ベッド上にて拘縮予防のための ROM 訓練と健側筋力訓練は最低限実施する
5. 血圧管理
離床時の収縮期血圧上限を，脳梗塞では 200～220 mmHg，脳出血では 160 mmHg と設定し，離床開始後の血圧変動に応じて個別に上限を設定する

〔原 寛美：内科医のためのリハビリテーション：脳血管障害急性期のリハビリテーション．診断と治療，90(Suppl):87–96，2022 より一部改変〕

極端に遅い介入は避けるべきであり，病態に合わせ，リスクを回避した早期のリハビリテーションは推奨される．一方で，開始基準にはさまざまな報告があり，明確な基準が存在するとはいいがたい[18]．他の基準(▶**表 5**)[19]では，JCS で 1 桁であることを明確な開始基準とはしておらず，基本的に JCS で 10 ならば積極的に座位や立位へ進める離床を試みるとしている．ただし，これらの基準が絶対的なものではなく，意識障害の質によっては必ずしも JCS 10 以下でなければ離床を開始できないわけではない．脳圧亢進を伴わない意識をつかさどる中枢の損傷による意識障害などの場合，主治医の判断によっては JCS で 20，30 あるいは 100 といった 3 桁の状態でも関節可動域運動や全介助での座位保持などの他動的なトレーニングを実施する場合もある．

立位と歩行トレーニングの開始基準については明確な相違はなく，歩行の負荷が過負荷になるか否かで判断してよい．座位で血圧や心拍など，運動を中止すべき変化がなく，同様に立位でも基準の範囲内であれば，歩行トレーニングへの展開を検討する．

表 5 にあるように，病態によって積極的離床の開始日が異なる．原則的には脳梗塞や脳出血では症状の進行がないことが確認されたのちに行い，くも膜下出血では外科的治療が完了して再破裂の危険性がないことが条件となる．ラクナ梗塞であれば，診断確定したのちは同日中に開始可能である．

リハビリテーション処方医や主治医により設定された中止基準を参考にして，開始可能か否かを判断し，その後の変化については土肥・Anderson の基準[11]を参考にする(▶**表 3**)．そのうえで，各種疾患特性に応じた中止基準を遵守しながら進める．

脳卒中理学療法におけるリスク管理の基本は脈拍と血圧の把握で，前述したように脳血流の自動調整能が破綻しているため，血圧の把握はきわめて重要である．

●引用文献

1) 原 寛美ほか(編)：脳卒中の病態と治療．脳卒中理学療法の理論と技術，改訂第 2 版，pp.94–114，メジカルビュー社，2016.
2) 高橋昭喜(編著)：出血性および他の血管障害．脳 MRI 3．血管障害・腫瘍・感染症・他，pp.97–204，学研メディカル秀潤社，2010.
3) 石川 朗(総編集)：脳血管障害における医学管理．15 レクチャーシリーズ 理学療法テキスト 神経障害理学療法学 I，pp.43–52，中山書店，2011.
4) 日本脳卒中学会 脳卒中ガイドライン委員会(編)：くも膜下出血．脳卒中治療ガイドライン 2015，pp.182–208，協和企画，2015.
5) 高橋昭喜(編著)：虚血性血管障害．脳 MRI 3．血管障害・腫瘍・感染症・他，pp.13–96，学研メディカル秀潤社，2010.

6) 湯浅浩之：脳卒中の内科的治療. 原 寛美ほか(編)：脳卒中理学療法の理論と技術, 改訂第 2 版, p.121, メジカルビュー社, 2016.
7) Caplan, L.R.: Intracranial branch atheromatous disease: A neglected, understudied, and underused concept. *Neurology*, 39(9):1246–1250, 1989.
8) 天野隆弘：脳循環の調整―脳循環の autoregulation. 血管内皮, 8:379–385, 1998.
9) 藤島正敏：脳血管障害を伴った高血圧. 高血圧：診断と治療の進歩, 日内会誌, 79(1):65–70, 1990.
10) 海老原進一郎ほか：脳卒中の脳循環動態. クリニカ, 7: 426–433, 1980.
11) 土肥 豊：脳卒中リハビリテーション―リスクとその対策. *Medicina*, 13:1068–1069, 1976.
12) 日本脳卒中学会脳卒中ガイドライン委員会(編)：脳卒中治療ガイドライン 2021. 協和企画, 2021.
13) Anderson, C.S., et al.: Rapid blood-pressure lowering in patients with acute intracerebral hemorrhage. *N. Engl. J. Med.*, 368(25):2355–2365, 2013.
14) Butcher, K.S., et al.: The Intracerebral Hemorrhage Acutely Decreasing Arterial Pressure Trial. *Stroke*, 44(3):620–626, 2013.
15) Yagi, M., et al.: Assessment of factors associated with prominent changes in blood pressure during an early mobilization protocol for patients with acute ischemic stroke after mechanical thrombectomy. *Phys. Ther. Res.*, 19(1):1–7, 2016.
16) Bernhardt, J., et al.: Efficacy and safety of very early mobilization within 24 h of stroke onset (AVERT): A randomised controlled trial. *Lancet*, 386(9988):46–55, 2015.
17) Langhorne, P., et al.: Very early versus delayed mobilization after stroke. *Cochrane Database Syst. Rev.*, 10(10):CD006187, 2018.
18) 阿部浩明ほか(編)：急性期重度片麻痺例の歩行トレーニング. 脳卒中片麻痺者に対する歩行リハビリテーション, pp.98–120, メジカルビュー社, 2016.
19) 原 寛美：内科医のためのリハビリテーション：脳血管障害急性期のリハビリテーション. 診断と治療, 90(Suppl):87–96, 2022.

(阿部浩明)

COLUMN 眼症状

理学療法では視野の欠損や眼球運動障害が日常生活や職業への参加の障壁となることがある．

視野欠損

図 1 に示すように，物体は網膜上に像を結ぶ[1]．右の物体は網膜の左に，上方の物体は網膜の下方に，点対称的に像を結ぶ[2]．

視覚情報は網膜内で情報処理されて視神経に伝えられる．視交叉で両側の網膜の内側の視神経線維のみが交叉し，外側は交叉せず同側を走行する．交叉後の線維束は**視索**と呼ばれ，視索は外側膝状体に至り，視放線を経て後頭葉の一次視覚野（17，V1 野）に投射する[2]．視野の半分が見えないものを**半盲**といい，両目とも同側が見えないものを**同名性半盲**と呼ぶ[3]．

半盲は視野の欠損であり，正常視野における視力が障害されるわけではない．通常，半盲のみの障害であれば，患者は視野が欠損していることや，見えづらいことを自覚する（ただし，半側空間無視を伴う場合などには，自覚されない症例も存在する）．トレーニングで視野そのものを拡大させることは不可能であるが，欠損視野の存在を自覚させるとともに，生活上の注意点を指導し，視野の欠損により問題が生じる活動時に視野が欠損するほうへ頭部を回旋させて確認する手順を学習するなど，その対応を個々の症例に合わせて行う．

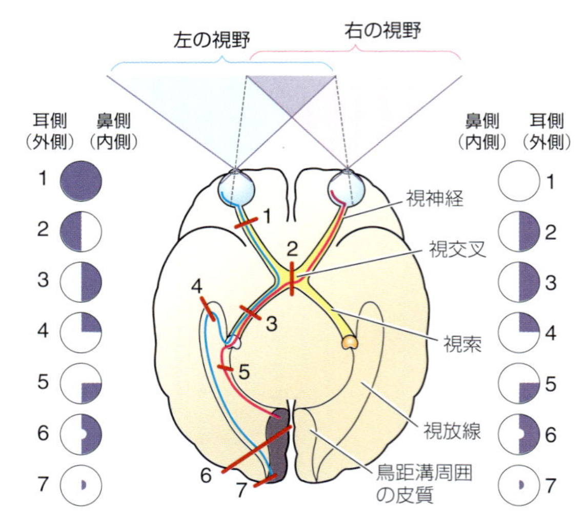

▶図 1　視覚経路およびその障害による視野欠損

眼球運動障害

（1）外眼筋の麻痺

眼球運動は動眼神経支配を受ける上直筋，下直筋，内側直筋，下斜筋，外転神経支配を受ける外直筋，滑車神経支配を受ける上斜筋により構成される（▶**図 2**）．

動眼神経は中脳被蓋の動眼神経核から大脳脚の間を通過するように前方に走行する．**外転神経**は橋の後縁にある外転神経核からおこり，延髄と橋との境から走行する．**滑車神経**は，唯一脳幹の背側から出る脳神経で，中脳の滑車神経核から背側に走り，中脳水道を取り囲んで，その背側で左右交叉し，下丘直下から出る（▶**図 2**）．

動眼神経麻痺では，外眼筋のほかに眼瞼挙筋の麻痺が生じて閉眼するため，複視は生じない．眼球は外転し，内転，上転，下転が困難となる．滑車神経麻痺では下内方を見ることができなくなるため，階段の降段が困難となる．外転神経は走行が長く損傷を受ける頻度が高く，外転神経麻痺では外転が困難となり，眼球は内転位となる[3]（▶**図 3**）．

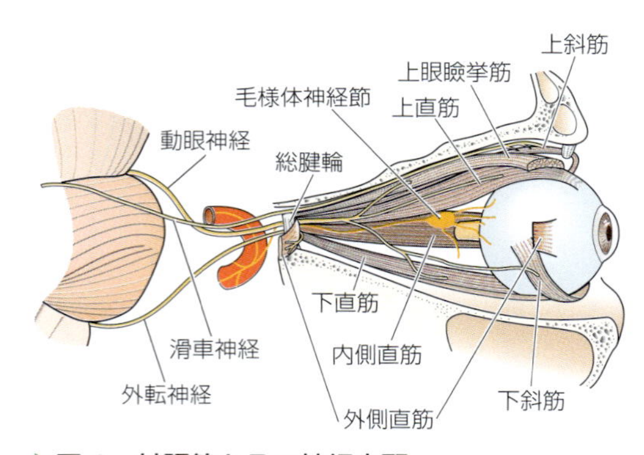

▶図 2　外眼筋とその神経支配

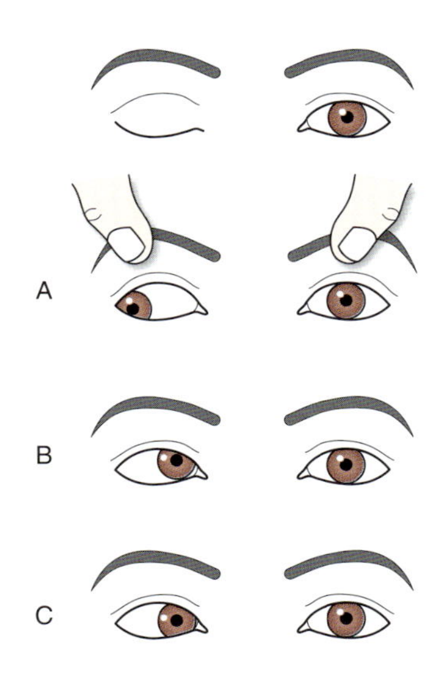

▶図 3 眼球運動麻痺
A：右側の動眼神経完全麻痺，B：右側の滑車神経麻痺，
C：右側の外転神経麻痺

(2) 注視麻痺

正確に視覚的に対象物をとらえようとした場合，中心窩に像を結ぶと最も精度が高いため，対象物が網膜の中心窩に結像するように視軸を調整する．視軸の調整は外眼筋が協調的に働くことでなされ，その運動を**眼球共同運動**(conjugate eye movement)や**共同性注視**と呼び，これが麻痺した状態を**注視麻痺**という[3]．随意的な眼球運動は，注視点から他の点へ急激に移動する速い運動である**サッケード**(saccade)と，ゆっくり動くものを注視する**滑動性運動**(smooth pursuit eye movement)に分けられる[4]．

サッケードの皮質中枢は主として前頭眼野(8，6 野)で，滑動性運動の皮質中枢は第 V 視覚野(19，37，39 野)にある．垂直方向の注視の上位中枢は間脳と中脳の境界にある内側縦束吻側間質核(rostral interstitial nucleus of the medial longitudinal fasciculus; riMLF)にあり，水平方向の中枢は橋の外転神経核近傍にある傍正中橋網様体(paramedian pontine reticular formation; PPRF)とされる．これらの注視中枢は視覚野からのインパルスを受け，内側縦束(medial longitudinal fasciculus; MLF)による眼球運動核の緻密な連絡によって，眼球共同運動がおこる[5]．

垂直性注視麻痺は中脳の障害で生じ，上方注視麻痺が多く，視床出血や視床・中脳梗塞でおこる．側方注視麻痺は大脳から中脳までの側方注視の経路が障害されることで生じ，病巣側と対側におこる．橋では障害側への側方注視麻痺が生じる．MLF 症候群では眼球共同運動が障害され，側方を見つめたとき左右の眼球の動きが一致しなくなる[3]．

(3) 前庭機能と眼球運動

対象を網膜の中心窩にとらえようとした場合，自分自身の動き，すなわち，頭部が動いても注視する対象を適切に追従できるよう頭部が動いた角度だけ眼球が対象を追跡するよう動く反射機構〔前庭動眼反射(vestibular eye movement)〕が働く[4,5]．頭部の動きを知覚する前庭からの入力は，延髄にある前庭神経核を経由し，動眼，滑車，外転神経核，Cajal 間質核および，riMLF へ投射され，視床を経由し，2v，3a 野および前庭皮質(parieto-insular-vestibular-cortex; PIVC)へ投射する[5]．

これらの経路の障害により眼傾斜反応(ocular torsion reflex; OTR)と呼ばれる斜偏位(skew deviation)，頭部の傾斜とその方向への眼球回旋，自覚的視覚垂直位(subject visual vertical; SVV)の偏倚などが出現する場合がある[5]．

●引用文献

1) 坂井建雄，河田光博(監訳)：プロメテウス解剖学アトラス―頭部/神経解剖．pp.326–382，医学書院，2009．
2) 福井圀彦ほか(編)：脳卒中最前線―急性期の診断からリハビリテーションまで．第 4 版，pp.381–389，医歯薬出版，2009．
3) 田崎義昭ほか：ベッドサイドの神経の診かた．第 15 版，pp.195–231，南山堂，1994．
4) 小澤瀞司ほか(総編集)，本間研一ほか(編)：標準生理学．第 7 版，pp.266–293，医学書院，2009．
5) Brandt, T., Dieterich, M.: Perceived vertical and lateropulsion: Clinical syndromes, localization and prognosis. *Neurorehabil. Neural Repair*, 14(1):1–12, 2000.

(阿部浩明)

2

脳卒中の障害と理学療法

第1章

運動麻痺

学習目標

- 運動制御に関与する神経機構について理解する.
- 運動麻痺の発生メカニズムについて理解する.
- 運動麻痺の種類とその症状について理解する.
- 評価と理学療法の目的と実際について理解する.

A 運動制御に関与する神経機構

随意運動(voluntary movement)は，脳からの運動指令が骨格筋に伝わることにより実現される．反射が外的な刺激によって自動的に開始されるものであるのに対して，随意運動は内的な意思決定により開始される．この随意運動の調節を含めた運動制御には，さまざまなシステムやネットワークが関与しているが，とりわけ運動指令の始発点である大脳皮質の**運動関連領野**と運動指令を脳幹や脊髄を経由して骨格筋へと伝える**下行性伝導路**は重要な役割を果たす．脳卒中や脊髄損傷などにより中枢神経が損傷すると，随意運動が困難となる**運動麻痺**が出現する．運動麻痺はADLの低下を引き起こす主要な阻害因子であり，理学療法士は随意運動にかかわる大脳皮質の運動関連領野や下行性伝導路の機能を十分に理解しておく必要がある．

1 大脳皮質の運動関連領野の機能および損傷に伴い出現する障害

運動制御にかかわる大脳皮質の運動関連領野には，筋収縮を得るまでの最終的な出力部位である一次運動野，運動実行にかかわる準備段階として運動プランを形成する機能を有する運動前野，運動のプログラミングや両側の協調運動にかかわる役割をもつと考えられている補足運動野，大脳辺縁系からの入力を受け，情動，痛み，身体の環境情報などによって動作の制御に関与する帯状皮質運動野などがあげられる．

一次運動野が損傷すると，機能局在に対応した身体部位の運動麻痺が出現するのに対し，運動前野が損傷すると，運動麻痺は出現しないにもかかわらず，習熟した動作がうまく行えなくなるという特徴的な症状が出現しうる．さらに，補足運動野が損傷すると，自発的な動作発現，順序動作の制御，左右の手の協調運動に問題が生じ，帯状皮質運動野が損傷すると，自発的な動作や発語が減少する．また，一般的には運動関連領野には含まれないが，一次体性感覚野も一次運動野と神経連絡を有しており，随意運動の実行時に体性感覚情報を提供する．一次体性感覚野の機能損失により，体性感覚機能が低下するだけでなく，正確な動作遂行が阻害される．

2 下行性伝導路

随意運動を実現するためには，大脳皮質の運動関連領野である一次運動野や高次運動野から出力された運動指令が，脊髄前角の運動ニューロンに到達しなければならない．したがって，運動制御を理解するためには，大脳皮質の運動関連領野だけでなく，脊髄前角へと運動指令を伝える下行性伝導路についても理解する必要がある．大脳皮質から出力される皮質脊髄路は，下行性伝導路のなかでも，特に四肢の随意運動への貢献が大きい経路である．しかし，皮質脊髄路は脊髄への唯一の下行性伝導路ではない．脊髄は赤核脊髄路，網様体脊髄路，および前庭脊髄路からも入力を受け，これらの伝導路は脊髄介在ニューロンや脊髄運動ニューロンへの単シナプス性接続を介して運動を調節している．

運動に関連する下行性伝導路は，起始細胞の存在する部位により，大脳皮質に起始細胞が存在する伝導路と，脳幹部に起始細胞が存在する伝導路の２つに大別することができる．

a 大脳皮質に起始細胞が存在する下行性経路

皮質脊髄路，皮質延髄路，皮質網様体路

(1) 皮質脊髄路

皮質脊髄路のうち，延髄で対側へ交叉する線維が**外側皮質脊髄路**であり，主に四肢の遠位部の運動制御にかかわる．一方，皮質脊髄路のうち，延髄で交叉を行わない線維が**前皮質脊髄路**である．前皮質脊髄路は同側脊髄の前索を下行する．前皮質脊髄路は脊髄前角の内側へ両側性に広く投射し，体幹と近位の筋群（主に下肢）の調節にかかわる．

(2) 皮質延髄路

大脳皮質運動野から両側脳幹部（中脳，橋，延髄）の脳神経運動核までの経路を**皮質延髄路**（皮質核路）という．この経路は頸部から上の運動（顔面，咽頭，舌）をコントロールする働きがある．

(3) 皮質網様体路

皮質脊髄路が主に一次運動野から出力されるのに対し，**皮質網様体路**は主に高次運動野から出力され，放線冠，内包後脚（皮質脊髄路の前方）を下行し，脳幹（橋，延髄）網様体に終結する．

b 脳幹部に起始細胞が存在する下行性経路

網様体脊髄路，前庭脊髄路，赤核脊髄路，視蓋脊髄路

(1) 網様体脊髄路

網様体脊髄路は橋および延髄の脳幹網様体から起始し，脊髄へ投射する．網様体脊髄路は，橋網様体脊髄路および延髄網様体脊髄路の２つに分類される．橋網様体脊髄路と延髄網様体脊髄路は，それぞれ興奮性と抑制性のシナプス結合により，脊髄前角の運動ニューロンに接続しており，両者が拮抗して筋緊張を調節している．この２つの網様体脊髄路のシステムは，抗重力筋への持続的筋緊張を調節するだけでなく，必要に応じて特定の筋群の筋緊張を抑制することで，ほかの運動の実行を可能にしている．

◉橋網様体脊髄路

橋網様体脊髄路は橋網様体から起始し，主に同側脊髄の前索を下行し脊髄灰白質へと至る．主に抗重力筋（体幹筋や四肢の伸筋）の活動を促進し，さらに一部は四肢の屈筋群の活動を抑制する．また，小脳および前庭神経からも強い興奮性入力を受けている．

◉延髄網様体脊髄路

延髄網様体脊髄路は延髄網様体から起始し，同側および一部対側の側索腹側部を下行し脊髄灰白質へと至る．四肢の伸筋群および体幹筋に対して抑制性の機能をもつ．また，皮質脊髄路や赤核脊髄路などから強い興奮性入力を受ける．

(2) 前庭脊髄路

前庭脊髄路は橋および延髄にある前庭神経核からおこり，起始核および脊髄内の下行部位によって外側前庭脊髄路と内側前庭脊髄路に分けられる．外側前庭脊髄路は外側核から起始し，同側性に脊髄全長へ下行する．主に頸部および四肢の伸

筋群の活動を促進し，四肢の屈筋群の活動を抑制する．内側前庭脊髄路は内側核，下核，外側核から起始し，主に上位頸髄に対して両側性に投射する．

(3) 赤核脊髄路

赤核脊髄路は，外側皮質脊髄路と同様に対側の脊髄側索を下行する．軸索は主に脊髄内中間層に終止し，脊髄介在ニューロンを介して間接的に運動ニューロンに作用を及ぼす．介在ニューロンを介して，屈筋に対しては主に促通作用を及ぼし，伸筋に対しては主に抑制作用を及ぼすことで，四肢の遠位部の運動(主に上肢の屈筋群)に関与する．ヒトでは機能の大部分が外側皮質脊髄路に移行され，発達が乏しいと考えられてきたが，近年では皮質脊髄路が損傷された場合に，赤核脊髄路が機能代償を果たすことが報告されている[1]．

(4) 視蓋脊髄路

視蓋脊髄路は中脳上丘から頸髄へと投射する神経路である．上丘中間層および深層から起始した線維は脊髄被蓋交叉で反対側へと渡り，脊髄前索を下行する．この経路は，上丘への視覚入力に対する反射的な頭部・頸部の運動を担う．

3 外側運動制御系と内側運動制御系

下行性伝導路は，起始細胞が存在する部位での大別のほかに，下行する脊髄部位と機能により**外側運動制御系**(外側皮質脊髄路，赤核脊髄路)と**内側運動制御系**(前皮質脊髄路，網様体脊髄路，前庭脊髄路，視蓋脊髄路)の２つの運動制御系に分類できる．外側運動制御系が主に四肢の運動制御に関与するのに対して，内側運動制御系は近位部の運動制御ならびに姿勢制御に関与する．また，外側運動制御系が対側支配なのに対し，内側運動制御系は同側もしくは両側支配であるという特徴をもつ．

- **外側運動制御系**：外側皮質脊髄路，赤核脊髄路
- **内側運動制御系**：前皮質脊髄路，網様体脊髄路，前庭脊髄路，視蓋脊髄路

4 皮質網様体路と皮質網様体脊髄路

皮質網様体脊髄路は**皮質網様体路**と**網様体脊髄路**から構成される下行性伝導路である．皮質網様体脊髄路は四肢の近位筋および体幹筋を支配しており，運動制御のみならず姿勢制御や歩行機能に関与する[2]．上肢の挙上やリーチ動作時には，上肢の主動作筋よりも体幹筋や下肢の抗重力筋が先行して活動する**予測的姿勢調整**(anticipatory postural adjustment; APA)と呼ばれる姿勢制御が機能することにより，身体重心の動揺が最小限に抑えられ，安定した動作を円滑に遂行することができる．皮質網様体脊髄路は，このAPAに重要な役割を果たしていると考えられる．

B 運動麻痺

1 運動麻痺の定義と発生メカニズム

運動麻痺は「上位・下位運動ニューロンの異常による随意運動の障害の総称であり，大脳皮質運動野から末梢神経線維に至る経路のいかなる部分が侵されても生ずる」[3] と定義されている．つまり，上位運動ニューロン(大脳皮質→放線冠→内包後脚→中脳大脳脚→延髄錐体→脊髄側索→脊髄前角細胞)ならびに下位運動ニューロン(脊髄前角細胞→末梢神経→神経筋接合部)のどこが傷害された場合でも運動麻痺は出現する．

運動麻痺は，障害の程度により随意運動がまっ

たく行えない**完全麻痺**と，随意運動の一部は行える**不完全(不全)麻痺**に分けられる．さらに，損傷された部位により出現する運動麻痺の型は異なる．また，上位運動ニューロンと下位運動ニューロンのどちらが障害されたかにより，出現する運動麻痺の種類(質)は異なる．

2 運動麻痺の型

a 単麻痺：四肢のうち一側の上肢または下肢のみの麻痺

対側運動野または胸髄以下の同側の脊髄障害，末梢神経障害で生じる．筋萎縮のないものは大脳皮質一次運動野の障害によるものが多く，筋萎縮のあるものは脊髄前角から末梢神経の障害によるものが多い．

b 片麻痺：身体片側の上下肢の麻痺

一側の皮質脊髄路が障害されることで出現する．障害部位は内包付近が最も多いが，大脳皮質(一次運動野)，脳幹(大脳脚)，脊髄(側索)などの障害でもおこる．筋萎縮は一般的にみられないとされるが，廃用性筋萎縮はおこる．

c 対麻痺：両側下肢の麻痺

脊髄障害によるものが多い．稀ではあるが両側下肢の一次運動野が障害されても**対麻痺**がおこることもある．脊髄前角炎，馬尾障害，多発性神経炎などの下位運動ニューロン障害によって対麻痺がおこる場合もある．

d 四肢麻痺：両側上下肢の麻痺

大脳，脳幹，脊髄，末梢神経，神経筋接合部いずれの障害でもみられる．両側の皮質脊髄路が損傷された場合には両側片麻痺という呼び方をすることが多い．両側大脳の障害では，上肢屈曲位，下肢伸展位となる**除皮質硬直**をきたし，脳幹の障害では四肢すべてが痙縮を示し，伸展内旋位となる**除脳硬直**をきたす．

3 痙性麻痺と弛緩性麻痺

上位運動ニューロン障害では痙縮を伴った**痙性麻痺**を呈するのに対し，下位運動ニューロン障害では**弛緩性麻痺**を呈する．たとえば，同じ脱髄疾患でも中枢神経(≒上位運動ニューロン)の脱髄疾患である多発性硬化症では痙性麻痺が出現するが，末梢神経(≒下位運動ニューロン)の脱髄疾患であるGuillain-Barré(ギラン・バレー)症候群では弛緩性麻痺が出現する(病型による)．一方，筋萎縮性側索硬化症では上位運動ニューロンならびに前角細胞のどちらも萎縮がおこるため，痙性麻痺と弛緩性麻痺のどちらも出現する可能性がある．

上位運動ニューロン障害により痙性麻痺が生じる原因としては，脊髄レベルでのIa求心性線維のシナプス前抑制の減少，多シナプス性抑制の減少，非相反性Ib抑制の減少，II群促通の増加などがあげられている．近年，脳卒中後の痙縮に関しては，皮質網様体路が損傷されることにより抑制性の延髄網様体脊髄路の活動が減少することによって引き起こされる，脊髄興奮性の増強が関与しているとの考えも新たに提唱されている[4]．

4 脳卒中と運動麻痺

脳卒中患者において，運動麻痺は最も主要な初発神経障害であり，脳卒中全体の約50％に認められる．脳梗塞では中大脳動脈領域の梗塞が多く，特に心原性脳塞栓では中大脳動脈領域を含む前方循環系(内頸動脈，前大脳動脈，中大脳動脈病変)が70％以上を占める．これらの血管は皮質脊髄路の一部である放線冠や内包(後脚)を灌流しているため，虚血により運動麻痺が出現する．また，脳出血の部位別頻度は，被殻(31％)と視床(28％)の出血が約60％を占め，これらの部位は内包に隣接しているため，出血後には高頻度で運動麻痺が出現する．被殻出血後の患者では，皮質脊髄路の損傷が71.9％で認められたのに対して，皮質網様体路の損傷は87.8％の患者に認められ，64.8％の患者では皮質脊髄路と皮質網様体路の両方に損傷が認められたと報告されている[5]．

脳卒中発症後に出現する運動麻痺の重症度や予後は，皮質脊髄路の損傷程度に依存する．拡散テンソルトラクトグラフィー(diffusion tensor tractography; DTT)や経頭蓋磁気刺激(transcranial magnetic stimulation; TMS)を用いた研究では，皮質脊髄路の損傷が軽度な症例は，損傷が重度な症例に比べ運動機能や歩行能力が高く，機能回復も良好であることが示されている．また，皮質網様体脊髄路が損傷されると，遠位部に比べ肩関節や股関節といった近位部の運動麻痺が強く出現することが示唆されている[6]．

5 脳卒中片麻痺者の運動麻痺評価

脳卒中片麻痺者の運動麻痺や運動機能を客観的に評価することは，予後予測や治療効果の判定を行ううえできわめて重要である．『脳卒中治療ガイドライン2021』[7]では，運動麻痺評価としてBrunnstrom(ブルンストローム) recovery stage(BRS)，総合評価としてFugl-Meyer(フーグルマイヤー) Assessment(FMA)，脳卒中重症度スケール(Japan stroke scale; JSS)，Stroke Impairment Assessment Set(SIAS)，National Institute of Health Stroke Scale(NIHSS)の少なくとも1つを用いることを推奨している．これらの総合評価は，いずれも運動機能に関する項目が含まれている．ここでは，代表的なBRS，FMA，SIASについて紹介する．

a Brunnstrom recovery stage (BRS)

中枢神経の損傷後には，痙性麻痺により選択的な運動が困難となり，不適切な関節運動の組み合わせが生じる．このような共同した関節運動の組み合わせは一定のパターンを呈し，一般的に**病的共同運動**と呼ばれている(▶表1)．また，非麻痺側や全身的な随意的筋収縮時に麻痺側を含め全身性に筋緊張が増強する反応を認める．これを**連合反応**と呼び，代表例としては，随意的には麻痺側の股関節内転筋を収縮させることができないが，非麻痺側の股関節内転運動に抵抗を加えると麻痺側の股関節内転筋にも筋収縮が生じるRaimiste(レイミステ)反応があげられる．

▶表1 病的共同運動パターン

	部位	屈筋共同運動	伸筋共同運動
上肢	肩甲帯	挙上，後退	前方突出
	肩関節	屈曲，外転，外旋	伸展，内転，内旋
	肘関節	屈曲	伸展
	前腕	回外	回内
	手関節	掌屈，尺屈	背屈，橈屈
	手指	屈曲	伸展
下肢	股関節	屈曲，外転，外旋	伸展，内転，内旋
	膝関節	屈曲	伸展
	足関節	背屈，内反	底屈，内反
	足趾	伸展	屈曲

すべての症例が同様の経過をたどるわけではないが，脳卒中発症後の急性期では弛緩性麻痺を呈し，その後，病的共同運動や連合反応が出現し，徐々に分離運動が可能となる．このような回復過程は，BRSとして知られている．BRSは6段階に分類して評価する方法で，stage Ⅰが弛緩性麻痺の状態，stage Ⅲが共同運動の完成，stage Ⅳが分離運動可能な状態であることを示す．簡便に評価できるため臨床的に多く用いられており，後述するFMAの運動機能にもBRSによる評価項目が含まれている(▶表2)．各stageに含まれる運動がすべて可能となる前に，次のstageの運動が可能となる場合もあり，1つ以上の課題が可能な最も高いstageを判定する．

b Fugl-Meyer Assessment (FMA)

Fugl-Meyerらによって発表された評価法で，上肢，手指・手関節，下肢の運動機能のほかに，

▶表 2 Brunnstrom recovery stage(BRS)

上肢	stage Ⅰ	随意的な筋収縮なし．筋緊張は低下
	stage Ⅱ	随意的な筋収縮，または連動反応が出現．痙縮が出現
	stage Ⅲ	共同運動による関節運動が明確にあり
	stage Ⅳ	共同運動から逸脱し，以下の運動が可能 1. 手背を腰部につける 2. 肘関節伸展位で上肢を前方水平位まで挙上する 3. 肘関節屈曲 90° で前腕を回内・回外する
	stage Ⅴ	共同運動から比較的独立し，以下の運動が可能 1. 肘関節伸展位かつ前腕回内位で上肢を側方水平位まで挙上する 2. 肘関節伸展位のまま，上肢を前上方へほぼ垂直位まで挙上する 3. 肘関節伸展位で前腕を回内・回外する
	stage Ⅵ	各関節運動が自由に分離．ほぼ正常の協調性
手指	stage Ⅰ	随意的な筋収縮なし．筋緊張は低下
	stage Ⅱ	随意的な筋収縮がわずかにあり．痙縮が出現
	stage Ⅲ	手指の集団屈曲は可能だが，随意的には伸展不能．鉤握りはできるが，離せない
	stage Ⅳ	横つまみしたのち，母指で離すことが可能．狭い範囲での半随意的な手指伸展
	stage Ⅴ	対向つまみが可能．集団伸展が随意的に可能
	stage Ⅵ	筒握りや球握りを含む，すべてのつまみや握りが可能．各手指の運動が分離
下肢	stage Ⅰ	随意的な収縮なし．筋緊張は低下
	stage Ⅱ	随意的な筋収縮，または連動反応が出現．痙縮が出現
	stage Ⅲ	座位や立位にて股関節・膝関節・足関節が同時に屈曲
	stage Ⅳ	共同運動から比較的独立し，以下の運動が可能 1. 座位にて膝関節を 90° 以上屈曲し，足部を床上で後方へ滑らす 2. 足部を床から持ち上げずに，足関節を随意的に背屈する
	stage Ⅴ	共同運動から比較的独立し，以下の運動が可能 1. 立位にて股関節伸展位で荷重していない膝関節だけ屈曲する 2. 立位にて踵を前方に少し振り出し，膝関節伸展位で足関節だけを背屈する
	stage Ⅵ	各関節運動が分離し，以下の運動が可能 1. 立位にて骨盤挙上による可動域を越えて股関節を外転する 2. 座位にて内側および外側ハムストリングスの相反的な活動により，足関節の内反・外反を伴って下腿を内旋・外旋する

バランス能力，感覚機能，関節可動域・関節の痛みの 3 分類 113 項目からなる．FMA の運動機能項目は BRS をもとにした上肢・下肢の運動機能評価と運動の協調性を評価する．各項目 0～2 点で評価し，合計点数を算出する．FMA の各分類の合計点数は 0～226 点で，そのうち運動機能項目は 100 点(上肢 66 点，下肢 34 点)，バランス 14 点，感覚 24 点，関節可動域 44 点，関節の痛み 44 点である．高得点であるほど機能が良好であることを示す．

C Stroke Impairment Assessment Set (SIAS)

SIAS は運動機能，筋緊張，感覚機能，関節可動域と疼痛，体幹機能，高次脳機能，非麻痺側機能の 7 分類 22 項目からなる．各項目 0～3 点，0～5 点のいずれかで評価し，合計点数(0～76 点)を算出する．運動機能は上肢近位(膝・口テスト)，上肢遠位(手指テスト)，下肢近位(股屈曲テスト)，下肢近位(膝伸展テスト)，下肢遠位(足パットテスト)の 5 項目(0～5 点)で，25 点が最高点である(▶表 3)．高得点であるほど機能が良好であることを示す．

6 脳卒中発症後にみられる大脳皮質活動の変化

健常者では，手指の掌握動作時には反対側の一次運動野，補足運動野，背側運動前野，腹側運動前野，一次感覚野，両側の二次体性感覚野の活動を認める．脳卒中片麻痺者においても，非麻痺側の運動時には健常者と同様の活動が認められるが，麻痺側の運動時には非損傷半球(運動肢と同側)の一次運動野，背側運動前野，腹側運動前野，一次体性感覚野の活動が増加する[8]．このような非損傷半球にみられる大脳皮質運動関連領野や頭頂葉にかけての活動の増加は，皮質脊髄路の損傷の程度により異なる[9]．中大脳動脈領域の脳梗塞後の運動麻痺が軽度な患者では麻痺側手指掌握動作時の大脳皮質活動は健常者と変わらないが，運動麻痺が重度な患者では発症後 2 日前後では損傷半球の一次運動野を含めた全体的な活動性が減少し，発症後 10 日前後では損傷半球の上・下頭頂小葉および二次体性感覚野，非損傷半球の背側運動前野と一次運動野の活動が健常者群と比較して有意に増加することが報告されている[10]．

非侵襲的脳刺激法を用いた研究から，運動麻痺が軽度な患者では非損傷半球の活動を抑制することで運動機能が向上するのに対して，重度麻痺の患者では非損傷半球の活動性を抑制すると運動機能が低下することが報告されており，運動麻痺が重度な患者の非損傷側の運動関連領野の活動性の増加は，損傷した皮質脊髄路を代償する補償活動であると考えられる[11]．

7 脳卒中発症後の運動機能の回復

脳卒中発症後 30～90 日間に運動機能は著しい回復を認める[12]．神経学的な回復は 80% の患者

▶表 3 Stroke Impairment Assessment Set(SIAS)

上肢近位テスト＝膝・口テスト(knee-mouth test)	
座位で麻痺側の手部を対側膝上から挙上し，口まで運ぶ．肩は 90° まで外転，そして膝上に戻す．拘縮が存在する場合は可動域内の運動で判断	
0	まったく動かない
1	肩のわずかな動きがあるが手部が乳頭部に届かない
2	肩肘の共同運動があるが手部が口に届かない
3	課題可能(中等度あるいは著明なぎこちなさあり)
4	課題可能(軽度のぎこちなさあり)
5	非麻痺側と変わらず(正常)
上肢遠位テスト＝手指テスト(finger-function test)	
母指～小指の順に屈曲，小指～母指の順に伸展	
0	まったく動かない
1A	わずかな動きがある，または集団屈曲可能
1B	集団伸展が可能
1C	ごくわずかな分離運動が可能
2	全指の分離運動可能なるも屈曲伸展が不十分
3～5	knee-mouth test の定義と同一
下肢近位テスト＝股屈曲テスト(hip-flexion test)	
座位にて股関節を 90° より最大屈曲．必要なら座位保持を介助	
0	まったく動かない
1	大腿にわずかな動きがあるが足部は床から離れない
2	股関節の屈曲運動あり．足部はかろうじて床より離れるが十分ではない
3～5	knee-mouth test の定義と同一
下肢近位テスト＝膝伸展テスト(knee-extension test)	
座位で膝関節を 90° 屈曲位から十分伸展(－10° 程度まで)．必要なら座位保持を介助	
0	まったく動かない
1	下腿にわずかな動きがあるが足部は床から離れない
2	膝関節の伸展運動あり．足部は床から離れるが十分ではない
3～5	knee-mouth test の定義と同一
下肢遠位テスト＝足パットテスト(foot-pat test)	
座位または臥位．踵部を床につけたまま，足部の背屈運動を強調しながら背屈・底屈を繰り返す	
0	まったく動かない
1	わずかな動きがあるが前足部は床から離れない
2	背屈運動があり，足部は床より離れるが十分ではない
3～5	knee-mouth test の定義と同一

SIAS のうち，運動機能のみを抜粋

で 4.5 週間以内，95% の患者で 11 週間以内にプラトーに達し，ADL レベルは 80% の患者が 6 週間，95% の患者が 12.5 週間でプラトーに達する[13]．一般的に軽度な運動麻痺のほうが重度な運動麻痺に比べて回復は早く，発症時に重度な運動麻痺を呈する患者では回復後も運動麻痺が残存する可能性が高い[14]．運動麻痺の回復と ADL の改善とは正の相関関係を認め，運動機能の回復は ADL の改善に貢献する．上肢の運動麻痺は，運動麻痺が軽度な症例では 6 週間以内，運動麻痺が重度な症例では 11 週間以内にプラトーに達する[15]．また，下肢の運動麻痺が軽度〜中等度の患者では 9 週間以内，重度麻痺の患者では 11 週間以内に最善の歩行機能に達する[15]．

近年では，脳卒中発症後の運動機能は，低下した運動機能に応じて一定の割合で比例的に回復することが報告されている〔proportional recovery rule（比例回復ルール）〕[16]．上肢機能に関しては，皮質脊髄路の機能が残存している症例では比例回復ルールに適合した回復を示すが，皮質脊髄路の損傷が著しい症例では比例回復ルールに適合せず，運動機能の回復は不良になる[17]．一方，下肢機能に関しては皮質脊髄路の損傷程度にかかわらず，初期の運動麻痺の程度（FMA 下肢）に比例して，発症後 3 か月以内に約 70% が回復することが報告されている[18]．これは，上肢機能の回復の程度は皮質脊髄路の残存機能に依存しているのに対して，下肢機能の回復には皮質脊髄路だけでなく，網様体脊髄路など他の下行性伝導路が関与している可能性を示している．

8 皮質脊髄路，皮質網様体路の損傷と歩行障害

皮質脊髄路の損傷程度は，脳卒中発症後の歩行機能や歩行自立度に影響する[19,20]．近年のシステマティックレビューにおいても，皮質脊髄路の損傷の有無は発症 3 か月後の歩行自立度の予測因子であることが報告されている[21]．また，皮質網様体路も歩行機能に関与しており，皮質網様体路が損傷されることによっても歩行機能は低下する．皮質脊髄路と皮質網様体路は隣接して内包を下行するが，皮質脊髄路もしくは皮質網様体路が単独で損傷した患者群に比べ，両者の損傷を認める患者群では歩行機能が低いことが報告されている[5]．

9 運動麻痺に対する理学療法の目的

損傷を受けた中枢神経は再生しないというのが従来の考え方であった．しかし，中枢神経の可塑的変化と機能回復との関連が示されたことで，現在の理学療法は大きな変化を遂げている．急性期における運動麻痺の回復は，脳浮腫や脳循環の改善，ペナンブラ領域の血流の改善，出血の吸収，ディアシーシス（diaschisis）の回復などによるものが大きい．しかし，急性期以降も運動機能は改善を認める．この運動機能の改善は脳の可塑的変化によるものが大きい．脳は他の器官とは異なり，その機能を柔軟に変化させることが可能であり，ある部位の機能が失われた際には，その周辺の脳部位が代替的な機能を果たす．これが**脳の可塑性**（plasticity）である．また，シナプスの伝達効率も固定されたものではなく，シナプスの活動レベルや他のシナプス入力との相互関係により変化する．

現在の理学療法の目的の 1 つは，運動麻痺ならびに運動機能の回復にかかわるシナプスや脳の可塑的変化を誘導することである．脳卒中発症後 6 か月までは，皮質内の抑制機構が減弱していることが報告されており，特に可塑的変化がおきやすいと考えられる．つまり，この時期にどのような理学療法介入を行うかによって，機能的予後が異なる可能性が高く，効果的かつ効率的な理学療法を提供する必要がある．

10 理学療法のエビデンス

たとえば，あなたが感染症を予防したいと考えワクチンを接種する際に，効果があるというエビデンス（科学的根拠）があるAというワクチンと，効果が不明なBというワクチンとどちらを処方されたいだろう．おそらく，多くの人がAのワクチンの接種を希望するのではないだろうか．それでは，脳卒中を発症して運動麻痺を呈し，「運動機能を改善したい」と望む患者はどのような理学療法を求めるだろう．当然，運動麻痺が改善する可能性が高いというエビデンスのある理学療法を求めるのではないだろうか．また，理学療法士は理学療法を提供することで患者から保険点数を請求しているという事実を忘れてはならない．保険制度のもとで保険点数を請求する以上は，現在のエビデンスに基づいた理学療法を提供する必要があるだろう．したがって，われわれ理学療法士は，現在の理学療法のエビデンスや推奨されている治療法について知っておく責任がある．

表4〜7に，近年発表された国内外のガイドラインのなかから運動麻痺や運動機能にかかわる項目を抜粋した[22-24]．これらのガイドラインを参考に理学療法アプローチを立案することで，患者にとって有益な理学療法を提供できる可能性が高い．

11 運動機能障害に対するアプローチ（上肢）

上肢機能の改善には，集中的かつ反復的なトレーニングが推奨されており，そのトレーニング内容は個々の能力やニーズを考慮し，課題特異的および目標指向型のアプローチである必要がある．つまり，「肘を曲げてください．伸ばしてください」などの単純な関節運動を行うのではなく，「コップを取って，口まで運んでみましょう」や「洗濯物をたたんでみましょう」など，ADLに直結する運動課題を設定する必要がある．したがって，理学療法士には患者の社会的背景を含めたうえで適切な運動課題を設定する能力が求められる．軽度〜中等度の運動麻痺を呈する患者においては，課題トレーニングに筋力トレーニングを加えて行うことが推奨されている．過度な努力を要するような筋力トレーニングは患者の過負荷になることが危惧されるが，筋力トレーニングによって筋緊張や疼痛を増悪させることがないことが明記されている[24]．

特定の治療法としては，いずれのガイドラインにおいても**CI療法**（constraint-induced movement therapy）が推奨されている．CI療法は，非麻痺側を拘束し，段階的な難易度で調整された課題指向型練習を集中的に行うことにより，麻痺側の運動機能改善を目的とした治療法である．非麻痺側を拘束することが注目されがちであるが，この治療法の本質は，麻痺側上肢に対する集中的に反復した課題指向型練習を行うことでもたらされる**学習性不使用**（learned non-use）の克服と，麻痺手の使用による脳の可塑的変化を誘導することであり，**使用依存的可塑性**（use-dependent plasticity）やHebb（ヘッブ）の学習則に基づく合理的なアプローチであるといえる．現在のところ，少なくとも運動麻痺が軽度〜中等度（手関節背屈20°，手指伸展10°可能）な対象者にとってCI療法は有効な治療法であるといえるだろう．また，機能的電気刺激（functional electrical stimulation; FES）やミラーセラピーも運動機能の改善に効果的であることが示されている．CI療法やFES，ミラーセラピーは運動機能の改善が困難である慢性期患者においても有効性が示されており，適応となる患者においては有効な治療法であると考えられる．非侵襲的脳刺激法である反復性経頭蓋磁気刺激（repetitive TMS; rTMS）や経頭蓋直流電気刺激（transcranial direct current stimulation; tDCS）は，皮質脊髄路の興奮性を増強させることが可能であり，脳卒中発症後の運動機能の改善にも推奨されている．しかし，これらの非侵襲的刺

▶表 4 『脳卒中治療ガイドライン 2021』における推奨度とエビデンスレベル

急性期リハビリテーションの進め方	推奨度	エビデンスレベル
十分なリスク管理のもとに，早期座位・立位・装具を用いた早期歩行練習，摂食・嚥下練習，セルフケア練習などを含んだ積極的なリハビリテーションを，発症後できるだけ早期から行うことがすすめられる	A	中
運動障害		
脳卒中後の運動障害に対して，課題に特化したトレーニングの量もしくは頻度を増やすことがすすめられている	A	高
自立している脳卒中患者に対して，集団でのサーキットトレーニングや有酸素運動を行うようにすすめられる	A	高
歩行障害		
歩行機能を改善させるために，頻回な歩行トレーニングを行うことがすすめられる	A	高
亜急性期において，バイオフィードバックを含む電気機器を用いた練習や部分免荷トレッドミル(PBWSTT)を行うことは妥当である	B	高
下垂足を呈する脳卒中患者に対して，歩行機能を改善させるために機能的電気刺激(FES)を行うことは妥当である	B	高
上肢機能障害		
軽度から中等度の上肢麻痺に対しては，麻痺側上肢を強制使用させるトレーニングなど特定の動作の反復を含むトレーニングを行うようすすめられる	A	高
ロボットを用いた上肢機能練習を行うことは妥当である	B	高
中等度から重度の運動麻痺に対して，もしくは肩関節亜脱臼に対して，神経筋電気刺激を行うことは妥当である	B	高
患者の選択と安全面に注意したうえで，反復性経頭蓋磁気刺激(rTMS)や経頭蓋直流電気刺激(tDCS)を行うことを考慮してもよい	C	中

推奨度	定義	内容
A	強い推奨	行うようすすめられる 行うべきである
B	中等度の推奨	行うことは妥当である
C	弱い推奨	考慮してもよい 有効性が確立していない
D	利益がない	すすめられない 有効ではない
E	有害	行わないようすすめられる 行うべきではない

エビデンスレベル

高：良質な複数 RCT による一貫したエビデンス，もしくは観察研究などによる圧倒的なエビデンスがある．今後の研究により評価が変わることはまずない．

中：重要な limitation のある(結果に一貫性がない，方法論に欠陥，非直接的である，不精確である)複数 RCT によるエビデンス，もしくは観察研究などによる非常に強いエビデンスがある．もしさらなる研究が実施された場合，評価が変わる可能性が高い．

低：観察研究，体系化されていない臨床経験，もしくは重大な欠陥をもつ複数 RCT によるエビデンス．あらゆる効果の推定値は不確実である．

〔日本脳卒中学会 脳卒中治療ガイドライン委員会(編)：脳卒中治療ガイドライン 2021．協和企画，2021 より〕

▶表 5 『理学療法ガイドライン第 2 版』における推奨・ステートメント

Clinical Question	推奨・ステートメント	推奨の強さ	エビデンスの強さ
脳卒中患者に対して筋力強化運動は有用か	**推奨**：脳卒中患者に対して呼吸機能やバランス能力，歩行能力向上のために，筋力強化運動の実施を条件つきで推奨する	条件つき推奨	D(非常に弱い)
脳卒中患者に対して有酸素運動は有用か	**推奨**：脳卒中患者に対して呼吸機能，麻痺側運動機能，歩行能力，筋力の向上のために，有酸素運動の実施を強く推奨する	強い推奨	C(弱い)
脳卒中患者に対して起立着座練習・歩行練習などで下肢に対する運動量(頻度もしくは強度)を増やすことは有用か	**推奨**：脳卒中患者に対して起立着座練習・歩行練習などの下肢に対する運動量(頻度もしくは強度)を増やすことを条件つきで推奨する	条件つき推奨	D(非常に弱い)
脳卒中患者に対して課題指向型練習，集団サーキットトレーニングは有用か	**推奨**：脳卒中患者に対して課題指向型練習，集団サーキットトレーニングを行うことを条件つきで推奨する	条件つき推奨	D(非常に弱い)
運動機能障害を有する脳卒中患者に対して電気刺激療法(神経筋電気刺激，TENS)を用いた理学療法は有用か	**ステートメント**：電気刺激(神経筋電気刺激，TENS)と理学療法の併用介入は上下肢の筋力の改善，痙縮の改善，急性期での麻痺側肩関節亜脱臼の改善に有用であり，行うことを提案する		
運動機能障害を有する脳卒中患者に対して振動刺激を用いた理学療法は有用か	**ステートメント**：全身振動刺激やストレッチングと併用した拮抗筋あるいは痙縮筋への局所的振動刺激は，科学的根拠は不十分ながら上下肢筋の痙縮の改善に有用である可能性があり，行うように提案する		

〔日本理学療法士協会(監)：理学療法ガイドライン．第 2 版，医学書院，2021 より〕

▶表 6 Guidelines for Adult Stroke Rehabilitation and Recovery From the American Heart Association/American Stroke Association

移動	クラス	エビデンスレベル
集中的，反復的な課題トレーニングは歩行が障害されている脳卒中後患者に推奨される	I	A
持久力トレーニング，筋力トレーニングを行うことは歩行能力の回復を考えるうえで合理的である	IIa	A
神経筋電気刺激は下垂足に対する AFO の代替案として合理的である	IIa	A
上肢活動性(ADL，IADL，触覚，固有受容感覚を含む)		
個々の能力に合わせて頻繁に難易度を調整し，挑戦的である課題特異的トレーニングを反復的に実施するべきである	I	A
各個人のニーズと最終的な退院設定に合わせた ADL トレーニングを実施するべきである	I	A
各個人のニーズと最終的な退院設定に合わせた IADL トレーニングを実施するべきである	I	B
脳卒中後の患者には，CI 療法を検討するのが妥当である	IIa	A
中等度から重度の上肢運動麻痺に対する集中的な介入には，ロボティクス療法を検討するのが妥当である	IIa	A
メンタルプラクティスを上肢リハビリテーションに追加して検討するのが妥当である	IIa	A
筋力増強運動を機能的課題練習に追加して検討するのが妥当である	IIa	B
バーチャルリアリティを上肢の運動練習の方法として検討するのが妥当である	IIa	B

AFO：短下肢装具
- クラス I：手技または治療法の有用性および有効性を示すエビデンス，または一般的合意がある．
- クラス IIa：エビデンスまたは意見は手技，治療法を支持する．
- エビデンスレベル A：複数の無作為臨床試験またはメタアナリシスから得られたデータ
- エビデンスレベル B：単一の無作為試験または複数の非無作為試験から得られたデータ

〔Winstein, C.J., et al.: Guidelines for Adult Stroke Rehabilitation and Recovery: A Guideline for Healthcare Professionals From the American Heart Association/American Stroke Association. *Stroke*, 47(6):e98–e169, 2016 より〕

▶表 7　Canadian stroke best practice recommendation：Stroke rehabilitation practice guidelines, update 2019

脳卒中後の上肢のマネジメント	エビデンスレベル	
一般原則	早期(6 か月未満)	慢性期(6 か月以降)
患者は運動制御を強化し，感覚運動機能を回復するために，有意義で魅力的で反復的であり，段階的に適応ができる，課題特異的かつ目標指向的なトレーニングに取り組むべきである	A	A
トレーニングは，機能的な課題中に麻痺肢を使用することが推奨され，ADL に必要なスキルの一部または全体をシミュレートしたデザインのものでなければならない(例：折りたたむ，ボタンをとめる，注ぐ，持ち上げるなど)	A	A
具体的な治療法	早期(6 か月未満)	慢性期(6 か月以降)
メンタルイメージは上肢の感覚運動機能の回復を強化するために行われるべきである(ただし，対象者の適応を評価する必要がある)	B	B
手関節や前腕を対象とした機能的電気刺激(FES)は，運動障害を軽減し，機能を改善させるため検討する必要がある	A	A
能動的に手関節の背屈 20°，手指の伸展 10° の運動が可能であり，感覚障害が軽度で認知機能が正常な患者に対しては CI 療法を検討するべきである	A	A
ミラーセラピーは重度の運動麻痺患者に対して運動療法の補助として検討されるべきであり，上肢運動機能や ADL の改善に貢献する可能性がある	A	A
バーチャルリアリティを用いたさまざまなデバイスは，他の治療の補助ツールとして使用できる(たとえば，課題指向型トレーニングの機会を追加する手段として)	A	A
軽度から中等度の運動麻痺を呈する患者には，握力(grip strength)向上のために筋力トレーニングを検討するべきである	A	A
反復経頭蓋磁気刺激(rTMS)や経頭蓋直流電流刺激(tDCS)などの非侵襲的脳刺激法は，上肢の治療法の補助として検討できる	rTMS：A tDCS：B	
脳卒中後の下肢のマネジメント	エビデンスレベル	
一般原則	早期(6 か月未満)	慢性期(6 か月以降)
移乗や移動能力を向上させるために，有意義で魅力的な段階的に適応できる課題特異的，目標指向的なトレーニングに集中的に取り組むべきである	A	A
下肢　歩行トレーニング		
筋力トレーニングは筋緊張や疼痛に影響を与えない	A	
立ち上がり動作や歩行距離，歩行速度を改善させるために下肢の課題・目標指向的なトレーニングを反復的・段階的に行う必要がある	A	A
トレッドミルでの歩行トレーニング(体重サポートあり・なし)は，歩行速度および歩行距離を改善させることを目的に，地上でのトレーニングの補助としてや地上でのトレーニングが行えない場合に用いられるべきである	A	A
バーチャルリアリティトレーニングは，従来の歩行トレーニングの補助になる	B	
メンタルプラクティスは，下肢の運動再トレーニングの補助になる	A	
FES は，特定の患者の筋力や機能(歩行)を改善するため使用されるべきであるが，効果は持続しないかもしれない	A	A

A：望ましい効果が望ましくない効果を明らかに上回っている．
B：望ましい効果が望ましくない効果を上回るか，密接に均衡している．
〔Teasell, R., et al.: Canadian Stroke Best Practice Recommendations: Rehabilitation, Recovery, and Community Participation following Stroke. Part One: Rehabilitation and Recovery Following Stroke; 6th Edition Update 2019. *Int. J. Stroke*, 15(7):763–788, 2020 より〕

激方法は，刺激効果のばらつきが大きいことや，運動麻痺の重症度により刺激効果が異なることが指摘されている．今後，刺激に対する反応者を明確にし，効果的な刺激プロトコルを確立することで，非侵襲的脳刺激法はより効果的な治療法となると考えられる．また，近年ではロボティクスやバーチャルリアリティ技術を用いた治療法の有用性が示されている．この治療法が一般に普及するには時間がかかるかもしれないが，さまざまなテクノロジーの発展とともに，理学療法アプローチも変化・進歩していくことで，今後より多くの患者のリハビリテーションに貢献できる理学療法が提供できる可能性がある．

12 運動機能障害に対するアプローチ（下肢）

下肢の運動機能障害（特に歩行）においても，上肢同様に集中的，反復的な課題トレーニングを行うことが推奨されている．『脳卒中治療ガイドライン 2021』[7] においては，歩行機能の改善させるためには頻回な歩行トレーニングを行うことが推奨されており，リハビリテーションは発症後できるだけ早期から座位・立位・装具を用いた歩行練習を行うことがすすめられている．近年では，脳卒中発症後のリハビリテーションは「可能なかぎり早期から積極的に行う」ことがグローバルスタンダードになりつつあるが，発症後 24 時間以内から積極的な離床（座位・立位・歩行）を高頻度に行うことによる不利益も報告されている[25]．『脳卒中治療ガイドライン 2021』においても，「合併症を予防し，機能回復を促進するために，24～48 時間以内に病態に合わせたリハビリテーションの計画を立てることがすすめられる（推奨度 A，エビデンスレベル高）」と記載されている．

特定の治療法として，下垂足がある患者には FES が推奨されている．また，歩行速度や歩行距離を向上させることを目的としたアプローチとしては，トレッドミルを用いた歩行トレーニングが推奨されている．

C まとめ

「改善させることができない」と考えられていた脳卒中発症後の運動麻痺は「改善させることができるもの」へと変貌しつつある．現在，多くの治療法が考案され，治療効果のエビデンスが認められている．しかし，エビデンスが示しているのは“改善する可能性が高い治療法”であり，目の前の患者の“改善を 100% 保証する治療法”ではないことを忘れてはいけない．改善を 100% 保証する治療法がないからこそ，理学療法士は個々の患者の臨床症状を日々評価し，本人の訴えに耳を傾け，現在の環境で最善だと考えられるアプローチを立案・実施していかなければならない．また，ガイドラインに従って治療を行っても，望ましい治療効果が得られない場合は，運動制御や運動麻痺のメカニズムにかかわる神経生理学の知識に立ち戻り，治療方針を再考する姿勢が大切である．

最後に，現在のガイドラインに記載されている理学療法は，脳卒中発症後の運動麻痺を改善させるベストな手法ではないと考えておくべきである．よりよいアプローチ方法を模索・立案・検証し，エビデンスを確立していくことが重要であり，「運動麻痺を改善したい」と願う患者の切なる思いに応えていくために，理学療法士は常に現在よりもよい理学療法を提供することができるよう，日々の臨床・研究に取り組んでいかなければならない．

●引用文献

1) Takenobu, Y., et al.: Motor recovery and microstructural change in rubro-spinal tract in subcortical stroke. *Neuroimage Clin.*, 4:201–208, 2014.
2) Yeo, S.S., et al.: Corticoreticular pathway in the human brain: Diffusion tensor tractography study. *Neurosci. Lett.*, 508(1):9–12, 2012.
3) 上田 敏, 大川弥生（編）：リハビリテーション医学大辞典. p.37, 医歯薬出版, 1996.

4) Li, S., Francisco, G.E.: New insights into the pathophysiology of post-stroke spasticity. *Front. Hum. Neurosci.*, 9:192, 2015.
5) Yoo, J.S., et al.: Characteristics of injury of the corticospinal tract and corticoreticular pathway in hemiparetic patients with putaminal hemorrhage. *BMC Neurol.*, 14:121, 2014.
6) Do, K.H., et al.: Injury of the corticoreticular pathway in patients with proximal weakness following cerebral infarct: Diffusion tensor tractography study. *Neurosci. Lett.*, 546:21–25, 2013.
7) 日本脳卒中学会 脳卒中ガイドライン委員会(編)：脳卒中治療ガイドライン 2021. 協和企画, 2021.
8) Rehme, A.K., et al.: Dynamic causal modeling of cortical activity from the acute to the chronic stage after stroke. *Neuroimage*, 55(3):1147–1158, 2011.
9) Grefkes, C., Fink, G.R.: Connectivity-based approaches in stroke and recovery of function. *Lancet Neurol.*, 13(2):206–216, 2014.
10) Rehme, A.K., et al.: The role of the contralesional motor cortex for motor recovery in the early days after stroke assessed with longitudinal fMRI. *Cereb. Cortex*, 21(4):756–768, 2011.
11) Bradnam, L.V., et al.: Contralesional hemisphere control of the proximal paretic upper limb following stroke. *Cereb. Cortex*, 22(11):2662–2671, 2012.
12) Duncan, P.W., et al.: Measurement of motor recovery after stroke. Outcome assessment and sample size requirements. *Stroke*, 23(8):1084–1089, 1992.
13) Jørgensen, H.S., et al.: Outcome and time course of recovery in stroke. Part II: Time course of recovery. The Copenhagen Stroke Study. *Arch. Phys. Med. Rehabil.*, 76(5):406–412, 1995.
14) Nakayama, H., et al.: Recovery of upper extremity function in stroke patients: The Copenhagen Stroke Study. *Arch. Phys. Med. Rehabil.*, 75(4):394–398, 1994.
15) Jørgensen, H.S., et al.: Recovery of walking function in stroke patients: The Copenhagen Stroke Study. *Arch. Phys. Med. Rehabil.*, 76(1):27–32, 1995.
16) Prabhakaran, S., et al.: Inter-individual variability in the capacity for motor recovery after ischemic stroke. *Neurorehabil. Neural Repair*, 22(1):64–71, 2008.
17) Stinear, C.M., et al.: Proportional Motor Recovery After Stroke: Implications for Trial Design. *Stroke*, 48(3):795–798, 2017.
18) Smith, M.C., et al.: Proportional Recovery From Lower Limb Motor Impairment After Stroke. *Stroke*, 48(5):1400–1403, 2017.
19) Kim, E.H., et al.: Motor outcome prediction using diffusion tensor tractography of the corticospinal tract in large middle cerebral artery territory infarct. *NeuroRehabilitation*, 32(3):583–590, 2013.
20) Jang, S.H., et al.: The relation between motor function of stroke patients and diffusion tensor imaging findings for the corticospinal tract. *Neurosci. Lett.*, 572:1–6, 2014.
21) Preston, E., et al.: Prediction of Independent Walking in People Who Are Nonambulatory Early After Stroke: A Systematic Review. *Stroke*, 52(10):3217–3224, 2021.
22) 日本理学療法協会(監)：理学療法ガイドライン. 第 2 版, 医学書院, 2021.
23) Winstein, C.J., et al.: Guidelines for Adult Stroke Rehabilitation and Recovery: A Guideline for Healthcare Professionals From the American Heart Association/American Stroke Association. *Stroke*, 47(6):e98–e169, 2016.
24) Teasell, R., et al.: Canadian Stroke Best Practice Recommendations: Rehabilitation, Recovery, and Community Participation following Stroke. Part One: Rehabilitation and Recovery Following Stroke; 6th Edition Update 2019. *Int. J. Stroke*, 15(7):763–788, 2020.
25) AVERT Trial Collaboration group: Efficacy and safety of very early mobilisation within 24 h of stroke onset (AVERT): A randomised controlled trial. *Lancet*, 386(9988):46–55, 2015.

（犬飼康人）

第2章

感覚障害

学習目標
- 感覚の定義と神経機構について理解する.
- 脳卒中後の感覚障害の疫学と回復過程，動作との関連性について理解する.
- 感覚障害の検査方法，評価バッテリーについて理解する.
- 感覚障害に対する理学療法介入について理解する.

A 感覚障害とは

1 感覚障害の定義

ギリシャの哲学者アリストテレスは，眼，耳，皮膚，舌，鼻という身体の特定の感覚器官と結びついた視覚，聴覚，触覚，味覚，嗅覚の5つの感覚を定義した．これらに加えて，固有感覚，痛み，痒み，温度などの体性感覚，内臓感覚，前庭感覚がある(▶図1)．神経疾患ではさまざまな感覚が障害されるが，本章では主に脳卒中後に生じる体性感覚の障害について取り上げる．

体性感覚の機能は，自己の姿勢，運動の認識と制御に始まり，接触する物体の認識，自己をとりまく三次元空間の認識にかかわるなど多様である[1]．その機能は神経学的にも複雑であり，運動や注意(意識)，視覚などさまざまな機能の統合により知覚システムを構成している．脳卒中後の感覚障害は大脳皮質あるいは皮質下の損傷によって生じ，その責任病巣となるのは一次体性感覚野(SI)，二次体性感覚野(SII)のみならず，それらと連絡する線維や部位，末梢からの伝導路など多岐にわたる．体性感覚機能はヒトが協調的で巧緻性のある動作を行うためには必要不可欠であり，その障害は結果として運動障害や**協調性の低下**(**感覚性失調**)を呈し，さらには運動学習を遅延させ，歩行の再獲得を阻害する[2]．

2 体性感覚の神経機構

体性感覚は皮膚に分布するMeissner(マイスネル)小体，Merkel(メルケル)触盤，Pacini(パチニ)小体，Ruffini(ルフィニ)終末，毛包受容器，自由神経により**触・圧覚**を検知する．筋腱には筋紡錘やGolgi(ゴルジ)腱器官があり，**固有受容感覚**を出力する．

末梢から刺激された感覚入力は**皮膚分節**(デルマトーム)に依存した脊髄後根から脊髄に入力される．**触圧覚・深部感覚**は$A\alpha/A\beta$線維を通って脊髄同側後索(上半身からの情報は楔状束，下半身は薄束)を上行し，延髄の後索核で二次ニューロンに接続し，毛帯交叉で交叉して内側毛帯を上行し，その後視床後外側腹側核に投射する．ここで三次ニューロンに接続し，内包後脚を通って一次感覚野に投射する．これを**後索内側毛帯系**という(▶図2)[3]．四肢および体感の固有感覚は後脊髄小脳路を通って小脳へと投射する．

温痛覚と**粗大な触圧覚**は，$A\delta/C$線維を通って脊髄後角で二次ニューロンに接続する．対側脊髄の前索と側索を通って上行し，脊髄毛帯となる．

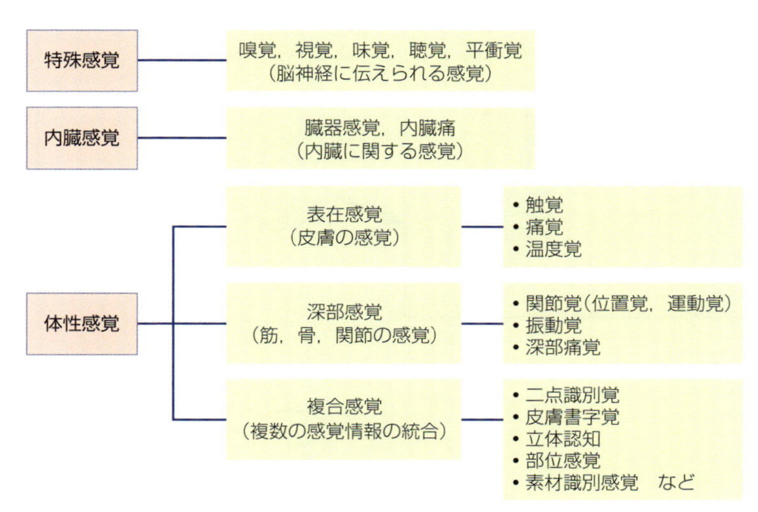

▶図 1　感覚の種類

視床後外側腹側核で三次ニューロンに接続し，内包後脚を通って体性感覚野に投射する．これを**前側索系**（**脊髄視床路**）と呼ぶ（▶図 2）[3]．

体性感覚情報の処理に関与する脳領域は，視床，SI と SII，後頭頂葉（posterior parietal cortex; PPC），島皮質，内側帯状皮質，同側小脳などである．体性感覚情報の多くは，視床の後外側腹側核（ventral posterolateral nucleus; VPL 核）からの投射を経て，SI で大脳皮質に入る．SI は中心後回に位置し，Brodmann（ブロードマン）領域の 3a 野，3b 野，1 野，2 野がある．視床からの投射は主に 3b 野に入るが，1 野，2 野にも入る．この 3 つの領域は密接に相互接続している．SII は下頭頂小葉に存在し，主に SI から入力されるが，視床と対側の SII からも入力を受ける．この領域は体性感覚情報を前庭や聴覚などや身体の両側と統合し，高次の体性感覚情報処理を行う．

体性感覚連合野（5 野，7 野）は，PPC の上頭頂小葉に位置し，主に高次の知覚，注意，運動の計画に関与している．島は，後部と前部に分けられ，島前部は侵害刺激の処理に関与し，島後部は非侵害刺激に関与する．

体性感覚情報の処理には 2 つの経路が考えられており，視床から SI に投射するものと，SII から島後部へと伝わり，PPC へ伝わるものがある[4]．これらの経路に沿った脳領域の順序は，体性感覚情報の処理における階層性を反映している．体性感覚情報の認識と知覚には両経路が関与しており，動作に関する処理は主に PPC で行われるとされている（▶図 3）．

一次運動野と補足運動野，運動前野は体性感覚の処理と応答に関与しており，運動に対して興奮性，抑制性の両方の効果をもっている．これらは感覚ゲーティング機構と呼ばれ，睡眠時には感覚刺激に対して大脳皮質の応答が抑制され，手関節の運動中には皮膚感覚の反応が抑制されるといった現象から説明されている[5]．

B　脳卒中後感覚障害とは

1　感覚障害の疫学

脳卒中後の感覚障害の有病率は 50〜60% と報告されており，触覚は約 50%，固有感覚は 27〜52% に生じるとされている[6]．病変部位や範囲に応じて，触覚や弁別，固有感覚など個別の感覚モ

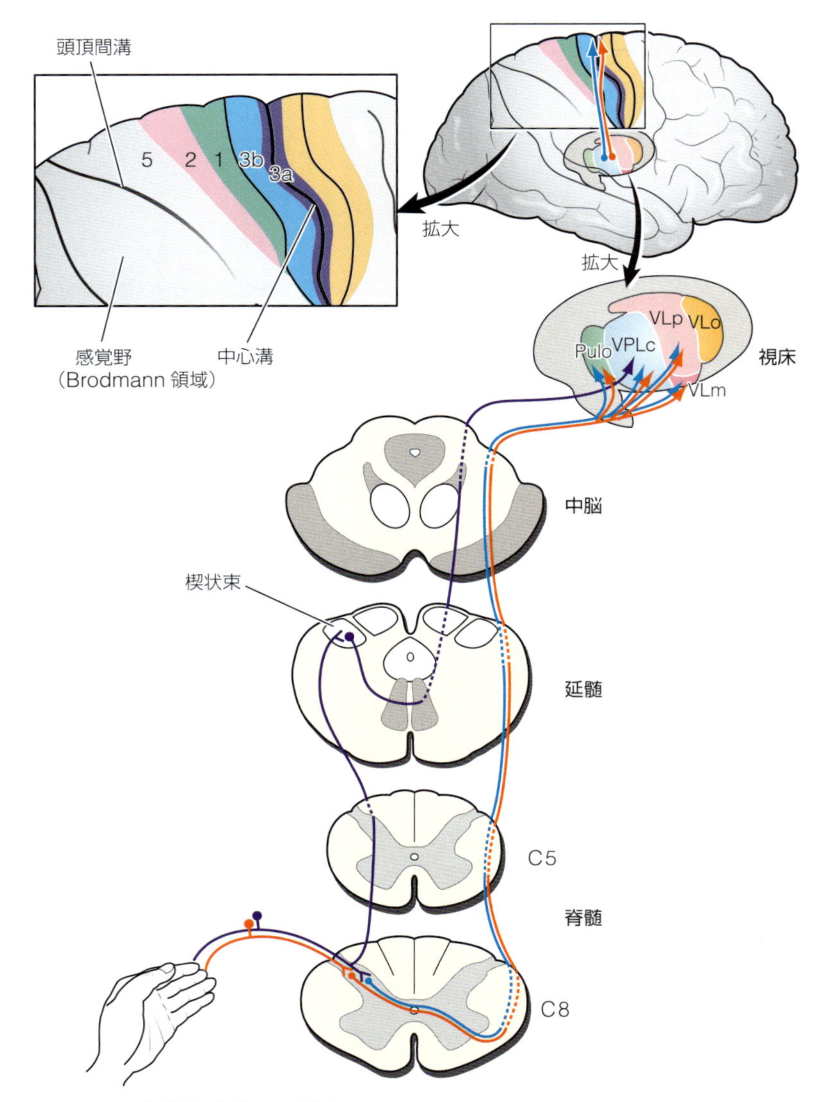

▶図２　一次体性感覚の伝導路

赤色：（前）脊髄視床路（粗大な触覚，圧覚），青色：（外側）脊髄視床路（温度覚），紫色：後索内側毛帯系（識別性触圧覚と意識にのぼる深部感覚）

〔Darian-Smith, C.: Plasticity of Somatosensory Function during Learning, Disease and Injury. Basbaum, A.I., et al. (eds.): The Senses: A Comprehensive Reference, Six-Volume Set: Volume 6. p.262, Academic Press, Cambridge, 2007 より改変〕

ダリティが障害される場合もあれば，すべての感覚モダリティが障害される場合がある．重症度においては，損傷部位などによって軽度から脱失に至るまでさまざまであり，各感覚モダリティ別に異なる場合もある．立体覚や識別覚はより高次な感覚であり，触覚刺激の部位特定，二点識別，質感の識別，物の大きさや形，形の認識，重さの識別など，複数の要素がかかわる．

感覚障害の回復過程はさまざまであり，発症後３か月以内に大きな改善を示し，個人差はあるものの６か月以降も回復する例が確認されている[7]．運動麻痺と同じように経過とともに一定の改善傾

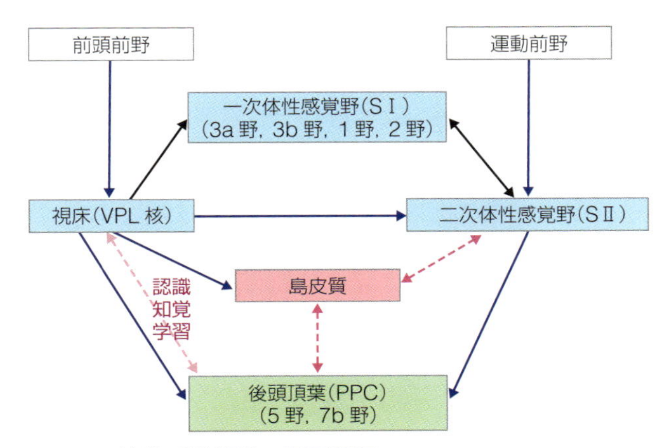

▶**図 3　体性感覚情報の処理過程**
Dijkerman と de Hann(2007)が提案した体性感覚情報処理プロセスのまとめである．知覚と行為の両方の処理にかかわる中核的な領域を青色で，知覚など感覚にかかわる領域や接続する領域を赤色で，行為のための処理にかかわる領域を緑色で表示している．
〔Dijkerman, H.C., de Haan, E.H.F.: Somatosensory processes subserving perception and action. *Behav. Brain Sci.*, 30(2): 189–239, 2007 より改変〕

向は示すものの，その回復パターンは個人差が大きいため，症例ごとに各感覚モダリティ別に経過を追うことが重要である．

2 感覚障害が動作に及ぼす影響

a 上肢

体性感覚障害は日常生活活動(ADL)や生活の質(QOL)に大きな影響を及ぼす．上肢においては，ポケットの中身がわからない，ボタンがとめられない，箸が持てない，物をつかもうとしたとき手がふるえるといった症状を訴えることが多い．感覚障害を有すると，視覚なしで適切な出力を持続し適応する能力の障害が生じる[8]（▶図 4）．通常，健常者においては皮膚や筋，関節からの感覚フィードバックによって適切な把持力が調整されているが，感覚障害患者においては感覚フィードバックが欠損するため，物体を落とさないように過剰に力を入れてしまうことでこのような症状が生じる．

固有感覚が障害されると，リーチ運動において閉眼条件(視覚的手がかりなし)では，視覚ありの条件(視覚的手がかりがある状態)と比較し，軌跡や到達点のばらつきが大きくなる，いわゆる感覚性失調が生じる．これは，固有感覚情報が手の軌道の計画と運動力学の制御に必要となるためである（▶図 5）[9]．これらのことから，なぜ感覚障害があると日常生活活動(ADL)や拡大 ADL，QOL が低下するのかが理解できる．

b 下肢，姿勢

脳卒中後の足底の触覚低下は，バランスの低下や姿勢の動揺と関連している．また，触覚と固有感覚障害を有する患者は，麻痺側の荷重検知能力が低下し，バランス障害や転倒を引き起こす要因となる．体性感覚障害を有する患者は，体性感覚障害がない患者と比較して，転倒率が高いことが示されている[10]．加えて，下肢の固有感覚障害は歩幅，歩行速度の変動や歩行持久力に影響を与え[11]，典型的な歩容異常として踵打歩行が観察される．歩行時の身体または関節の動揺を軽減させるために，患者はしばしば固定性を高めようとし，立脚期において膝のロッキングを認めたり，支持基底面を広げたワイドベース歩行となる．

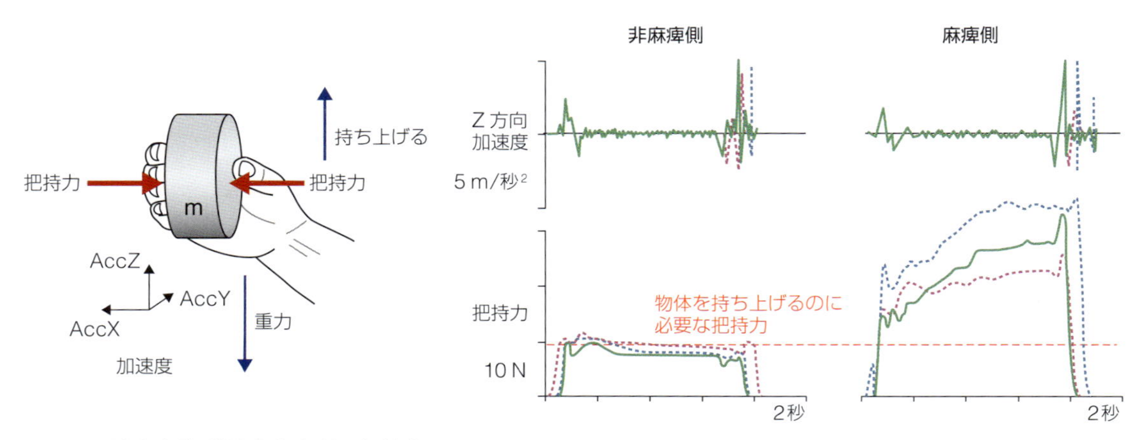

▶図 4　脳卒中後感覚障害患者の把持力

運動麻痺がなく感覚障害のみを呈する脳卒中患者に対し，手指で物体を持ち上げて空間で把持する課題時の物体にかかる把持力を 3 試行計測している．感覚障害のない非麻痺側では適切な把持力で把持できているが，感覚障害側では物体を持ち上げる際に過剰な筋出力がみられ，把持している間はさらに過剰な出力がみられる．かつ 3 試行とも把持力が一定していない．

〔Hermsdörfer, J., et al.: Grip force control during object manipulation in cerebral stroke. *Clin. Neurophysiol.*, 114(5):915–929, 2003 より改変〕

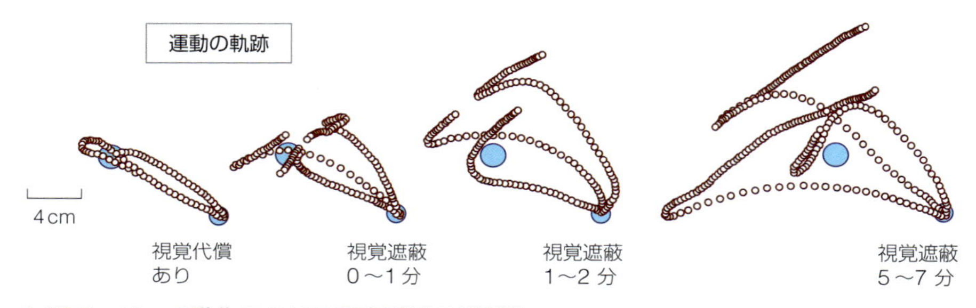

▶図 5　リーチ動作における固有感覚の重要性

固有感覚が障害された患者のあるターゲットへのリーチ動作の軌道をプロットしている．視覚代償があると軌道は安定しているが，視覚遮断する時間が長くなればなるほど，軌道のエラーが増す．つまり，固有感覚は手の軌道の計画と運動力学的制御に必須である．

〔Ghez, C., et al.: Impairments of reaching movements in patients without proprioception. II. Effects of visual information on accuracy. *J. Neurophysiol.*, 73(1):361–372, 1995 より改変〕

C 感覚性運動失調と小脳性運動失調の違い

運動失調(ataxia)とは，明らかな筋力低下がないのにもかかわらず，協調的な運動ができないことを指す．**感覚性運動失調**の場合は，閉眼した条件，すなわち視覚フィードバックがないと協調性の低下が助長される．一方，**小脳性運動失調**の場合は，感覚フィードバックの有無で協調性低下は大きく変動せず，常に協調性の低下が観察される．これは，上肢では鼻指鼻試験での検査，下肢では踵膝試験など開眼閉眼条件で比較すると鑑別しやすい．また，立位姿勢においては Romberg(ロンベルグ)試験がその鑑別に有用である．

d フィードフォワード制御とフィードバック制御

フィードフォワード制御では，目標とする状態に基づいて運動指令を生成する．運動中による誤差はモニタリングされない．一方，**フィードバック制御**では，目標の状態と感知された状態が比較器で比較されて誤差信号を生成し，この信号が運動指令の形成に利用される．比較器にフィードバックされる感覚情報には遅延が生じる．感覚障害があると感覚情報がフィードバックされないために，運動を制御することができない．たとえば，物体を持ち上げるときにはフィードフォワード制御とフィードバック制御の両方が用いられる．感覚障害の患者のリーチ動作が安定しない，あるいは歩行が安定しない原因は，フィードバック誤差学習が成り立たないために，正確な内部モデルが形成されないことによるものと考えられる．

C 感覚障害の評価

1 感覚モダリティの検査

感覚は主観的なものであるため，その評価は患者の協力体制に依存する．そのため，事前の意識や認知機能，精神機能，言語機能の評価が重要である．一般的に神経学では，感覚障害の出現部位，種類などを問診やスクリーニング検査で把握し，診断や病態理解に利用される．脊髄損傷では損傷上位脊髄レベルより徐々に下位へと進める．脳卒中の場合は，遠位から近位へと正常側(非麻痺側)と比較しながら実施する．感覚障害がある場合は，その分布を皮膚分節図に記載すると再評価時に比較するのに有用である．

a 触覚

臨床的には指で触れたり，ティッシュペーパーや柔らかいブラシなどさまざまな道具を使ったりして**触覚**を検査可能である．一般的に 10 点満点で採点し，正常部位(脳卒中の場合は非麻痺側)を 10 点としたときに，検査部位が何点かを答えてもらう(▶表 1)．しかし，評価法によって尺度や重症度判定が異なる点に注意が必要である．定量的検査に最も広く用いられているのは，太さの異なるフィラメントを，強度を変化させながら実施する Semmes-Weinstein(セメス・ワインスタイン)モノフィラメントテストがある．

▶表 1　感覚評価における 10 点法

分類		正常部位との比較
正常		10
感覚鈍麻	軽度鈍麻	7〜9
	中等度鈍麻	4〜6
	重度鈍麻	1〜3
脱失		0
感覚過敏		10 以上

b 位置覚と運動覚

位置覚とは，体肢の空間内における位置を感知する感覚である．麻痺側の関節を他動的に動かしたのちに，患者にどの位置にあるのかを答えてもらう．非麻痺側で真似る方法もある．**運動覚**は手指や足趾の側面を母指と示指で横からつかみ，受動的に上下に動かし，どちらに動いたかを回答してもらう．その際に他の部位に触れないこと，他の関節まで動かさないことに留意する．評価は一般的に 5 回または 10 回動かした際の正答数を記録して，その重症度を評価する．軽症の場合やより詳細な感覚を評価したい場合は，受動運動の範囲を小さくする．

上肢における位置覚のスクリーニング検査として，母指探し試験がある．検者は一方の手で患者の一方の手を握り，母指のみ外して保持し，検者の他方の手で患者の肘を持ち，患者の上肢を空間内の任意の位置で固定する(このとき患者には可能なかぎり脱力してもらう)．固定したのちに検者は患者に固定している母指の先を反対側の母指と示指でつまむように指示する．このときのずれの大きさで位置覚の重症度を判定する．

c 振動覚

音叉(64 Hz または 128 Hz)を骨突起部(橈骨茎状突起や外果)に当てて，**振動覚**を検査する．振動覚の検査は多発性神経炎や糖尿病性ニューロパチーに感度がよい．

d 表在痛覚

安全ピンやピン車などを使用する．針を皮膚に軽く当てて，損傷しないように注意しながら痛覚を誘発する強度で刺激する．触覚と同じく 10 点法で評価する．

e 温度覚

40～45℃ の温水と 10～15℃ の冷水をそれぞれ試験管に入れて，皮膚に数秒当てて熱いか冷たいかを回答してもらう．温度覚の障害は視床，被殻，島皮質，脳幹外側の損傷で生じやすい．一般的なスクリーニングでは，患者が温かい刺激(お湯)と冷たい刺激(水，金属)の区別ができるかどうかを判断する．スクリーニング検査で病的な所見があった場合のみ，精密検査を行う．

f 立体覚

立体覚とは，触覚によって物体を認知する能力のことであり，**物体認知**とも呼ばれる．この理解には，大きさ，質感，重さ，形状など，物体の特性の知覚，認識，識別を含む複数の機能がある．立体覚の障害は，触覚と固有感覚に障害がない場合にのみ判定することができる．物体認知は，患者に触覚で物体を識別させることで検査できる．臨床的には，大きさ，質感などは検査する物体のモダリティだけを変化させる(例：同じ物体で大きさが異なる)ことによって検査し，非麻痺側と比較して物体の認識ができないことや反応の遅延で判定する．どちらかの手で物体を認識することができない場合，触覚失認(tactile agnosia)と呼ばれる．左下頭頂小頭の限局性損傷例や，左角回と右頭頂，側頭，後頭葉の損傷で生じる可能性がある．右頭頂葉感覚連合野の損傷で触覚失認が生じるとも報告されている[12]．

g 二点識別覚

2 点間の距離が記載された専用の機器を用いる．臨床的にペンを 2 本使う場合もあれば，コンパスでも代用できる．皮膚の 2 点を同時に，または 1 点のみ触れて，それらを識別できるかどうかを検査する．刺激は長軸方向に沿って行う．

2 感覚障害に対する神経生理学的検査

感覚障害の神経生理学的検査として，**感覚神経伝導速度**と**体性感覚誘発電位**(sensory evoked potential; SEP)がある．SEP とは脳波を用いて末梢からの電気刺激で誘発される中枢神経系の反応を示したものであり，脳血管障害患者における内側毛帯系の感覚障害の客観的評価法として用いられている．臨床評価に運動誘発電位と SEP の評価結果を追加することで，上肢の運動機能の回復の予測精度が高まることが報告されている[13]．

3 感覚障害に対する評価バッテリー

エビデンスに基づく介入を行うためには，有効で信頼性の高い定量的な感覚評価が必要である．しかしながら，感覚は主観的なものが多いため定量的評価が難しく，かつ相対的な順序尺度が多いために感度や再現性に問題がある．以下に感覚障害の代表的な評価バッテリーを解説するが，完璧なものは存在しないため，それぞれの評価の特性を理解したうえで臨床に用いることが重要である．

a Fugl-Meyer Assessment

Fugl-Meyer(フーグルマイヤー) Assessment は，運動機能，感覚機能，バランス，関節可動域，痛みの 5 項目，226 点からなる総合的な脳卒中の機能評価であり，感覚機能の検査は 0(脱失)，1(鈍麻)，2(正常)の 3 段階の尺度で合計 24 点の検査である．信頼性は高く，世界的に使用されている評価であるが，反応性には乏しく，天井効果があるといった問題点がある[14]．

b Stroke Impairment Assessment Set（SIAS）

脳卒中の機能障害を定量化するために開発された評価バッテリーである．運動機能，筋緊張，感覚，関節可動域，疼痛，体幹機能，視空間認知，言語，聴覚の項目からなり，それぞれ重症度で 0～3 または 5 の順序尺度で評価する．このうち，感覚評価には触覚と位置覚が含まれており，0 は脱失，1 は重度あるいは中等度以下，2 は軽度低下，3 は正常の 4 段階で採点する．SIAS の位置覚検査は一般的な感覚検査や実際の関節角度との併存的妥当性がある[15]．

D 感覚障害への理学療法

体性感覚障害の理学療法では，すべての感覚モダリティの障害を正確に分析する必要があり，個別に対応する必要がある．しかし，最終的な目標は体性感覚機能の改善ではなく，動作能力と QOL の改善であることを念頭においておかなければならない．動作能力や QOL に大きな影響を与える感覚障害もあれば，そうでないものもある．したがって，理学療法介入には，各感覚モダリティに関する幅広い知識が必要であり，機能回復と代償戦略のバランスをとりながら進めていく必要がある．

感覚障害に対する理学療法介入は，主に受動的介入と能動的介入に分類することができる．

1 受動的介入

受動的介入とは，純粋に体性感覚受容体をなんらかの物理的な刺激によって興奮させる介入方法である．それら感覚入力による皮質の活性化は皮質の可塑性変化に重要と考えられており，反復した手指への感覚刺激によって生じた識別覚の改善程度が，感覚皮質の再構成に関連していたことが根拠となっている[16]．感覚刺激に用いられる物理的刺激には，温熱寒冷刺激，空気圧迫や振動刺激などの機械的刺激や電気刺激（▶図 6）[17] などがある[18]．

2 能動的介入

能動的介入とは，段階的に調整された理学療法士による感覚再教育練習のことであり，直接的かつ反復的感覚練習，視覚によるフィードバック，感触など物体の刺激に対する主観的な評価，感覚の言語化，非麻痺側の手との感覚の比較などの介入原則のもと実施されるものである（▶表 2）[19]．

Carey らは上肢に焦点を当てた感覚識別トレーニングにて，刺激特異的トレーニングと刺激汎化トレーニングを開発し，それらを臨床的に発展させた SENSe（Study of the Effectiveness of Neurorehabilitation on Sensation）トレーニングプログラムの効果を検証している[20]．50 名の慢性脳卒中患者を対象とし，感覚識別トレーニング後の感覚機能は，対照群と比較して有意な改善を示し，その改善は 6 週間後および 6 か月後にも維持されたことを報告しており，感覚障害に対する介入における数少ない質の高いエビデンスである．

3 ミラーセラピー

ミラーセラピーは非麻痺側の四肢を鏡越しに観察することで麻痺側に感覚運動の錯覚が生じ，感覚運動に関する皮質活動を再構築するトレーニング方法である．ミラーセラピーによる錯覚が SI の活動を修飾する可能性があることから，感覚を改善させる介入としても実施されている．Wu らによる単一盲検化ランダム化比較試験によると，ミラーセラピー介入の結果，上肢反応時間と Fugl-Meyer Assessment スコアの改善とともに，温度覚の改善を認めたが，ADL や QOL は改善

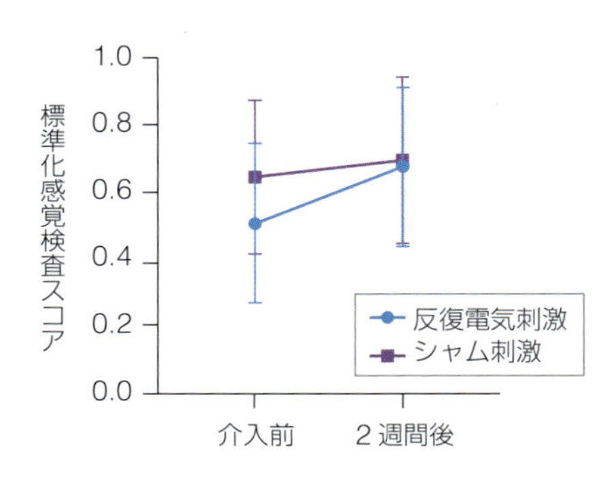

▶図6　感覚障害に対する電気刺激介入

71名の脳卒中患者を対象とした感覚刺激介入によるランダム化比較試験(RCT)．標準的なリハビリテーションに加えて，すべての手指に電気が流れるようカスタムメイドされたグローブ電極を用いて，45分/日，週5日，2週間，周波数は20 Hz，パルス幅200 μsecの電気刺激を耐えうる最大強度で実施した．フィラメントによる触覚検査および方向識別課題の成績を標準化したスコアにて，介入群がシャム(偽)刺激と比較して有意な感覚機能の改善を示している．

〔Kattenstroth, J.C., et al.: Daily repetitive sensory stimulation of the paretic hand for the treatment of sensorimotor deficits in patients with subacute stroke: RESET, a randomized, sham-controlled trial. *BMC Neurol.*, 18(1):2, 2018のデータより作図〕

▶表2　知覚学習，神経可塑性，感覚生理学の理論から導き出された感覚トレーニングの原則

トレーニングの原則	以下の理論に基づく		
	知覚学習	神経可塑性	感覚生理学
特定の刺激の反復刺激	特定の刺激による最大限の改善	感覚マッピングのリモデリングは課題依存的	感覚系の処理の特異性
視覚遮断(閉眼)		体性感覚を強制的に使用させる	視覚が優位になる可能性があるため
動機づけ/意味のある課題	注意，学習，成功体験との関連性	意味のある目標に脳は活性化する	
予期(イメージ)の利用		直接刺激と同様の部位の活性化	正常な情報処理過程と一致する
精度と探索方法と要約的フィードバック	外発的フィードバックと要約的フィードバックは，学習を促進する可能性がある	新しい神経結合を強化する	
感覚の較正：モダリティ内かそれ以上	知覚の向上	クロスモーダル(他の感覚情報が互いに影響を及ぼし合う)な可塑性	感覚情報処理システム内の既存の接続
簡単な弁別課題からより難しい弁別課題へ	感覚的な次元の内外で学習するために必要なもの	感覚系に漸増的に挑戦する	
集中トレーニング	パフォーマンスと保持の向上	強制使用，競争的な使用	
刺激のバリエーション，断続的なフィードバック，トレーニング原理の習得	トレーニング効果の転移を容易にする		

〔Carey, L.M.: Loss of somatic sensation. Selzer, M.E., et al. (eds.): Textbook of Neural Repair and Rehabilitation: Volume II—Medical Neurorehabilitation. 2nd ed., p.303, Cambridge University Press, Cambridge, 2014より改変〕

しなかったと報告されている[21].

4 下肢感覚障害に対するアプローチ

Chia らによる 2019 年の下肢感覚介入の効果を調査したメタアナリシスでは，16 件(430 名)の研究の結果を統合している．その結果，体性感覚と Berg(バーグ) Balance Scale において有意な介入効果を認めたが，エビデンスの質は低いものが多く，また各研究によって方法論が異なっているため，明確な結論ではないことが報告されている[22].

5 新たな介入方法(非侵襲的脳刺激)

非侵襲的脳刺激とは，電気刺激などを利用して非侵襲的に脳に刺激を与える方法であり，磁気で刺激する**経頭蓋磁気刺激**(transcranial magnetic stimulation; TMS)[23] や微弱な電流で刺激する**経頭蓋直流電気刺激**(transcranial direct current stimulation; tDCS)[24] があり，それぞれ介入後に体性感覚の改善が報告されている．しかし，視床病変による純粋感覚性脳卒中(pure sensory stroke)の症例に対する tDCS では感覚障害に対して効果がなかったことも報告されており，その適応は詳細に検証されるべきである[25]．ただし，これら非侵襲的脳刺激は前述した受動的または能動的介入との併用が可能であり，今後，さらなる効果的な理学療法が開発される可能性がある．

E 感覚障害に対する理学療法戦略とは

感覚入力の欠損によりさまざまな動作・行為が障害されるため，残存している感覚入力の感度および識別能力を高める介入，すなわち回復的なアプローチが優先される．しかしながら，感覚障害の由来が感覚伝導路や神経核の損傷の場合，機能回復には生物学的限度があるため，感覚入力の欠損を視覚情報によって代償する方法を学習することも重要な戦略の 1 つである．ただし，この代償戦略は患者が過剰な運動制御を増強させ，効率的な動作を阻害する要因ともなるため，過剰な運動出力の軽減や，視覚に対する過度な依存を低減させる介入を併用していくことが重要となる[26].

●引用文献

1) 岩村吉晃：タッチ．神経心理学コレクション，医学書院，2001.
2) Reding, M.J., et al.: Rehabilitation outcome following initial unilateral hemispheric stroke. Life table analysis approach. *Stroke*, 19(11):1354–1358, 1988.
3) Darian-Smith, C.: Plasticity of Somatosensory Function during Learning, Disease and Injury. Basbaum, A.I., et al. (eds.): The Senses: A Comprehensive Reference, Six-Volume Set: Volume 6. p.262, Academic Press, Cambridge, 2008.
4) Dijkerman, H.C., de Haan, E.H.F.: Somatosensory processes subserving perception and action. *Behav. Brain Sci.*, 30(2):189–201, 2007.
5) Seki, K., et al.: Sensory input to primate spinal cord is presynaptically inhibited during voluntary movement. *Nat. Neurosci.*, 6(12):1309–1316, 2003.
6) Tyson, S.F., et al.: Sensory loss in hospital-admitted people with stroke: Characteristics, associated factors, and relationship with function. *Neurorehabil. Neural Repair*, 22(2):166–172, 2008.
7) Winward, C.E., et al.: Somatosensory recovery: A longitudinal study of the first 6 months after unilateral stroke. *Disabil. Rehabil.*, 29(4):293–299, 2007.
8) Hermsdörfer, J., et al.: Grip force control during object manipulation in cerebral stroke. *Clin. Neurophysiol.*, 114(5):915–929, 2003.
9) Ghez, C., et al.: Impairments of reaching movements in patients without proprioception. II. Effects of visual information on accuracy. *J. Neurophysiol.*, 73(1):361–372, 1995.
10) Tyson, S.F., et al.: Sensory impairments of the lower limb after stroke: A pooled analysis of individual patient data. *Top. Stroke Rehabil.*, 20(5): 441–449, 2013.
11) Lin, S.I.: Motor function and joint position sense in relation to gait performance in chronic stroke patients. *Arch. Phys. Med. Rehabil.*, 86(2):197–203,

2005.
12) Platz, T.: Tactile agnosia. Casuistic evidence and theoretical remarks on modality-specific meaning representations and sensorimotor integration. *Brain*, 119(Pt 5):1565–1574, 1996.
13) Feys, H., et al.: Value of somatosensory and motor evoked potentials in predicting arm recovery after a stroke. *J. Neurol. Neurosurg. Psychiatry*, 68(3): 323–331, 2000.
14) Lin, J.H., et al.: Psychometric properties of the sensory scale of the Fugl-Meyer Assessment in stroke patients. *Clin. Rehabil.*, 18(4):391–397, 2004.
15) 堀田富士子ほか：Stroke Impairment Assessment Set (SIAS)における運動項目と感覚項目の妥当性の検討. リハビリテーション医学, 35(11):744–747, 1998.
16) Dinse, H.R., et al.: Pharmacological modulation of perceptual learning and associated cortical reorganization. *Science*, 301(5629):91–94, 2003.
17) Kattenstroth, J.C., et al.: Daily repetitive sensory stimulation of the paretic hand for the treatment of sensorimotor deficits in patients with subacute stroke: RESET, a randomized, sham-controlled trial. *BMC Neurol.*, 18(1):2, 2018.
18) 生野公貴：脳卒中片麻痺患者における感覚障害に対する物理療法. PT ジャーナル, 48(9):835–842, 2014.
19) Carey, L.M.: Loss of somatic sensation. Selzer, M.E., et al. (eds.): Textbook of Neural Repair and Rehabilitation: Volume II—Medical Neurorehabilitation. 2nd ed., p.303, Cambridge University Press, Cambridge, 2014.
20) Carey, L., et al.: SENSe: Study of the Effectiveness of Neurorehabilitation on Sensation: A randomized controlled trial. *Neurorehabil. Neural Repair*, 25(4):304–313, 2011.
21) Wu, C.Y., et al.: Effects of mirror therapy on motor and sensory recovery in chronic stroke: A randomized controlled trial. *Arch. Phys. Med. Rehabil.*, 94(6):1023–1030, 2013.
22) Chia, F.S., et al.: Sensory retraining of the leg after stroke: Systematic review and meta-analysis. *Clin. Rehabil.*, 33(6):964–979, 2019.
23) Pundik, S., et al.: Does rTMS Targeting Contralesional S1 Enhance Upper Limb Somatosensory Function in Chronic Stroke? A Proof-of-Principle Study. *Neurorehabil. Neural Repair*, 35(3):233–246, 2021.
24) Koo, W.R., et al.: Effects of Anodal Transcranial Direct Current Stimulation on Somatosensory Recovery After Stroke: A Randomized Controlled Trial. *Am. J. Phys. Med. Rehabil.*, 97(7):507–513, 2018.
25) 生野公貴ほか：脳卒中後重度感覚障害に対する経頭蓋直流電気刺激の試み—シングルケースデザインによる効果検証. 物理療法科学, 21:69–74, 2014.
26) 河島則天：感覚性運動失調に対するリハビリテーションアプローチ. リハビリテーション医学, 56(2):110–115, 2019.

（生野公貴）

COLUMN 視床

視床を構成する核

視床は多くの核から構成されている(▶図 1). 感覚系の特殊核である**後外側腹側核**(VPL 核)は VPLc 核と VPLo 核に分けられ, 感覚野に向かう経路と運動野に向かう経路に分けられる. VPL 核には内側毛帯と脊髄視床路を経由する顔面以外の体性感覚が入力する. **後内側腹側核**(VPM 核)には三叉神経を経由する顔面の体性感覚と孤束核を経由する味覚が入力する. VPM・VPL 核からは一次体性感覚野に向けて, 視床皮質路を通じて情報が投射される. また, その後部には**外側膝状体**(LGB)と**内側膝状体**(MGB)が存在する. LGB は網膜に由来する視索の入力を受け, 一次視覚野に投射する. 視覚野とは双方向性の連絡を結ぶ. MGB は外側毛帯の入力を受け, 一次聴覚野に投射する. 同じように, 聴覚野とは双方向性の連絡を結ぶ.

運動系の特殊核である**前腹側核**(VA 核)は黒質網様部, 淡蒼球と双方向に連結し, **外側腹側核**(VL 核)は淡蒼球のほかに小脳核とも連絡を結び運動制御を担う.

連合核である**前核**(A 核)は帯状回, 海馬と密接な双方向性の連絡, ならびに乳頭体から入力を受け, 主に記憶(特に空間の記憶)の形成に関与する. 背内側部の**背内側核**(MD 核)は情動に関与する. **背外側核**(LD 核)は頭頂連合野, 辺縁系から入力を受け帯状回, 海馬に投射する. **後外側核**(LP 核)は頭頂連合野に投射する. **視床枕**(Pul)は一次・二次視覚野, 上丘, 小脳などから入力を受け, 側頭葉, 頭頂葉などに投射する. これらの核は立体認知や感覚情報の統合にかかわる.

非特殊核の内側髄板の中には**髄板内核群**(IL 核)があるが, ここは脳幹網様体から入力を受け, 大脳皮質や大脳基底核への広範囲な領域に投射する意識の上行性賦活系を形成する. そのため損傷されると意識障害が生じることがある. また, 非特殊核には正中核群と**視床網様核**(R 核)も含まれ, 前者は視床下部と線維連絡をもち内臓機能に関与するが, 後者は視床核群へ GABA 作動性の抑制性線維を送り活動の調整を行う.

視床の栄養血管

視床に栄養を供給する動脈は, 後交通動脈, 後大脳動脈, 内頸動脈の穿通枝である. 穿通枝は脳領域に直接的に入っていく径の細い動脈のことである. 細い動脈であることから高血圧の影響を受けやすく, 出血や梗塞を引き起こす率が高い. また, 視床は第三脳室外側に位置することから, 出血により第三脳室を穿破することがあり, その場合, 脳脊髄液の循環障害によって頭蓋内圧が亢進して急激な意識障害が生じることがある.

視床の病変

視床膝状体動脈に病変がおこると**視床症候群**(thalamic syndrome)が出現することがある. これは **Dejerine-Roussy**(デジュリン・ルシー)**症候群**とも呼ばれ, ①反対側の視床痛, ②反対側の運動麻痺, ③反対側の不随意運動, ④反対側の運動失調と立体覚障害, ⑤反対側の表在感覚障害と深部感覚障害を示す. また, 視床穿通動脈, 視床灰白隆起動脈の病変であっても視床症候群が出現する. ただし, その症状は感覚障害を除いた運動障害のみである.

VPL 核, VPM 核の障害によって反対側の感覚障害がおこる. また, 脳損傷患者において, 感覚麻痺がおきているにもかかわらず, 麻痺側に強い自発痛を訴えることがある. この求心性伝導路起因の疼痛を**求心路遮断痛**(deafferentation pain)と呼ぶ. このうち, 視床が責任病巣である場合を**視床痛**(thalamic pain)と呼び, 痛覚過敏(hyperpathia)の様相を示す. 温度覚(特に冷覚)や視覚, 聴覚などの刺激によって誘発されることがある. 視床病変による知覚症状は知覚麻痺と疼痛が混在することから, **有痛性感覚消失**(anesthesia dolorosa)と呼ばれる. 運動覚や位置覚といった深部感覚障害もみられる. 反対側の四肢の

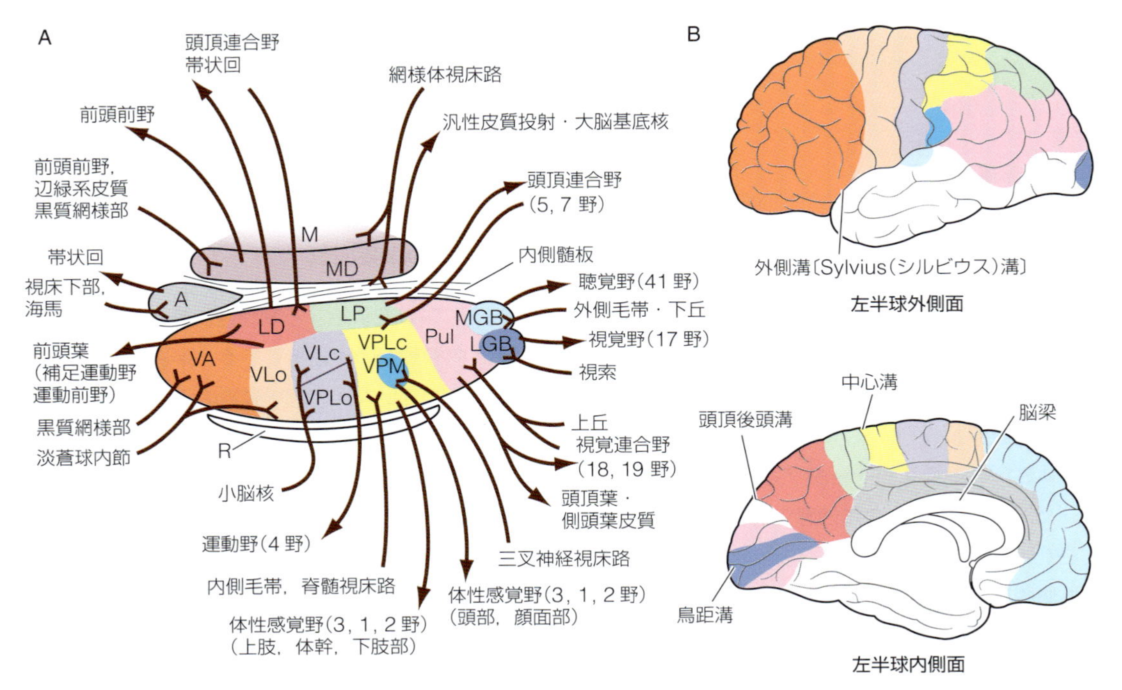

▶図 1　視床核群とその求心系，遠心系の模式図

A：前核，LD：背外側核，LGB：外側膝状体，LP：後外側核，M：内側核，MD：背側核，MGB：内側膝状体，Pul：視床枕，R：視床網様核，VA：前腹側核，VLc：外側腹側核尾側部，VLo：外側腹側核吻合部，VPLc：後外側腹側核尾側部，VPLo：後外側腹側核吻合部，VPM：後内側腹側核

A：視床の主な核と求心・遠心系を示す．左が吻側，右が尾側．矢頭（→）をもつ線は投射先を示す．矢頭をもたない線は投射元を示す．

B：大脳皮質における視床核からの投射領域の分布．A と同じシンボルの領野に投射する．

位置を正確に知覚することができなくなり，フィードバックに基づいた運動制御が困難になる．深部感覚障害に基づく運動障害では，偽性舞踏病，偽性ジストニア，偽性アテトーシスがみられる．閉眼によって出現する症状としては，**感覚性運動失調**（sensory ataxia）がみられる．VPL 核，VPM 核の障害によるものが想定されている．

また，視床後外側部とその周辺の損傷により非麻痺側の上下肢を床や座面を押すことに使用し障害側に姿勢が傾く **pusher 現象**が出現することがある．

小脳に存在している 3 つの小脳核（歯状核，中位核，室頂核）からの出力線維は，上小脳脚を通り反対側に交差し視床に入る．視床が損傷し，この経路が機能不全に陥ると測定障害を代表とする小脳症状が出現する．視床病変であることから**視床性運動失調**（thalamic ataxia）と呼ばれる．

視床の外側に内包後脚が位置するため，視床病変の波及によって種々の伝導路が障害される．小脳皮質路が投射する腹外側部（VL）の病変が皮質脊髄路（PT-1）に波及すると，運動失調と同時に片麻痺がおこる．運動麻痺は，視床の血管性病変に基づき周囲の組織が浮腫により圧迫されたか，病巣の進展に伴うものと認識されているが，運動失調と運動麻痺が同時にみられる症状を **ataxic hemiparesis** という．

視床は空間性注意機能における神経回路の構成要素でもある．視床を損傷すると**半側空間無視**（unilateral spatial neglect; USN）が出現する場合がある．また，視床損傷においては，左側病変では言語性優位，右側病変では視覚性優位の記憶障害を呈することがある．これらの症状は視床灰白隆起動脈の病変に伴う前核が損傷してもみられることがある．またその場合，自律神経症状をきたすことがある．加えて，視床が損傷することで，この回路が機能不全をおこすと出来事記憶の障害がおきることがある．すなわち，**健忘症**(amnesia)を呈する．健忘症は前向性健忘と逆行性健忘に分けられる．前者は発症してから以後の出来事に関する健忘であり，後者は発症以前の出来事が想起できない状態である．視床病変における健忘症は前向性健忘が特徴である．さらに，前頭葉損傷に類似した認知行動障害を呈す場合がある．VA 核と MD 核は淡蒼球からの入力を受けたのち，背外側前頭前野と眼窩前頭前野に投射する．記銘，想起時に背外側前頭前野の賦活，作話の発現に眼窩前頭前野の関与が示唆されていることから，視床損傷によってこれらの機能が低下することでも出来事記憶の障害がみられる場合がある．また，視床損傷をおこすことで種々の遂行機能障害や精神神経障害といった前頭葉機能障害をおこす場合がある．

（森岡 周）

第3章 異常筋緊張

学習目標

- 異常筋緊張の臨床症状とその問題を理解する.
- 痙縮の発生メカニズムと病態を理解する.
- 痙縮に伴う動作障害の病態を理解する.
- 痙縮の評価方法と治療を理解する.

A はじめに

筋緊張(muscle tone)は,「特定の姿勢を維持あるいは別の姿勢に変換する際の随意的もしくは不随意的な筋の緊張状態」であり,日常生活活動(activities of daily living; ADL)を遂行するために必須の機能である.その機能は,脳や脊髄,そして筋紡錘などの神経ネットワークにより調整されている.

異常筋緊張は,これら神経ネットワークが障害されることで生じる.一方で,臨床でみられる異常筋緊張は,神経ネットワークだけでなく,廃用症候群による骨格筋の変性を含めた複合的な運動機能障害である.この異常筋緊張は,さまざまな運動や動作を阻害することで不動を加速させ,関節拘縮などに進展して,ADL にさらなる支障をきたすようになる.したがって,理学療法における重大な治療対象となる.

本章では,異常筋緊張について概説し,そのなかでも脳卒中後の痙縮の病態とその評価方法,治療戦略について述べる.

B 異常筋緊張の種類

1 筋緊張亢進(hypertonus)

筋緊張亢進の代表的な症状に,**痙縮**(spasticity)と**筋強剛**(rigidity)がある(▶**表 1**)[1].痙縮は,脳卒中や脊髄損傷などによる**上位運動ニューロン障害**(錐体路障害)に伴い発現する.痙縮の症状は,安静状態で他動的に関節をすばやく動かした際に生じる速度依存性の抵抗で,関節可動域の途中で抵抗が生じることから,その特徴として**折りたたみナイフ現象**と呼ばれる.

筋強剛は,Parkinson 病などの**大脳基底核障害**(**錐体外路障害**)に伴い発現する.筋強剛は,他動的に関節を動かした際に生じる持続的な抵抗(速度非依存性)で,全可動域で同程度の抵抗が生じる症状を**鉛管現象**,断続的な抵抗が生じる症状を**歯車現象**と呼ぶ.

他の筋緊張亢進の症状として,錐体外路障害がかかわるジストニアやアテトーゼ,多発性脳梗塞や認知症などの前頭葉障害がかかわるパラトニアやテタニー,筋強直性ジストロフィーでみられるミオトニアなどがある.

これら筋緊張亢進は,運動や動作を阻害するこ

▶表 1　異常筋緊張の種類と特徴

	筋緊張亢進（筋トーヌス亢進）			筋緊張低下（筋トーヌス低下）
現象	痙縮 折りたたみナイフ現象	筋強剛（固縮） 鉛管現象	筋強剛（固縮） 歯車現象	筋弛緩
原因	上位運動ニューロン障害（錐体路障害）	大脳基底核障害（錐体外路障害）		下位運動ニューロン
運動様式	安静状態で他動的にすばやく関節を動かすと**速度依存性**の抵抗を生じる	他動的に関節を動かすと速度非依存性の抵抗を生じる 他動的に関節を動かすと，全可動域で同程度の抵抗が生じる	他動的に関節を動かすと速度非依存性の抵抗を生じる 他動的に関節を動かすと，断続的な抵抗が生じる	他動的に関節を動かしても抵抗が減弱もしくは消失する

とで ADL を困難とするため大きな問題となる．

2 筋緊張低下（hypotonus）

筋緊張低下の代表的な症状は，末梢神経や脊髄前角細胞などが障害される**下位運動ニューロン障害**でみられる弛緩性麻痺である（▶**表 1**）[1]．中枢神経系からの信号が筋に伝わらず筋収縮が維持できない状態であり，他動的に関節を動かしても抵抗が減弱もしくは消失する．

筋緊張低下は，小脳性運動失調のように錘内筋の筋紡錘を調節する γ 運動ニューロンの障害でも生じる．さらに重症筋無力症のような神経筋接合部の障害によってもおこる．また，中枢神経が障害された急性期（ショック期）では，一時的に中枢神経系から脊髄反射経路の調整が障害されることで，筋緊張低下が生じることがある．

臨床では，筋緊張低下に伴う肩関節亜脱臼や反張膝，膝折れなどが運動や動作を阻害するだけでなく，関節に負担をかけることで二次的に疼痛を誘発するため大きな問題となる．

C 痙縮の病態と発生メカニズム

脳卒中や脊髄損傷後などの上位運動ニューロン障害では，運動機能障害の 1 つとして痙縮が出現することがある．

1 痙縮の定義

Lance が 1980 年に提唱した痙縮の定義[2]が，臨床や研究で広く使用されている．この定義では，痙縮は「上位運動ニューロン障害の一部分として，伸張反射の過興奮性の結果生じる，腱反射の亢進を伴った緊張性伸張反射の速度依存性の亢進状態によって特徴づけられた運動障害」とされている[3]．したがって，痙縮は以下の 4 つの症状を呈した病態と考えられる．

a 上位運動ニューロン障害

上位運動ニューロンは，**皮質脊髄路**（**錐体路**）と**皮質核路**（**皮質延髄路**）で構成される．皮質脊髄路は，**外側皮質脊髄路**と**前皮質脊髄路**の 2 つに分かれるが，大まかに大脳皮質から脊髄前角細胞までの経路である．また，皮質核路は大脳皮質から脳幹の脳神経核までの経路である．これらの経路のいずれかが障害されたことでおこる病的な問題が上位運動ニューロン障害である（▶**表 2**）．

b 伸張反射の過興奮性

伸張反射は，筋が受動的に引き伸ばされることで，その後に引き伸ばされた筋が不随意に収縮する反応である（▶**図 1**）．受容器は，筋紡錘内における錘内筋線維で，伸張により Ia 神経線維が求心

▶表 2　運動ニューロン障害の特徴

障害部位	上位運動ニューロン障害	下位運動ニューロン障害	神経筋接合部		筋
代表疾患	脳梗塞，脳出血，多発性硬化症など	脊髄性筋萎縮症，球脊髄性筋萎縮症	重症筋無力症	Lambert-Eaton（ランバート・イートン）症候群	進行性筋ジストロフィー，筋強直性ジストロフィー，多発筋炎・皮膚筋炎
	筋萎縮性側索硬化症				
運動麻痺	痙性麻痺	弛緩性麻痺	弛緩性麻痺（重症度により）		弛緩性麻痺
筋緊張	亢進	低下	低下		低下
筋萎縮	（−） 廃用性萎縮あり	（+） 遠位筋中心	（−）		（+） 近位筋中心
腱反射	亢進	低下	正常	低下	低下
病的反射	（+）	（−）	（−）		（−）

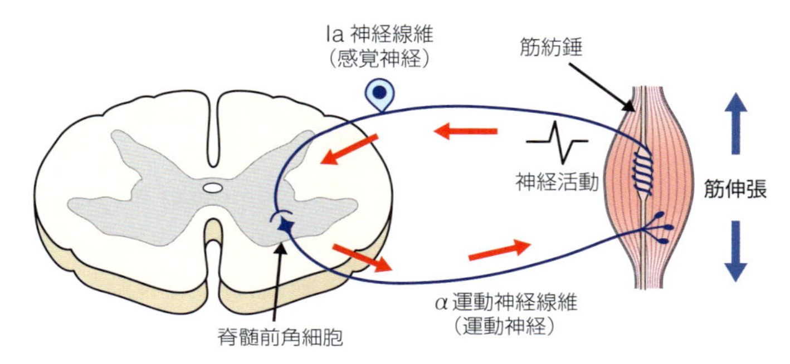

▶図 1　伸張反射の概念図
筋が伸張されることで，筋紡錘が引き伸ばされることにより Ia 神経線維に神経活動がおこり，その神経活動が脊髄前角細胞に伝わることで，脊髄前角細胞群を活動させる．この神経活動が α 運動神経線維を伝導し，筋に伝達されることで筋収縮がおこる．これを伸張反射と呼び，1 つのシナプス（単シナプス）を介した反射経路である．

性インパルスを発することで，求心性に脊髄に戻る信号がシナプスを介して，脊髄前角細胞を興奮させる．この神経活動が運動神経線維を伝導し，引き伸ばされた筋の収縮を生じさせる反射活動である．この経路は，単シナプス反射と呼ばれ，1 つのシナプスを介したループ経路ではあるが，実際は他の神経経路から大きく影響を受ける．この反射経路における興奮性の増大が，伸張反射の過興奮性である．

脳卒中患者で確認されている伸張反射の過興奮性に影響する神経経路の異常として，拮抗筋から痙縮筋への 2 シナプス性の相反性抑制の減少（▶**図 2A**），痙縮筋における Ia 相反性抑制の増強（拮抗筋への抑制の増大，**図 2B**），post activation depression*1 の低下，Ⅱ線維グループの脱抑制などがあげられている[4]．これら経路は，上位中枢からの制御を受けて，脊髄前角細胞の興奮性を抑制性に調節している．臨床において，伸張反射の過興奮性の評価は，**クローヌス**などの伸張反射検査が相当する．

*1：post activation depression は，Ia 神経線維に対して反復して電気刺激を与えた際の H 反射振幅の減弱を評価することで，Ia 神経線維からのシナプス伝達効率の変化をとらえることができる．痙縮患者では，シナプス前抑制の低下による伝達効率の過剰な増加により post activation depression が低下することが示唆されている．

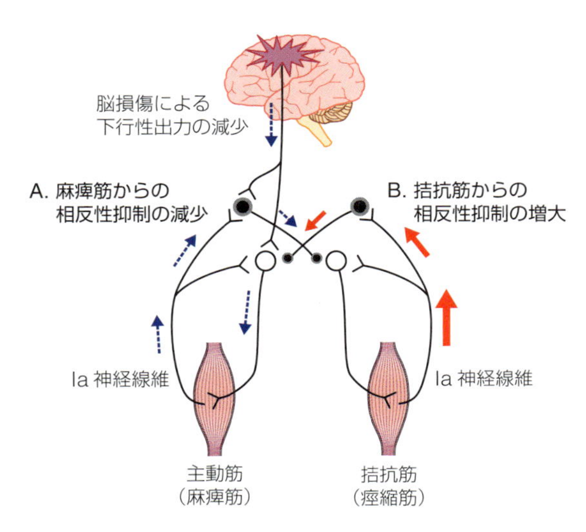

▶図 2　脳卒中後の相反性抑制の障害

A：一次運動野からの下行性出力の減少により麻痺筋の随意性が低下することで，拮抗筋（痙縮筋）への Ia 抑制性介在ニューロンを介した抑制（相反性抑制）が減少する．さらに一次運動野からの Ia 抑制性介在ニューロンへの入力も減少することで，拮抗筋の痙縮が増大する．

B：活動が高まった痙縮筋は抑制性介在ニューロン（相反性抑制）を介して麻痺筋の脊髄前角細胞群を抑制し，随意性を低下させる．

c 腱反射の亢進

伸張反射は，速い筋伸張によりおこる**動的伸張反射**と，筋のゆっくりとした伸張により生じる**静的伸張反射**に分けられる．動的伸張反射は，打腱器などで実施する**深部腱反射**が相当し，静的伸張反射は，徒手的な**被動性検査**が相当する．Lance の定義[2] では，伸張反射の過興奮性の結果生じている腱反射の亢進であるため，腱反射検査により反応が亢進している症状が確認できる状態である．

d 緊張性伸張反射の速度依存性の亢進

緊張性伸張反射は，筋の伸張後に関節運動の動きが停止している状態においても認められる不随意な筋活動である．定義[2] では，緊張性伸張反射の速度依存性の亢進状態であるため，筋が伸張される速度が増加することで，不随意な筋活動が高まる状態と考えられる．これは，臨床や研究で痙縮の評価として使用される Modified Ashworth（アシュワース）Scale（MAS）が相当する．

2 痙縮の疫学

国内での痙縮の正確な有病率は不明であるが，海外の報告では，脳卒中後の有病率は 4〜42.6% と報告されている[5]．国内の脳卒中患者は 2017 年の調査[6] では約 112 万人と報告されており，痙縮を呈する患者だけでもおよそ 4〜48 万人はいることが推定される．

有病率は，発症後 1 か月以内の急性期では 2〜27%，1〜3 か月の亜急性期では 19〜27%，3 か月以降の生活期では 17〜43% とされている[5]．この結果から，痙縮は脳卒中発症直後から生じるが，生活期以降での有病率が高いことがわかる．したがって，痙縮は脳卒中に起因するが，直結した症状だけでなく，発症後の経過により発現していることは明らかである．

痙縮発現のリスクファクターには，ADL 能力〔Barthel（バーセル）Index〕が低下していること，発症後早期から生じる上下肢の筋出力低下（weakness），麻痺の重症度，感覚障害，疼痛，喫煙歴があげられている[5]．これらの要因の多くは，身体活動にかかわると考えられ，痙縮の発現リスクは不活動が大きく影響していることが推察される．

痙縮の予後予測として，発症後 4 週間以内に痙縮が出現する場合は，6 か月時点または 12 か月時点で重度の痙縮になる可能性がある[6]．このとき，運動麻痺や感覚障害が重度であると出現しやすいとされている[7]．

3 痙縮の発生メカニズム[2]

脳卒中発症直後に発生する痙縮は，筋強剛様の病態を示すこともあるが，多くは弛緩性の状態から徐々に伸張反射の亢進を伴う，いわゆる痙縮が

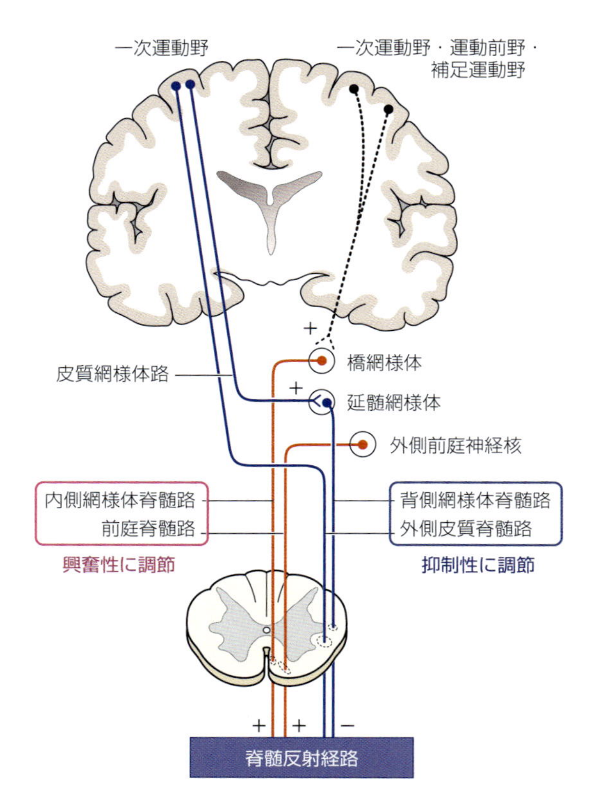

▶図 3　上位中枢からの脊髄反射経路の調整
〔Li, S., et al.: A New Definition of Poststroke Spasticity and the Interference of Spasticity With Motor Recovery From Acute to Chronic Stages. *Neurorehabil. Neural Repair*, 35(7):601–610, 2021 より改変〕

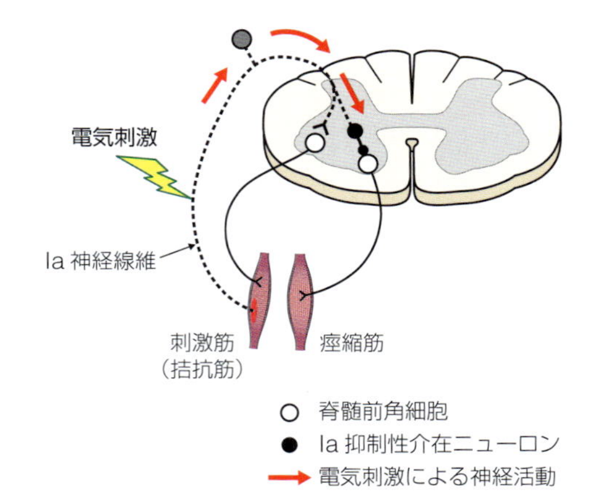

▶図 4　電気刺激療法による痙縮減弱の効果メカニズム
刺激筋(痙縮筋の拮抗筋)への電気刺激は Ia 神経線維を賦活し，Ia 抑制性介在ニューロンを介して痙縮筋の脊髄前角細胞群を抑制(相反性抑制)することで，痙縮を減弱させる．

発現する．これは，脊髄反射調節(特に伸張反射)に関連する上位運動ニューロン障害によって引き起こされると考えられる．

具体的な例として，伸張反射を抑制性に調節する外側皮質脊髄や背側網様体脊髄路，伸張反射を興奮性に調節する前庭脊髄路や内側網様体脊髄路がある(▶図 3)[8]．

発症直後には，これら上位中枢から脊髄への下行性出力の減少により，α-γ 運動ニューロンの興奮性が減少する．これにより筋紡錘の感度が低下するため，Ia 神経線維を介した腱反射や伸張反射の亢進は認めない．さらに，Ia 神経線維を電気刺激で活動させることで誘発される Hoffmann(ホフマン)反射(H 反射)には大きな変化がないことが知られていることから，Ia 神経線維から筋までの脊髄反射経路では興奮性の増大が生じていない(▶図 4)．

一方で，脳卒中発症後 4～6 週では，伸張反射の閾値が低下する[9] ことが知られており，筋紡錘から筋までの反射経路の興奮性が増大することから，発症後の経過により神経経路の過活動が生じていると考えられる．

過活動が生じる理由[2] として，動物実験の知見から，新規の神経接続では反射の興奮性が増強すること，さらに除神経では神経伝導が途絶えた先の神経活動は過敏な状態を引き起こすことが知られている．したがって，脳卒中発症後におこる脳から脊髄への下行性出力の減少が，脊髄レベルでの反射経路の興奮性増大に影響している可能性がある．

これを裏づけるように，健常者において身体活動を制限することで，筋骨格系だけでなく，神経筋機能に影響を与えることが知られている(▶図 5)[10]．特に，脊髄興奮性の指標とされる H 反射は，2・3 日の不活動で興奮性の増大を認める．

このことからも，痙縮の発現メカニズムには，発症直後の上位運動ニューロン障害だけでなく，発

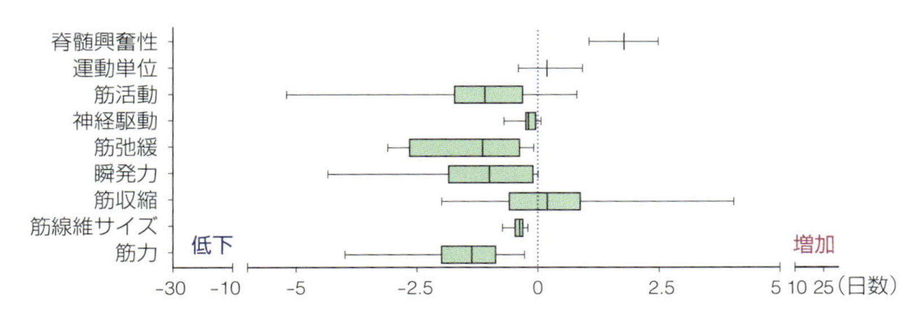

▶**図 5　不活動が神経筋機能に与える影響**
〔Campbell, M., et al.: Effect of Immobilisation on Neuromuscular Function In Vivo in Humans: A Systematic Review. *Sports Med.*, 49(6):931–950, 2019 より改変〕

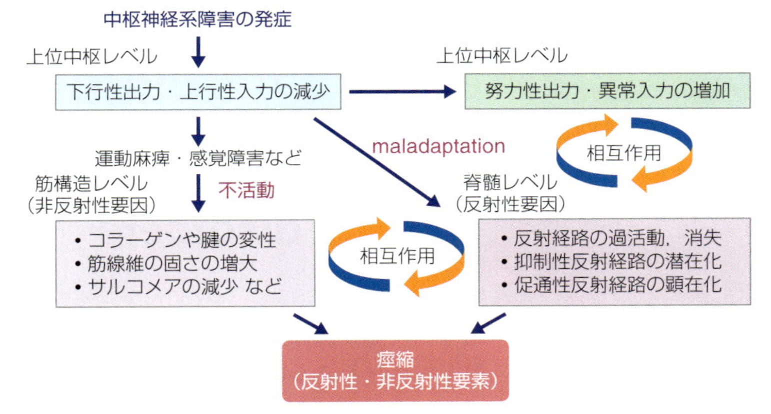

▶**図 6　痙縮の病態**
〔山口智史：痙縮に対する物理療法. 臨床リハ, 26(7):648–652, 2017 より〕

症後の経過でおこる不活動による神経系の maladaptation が関与していると考えられる．これらが，痙縮の症状で認める伸張反射の過興奮性を生じさせている可能性がある．この過興奮性は，伸張反射や腱反射の亢進，MAS における抵抗感の要因となる．

発症後の不活動は，筋骨格系に影響を与える．不活動により，皮膚，骨格筋，関節包などの関節周囲軟部組織のすべてでコラーゲンの増生に伴う線維化やサルコメアの減少などが生じることで，組織の柔軟性や伸張性が低下する．この筋骨格系の構造学的な変化も，伸張反射や腱反射の亢進，MAS における抵抗感に影響する要因となる．

4 痙縮の病態[11]

痙縮は，**反射性要因**と**非反射性要因**によって構成される．反射性要素は，脊髄レベルにおける反射調節の異常が鍵となっているが，その起因は脳卒中発症後におこる上位中枢から脊髄への下行性出力の減少，および末梢神経から上位中枢への上行性入力（フィードバック）の減少にある（▶**図 6**）．

脊髄反射は上位中枢との相互作用により調整されているため，脊髄レベルで生じる反射調節の異常は，発症後の上位中枢における神経活動の変化による maladaptation の結果と考えられる．さらに，発症後の経過とともに，努力性の運動や動作により，上位中枢からの下行性出力は努力性と

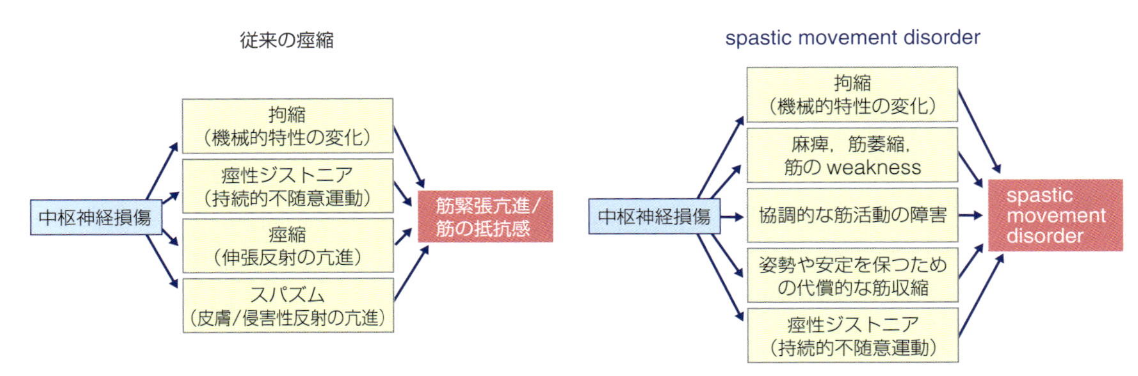

▶**図 7　従来の痙縮と spastic movement disorder の病態**

〔Nielsen, J.B., et al.: Spastic movement disorder: Should we forget hyperexcitable stretch reflexes and start talking about inappropriate prediction of sensory consequences of movement? *Exp. Brain Res.*, 238(7-8):1627–1636, 2020 より改変〕

なる．同時に，脊髄レベルでは反射経路の過活動や消失，抑制性反射経路の潜在化や促通性反射経路の顕在化が生じることで，同時収縮などの不随意運動を誘発する．この上位中枢における活動変化と脊髄における反射調節の異常は，相互に痙縮を悪化させる．

一方，非反射性要素は，運動麻痺や感覚障害などの症状によって生じる不活動による筋構造レベルの変化が考えられる．具体的には，コラーゲンや腱の変性，筋線維の固さの増大，サルコメアの減少などである．この筋構造レベルの変化は，脊髄レベルにおける反射調節の異常にも影響し，相互に痙縮を悪化させる．

痙縮は，経過とともに関節拘縮や痛みを引き起こし，動作障害や ADL 障害を生じさせる．また，これらは相互を悪化させることで，痙縮を増悪させる可能性がある．この痙縮の複雑な病態が，痙縮に対する治療介入による改善を困難にし，理学療法において重大な問題となる．

他方で，臨床で問題となっている痙縮は，他動伸張時のみではなく，動作に伴う筋緊張の亢進状態であり，理学療法の治療対象は，痙縮によって生じる関節拘縮や痛み，動作障害や ADL 障害であることが多い．

D　spastic movement disorder

Spastic movement disorder は，運動や動作時に拮抗筋との同時収縮を伴い，選択的に筋活動が行えない状態である．臨床症状として，歩行の遊脚期に膝が屈曲しない状態(stiff-knee gait)や尖足歩行(equinus gait)がある．

近年，spastic movement disorder は，従来の痙縮の定義にあるような伸張反射の過興奮性による問題でなく，廃用症候群と maladaptation に影響を受ける反射調節障害を伴う運動制御の障害であり，運動に伴う感覚予測とのミスマッチによる運動調節の問題であると指摘されている(▶**図 7**)[12]．

E　痙縮の評価

治療法を選択するために，痙縮の病態を正しく評価する必要がある(▶**表 3**)．痙縮の評価として，臨床では MAS[13] や被動性検査が使用される頻度が高く，痙縮の共通指標となっている．また，関節可動域と筋反応の質を評価する Modified Tardieu（タルデュー）Scale(MTS)[14] がある(▶**表 4**)．

▶表 3　痙縮に関連した評価

臨床評価	痙縮	MAS, MTS, 腱反射検査, 被動性検査, クローヌス, Disability Assessment Scale(DAS)など
	運動機能 ADL 関連動作	passive range of motion(P-ROM), active range of motion(A-ROM), Fugl-Meyer(フーグルマイヤー) Assessment(FMA), Wolf(ウォルフ) Motor Function Test(WMFT), Motor Activity Log(MAL), 歩行評価(速度・動作解析など)など
神経生理学的評価		H 反射(Hmax/Mmax), 相反性抑制, post activation depression, F 波, T 波など

痙縮は反射経路に障害が生じていることから，神経生理学的評価から得られる情報は病態を理解するために有益である．なかでも，比較的簡便な方法として，表面筋電図による同時収縮の評価は，痙縮に伴う動作障害を評価するうえで利用できる．

また，H 反射[*2]を利用した，H 反射の最大振幅(Hmax)と M 波[*3]の最大振幅(Mmax)の比率である Hmax/Mmax[*4]や脊髄相反性抑制[*5]の評価は，痙縮の病態を理解するうえで特に重要である．そのほか，運動機能や ADL 関連動作の評価は，痙縮治療の方針を決定するために必要である．

*2：H 反射は，電気刺激により Ia 神経線維を刺激した際におこる神経活動が脊髄前角細胞群を活動させることでおこる筋活動電位を記録したもの．

*3：M 波は，電気刺激により α 運動神経線維を刺激した際におこる筋活動電位(運動単位の活動)を記録したもの．最大 M 波は，電気刺激によっておこる筋活動電位の最大振幅を示す．

*4：Hmax/Mmax は，脊髄前角細胞群の興奮性指標として用いられる．

*5：脊髄相反性抑制の評価は，拮抗筋の Ia 求心性線維から，脊髄抑制性介在ニューロンを介して，主動作筋の前角細胞群を抑制する神経経路の抑制度合いを評価できる．

▶表 4　Modified Tardieu Scale(MTS)

筋の伸張速度	
V1	できるだけゆっくり
V2	重力に任せて関節運動を行う
V3	できるだけ速く
筋反応の質	
0	他動運動中に抵抗がない
1	他動運動中にわずかな抵抗を感じるが，引っかかりはない
2	他動運動中に明らかな引っかかりがある
3	10 秒未満の持続しないクローヌスが出現する
4	10 秒以上の持続するクローヌスが出現する
5	関節が動かない

筋の伸張速度は，“V1”，“V2”，“V3” の 3 つがある．関節可動域(ROM)は，筋を V3 の速度で伸張し最初に “引っかかり” が生じる角度を “RI”，V1 の速度で伸張したときの最大 ROM を “R2” と定義し，ゴニオメータで測定する．R2 は主に安静時筋緊張を反映し，R1 は伸張反射亢進を反映する．また，R2 と R1 の差(R2－R1)が小さければ，主に関節を構成する軟部組織の粘弾性や伸張性などによる非反射性要素の影響が示唆され，差が大きければ主に伸張反射による反射性要素の影響が示唆される．

〔Haugh, A.B., et al.: A systematic review of the Tardieu Scale for the measurement of spasticity. *Disabil. Rehabil.*, 28(15):899–907, 2006 より〕

F　痙縮の治療

痙縮の治療では，関節可動域の改善，疼痛軽減，随意運動機能や ADL の改善を目的に，複数の治療手段を組み合わせて，積極的に実施していくことが重要である．

治療手段として，理学療法，ボツリヌス療法，バクロフェン髄注導入，ブロック注射，経口筋弛緩薬，外科的手術療法がある．病態，罹患期間，罹患部位，重症度，日常生活上の問題点を考慮し，治療手段を組み合わせることが必要であるが，理学療法は必須である．

1　痙縮に対する理学療法

関節可動域練習，運動療法，物理療法(特に電気刺激療法)，装具療法がある．これらの治療は，単独で使用するのではなく，他の薬物治療や外科的手術療法と併用することが重要である．

2 関節可動域練習

関節可動域練習では，痙縮筋を持続伸張(ストレッチ)することで，痙縮が減弱する．これは，痙縮筋が伸張されることで，Golgi(ゴルジ)腱器官が興奮し，求心性に Ib 神経線維を伝わった信号が，Ib 抑制性介在ニューロンを介して，痙縮筋の脊髄前角細胞群の興奮性を低下させるためである．

関節可動域練習は，筋の短縮や拘縮を予防および改善するため，さらには他の痙縮治療で得られた可動域を維持・改善させるうえで重要である．一方で，理学療法士が実施できる時間は限られているため，実施頻度を増やすことを目的として，自主トレーニングを本人または家族へていねいに指導することが重要である．

関節可動域制限の病態は，痙縮(反射性要因と非反射性要因)とともに軟部組織の器質的変化である拘縮が併存している．したがって，治療戦略として痙縮の反射性要因にはボトックス® 療法や電気刺激療法などの治療介入を実施し，その効果が持続している間に非反射性要因や拘縮を改善するための関節可動域練習や物理療法(超音波療法など)，装具療法を繰り返し，継続して実施することが重要である．

3 運動療法

痙縮に対する運動療法の目的は，痙縮筋の過活動・不活動によって阻害された動作を再学習させることである．一方，ボツリヌス療法をはじめとする痙縮治療後に，これまで動作を阻害していた痙縮が減弱することで得られた関節可動域や随意運動を利用して，動作の再学習を促していくことが重要である．

■運動療法実施の基本事項

治療選択において，課題特異性，課題難易度の調整，随意的な運動，運動量の確保，実現可能性の視点が重要である．

課題特異性は，目的動作および類似した運動を実施することであるが，痙縮による同時収縮などの不随意運動を改善するために，相反的な交互運動を促すことで，痙縮筋とその拮抗筋における円滑な運動を実施していくことが重要である．また，他の痙縮治療によって改善した機能を活かして，痙縮により困難であった目的動作を実施する必要がある．

一方，難度が高い運動や動作は，痙縮筋の過活動を生じ，拮抗筋とのアンバランスにより痙縮を増強させる．そのため，運動課題の対象とする関節の選択や関節の自由度を下げることで運動制御の負担を調整し，過剰な筋活動を低減した状態で，目的とした筋活動を促していくことが必要である．

それらの運動課題を学習するためには，随意的な運動により，関連した中枢神経系に可塑的な変化を誘導し，課題を反復することで，運動量を確保することが重要である．一方，課題の難易度や実施時間など具体的な治療手段は，対象者個々により調整する必要がある．また，治療手段の選択には，準備と実施の簡便さ，安全性，介助量などの実現可能性を考慮すべきである．

4 電気刺激療法

痙縮筋の拮抗筋やその支配神経に対して，体表から電気刺激を与えることで，痙縮の減弱をはかる．その効果メカニズムには，脊髄相反性抑制の関与が考えられている．体表からの電気刺激は，Ia 神経線維を刺激し，2 シナプス性抑制性介在ニューロンにより相反性抑制を増強させ，痙縮筋の脊髄前角細胞群の興奮性を抑制する(▶図 8)．電気刺激は，随意運動などの運動療法を同時に行うことで，その効果が増強される可能性がある．また，電気刺激装置の操作が簡便化されてきているため，医師の指示のもと，一定管理下であれば，

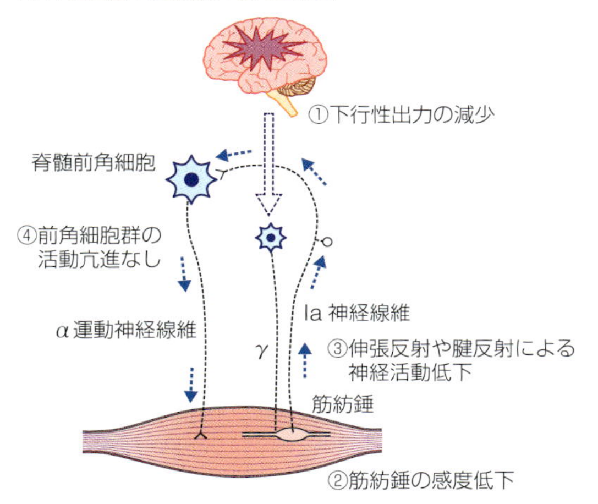

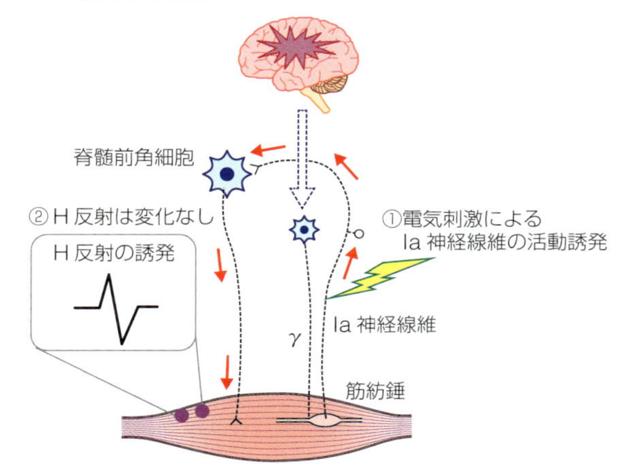

▶図 8　脳卒中発症直後の脊髄反射経路

A：①発症直後には，上位中枢からの下行性出力が減少することで，筋紡錘の感度を調整する γ 運動神経の制御が困難となり，②筋紡錘の感度が低下する．そのため，筋紡錘が引き伸ばされることによっておこる③伸張反射や腱反射による Ia 神経線維の活動が低下し，④前角細胞群の活動は亢進しない．

B：H 反射は，①電気刺激によって活動した Ia 神経線維の信号により脊髄前角細胞群が発火し，その活動が α 運動神経線維を伝導して筋に伝わることで記録される．そのため，筋紡錘の感度変化の影響を受けない．発症直後の H 反射には健常者と比べ大きな違いがないことが知られている．

ベッドサイドや自宅などでも自主トレーニングが可能である．病院や施設では介入時間が限られているため，より効果を高めるための自主トレーニングにより介入量を確保することが重要である．

5 装具療法

装具により痙縮筋を持続伸張することで，痙縮を減弱させる．また，関節の固定によって痙縮による動作の阻害を防ぐとともに，動作をサポートする．さらに，拘縮の予防や変形の矯正，痙縮が抑制されやすい肢位を保持することなどで効果を上げる可能性がある．

装具は単独でも使用されるが，他の痙縮治療と併用することで，それぞれ単独よりも効果が高まる可能性がある．たとえば，ボツリヌス療法で痙縮（特に反射性要因）が減弱した状態で，拘縮の改善を目的とした持続伸張を実施する．これは，痙縮と関節可動域制限が混在した病態を整理し，明確に治療対象へアプローチできることから，有効な手段であると考えられる．また，伸張反射によるアセチルコリンの放出をできるだけ促すことは，ボツリヌス毒素の対象筋への取り込みを促進するものと考えられる．一方，装具は日常生活を通して使用されることが多いため，装具使用の目的と実際の生活や予後を考慮して，作成していくことが必要である．

●引用文献

1) 医療情報科学研究所：病気がみえる vol.7 脳・神経. 第 2 版, p.204, メディックメディア, 2017.
2) Lance, J.W.: Symposium Synopsis. In: Feldman, R.G., et al (eds.), Spasticity: Disordered Motor Control. pp.485–494, Year Book Medical Publishers, Miami, 1980.
3) 髙橋宣成：痙縮の定義をめぐる混乱. リハビリテーション医学, 53(8):642–649, 2016.
4) Dietz, V., Sinkjaer, T.: Spastic movement disorder: Impaired reflex function and altered muscle mechanics. *Lancet Neurol.*, 6(8):725–733, 2007.
5) Wissel, J., et al.: Toward an epidemiology of post-stroke spasticity. *Neurology*, 80(3 Suppl 2):S13–S19, 2013.
6) Sunnerhagen, K.S., et al.: Onset, time course and

prediction of spasticity after stroke or traumatic brain injury. *Ann. Phys. Rehabil. Med.*, 62(6):431–434, 2019.

7) Plantin, J., et al.: Quantitative Assessment of Hand Spasticity After Stroke: Imaging Correlates and Impact on Motor Recovery. *Front. Neurol.*, 10: 836, 2019.
8) Li, S., et al.: A New Definition of Poststroke Spasticity and the Interference of Spasticity With Motor Recovery From Acute to Chronic Stages. *Neurorehabil. Neural Repair*, 35(7):601–610, 2021.
9) Sheean, G.: The pathophysiology of spasticity. *Eur. J. Neurol.*, 9(Suppl 1):3–9, 2002.
10) Campbell, M., et al.: Effect of Immobilisation on Neuromuscular Function In Vivo in Humans: A Systematic Review. *Sports Med.*, 49(6):931–950, 2019.
11) 山口智史：痙縮に対する物理療法. 臨床リハ, 26(7): 648–652, 2017.
12) Nielsen, J.B., et al.: Spastic movement disorder: Should we forget hyperexcitable stretch reflexes and start talking about inappropriate prediction of sensory consequences of movement? *Exp. Brain Res.*, 238(7-8):1627–1636, 2020.
13) Bohannon, R.W., Smith, M.B.: Interrater reliability of a modified Ashworth scale of muscle spasticity. *Phys. Ther.*, 67(2):206–207, 1987.
14) Haugh, A.B., et al.: A systematic review of the Tardieu Scale for the measurement of spasticity. *Disabil. Rehabil.*, 28(15):899–907, 2006.

（山口智史）

第4章 運動失調

学習目標
- 運動失調症に関与する神経機構について理解する.
- 小脳の構造と機能について理解する.
- 評価と理学療法の目的と実際について理解する.

A 運動失調とは

ある目的をもった運動に関連する複数の筋群が時間的，空間的，量的に相互に調整を保つことで円滑で正確な身体運動を実現しており，こうした運動を**協調運動**(coordinated movement)と呼んでいる．この筋活動の協調性が失われた状態を**運動失調**(ataxia)と呼んでいる(▶図 1)．この協調運動には小脳系，感覚系，前庭系の三系統の神経機構の働きが大きく貢献しており，これらの系のいずれかが障害されることで運動の協調性は保てなくなり，運動失調が出現する．したがって，その原因によって小脳性運動失調，感覚性運動失調，前庭性運動失調に分類されることが多い．また，前頭葉および頭頂葉皮質下の部分的損傷により，小脳性運動失調に類似した症状を呈することがあるが，これは大脳性運動失調と呼ばれることがある．なお，運動失調を明らかに鑑別できる場合を除いて，運動麻痺による協調運動障害は運動失調には含めない考えが一般的である．

B 協調運動の神経機構

1 協調運動の神経基盤

滑らかで正確な上肢運動や歩行を実現するためには，全身の筋活動を高精度に調整する必要が

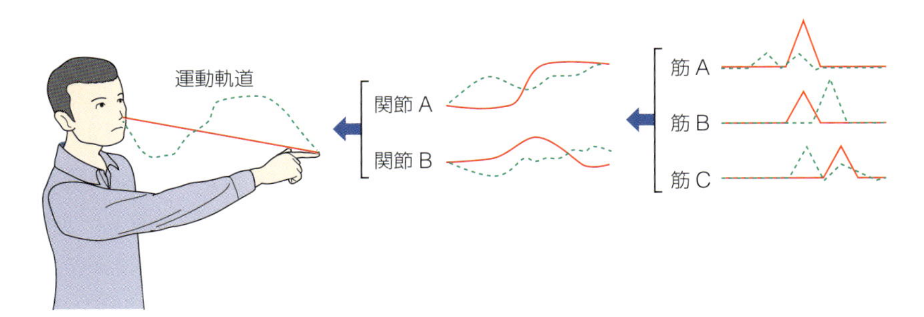

▶図 1　運動失調のイメージ
図は指鼻試験における指先の運動軌道，その上肢運動に関連する関節(A，B)の角度変化，さらにその関節運動に関与する筋(A，B，C)の活動量を示している．複数の筋の活動時間と量が調整され，複数の関節がタイミングよく動き，目標とする円滑で正確な運動軌道が実現される(協調運動：赤実線)．それに対し，複数の筋の活動時間や量が最適値より逸脱した場合，関節運動は変動し，運動軌道は円滑を欠き不正確，非効率となる(非協調運動：緑点線)．

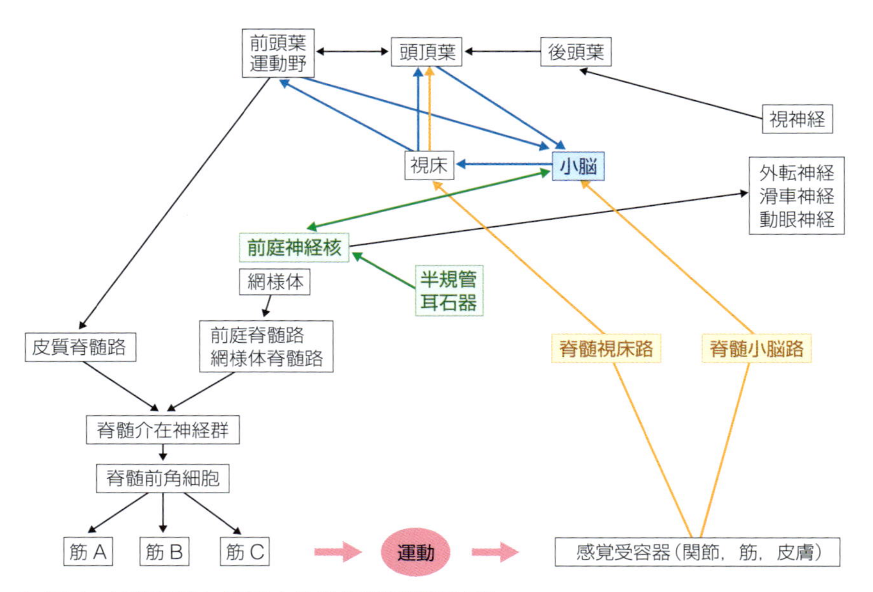

▶図2　協調運動に関連する神経機構（概略図）

小脳，大脳，脊髄が機能的に連結し協調運動を実現している．小脳および大脳小脳ループ（青矢印）が損傷を受けると小脳性運動失調が出現する．感覚求心路，特に脊髄視床路，脊髄小脳路（黄矢印）が損傷を受けると感覚性運動失調が出現する．半規管，耳石器，前庭神経，前庭神経核，前庭小脳（緑矢印）が損傷を受けると前庭性運動失調が出現する．

ある．共働する複数の筋の活動のタイミングと量を調整するためには，小脳，大脳，脊髄を含む神経系およびそれらが高度に連携する必要がある（▶図2）．視覚，体性感覚，前庭覚を介して得られた身体内外の状況に関する情報と過去の経験に基づき，目的とする運動を実現するための運動命令を生成する．この運動命令の生成には主に小脳と大脳が関与し，皮質脊髄路や前庭脊髄路，網様体脊髄路，赤核脊髄路，脊髄介在神経，運動神経を介して筋群を収縮させて身体運動を生じさせる．各筋は独立して制御されているのではなく，複数の筋による空間的・時間的活動パターンの組み合わせ（シナジー）とその調節によって制御されていると考えられている．また，歩行などの特定の繰り返し運動における協調運動においては，筋活動パターンを生成する**中枢パターン発生器**（central pattern generator; CPG）も協調運動を実現するためには必要な神経機構である．

2 協調運動制御の機序

ヒトの協調運動制御の機序はいまだ十分に解明されていない．可能性のある運動制御機序として，**内部モデル**というシミュレータを用いたフィードフォワード制御，フィードバック制御が考えられている．この内部モデルには逆モデルと順モデルがあり，いずれも小脳が担っていると考えられている．実施したい運動を実現するための運動命令を逆モデルが出力し，運動が実行される（**フィードフォワード制御**）．また，実行された運動の結果として感覚が運動制御中枢にフィードバックされ，その情報と順モデルを用いて新たな運動命令を生成し，運動を制御する（**フィードバック制御**）．もともと目標としていた運動軌道や運動野から出力された運動命令の遠心性コピーが小脳に入力され，それぞれの誤差を小さくするように各モデルが学習される．これを**誤差に基づく学習**（error-based learning）と呼んでいる．さらに

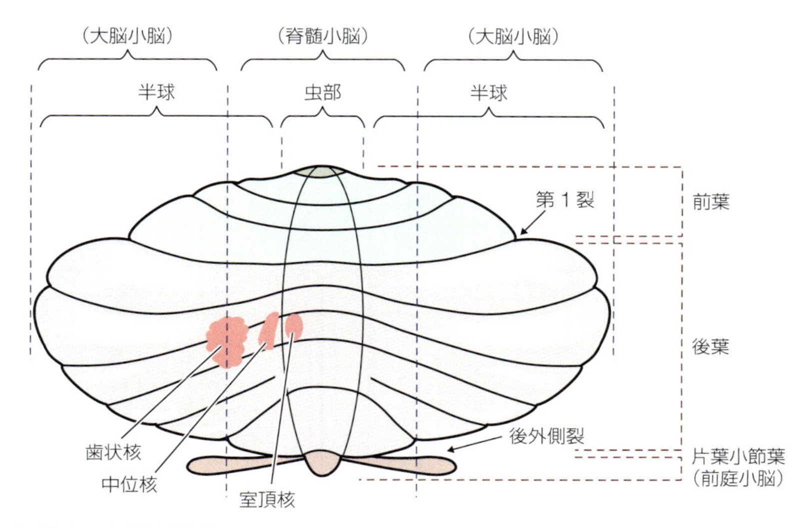

▶**図 3　小脳の区分**

小脳は第 1 裂より前が前葉，後ろが後葉，また脳幹付近にあり前庭神経核と入出力がある小さな片葉小節葉（前庭小脳）からなる．左右方向にみると虫部と左右の半球に分けられる（解剖学的区分）．他方，機能連結の観点から，小脳中央付近は脊髄と入出力をもつことから脊髄小脳，さらに外側は大脳と入出力をもつことから大脳小脳と呼ばれる（機能的区分）．小脳の深部には中央から室頂核，中位核，歯状核がある．

制御対象である運動効果器の特性のほか，筋シナジーや CPG が駆動されたときの出力も組み込まれたモデルの学習が進み，より精度の高い円滑な運動が行えるようになる．

この内部モデルによる制御を考えた場合，小脳が障害されると，フィードフォワード制御もフィードバック制御もうまく行えなくなることで，筋活動の秩序は保たれなくなり，目標とする運動から逸脱した円滑性を欠いた運動，つまり運動失調が出現すると考えられる．また，姿勢の協調制御においても反射のゲイン（利得）の調整や予測的制御に小脳は貢献している．よって，小脳損傷では姿勢制御障害も出現する．

したがって，前述した神経基盤のなかでも小脳が協調運動の実現に大きく貢献しており，小脳の構造と機能を理解することは重要であると考えられる．

3 小脳の構造

a 概観

小脳は脳幹部の背側に，また大脳の後下に小脳テントを隔てて位置し，左右の上/中/下小脳脚で中脳，橋，延髄と連絡している．

小脳は前後に前葉（第 1〜5 小葉）と後葉（第 6〜9 小葉）に区分される．また，左右では中央の**小脳虫部**と外側の**小脳半球**に区分（解剖学的区分）される（▶**図 3**）．小脳半球の大半が大脳と，また虫部を中心とした中央部が脊髄と，さらに脳幹部にごく近い片葉小節葉が前庭神経核と機能的な連結をもっていることから，それぞれ大脳小脳，脊髄小脳，前庭小脳に区分（機能的区分）される（▶**図 3**）．小脳深部には中央から外側に向かって室頂核，中位核，歯状核があり，室頂核，中位核は主に脊髄小脳から，歯状核は主に大脳小脳から投射を受けている．この各皮質領域と小脳核の入出力は小脳が機能するうえで非常に重要である．

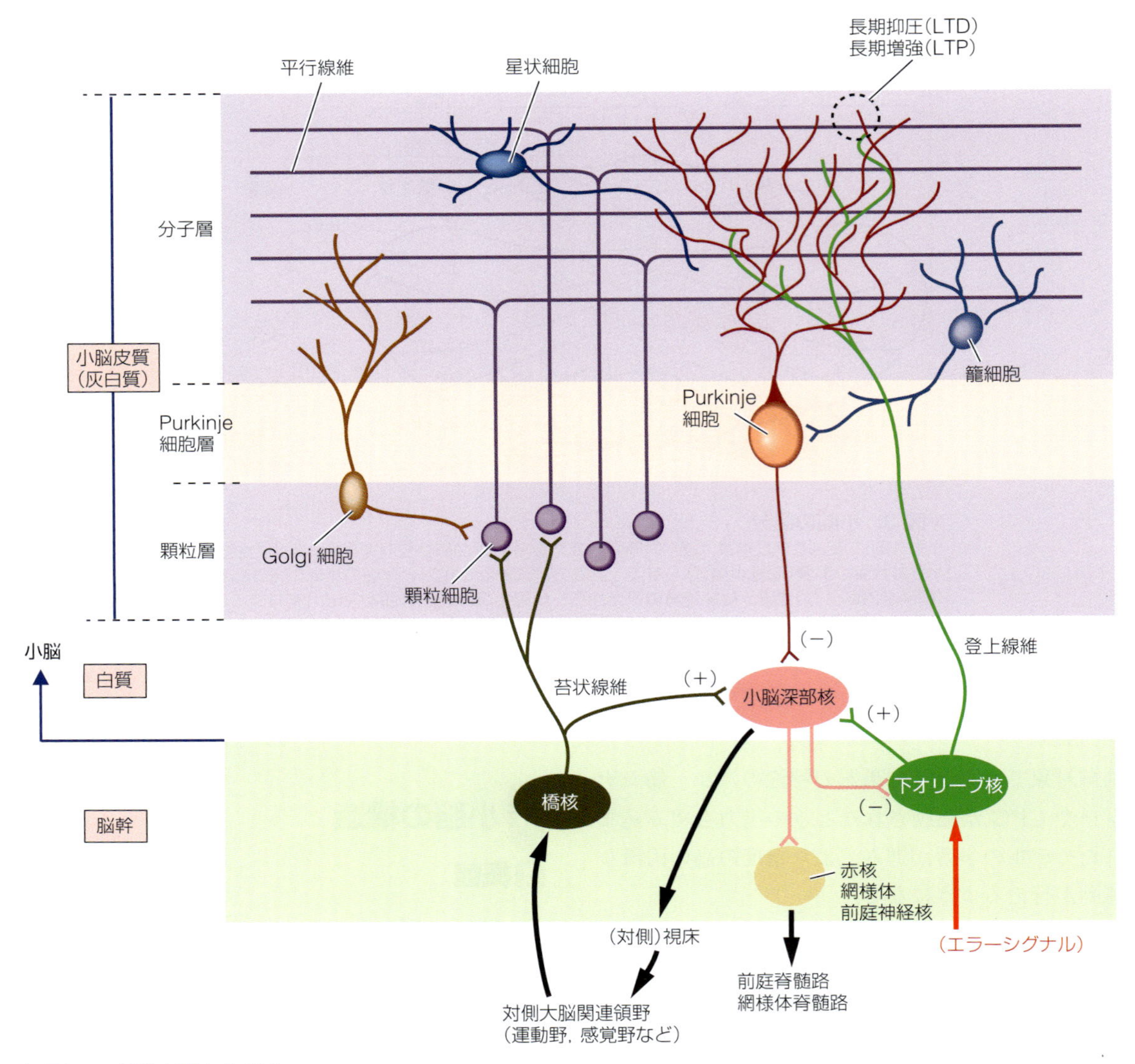

▶図 4　小脳皮質と入出力

小脳皮質は外側から分子層，Purkinje 細胞層，顆粒層からなる．皮質下の白質，小脳の深部には小脳深部核(室頂核，中位核，歯状核)がある．小脳外部からの信号は，脳幹部の橋核，苔状線維，顆粒細胞，平行線維を介して Purkinje 細胞に入力される．Purkinje 細胞は小脳深部核を介して小脳外に出力される．歯状核は対側視床を介して運動野などの大脳関連領野に投射をもつ．室頂核，中位核は脳幹の網様体，前庭神経核などを介して脊髄介在神経，前角細胞に投射をもつ．誤差に基づく学習においては，目標運動と実運動の誤差などに関する信号(エラーシグナル)が下オリーブ核，登上線維を介して分子層に到達し，平行線維と Purkinje 細胞間のシナプス伝達効率を可塑的に変化させる．これには長期抑圧と長期増強があり，運動学習に関与すると考えられている．

b 小脳皮質

小脳の表層にある**小脳皮質**(灰白質)は外側から分子層，Purkinje(プルキンエ)細胞層，顆粒層の 3 層で構成される(▶**図 4**)．この皮質には Purkinje 細胞，顆粒細胞，籠細胞，Golgi(ゴルジ)細胞，星状細胞がある．苔状線維を介して小脳外からの信号が入力され，顆粒細胞や Golgi 細胞を介して平行線維に投射する．平行線維から Purkinje 細胞，小脳深部核を介して小脳外に出力される．また，運動学習においては，教師信号(誤差信号，エラーシグナル)が下オリーブ核から登上線維を介して

Purkinje 細胞に投射し，平行線維と Purkinje 細胞間のシナプス伝達効率を変化させる．長期的に伝達効率を下げる場合は**長期抑圧**(long-term depression; LTD)，上げる場合は**長期増強**(long-term potentiation; LTP)と呼ばれ，運動学習に関連する神経活動の可塑的変化の 1 つと考えられている．

c 大脳小脳

大脳小脳は対側の広範な大脳皮質領域(主に前頭葉から頭頂葉)から脳幹の橋核を介して投射を受ける．大脳小脳の Purkinje 細胞は同側歯状核，対側視床を介して対側前頭葉に投射する．つまり，これらによって大脳小脳ループが形成され協調運動制御に貢献，すなわち運動命令生成や運動開始タイミングの調整，力の調節などに関与している．そのため，片側小脳半球が損傷されると，同側の上下肢に協調運動障害が出現する．

d 脊髄小脳

脊髄小脳は脊髄小脳路，前庭小脳路，橋小脳路を介して体性感覚，視覚，前庭覚の情報を受ける．虫部を含む脊髄小脳の皮質より，室頂核，中位核を介して小脳外に出力され，前庭神経核，網様体核，赤核を介して主に姿勢制御に関連する筋の脊髄前角細胞に投射される．つまり，脊髄小脳は姿勢制御に関与している．そのため，小脳中央付近の脳出血などでは，座位や立位での身体の動揺が出現し，バランス能力の低下を呈する．また，一部は対側視床を介して対側大脳皮質に投射される．

e 前庭小脳

前庭小脳は主に前庭小脳路を介して前庭覚の入力を受けるが，橋小脳路，脊髄小脳路を介して視覚や体性感覚の入力も一部受ける．前庭小脳は小脳深部核を介さずに直接前庭神経核に投射し，主に姿勢制御に貢献する．

f 栄養血管

栄養血管は脳底動脈からの分枝である上小脳動脈，前下小脳動脈，そして椎骨動脈からの分枝である後下小脳動脈の 3 本(左右 3 対)である．それぞれ，小脳の上部，中部，下部を栄養しており，閉塞などにより脳梗塞が生じる．

4 小脳の機能

小脳の代表的な機能として，運動の制御と学習，認知情動機能がある．運動に関しては，前述したような制御と学習に関与するが，より具体的な例をあげると，巧緻的な手指の運動，すばやい腕の運動，安定した座位姿勢の保持，歩行などのリズミカルな反復運動，自転車運転などの新規的な運動の学習，身体を動かしながらの物体視能力などは小脳機能の貢献が大きい．認知情動機能に関して，小脳は前頭前野や頭頂葉とも機能的連結をもっており，遂行機能，視空間認知，言語機能，感情の制御が代表的なものとしてあげられる．小脳損傷によって遂行機能障害，視空間認知障害，言語障害，感情障害を呈することが報告されており，**小脳性認知情動症候群**(cerebellar cognitive affective syndrome; CCAS)と呼ばれている．

C 運動失調の発生メカニズム

身体内外の情報を感知する視覚，体性感覚，前庭覚が障害された場合や，運動命令の下行性伝達路である皮質脊髄路，運動神経が障害された場合でも協調運動は障害される．他方，運動制御において運動命令生成，運動開始のタイミングや活動量の調整などに寄与する小脳が障害された場合，協調運動は著しく障害される．

大脳小脳は反対側の前頭葉，頭頂葉とループをつくっており，特に小脳から視床を介して運動野へ多くの投射をもっている．そのため，片側小脳

▶表 1　運動失調の特徴

	小脳性	感覚性	前庭性
眼振	＋	－	＋
言語障害	構音障害	－	－
四肢の失調	＋	＋	－
振戦	運動時振戦，企図振戦	粗大な揺れ	－
深部感覚障害	－	＋	－
Romberg 徴候	－	＋	－
歩行	酩酊様歩行	踵打歩行	一側へのふらつき
閉眼前後歩行	障害側にふらつく		星型歩行
主な疾患	脳卒中(脳梗塞，脳出血)，脊髄小脳変性症	脊髄梗塞，脊髄炎，脊髄癆，Friedreich 運動失調症	前庭神経炎，Ménière 病，聴神経腫瘍，良性頭位変換性めまい

〔望月仁志ほか：神経メカニズムから捉える失調症状．リハビリテーション医学，56(2):88–93, 2019 より一部改変〕

半球損傷では，同側上下肢に運動失調を認める．たとえば，右小脳半球の脳出血の場合，右上下肢に運動失調が出現する．小脳の中央に位置する虫部や脊髄小脳は，視覚，前庭覚，体性感覚の情報を受けて，前庭脊髄路や網様体脊髄路などの脊髄下行路を介して脊髄運動神経に投射する．特に体幹，下肢の姿勢制御筋への投射をもっており，姿勢制御筋の協調的活動が障害され，座位，立位，歩行などで姿勢に動揺が出現したり，バランスを保持することが難しくなる．

この運動失調を呈する疾患は多岐にわたる．小脳性運動失調であれば，小脳や脳幹部の脳卒中(脳出血，脳梗塞)，神経変性(脊髄小脳変性症，多系統萎縮症，多発性硬化症)，脳腫瘍などがある．感覚性運動失調については，主に深部感覚障害を呈する疾患であり，脊髄後索に病変をもつ脊髄癆(ろう)，脊髄梗塞，脊髄腫瘍などがある．前庭性運動失調であれば，前庭神経炎や Ménière(メニエール)病，聴神経腫瘍などがある．

脳卒中においては，後下小脳動脈，上小脳動脈，前下小脳動脈の閉塞などで小脳の一部に梗塞が生じ，運動失調を呈することがある．特に後下小脳動脈領域の脳梗塞の場合，椎骨動脈，延髄背外側への穿通枝の閉塞などを合併することがあり，延髄外側症候群，つまり，球麻痺，交代性感覚障害，Horner(ホルネル)症候群，側方突進現象(lateropulsion)などを併発する可能性がある．

D 運動失調の種類とその症状

代表的な運動失調に小脳性運動失調，感覚性運動失調，前庭性運動失調がある[1]．それぞれの特徴を**表 1** に示す．なお，小脳や脳幹部に損傷がなく，テント上，特に前頭葉や頭頂葉皮質下の病変によって運動麻痺で説明できない協調運動障害を呈する場合があり，大脳性運動失調と呼ばれているが，その特徴は小脳性運動失調に類似している．

1 小脳性運動失調[2]

a 協調運動障害

小脳および小脳大脳ループの一部の損傷によって出現し，主に四肢，体幹，口腔，および眼球の円滑性を欠く異常運動として観察される．古くから記述されてきた代表的な現象および障害として，

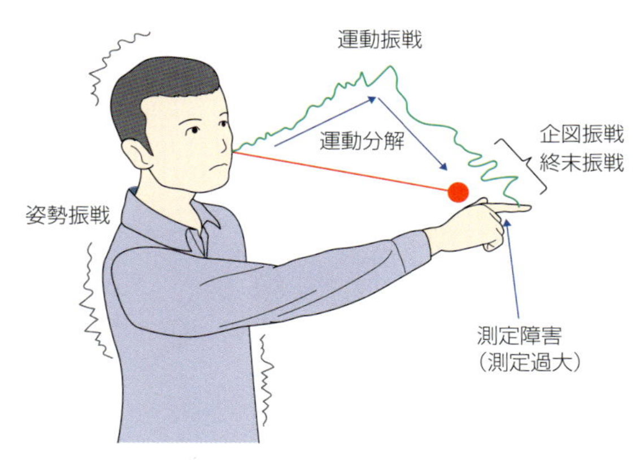

▶**図5　振戦，測定障害，運動分解のイメージ**
指鼻試験では協調運動障害の徴候を複数観察することができる．運動全般にわたって手指に運動時振戦，また目標周辺でより大きな振幅のふるえとして終末振戦が観察される．さらに抗重力姿勢を保持することで身体全体に姿勢時振戦が観察される．動き始めは標的に向かわず，途中で方向を変えて標的に向かう現象は運動分解と呼ばれる．標的を行きすぎてしまう現象を測定障害（測定過大）と呼ぶ．このように，1つの検査でさまざまな障害を観察することができる．

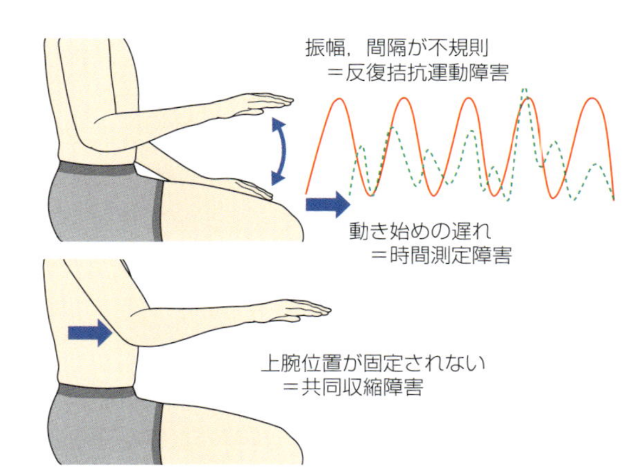

▶**図6　反復拮抗運動障害，時間測定障害，共同収縮障害のイメージ**
膝打ち試験では協調運動障害の徴候を複数観察することができる．赤い実線は正常の運動軌道，緑の点線は協調運動障害の運動軌道，横軸は時間，縦軸は手先の位置を示す．運動開始の指示後，正常より遅れて運動が開始される（時間測定障害）．肘の屈伸角度や運動速度が一定せず，腕の動く振幅が不均一になる（反復拮抗運動障害）．肘屈伸によって発生する肩関節屈曲のトルクを制御できず肩が動いてしまう（共同収縮障害）．このように，1つの検査でさまざまな異常を観察することができる．

振戦，測定障害，運動分解，反復拮抗運動障害，時間測定障害，共同収縮障害があげられる．これらは推測される原因機序を同じにするものも多々あるが，簡便な検査と関連づけられるため，それぞれについて解説する（▶図5，6）．

（1）振戦

意図的で視覚的に誘導された標的到達運動において，特に標的周辺で運動肢に観察される不随意のふるえを**企図振戦**（intension tremor）と呼ぶことが多い．測定障害による行きすぎや未達に対する修正運動において，再度行きすぎや未達が繰り返されることで生じる現象とも考えられ，**行きすぎによるふるえ**（overshoot oscillation）や**終末振戦**（terminal tremor）とも呼ばれる．他方，運動全般にわたって観察される律動的なふるえを**運動時振戦**（kinetic tremor）と呼んでいる．また，姿勢保持時に身体に観察される3～5 Hzの低周波の律動的なふるえも観察され，**姿勢時振戦**（postural tremor）と呼ばれている（▶図5）．

これらは指鼻指試験などで，姿勢を保持しているだけで身体が動揺（姿勢時振戦）し，上肢運動全般において上肢に小さなふるえ（運動時振戦），および目標（検査者の指）に被検者の指が近づいたときなどに大きな振幅のふるえ（終末振戦）として観察される場合が多い．なお，これらの振戦は安静にしているときには出現しないことから，Parkinson病で観察される安静時振戦とは区別される．

（2）測定障害

目標に向けられた運動肢が標的を行きすぎる（overshoot）こと，また未達で運動を止める（undershoot）ことをそれぞれ測定過大，測定過小といい，これらをまとめて**測定障害**（dysmetria）と呼んでいる．運動速度と慣性の影響を受けやすいこと，また試行間でパフォーマンスが変動することが特徴である．非常に速い到達運動を実施する際に測定過大が顕在化しやすく，時に患者は代償的に運動速度を低下させていることがある．指鼻試験や指追い試験で観察されやすい（▶図5）．

（3）運動分解

直線的な目標到達運動において，その軌道が複数の直線的軌道で構成されてしまう現象を指す

(▶図 5)．たとえば，検査者の指から自己の鼻に指を移動させる際，まっすぐ鼻に向かわず，まったく異なる方向に運動が始まり，途中で方向変換し，鼻に向かってくるような，あたかも１つの運動が複数に分解されたような現象が該当する．これは，協調的運動に比べて共同筋の筋収縮のタイミングがずれてしまうことで生じる．

(4) 反復拮抗運動障害

膝打ち試験のような単関節における屈伸などの拮抗運動の反復において，運動の振幅や運動間隔が一定にならず不規則運動になる状態を指す(▶図 6)．これも，協調的な反復拮抗運動に比べて，主動作筋，拮抗筋の活動のタイミングが適正からずれたり，筋活動量が異常になることで生じる．予測的筋活動の異常によるものとも考えられる．前腕回内回外試験でも異常を認める．

(5) 時間測定障害

円滑な目的運動を実施するためには適切な運動開始および終了のタイミングがあるが，それからの逸脱を時間測定障害と呼んでいる(▶図 6)．たとえば，飛んできたボールに合わせて把持をする際，遅れて把持動作をするとボールのキャッチを失敗するが，これは時間測定障害によると考えることができる．各協調運動試験において運動開始を指示した際の動き出しの遅れとして顕在化されやすい．内的タイマー*1の歪みによるとの仮説もある．

(6) 共同収縮障害

目的動作に必要な共同収縮が障害された状態を指す(▶図 6)．特に姿勢保持や姿勢変換を要求する課題において観察される．たとえば，起居時の腹直筋，大腰筋，大腿四頭筋はタイミングを合わせて活動，つまり共同収縮する必要があるが，それぞれが適切なタイミングから逸脱すると目的の動作が完遂できなくなる．前腕回内回外試験のほか，起立着座動作などの基本的動作でも観察される．

*1：内的タイマー：脳神経機構がつくり出す実時間の経過量を推定する「時計」を内的タイマー(internal timer)と呼ぶ．

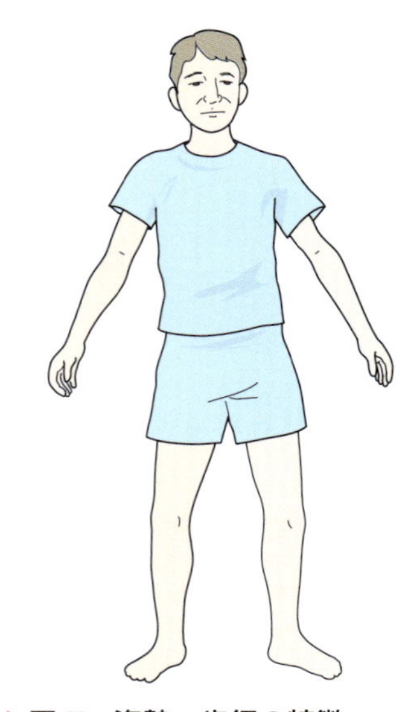

▶図 7 姿勢，歩行の特徴
踵間距離は拡大(wide base stance, wide base gait)し，両肩は外転して歩行時の上肢の振りは減少もしくは消失する．片脚立位でバランスを崩しやすく，歩行時は遊脚期時間が短縮し，両脚支持期間が延長する．

b 姿勢制御障害

小脳性運動失調症例では，座位や立位の姿勢を保持する能力，また安定した歩行を行う能力が障害される．安静座位や立位では，身体に低周波の動揺が観察され，基底面内に自己の重心を保持することが難しくなる．脊髄小脳に損傷がある場合，立位では両手両足を広げた姿勢をとり(▶図 7)，バランスを保持しようとし，閉脚立位，継ぎ足位〔Mann(マン)肢位〕，片脚立位など基底面を狭くした姿勢で身体動揺が増大し，場合によっては姿勢保持が難しくなる．

小脳性運動失調症例では予測的姿勢制御能力が低下することがある．たとえば，肩を動かさずに肘を動かそうとする際，肩には回転トルクが発生するが，健常者ではこの回転トルクに抗して肩関節を固定するための筋収縮が肘屈曲の主動作筋活動に先んじて生じる．運動失調症例ではこのような先行的予測的筋収縮が遅れ，肩の運動が生じてしまう．これはいかなる身体運動の際にも生じうる現象で，運動分解や運動時振戦とも関係すると考えられる．

c 歩行障害

歩行においては身体が前後左右に動揺し，歩幅や歩隔，また歩調は不規則になり，あたかも酔っ払っているように見える様から**酩酊様歩行**と呼ばれる．歩行速度は遅く，歩隔は広くなり（wide base gait），遊脚期時間が短く，両脚支持期が長くなる特徴もある（▶図 7）．運動失調の重症側にふらつきが大きくなりやすく，方向転換時に身体動揺が増大しやすい．また，閉眼前後歩行を行うと障害側，もしくは障害重症側にふらつく．上記で示した姿勢制御障害と四肢の協調運動障害が重複して関係することがあるため，原因を 1 つに限定することは難しい場合がある．

d その他の障害

(1) 筋緊張異常

小脳損傷後の筋緊張は低下する，もしくは不変であるという報告があり，古くからの論争となっていた[2]．動物実験の結果は筋緊張低下を支持するものが多く，小脳から間接的に投射を受ける網様体脊髄路，前庭脊髄路の関与が考えられている．他方，小脳以外の脳部位の損傷や変性を合併していることや，筋や関節構成体の弾性が二次的に変化する可能性もあり，筋緊張は亢進する場合もある．小脳損傷症例を評価する際，筋緊張は一様に低下すると考えず，厳密に検査し，運動への影響を考える必要がある．

(2) 眼球運動障害

輻輳の障害や，物体追視時の滑動性追従眼球運動の障害，注視方向性眼振も生じる場合がある．また，前庭眼反射および予測的眼球運動の障害により，動的視能力が低下する場合もある．それらによって，見えにくさや複視を訴える場合がある．

(3) 構音障害

音節間の円滑な連続性が失われて不明瞭な発語となる．発語が時々途切れる断綴性発語や，音節の開始が唐突で爆発的となる爆発性発語が特徴である．

2 感覚性運動失調

脊髄や末梢神経の障害による深部感覚障害によって生じる協調運動障害である．深部感覚検査によって異常を呈することがあるため，母指探し試験や振動覚検査などを行う．また，Romberg（ロンベルグ）率が大幅に上昇，つまり，閉眼すると身体が大きく動揺する場合は感覚性運動失調を疑う．歩行では，足下を見つめ，踵を床に打ちつけるような歩行（踵打歩行）が特徴である．

末梢神経損傷の場合，深部腱反射が低下もしくは消失していることがあるので，併せて検査しておくほうがよい．

3 前庭性運動失調

前庭覚障害に起因する運動失調である．めまいや眼球運動障害，バランス障害が主症状で，上肢の測定障害などは生じない．head impulse test などによって前庭眼反射の異常が検出されるが，小脳病変で出現する注視性眼振はほとんど生じないため，これらの検査によって小脳性運動失調との鑑別を行う．また，内耳障害が疑われる場合，医師が行うカロリックテストにより障害側を推定できる．片側脳幹損傷に伴う前庭神経障害の場合，立位および歩行における損傷側への不安定性（側方突進現象）として観察される場合もある．ラバーフォーム上で立位をとらせ，閉眼させると途端にバランス保持が難しくなるという特徴もある．閉眼前後歩行にて星型歩行*2 となる．

---

*2：星型歩行：前進で病変側に，後進で非病変側に偏倚するため，複数回前後歩行すると軌跡が星のようになる．

E 運動失調の評価

四肢体幹の協調運動障害，バランス能力障害，歩行障害が疑われる場合，その有無や重症度，原因を推測することを目的に評価を行う．その結果は対象者と共有し，目標を設定し，理学療法プログラムを立案することに役立てる．

1 運動失調の原因の推測

前述したとおり，運動失調は原因により特徴が異なる．詳細な評価を行う前に，診断名などからその原因を推測することが重要である．小脳損傷がある場合，病変が小脳中央付近か半球に寄っているのかなど，病変部位を確認しておく．また，小脳病変と脊髄病変の併発や観察される症状，対象者の訴えから原因が重複している可能性も考慮すべきである．さらに，四肢体幹の運動を評価する前に深部感覚障害，構音障害，眼振を含む眼球運動障害の有無と程度を評価すれば，原因を推測するのに役立つ（▶表1参照）．

2 包括的運動失調評価

原因疾患によらず，運動失調を評価するために使われる一般的な評価スケールに，International Cooperative Ataxia Rating Scale（ICARS）と Scale for the Assessment and Rating of Ataxia（SARA）がある．ICARS は姿勢および歩行障害，言語障害，運動機能，眼球運動障害の4大項目と19の下位小項目で構成され，最重症で100点となる．SARA（▶表2）は歩行，立位，座位，言語障害，指追い試験，指鼻試験，手の回内回外運動，踵脛試験の8項目で構成され，最重症で40点となる〔詳細は，第Ⅱ編第2章「脊髄小脳変性症の理学療法」（➡327ページ）を参照〕．最近は，後発であるSARAがよく使われているが，目視で距離を推定して判定する項目が含まれていたり，実施方法，たとえば指追い試験の検査者の指を動かす速さなどによって結果が変動する可能性がある項目があるため，検査実施と判定にはトレーニングが必要である．

脊髄小脳変性症ではこのSARAが10点以下であれば日常生活活動（ADL）はほぼ自立，15点を超えるとADLに支障がみられるようになり，20点を超えるとほぼ全例でADLに介助を要する[3]．また脊髄小脳失調症（spinocerebellar ataxia; SCA）症例に限ると，年間1〜2点の増悪があるとされる．さらに，脳卒中では発症7日目のSARAが15点以上の場合，発症3か月時点でADLに介助を要するという報告がある[4]．

以上より，運動失調の重症度の把握，予後予測，理学療法プログラムの立案，また介入効果判定のためにSARAを用いるべきである．

3 協調運動障害の評価

協調運動障害は筋収縮のタイミングや活動量，その結果生じる運動軌道を観察することで推測する．上肢では，指鼻試験（▶図8），指追い試験，前腕回内回外試験，膝打ち試験がある．協調運動障害のある上肢機能の検査には9ホールペグテスト（9 Hole Peg Test; 9HPT）がよく使われている．下肢の代表的な検査には踵脛試験（▶図8），足指手指試験などが使われる．それぞれの検査時の運動を観察し，協調運動障害の有無，特に振戦や運動分解，測定障害などの有無を判定する．ただし，定量化が難しいものが多く，障害重症度の経時的変化がとらえにくい．そのため，近年では筋電図やビデオ動作解析システムなどを使用して協調運動障害の定量化が試みられている．

4 バランス障害の評価

いずれのタイプの運動失調においても静的，動的バランス能力が障害される可能性がある．代表的な半定量的指標として，Berg（ベルグ）Balance

▶表 2　Scale for the Assessment and Rating of Ataxia(SARA)

1)歩行	2)立位
以下の 2 種類で判断する．①壁から安全な距離をとって壁と平行に歩き，方向転換し，②帰りは介助なしで継ぎ足歩行(つま先に踵を継いで歩く)を行う 0：正常．歩行，方向転換，継ぎ足歩行が困難なく 10 歩より多くできる(1 回までの足の踏み外しは可) 1：やや困難．継ぎ足歩行は 10 歩より多くできるが，正常歩行ではない 2：明らかに異常．継ぎ足歩行はできるが 10 歩を超えることができない 3：普通の歩行で無視できないふらつきがある．方向転換がしにくいが，支えはいらない 4：著しいふらつきがある．時々壁を伝う 5：激しいふらつきがある．常に，1 本杖か，片方の腕に軽い介助が必要 6：しっかりとした介助があれば 10 m より長く歩ける．2 本杖か歩行器か介助者が必要 7：しっかりとした介助があっても 10 m には届かない．2 本杖か歩行器か介助が必要 8：介助があっても歩けない	被検者に靴を脱いでいただき，開眼で，順に①自然な姿勢，②足をそろえて(母趾どうしをつける)，③継ぎ足(両足を一直線に，踵とつま先に間を空けないようにする)で立っていただく．各肢位で 3 回まで再施行可能，最高点を記載する 0：正常．継ぎ足で 10 秒より長く立てる 1：足をそろえて，動揺せずに立てるが，継ぎ足で 10 秒より長く立てない 2：足をそろえて，10 秒より長く立てるが動揺する 3：足をそろえて立つことはできないが，介助なしに，自然な肢位で 10 秒より長く立てる 4：軽い介助(間欠的)があれば，自然な肢位で 10 秒より長く立てる 5：常に片方の腕を支えれば，自然な肢位で 10 秒より長く立てる 6：常に片方の腕を支えても，10 秒より長く立つことができない
Score	Score
3)座位	**4)言語障害**
開眼し，両上肢を前方に伸ばした姿勢で，足を浮かせてベッドに座る 0：正常．困難なく 10 秒より長く座っていることができる 1：軽度困難，間欠的に動揺する 2：常に動揺しているが，介助なしに 10 秒より長く座っていられる 3：時々介助するだけで 10 秒より長く座っていられる 4：ずっと支えなければ 10 秒より長く座っていることができない	通常の会話で評価する 0：正常 1：わずかな言語障害が疑われる 2：言語障害があるが，容易に理解できる 3：時々，理解困難な言葉がある 4：多くの言葉が理解困難である 5：かろうじて単語が理解できる 6：単語を理解できない．言葉が出ない
Score	Score

(つづく)

Scale(BBS)，Balance Evaluation Systems Test (BESTest)がある．定量的指標として，重心動揺計を用いて，直立位の足圧中心位置の軌跡から重心動揺の程度や特徴を推定する方法がある．他の検査と併せて，バランス障害の原因を推測することが重要である．

5 歩行障害の評価

歩行能力を評価するために，10 m(8 m)歩行テスト，Timed Up and Go Test(TUG)，Functional Ambulation Categories(FAC)が用いられる．また，観察によって運動失調歩行の特徴，すなわち，小脳性運動失調であれば，広い歩隔，一定しない歩幅，不規則な歩調，腕の振りの減少，前後左右への身体動揺，片側小脳障害では損傷側へのふらつき，などをとらえることも重要である．

6 疾患別評価スケール

脳卒中による運動失調に特化した一般的評価スケールは特にない．他方，変性疾患においてはその疾患の特異性を考慮して作成された評価スケールがある．多系統萎縮症における Unified Multiple System Atrophy Rating Scale(UMSARS)，Friedreich(フリードライヒ)運動失調症における

▶表 2　SARA(つづき)

5)指追い試験			6)指鼻指試験		
被検者は楽な姿勢で座ってもらい，必要があれば足や体幹を支えてよい．検者は被検者の前に座る．検者は，被検者の指が届く距離の中間の位置に，自分の人差し指を示す．被検者に，自分の人差し指で，検者の人差し指の動きに，できるだけ速く正確についていくように命じる．検者は被検者の予測できない方向に，2 秒かけて，約 30 cm，人差し指を動かす．これを 5 回繰り返す．被検者の人差し指が，正確に検者の人差し指を示すかを判定する．5 回のうち最後の 3 回の平均を評価する 0：測定障害なし 1：測定障害がある．5 cm 未満 2：測定障害がある．15 cm 未満 3：測定障害がある．15 cm より大きい 4：5 回行えない (注)原疾患以外の理由により検査自体ができない場合は 5 とし，平均値，総得点に反映させない			被検者は楽な姿勢で座ってもらい，必要があれば足や体幹を支えてよい．検者はその前に座る．検者は，被検者の指が届く距離の 90% の位置に，自分の人差し指を示す．被検者に，人差し指で被検者の鼻と検者の指を普通のスピードで繰り返し往復するように命じる．運動時の指先の振戦の振幅の平均を評価する 0：振戦なし 1：振戦がある．振幅は 2 cm 未満 2：振戦がある．振幅は 5 cm 未満 3：振戦がある．振幅は 5 cm より大きい 4：5 回行えない (注)原疾患以外の理由により検査自体ができない場合は 5 とし，平均値，総得点に反映させない		
Score	Right	Left	Score	Right	Left
平均(R + L)/2			平均(R + L)/2		
7)前腕の回内・回外試験			**8)踵膝試験**		
被検者は楽な姿勢で座ってもらい，必要があれば足や体幹を支えてよい．被検者に，被検者の大腿部の上で，手の回内・回外運動を，できるだけ速く正確に 10 回繰り返すよう命じる．検者は同じことを 7 秒で行い手本とする．運動に要した正確な時間を測定する 0：正常．規則正しく行える．10 秒未満でできる 1：わずかに不規則．10 秒未満でできる 2：明らかに不規則．1 回の回内・回外運動が区別できない，もしくは中断する．しかし 10 秒未満でできる 3：きわめて不規則．10 秒より長くかかるが 10 回行える 4：10 回行えない (注)原疾患以外の理由により検査自体ができない場合は 5 とし，平均値，総得点に反映させない			被検者をベッド上で横にして下肢が見えないようにする．被検者に，片方の足を上げ，踵を反対の膝に移動させ，1 秒以内で脛に沿って踵まで滑らせるように命じる．その後，足をもとの位置に戻す．片方ずつ 3 回連続で行う 0：正常 1：わずかに異常．踵は脛から離れない 2：明らかに異常．脛から離れる(3 回まで) 3：きわめて異常．脛から離れる(4 回以上) 4：行えない(3 回とも脛に沿って踵をすべらすことができない) (注)原疾患以外の理由により検査自体ができない場合は 5 とし，平均値，総得点に反映させない		
Score	Right	Left	Score	Right	Left
平均(R + L)/2			平均(R + L)/2		

Friedreich Ataxia Rating Scale(FARS)が代表的なものである．

7 ICF における位置づけ

小脳性運動失調は国際生活機能分類(International Classification of Functioning, Disability and Health; ICF)における「心身機能(body functions)」「神経筋骨格と運動に関連する機能(neuromusculoskeletal and movement-related functions)」「運動機能(movement functions)」の「随意運動の制御機能(control of voluntary movement functions)」内の「複雑な随意運動の制御(control of complex voluntary movement)」および「随意運動の協調(coordination of voluntary movements)」の障害に主に該当する[5]．なお，国際障害分類(International Classification of Impairments, Disabilities and Handicaps; ICIDH)では「機能障害」に該当する．

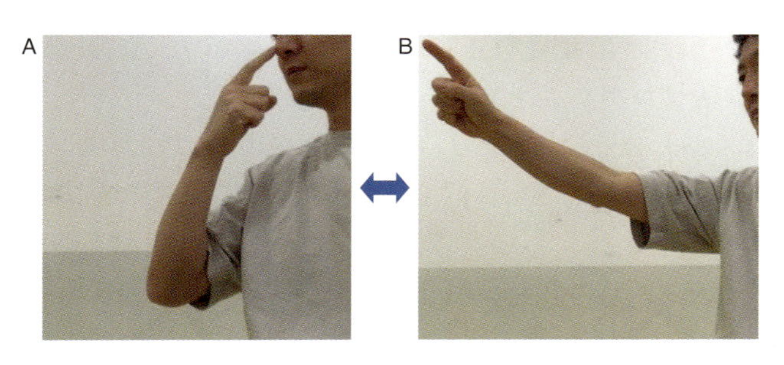

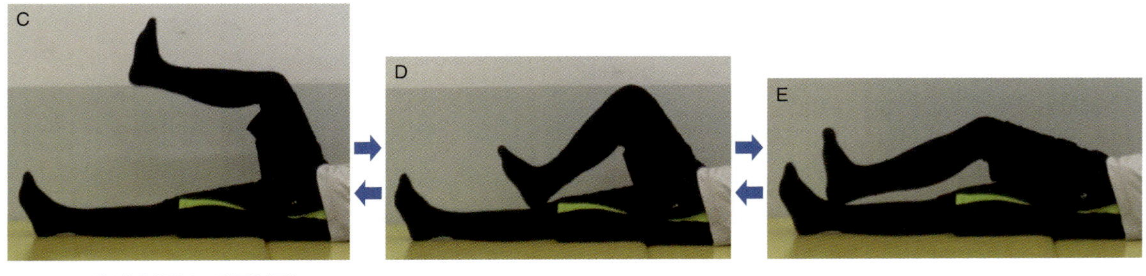

▶図 8　指鼻試験と踵脛試験
A，B：指鼻試験では A と B を繰り返す．標的と自己の鼻を往復させる際，図 5 のように指先が揺れる，正常軌道から大きく外れる，標的から行き過ぎるなどの現象が認められた場合，運動失調を疑う．
C，D，E：踵脛試験では C，D，E を繰り返す．D の位置から E の位置に踵をスライド移動させる際に直線的に移動できず脛から外れてしまったり，動揺が認められる場合，運動失調を疑う．

8 その他

眼球運動の評価のうち，前庭眼反射の評価には head impulse test が用いられる．

筋緊張異常が疑われる場合，深部腱反射検査や modified Ashworth（アシュワース） Scale が用いられる．

運動失調によるバランス障害によって転倒恐怖感があると予想される場合は，Falls Efficacy Scale などで評価する．

F 運動失調症例の理学療法

運動失調の原因となる疾患の治療と並行して，理学療法，作業療法，言語聴覚療法が処方されることが多い．疾患によって機能予後はまったく異なること，また運動失調の原因（小脳性，感覚性，前庭性）によって症状が異なることから，理学療法プログラムは柔軟に変更する必要がある．

小脳損傷後の機能の変移および回復の機序についてはいまだ明らかになっていない．可能性のある一説としては，損なわれた小脳機能を損傷外組織が補っている[6)]，ということがある．脳卒中や外傷による限局性の損傷であれば小脳内組織で，また小脳内神経の完全性を徐々に損なう神経変性性，代謝性，免疫介在性の損傷であれば小脳外組織によってその機能が補われると考えられている．理学療法介入とこれらの機序との関係は不明であるが，特に根治療法が困難な場合などで，対象者の ADL や生活の質（QOL）の改善において非常に有効な手段になるため，積極的な介入を考慮する．なお，本項では小脳性運動失調を対象とした理学療法を中心に解説する．

1 基本的な考え方

運動失調により起居，座位，起立，移乗，立位，歩行，段差昇降などの基本的動作が障害される．

また，それによって ADL，手段的 ADL(IADL)が障害されるため，理学療法プログラムを立案するにあたって対象者とよく話し合い，リハビリテーションにおける目標，理学療法で獲得を目指す動作を確認しておく必要がある．

運動失調症例に対する理学療法の主体は運動療法であるが，改善が難しい場合には積極的に歩行補助具の導入や環境調整を行い，ADL や QOL の改善をはかる．

機能的予後は疾患によって異なるため，理学療法のプログラムは疾患に合わせて調整する必要がある．脳血管障害(テント下病変)による小脳性運動失調症例の約 8 割は，発症から約 3 か月後に modified Rankin(ランキン) Scale の 0～2，つまり日常生活に介助を要しないレベルに到達したという報告がある[4]．したがって，脳血管障害による運動失調および ADL レベルは大幅に改善する可能性があることをふまえて理学療法プログラムを作成する必要がある．他方，脊髄小脳変性症などの進行性の変性疾患においては，症状進行に合わせて柔軟にプログラムを修正する必要がある〔詳細は，第 II 編第 2 章「脊髄小脳変性症の理学療法」(➡ 327 ページ)を参照〕．

脳卒中による小脳性運動失調症例に対する理学療法介入効果を検討するためによくデザインされた臨床研究報告はほとんどない[7]．また，脳卒中による運動失調に対する理学療法介入に関するガイドラインもない．そのため，多発性硬化症や脊髄小脳変性症による小脳性運動失調に対するリハビリテーション，および理学療法介入に関する知見を適用することがよいと考えられる．

いずれの疾患においても，小脳性運動失調を呈する症例に対するバランス練習，歩行練習，筋力強化運動，協調運動練習，ADL 練習が，バランス能力，歩行能力，ADL 能力を改善させる可能性があると考えられる．そのため，これらを中心に理学療法プログラムを立案するのがよい．また，理学療法の実施時間，頻度は多いほうが効果的であると考えられる．対象者の全身状態や体力に合わせて，高頻度，高強度のプログラム実施を目指すほうがよい．

なお，100 年以上の歴史をもつ「Frenkel(フレンケル)運動」は，それ自体の効果を検討した報告は見つからないが，基本的な考え方(つまり，獲得を目指す運動について難易度を調整し反復して練習する)は現在の脳卒中症例に対する運動療法の考え方に反するものではない．ここでいう難易度の調整とは，支持基底面と重心の位置，重心の高さ，運動に参加する肢の数，運動の工程数，運動の速さ，利用できる感覚などの操作であり，これは運動失調症例に対する，運動療法を中心とする介入報告のベースになっている考え方である．ゆえに，Frenkel 運動の基本的な考え方は理学療法プログラムを作成するにあたり考慮すべきものである．

また，四肢末梢に重錘を装着して行う運動練習を検討したよくデザインされた介入研究報告はないが，体幹にベスト型重錘を装着した運動練習がバランスを改善するという多発性硬化症症例を対象としたランダム化比較試験はあり，考慮してもよい手段である．

疾患の合併症によっては，二次障害の予防に努める必要がある．特に，小脳出血や小脳梗塞の急性期では，めまいや嘔気の影響により，ほとんど離床できない場合もある．医師，看護師を含むチームで相談し，症状に合わせてできるだけ離床を試みるべきである．

2 バランス練習

プランク，ブリッジ位，四つ這い位，座位，膝立ち位，立位などの静的姿勢保持練習が基本となる(▶図 9)．また，座位から立位などの姿勢変換を伴うバランス練習も重要となる．それらに加え，不安定板やバランスボールの使用，視覚条件(開眼，閉眼)の変更などによる難易度調整が行われる．さらに，鏡を用いた視覚フィードバック，動きに合わせて発生する音を用いた聴覚フィー

▶図 9　代表的なバランス練習の例
A：プランク，B：四つ這い位，C：片手片足挙上位，D：ブリッジ位，E：片脚ブリッジ位，F：バランスボール上座位（前額），G：バランスボール上座位（矢状），H：片膝立ち位，I：継ぎ足位（Mann 肢位），J：片脚立位，K：クッション上立位，L：不安定板上立位

ドバックを利用する方法もある．また最近では，バーチャルリアリティやビデオゲームベースのトレーニング，太極拳が適用されている．各姿勢における体幹の安定性を向上させることを目的とするコアスタビリティトレーニングを運動失調症例に適用する試みもなされている．これらは，安全性を考慮したうえでできるだけチャレンジング，かつ継続しやすいプログラムとなるように工夫するのがよい．

3 歩行練習

まず平行棒内や壁際など，安全な環境で歩行練習を開始する．次に屋内平地および屋外不整地での歩行練習を考慮する．その際，杖や歩行器などの歩行補助具の使用も検討する．基底面の広さや支持箇所の高さのみにこだわらず，対象者の歩行が安定するものを選択する．また，杖や歩行器に重錘をつけるなどすると歩行しやすくなる場合があるため，歩行練習の難易度調整に利用してもよい．

歩行の速度や安定性を向上させるために，トレッドミル単体もしくは体重免荷装置を併用する方法がある．トレッドミルで設定する歩行速度は平地における通常歩行速度より若干速めを設定することがあるが，対象者のバランス能力や転倒恐怖感に基づいて遅い速度から選択してもよい．

4 協調運動練習

特定の運動課題において，協調運動障害によるパフォーマンスの低下を認める場合，運動の協調性とパフォーマンスを向上させることを目的に運動練習を行う．その際，練習課題の難易度を調整して高頻度で反復するようにする．たとえば，リーチしてものをつかむ動作であれば，まず前腕を固定して物体を把持する課題，次に肘を固定して前腕と手指の運動，さらに体幹を椅子に固定したまま上肢全体を使ってリーチと把持をさせるなど，段階的に難易度を上げる．上肢運動に先行する予測的姿勢制御に問題があれば，上肢運動速度やリーチ範囲を調整するなどの難易度調整が考えられる．

5 歩行補助具

T字杖，四点杖，ロフストランド杖，また支持点の高いポール型の杖を片側もしくは両側上肢で使用することで，歩行における安定性が向上する場合が多い．歩行器としては，前腕で支持ができる屋内用四輪歩行車，また車輪が大きく両手掌で支持できる屋外用歩行車などが選択される．ピックアップ歩行器を使用できる場合があるが，屋内のごく狭い範囲での活用に限定される場合が多い．いずれの場合も，補助具の重量が増すと安定する可能性があるため，補助具への重錘装着を考慮してもよい．

6 環境調整

運動失調によるバランス障害は転倒のリスクを高める．また，転倒に対する恐怖心から活動量が低下する可能性があるため，転倒しにくい，安心感のもてる住環境調整は重要である．まず，手すりや固定性の高い支持物を生活動線上に配置する．手すりは大転子レベルより高いほうが安定する場合が多いため，設置に際して本人が立ち会い，シミュレーションを行っておくほうがよい．また，家具などの設置物にぶつかる可能性を考慮し，クッション性の高いカバーをつけたり，動線上の床は広くスペースをとるなどの対応も考慮する．

●引用文献

1) 望月仁志ほか：神経メカニズムから捉える失調症状．リハビリテーション医学，56(2):88–93, 2019.
2) Bodranghien, F., et al.: Consensus Paper: Revisiting the Symptoms and Signs of Cerebellar Syndrome. *Cerebellum*, 15(3):369–391, 2016.
3) Miyai, I., et al.: Cerebellar ataxia rehabilitation trial in degenerative cerebellar diseases. *Neurorehabil. Neural Repair*, 26(5):515–522, 2012.
4) Yamauchi, K., et al.: Predictive Validity of the Scale for the Assessment and Rating of Ataxia for Medium-Term Functional Status in Acute Ataxic Stroke. *J. Stroke Cerebrovasc. Dis.*, 30(4):105631, 2021.
5) 厚生労働省：国際生活機能分類―国際障害分類改訂版（日本語版）．2002. https://www.mhlw.go.jp/houdou/2002/08/h0805-1.html
6) Mitoma, H., et al.: Consensus Paper. Cerebellar Reserve: From Cerebellar Physiology to Cerebellar Disorders. *Cerebellum*, 19(1):131–153, 2020.
7) Marquer, A., et al.: The assessment and treatment of postural disorders in cerebellar ataxia: A systematic review. *Ann. Phys. Rehabil. Med.*, 57(2):67–78, 2014.

（松木明好）

第5章

身体失認，病態失認

学習目標

- 身体失認，病態失認の病態と特異的症候について理解する．
- 身体失認，病態失認の病巣・メカニズムについて理解する．
- 身体失認，病態失認の評価および理学療法の実際について理解する．

脳卒中患者のなかには「自分の身体がどこにあるかわからない」といった身体の認知障害や「この身体は私のものではない」と身体を否認する症例がみられる．自己の身体が“自分のもの”であるといった意識を**身体所有感**(sense of ownership)と呼び，その損失を基盤とした病態が**身体失認**(asomatognosia)である．身体失認は症候学的に狭義の身体失認と**病態失認**(anosognosia)に大別される．なお，ここでは狭義の身体失認を身体失認として取り扱い，病態失認と区別して表現する．

身体失認は自己の身体に対する認知障害であり，「自己の身体を使おうとせず，それを無視し，意識しない状態」と定義されている．ゆえに，自己の身体を無視して行動するところに特徴があり，身体の無視症候群と称されることがある．その特徴は，自己の身体を意識しない，すなわち“意識されない身体失認”(conscious hemiasomatognosia)[1]である．一方，自らの身体について「自分の身体のように思えない」と変容感を訴える症例がある．その特徴は，自己の身体に違和感をもつ“意識される身体失認”(nonconscious hemiasomatognosia)[1]である．これに対して，病態失認は“自分の病態に気がつかない”といった特徴を示す．

自己の身体の状況や病態に関する認知の欠損・低下は，自らがおこす運動や動作に負の影響を与える．ゆえに，理学療法の遂行ならびに日常生活活動(ADL)予後に影響するとともに，病態の理解のないまま行動をおこすために，ADL 場面でリスクをまねく可能性がある．

A 身体・病態失認とは

身体失認は両側性と片側性に分類(▶図 1)され，両側性は左半球損傷によって出現する．両側性では**身体部位失認**，**左右識別障害**，**手指失認**を呈することがある．両側性に出現する身体部位失認は，体性感覚障害がないにもかかわらず，空間定位，たとえば要求された身体部位に対して適切にポインティングできない特徴がある．なお，身体部位の呼称は可能である．左右識別障害は，自己あるいは他者の身体の左右が認知できず，空間的

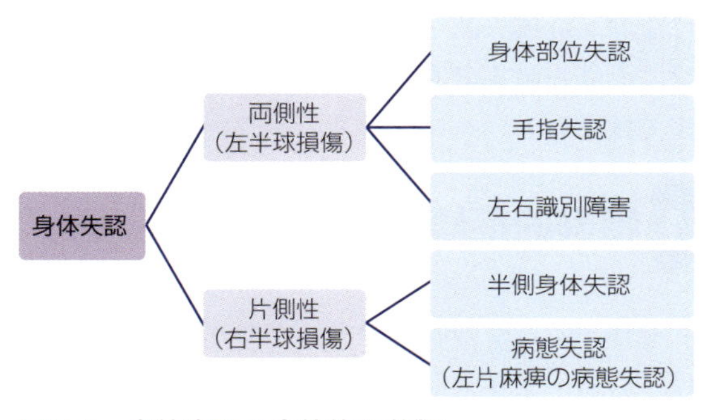

▶図 1　身体失認の全体的な分類

な位置関係が把握できない特徴を示す．手指失認は，たとえば目を閉じた状態で検査者にある指を触られ，「これは何指？」と聞かれても認知できないなどの特徴を示す．なお，左右識別障害と手指失認に加えて，**失算**，**失書**の四徴候を併せもつ場合は Gerstmann（ゲルストマン）**症候群**と呼ばれる．一方，片側性は右半球損傷によって出現し，病巣と反対側の身体の認知障害が出現する．一側身体があたかも存在していないかのようにふるまう場面が動作上よく観察される．一般的に身体失認と呼ばれる病態はこの**半側身体失認**である．理学療法遂行に特に影響を与えるのが片麻痺を合併する半側身体失認であり，以降，ここでは半側身体失認を身体失認として扱う．

病態失認は，Anton（アントン）**型**の病態失認，Wernicke（ウェルニッケ）**失語**による病態失認，健忘症による病態失認，左片麻痺に対する Babinski（バビンスキー）**型の病態失認**など多岐にわたる．理学療法が特に関与する病態失認は，片麻痺を伴うことで出現する Babinski 型の病態失認である．以降，ここでは Babinski 型の病態失認を病態失認とする．これは片麻痺の存在を無視したり否認する症状である．病態失認患者は正常な手足の動きがあるかのようにふるまったり，検査者からの問いかけに対してもそのように返答する．また，半身の運動障害は否認しないものの，これに対して無関心な態度をとる場合は**病態無関心**（anosodiaphoria）と称される．たとえば「足は動かない」と言うものの，「歩ける」と言う症例がそれにあたる．

なお，身体失認，病態失認ともに自己の身体に対する認知障害であるが，その区別は必ずしも明確ではない．

1 特異的症候

身体失認はその特徴からいくつかのタイプに分けられる．身体失認は検査者からの問いかけに対して「この身体（麻痺肢）は私のものとは思えない」と表する症状を基本[1,2]に，それに行動観察の視点を加え，先に示した麻痺肢の存在がないようにふるまう症状を含んだ病態である．一方，**身体パラフレニア**（somatoparaphrenia）は麻痺肢を自分のものと認めないだけでなく，それが他者の身体〔例：夫（配偶者）の手〕と主張するところに特徴があり，身体の自己帰属を否定する言動がみられる．また，他者の身体に帰属させたのち，「あなたの手はどこにあるの？」と問いかけると，「家に置いてある」など作話がみられることがある．他方，自己の身体を他者に帰属せず物やペットなどとみなし，それに話しかける特徴を**麻痺肢の人格化**（personification）と呼ぶ．そのほか，麻痺肢に嫌悪感をもち，その身体を乱暴に扱ったり，切断を望むような特徴を**片麻痺憎悪**（misoplegia）と呼ぶ．身体パラフレニア，麻痺肢の人格化，片麻痺憎悪は病態失認とともに出現することが多い．

以下，a）半身の無感知・無使用，b）半身の喪失感，c）片麻痺の無認知といった特徴的症状に分けて解説する．

a 半身の無感知・無使用

半身の無感知・無使用は身体片側の忘却・不使用ととらえるほうがわかりやすい．これは麻痺肢への関心が低下している状態であり，それが存在しないかのようにふるまう特徴がある．たとえば，**図2A** のように「車椅子上で麻痺手を車輪の外側に垂らしても気づかない」などがそれにあたる．しかし，その身体を否認することはなく，他者に促されば気づく場合がある．たとえば，指示されれば非麻痺手で麻痺手を触り，自らで位置を修正できる．これは“意識されない身体失認”[1]あるいは“言語化されない半側身体失認”[2]と呼ばれている．

b 半身の喪失感

喪失感は“意識される身体失認”[1]である．たとえば，「（自らの手を指し）これは私の手のように思えない」「この手は私の手ではない」「この足

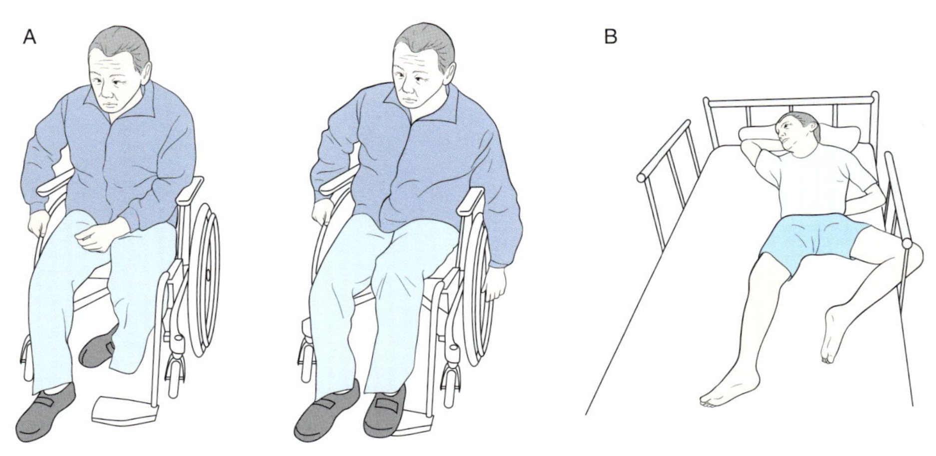

▶図 2　身体片側の忘却，不使用
A：車椅子駆動時に左下肢がフットサポートから落ちていても気づかずに駆動する(左)．左手を車輪の外側に垂らしていても気づかない(右)．
B：ベッド臥床時に左上肢を身体の下敷きにしていたり，左下肢がベッドから出ていても無関心でいる．

は鉄板のようだ」など，患者自身の言葉で身体の変容感を主観的に訴える症状がこれに相当する．麻痺肢の過重感(重く感じてしまう)も病態の 1 つである．また，実物よりも身体を長く，あるいは大きくとらえてしまう身体イメージの変容をおこすなど，身体の縮小や拡大といった変容感を訴える患者もみられる．さらには，身体が木や鉄板のように感じ，異物感を訴える患者もみられる．こうした特徴は特に急性期にみられるが，その多くは片麻痺が改善するにつれて回復していく．

C 片麻痺の無認知

片麻痺の無認知とは病態失認を指す．片麻痺の病識欠如でもあり，その中核症状は片麻痺の存在の無認知，片麻痺に対する無関心，言葉による否認である．患者自ら麻痺を自発的に否認することはなく，多くは検査者の質問によってその症状が確認される．たとえば，検査者の質問に対して「麻痺はない」「どこも悪くない」「(手を上げてくださいの指示に対し)上げている」など，麻痺の存在を無視した返答をすることがある．これらを背景にして，運動機能が十分でないにもかかわらず，自力で立ち上がろうとしたり，歩こうとしたりして転倒するといったリスクを伴う．多くは急性期から亜急性期にみられ，その際，片麻痺の病態を否認するが，経過とともに回復する症例が多い．しかし，片麻痺への無関心がおこり慢性化する症例もみられる．

B 責任病巣

身体失認は原則的に右半球損傷でおこり，多く出現する身体部位は左上肢である[3)]．ただし，左半球損傷であっても体性感覚障害の重症度によって患肢が認知されないといった症状がみられることがある．古くは，自己身体の空間認知能力を示す**身体図式**(body schema)をつかさどる右頭頂葉病変と考えられていたが，現在では，右半球における神経ネットワークの機能不全に基づくと認識されている．加えて，身体失認は島皮質[4, 5)]に病巣が進展した場合におこりやすいことも報告されている．一方，病態失認を伴う症例は広範な皮質・皮質下損傷，なかでも右下頭頂小葉および側頭葉〔側頭–頭頂接合部(temporal-parietal junction; TPJ)〕から前頭葉に及ぶ広範囲な病変が指摘されており[6]，基本的に病巣が大きい場合におこりやすい[7,8]．なお，身体パラフレニアでは右頭頂葉病変に加え，人格形成や社会的認知に関与する眼窩前頭皮質の病巣を含むといった報告がある[9]．

整理すると，右半球損傷に基づく左身体の運動・感覚障害を基盤にしつつも，多感覚情報を統合するTPJ周辺，そして島皮質に病巣をもつ症例，あるいは後・頭頂葉から前頭葉に至る白質線維（上縦束や弓状束など）の損傷に伴う，右半球の前頭–頭頂ネットワーク〔詳細は，第1部第2章「中枢神経系のネットワークと機能障害」（➡ 32ページ）を参照〕の機能不全によって身体失認や病態失認が出現すると考えられている．

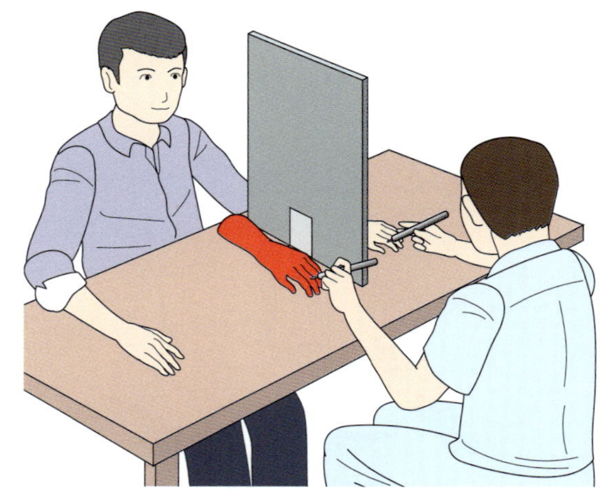

▶図3　ラバーハンド錯覚
この図の場合，本物の自己の左手は衝立で隠され視覚的に確認できない．ラバーハンドに触覚刺激が入れられているのを目視しつつ，本物の手に触覚刺激がなされ，それらの刺激が時間的に同期すると，ラバーハンドが自分の手のように錯覚し始める．

C メカニズム

身体所有感は視覚や触覚などの**多感覚統合**によって生成されることがメカニズムとして知られている[10]．また古くから，身体認知には視覚や触覚を含んだ多感覚統合機能が関与するといわれている．

図3のように目の前のラバーハンドと本物の手に同時に刺激を与えることで，ラバーハンドが自分の手のように感じる**ラバーハンド錯覚**が知られている．この際，正常であれば，感じている本物の手（触覚情報）と見ているラバーハンド（視覚情報）への刺激が時間的に同期すれば錯覚は出現するものの，同期しなければ錯覚は出現しない．このように身体所有感が触覚–視覚の時間的同期，すなわち統合によっておこるのであれば，その損失はその統合機能の不全によって生じると考えられている．右半球損傷後に身体パラフレニアを呈した症例を対象にラバーハンド錯覚実験が行われた結果，触覚–視覚が非同期であってもラバーハンド錯覚が生じた[11]．つまり，本物の身体の喪失感は他の物体（この実験では刺激が同期していない目の前のラバーハンド）に身体所有感を帰属させる特徴がある．なお，身体失認が改善する前は触覚–視覚が非同期にもかかわらずラバーハンド錯覚が生じるが，改善後は非同期の場合はラバーハンド錯覚が生じにくくなることがわかっている[12]．

D 評価

日常生活における行動や動作を観察することで病態をとらえることが一般的である．たとえば，麻痺側上肢に対して無関心であることから，ベッド上で自らの体幹などでそれを下敷きにしていることや，車椅子上で麻痺手を車輪の外側に垂らしていても気づかない，また，麻痺側下肢がフットサポートから落ちていても気づかずに車椅子を駆動するなどの現象がみられる（▶**図2**）．さらに，失行と鑑別する必要はあるが，着衣時に左腕を袖に通さなかったり，書字時に左手で紙を押さえようとしないなど，行動レベルでも観察される．これらは“意識されない身体失認”の特徴である．なお，失行は自己身体の認知は問題ない．

▶表 1　半側身体失認の評価

1. 患者を背臥位にさせ，左上肢を体側に置く 2. 検査者は，右手(非麻痺手)で左手(麻痺手)を触るように指示 3. 最初は開眼で行い，次いで閉眼で行う
4 段階で評定
Score 0　左手(麻痺手)に正確に手を伸ばす Score 1　左手(麻痺手)に正確に届くが探索がみられる Score 2　左手(麻痺手)に届く前に探索を止める Score 3　左手(麻痺手)に向かう動きがみられない

〔Bisiach, E., et al.: Unawareness of disease following lesions of the right hemisphere: Anosognosia for hemiplegia and anosognosia for hemianopia. *Neuropsychologia*, 24(4):471–482, 1986 より〕

一方，「自己の身体についてどのように感じているか，とらえているか」を患者に問いかけ，内省的に聴取することも一般的な方法である．その際，片麻痺を有した患者では「自分の身体でない」「自分の身体が石のようだ」など，“意識される身体失認”の特徴を報告することがある．

また古くから，患者に自己の身体像を描いてもらう身体描画を用いることもある．多くは描画した身体の欠損がみられたり，手足を多く描いてしまう**余剰幻肢**(supernumerary phantom limb)がみられることがある．

1 質問紙

身体失認をとらえる目的で質問紙が開発されている(▶**表 1**)[13]．これは背臥位の患者に「右手(非麻痺肢)で左手(麻痺肢)を触れてください」と指示を与え，患者の反応から得点化するところに特徴がある．一方，病態失認の質問紙(▶**表 2**)[14]では，たとえば，左空間に垂れ下がった麻痺肢を見させ，その状態を問いかける．それでも麻痺を認める返答がみられない場合，右空間で麻痺肢(左手)を見させて同様の質問を行う．最後に非麻痺肢(右手)で麻痺肢(左手)をつかませ，「この左手はおかしくないですか？」と問いかける．病態失認患者の場合は，「手は動きます」「どこも問題ありません」などの返答，つまり病態を否認することがある．また，手を上げることを要求した場合に「上げています」と答えたり，上がっていないことを指摘しても「疲れている」など，なんらかの理由を述べ麻痺を認めようとしないことがある．加えて，麻痺手を示し「これは誰の手ですか？」との検査者の質問に対して，「(○○の手)である」と他者の手と表現することがある(身体パラフレニア)．また，麻痺肢を激しく叩いたり，「憎い」と発言したりと，片麻痺憎悪を呈する場合がある．

▶表 2　病態失認の評価

1	どこか力の入らないところはありますか
2	あなたの腕に何か問題がありますか
3	あなたの腕に何か異常があることを感じませんか
4	前と同じように腕を使うことはできますか
5	腕が使えなくなって心配なことはありませんか
6	あなたの腕の感覚は正常ですか
7	あなたの主治医は，あなたの腕に麻痺があると言っていましたが，あなたはそう思いますか
8	(検査者が左空間で左手を上げてから下ろして)，(左手が)力が入らないようだが，あなたはそう思いますか
9	(検査者が右空間で左手を上げてから下ろして)，(左手が)力が入らないようだが，あなたはそう思いますか
10	右手を使って左手を持ち上げてください．左手に力が入りにくいところはありませんか

各質問に対する回答を以下の 3 段階で評定し，合計点を算出する
0 点：障害を自覚している
0.5 点：障害の一部を自覚している
1 点：障害を自覚していない

〔Feinberg, T.E., et al.: Illusory limb movements in anosognosia for hemiplegia. *J. Neurol. Neurosurg. Psychiatry*, 68(4):511–513, 2000 より〕

2 Catherine Bergego Scale

Catherine Bergego Scale(CBS)は半側空間無視を把握するために開発されたものであるが，検査者による客観的評価と患者による主観的評価に分けて採点を行うところに特徴があり〔詳細は，第 2 部第 6 章「半側空間無視」(➡ 162 ページ)を参照〕，客観的評価と主観的評価の差分によって無視症状に対

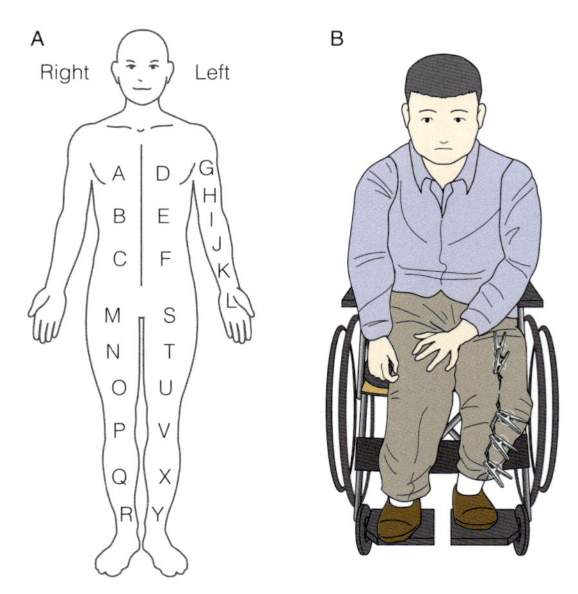

▶図 4　Fluff test

A：患者の左右の体幹に 3 個ずつ，両下肢に 6 個ずつ，左上肢に 6 個の合計 24 個のステッカーを貼ったのち，それを剝がしてもらうように要求する．

B：身体失認を呈した患者．この場合は洗濯ばさみを利用．左下肢の洗濯ばさみを外せず，残ったままである．

する病態失認の程度をスクリーニングすることができる．

3 身体ポインティングと Fluff test

質問紙の理解が困難な症例に対しては，検査者に触られた身体部位を目の前に置かれたイラストで描かれた身体図あるいはマネキンに対してポインティングで示させる方法が用いられる[15]．これは身体部位失認の検査として用いられる．また，Fluff test[16] は患者の身体の体幹正中の左右に 3 個ずつ，両下肢に 6 個ずつ，左上肢に 6 個の合計 24 個の直径 2 cm の円形ステッカーを取り付け(▶図 4)，患者に閉眼状態で右手(非麻痺肢)を用いてすべてを取り外すように要求する．自己の身体に無関心な患者では左部分(麻痺側)のステッカーを取り外すことに困難を示す．

E 理学療法

身体・病態失認に対する確立された理学療法はなく，そのエビデンスは十分でない．しかし，片麻痺の回復とともに身体失認あるいは病態失認が軽減・消去される症例も少なくない．つまり，運動や感覚の改善に基づき特徴的な症状が改善する症例も多く存在する．

また，急性期では覚醒レベルが低下した患者が多く，それが身体認知に影響する．したがって，積極的な姿勢変換や立位などの抗重力活動を促し，身体認知の背景となる意識の活性化を促す．加えて，身体・病態失認が持続する症例では，体性感覚障害，半側空間無視，全般性注意障害が生じている例が多い．それらの改善に随伴して身体失認や病態失認が改善する例も少なくない．

一方，感覚障害や注意障害を含み，片麻痺を認識しない状態で行動をおこすことで転倒するなど，行動面で問題が生じることがある．よって，片麻痺の認識を高めるとともに，生活環境の整備を含めたアプローチも重要である．

いずれにしても，身体・病態失認に対する理学療法は症例報告レベルでの検証・報告がほとんどであり，エビデンスが未確立のままであるが，これまでに報告された方法をいくつかピックアップして提示する．

1 麻痺肢の使用

麻痺肢の忘却・不使用が症状の中核であることから，ADL 場面で麻痺肢の使用を促すことが原則的なアプローチである．言語指示によって忘却肢の使用を促し，動作や行為の際に声をかけ，使用を促すことで身体を意識化させる．麻痺肢の使用を積極的に促す constraint-induced movement therapy (CI 療法)は，麻痺の回復に加え，ADL 上での麻痺肢の使用頻度を増やす効果がある．不動期間が継続すると身体所有感の損失に関与する[17]

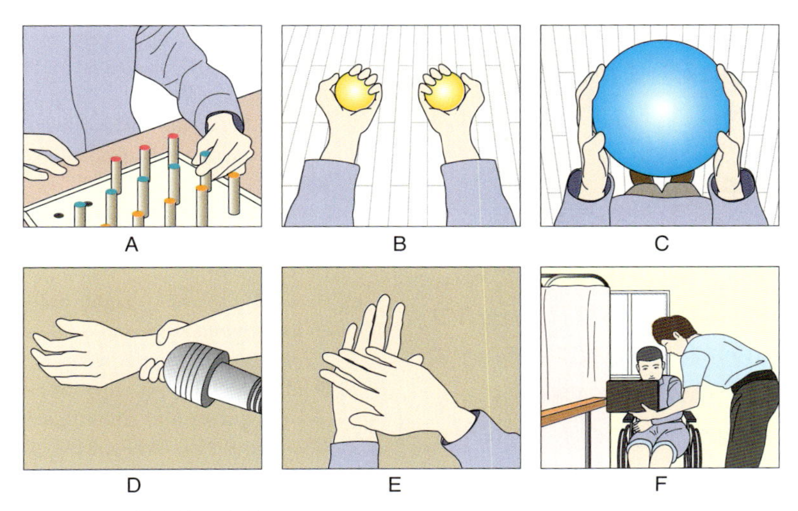

▶図 5　理学療法の実際

A：麻痺手を使用して道具を操作している場面．作業療法でよく用いられるペグボードを用いた練習場面であるが，操作可能な道具で視覚的注意を促す道具であればどのようなものでも構わない．目的は麻痺肢を用いて触覚と視覚の統合をはかるところにある．

B，C：両手使用場面．B は左右別々にボールを把持し，非麻痺側と麻痺側で比較照合している．体性感覚情報に対して注意を課している．C はボールを両手で把持し，それを見ながら上下左右に動かしているところ．いずれも視覚的注意を促し，触覚と視覚の統合をはかる．

D：腱振動刺激．この場合は麻痺側橈側手根伸筋に刺激を与えている．運動麻痺がみられる症例であっても適切な振動刺激によって運動錯覚が生じる．

E：セルフタッチ．非麻痺手（右手）で麻痺手（左手）を触れている場面．

F：平行棒内立位・歩行練習ののち，その場面を撮影した動画を患者に見させている場面．

ことからも，積極的な運動療法ならびに活動を促すことは理学療法の基本となる．また，身体所有感は触覚と視覚の時間的同期によって生成されることから，麻痺肢の運動をおこしている際，積極的にその身体を見るように促す．特に道具の使用は視覚的注意を促進し，触覚–視覚の統合に貢献する（▶図 5A）．さらに，身体使用の促進という点では，非麻痺肢の運動を含めた両側の身体活動（▶図 5B，C）を増やすことも 1 つの方法であり，一側肢のみでは成立しない運動を促す．たとえば，両手把持が必要な歩行器を使用した歩行練習などがそれにあたる．

2 物理療法

80 Hz の周波数に基づく振動刺激を腱に加えることで Ia 求心性線維の活動を促進し，その情報が脳へ送られることで，あたかも自己の身体が動いているような運動錯覚を生じさせることができる（▶図 5D）．左右肢関係なく，腱振動刺激により右下頭頂小葉，両下前頭回が活性化する[18]．不動が継続するとそれら領域の活動が低下するが，腱振動刺激を与えることによって，不動期間が継続してもそれらの活動が維持される[19]．ゆえに，理学療法では急性期や片麻痺が重症で麻痺肢使用に制限がある場合への適応として考える．なお，痙縮が強くみられる場合では，緊張性振動反射（tonic vibration reflex; TVR）が出現することがあり注意を要する．できるだけリラックスした肢位・位置で行うようにする．

また，罹患期間が長くなれば関連領域の脳活動が遷延化することがあるため，近年では，関連領域を活性化させる目的で**経頭蓋直流電気刺激**（transcranial direct current stimulation; tDCS）

などのニューロモデュレーションテクニックの実施がなされ，身体失認に対しての効果が報告されるようになっている[20]．

3 セルフタッチ

乳児は積極的に自己の身体を自分自身で触れ，これにより身体図式を獲得していく．この**セルフタッチ**（▶図 5E）の繰り返しが身体所有感の生成にとって重要な役割を担う[21]．自己身体の活用によるセルフタッチは触覚と視覚の統合だけでなく，どのタイミングで麻痺肢が非麻痺肢で触れられるかといった触覚刺激の予測も生じさせることができる．この触覚予測も身体所有感の生成要件である．身体パラフレニアや片麻痺憎悪を呈する症例に対してセルフタッチを実践したところ，身体所有感の改善に貢献したことが報告されている[22]．

4 メタ認知の利用

自己の身体像や行動を映すビデオを観察し，自己の身体を自らが客観的に観察する方法（▶図 5F）が開発され，こうした視覚フィードバックが慢性期まで残存した病態失認を改善させることが報告されている[23, 24]．このように，自己の身体・行動を第三者的に客観視（**メタ認知**）させることによって，病識の欠損を改善させることが示されている．

●引用文献

1) Frederiks, J.A.M.: Disorders of the body schema. In: Handbook of Clinical Neuropsychology, vol.1, pp.373–393, Elsevier Science, Amsterdam, 1985.
2) Feinberg, T.E., et al.: Verbal asomatognosia. *Neurology*, 40(9):1391–1394, 1990.
3) Vallar, G., et al.: Somatoparaphrenia: A body delusion. A review of the neuropsychological literature. *Exp. Brain Res.*, 192(3):533–551, 2009.
4) Karnath, H.O., et al.: Awareness of the functioning of one's own limbs mediated by the insular cortex? *J. Neurosci.*, 25(31):7134–7138, 2005.
5) Klein, T.A., et al.: Error awareness and the insula: Links to neurological and psychiatric diseases. *Front. Hum. Neurosci.*, 7:14, 2013.
6) Hier, D.B., et al.: Behavioural abnormalities after right hemisphere stroke. *Neurology*, 33(3):337–344, 1983.
7) Levine, D.N., et al.: The pathogenesis of anosognosia for hemiplegia. *Neurology*, 41(11):1770–1781, 1991.
8) Baier, B., et al.: Tight link between our sense of limb ownership and self-awareness of actions. *Stroke*, 39(2):486–488, 2008.
9) Feinberg, T.E., et al.: The neuroanatomy of asomatognosia and somatoparaphrenia. *J. Neurol. Neurosurg. Psychiatry*, 81(3):276–281, 2010.
10) Longo, M.R., et al.: What is embodiment? A psychometric approach. *Cognition*, 107(3):978–998, 2008.
11) van Stralen, H.E., et al.: The Rubber Hand Illusion in a patient with hand disownership. *Perception*, 42(9):991–993, 2013.
12) Ronchi, R., et al.: Illusory hand ownership in a patient with personal neglect for the upper limb, but no somatoparaphenia. *J. Neuropsychol.*, 12(3):442–462, 2018.
13) Bisiach, E., et al.: Unawareness of disease following lesions of the right hemisphere: Anosognosia for hemiplegia and anosognosia for hemianopia. *Neuropsychologia*, 24(4):471–482, 1986.
14) Feinberg, T.E., et al.: Illusory limb movements in anosognosia for hemiplegia. *J. Neurol. Neurosurg. Psychiatry*, 68(4):511–513, 2000.
15) Mattioni, S., et al.: The effects of verbal cueing on implicit hand maps. *Acta. Psychol. (Amst.)*, 153:60–65, 2014.
16) Cocchini, G., et al.: The Fluff Test: A simple task to assess body representation neglect. *Neuropsychol. Rehabil.*, 11(1):17–31, 2010.
17) Burin, D., et al.: Movements and body ownership: Evidence from the rubber hand illusion after mechanical limb immobilization. *Neuropsychologia*, 107:41–47, 2017.
18) Naito, E., et al.: Human limb-specific and non-limb-specific brain representations during kinesthetic illusory movements of the upper and lower extremities. *Eur. J. Neurosci.*, 25(11):3476–3487, 2007.
19) Roll, R., et al.: Illusory movements prevent cortical disruption caused by immobilization. *Neuroimage*, 62(1):510–519, 2012.
20) Gandola, M., et al.: Selective improvement of anosognosia for hemiplegia during transcranial direct current stimulation: A case report. *Cortex*, 61:

107–119, 2014.
21) Schütz-Bosbach, S., et al.: Touchant-touché: The role of self-touch in the representation of body structure. *Conscious. Cogn.*, 18(1):2–11, 2009.
22) van Stralen, H.E., et al.: The role of self-touch in somatosensory and body representation disorders after stroke. *Philos. Trans. R. Soc. Lond., B, Biol. Sci.*, 366(1581):3142–3152, 2011.
23) Fotopoulou, A., et al.: Self-observation reinstates motor awareness in anosognosia for hemiplegia. *Neuropsychologia*, 47(5):1256–1260, 2009.
24) Besharati, S., et al.: Another perspective on anosognosia: Self-observation in video replay improves motor awareness. *Neuropsychol. Rehabil.*, 25(3):319–352, 2015.

（森岡 周）

第6章

半側空間無視

学習目標

- 半側空間無視の症状について理解する.
- 半側空間無視のメカニズムについて理解する.
- 半側空間無視の評価方法やリハビリテーションについて知る.

A 半側空間無視とは

1 概念・症状

半側空間無視(unilateral spatial neglect; USN)は，大脳半球の病巣と反対側の刺激に対して，発見して報告したり，反応したり，その方向を向いたりすることが障害される症状と定義される[1]．特に右半球損傷後に発生する場合が多く，重症化しやすい．右半球損傷後の 48〜86% に生じるとされ，約 17% が 3 か月以上残存するとされる．「半側」とついているが，中心から左側を無視するのではなく，左側に向かうほど無視症状が強く段階的である[2]．本章では右半球損傷による左 USN の頻度が高いため，左側を無視空間として統一するが，左半球損傷による右 USN も存在し，アウトカムに影響を与える．

USN の存在は運動機能の重症化および回復の阻害要因であり，歩行動作など日常生活活動(ADL)の自立に影響すること，転倒リスクが増大すること，自宅退院率が低いこと，発症初期の無視は生活期での生活範囲に影響を及ぼすことなどが知られている．こうした影響は，わが国の回復期リハビリテーション病棟においても同様であり，USN の存在はリハビリテーションアウトカムの不良要因であり，退院時に無視が改善していないと在宅復帰が難しいことも報告されている[3]．

B 注意の分類とその神経機構

注意機能は大別すると**全般性注意**と**方向性注意**に分類され，その障害が全般性注意障害と USN である．しかし，臨床上では両者はしばしば合併し，注意障害の合併は無視症状にも影響する要因となる．方向性注意は，空間上の特定の位置に注意を定位する能力(**空間性注意**)である．これには，対象に対して意図的に注意を向ける**能動的(内発的)注意**と，外部からの刺激に応じて反応的に注意を向ける**受動的(外発的)注意**がある．両者ともさまざまな呼称で呼ばれるため[4]，以下に同義に扱われている用語を整理しておく．

- 能動的(内発的)注意：トップダウン注意，目標志向的注意，随意的，戦略的
- 受動的(外発的)注意：ボトムアップ注意，刺激駆動性注意，非随意的，反応的

このように複数の呼称があるが，意味するところは同義であるため，本章では，能動的(内発的)注意と受動的(外発的)注意という表現で統一する．

注意にかかわる神経ネットワークは，覚醒・警戒ネットワーク，実行制御ネットワーク，空間定

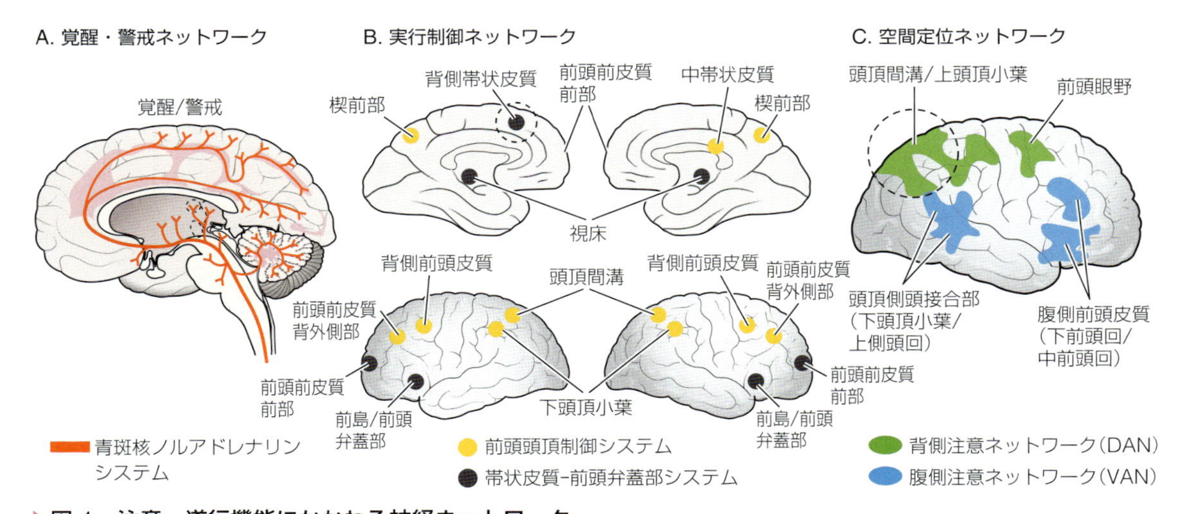

▶図 1　注意・遂行機能にかかわる神経ネットワーク
〔Petersen, S.E., et al.: The attention system of the human brain: 20 years after. *Annu. Rev. Neurosci.*, 35:73–89, 2012 より〕

位ネットワークの 3 つから構成される[5].

1 つ目の**覚醒・警戒ネットワーク**は，覚醒・警戒状態の維持，持続性注意に関与し，脳幹網様体賦活系や視床，前頭葉，頭頂葉などの広範な脳領域がかかわる（▶図 1A）.

2 つ目の**実行制御ネットワーク**のうち，前頭–頭頂葉領域は，課題の切り替えや開始，調整などに関与している（▶**図 1B 黄**）．実行制御ネットワークのうち，帯状皮質–前頭弁蓋部領域は，課題実施の維持やエラーなどのモニタリングに重要な役割を示す（▶**図 1B 黒**）.

3 つ目の**空間定位ネットワーク**のうち，**背側注意ネットワーク**（dorsal attention network; DAN）は頭頂間溝領域と前頭眼野を結び，能動的（内発的）注意にかかわる（▶**図 1C 緑**）．**腹側注意ネットワーク**（ventral attention network; VAN）は頭頂側頭接合部と腹側前頭皮質を結び，受動的（外発的）注意にかかわる（▶**図 1C 青**）．この空間定位ネットワークの損傷が USN につながる.

C 半側空間無視のメカニズム

（▶図 2）

1 責任病巣

USN は，従来は頭頂葉，主に上頭頂小葉や下頭頂小葉の損傷によって生じるとされてきたが，近年では VAN 領域の損傷によって生じると理解されている．具体的には，皮質領域（灰白質）では下頭頂小葉や上側頭回（側頭頭頂接合部）および中前頭回，下前頭回（腹側前頭皮質）や島皮質の損傷などによって生じる．また，皮質下領域（白質）では，上記皮質領域を連絡している上縦束や下前頭後頭束の損傷によって発生する．特に，上側頭回，上縦束や脳梁大鉗子が損傷している場合には慢性化しやすいとの報告もある[6]．このように，さまざまな損傷領域によって USN が生じる可能性がある.

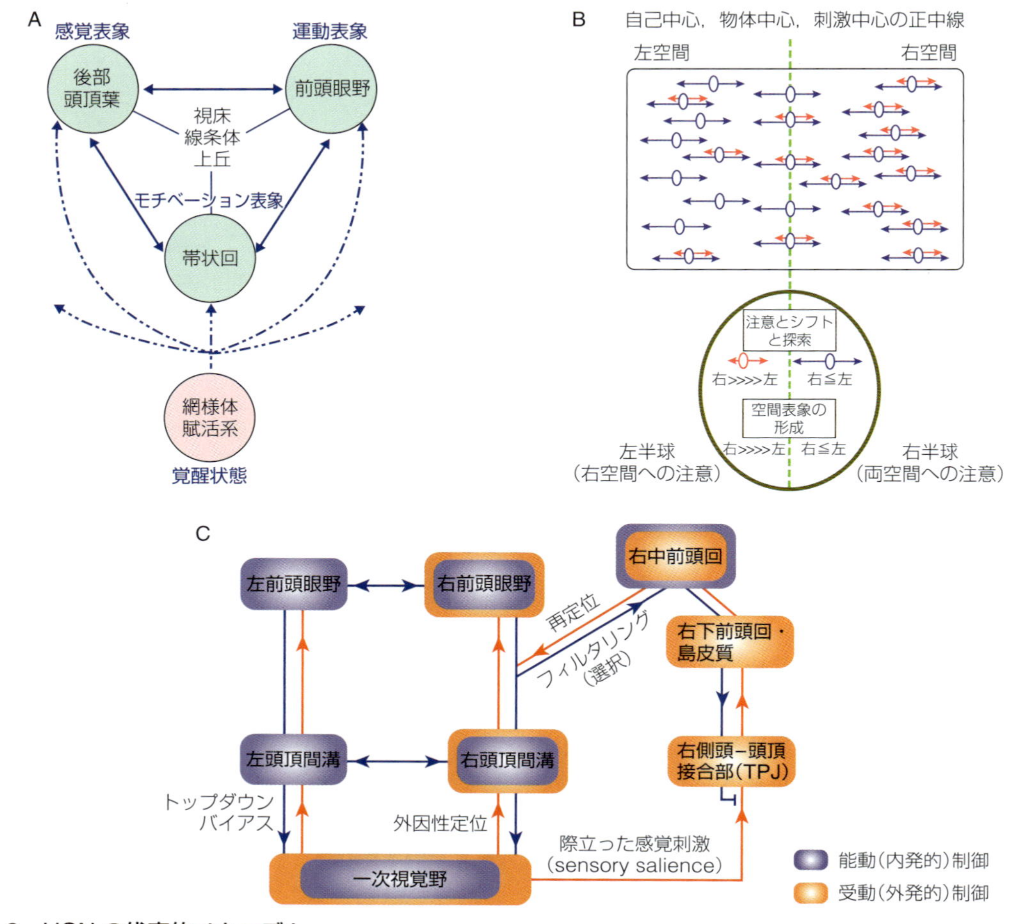

▶図 2　USN の代表的メカニズム

A：Mesulam の想定した神経ネットワーク．複数の脳部位がネットワークとして空間性注意にかかわっており，いずれかの部位の損傷によって空間性注意の障害が生じる．後部頭頂葉は空間表象地図を作成し，前頭眼野は眼球運動の制御にかかわる．また，網様体賦活系は覚醒状態を制御しており，帯状回は発動性などにかかわっている．視床などの皮質下領域は選択的注意の調整や眼球運動の制御などにかかわっている．

B：Mesulam による仮説．右半球は左右両空間の空間性注意に関与する．一方，左半球は右空間のみにかかわっている．そのため，右半球損傷によって右空間に注意が偏り USN を発現する．

C：Corbetta らによる仮説．VAN(オレンジ)と DAN(紫)の 2 つの注意ネットワークが協調することで，空間性注意を制御している．通常，何かに集中している際には左右 DAN が働き空間性注意を集中させており，VAN はフィルタリングまたは抑制されている．一方，際立った感覚刺激が入力されると，右 VAN を介して DAN へ再定位のシグナルが送られ注意を開放し，顕著な刺激に対して注意を切り替える．右 VAN が損傷すると，右 DAN(左空間)が相対的な機能低下に陥る結果，左 USN が生じる．

〔B：Mesulam, M.M.: Spatial attention and neglect: Parietal, frontal and cingulate contributions to the mental representation and attentional targeting of salient extrapersonal events. *Philos. Trans. R. Soc. Lond., B, Biol. Sci.*, 354(1387):1325–1346, 1999 より〕

〔C：Corbetta, M., et al.: The reorienting system of the human brain: From environment to theory of mind. *Neuron*, 58(3):306–324, 2008 より〕

2 Mesulam と Kinsbourne の仮説[7, 8]

Mesulam は，後部頭頂葉，前頭眼野，帯状回，視床，線条体，上丘および上行性網様体賦活系を含む神経ネットワークが USN の発生に寄与するとした(▶図 2A)．また，右半球損傷での発生が多いことについて，右半球は両側空間に対して注意を向けるが，左半球は右側のみに注意を向けるため，右半球損傷によって左空間への注意が困難となり，左 USN となると説明した(▶図 2B)．

また，Kinsbourne は，左右大脳半球がそれぞれ対側空間に注意を向けており，相互抑制的に均衡を保っているが，対側空間への注意ベクトルが左半球で強いため，右半球損傷で USN が生じると説明した．

3 Corbetta らの仮説(▶図 2C)[9, 10]

上述した空間性注意の方向バイアスには後部頭頂葉や前頭眼野などの DAN 領域が関与しており，USN の責任病巣とされる右 VAN 領域との関係性については明らかではなかった．Corbetta らは，右 VAN の損傷により，右 VAN と DAN のバランスが崩れ，USN が生じると説明した．具体的には，①右 VAN 損傷により，覚醒・持続性注意，ターゲットの検出や再定位〔受動的(外発的)注意〕の低下が発生，②右 VAN-DAN の相互作用の異常が発生(右 DAN の機能低下)，③ DAN における左右半球の不均衡が発生(左 DAN の相対的過活動)，④右側空間への注意の方向バイアス・左側空間の無視が生じるとした．USN の発生メカニズムに関してすべてが明らかになったわけではないが，現状では本仮説が主流となっている．

D 半側空間無視の評価

1 一般的評価

評価の目的として，USN の有無および重症度を把握することが 1 つであり，これは予後予測などに影響し，理学療法の意思決定に影響を与える．加えて，理学療法を進めるうえで，USN が運動機能回復や ADL および社会参加などに向けてどのような形で問題となるのか，分析することが重要である．現実的に，理学療法のなかで USN のみが出現している症例を対象とすることは少なく，多くは運動麻痺や歩行障害を合併した症例である．したがって，身体機能や歩行能力の改善を中心とした理学療法のなかで，他の医療スタッフと連携しながら，USN の根本的な改善または代償をどのように行うのか，また運動機能や歩行障害との関連性について検討が必要である．

a 机上検査

USN の標準的評価は机上検査であり，わが国では**行動性無視検査**(Behavioural Inattention Test; BIT)が主に用いられる．BIT は通常検査と行動検査からなり，通常検査は線分抹消試験，文字抹消試験，星印抹消試験，模写試験，線分二等分試験，描画試験の 6 課題から構成される．総得点で 131 点以下もしくは各検査で 1 つ以上カットオフ値以下の項目がある場合，USN があると判断する．注意すべき点として，机上検査はスクリーニングや初期評価には有用であるが，繰り返し行うことによる学習効果や時間をかけて見直すなどの代償の影響により無視の改善とは無関係に得点が向上してしまう可能性があることがあげられる[3]．実際に，生活上で無視症状を認められるにもかかわらず机上検査で無視症状を認めない症例は臨床上，稀ではない．したがって，経過に伴い机上検査で USN が改善した場合でも，USN なしと判断せず，ADL 上の評価や，家族，医療スタッフなどから情報収集し判断する必要がある．

b 生活場面での行動評価(▶表 1)

ADL 上の無視症状の把握には，Catherine Bergego Scale(CBS)や，その得点手法をより明確化した Kessler Foundation Neglect Assessment Process(KF-NAP)があり[3]，**表 1** に示すような項目が含まれる．さらに，屋外移動や自動車運転などの評価が必要になる場合がある．自動車運転再開は，より包括的な評価をもとに適宜判断する必要があり[11]，机上検査では USN がなくてもドライブシミュレータや実車運転で無視症状

▶表１　Kessler Foundation Neglect Assessment Process（KF-NAP™）
半側空間無視評価のための Catherine Bergego Scale の使用法

	項目	0 無視なし	1 軽度の無視	2 中等度の無視	3 重度の無視	NA （理由）
1	視線の方向					
2	四肢の認識					
3	聴覚的注意					
4	所持品					
5	着替え					
6	身だしなみ					
7	ナビゲーション					
8	衝突					
9	食事					
10	食事後の片づけ					
無視側（○をつける）：			左半側空間無視			右半側空間無視
評価された点数の合計： 評価された項目数：		________ ×10＝最終得点 ________				
無視の重症度（○をつける）：		無視なし（0）；軽度（1〜10）；中等度（11〜20）；重度（21〜30）				

〔https://www.kflearn.org/courses/KF-NAP/ より〕

が検出される場合もあるため[12]，こうした設備のある機関との連携も必要となる．

c 情報収集

利き手や病前の状態，認知機能障害や遂行機能障害などの高次脳機能障害の存在，視野障害の合併，脳画像についての情報収集は重要である．利き手は半球優位性の評価に重要であり，たとえば，左利きの症例では広範な右半球損傷であっても USN が軽度であり，改善が良好な場合もある．また，その他の高次脳機能障害の随伴は，無視症状に対する代償の定着の難しさにも関係し，自立度に影響する場合がある．もし，脳画像情報が利用可能な場合には，損傷領域を把握することで，無視症状の慢性化や特性の予測に有用である．特に USN をもつ症例は検査場面と日常生活上で無視症状が乖離することがあるため，これらの情報収集に加えて普段の様子について本人や家族，他の医療スタッフから情報収集することも重要である．

d 観察と問診

特定場面での検査評価だけでなく，病棟生活場面や，病棟からリハビリテーション室への移動時，家族や他の医療スタッフと接している場面などでの観察も重要である．こうした場面で，身体・頭部の姿勢や視線，動作の方法（常に右からなど）を観察することは，個々症例の特性や，生活場面と検査場面での相違を把握するうえで役立つ．

また，課題実施や生活時の内省を聴取することも USN の理解に有用であり，課題時の所見や家族などの印象との差異をみることは，USN に対する病識低下の評価に際して役立つ．たとえば，課題実施前から左側に対する病識があるか，課題実施後に左空間のエラーに対する自覚があるか，生活上での左空間のエラーを具体的に記述できるかなどである．よく臨床経過のなかで，患者自身が USN の存在を知識的に知っていることがある．一見，病識が定着しているようにみえるが，具体的な場面などの記述が難しい場合には，具体的にどのように気をつければよいかわからず，代償の獲得が難しいことがある．このように問診は，左空間に対する認識などを確認する手段として臨床上有用である．

2 理学療法における評価（歩行や姿勢との関係性）

姿勢，移動，起居移乗動作と USN の関係性については，いまだ一貫した結果が得られていない部分も多い．詳細についてはレビュー論文を参照いただきたい[13]．

a 座位，立ち上がり，移乗動作の評価

座位や立ち上がりにおいては，身体の偏倚や荷重非対称性について評価する必要がある．また，pusher 症状の合併についても留意が必要である．

USN を有する症例は，座位の自立度が低く，非対称性が強いことが知られている．また，立位時の荷重非対称性や側方不安定性に関しては USN が最大の予測因子である．加えて，車椅子とベッドやトイレへの移乗動作自立度との関連性が示されており，6 か月時点での立ち上がり時の麻痺側荷重量に影響することが知られる．

b 移動能力の評価

USN があると正面から左側にある対象物への衝突リスクが高まり，転倒が増加する．また，車椅子と歩行でも USN の現れ方が異なる場合があり，特に歩行障害が重度な症例では注意が必要である．たとえば，車椅子での移動時には USN の影響が少なく自立している症例でも，歩行障害が重度であり歩行自体に注意配分を要する場合には，歩行時の左空間への注意が不十分となり，USN が顕著となる場合がある．同様に，病棟内移動が自立している症例でも，屋外では USN が顕著となる場合がある．これには，情報量増加，信号や通行人などによる時間的制約の増加，道路の傾斜などの路面状態の変化などが影響する．このように，認知的・運動的負荷が高い環境で USN が顕在化しやすい．

総じて，USN をもつ症例では，歩行機能が十分に改善しても歩行自立が難しい場合も多い．そのため，早期から他の医療職と情報共有を行いながら，USN を考慮してさまざまな環境で歩行練習を行うことや，患者本人および家族と介助を要する場面について情報共有を行うなど，社会復帰の具体的な視点を共有しながら進めていくことが重要である．

3 予後および回復過程

USN は発症後 12 週ころまで大きく改善し，その後は改善がゆるやかとなる[14]．USN の回復過程を質的にみると，典型的には初期に覚醒や持続性注意の低下を合併し，右空間に対する注意も低下する．その後，徐々に右空間への注意が改善し，左側への注意が改善していく[15]．この過程には，自身の無視症状に対する病識の定着と左空間に注意を向けるという代償戦略を獲得する過程が含まれる．

E 半側空間無視のサブタイプおよび応用的な評価の視点

ここまでに紹介した評価方法や発生機序は USN 全体に共通する部分である．他方，個々の症例をみると，異なる特徴をもつ症例が存在する．こうした USN のサブタイプについて，応用的な評価の視点も含めながら詳述する．

1 半側空間無視の臨床的サブタイプ[16]

USN の臨床的なサブタイプ（▶図 3，表 2）は，①感覚モダリティ，②発現する空間，③空間参照フレーム，④左右のエラーの性質によっていくつ

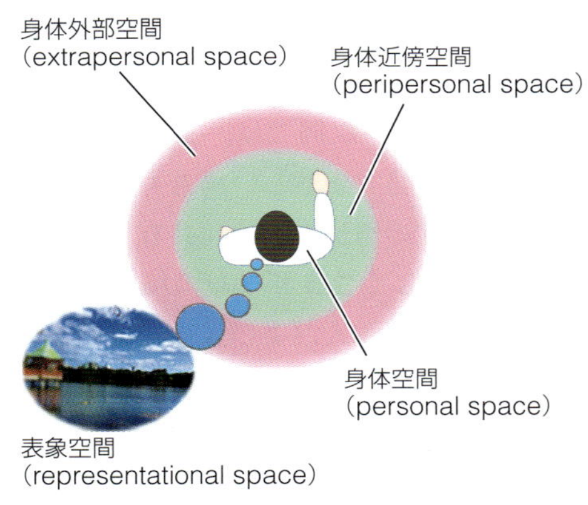

A. 発現空間による分類

自己中心空間(egocentric space)

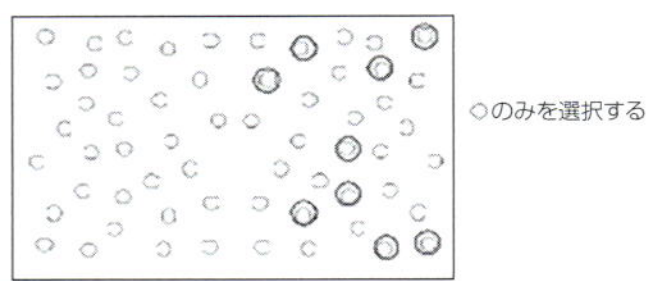

物体中心空間(allocentric space)

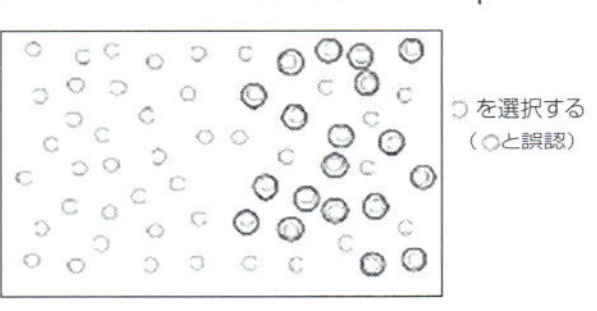

B. 空間参照フレームによる分類

右側の要素が増加・拡大：
固執や反復性マーキング
アロキリアなど

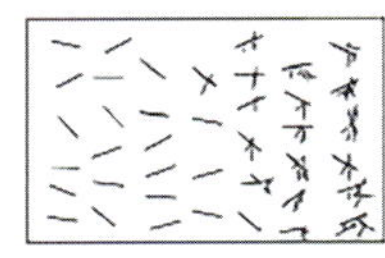

右側の線を
複数回キャン
セルしている

左側の要素が増加・拡大：
左側ハイパースキーマなど

左側の拡大

C. 左右のエラー特性の違いによる分類

▶図 3　USN の分類

B：丸形オブジェクトと丸の左右が開いた C 型オブジェクトが配置されており，対象者は丸形オブジェクトの抹消を要求される(Ota テスト)．自己中心空間無視を認める症例(上図)では，典型的に右半分の丸型オブジェクトを抹消し，左側半分を見落とすといった特徴をみせる．一方，物体中心空間無視を合併する症例(下図)では，左側が開いた C 型オブジェクトを丸形オブジェクトと誤認し抹消する．多くの場合，下図のように自己中心空間無視と物体中心空間無視が合併する場合が多いが，稀に物体中心空間無視のみを生じる場合がある．このような症例では右側のオブジェクトもすべて抹消可能であるが，左側が開いた C 型オブジェクトを丸形オブジェクトと誤認し抹消する．

C：上図は線分抹消課題時の反復性マーキング(preservation：保続・固執)の例を示す．同じ線を複数回キャンセルしている様子がみてとれる．下図は花模写課題における左ハイパースキーマの例を示す．花の左側が右側と比べても拡大している様子がみてとれる．

▶表 2　USN の分類

サブタイプ	評価方法	基礎的障害
視覚性無視 身体外部空間無視	抹消課題，二等分課題， 模写・描画課題	● 受動的(外発的)注意 ● 視覚的な空間定位 ● 視運動性要素(抹消課題) ● 知覚性要素(二等分課題)
聴覚性無視	音方向のポインティング	● 聴覚的な空間定位
身体空間無視	The Fluff test Comb and Razor/Compact 課題 (櫛で髪をとく，髭剃り/化粧)	● 身体空間表象 ● 身体失認
自己中心空間無視	正面のポインティング 抹消課題，二等分課題	● 自己中心空間フレームの偏倚 ● 自己中心空間への注意
物体中心空間無視	Ota テスト，模写・描画課題	● 対象物内・間の注意
表象空間無視	街並みや地図を心的に記述	● 能動的(内発的)注意
同側の要素増加	模写・描画課題，抹消課題	● 空間性ワーキングメモリ ● 固執，同側への運動性増加
対側の要素増加	模写・描画課題	● 左側空間の拡大

〔Rode, G., et al.: Semiology of neglect: An update. *Ann. Phys. Rehabil. Med.*, 60(3):177–185, 2017 より一部改変〕

かの種類に分けられる．

①感覚モダリティでは，視覚，聴覚，体性感覚(運動)で発生し，視覚性無視が最も多い．②発現する空間による分類では，身体外部空間，身体近傍空間，身体空間，表象空間に発生する(▶図 3A)．これらは，日常生活場面の困難さと関連する．③

空間参照フレームによる分類では，自身の身体を中心とした空間で生じる自己中心空間の無視と，対象物を中心とした空間で生じる物体中心空間の無視が存在し，双方の重症度は相関する(▶図 3B)．④左右のエラー特性によって分類すると，右側の要素が増加する場合と，左側の要素が増加する場合がある(▶図 3C)．

2 半側空間無視の臨床症状の背景にある機能障害

いくつかの臨床的に観察できるサブタイプを示したが，こうした臨床症状の背景・根本にある機能障害は多様である(▶**表 2 の 3 列目**)．具体的には，①受動的(外発的)注意や能動的(内発的)注意の低下に伴う空間性注意の方向バイアス，②選択・競合における方向バイアス，③選択的注意機能低下，④視空間性ワーキングメモリの低下，⑤覚醒・持続性注意機能の低下などの機能障害が存在する場合がある[17]．こうした臨床的なサブタイプと基礎的障害の関連性については**表 2** のように考えられているが，現状，明確でない部分が多く，個々の症例に応じて評価し，USN の特性を把握する必要がある．

まず，机上検査がこうした特性の把握に有用な場合がある．たとえば，BIT に含まれる星印抹消試験のような探索的課題と，線分二等分試験のような知覚的課題の成績が異なることがある．前者は視運動性(探索性)無視と呼ばれ，中・下前頭回など前頭葉の損傷によって生じやすく，後者は知覚性無視と呼ばれ，下頭頂小葉など頭頂葉損傷によって生じる[18]．こうした特性の違いは，ADL 上での困難な場面の違いなどにもつながる．

また，基礎的障害に基づくサブタイプとして，少なくとも，能動的(内発的)注意と受動的(外発的)注意双方の重度の無視症状に加えて覚醒・持続性注意機能を合併するタイプ，受動的(外発的)注意の無視症状が強いタイプ，同一箇所の複数回選択(空間性ワーキングメモリの低下)を伴うタイプが存在することが明らかとなっている．こうした病態のサブタイプの理解もリハビリテーション治療を考えるうえで重要である可能性がある．

3 視線計測やバーチャルリアリティなどによる評価の可能性

近年，USN に対する評価手法として，視線計測を用いた評価が用いられている．こうした評価は机上検査よりも無視症状を検出しやすく，注意の偏りや選好性を評価するうえで有用であるとされる[19, 20]．また，視線計測を用いた評価によって，机上検査で無視症状を認めないが生活上で無視を認める症例のなかには，刺激提示前より左空間に注意を向けている症例が存在し(▶図 4A)，そうした症例では前頭葉が過活動していることが明らかにされている．さらに近年，バーチャルリアリティを用いた評価手法も多数開発が進んでいる．こうした評価は，現実環境では難しい条件や環境を構築することが可能であり，歩行や移動，衝突などの評価の観点でも，有用な評価や介入手法となる可能性がある[21–23]．

F 半側空間無視のリハビリテーション

1 一般的対応

USN は自立度や転倒リスク，在宅復帰の困難さに影響するため，入院中からより多くの介助や医療スタッフの対応が必要であり，家族の参加も重要である[24]．したがって，早期から医療スタッフ間での情報共有，家族教育を行い，環境調整や介助指導などで動作の統一をはかる必要がある．たとえば，食事中のお盆の左側にカラーテープなどを貼り目立せることや，車椅子のブレーキを延長しカラーテープを巻き目立たせること，食堂や

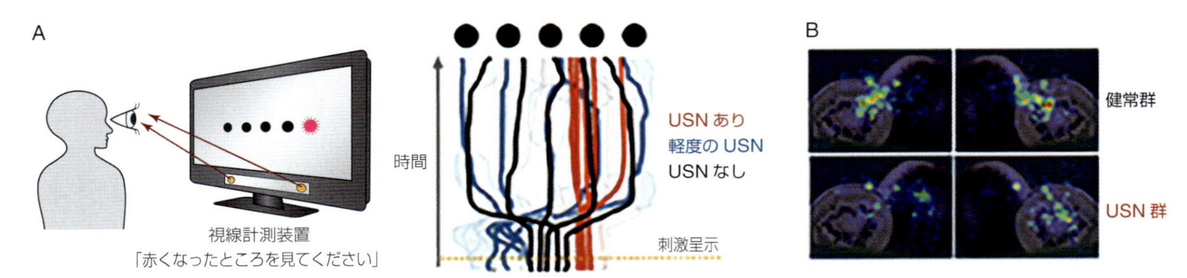

▶図4　タッチパネルや視線計測を用いた評価

A：視線計測を用いた眼球運動の分析．対象者は5つのターゲットのうち1つが赤く点滅し，そこを見るように求められる．右図の横軸は左右を示し，縦軸は時間を示している．黒線はUSNのない症例の視線パターンを示し，おおむね中央からすべてのターゲットに対して均等に視線を移す様子が観察できる．赤線はUSNを認める症例の視線パターンを示しており，右空間から始まり，左空間には視線が移動せず右空間のターゲットのみに反応している．青線は机上検査ではUSNを認めないが生活上でUSNを認める症例の視線パターンを示しており，はじめから左側に視線が移動しており，その後にすべてのターゲットに対して視線を移している．

B：左右反転画像を用いた評価．まったく同じ図を左右反転したものを呈示し，自由に見る課題である(free-viewing)．健常群とUSN群の両群において，右側にキウイの断面がある画像(右列)では右側に視線(カラーマップ)が集中する．一方，反転させた画像(左列)では，健常群では右列の画像と同様に，キウイの断面(左側)に視線が集中するが，USN群では右側に視線が集まっている．よく見ている場所ほど暖色に近づく．

談話室での席を左側が通路や他患・テレビとなる設定とする，自室に印をつけるなどの対応が可能である．また，患者自身は無視の病識に乏しく，注意障害なども合併しやすい．しかし，介護する家族は医学的知識に乏しいため，生活上での患者との衝突や精神的疲労が大きい場合がある．そのため，実際にどのような場面で障害がみられ，どうしてそのような行動をおこすのか説明する必要がある[7]．このように，家族など介護者の生活への影響も大きい．そのため家族の状況も考慮した目標設定が重要である．

2 特異的なアプローチ

USNに対する特異的なアプローチはさまざまな方法が報告されており，トップダウン・ボトムアップアプローチ，非侵襲的脳刺激がよく行われている(▶表3)．トップダウンアプローチはUSNに対する気づきを促す方法であり，ボトムアップアプローチはさまざまな感覚求心路に働きかけることで空間座標系を調整する方法である．こうした方法の多くは，机上検査に対する即時効果が認められる場合があるが，長期効果やADL上への汎化効果については明確でない．以下に各種ガイドラインにおける記載を抜粋し記述する．

▶表3　USNに対する介入手法

介入手法の分類	方法
トップダウンアプローチ	●視覚走査トレーニング ●視覚運動イメージ ●左側への手がかり提示
ボトムアップアプローチ	●プリズムアダプテーション ●視運動性刺激 ●ガルバニック前庭刺激 ●頸部振動刺激 ●経皮的電気刺激 ●limb activation ●ミラーセラピー ●体幹回旋
覚醒刺激	●覚醒/持続性注意トレーニング
非侵襲的脳刺激	●反復経頭蓋磁気刺激 ●経頭蓋直流電気刺激 ●θバースト刺激

◉理学療法ガイドライン(第2版)[25]

「軽度のUSNを有する脳卒中患者に対するプリズムアダプテーションの実施について条件付きで承認する(エビデンスレベルD)」「USNを有する脳卒中患者に対するLimb activation trainingの実施について条件付きで承認する(エビデンス

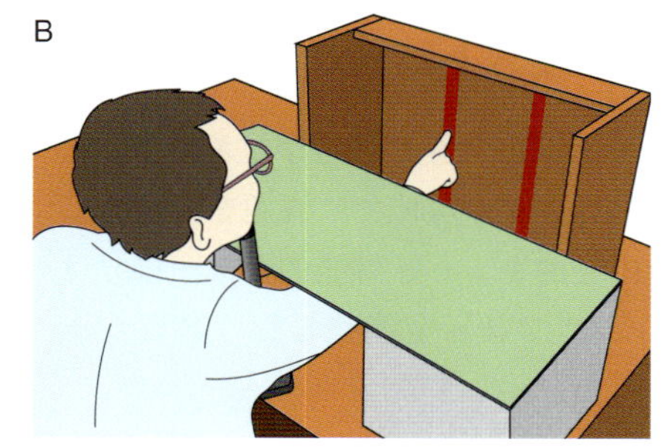

▶図 5　プリズムアダプテーション法
プリズムレンズ付き眼鏡(A)．標的に触れる部分以外は手の動きが見えないように覆い，頭部は身体正中位に固定するため顎を台に乗せ，治療者が制御する(B)．
〔渡辺 学：半側空間無視．吉尾雅春，森岡 周，阿部浩明(編)：標準理学療法学 専門分野 神経理学療法学，第 2 版，p.171，医学書院，2013 をもとに作成〕

レベル D)」

◉脳卒中治療ガイドライン 2021[26]

「反復経頭蓋磁気刺激，経頭蓋直流電気刺激，視覚探索訓練，プリズム眼鏡を用いた訓練を行うことは妥当である(推奨度 B，エビデンスレベル中)」
「鏡像を用いた訓練，冷水・振動・電気刺激を用いた訓練，アイパッチを用いた訓練を行うことを考慮してもよい(推奨度 C，エビデンスレベル中)」

現状では効果が確立された治療方法がなく，介入に難渋しやすい．そのため，対象者に合った介入かつ施設によって実施可能な方法がよいと考えられる．以下に，いくつかの方法について説明する．

a 視覚走査(探索)トレーニング

指示された形状のターゲットを目で探索する方法で，よく使用される．体系的な視覚探索の戦略を習得するために，無視された側に目を向け，読書のように行ごとに体系的に検索するように口頭指示される．繰り返し実施することで徐々に見落としが少なくなるが，効果を得るためには 40 回以上の練習が必要であり，また対象者の病識と協力が必要となるため，発症後 2 か月ほどは導入が難しいとされる．

b プリズムアダプテーション法[3]（▶図 5）[27]

視野を約 10° 偏倚させるプリズムメガネを着用し，上肢の軌跡を隠した状態で前方の目標点に対してリーチ動作を行う方法である．最初は目標に対して右方向へずれた点にリーチしてしまうが，動作を繰り返すと正確な場所にリーチできるようになる．実施後は左バイアスの後効果があるため，その後の介入に利用できる．わが国の回復期リハビリテーションにおいて，1 日 2 回，週 5 日，2 週間の介入により，介入終了後から退院時までの FIM 利得が改善したと報告されている．

c 感覚刺激

視運動性刺激やガルバニック前庭刺激，頸部振動刺激，経皮的電気刺激などを用いた方法があり，複数の刺激を併用するなどの方法がある．対象者の努力を要さないものが多く，注意持続が難しい症例や病識が乏しい症例などでも実施しやすい．

d limb activation

左上下肢を左空間内で動かすことで注意を誘導する方法である．身体を手がかりとして，左上下肢のボディスキーマを更新することで無視が改善すると考えられる．電気刺激と併用することでさらに効果的との報告や，視覚，運動機能の改善報告がある．

e 覚醒/持続性注意トレーニング

パソコンや机上課題，運動課題などさまざまな方法でのトレーニングが可能で，課題を持続するための合図を内発的キュー・外発的キューに分けて段階づけることで難易度調整を行う必要がある．

f 非侵襲的脳刺激による介入[28)]

反復経頭蓋磁気刺激や経頭蓋直流電気刺激などの方法も提案されており，一定の成果が得られている．これらは，C 項「半側空間無視のメカニズム」(➡ 163 ページ)で述べた左右の不均衡を調整するものである．

3 立位や歩行に対する介入

理学療法場面において，USN を合併した立位・歩行障害例が対象となることも多い．基本的な立位や歩行に対する介入は，脳卒中後の歩行障害や姿勢定位障害をもつ症例の理学療法に準じる．しかし，USN の存在によって介入に難渋することも多く，十分な歩行機能があるにもかかわらず移動自立の獲得が難しい場合もある．ここまでに説明した特異的なアプローチのなかでも，プリズムアダプテーション法は視覚下での立位姿勢の左右不均衡の是正に効果があることなどが知られるが[29)]，USN をもつ症例の立位や歩行を対象とした研究は少なく，根拠が乏しいのが現状である．

臨床的には，主に左側の身体や空間に注意を促すよう介入を進めることが多いが，既述のように USN は多様な特性を示し，回復過程においても変化するため一義に介入手法を決定することは難しい．したがって，対象者の状態を理解しながら，USN がどのように影響しているのかを見極めながら介入を進める必要がある．

急性期から亜急性期においては，十分なリスク管理のもとでの立位や歩行練習が，USN に合併する覚醒（覚度）や持続性注意の改善に効果的である場合がある．たとえば，座位にて USN が顕著な症例でも，立位や歩行練習後には覚醒レベルの改善に伴い，USN の一時的な改善がみられる場合がある．

次に歩行中の USN については，歩行障害の重症度や周囲の環境（情報量），注意障害の合併などさまざまな要因が影響する．特に重度の歩行障害を伴う場合には，歩行動作そのものに注意配分が必要であり，その結果として歩行中に USN が顕在化することもある．理学療法のなかでは，歩行や立位中に聴覚刺激や声かけによって左身体や左空間の探索や注意喚起（能動的注意）を行うこともある．また近年，歩行中にレーザーポインタを用いた視覚提示を検出する課題（受動的注意）を行った報告もなされている[30)]．さらに歩行中の USN は，新奇な環境において顕在化/増強される場合がある．たとえば，リハビリテーション室および病棟内歩行から屋外移動に移行した際などである．こうした場合には，歩行時の注意分配などについて評価し，歩行自体の介入により歩行の注意配分を減らすことが可能であるのか，また上述したような歩行中の注意の使い方について介入する必要があるのかなど，介入の方向性を検討することが必要となる．

G おわりに

USN についてはいまだわかっていないことも多く，多様なサブタイプがあるように異質性に富む症候群である．ゆえに，効果的なリハビリテーション方法が定まっていないという現状の限界点がある．こうした USN の病態が症状とメカニズムの観点から詳細に分析されることにより，サブタイプに応じた異なる課題が提供されていく[31)]と考えられる．しかし，個々の症例においては他の要素や個人・環境因子が複合し，さらに複雑性を増す．したがって，タイプへの当てはめに終始せず，症候をていねいに観察し，日常生活や社会参加への影響を分析したうえで，対象者に応じた最適な理学療法を行っていく必要がある．

●引用文献

1) Heilman, K.M., et al.: Neglect and related disorders. *Semin. Neurol.*, 3:279–336, 1993.
2) 石合純夫：無視症候群・外界と身体の処理に関わる空間性障害．高次脳機能障害学．第 2 版, pp.151–192, 医歯薬出版, 2012.
3) 水野勝広：半側空間無視のリハビリテーション治療．リハビリテーション医学, 58(1):53–58, 2021.
4) Bartolomeo, P., et al.: Orienting of attention in left unilateral neglect. *Neurosci. Biobehav. Rev.*, 26(2):217–234, 2002.
5) Petersen, S.E., et al.: The attention system of the human brain: 20 years after. *Annu. Rev. Neurosci.*, 35:73–89, 2012.
6) Lunven, M., et al.: White matter lesional predictors of chronic visual neglect: A longitudinal study. *Brain*, 138(Pt 3):746–760, 2015.
7) 渡辺 学：半側空間無視に対する理学療法．阿部浩明(編)：高次脳機能障害に対する理学療法．pp.72–121, 文光堂, 2016.
8) Mesulam, M.M.: Spatial attention and neglect: Parietal, frontal and cingulate contributions to the mental representation and attentional targeting of salient extrapersonal events. *Philos. Trans. R. Soc. Lond., B, Biol. Sci.*, 354(1387):1325–1346, 1999.
9) Corbetta, M., et al.: Spatial neglect and attention networks. *Annu. Rev. Neurosci.*, 34:569–599, 2011.
10) Corbetta, M., et al.: The reorienting system of the human brain: From environment to theory of mind. *Neuron*, 58(3):306–324, 2008.
11) 加藤徳明ほか：脳卒中, 脳外傷等により高次脳機能障害が疑われる場合の自動車運転に関する神経心理学的検査法の適応と判断．高次脳機能研究, 40(3):291–296, 2020.
12) 外川 佑ほか：右半球損傷患者の神経心理学的検査, ドライビングシミュレータ, 実車評価と運転可否判定の関係．総合リハ, 47(4):373–379, 2019.
13) Embrechts, E., et al.: The association between visuospatial neglect and balance and mobility post-stroke onset: A systematic review. *Ann. Phys. Rehabil. Med.*, 64(4):101449, 2021.
14) Nijboer, T.C., et al.: Time course of visuospatial neglect early after stroke: A longitudinal cohort study. *Cortex*, 49(8):2021–2027, 2013.
15) Takamura, Y., et al.: Interaction between spatial neglect and attention deficit in patients with right hemisphere damage. *Cortex*, 141:331–346, 2021.
16) Rode, G., et al.: Semiology of neglect: An update. *Ann. Phys. Rehabil. Med.*, 60(3):177–185, 2017.
17) Husain, M.: Visual attention: What inattention reveals about the brain. *Curr. Biol.*, 29(7):R262–R264, 2019.
18) Verdon, V., et al.: Neuroanatomy of hemispatial neglect and its functional components: A study using voxel-based lesion-symptom mapping. *Brain*, 133(Pt 3):880–894, 2010.
19) 大松聡子ほか：半側空間無視の病態基盤を考慮した臨床評価(特集 半側空間無視)．PT ジャーナル, 51(10):865–874, 2017.
20) 高村優作ほか：眼球運動モニター(理学療法に活かすモニター技術)．PT ジャーナル, 55(8):899–905, 2021.
21) Yasuda, K., et al.: Validation of an immersive virtual reality system for training near and far space neglect in individuals with stroke: A pilot study. *Top. Stroke Rehabil.*, 24(7):533–538, 2017.
22) 田村正樹ほか：二重課題条件下である歩行中にバーチャルリアリティ課題を用いた半側空間無視に対する評価．認知リハ, 27(1):1–12, 2022.
23) Kaiser, A.P., et al.: Virtual Reality and Eye-Tracking Assessment, and Treatment of Unilateral Spatial Neglect: Systematic Review and Future Prospects. *Front. Psychol.*, 13:787382, 2022.
24) Osawa, A., et al.: Family participation can improve unilateral spatial neglect in patients with acute right hemispheric stroke. *Eur. Neurol.*, 63(3):170–175, 2010.
25) 日本神経理学療法学会：脳卒中理学療法ガイドライン．日本理学療法士協会(監)：理学療法ガイドライン．第 2 版, pp.38–43, 医学書院, 2021.
26) 日本脳卒中学会 脳卒中ガイドライン委員会(編)：脳卒中治療ガイドライン 2021．協和企画, 2021. https://www.kk-kyowa.co.jp/stroke2021/
27) 渡辺 学：半側空間無視．吉尾雅春, 森岡 周, 阿部浩明(編)：標準理学療法学 専門分野 神経理学療法学, 第 2 版, p.171, 医学書院, 2013.
28) 万治淳史ほか：半側空間無視に対する脳刺激アプローチ(特集 半側空間無視)．PT ジャーナル, 51(10):875–882, 2017.
29) Nijboer, T.C.W., et al.: Prism adaptation improves postural imbalance in neglect patients. *Neuroreport*, 25(5):307–311, 2014.
30) Fukata, K., et al.: Effects of standing and walking training using a laser pointer based on stimulus-driven attention for behavioural outcome in spatial neglect: A single-case study. *Neuropsychol. Rehabil.*, 1–15, 2021.
31) 森岡 周：高次脳機能の神経科学とリハビリテーション．pp.229–281, 協同医書出版社, 2020.

(高村優作)

第7章 姿勢定位障害

学習目標

- 姿勢定位障害の概念について理解する．
- pusher 現象の背景と症状ならびに理学療法について理解する．
- lateropulsion の背景と症状ならびに理学療法について理解する．

定位(orientation)とは「動物が刺激に対して体の位置または姿勢を能動的に定めること」を指す．本章では理学療法士が実際の臨床においてかかわる機会が多い，脳損傷後に出現する特異的な姿勢定位障害である **pusher**(プッシャー)**現象**と**側方突進**(lateropulsion)について概説し，理学療法の実際について述べる．

A pusher 現象

1 pusher 現象とは

pusher 現象とは，脳卒中急性期に多くみられる現象であり，座位や立位で身体軸が麻痺側へ傾斜し，自らの非麻痺側上下肢を床や座面を押すことに使用し，姿勢を正中にしようとする他者の介助に抵抗する特徴的な現象[1–3]である(▶図 1)．

Davies[4]は，この現象が右半球損傷例に多くみられ，重度の左片麻痺や感覚障害，半側空間無視(unilateral spatial neglect; USN)などの高次脳機能障害を複数合併することから「押す人症候群(pusher syndrome)」と記述した．その後，大規模な研究[5]が行われ，この現象のある群とない群を比較した場合，高次脳機能障害を合併する割合に有意差がなかったため，症候群と呼ぶ根拠に欠けるとされた．このような背景から，この現象は contraversive pushing(病巣の反対側に押すこと)や pusher behavior(押すふるまい)と呼ばれ，わが国では pusher 現象[6]と表現されることが多い．

「多くの片麻痺者は歩行を獲得できるが，歩行を獲得できない症例には共通してこの現象が存在する」という記述のとおり[4]，この現象が出現している患者は歩行の獲得はもとより，座位や立位姿勢の保持，移乗などの動作にも影響を及ぼし ADL の自立は困難となる[2]．

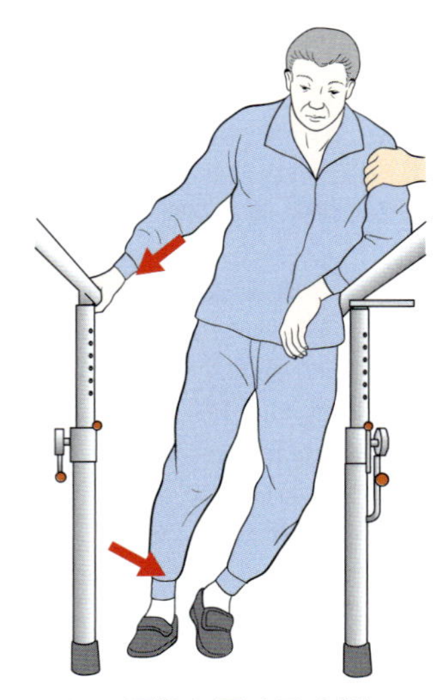

▶図 1　pusher 現象を呈する症例
平行棒内立位保持時にみられた contraversive pushing．左片麻痺例で非麻痺側上下肢(矢印)を使用し，自らの身体軸が麻痺側に傾斜するように押し，他動的に正中にしようとする介助に抵抗する．

▶表1 Clinical Assessment Scale for Contraversive Pushing(SCP)

A. 姿勢の傾き：自然に姿勢を保持した際にみられる姿勢の左右対称性

- 座位・立位で各1点＝麻痺側にひどく傾斜しており，麻痺側へ倒れてしまう
- 座位・立位で各0.75点＝倒れるまではいかないが，ひどく麻痺側へ傾いている
- 座位・立位で各0.25点＝軽く麻痺側へ傾いている
- 座位・立位で各0点＝麻痺側へ傾いていない(正中位あるいは非麻痺側にある)

B. 押す現象の出現(伸展と外転)：非麻痺側上肢もしくは下肢による押す現象の出現

- 座位・立位で各1点＝座位や立位で静止しているときから，すでに押す現象がみられる(座位保持時，自然に下肢を外転している，あるいは，上肢で床を押す．立位保持時，自然に下肢が外転している，あるいは，座位から立ち上がり立位となったときに自然に足を広げて外転し，下肢を押すことに使用している)
- 座位・立位で各0.5点＝姿勢を変えたときだけにみられる
  - 座位：①②の2つの課題で評価する．①端座位姿勢の保持では押す現象がみられないが，健側上肢をプラットフォームにつけ，離殿し健側方へ移動(座る位置を健側へ滑らせる)させたときに押してしまう．あるいは②プラットフォーム(ベッド)から非麻痺側にある車椅子へ移動しようとして，車椅子のタイヤの高さを越えるほど殿部を持ち上げた際に，押す現象が観察される
    ※①か②のどちらか，あるいは両方で現象が出現した場合に0.5と採点する
  - 立位：立位(介助ありでもよい)となった際に押さないが，歩き始めると押してしまう場合に0.5と評価する
- 座位：座位・立位で各0点＝上肢または下肢による伸展・外転はみられない

C. 修正への抵抗：身体を他動的に正中位に修正したときの抵抗の出現

- 座位・立位で各1点＝正中位まで修正しようとすると抵抗がおきる
- 座位・立位で各0点＝抵抗は出現しない
  ※胸骨と脊柱に触れ，患者に「これからあなたの身体を横に動かしますので，それを許容してください」と告げてから動かし，抵抗が出現するかをみる

〔Karnath, H.O., et al.: The origin of contraversive pushing: Evidence for a second graviceptive system in humans. *Neurology*, 55(9):1298–1304, 2000 より〕

2 pusher 現象の評価

客観的評価基準としてさまざまな評価法が考案されてきた経緯があるが，現在では現象の有無の判定基準として Clinical Assessment Scale for Contraversive Pushing(SCP)[1] が用いられる(▶**表1**)[7]．

SCP は pusher 現象の3つの特徴である「姿勢の傾き」「押す現象の出現」「修正への抵抗」の下位項目が設定されている．これら3項目を，座位と立位で評価する．**表1**に示すとおり，各下位項目が最重症である場合に2点となり，pusher 現象がない場合には0点となり，合計すると最重症の場合には6点，各項目とも該当するものがなければ0点となるスケールである．SCP は各下位項目がいずれも陽性(各項目 ＞ 0)の場合に“pusher 現象あり”と判定した際，臨床経験の豊富な専門家の判断との一致率が最も高い[8]．そのため pusher 現象ありと判定する最少スコアは，各下位項目が最少得点となる1.75である(ただし，各下位項目のスコアが＞0であることが必須である)．

SCP は感度・特異度，測定再現性が高い評価法である[8]．ただし，pusher 現象の改善に伴う変化を鋭敏にとらえることには向かず，治療効果の判定にはあまり向いていない．Burke(バーク) lateropulsion scale(BLS)は pusher 現象の変化をとらえるのに鋭敏な評価表[9] で，治療効果の判定基準として用いられることが多い．BLS は背臥位で他動的に回転させる，端座位で他動的に傾斜させ正中へ戻す，立位で傾斜させ正中へ戻すという3つの他動的な試験と，移乗時と歩行時の傾斜の重症度を観察する2項目の合計5項目からなる(▶**表2**)．BLS の判定基準は BLS の合計点 ＞ 2 の場合に“pusher 現象あり”と判定されるが，この場合，SCP で1.75未満の症例で真の

▶表 2　Burke lateropulsion scale（BLS）

背臥位	丸太を転がすようにして反応をみる（まず麻痺側から，次いで非麻痺側から） 0：抵抗なし　1：軽い抵抗　2：中等度　3：強い抵抗　＋1：両側抵抗
端座位	足は床から離し両手は膝に置く．麻痺側に 30° 傾斜して戻した際の反応をみる 0：抵抗なし　1：最後の 5° で抵抗　2：5〜10° で抵抗　3：10° 以上離れて抵抗
立位	立位で麻痺側傾斜させて，戻した際の反応をみる 0：重心が非麻痺側下肢　1：中心を超えて 5〜10° 非麻痺側にしたとき抵抗 2：正中前 5° で抵抗　3：5〜10° で抵抗　4：10° 以上離れて抵抗
移乗	移乗動作（非麻痺側から） 0：抵抗なく可能　1：軽度の抵抗　2：中等度の抵抗　3：抵抗で 2 人介助
歩行	lateropulsion（あくまで pusher 現象が原因の介助量を評価する） 0：なし　1：軽度　2：中等度　3：強い，歩行不能

（Max ＝ 17）

pusher 現象例とは呼べない脳幹損傷例までもが含まれてしまうため[10]，判定基準としての課題を有する．現在のところ，判定基準として SCP を用い，経過の観察には BLS を用いるのが主流となっている．

また，これらの評価を行う以前に，臨床では簡便に pusher 現象の有無をスクリーニングすることが可能で，座位で pusher 現象が疑われる場合には，特徴的な leg orientation の観察[1,3]をするとよい．足底が床につかない端座位において，通常，バランス不良例であっても，体幹が正中である際には下垂した下腿は正中位となる．ところが，pusher 現象例では端座位で体幹が正中位になった際には，非麻痺側の下腿が外旋し，体幹が麻痺側に傾斜している際には，下腿は正中位をとるという反応を示す（▶図 2）．

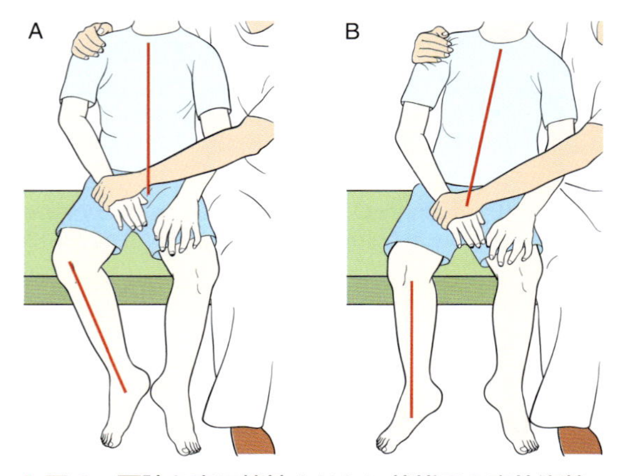

▶図 2　下肢を床に接地させない状態での座位姿勢

A：体幹を正中位へ近づけようとした際には非麻痺側の股関節が外旋する．

B：麻痺側へ傾斜させたときには股関節の外旋が抑制され，下腿が正中位に戻る．

3 pusher 現象の責任病巣

pusher 現象の責任病巣はさまざまな報告がなされてきたが，多くは脳の損傷部位をそのまま pusher 現象の責任病巣として記述しており，真の意味でどの病巣が pusher 現象に関連しているのかは不明であった．このような問題を解決する研究手法により，視床を主病変とする症例では視床の後外側部病変が，そして視床が損傷されていない症例においては，島葉の後部と中心後回の皮質下が pusher 現象例に特異的な病巣として報告[11,12]されている．近年の研究では SCP のスコアと関連する病巣が調査され，病巣の大きさが関連したものの，関連する変数で調整した場合には SCP スコアと関連する明確な病巣は存在しなかったと報告されている[13]．

pusher 現象例で構造的に損傷がない脳領域の機能異常の有無を調査した脳機能画像（脳灌流画像）を用いた研究[14]によると，視床病変により

pusher 現象を呈した症例では，他の領域に脳灌流量の低下を認めなかったが，視床外病変例では，構造的に損傷されていない領域に脳灌流量低下が認められたという．脳灌流量の低下がみられた領域は非常に小さく，下前頭回，中側頭回，下頭頂小葉，そして頭頂葉皮質下白質に散在していた．この結果は，これらの領域が姿勢を正中位に調整するネットワークに関与していることを示唆するものであり，pusher 現象に関連する病巣は多岐にわたり，大脳の広範な神経ネットワークを介して姿勢が定位されていることが推察される．

pusher 現象例では程度の差はあっても運動麻痺を伴うのが通常である[15]．よって，他の定位障害との鑑別を試みるうえで皮質脊髄路損傷の有無を確認することが，脳画像情報から pusher 現象の有無を推定するうえで 1 つの有益な情報となる〔第 1 部第 1 章「中枢神経系の構造と脳画像」(➡ 4 ページ)参照〕．

4 pusher 現象の予後

pusher 現象は時間経過とともに多くの例で消失していく[1–3, 5, 15–18]．pusher 現象を呈した症例は，6 週後に 62% が，3 か月後には 87% が消失に至っていたことが報告されている[17]．pusher 現象を伴う群と，伴わない群の比較において，最終的な ADL の利得(初回評価から最終評価前の改善度)は 2 群間で差がないが，入院期間は有意に pusher 現象群のほうが延長する[5, 17, 18]．

pusher 現象の経過追跡[16]では，能動的な理学療法(患者自身が主体的にトレーニングに取り組む状態)が困難で，受動的な理学療法(患者自身がほとんどトレーニングに参加せず他動的なトレーニングが提供される状態)が主となるような症例では改善がみられないものの，それらを除外すると，ほぼ全例で改善がみられた．また，右半球損傷例と左半球損傷例を比較すると，ほぼ同様の病変であっても，回復経過に差異がみられ，右半球損傷例では回復が遅延する傾向がみられた[15]．

5 pusher 現象と垂直判断の関係

pusher 現象は，垂直を知覚する過程のどこかに異常をきたしていることが原因と推察されている[1, 7, 19]．主観的な垂直知覚(垂直判断)の評価方法には，視覚的なものや身体的(姿勢的)なものなどがあり，この判断と姿勢定位には密接な関係がある．

a 垂直判断の評価方法

脳卒中片麻痺例の姿勢異常についてはさまざまな要因の関与が報告され，その 1 つに**視覚的な垂直判断**(subjective visual vertical; SVV)の異常が指摘されている．SVV は通常，暗室で光るロッドなどを用いて，垂直になったと判断したラインが，実際の垂直線からどれほど偏倚しているかを評価するものである．一方，**姿勢的(身体的)な垂直判断**(subjective postural vertical; SPV)は，前額面上で傾斜できる特殊な装置を用い，開眼あるいは閉眼で行われる．他者の操作により装置が傾斜し，それに伴い被検者の身体も傾斜する．被検者自身が，自己の身体軸が垂直になったと判断した際に口頭などでそれを伝える方法で測定される．この自己の身体軸の判断と実際の垂線との差異を評価する．

b 各種垂直判断と pusher 現象との関連性

pusher 現象を有する症例の SVV は多数調べられており，時計回りにも反時計回りにも偏倚するため相殺されてしまい，平均値としては健常者群と差がないとされるが，ばらつきが大きい．すなわち，SVV の偏倚を絶対値として求めた場合には健常者群と比較して大きくなる．

辻本らは pusher 現象を呈した症例の SVV の絶対値の推移と SCP の点数の推移を調査し，両項目間には相関がなく，回復するタイミングにも相違があり，SCP の改善が SVV の改善より先に

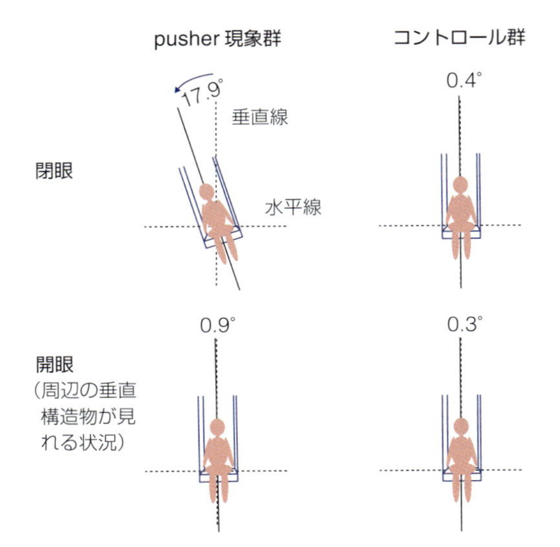

▶図3 右半球損傷例（pusher 現象群とコントロール群）の SPV

コントロール群（右半球損傷例）：閉眼時でも開眼時でもほぼ正常に垂直位を判断できている．

pusher 現象群：開眼して垂直構造物が目視可能な状態ではほぼ正常に判断できるが，閉眼時は自身の身体軸が大きく非麻痺側へ偏倚した状態を垂直位と判断する．

〔Karnath, H.O., et al.: The origin of contraversive pushing: Evidence for a second graviceptive system in humans. *Neurology*, 55(9):1298–1304, 2000 より〕

おこることを報告した[20]．

Karnath らは，pusher 現象を呈する右半球損傷例 5 例（以下，pusher 現象群）と，pusher 現象のない右半球損傷例 5 例（以下，コントロール群）の SPV を調査した[7]．この研究では，閉眼時の SPV においては pusher 現象群にのみ明らかな傾斜がみられたが，開眼条件での SPV は両群ともに正常値に近い値となった．コントロール群の 1 例は感覚脱失例であり，それ以外の 4 例はいずれも半側空間無視を合併していた．そのようなコントロール群であっても，この実験における SPV は，開眼時，閉眼時いずれも，ほぼ正常値であった（▶図 3）．このことは，半側空間無視や体性感覚障害は，SPV の異常に直接的関与がないことを示唆している．

このほかにも，pusher 現象と垂直判断に関連する研究[7,19,21]が複数あり，その結果には多少の差異がある．しかし，pusher 現象例の SPV が SVV よりも著しく偏倚しているという点では一致している．また，pusher 現象が消失した慢性期の症例でも，SVV は偏倚していることが明らかとなっている[22]．

身体軸は各種の感覚情報を統合して形成されるが，その感覚情報のうち，視覚情報を選択的に取り込んで利用することで，適切に自己身体軸を定位できる可能性が高いことが推察される．

6 pusher 現象に対する理学療法の概念

pusher 現象を改善させる確立した方法はない．しかし，SPV が大きく歪んでいるのに対して，SVV が比較的保たれていることから，視覚的な情報を積極的に利用して自己身体軸の垂直軸からの逸脱を修正させようとする理学療法が推奨されている[1]．指示理解が良好である症例では，このアプローチ後，即時的に姿勢の改善をみることができる．具体的な介入概念[1]を以下に示す．

(1) 直立姿勢の知覚的な異常を理解させる

第一に，患者自身が「直立である」と知覚している姿勢が，実際には直立ではないことを認識する必要がある．

(2) 身体と周辺環境との関係を視覚的に探究する．そして，患者自身に直立かどうかを認識させる

視覚的に垂直を判断する能力は保たれているので，視覚を利用して垂直な構造物と自身の身体軸との乖離を認識させる．姿勢矯正鏡を目視し，垂直な鏡の枠と自己身体軸との偏倚を認識させる．

(3) 垂直位に到達するために必要な動きを反復学習し，静的な状態で保持できるようにする

麻痺側へ傾斜した姿勢を，他動的に正中位へ修正した場合，その修正に強く抵抗するのが pusher 現象の特徴である．しかし，自発的に非麻痺側へリーチするような課題[1]を用いると，スムーズに非麻痺側へ傾斜できることが多い．

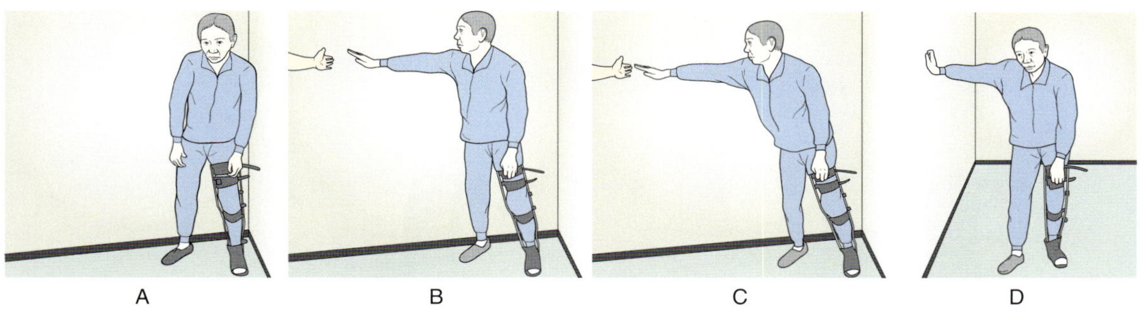

▶図 4　壁面を利用した立位練習

A：麻痺側と背面に壁が位置した状態から立位保持トレーニングを開始．pusher 現象がある場合でも壁面を利用することによって，設定した状態より傾斜することはない．この状態でしばらく保持すると，pusher 現象が軽減してくる．
B：その後，麻痺側の壁に接した状態から離れることを試みる．他動的に介助しても抵抗してしまうため，非麻痺側上肢を非麻痺側方向へ能動的にリーチする課題を用いる．
C：リーチ課題後に，非麻痺側方向へ随意的に身体軸を傾斜・移動させることができるようになった様子が観察される．
D：A〜C の練習により，立位保持不可能であった症例が非麻痺側上肢を壁に接触させ，自力で立位保持が可能になることがある．

この特性を利用して，課題を遂行する過程で，麻痺側に身体軸が傾斜した状態から，いつの間にか修正され，逆に非麻痺側へ傾斜していくような課題を設定する．輪投げなどを利用した上肢到達運動課題は成功か失敗かが非常に簡潔で，右片麻痺に失語を伴う症例など，言語的なコミュニケーションに難渋する例においても導入しやすい．前後方向への姿勢調整が困難な場合には，介助を加えつつ，前額面上の運動において自動的に課題に取り組んでもらうよう設定する．**図 4** は，立位における上肢到達運動課題である．

このような理学療法の直後，他動的介助に抵抗し，立位保持が不可能であった状態から，自動的に身体軸を修正することができるようになることがある．

(4)　他の活動を行っている間も垂直位を保てるようにする

静的な課題で正中位の保持が可能となれば，より動的な課題に移行する．しかし，必ずしも静的に正中位が保持されたのちにする必要はない．静的に正中位が保てない場合でも，課題難易度を調整することで pusher 現象を軽減させ，歩行や階段昇降などの動的な課題が可能となることもある．

7 押すこと自体を抑制する工夫

移乗，立位，歩行における pusher 現象に対する理学療法を実践するにあたり，押すこと自体を抑制するための工夫を交えて紹介する．

a 移乗動作に伴う pusher 現象への対応

通常であれば，非麻痺側の足部に重心が移動するように介助することで，非麻痺側下肢を支持脚として利用し，効率的に移乗できる．しかし，pusher 現象例では，そのような介助法では“押す現象”を助長してしまうため，介助量が多くなってしまう．移乗では上肢を押すことに使用させないよう，アームサポートに手を伸ばすのではなく，介助者の頸部や腰部に手を回してもらう(▶**図 5**)．この場合，手は押すことに使用できずに，体を引き付けることに使用することとなり，結果的に身体軸は非麻痺側へ偏倚し，傾斜した身体軸が補正され，非麻痺側下肢に荷重した状態になる．立ち上がりの際，手すりを使用すると，縦方向の手すりと横方向の手すりでは明らかに pusher 現象が異なることがあり，縦方向の手すりでは立ち上が

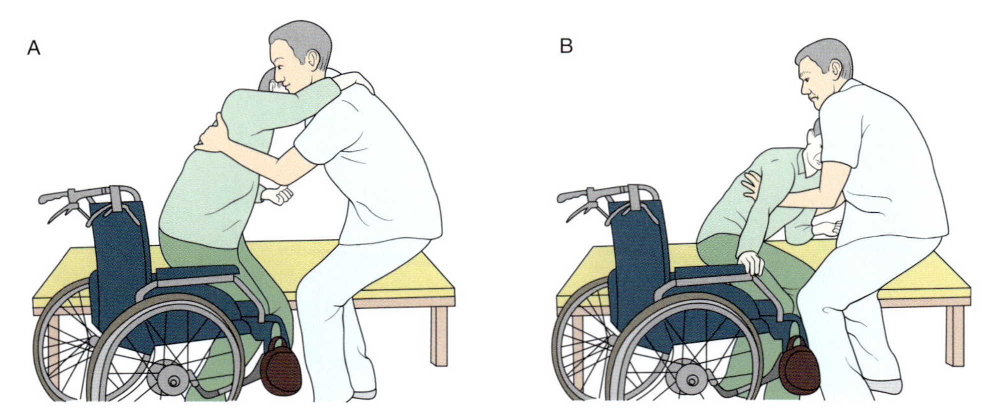

▶図 5 pusher 現象例の車椅子への移乗動作の介助法

A：介助者の頸部に手を回してもらっての移乗動作．上肢を押すことに使用しないため介助が容易である．
B：非麻痺側上肢をアームサポートに伸ばした際の反応．上肢を押すことに使用してしまい，移乗動作の妨げとなる．

りが容易となるので，トイレ移乗などの際には利用するとよい．

b 立位や歩行時の pusher 現象への対応

座位では pusher 現象が観察されないが，立ち上がると押す，あるいは歩き出すと押すという症例は多い．対応としては，移乗時と同様で押さない状況を設定し，傾斜を自覚するよう視覚や言語によるフィードバック，前述した上肢到達運動課題など非麻痺側への自動運動といった課題を設定する．

壁面を利用するなどの手段により，立位保持に必要な運動の難易度を調整するとよい（▶図 4 参照）．その際には，長下肢装具（KAFO）を利用して膝伸展位を維持し，十分に麻痺側下肢の支持性を補う[4]．また，平行棒を利用してもよいが，押すことに使用してしまう例では，かえって介助量が増大するので，用いないほうがよい場合もある．片麻痺患者が歩行中に鏡を見ながら歩くことは難しい場合が多く，動作中に視覚的な手がかりを利用することは難しい場合が多い．その際は，触覚的な手がかりを利用するよう指導する．図 4 D のように壁面に手掌をつけ，その手掌が離れずにずっとついていれば成功であり，逆に離れれば失敗であることを教示する．手が離れない状態で一歩一歩ステップさせることを練習するよう指導する．

そのほか，立位保持が pusher 現象のために難しい症例においても，階段昇降トレーニングは，比較的容易に遂行可能な場合が多い[4]．pusher 現象例では，歩行中の麻痺側遊脚が困難となる特徴があるが，階段昇降では細かい指示をせずとも完遂することが多い．また，階段昇降時には，非麻痺側上肢で手すりを使うと引き付けるように使用できることが多く，早期からプログラムに取り入れることを検討したい．

B lateropulsion

lateropulsion（lateropulsion of the body）とは側方への突進現象を指し，不随意的に一側に身体が倒れてしまう現象をいう（▶図 6）．pusher 現象のように盛んに非麻痺側の上下肢で押すことや，姿勢を修正した際に抵抗することはほとんどない．そのような状態を呈するものはすべて lateropulsion とされるが，ここで扱う lateropulsion は，脳幹病変後に出現するものに限定する．

lateropulsion は，延髄外側部梗塞例（lateral medullary infarctions; LMIs）で出現する

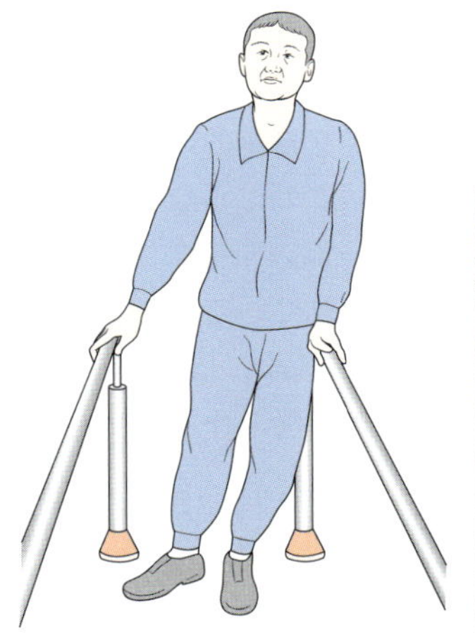
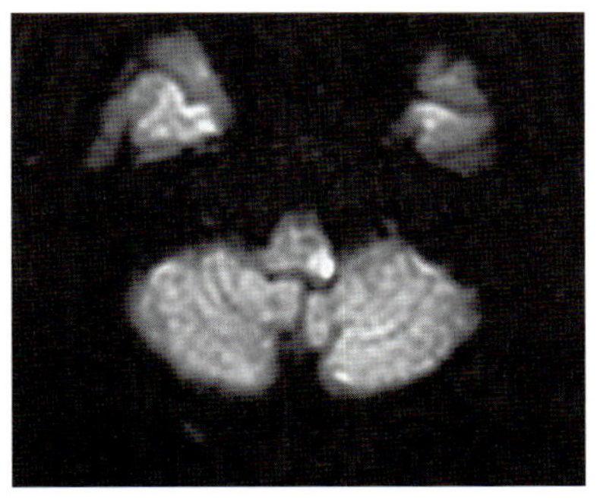

▶図 6　lateropulsion を呈した脳幹梗塞例
左の延髄外側部梗塞(MRI 像)により左顔面と右上下肢体幹の温痛覚鈍麻，構音障害，嚥下障害，めまい，左四肢失調，左への lateropulsion を呈した．立位姿勢を一見しただけでは lateropulsion と pusher 現象の見分けはつかないが，lateropulsion 例では，正中に修正する旨を伝えつつ，修正する介助を加えた場合に抵抗を示さない．また，自らの上下肢を使用して積極的に押す現象は観察されない．

Wallenberg(ワレンベルグ)症候群の 1 つとしてよく知られている[23, 24]．

1 延髄の解剖と Wallenberg 症候群

LMIs では，Horner(ホルネル)症候群(眼裂狭小，瞳孔縮小，発汗減少)や，損傷と同側の顔面と対側上下肢・体幹の感覚解離(温痛覚障害)，同側の小脳失調，構音障害，嚥下障害，嗄声，眼振，めまい，嘔気と吃逆などをきたす Wallenberg 症候群が出現する[23, 24]．感覚線維の交叉する部位と通過する部位が異なるため，位置覚，振動覚，触覚が障害されず，痛覚と温度覚が障害される感覚解離が生じる．

位置覚，振動覚，触覚と意識にのぼる固有感覚を伝える線維は脊髄に入ったのち，そのまま後索を上行し，延髄(内側毛帯)で交叉する．この線維は延髄の内側を通過するため障害されない．これに対し，痛覚と温度覚を伝える線維は末梢神経から脊髄に入ったのち，すぐに交叉し，反対側の脊髄視床路を上行し，延髄外側部を通る(外側脊髄視床路)．そして，錐体路は延髄の腹側を通過するため随意運動は保たれる．

2 lateropulsion に関連する病巣

延髄には，小脳脚，脊髄小脳路，前庭神経核，前庭脊髄路など，姿勢制御に関連するさまざまな機構が狭い範囲に集約しているため，lateropulsion を引き起こす明確な病変は明らかではなかった．LMIs でも，他の症候がない，あるいはあっても軽度で，lateropulsion を主症状とする場合，“isolated lateropulsion” と呼び，その責任病巣に関する報告が複数なされた．それらの報告では，脊髄小脳路，前庭脊髄路，あるいはその両方を責任病巣として考えている[24]．

Eggers ら[24] は，延髄梗塞後に lateropulsion を呈した症例の責任病巣を調査し，lateropulsion に伴って眼振を伴う群では前庭神経下核が，片側上下肢の運動失調を伴う群では脊髄小脳路に，感覚解離を伴う群では脊髄視床路に病変が存在したと報告した(▶図 7)．

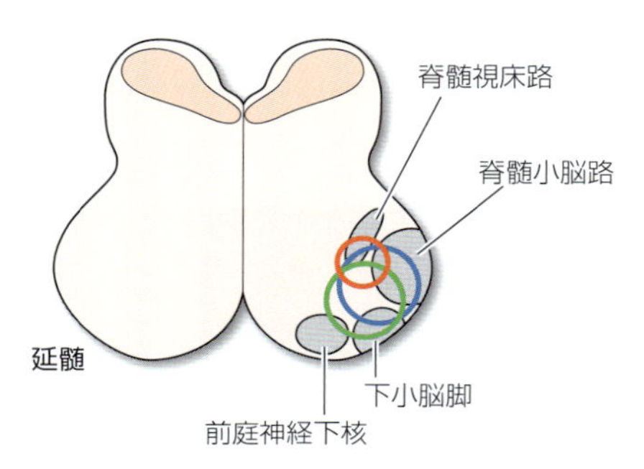

── 同側の lateropulsion と眼振を伴う群
── 同側の lateropulsion と片側上下肢の運動失調を伴う群
── 同側の lateropulsion と感覚解離を伴う群

▶図7 lateropulsion に関連した病巣
延髄水平断面における眼振，運動失調，感覚解離の各症状ごとに領域を分類した．
〔Eggers, C., et al.: Correlation of anatomy and function in medulla oblongata infarction. *Eur. J. Neurol.*, 16(2):201–204, 2009 より〕

脊髄小脳路は同側の体幹と下肢からの姿勢と運動に関連した固有感覚情報を伝達し，前庭神経核からの投射は下肢の伸筋群を興奮させ，屈筋群を抑制する．下小脳脚は主に固有感覚と前庭からの入力と出力の統合に関与し，姿勢とバランスの保持にきわめて重要な領域である．すなわち，これらの構造のすべてが姿勢の保持に重要な役割を果たし，この構造の1つあるいはそれ以上の損傷は lateropulsion の原因となりうる．

3 lateropulsion と垂直判断，およびその予後

lateropulsion と各種垂直判断との関連性について複数の報告があるが，いずれも SVV の傾斜が報告されており，lateropulsion の重症度と相関する[25]という．pusher 現象が大脳半球の高次機能と密接な関係があるとされるのに対して，脳幹損傷後の lateropulsion は，それより下位の障害により生じる現象と考えられている．

前庭からの情報は脳幹の前庭核に入力され，さまざまな領域に投射される．三半規管における重力に関連した感覚情報は，脳幹にある前庭核を経て，眼球運動をつかさどる各神経に投射される．こうした機構は頭部が重力を受ける方向に応じ，眼球運動を自動的にコントロールする作用をもっている．このような上行性の重力に関連した感覚情報の一部の断裂により，SVV の偏倚が生じると考えられている．

lateropulsion は SPV の偏倚を伴わない SVV の偏倚が起因となって生じる姿勢定位障害と考えられている[19, 22]．この SVV の偏倚は時間経過とともに代償（compensation）されることが知られており，同様に lateropulsion も予後良好である．

4 lateropulsion の理学療法

ここではまず，小脳病変を伴わない LMIs による lateropulsion 例への介入について述べる．**図8**は lateropulsion 例に対して異なる介入をした際の姿勢の変化である．ヒトは，視覚や体性感覚，前庭覚からの情報を主要な入力系として利用して姿勢を制御する．これら3入力系を利用したアプローチを考えたとき，Wallenberg 症候群では前庭機能障害は容易に推察され，利用しがたいことが想定される．また，閉眼時より開眼時のほうが身体動揺は少なくなる[24]ため，視覚情報は姿勢制御に利用可能（視覚情報を遮断すると重心動揺範囲は増大するため一部は姿勢制御に利用できる）だが，SVV の偏倚を伴うことを考慮すると，まったく問題なく利用できるとはいいがたい．一方で，触覚や位置覚は保たれる．これらから，立位姿勢において足底から入力される感覚情報を強く意識するよう指示したうえで，左右均等に荷重するよう指示したところ，即座に姿勢傾斜は改善し，それまで medium guard であった上肢は low guard へと変化した（▶**図8**）．鏡を見て姿勢をまっすぐにするように指示した場合と，閉眼した場合には姿勢傾斜は修正されず，上肢は medium guard のままであった．

図9には，「まっすぐに立ってください」と指示した場合と，「左右の足底に均等に荷重してくだ

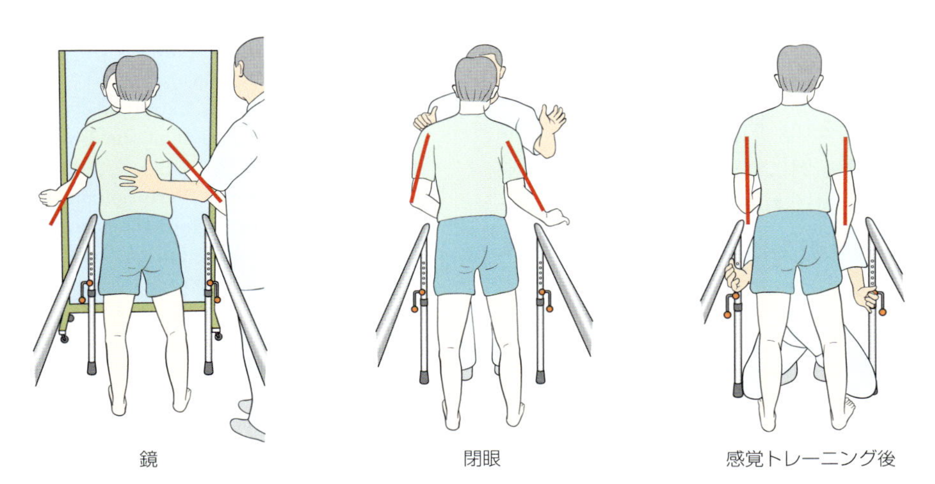

▶図 8　延髄外側部梗塞後に出現した lateropulsion 例への 3 種類の介入後の姿勢変化
鏡を用いて姿勢を確認しつつ立位トレーニングをした際と，閉眼で立位トレーニングをした際に上肢の反応は medium guard であったが，感覚トレーニング後に上肢は low guard となった．

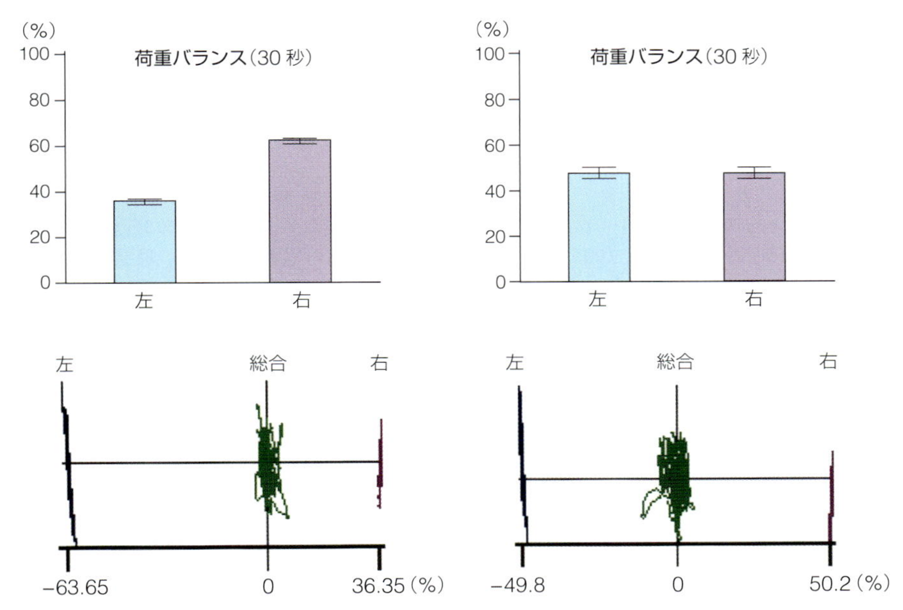

▶図 9　延髄外側部拘束後に出現した lateropulsion を呈した症例の左右の下肢荷重量の変化
左上図は「まっすぐに立ってください」と指示した際，右上図は「左右の足底に均等に荷重してください」と指示した際の下肢荷重量を示している．下の図は重心を示しており，左下図は右に大きく偏移しているが，右下図と比べると動揺範囲は狭い．一方で，右下図は正中にあるが重心動揺範囲は広く，感覚情報を利用した制御へ即時的に適応できておらず，姿勢動揺が安定するまでにはさらなるトレーニングが必要である．

さい」と指示した際の下肢荷重量のデータを示した．**図 8** の症例に対して，前述の介入によって立位姿勢の改善をはかり，バランスパッド上での立位保持練習，ロッカーバランス上での立位保持練習ならびに左右への傾斜練習を経て，歩行練習，タンデム歩行練習へと進め，症例は歩行器を使用した歩行が自立し，やがては歩行器や杖を使用せずとも歩行自立に至った．

なお，小脳病変を伴い明らかな体幹および四肢の運動失調を伴う症例には，このような介入と並行して運動失調に対する介入〔第2部第4章「運動失調」(➡ 137 ページ)参照〕を含めて対応する必要がある．

●引用文献

1) Karnath, H.O.: Pusher syndrome—A frequent but little-known disturbance of body orientation perception. *J. Neurol.*, 254(4):415–424, 2007.
2) 阿部浩明ほか：脳卒中後の pusher syndrome—出現率と回復における半球間差異. 理学療法学, 41(8):544–551, 2014.
3) 阿部浩明：Contraversive pushing と脳画像情報. PT ジャーナル, 44(9):749–756, 2010.
4) Davies, P.M.(著), 冨田昌夫(訳)：ステップス・トゥ・フォロー. pp.285–304, シュプリンガー・フェアラーク東京, 1987.
5) Pedersen, P.M., et al.: Ipsilateral pushing in stroke: Incidence, relation to neuropsychological symptoms, and impact on rehabilitation. The Copenhagen Stroke Study. *Arch. Phys. Med. Rehabil.*, 77(1):25–28, 1996.
6) 網本 和ほか：左半側無視例における『Pusher 現象』の重症度分析. 理学療法学, 21(1):29–33, 1994.
7) Karnath, H.O., et al.: The origin of contraversive pushing: Evidence for a second graviceptive system in humans. *Neurology*, 55(9):1298–1304, 2000.
8) Baccini, M., et al.: Scale for contraversive pushing: Cutoff scores for diagnosing "pusher behavior" and construct validity. *Phys. Ther.*, 88(8):947–955, 2008.
9) Clark, E., et al.: Responsiveness of 2 scales to evaluate lateropulsion or pusher syndrome recovery after stroke. *Arch. Phys. Med. Rehabil.*, 93(1):149–155, 2012.
10) Bergmann, J., et al.: Inconsistent classification of pusher behaviour in stroke patients: A direct comparison of the Scale for Contraversive Pushing and the Burke Lateropulsion Scale. *Clin. Rehabil.*, 28(7):696–703, 2014.
11) Karnath, H.O., et al.: Posterior thalamic hemorrhage induces "pusher syndrome". *Neurology*, 64(6):1014–1019, 2005.
12) Johannsen, L., et al.: "Pusher syndrome" following cortical lesions that spare the thalamus. *J. Neurol.*, 253(4):455–463, 2006.
13) Lee, K.B., et al.: Is Lateropulsion Really Related with a Specific Lesion of the Brain? *Brain Sci.*, 11(3):354, 2021.
14) Ticini, L.F., et al.: Perfusion imaging in Pusher syndrome to investigate the neural substrates involved in controlling upright body position. *PLoS One*, 4(5):e5737, 2009.
15) Abe, H., et al.: Prevalence and length of recovery of pusher syndrome based on cerebral hemispheric lesion side in patients with acute stroke. *Stroke*, 43(6):1654–1656, 2012.
16) 阿部浩明ほか：Contraversive pushing を呈した脳卒中例の責任病巣と経過. 理学療法学, 36(2):86–87, 2009.
17) Danells, C.J., et al.: Poststroke "pushing": Natural history and relationship to motor and functional recovery. *Stroke*, 35(12):2873–2878, 2004.
18) Krewer, C., et al.: Time course and influence of pusher behavior on outcome in a rehabilitation setting: A prospective cohort study. *Top. Stroke Rehabil.*, 20(4):331–339, 2013.
19) Pérennou, D.A., et al.: Lateropulsion, pushing and verticality perception in hemisphere stroke: A causal relationship? *Brain*, 131(Pt 9):2401–2413, 2008.
20) 辻本直秀, 阿部浩明ほか：脳卒中後の pusher syndrome の重症度およびその改善経過と subject visual verticality の偏倚との関連. 理学療法学, 44(5):340–347, 2017.
21) Bergmann, J., et al.: The Subjective Postural Vertical Determined in Patients with Pusher Behavior During Standing. *Top. Stroke Rehabil.*, 23(3):184–190, 2016.
22) Mansfield, A., et al.: Is perception of vertical impaired in individuals with chronic stroke with a history of 'pushing'? *Neurosci. Lett.*, 590:172–177, 2015.
23) 阿部浩明：脳機能を考慮した理学療法思考プロセス—Isolated lateropulsion を呈した症例. 脳科学とリハビリテーション, 11:11–21, 2011.
24) Eggers, C., et al.: Correlation of anatomy and function in medulla oblongata infarction. *Eur. J. Neurol.*, 16(2):201–204, 2009.
25) Dieterich, M., et al.: Wallenberg's syndrome: Lateropulsion, cyclorotation, and subjective visual vertical in thirty-six patients. *Ann. Neurol.*, 31(4):399–408, 1992.

（阿部浩明）

第8章 失行

学習目標

- 失行の定義と種類について理解する.
- 失行の評価について理解する.
- 失行の病巣と発生メカニズムについて理解する.
- 失行に対するリハビリテーションについて理解する.

A 失行の定義と種類[1)]

失行とは，学習(習慣化)された意図的運動(パントマイム，ジェスチャー，模倣，そして道具使用)が遂行できない状態と定義され，麻痺や失調，不随意運動などの運動機能障害，視覚・聴覚・体性感覚などの要素的感覚障害，失語などによる理解障害，失認(視覚失認，身体部位失認，身体失認，病態失認)，認知症，意味記憶障害，注意障害，半側空間無視，そして遂行機能障害などに起因しない行為の障害である.

ここでいうパントマイムとは他動詞ジェスチャーのことであり，物品や道具を使用する動作を物品や道具がない状態で行うことである．ジェスチャーとは自動詞ジェスチャーのことであり，“バイバイ”や“おいでおいで”のような物品や道具を使用しない身振りのことである.

失行にはさまざまな種類がある．**観念失行**(ideational apraxia)とは，単一物品あるいは複数物品の実使用障害，複数物品の系列化(順序正しく動作すること)の障害であり，使用失行とも呼ばれる．**観念運動失行**(ideomotor apraxia)とは，口頭命令によるパントマイム，ジェスチャー，およびそれらの模倣の障害であり，最も典型的な四肢失行である．**視覚性模倣失行**とは，無意味な動作の視覚的模倣障害である.

パントマイムやジェスチャー，模倣といった動作は，日常生活活動(ADL)において実施する必要性が低いという認識から，失行症状はADLとは直接関係がないと思われがちである．しかし実際には，失行は運動障害，感覚障害，失語や認知症と並んで，リハビリテーションとADLの大きな阻害因子となることがわかっている．失行を発現する神経メカニズムの損傷は，道具や物品を取り扱う動作障害，コミュニケーション障害，そして運動学習の困難に直結している．また食事，入浴，トイレ，整容，更衣，歯磨きなどのADL障害と失行は有意な相関関係にあることが報告されており，同程度の運動麻痺であっても失行を有する脳卒中患者では，失行を有さない脳卒中患者と比較して，ADL自立度が低下し，退院後の介護者への依存度が増加し，職業復帰の割合が低下することがわかっている.

本章では，観念運動失行(パントマイム障害，ジェスチャー障害，模倣障害)と観念失行(使用失行)に焦点を絞って解説する.

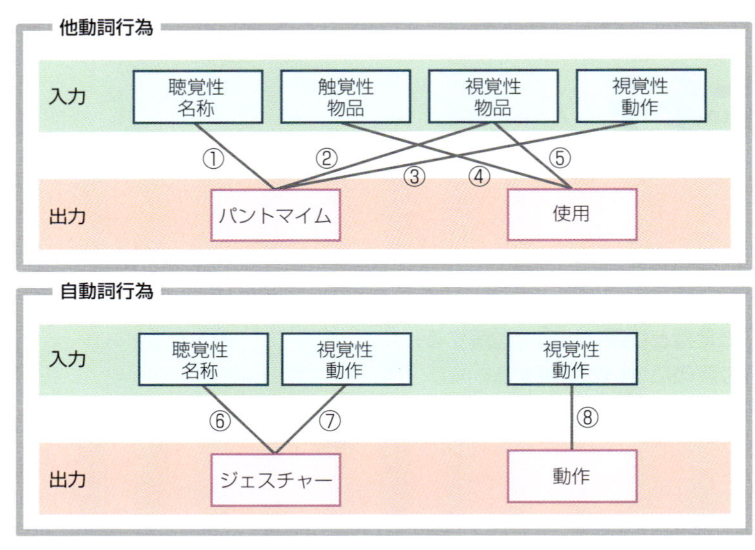

▶図 1　8 つの入力–出力様式

他動詞行為：物品や道具を使用する動作，自動詞行為：物品や道具を使用しない動作．
①口頭命令パントマイム．例：「ハサミ」を聴覚的に提示して，ハサミを使用するパントマイムを表出してもらう．
②視覚提示パントマイム．例：「ハサミ」を視覚的に提示して，ハサミを使用するパントマイムを表出してもらう．
③パントマイム模倣．例：「ハサミを使用するパントマイム」を視覚的に提示して，模倣してもらう．
④(閉眼下)実際の使用．例：閉眼下で「スプーン」を触覚的に提示して，スプーンの実使用動作をしてもらう．
④＋⑤(開眼下)実際の使用．例：「スプーン」を視覚的に提示して，スプーンの実使用動作をしてもらう．
⑥口頭指示ジェスチャー．例：「バイバイ」を聴覚的に提示して，バイバイのジェスチャーを表出してもらう．
⑦ジェスチャー模倣．例：「バイバイのジェスチャー」を視覚的に提示して，模倣してもらう．
⑧無意味動作模倣．例：無意味な動作を視覚的に提示して，模倣してもらう．
〔望月 聡：「観念性失行」/「観念運動性失行」の解体に向けて―症状を適切に把握するために．高次脳機能研究，30(2):263–270, 2010 より改変〕

B 失行の評価[1)]

1 8 つの入力–出力様式を考慮した評価

複雑な失行症状を評価し，適切に病状を把握するためには，入力様式と出力様式を考慮する必要がある．評価すべき入力–出力様式は 8 つある(▶**図 1**)[2)]．入力–出力様式を考慮した評価を行うことで，どの入力–出力経路がネガティブで，どの入力–出力経路が保たれているのかを把握することができる．ポジティブな入力–出力経路が把握できれば，それを ADL やコミュニケーションにおいて活用できるように援助する．

2 標準化された評価

国内において最も頻用されている失行評価法は，**標準高次動作性検査**(standard performance test for apraxia; SPTA)である．SPTA は，日本高次脳機能障害学会が開発した失行評価法であり，顔面動作，物品を使う顔面動作，片手慣習的動作，片手手指構成模倣，客体のない両手動作，片手連続的動作，上肢・着衣動作，上肢・物品を使う動作(物品あり，物品なし)，上肢・系列的動作，下肢・物品を使う動作，上肢・描画(自発，模倣)，積木テストの 13 の大項目とそのなかに含まれる小項目(▶**表 1**)[3)] で構成されている．

▶表 1　標準高次動作性検査(SPTA)の概要

大項目	小項目	指示様式
顔面動作	舌を出す 舌をならす 咳をする	口頭命令 模倣
物品を使う顔面動作	火を吹き消す	物品なしでの口頭命令(パントマイム) 模倣 物品を使用しての口頭命令 模倣
上肢(片手)の慣習的動作 (右・左手)	敬礼 おいでおいでをする ジャンケンのチョキ	口頭命令 模倣
上肢(片手)の手指構成模倣 (右・左手)	ルリアのあご手 I III IV 指輪 IV 指輪	模倣 移送(閉眼にて同じ形を反対の手でつくる)
上肢(両手)の客体のない動作	8 の字 蝶 グーパー交互テスト	模倣
上肢(片手)の連続的動作 (右・左手)	ルリアの屈曲指輪と伸展こぶし	模倣
上肢・着衣動作	上着を着る	口頭命令 模倣
上肢・物品使用動作 (物品なし) (右・左手)	歯を磨く 櫛で髪をとかす 鋸で板を切る 金槌で釘を打つ	物品なしでの動作命令(パントマイム) 模倣
上肢・物品使用動作 (物品あり) (右・左手)	歯を磨く 櫛で髪をとかす 鋸で板を切る 金槌で釘を打つ	使用命令(これを使ってください) 動作命令(例：歯を磨いてください) 模倣
上肢・系列的動作	お茶を入れて飲む ローソクに火をつける	口頭命令
下肢・物品使用動作 (右・左足)	ボールをける	物品なしでの動作命令(パントマイム) 物品を使用しての動作命令
描画(自発) (右・左手)	三角を描く 日の丸の旗を描く	口頭命令
描画(模倣) (右・左手)	変形まんじを描く 立方体を描く	口頭命令
積み木テスト (右・左手)	積み木の構成	4 つの立方体で見本と同じ模様をつくる

〔日本高次脳機能障害学会(旧 日本失語症学会)(編), Brain Function Test 委員会(著)：SPTA 標準高次動作性検査—失行を中心として. 改訂第 2 版, 新興医学出版社, 2003 より改変〕

3 臨床場面での評価

リハビリテーション開始時に得られる情報で，病巣が左半球損傷である場合や失語がある場合には，失行を合併している可能性を考え注意して評価する．実際の評価においては，ADL に直接的な影響を与える道具の実使用から評価するのがよい．これは，院内 ADL の詳細な観察により行う．そのうえで，感覚障害や運動障害に起因しな

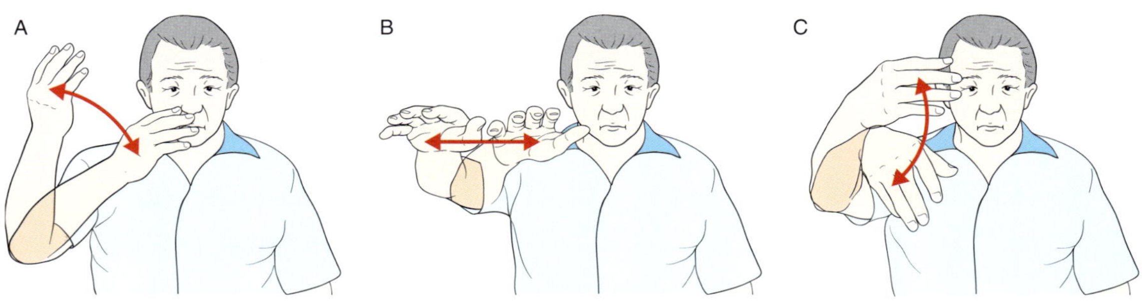

▶**図２　観念運動失行患者のジェスチャー表出における空間性の錯行為**
“おいでおいで” という有意味動作における空間性の錯行為の例
A：口頭指示．手掌面を後方へ向け，肘関節を支点に手を左右に振る．
B：模倣１回目．手掌面を下方に向け，肘関節を支点に手を左右に振る．
C：模倣２回目．手関節を支点とした動きが加わったが，手関節の内外転および前腕の回内外を伴っている．

いなんらかの誤反応が認められた場合に，道具の実使用について，リハビリテーション室での評価を実施する．左半球損傷では右片麻痺を呈していることが多いため，非麻痺側である左上肢で評価する．その際，入力–出力様式を考慮した評価を実施する．また，家族・付き添い者から生活環境における ADL 場面において，失行症状(道具がうまく使えない，系列動作で順番がバラバラになるなど)がないか聴取することも重要である．詳細な評価においては SPTA を用いるのがよいが，リハビリテーション室や院内にある道具や物品を用いても，大まかな評価は可能である．

失行において観察される代表的な誤反応に，**錯行為**がある．錯行為には，空間性の錯行為と意味性の錯行為がある．**空間性の錯行為**とは，行為の空間的誤りのことである(▶**図２**)．四肢の向きや形態，身体部位間の空間的位置関係の誤り，運動方向や動かす関節の誤り，身体部位と道具間，道具と対象間の空間的位置関係の誤りが含まれる．また，**身体部位の道具化現象**も空間性の錯行為に含まれる．**意味性の錯行為**とは，ある道具をまるで別の道具であるかのように使用する誤りであり，鉛筆を櫛のように頭に当てて使用したり，櫛を歯ブラシのように口元で使用したりといった道具の使用用途の誤りである(▶**図３**)．

▶**図３　観念失行患者の道具使用における意味性の錯行為**
歯ブラシを櫛のように使用する例を示した．道具に対して，正しく呼称(例：歯ブラシ)し，機能の知識(例：歯を磨くもの)の想起が行えるにもかかわらず，実際に使用すると別の道具(例：櫛)のように操作する誤反応である．

道具や物品を使用する場面において，注意が逸れたり，対象を無視したり，視線が向けられない場合は，注意障害や半側空間無視，Bálint(バリント)症候群が疑われるため，標準注意検査法や行動性無視検査などの注意障害および半側空間無視の評価を実施する．失行と失語は頻繁に併存するため，失行の評価においては，言語聴覚士(ST)と情報を共有し，失語の影響を検討する必要がある．道具の呼称や機能に関する知識が障害されて

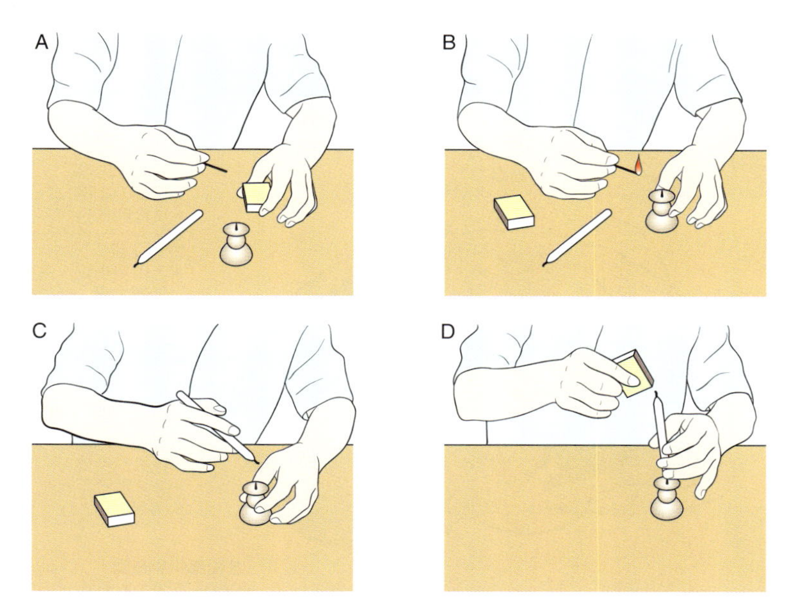

▶**図 4　観念失行患者における複数物品の系列的な操作で観察されるエラー**

ローソク，ローソク立て，マッチを並べて，「これらを使って，ローソクに火をつけてください」と言語指示した際に表出されるエラー

A：物品を目の前にして戸惑い，すぐに動作を始められない．

B：最初，マッチの軸の向きを間違えて箱にこすりつけたが，向きを直して火をつけ，ローソク立てに火をもっていく．

C：ローソクを立てようとするが，芯の側をローソク立てに向けてしまう．

D：ローソクを立てられたが，マッチ箱をローソクに打ち当てる．

〔石合純夫：高次脳機能障害学．第 2 版，p.82，医歯薬出版，2012 より改変〕

いたり，意味性の錯行為が出現する場合には，視覚失認や意味記憶障害による影響を考慮して，標準高次視知覚検査など他の症候の評価も実施する必要がある．その点では，作業療法士（OT）との情報共有も重要である．道具の使用自体ではなく，道具や物品に対する到達把握運動に問題が認められる場合は，視覚性運動失調である可能性があり，到達把握運動評価を行う必要がある．複数物品の系列化の障害の場合（▶**図 4**）[4] には，観念失行と action disorganization syndrome（ADS）との鑑別が必要であり，遂行機能障害症候群の行動評価法や前頭葉機能検査などの前頭葉機能，ワーキングメモリ機能について評価する必要がある．ADS とは日常生活上で物品使用や順序を多く含む動作における行為障害のことであり，行為の順序を誤ったり，必要でない行為を挿入したり，必要な手順を省略したり，同じ行為を繰り返したりするエラーが観察される．ADS は主に行為を正しく選択・配列し，その監視・制御を担う背外側前頭前野の機能不全によって生じる．このように失行の評価には，幅広い専門知識を要するため，ST，OT をはじめ，医師，看護師，臨床心理士など多職種間で情報を共有し，総合的な評価を実施する必要がある．

C　失行の病巣と発生メカニズム[1]

失行（使用失行，パントマイム障害，ジェスチャー障害，および模倣障害）の発現にかかわる主な脳領域と機能を**図 5** に示す．

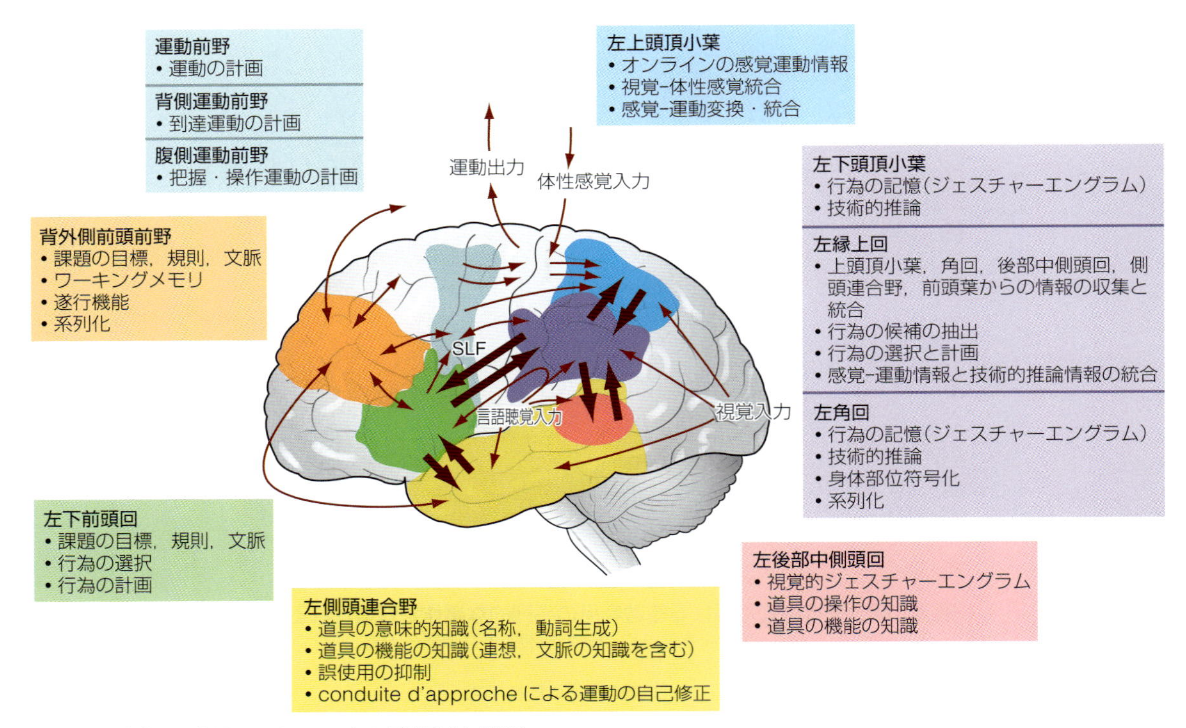

▶図 5　失行の発現にかかわる主な脳領域と機能

脳領域と説明を同じ色で示してある．矢印は情報の流れを意味しており，太い矢印と太い矢印でつながった領域が失行を有意に発症する病巣である．詳細は本文を参照のこと．

1 観念失行（使用失行）と観念運動失行（パントマイム，ジェスチャー障害）の病巣とメカニズム

失行（観念失行，観念運動失行）の主な病巣は，左下頭頂小葉〔角回：Brodmann（ブロードマン）の 39 野，縁上回：Brodmann の 40 野〕・左後部中側頭回と左下前頭回（弁蓋部：Brodmann の 44 野，三角部：Brodmann の 45 野），それらをつなぐ上縦束（superior longitudinal fasciculus; SLF）である（▶図 6）．

左下頭頂小葉は，運動に関して，特に視覚と言語に基づく手および手指の把握・操作運動の候補選出（action candidate）と計画にかかわる．

左下前頭回は，左下頭頂小葉（特に左縁上回）からの情報をもとに，目標（action goal）に関連した抽象的な行為の選択（action selection）と計画（action planning）に重要な役割を果たす．左下前頭回で選択・計画された手・手指運動情報は，左腹側運動前野を経由して，さらに詳細な運動計画情報に変換され，左一次運動野から出力される．その際，左下前頭回（左腹側運動前野を含む）は，選択・計画した手・手指の運動情報のコピー（遠心性コピー）を左下頭頂小葉へも伝達する．遠心性コピーは，その運動を行ったら，どのような結果が返ってくるかという運動の感覚的結果の予測に変換される．

左下頭頂小葉では，運動の結果の予測と実際の感覚フィードバックとを比較し，誤差を抽出する．誤差は教師信号として，手・手指運動をリアルタイムで修正することに役立つ．ヒトは生後から，視覚対象に対する行為（スプーンを使う，箸を使う，鉛筆を使う，ハサミを使うなど）や言語に対応したジェスチャーコミュニケーション（“バイバイ”，“おいでおいで”，“ピースサイン”など）に

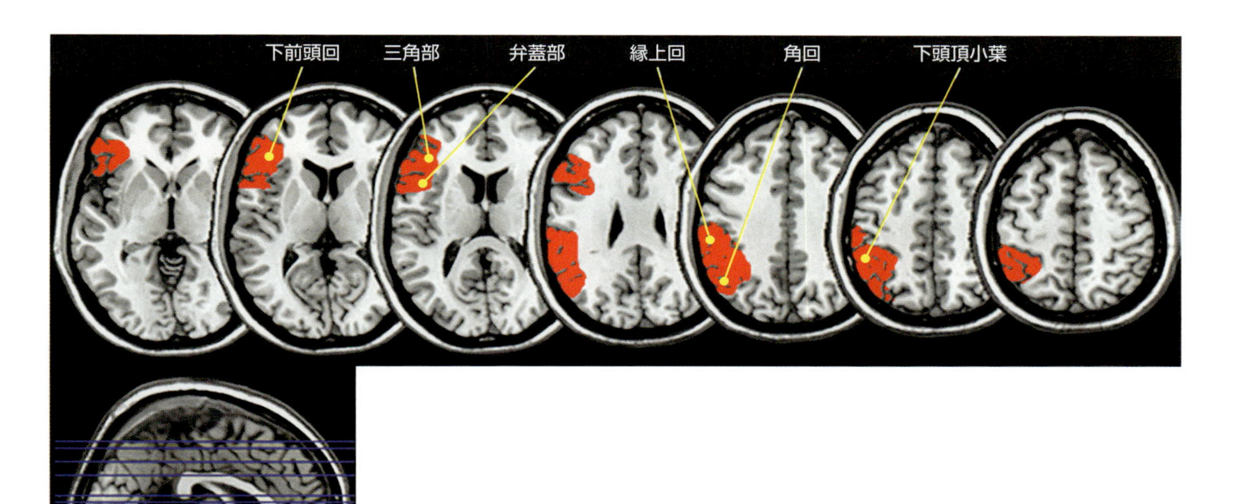

▶図6　失行症状を引き起こす病巣(左下前頭回と左下頭頂小葉)
この図は，画像解析ソフト MRIcron を使用して，標準 MRI 脳画像に仮想病変を描画することにより作成したものである．赤で示した領域が，主に失行症状を引き起こす左下前頭回(三角部，弁蓋部)と左下頭頂小葉(縁上回，角回)である．

おいて，この過程を何度も反復する．そのため，左下頭頂小葉には，行為の記憶(ジェスチャーエングラム：道具の使い方の記憶や言語に対応したジェスチャーの記憶，道具の操作の知識)が貯蔵される．近年では，ジェスチャーエングラムは，下頭頂小葉に局所的に保存されているのではなく，分散的に表象されているととらえられており，視覚的なジェスチャーエングラムは左後部中側頭回に，運動感覚的なジェスチャーエングラムは前頭(下前頭回/運動前野)-頭頂(頭頂連合野)ネットワークに保存されていると考えられている．

さらに左下頭頂小葉は，技術的推論機能を有している．これは道具の構造から，その使用法を推論する機能のことである．ヒトは，ある目的に必要な道具がない場合であっても，そこにある他の物品や道具で代用(例：ネジを回す必要があってドライバーがないときに，ナイフやハサミの先端を使用するなど)して，目的を達成する能力を有している．左角回が道具と対象に関する技術的推論を担い，左縁上回が上頭頂小葉(頭頂間溝を含む)からの手と道具に関する感覚-運動情報と左角回からの技術的推論情報を統合する役目を果たす．

したがって，左下頭頂小葉と左下前頭回，および SLF の損傷は，行為の記憶および技術的推論機能の障害，そして行為の選択と計画の障害を引き起こすことになり，失行(使用失行，パントマイム障害，ジェスチャー障害)を発現する．

誤反応について，時空間エラー(運動性・空間性の錯行為)は，主に左頭頂間溝に隣接する左下頭頂小葉損傷と関連しており，質的エラー(困惑，認識困難，意味性の錯行為)は，左縁上回と左上側頭葉損傷に起因する．すなわち，病巣が左下頭頂小葉の上方へ行くほど，行為の視空間的側面の誤反応が出現し，下方へ行くほど，行為の意味的側面の誤反応が出現することになる．

2 観念運動失行(模倣障害)の病巣とメカニズム

失行で出現する模倣障害には，パントマイムやジェスチャーを見て，それを模倣する場合に障害が生じる有意味動作の模倣障害と，無意味な動作を見て，それを模倣する場合に障害が生じる無意味動作の模倣障害(視覚性模倣失行)がある．有意

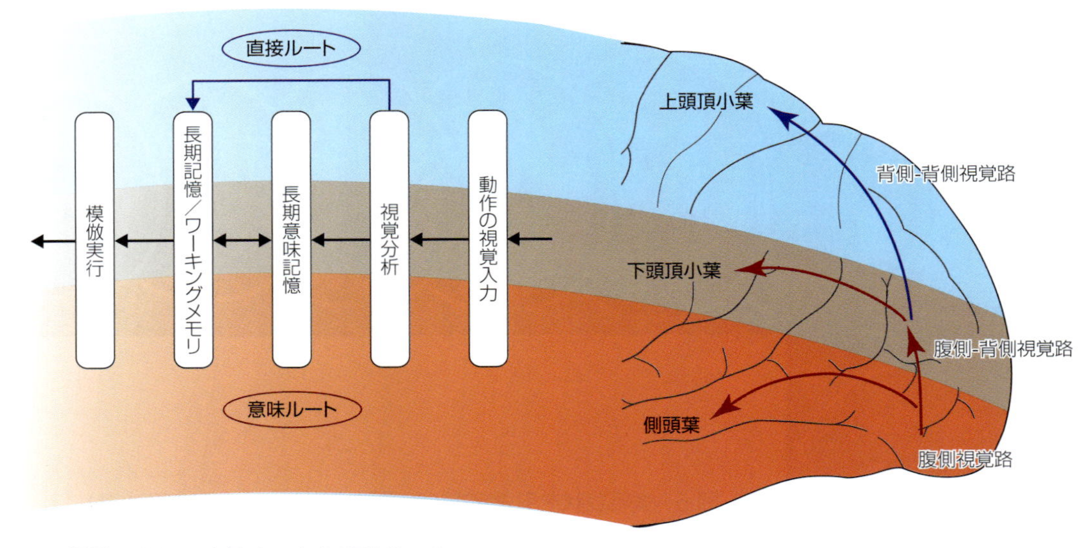

▶図７　模倣における直接ルートと意味ルート
青：直接ルート，赤：意味ルート
直接ルートは，背側–背側視覚路と腹側–背側視覚路で構成される．意味ルートは，腹側–背側視覚路と腹側視覚路で構成される．腹側–背側視覚路は，直接ルートと意味ルートの両方を構成する．

味動作と無意味動作の模倣は，それぞれ異なる神経基盤およびメカニズムを有することから，お互いが解離して生じることがある．

有意味動作の模倣にかかわる経路は**意味ルート**と呼ばれ，無意味動作の模倣にかかわる経路は**直接ルート**と呼ばれている（▶**図７**）．意味ルートでは，ワーキングメモリを使用して，他者行為と長期記憶との比較照合が行われ，他者行為の意味理解が行われたうえで模倣が実行される．一方，直接ルートでは，他者行為の意味理解はなされず，直接的に他者行為を模倣する経路である．したがって，意味ルートは有意味動作の模倣しか処理できないのに対して，直接ルートは有意味動作と無意味動作の両方の模倣を処理可能である．

直接ルートは，背側–背側視覚路と腹側–背側視覚路であり，主要領域は左上頭頂小葉，左角回，左上側頭回後部領域である．すなわち無意味動作の模倣は，生物学的運動の視覚処理を行う左上側頭回，視覚–体性感覚統合および視覚–運動変換・統合を実施する左上頭頂小葉，そして**身体部位符号化**（body part coding）を実施する左角回のネットワークで達成される．身体部位符号化とは，他者の視空間的情報に基づいて，それに適合するように自己身体を配置する能力のことである．

意味ルートは，腹側–背側視覚路と腹側視覚路であり，主要領域は左下頭頂小葉（左角回，左縁上回），上・中・下側頭回，および海馬である（▶**図７**）．すなわち有意味動作の模倣では，左上側頭回，左角回に加えて，他者運動の理解（その運動をどのように行っているかの理解．“ピースサイン”であれば，相手に手掌面を向けて，示指と中指を伸ばし，他指を曲げる）において左縁上回が，他者運動の意味理解（その運動がどのような意味をもっているかの理解．“ピースサイン”であれば，“平和”や“勝利”）において左中・下側頭回および海馬が，そして意味に対応した行為の記憶の取り出しにおいて左下頭頂小葉が関与する．

したがって，左角回と左上側頭回の損傷は，有意味動作の模倣障害と無意味動作の模倣障害（視覚性模倣失行）の両方を生じうるが，前述したその他の領域の損傷では，解離が生じる．

D 失行に対するリハビリテーション[1)]

1 効果のエビデンスレベルが高いリハビリテーション

リハビリテーションは，失行症状の改善そのものに焦点を当てるのではなく，失行を有する患者の ADL や手段的 ADL（IADL）の改善に重点をおくべきである．具体的には，失行症状がどのような ADL あるいは IADL に影響を与えているかを評価によって明らかにし，後述するストラテジートレーニングやエラーレスラーニングのように，困難な ADL を代償する戦略を学習する方法や徐々に介助量を低減しながらの ADL 練習が最も現実的なアプローチである．

一方で，後述するジェスチャートレーニングのように，失行のメカニズムに基づく機能再建を目指したアプローチも，無作為化比較試験（randomized controlled trial; RCT）によって比較的に高い効果が示されており，検討すべきである．

a ストラテジートレーニング[5–7)]

ストラテジートレーニングは機能代償をはかるアプローチであり，ADL 上での失行症状を代償する戦略を患者に教育する方法である．ストラテジートレーニングは，実際の ADL を評価し，問題のある動作を抽出することから始まり，問題のある ADL に対して 3 段階のフレームワークを反復する．

- 第 1 段階（活動の開始）：適切な実行計画および正確な使用物品の選択
- 第 2 段階（活動の実行）：選択された計画の適切な実行
- 第 3 段階（活動の制御）：結果の評価と間違いの修正

この過程を経るうえで，セラピストは適切な指示・援助・フィードバックを行っていく．また内的代償戦略として，動作の順序を患者に言語化してもらう自己教示法と，外的代償戦略として，動作の順序を記述して提示する，絵にして提示するなどがある（▶図 8）．

ストラテジートレーニングと作業療法の併用（対象群は作業療法のみ）による介入の RCT を含む複数の研究結果では，8〜12 週間の介入で ADL と失行症状の改善効果が認められており，最大 5 か月後のフォローアップ測定において，介入を実施しなかった ADL にも転移効果が認められたことが報告されている[5–7)]．

b ジェスチャートレーニング[8, 9)]

ジェスチャートレーニングは，機能再建をはかるアプローチである．ジェスチャートレーニングは，パントマイム練習とジェスチャー練習から構成されており，それぞれ 3 段階の過程を経る．またジェスチャー練習には，有意味と無意味の 2 つが設定されている．

■パントマイム練習

- 第 1 段階：道具の実使用を行う（例：スプーンの実使用）（道具の実使用）．
- 第 2 段階：他動詞ジェスチャー中の写真（例：スプーンの使用）を見て，そのパントマイムを行う（例：スプーン使用動作のパントマイム模倣）（道具使用のパントマイム模倣）．
- 第 3 段階：道具の写真（例：スプーン）を見て，パントマイムを行う（例：スプーン使用動作のパントマイム）（道具使用パントマイム）．

■有意味なジェスチャー練習

- 第 1 段階：ある文脈の写真（例：ヒトがサンドイッチを食べている）と，それに関連する象徴的なジェスチャーの写真（例：食べるジェスチャー）を見て，そのジェスチャーを再現する．
- 第 2 段階：同じ文脈の写真（例：ヒトがサンドイッチを食べている）だけを見て，それに関連

内的代償戦略
○自己教示法
右袖を通す
右袖を通す
言語化
小声，つぶやき
内言語化

外的代償戦略
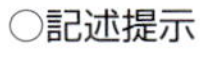
○記述提示

○絵画提示

▶図 8　ストラテジートレーニングにおける内的代償戦略と外的代償戦略
上：着衣動作における自己教示法を示す．自分で自分に動作の言語指示を出しながら行為を実施していく．徐々に発話を小声，つぶやきと小さくしていき，最終的には内言語化していく．
下：コップで牛乳を飲む行為における記述提示および絵画提示を示す．患者はこれらを参照しながら，行為を実施していく．

したジェスチャー(例：食べるジェスチャー)を表現する．

- 第 3 段階：第 2 段階とは異なるが関連する文脈の写真(例：ヒトが缶詰をフォークで食べる)を見て，それに関連したジェスチャー(例：食べるジェスチャー)を表現する．

それぞれ 3 段階で構成されており，各段階は 20 項目からなり，17 項目クリアしたら次の段階に進むように設定し，クリアしなければクリアするまで介入期間を延長し，その段階を反復する．

無意味なジェスチャー練習では，12 種類の無意味な自動詞ジェスチャーの模倣を実施し，患者が正しくジェスチャーを模倣できなかった場合には，理学療法士は言葉による修正や正しいジェスチャーを視覚提示したり，他動的に正しいジェスチャーを作成したりなどの言語的あるいは身体的介助を行う．

ジェスチャートレーニングによる介入(対照群は失語症トレーニング)の 2 つの RCT 研究の結果では，10 週間の介入によって，観念運動失行と観念失行の改善に加えて，ジェスチャーの理解と ADL の有意な改善が認められている．さらに改善は，2 か月後のフォローアップ測定まで維持されていた．

C エラーレスラーニング[10, 11]

これは，患者が ADL を実行中に，セラピストが患者の誤反応を最小限にするように介助しながら繰り返し実施する介入である．まず，失行症状が現れる問題となる ADL を評価抽出する．介入では，問題のある ADL の実行において，エラーが出現すると同時に，介助して正しい動作に導くようにする．基本的に，患者が誤反応（失敗）を経験しないように，常に正反応（成功）経験となるように配慮する．患者がうまくできていれば，セラピストの介助を徐々に低減していく．そして，難しい行為に対しては繰り返し練習するが，その行為は常に必ず完了するようにする．

エラーレスラーニングによる介入前後比較研究結果では，介入を受けた ADL において改善効果が認められ，3〜6 か月のフォローアップ測定でも効果は維持されていた．しかしながら，効果が維持されていたのは自宅で ADL 練習を継続していた場合であり，介入を受けていない ADL への転移効果は確認されなかった．

2 新しいリハビリテーション

a 経頭蓋直流電気刺激（tDCS）

経頭蓋直流電気刺激（transcranial direct current stimulation; tDCS）は，頭皮上より 1〜2 mA 程度の弱い直流電流を通電することで，電極下の皮質興奮性を変調する非侵襲的脳刺激法の 1 つである．左後部頭頂葉への tDC 陽極刺激によって，右頭頂葉や右一次運動野への刺激や偽刺激と比較して，有意に左上肢の観念運動失行症状（模倣障害）が改善したことが，左半球脳卒中例[12]と大脳皮質基底核症候群（corticobasal syndrome; CBS）例[13]で報告されている．

左半球損傷脳卒中患者 30 名を対象に，5 日間の標準的なリハビリテーションプログラム（理学療法，作業療法，言語聴覚療法，神経心理学的療法）の前後に，左後部頭頂葉への tDC 陽極刺激（2 mA/10 分）を実施する実験群と偽刺激（0 mA/10 分）を実施する対照群に割り付けた二重盲検ランダム化比較試験では，実験群において失行症状（模倣障害）の有意な改善が認められ，実験群は 5 日間で対照群の 3 か月後の模倣パフォーマンスレベルに達していたことが報告されている[14]．

b 支援技術

失行や ADS を有する患者のために，さまざまな ADL の実行時に，必要に応じて言語的，視覚的，または体性感覚的に動作の手がかりやフィードバックを患者に提供するための人工知能を使用した支援技術システムとして，CogWatch[15]や COACH（Cognitive Orthosis for Assisting aCtivities in the Home）システム[16]などが開発されている．CogWatch は，カメラと道具や物品に取り付けられたセンサーにより，患者の動作が分析され，その分析結果に基づいて，適切な動作への誘導，動作の誤りと修正のための指示などを，振動触覚アクチュエータ内蔵の腕時計（振動触覚），モニター（視覚），スピーカー（聴覚）を通じて，患者にフィードバックするシステムである．COACH システムは，主に Alzheimer 病などの認知症高齢者を対象に開発されたものであり，CogWatch と同様に AI を使用して，モニター（視覚），スピーカー（聴覚）を通じて，患者に正しい動作をガイドするための指示・フィードバックを提供するシステムである．たとえば，患者が手を洗おうと洗面台に近づいた場面では，手を濡らす，石鹸をつける，手を洗う，手をタオルで拭いて乾かす，という一連の流れが，視覚・言語・体性感覚的に，患者の動作に合わせて呈示されるシステムとなっている．

失行と ADS の AADS（Apraxia & ADS）を有する患者 31 名に対する CogWatch を用いたランダム化比較試験では，CogWatch トレーニング群において，ターゲット動作の時間が 20% 短縮，修正可能なエラー（フィードバックによって修正が可能なエラー）が 63% 減少，修正不能なエラー（フィードバックによっても修正が困難なエラー）が 45% 減少，ターゲット動作の正確さの有意な向上が認められている．

現状では，こうした有効性に関するエビデンスのある介入を，患者自身の目標や生活背景，症状〔ここには障害されている機能(ネガティブな入力–出力様式)だけでなく，残存している機能(ポジティブな入力–出力様式)も含まれる〕に合わせて，適宜修正・微調整あるいは組み合わせたハイブリッドな介入が必要である．

●引用文献

1) 阿部浩明：高次脳機能障害に対する理学療法．文光堂，2016．
2) 望月 聡：「観念性失行」/「観念運動性失行」の解体に向けて―症状を適切に把握するために．高次脳機能研究，30(2):263–270, 2010.
3) 日本高次脳機能障害学会(旧 日本失語症学会)（編），Brain Function Test 委員会(著)：SPTA 標準高次動作性検査―失行を中心として．改訂第 2 版，新興医学出版社，2003.
4) 石合純夫：高次脳機能障害学．第 2 版，p.82，医歯薬出版，2012.
5) van Heugten, C.M., et al.: Outcome of strategy training in stroke patients with apraxia: A phase Ⅱ study. *Clin. Rehabil.*, 12(4):294–303, 1998.
6) Donkervoort, M., et al.: Efficacy of strategy training in left hemisphere stroke patients with apraxia: A randomised clinical trial. *Neuropsychol. Rehabil.*, 11(5):549–566, 2001.
7) Geusgens, C.A., et al.: Transfer effects of a cognitive strategy training for stroke patients with apraxia. *J. Clin. Exp. Neuropsychol.*, 29(8):831–841, 2007.
8) Smania, N., et al.: The rehabilitation of limb apraxia: A study in left-brain-damaged patients. *Arch. Phys. Med. Rehabil.*, 81(4):379–388, 2000.
9) Smania, N., et al.: Rehabilitation of limb apraxia improves daily life activities in patients with stroke. *Neurology*, 67(11):2050–2052, 2006.
10) Goldenberg, G., et al.: Therapy of activities of daily living in patients with apraxia. *Neuropsychol. Rehabil.*, 8(2):123–141, 1998.
11) Goldenberg, G., et al.: Assessment and therapy of complex activities of daily living in apraxia. *Neuropsychol. Rehabil.*, 11(2):147–169, 2001.
12) Bolognini, N., et al.: Improving ideomotor limb apraxia by electrical stimulation of the left posterior parietal cortex. *Brain*, 138(Pt 2):428–439, 2015.
13) Bianchi, M., et al.: Left parietal cortex transcranial direct current stimulation enhances gesture processing in corticobasal syndrome. *Eur. J. Neurol.*, 22(9):1317–1322, 2015.
14) Ant, J.M., et al.: Anodal tDCS over left parietal cortex expedites recovery from stroke-induced apraxic imitation deficits: A pilot study. *Neurol. Res. Pract.*, 1:38, 2019.
15) Pastorino, M., et al.: Preliminary evaluation of a personal healthcare system prototype for cognitive eRehabilitation in a living assistance domain. *Sensors* (*Basel*), 14(6):10213–10233, 2014.
16) Mihailidis, A., et al.: The COACH prompting system to assist older adults with dementia through handwashing: An efficacy study. *BMC Geriatr.*, 8: 28, 2008.

(信迫悟志)

COLUMN 失語症

失語の古典的分類には，言葉を話すことの障害として Broca（ブローカ）**失語**，言葉を理解することの障害として Wernicke（ウェルニッケ）**失語**がある．臨床で，若い理学療法士や学生が言語聴覚士に，「この人はカルテに失語があるとありますが，Broca 失語ですか．Wernicke 失語ですか」と尋ねている場面に遭遇する．

言語聴覚士は答えるのに苦労する．なぜなら失語をタイプ分類することは，臨床上，重要なことではないからである．臨床では，正確なタイプ分類よりも，正確な失語症状の把握が重要である．

Broca 失語

古典的に Broca 失語に含まれる症状のうち，非流暢性発話，構音障害，音韻性錯語（例：「はぶらし」→「はとらし」）は，**発語失行**（適切な一連の発声を生成するために舌・口唇・咽喉頭の運動をプログラムする能力の障害）の症状でもあり，中心前回下部の損傷，特に島皮質の損傷で生じる．**失文法**（発話時の助詞の省略や誤用，例：「坊やが帽子をかぶっています」→「坊や　帽子にかぶっています」）については，想起の問題として Broca 野損傷でも生じるが，表出の問題として中心前回下部の損傷でも生じる．

一方，Broca 野〔左下前頭回，Brodmann（ブロードマン）の 44，45 野〕は，誤文法文（例：雪をつもる）と誤意味文（例：雪をしかる）を使った文法判断課題の脳活動測定から，文法中枢であることがわかっている．そのため，Broca 野の損傷では，文法理解の障害が生じる．また喚語困難も生じる．

喚語困難とは，たとえば馬の絵を見せて呼称させると，「走る」「乗って」「かけて」のように迂回表現がみられたり，「あれ」「それ」と代名詞表現がみられるなどの呼称の障害である．喚語困難はすべてのタイプの失語でもおこりうるが，喚語困難があり，その他の症状が良好であれば，**失名詞失語**（失名辞失語，健忘失語）と呼ぶ．

Wernicke 失語

古典的に Wernicke 失語に含まれる症状のうち，聴覚入力による音声言語の理解障害は**純粋語聾**である．復唱（意味の理解の可否にかかわらず，聞いた言葉をそのまま発話すること）の重篤な障害と音韻性錯語は**伝導失語**の症状である．言葉の意味理解障害や喚語困難，語性錯語〔例：はぶらし⇒みかん（カテゴリー外），はぶらし⇒かみそり（カテゴリー内）〕は**超皮質性感覚失語**の症状である．

純粋語聾では，音声言語ではない音の認識は可能で，発話も良好で，読唇と筆談によるコミュニケーションが可能である．純粋語聾は左上側頭回（一次聴覚野 Brodmann の 41，42 野～Wernicke 野 Brodmann の 22 野）の損傷で生じる．

失語症の発生機序

聴覚的に入力された言葉は，まず一次聴覚野から入り，Wernicke 野を経て，角回（下頭頂小葉後部，Brodmann の 39 野），あるいは上・中・下側頭回で，意味情報処理（言葉が意味とつながる）を受ける．角回は聴覚野（側頭葉），視覚野（後頭葉），体性感覚野（頭頂葉）のちょうど中心に位置し，異種感覚を統合し，意味ネットワークを形成している．メタファーやことわざの理解時に角回が活性化することが明らかになっている．

そして，Wernicke 野から Broca 野は弓状束という神経の束でつながっている．弓状束には，Wernicke 野と Broca 野を直接つないでいる長セグメントと，いったん角回と接続する前方・後方セグメントの 2 種類がある．後方セグメントが Wernicke 野と角回を結び，前方セグメントが角回と Broca 野をつないでいる（▶**図 1**）[1-4]．

よって，長セグメントの限局的損傷では，理解や発話に問題はないが，復唱が障害され，伝導失語を呈する．一方，前方・後方セグメントの限局的損傷では，

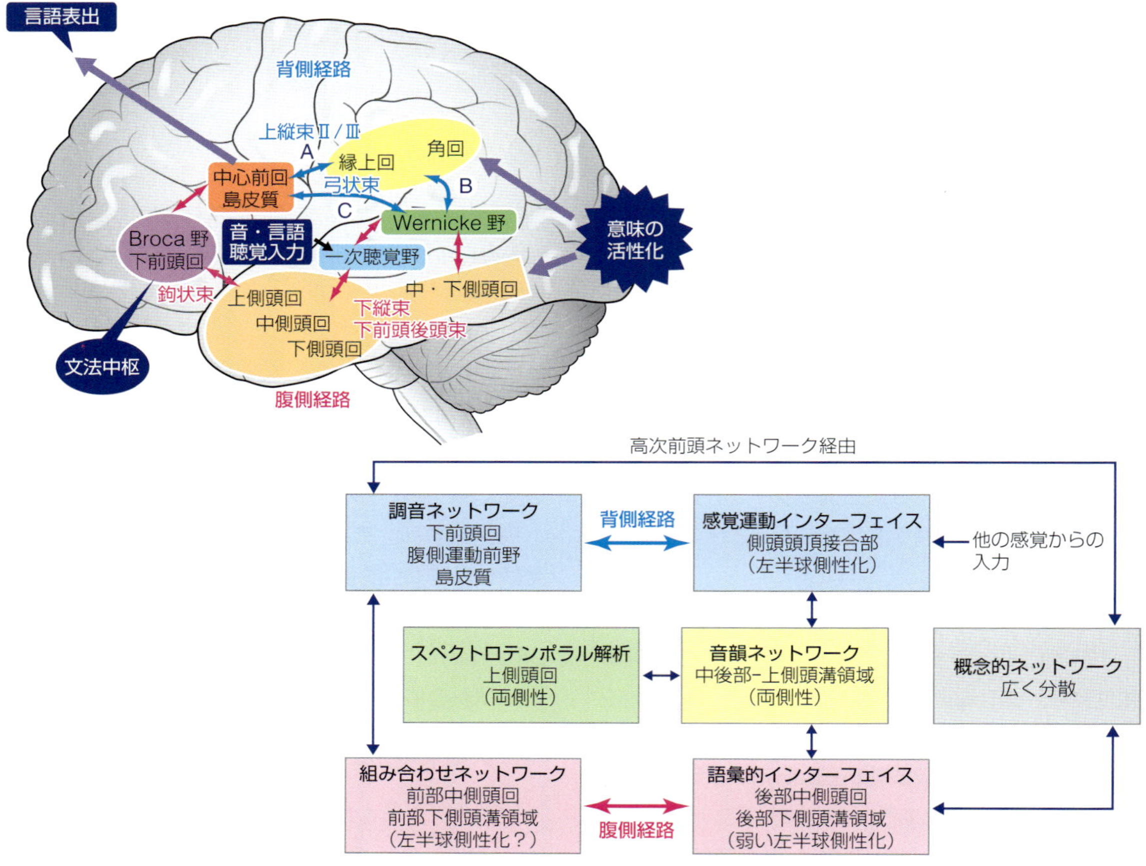

▶**図 1　言語ネットワーク**

青矢印：言語の背側経路．言語の音韻処理経路であり，音(聴覚)の発話への変換にかかわる．A：弓状束前方セグメント，B：弓状束後方セグメント，C：弓状束長セグメント．

赤矢印：言語の腹側経路．言語の意味処理経路であり，音(聴覚)の意味理解への変換にかかわる．言語の腹側経路を構成する連合線維は，下縦束，鉤状束，下前頭後頭束である．

〔文献 1–4 より改変作成〕

復唱は保たれるが，言葉の意味理解が障害され，超皮質性感覚失語を呈する．臨床的には限局的損傷は生じないので，伝導失語は上側頭回から縁上回(下頭頂小葉前部，Brodmann の 40 野)にかけての損傷で観察され，超皮質性感覚失語は角回や中・下側頭回(物品の意味などが保存されている)の損傷で観察される．

Wernicke 失語では，発話に際して，**ジャルゴン**(**ジャーゴン**，発話全体が意味不明)が認められることもある．ジャルゴンには，未分化，新造語，錯語性の 3 亜系がある．

言語の背側経路である弓状束の長セグメントを損傷して生じる伝導失語では，復唱が障害されるが，conduite d'approche(数回連続して繰り返し発語することで徐々に音韻が改善することがある)が認められることがある．この conduite d'approche は，何度か反復することで音韻が改善することがあるため，言葉のクリーンアップ(自己修正)メカニズムと呼ばれている．そして，このメカニズムを担っているのが，言語の腹側経路(左側頭連合野，左下前頭回)である[5]．言語の腹側経路は，言語の意味処理経路であることから，自発話の聴理解(意味理解)に基づいて，言葉のクリーンアップ(自己修正)を行っていると考えられている．

読み書きの障害

読み書きの障害についても触れておく．**純粋失読**では，字を書けるにもかかわらず，書いた文字を読むことができない．純粋失読の原因病巣は左一次視覚野（Brodmann の 17 野）と脳梁後部の合併損傷である．左一次視覚野に損傷を受けると，右視野からの情報が受け取れない．しかし，左視野からの情報を右一次視覚野で受け取り，文字に関しては情報を脳梁後部を通じて，左角回を中心とした意味領域に伝達することで，文字が読める．よって，左一次視覚野損傷に脳梁後部を損傷すると，純粋失読が生じる．

読字には“全語読み”と“音韻読み”の 2 つの過程が存在する．全語読みは大多数の見慣れた単語に用い（例：たばこ），音韻読みは見慣れない単語や無意味文字列に用いる（例：たこば）．日本語では，漢字は全語読み，仮名文字は音韻読みに対応できる．音韻読みは，左半球の角回および後頭葉外側面へと向かう視覚の背側経路（腹–背経路）および角回から Broca 野へとつながる神経束によって実現されている．

一方，全語読みは，視覚の腹側経路で，左下側頭回後下部の紡錘状回の視覚性単語形状領域によって処理される．現実的には漢字も仮名も腹側経路が主体となって処理するが，仮名は背側経路だけでも読むことが可能である．臨床的には，Wernicke 失語で仮名は読めないが，漢字は読める症例が稀に観察される．

書字についても読字と同様の脳内経路が想定されており，左角回の損傷では，漢字にも仮名にも**失読失書**が生じ，左下側頭回後下部の損傷では漢字に強い失読失書が生じる．脳イメージング研究では，日常使い慣れた道具や物品を使用せずとも，見ただけで実際に使用する場合の運動情報処理が自動的になされ，それが運動前野の賦活となって表れることが知られている．同様に書字においても，文字を見るだけで，その文字を書くための運動情報処理が生じ，運動前野が活性化することが明らかになっている．

言語と運動の関係

言語と運動の関係について，非言語コミュニケーション（手話やジェスチャー，模倣）の基盤であるミラーシステム（上側頭溝領域–下頭頂小葉–腹側運動前野・Broca 野）が言語の起源ではないかと検討され始めて久しい．運動学習の大きな基盤の 1 つに模倣があることからも，言語・模倣・運動の脳内機構のつながりを理解することは，理学療法士にとっても今後ますます重要となってくるであろう．

脳イメージング研究では，ある身体部分の動作を意味する動詞を言う・聞くときに，運動野の対応する体部位再現が活性化することも示されている（たとえば，「蹴る」などの動詞を言うときに，運動野の脚の領域が活動する）．このことはどのような言語を使用して運動療法を実施するかによって，その回復が変化する可能性を示唆する．

また，失語はコミュニケーション障害を意味し，日常生活および社会生活にとって重要な阻害因子となる．当然，麻痺の回復に向けた理学療法を導入するうえでも，重要な阻害因子となる．よって，言語聴覚士からの情報をもとに，介入方法を検討・工夫し，失語症患者との適切なコミュニケーションをはかることは理学療法士の責務である．決して，失語があるので運動の回復が悪いといったことがないようにしたい．

●引用文献

1) Catani, M., et al.: Perisylvian language networks of the human brain. *Ann. Neurol.*, 57(1):8–16, 2005.
2) Hickok, G., Poeppel, D.: The cortical organization of speech processing. *Nat. Rev. Neurosci.*, 8(5): 393–402, 2007.
3) Sakai, K.L.: Language acquisition and brain development. *Science*, 310(5749):815–819, 2005.
4) Ueno, T., et al.: Lichtheim 2: Synthesizing aphasia and the neural basis of language in a neurocomputational model of the dual dorsal-ventral language pathways. *Neuron*, 72(2):385–396, 2011.
5) Ueno, T., et al.: The roles of the “ventral” semantic and “dorsal” pathways in conduite d'approche: A neuroanatomically-constrained computational modeling investigation. *Front. Hum. Neurosci.*, 26;7:422, 2013.

（信迫悟志）

第9章

歩行障害①
——基礎(神経生理・バイオメカニクス)

学習目標
- 歩行に関与する神経機構について理解する.
- 脳卒中片麻痺の歩行障害の特徴について，神経生理学的視点およびバイオメカニクス学的視点から理解する.

ヒトにとって**歩行**は生活を営むうえで欠かせない動作である．また，中枢神経系により高度に制御された動作である．それゆえに，中枢神経が障害されると，歩行障害が出現し，日常生活活動(ADL)や社会参加も制限され，生活の質(QOL)が低下することとなる．さらに，脳卒中片麻痺患者において，日常生活上での身体活動の低下は血管イベントや死亡の要因となることが報告されている[1,2]．理学療法士にとって中枢神経障害による歩行障害を理解するうえで重要なことは，①基本的な歩行に関する神経機構を理解すること，②どのような歩行障害が生じているかをバイオメカニクスや神経科学的な観点から理解すること，③歩行障害が生じることで結果的に日常生活や身体活動量にどのような影響を及ぼしているかを理解することがあげられる．なお，ここでの歩行とは，国際生活機能分類(International Classification of Functioning, Disability and Health; ICF)による定義より，さまざまな路面上での歩行，長距離での歩行，障害物の回避，前方のみでなく側方，後方に歩くことも含んでいる．中枢神経障害による歩行障害の特性を理解したうえで，各種評価を実施し，患者特有の歩行障害像をとらえて，適切な理学療法を提供していく．

本章では，歩行に関する神経機構と脳卒中片麻痺患者の歩行障害について，バイオメカニクス学的視点および神経生理学的視点から概説を行う．

A 歩行に関する神経機構

(▶図1)[3]

1 神経システムの階層性制御について

歩行は高度に自動化された動作として中枢神経により制御されている．**歩行の自動化**とは，意識せずに歩行することを指す．自動化された歩行に関する制御には，主に中枢神経の下位レベルである**脳幹–脊髄投射系**が関与する．また，中位レベルである**大脳基底核**は脊髄，脳幹の神経核や運動皮質と密接な連絡があり，筋緊張の調節，歩行の発現や調節にかかわっている．**小脳**は筋緊張や四肢運動の位相の制御を行い，肢内の関節間や肢間の協調的な動きの調整を行っている．また，歩行中のさまざまな外部環境に対し，予測的に適応する制御であるフィードフォワード制御に重要な役割を果たしている．高位レベルである**大脳皮質**は，外部環境での歩行や複数の課題を行いながら歩行するなどの複雑な歩行を制御する役割をもつ．**運動前野**は歩行プログラムの生成に関与し，歩行の開始時に活性化する．また，一次運動野や運動前野，補足運動野，帯状皮質運動野は**皮質脊髄路**(corticospinal tract; CST)を介して歩行中

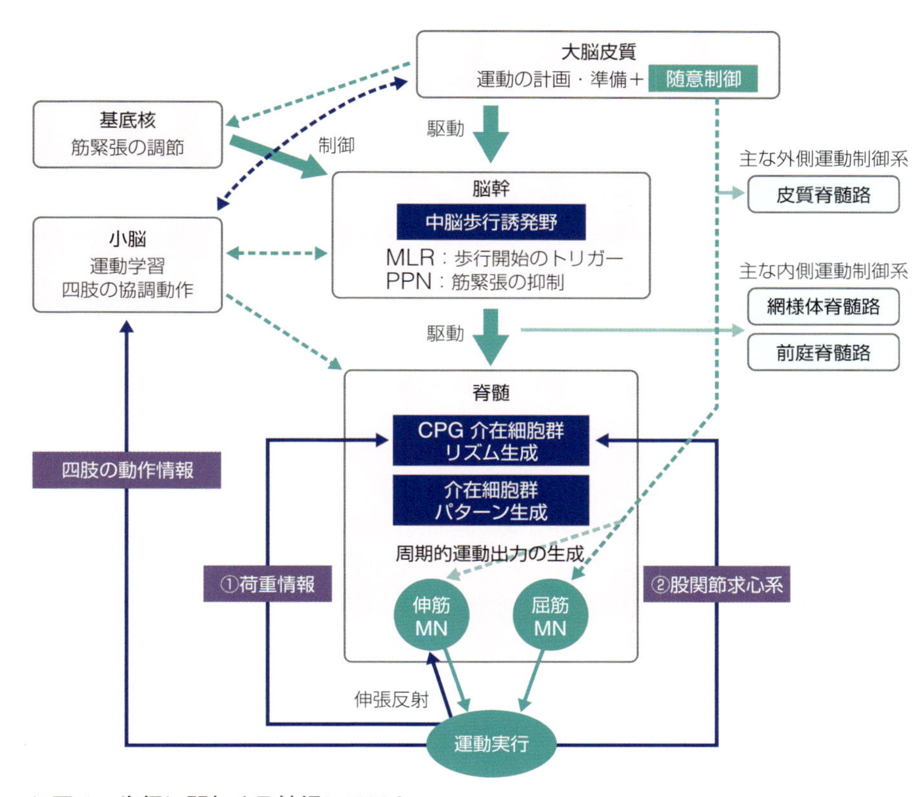

▶図 1　歩行に関与する神経システム

神経システムは図のように階層性の制御をなす．中枢神経の各領域に役割があるが，各領域はネットワークを形成して組織化されている．屋外環境下での歩行など随意性が要求される運動では，脳の広範な範囲での活動が必要となるが，平地での歩行など随意性が要求されない自律的な運動では，脊髄の活動の貢献度が大きくなる．

MN：運動ニューロン(motor neuron)，MLR：中脳歩行誘発野，PPN：脚橋被蓋核，CPG：中枢パターン発生器

〔河島則天：正常歩行の神経制御．阿部浩明ほか(編著)：脳卒中片麻痺患者に対する歩行リハビリテーション．pp.2–11, メジカルビュー社, 2016 より改変〕

に四肢の独立した運動を制御し，障害物をまたぐなど巧緻な歩行に必要とされる．

このように，中枢神経の各領域において役割があるが完全に分担されておらず，各領域はネットワークを形成して複雑かつ円滑に歩行の制御を行っている．

2 自動化された歩行に関する制御

歩行を発動させる脳の領域として，視床下部(間脳)歩行誘発野(subthalamic locomotor region; SLR)，中脳歩行誘発野(mesencephalic locomotor region; MLR)，小脳歩行誘発野(cerebellar locomotor region; CLR)があげられる．これらの歩行誘発野から生じた信号は脳幹網様体に収束し，歩行リズムの生成と姿勢制御を網様体脊髄路を介して行い，歩行を発動させる．

脳幹–脊髄投射系が関与する自動的な歩行運動の制御には，歩行リズムの生成と姿勢制御があげられる．**歩行リズム**とは，手足の協調がとれたリズミカルな運動を指し，**姿勢制御**とは，姿勢筋緊張を調整して歩行中に適切な身体のアライメントを保持することを指す．脳幹–脊髄投射系は**内側運動制御系**と**外側運動制御系**からなり，内側運動

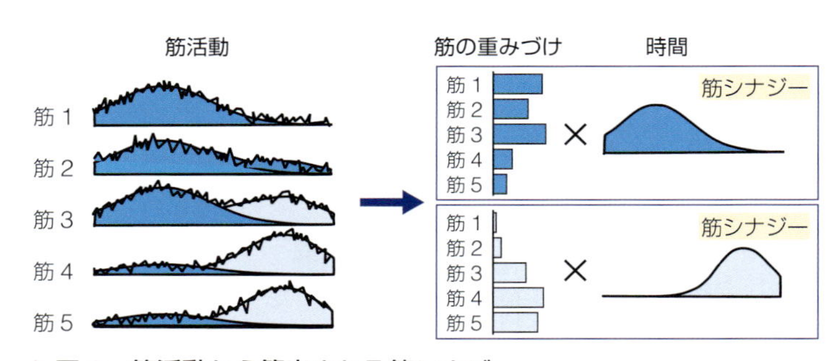

▶**図2　筋活動から算出される筋シナジー**
筋シナジーは各筋活動から算出され，各筋シナジーを構成する筋の重みづけおよびシナジーの時系列での変化が算出される．

制御系には網様体脊髄路や前庭脊髄路などがあり，外側運動制御系には CST や赤核脊髄路がある．歩行リズムの生成や姿勢筋緊張に関しては，内側運動制御系が主に関与するとされている．内側運動制御系の役割としては，主に四肢や体幹の協調運動，単一肢内の関節間の協調性に関与する．内側運動制御系のなかでも網様体脊髄路は自動的な歩行を実行するうえで重要な役割を果たす．また，内側運動制御系は主に大脳皮質の6野である補足運動野と運動前野の出力により，皮質網様体路(corticoreticular pathway; CRP)を介して駆動される．

歩行リズムを生成する神経機構は，MLR と連絡している延髄網様体から下行する網様体脊髄路と，脊髄に存在する**中枢パターン発生器**(central pattern generator; CPG)からなる．CPG は，理学療法で実施する歩行トレーニングの効果を理解するうえで重要な神経機構である．CPG は，「末梢受容器からの感覚入力や高位中枢からの神経指令なしに周期的な運動パターンを生成する神経回路網」と定義されている．CPG は歩行，泳動，食事，呼吸など律動的な運動において同定されている．しかし，歩行は自動的であるが，必ずしも定型的ではない．CPG への上位中枢あるいは末梢感覚からの入力の種類により異なる歩行パターンを形成する．ヒトの歩行に関する CPG においては，荷重情報と股関節伸展方向の固有感覚情報が重要とされている．

歩行中において複数の関節や筋活動は一定の組み合わせを保ちながら協調的に運動していることが知られている．このような組み合わせは総称して**シナジー**(筋活動の組み合わせは筋シナジー，関節運動の組み合わせは運動学シナジー)と呼ばれている．Bernstein は，シナジーは多自由度の制御を簡素化するための神経的な戦略としている[4]．このような神経的な戦略を実現するために，いくつかの機能的に類似した筋をまとめて支配する神経制御機構が存在しているとされている．以上のような概念のもと，歩行中の下肢の運動学シナジーや筋シナジーは統計学的に抽出が行われ，主に歩行中におけるシナジーの数とそれぞれのシナジーの時系列的な変化が解析されている(▶**図2**)．健常者の歩行時における筋シナジーの機能的役割は，立脚初期の荷重，立脚終期の荷重および推進，遊脚初期のクリアランス，遊脚終期と立脚初期の下肢の減速と推進とされている．

3 適応に関する制御

正常歩行は自動的であるが，多様な環境下やさまざまな課題を伴った状況で歩行する際には，その状況に応じて歩行を適応させるため定型的ではない．適応は歩行の自動制御に関与する神経機構に加え，適応に関与する神経機構により制御される(▶**図3**)．各課題や環境への適応には多様な神経ネットワークが関与すると考えられている．

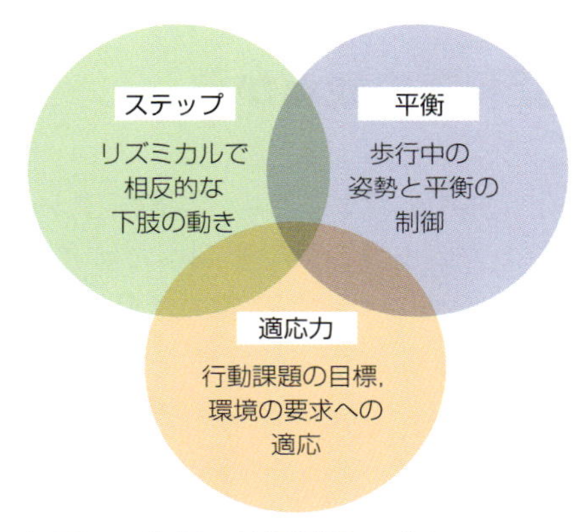

▶図 3　歩行の神経制御モデル

このような神経基盤のもと，行動課題や環境への要求に対して即時的に適応し，学習することで長期的に適応していく．歩行中の二重課題(質問に答えるといった認知課題や段差を乗り越えるといった運動課題)に対する適応には，主に行為の順序の計画，管理および注意を分配する機能を兼ね備えた前頭前野が関与する．脳卒中片麻痺患者は，低下した前頭前野の活動や歩行の自動化制御の破綻により，歩行課題へより注意を向け，歩行課題を優先して制御しながら二重課題を遂行している．

不整地や運動課題への適応に際して，前庭系による制御は，視覚系とともに歩行中における頭部の安定性を担っている．障害物をまたぐことや，水平に渡したはしごを渡るといった視覚と運動の高度な協調を必要とする視覚系のフィードバック制御歩行には，**後頭頂皮質**が関与する．また，脊髄レベルにおいては**脊髄反射**が利用される．歩行中に予想外の段差があった場合，接地した際の衝撃により筋紡錘が反応して伸張反射が誘発され，姿勢を安定させるために接地した下肢側の足関節周囲筋が反射性に応答することが確認されている．

長期的な環境への適応には，主に小脳が利用される．小脳では，体性感覚情報の一部である固有感覚情報から入力される実際に行われている下肢の情報と，CPG および CST ニューロンから入力される意図した動きの情報を比較する．その際に誤差が生じると，小脳は補正信号を計算し，脳幹のさまざまな神経核に送る．このような誤差補正は，環境に応じたフィードフォワード制御が可能となるための運動学習に利用される．小脳が障害されていない脳卒中片麻痺患者においては，ステップ長が左右対称性となるように速度を設定されたスプリットトレッドミル上での歩行練習の介入後，その環境に適応し左右のステップ長が変化し，歩行時に環境に適応する能力が残存していることが明らかとなっている[5]．

B 脳卒中片麻痺の歩行障害

1 地域社会での歩行障害

大半の脳卒中片麻痺患者は地域社会で再び自立して移動可能となることを希望するが，慢性期以降の患者は歩行に関する身体活動量が健常者より低下している．脳卒中片麻痺患者において地域社会で自立した歩行に必要な能力として，水準以上の歩行速度で歩行ができることがあげられている[6] (▶**表 1**)．また，歩行の耐容能を示す 6 分間歩行距離は，地域社会での移動量を鑑別する指標であることを示した[7]．なお，移動量は 1 日のステップ数で示されており，ステップ数により地域社会での移動の自立度が定義されている[7] (▶**表 1**)．

2 一般的な歩行障害

一般的に片麻痺患者の歩行は**痙性片麻痺歩行**と**弛緩性片麻痺歩行**に分類される．痙性片麻痺歩行の代表的な歩容として，Wernicke-Mann(ウェルニッケ・マン)**肢位**をとり，内反尖足や膝伸展位となる影響により，代償運動として麻痺側遊脚期に骨盤を引き上げて下肢を分回す分回し歩行と

▶表1 歩行速度および1日の歩数と生活空間

歩行速度	1日の歩数	生活空間での移動レベル
0.8 m/秒以上	7,500 歩以上	地域での移動が可能
0.4〜0.8 m/秒以上	2,500〜7,499 歩	地域での移動に制限あり
0.4 m/秒未満	100〜2,499 歩	屋内での移動が可能

〔Perry, J., et al.: Classification of walking handicap in the stroke population. *Stroke*, 26(6):982–989, 1995；Fulk, G.D., et al.: Predicting Home and Community Walking Activity Poststroke. *Stroke*, 48(2):406–411, 2017 をもとに作成〕

なる．

脳卒中片麻痺患者の歩行は，一般的に麻痺側の遊脚期の時間が長くなり，麻痺側単脚でのバランスが低下するため，非麻痺側の遊脚期の時間（麻痺側の単脚支持期の時間）が短くなる[8]．脳卒中片麻痺患者の歩行中における遊脚期の時間の非対称性は，左右下肢の荷重の非対称性と関連している[9]．

脳卒中片麻痺患者においては選択した個々の筋群の制御が困難になるため，同一肢内の関節運動が連動する．このような病態をとらえた概念の1つとして，筋シナジーがあげられる．脳卒中片麻痺患者の歩行中においては，麻痺側下肢の筋シナジーの数が減少する．たとえば，2つの筋シナジーしか確認されなかった症例では，立脚初期の荷重を担う筋シナジーと立脚終期の荷重と推進を担う筋シナジー，さらには遊脚終期と立脚初期の下肢の減速と推進を担う筋シナジーが統合されていた[10]．減少した麻痺側の筋シナジーの数は，脳卒中片麻痺患者の歩行中の推進力や歩行速度と関連する[10]．また，拮抗筋と主動作筋が同時に収縮する共同収縮も，選択した個々の筋群の制御が困難な病態の1つである．共同収縮は，過剰な皮質制御の影響により生じるとされており，脳卒中片麻痺患者の歩行中に麻痺側や非麻痺側下腿筋群，大腿筋群に認められ，麻痺側下腿筋群の共同収縮は歩行中の足関節背屈角度や底屈方向の力発揮を低下させる[11]．

3 神経科学の観点から

脳卒中片麻痺患者を対象に，実際にトレッドミル歩行中の大脳皮質の活動を調べた研究がある．脳卒中片麻痺患者の大脳皮質の活動の特性として，一次感覚運動野の非対称性な活動（損傷側が低下）があげられ，ほかにも補足運動野，前頭前野など他の皮質領域が賦活していたことがあげられる[12]．特に前頭前野は，高齢者と同様に脳卒中片麻痺患者の歩行時において左右両側の活動が増大するとされている．無意識下で制御される歩行の自動化制御が破綻すると，脳卒中片麻痺患者は前頭前野が神経基盤をなす実行制御により歩行中の自動化制御を代償するとされている．また，約3か月間にわたるトレッドミル歩行のリハビリテーション後には，運動前野の活動が増加し，感覚運動野においては損傷側と非損傷側でより対称的な活動となっていた[13]．さらに，2か月のリハビリテーション後における遊脚期時間の左右非対称性の改善は，損傷側および非損傷側の補足運動野の活動の非対称性の改善と関与することが指摘されている[13]．このような結果は，リハビリテーションにより高次運動野を含めた神経ネットワークが再構築されていることを示唆している．

4 バイオメカニクスの観点から

a 歩行中のエネルギー効率

地域社会での歩行活動量におけるバイオメカニクスの観点から重要な因子として，歩行中のエネルギー効率，歩行中の安定性および歩行速度があげられる．片麻痺患者は歩行中のエネルギー効率が健常者より低下している[14]．エネルギー効率とは，投入したエネルギーに対して利用可能なエネルギーの比を指す．エネルギー効率が低下する要因としては，筋量の減少，心臓血管障害や運動量の低下による心機能の低下があげられる．また，その他の要因として，酸素を摂取し筋収縮がおこ

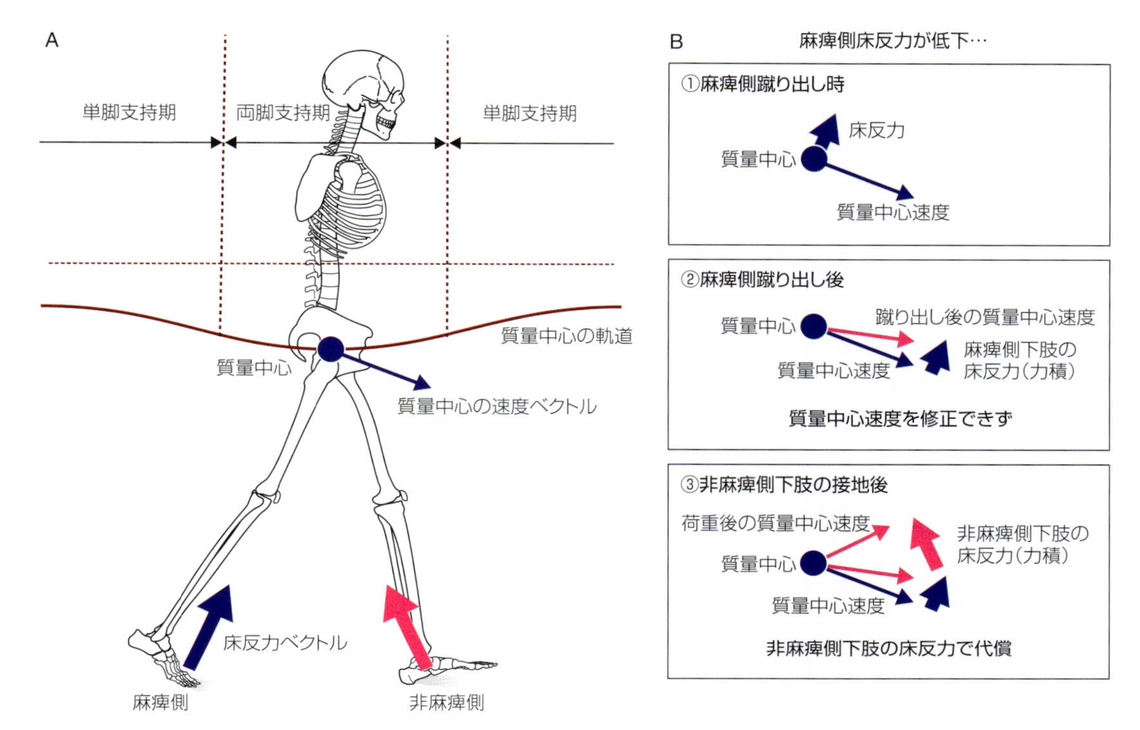

▶図 4　歩行中の両脚支持期における床反力と質量中心

A：歩行中の両脚支持期における人体を示している．青の矢印は両脚支持期における後脚に発生する床反力を示している．また，両脚支持期においては，質量中心の軌道は前方に下降したのちに上昇する．前方に下降する質量中心に対してヒトは下肢の力発揮により床反力を発生させ，その床反力が質量中心に作用し，質量中心は前方に上昇する軌道となる．このような質量中心の軌道の修正を要するために，両脚支持期における下肢の仕事量は歩行周期中で最も多い．

B：片麻痺患者の歩行中の両脚支持期において麻痺側下肢による蹴り出し時に床反力が低下した場合，一般的に質量中心の軌道と床反力がどのように変化するのかを時系列で示している．麻痺側床反力による不十分な軌道の修正を，非麻痺側による床反力により代償する．この際，代償的に過剰な非麻痺側股関節と膝関節の伸展方向の力発揮が主に生じており，エネルギーコストを低下させる原因となっている．

〔Kuo, A.D., et al.: Energetic consequences of walking like an inverted pendulum: Step-to-step transitions. *Exerc. Sport Sci. Rev.*, 33(2):88–97, 2005 より改変〕

る過程で生じるほかに，不適切な筋収縮後に生じる運動学的制約および力学的エネルギーの損失も考えられている．運動学的制約とは，歩行速度の低下や遊脚期の時間の非対称性を指す．

力学的エネルギーが最も使用される歩行時の phase として，両脚支持期が指摘されている．理由としては，両脚支持期では質量中心の軌道の修正に主に下肢の筋群がかかわっているためである．**図 4** のように，両脚支持期においては，下方前方に向かっている質量中心の軌道を，筋収縮による運動により上方前方に変位させる必要がある．また質量中心の軌道修正は，運動エネルギーを位置エネルギーに変換する作業でもある．この際，質量中心の軌道修正のために必要な力学的エネルギーを主に下肢の筋群の収縮により発揮する．健常者の歩行中の両脚支持期におけるエネルギーコストは，1 歩行周期のエネルギーコストの約 60～70% を占めるとされている[15]．

片麻痺患者においては，麻痺側立脚終期に生じた力学的エネルギーが，歩行中のエネルギーコストに関与しているとされている[16]．麻痺側立脚終期において生じる，蹴り出し時の麻痺側足関節底屈方向の力発揮は低下している．そのため，質量中心に十分な力が加わらず，両脚支持期の際に質

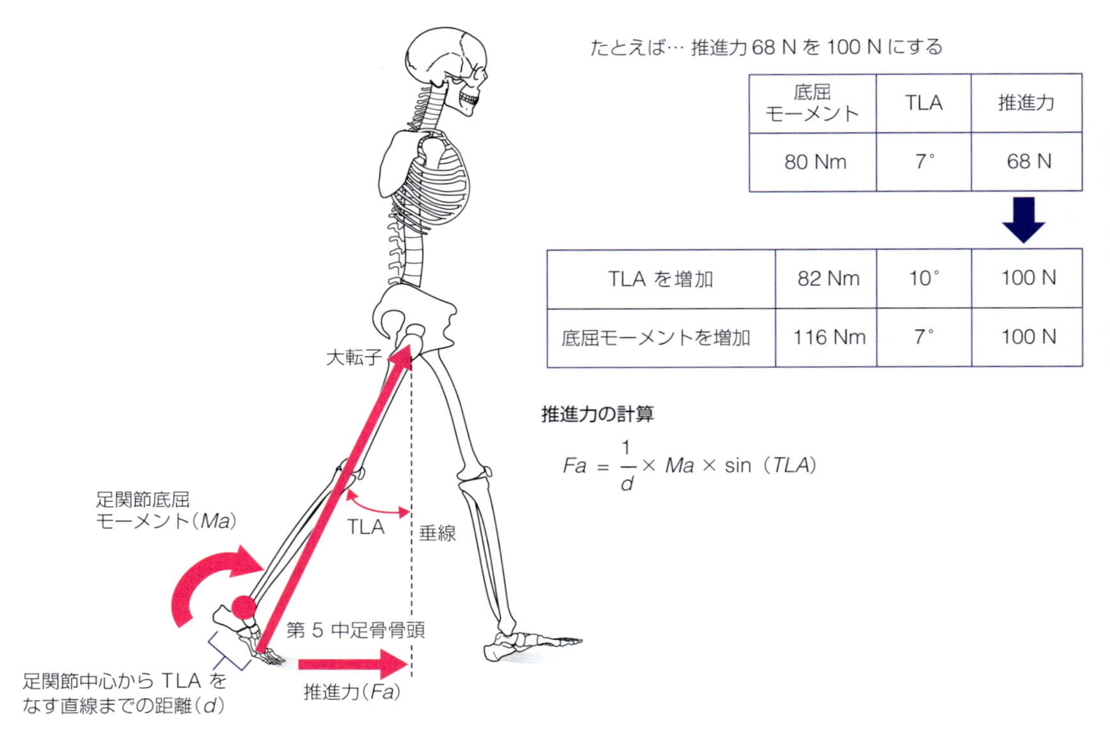

	底屈モーメント	TLA	推進力
	80 Nm	7°	68 N
TLA を増加	82 Nm	10°	100 N
底屈モーメントを増加	116 Nm	7°	100 N

$$Fa = \frac{1}{d} \times Ma \times \sin(TLA)$$

▶**図 5　TLA(trailing limb angle)**
歩行中の両脚支持期における人体を示している．TLA とは，大腿骨大転子と第 5 中足骨骨頭を結ぶ線と鉛直線のなす角度のことを指す．歩行中の推進力に寄与するパラメータとして扱われる．右図には，ある症例の例を提示した．上記の段に記載したパラメータで歩行している症例を，推進力を 100 N まで増加させようとする．推進力を増加させるのに足関節底屈モーメントを増やした場合，足関節底屈モーメントを 36 Nm 増加させる必要がある．一方で TLA を増加させた場合，TLA を 3° のみ増加させると推進力が 100 N となる．歩行における TLA の重要性は認識しておくべきである．
〔Hsiao, H.Y., et al.: The relative contribution of ankle moment and trailing limb angle to propulsive force during gait. *Hum. Mov. Sci.*, 39:212–221, 2015 より改変〕

量中心の軌道が十分に上方や前方に修正されない．このとき，非麻痺側下肢の伸展方向の力発揮により，質量中心を上方に上げる．質量中心を上方に上げる際に必要とする力学的エネルギーは，非麻痺側の膝関節や股関節で生じた伸展方向の力発揮により生じている[17]．過去の研究においては，質量中心を上方に上げる際に生じた位置エネルギーの増加が歩行中のエネルギーコストにかかわる因子とされている[16]．なお，このような位置エネルギーの増加に伴う代償運動として，非麻痺側の下肢伸展以外にも，非麻痺側上肢の運動，麻痺側の骨盤挙上や大腿の外転である下肢の分回し運動があげられる[18,19]．

b 歩行中の推進力

歩行速度にかかわる因子として，歩行中の推進力，麻痺側下肢への荷重があげられる．近年，推進力を発生させる因子として，主に立脚終期の蹴り出し時に生じる足関節底屈筋群の力発揮や TLA(trailing limb angle)があげられている．TLA は，矢状面からみた第 5 中足骨骨頭と大転子を結んだ線と鉛直方向の線がなす角度を指す(▶**図 5**)．TLA は，歩行中の足関節底屈筋群の力発揮よりも推進力への寄与率が高いとされている[20]．また，**図 5** の例に示したように，TLA の角度を増加させることは，足関節底屈筋群の底屈方向の力発揮を増加させるよりも効率的に推進力を増加させることができる．外側運動制御系のCST の障害により，脳卒中片麻痺患者の麻痺側下肢の筋力は股関節や膝関節の近位筋群よりも足関節底屈筋や背屈筋といった遠位筋で低下するとされている．このような近位筋群優位な下肢筋力分布の特性により，脳卒中片麻痺患者の歩行再建に向け麻痺側足関節底屈筋群の力発揮の向上を試みるよりも，麻痺側の TLA の向上を試みるほうが容易である．脳卒中片麻痺患者を対象とした 12 週(週 3 回)のトレッドミル歩行介入後に推進力の改善への寄与率を調べたところ，歩行中の麻痺側足関節底屈筋群による力発揮より麻痺側 TLA のほうが高いことがわかった[21]．しかしながら，歩行速度の改善率が高かった群では，全症例において麻痺側 TLA のみならず，足関節底屈筋群の力発揮も向上していた[21]．脳卒中片麻痺患者の歩行中における推進力を増加させるためには，TLA のみならず，麻痺側足関節底屈筋群の力発揮も着目すべき重要なポイントである．

なお，歩行速度にかかわる因子として，麻痺側立脚終期の麻痺側股関節屈筋群の力発揮もあげられる[22]．TLA 同様に力発揮しやすい近位筋群であるため，片麻痺患者は歩行中において麻痺側足関節底屈筋群の力発揮の低下を麻痺側股関節屈筋群の力発揮で代償している[23]．股関節屈筋群は，立脚終期に下肢を前方に加速させる作用がある．

5 歩行中の安定性について

脳卒中片麻痺患者の**転倒**については，地域在住の患者の約 50% が少なくとも 1 回の転倒を経験している[24]．転倒が多い活動は移動であり，特に歩行時の転倒が多い[25]．脳卒中片麻痺患者の歩行時の転倒は前方と麻痺側方向に多いとされている[26]．

転倒の要因として，身体動揺，スリップおよびつまずきがあげられる．身体動揺は質量中心自体の運動と質量中心を中心とした回転運動(角運動量)で表される．脳卒中片麻痺患者は歩行中に質量中心の側方移動量が麻痺側単脚支持期に麻痺側方向へ，前遊脚期から遊脚初期に非麻痺側方向へ増大する．また，バランス能力が低下した患者の歩行中の前額面において，麻痺側単脚支持期に非麻痺側方向への角運動量の増加率が増大する(▶図 6)[27]．このような前額面上での身体動揺増大の要因として，骨盤に対する麻痺側足部接地の位置関係が一定でないことがあげられる[28]．側方への足部接地位置の制御が不十分な要因として，麻痺側中殿筋筋力の低下や固有受容感覚の低下があげられている．健常者における歩行中の側方の足部接地位置は，遊脚初期の中殿筋の筋活動により制御されるが，遊脚初期の質量中心に対する足部の位置や側方速度情報をもとに制御される．脳卒中片麻痺患者における側方の麻痺側足部の接地位置は，遊脚開始時の足部の位置情報のみで制御されており，遊脚開始時の足部の位置情報があまり反映されない位置で接地する[29]．さらに，前額面上のみならず矢状面上でも脳卒中片麻痺患者の

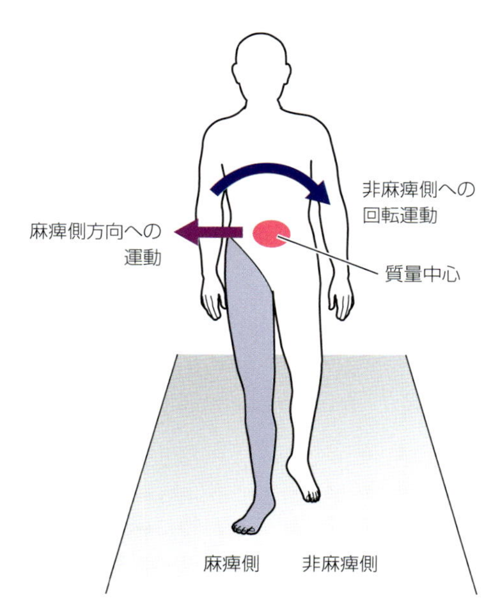

▶**図 6　脳卒中片麻痺患者の単脚支持期での動揺**
歩行中，質量中心の並進運動のみならず，質量中心を中心に全身の回転運動が生じている．歩行中の安定性には質量中心の並進運動と回転運動の制御が必要となる．麻痺側単脚支持期には，過剰な麻痺側方向への質量中心の運動と非麻痺側方向への回転運動が認められる．

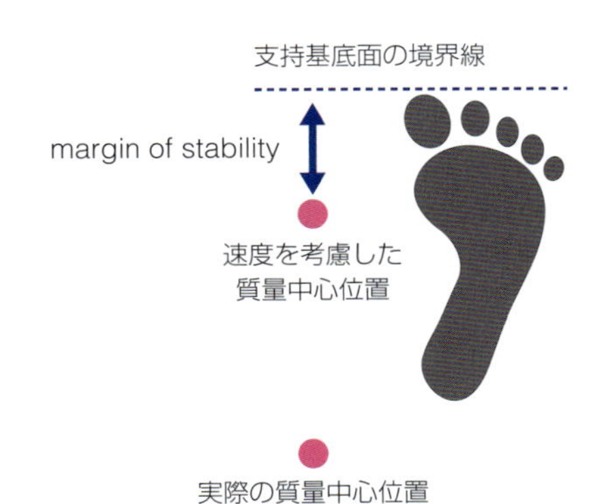

▶図 7　margin of stability（MOS）

歩行中の角運動量は増大し，特に麻痺側遊脚期の非麻痺側膝伸展による代償動作の影響で，後方への角運動量が増大する[30]．歩行の安定性を示す指標である margin of stability（MOS）は，質量中心の位置と速度を考慮した倒立振子モデルから算出される推定質量中心と支持基底面との距離関係で表され，値が小さい場合は推定質量中心が支持基底面の限界に近い位置にあり，不安定であると解釈される（▶図 7）．脳卒中片麻痺患者の矢状面上での MOS は減少している[31]．このように，歩行中の身体動揺の指標は脳卒中片麻痺患者の歩行の不安定性を示唆しているが，転倒の予測因子となる指標は必ずしも不安定性を示していない．転倒の予測因子として，前方向の MOS，歩行中の骨盤側方変位量の減少，麻痺側ステップ長の増大があげられている[32, 33]．特に骨盤側方変位の減少や麻痺側ステップ長の増大は，バランス能力が低下した転倒者が安定性を保持するために慎重な歩行パターン（caution gait）になる影響と推測されている．

歩行中のスリップについては，脳卒中片麻痺患者の麻痺側下肢のスリップ時に麻痺側膝屈曲方向の力が低下しているため，麻痺側足部の前方への移動距離や速度が増大し，身体の質量中心が後方へ進むことから後方への安定性が低下している[34]．また，歩行中の足部のつまずきに関しては，足部離地時に足関節底屈角度の増大，膝屈曲角速度の低下，立脚終期の膝伸展モーメントの増大が要因として指摘されている[35]．

6 歩行障害の違い

a 病期（急性期，回復期，慢性期）

発症後 1 年経過するまでに，脳卒中片麻痺患者の歩行能力は回復する．特に早期は，歩行能力の改善の程度が大きい[36]．しかしながら，発症 3 か月後に中程度の機能障害を有する 75 歳以上の脳卒中片麻痺患者は，機能的な移動能力が低下する[37]．

一般的に急性期脳卒中片麻痺の患者は，歩行中，麻痺側の下肢筋群の活動量は低下している．そのため，麻痺側下肢の支持性は低下しており，歩行中の麻痺側立脚期において過剰な膝折れや膝が過伸展する例は多い．急性期から回復期の回復過程においては，歩行中の麻痺側下肢の支持性が向上し，過剰な膝折れや膝の過伸展は軽減する．しかしながら，歩行中の麻痺側下肢筋群の活動パターンは発症早期から変化していない[38]．

さらに，発症後早期の急性期脳卒中片麻痺患者の歩行中の左右下肢における遊脚期時間やステップ長の非対称性は，退院する時点で変化がみられず，発症 1 年後には非対称性が増悪しているとの報告もある[39]．慢性期脳卒中片麻痺患者は，屋外歩行時には転倒しそうな場所や段差，人混みのなかといったさまざまな環境に適応して歩行する必要があり，安定性の制御に注意が向けられ，非麻痺側上下肢による代償動作を使用せざるをえなくなる．そのため，慢性期脳卒中片麻痺患者の屋外歩行時に非対称性が増悪したり，歩行中の非麻痺側膝角度の増大により 1 日のステップ数が増大したりすることが報告されている[40, 41]．これらの事実は，時間の経過とともに麻痺側下肢の筋活動のパターンは変化しづらく，歩容自体が非対称性になりやすいが，歩容の非対称性は地域社会での移動に不可欠であることを示唆している．

また，退院後 6 か月経過した症例の地域社会での移動について，多くの歩数を伴った移動の回数は退院後 1 か月時より増えたが，地域社会における歩数の 1 日の総数は退院後 1 か月後と 6 か月後で差がなかった[42]．

これらの知見をまとめると，発症後 1 年間を通して脳卒中片麻痺患者の歩行能力は改善するが，歩行時の非対称性や筋活動パターンと同様に，地域での移動量が時間経過とともに改善しているわけではない．

●引用文献

1) Kono, Y., et al.: Predictive impact of daily physical activity on new vascular events in patients with mild ischemic stroke. *Int. J. Stroke*, 10(2):219–223, 2015.
2) Loprinzi, P.D., et al.: Accelerometer-Determined Physical Activity and All-Cause Mortality in a National Prospective Cohort Study of Adults Post-Acute Stroke. *Am. J. Health Promot.*, 32(1):24–27, 2018.
3) 河島則天：正常歩行の神経制御. 阿部浩明ほか(編著)：脳卒中片麻痺患者に対する歩行リハビリテーション. pp.2–11, メジカルビュー社, 2016.
4) Bernstein, N.: The Co-ordination and Regulation of Movements. Pergamon Press, Oxford, 1967.
5) Reisman, D.S., et al.: Locomotor adaptation on a split-belt treadmill can improve walking symmetry post-stroke. *Brain*, 130(Pt 7):1861–1872, 2007.
6) Perry, J., et al.: Classification of walking handicap in the stroke population. *Stroke*, 26(6):982–989, 1995.
7) Fulk, G.D., et al.: Predicting Home and Community Walking Activity Poststroke. *Stroke*, 48(2):406–411, 2017.
8) Patterson, K.K., et al.: Gait asymmetry in community-ambulating stroke survivors. *Arch. Phys. Med. Rehabil.*, 89(2):304–310, 2008.
9) Kim, C.M., et al.: Symmetry in vertical ground reaction force is accompanied by symmetry in temporal but not distance variables of gait in persons with stroke. *Gait Posture*, 18(1):23–28, 2003.
10) Clark, D.J., et al.: Merging of healthy motor modules predicts reduced locomotor performance and muscle coordination complexity post-stroke. *J. Neurophysiol.*, 103(2):844–857, 2010.
11) Kitatani, R., et al.: Ankle muscle coactivation and its relationship with ankle joint kinematics and kinetics during gait in hemiplegic patients after stroke. *Somatosens. Mot. Res.*, 33(2):79–85, 2016.
12) Lim, S.B., et al.: Brain activity during real-time walking and with walking interventions after stroke: A systematic review. *J. Neuroeng. Rehabil.*, 18(1):8, 2021.
13) Miyai, I., et al.: Longitudinal optical imaging study for locomotor recovery after stroke. *Stroke*, 34(12):2866–2870, 2003.
14) Kramer, S., et al.: Energy Expenditure and Cost During Walking After Stroke: A Systematic Review. *Arch. Phys. Med. Rehabil.*, 97(4):619–632 e1, 2016.
15) Kuo, A.D., et al.: Energetic consequences of walking like an inverted pendulum: Step-to-step transitions. *Exerc. Sport Sci. Rev.*, 33(2):88–97, 2005.
16) Stoquart, G., et al.: The reasons why stroke patients expend so much energy to walk slowly. *Gait Posture*, 36(3):409–413, 2012.
17) Farris, D.J., et al.: Revisiting the mechanics and energetics of walking in individuals with chronic hemiparesis following stroke: From individual limbs to lower limb joints. *J. Neuroeng. Rehabil.*, 12:24, 2015.
18) Balbinot, G., et al.: Mechanical and energetic determinants of impaired gait following stroke: Segmental work and pendular energy transduction during treadmill walking. *Biol. Open*, 9(7):bio051581, 2020.
19) Kerrigan, D.C., et al.: Hip hiking and circumduction: Quantitative definitions. *Am. J. Phys. Med. Rehabil.*, 79(3):247–252, 2000.
20) Hsiao, H.Y., et al.: The relative contribution of ankle moment and trailing limb angle to propulsive force during gait. *Hum. Mov. Sci.*, 39:212–221, 2015.
21) Hsiao, H.Y., et al.: Mechanisms used to increase peak propulsive force following 12-weeks of gait training in individuals poststroke. *J. Biomech.*, 49(3):388–395, 2016.
22) Olney, S.J., et al.: Temporal, kinematic, and kinetic variables related to gait speed in subjects with hemiplegia: A regression approach. *Phys. Ther.*, 74(9):872–885, 1994.
23) Nadeau, S., et al.: Plantarflexor weakness as a limiting factor of gait speed in stroke subjects and the compensating role of hip flexors. *Clin. Biomech. (Bristol, Avon)*, 14(2):125–135, 1999.
24) Ashburn, A., et al.: Predicting people with stroke at risk of falls. *Age Ageing*, 37(3):270–276, 2008.
25) Jørgensen, L., et al.: Higher incidence of falls in long-term stroke survivors than in population controls: Depressive symptoms predict falls after stroke. *Stroke*, 33(2):542–547, 2002.
26) Hyndman, D., et al.: Fall events among people with

stroke living in the community: Circumstances of falls and characteristics of fallers. *Arch. Phys. Med. Rehabil.*, 83(2):165–170, 2002.
27) Nott, C.R., et al.: Relationships between frontal-plane angular momentum and clinical balance measures during post-stroke hemiparetic walking. *Gait Posture*, 39(1):129–134, 2014.
28) Stimpson, K.H., et al.: Post-stroke deficits in the step-by-step control of paretic step width. *Gait Posture*, 70:136–140, 2019.
29) Dean, J.C., et al.: Foot placement control and gait instability among people with stroke. *J. Rehabil. Res. Dev.*, 52(5):577–590, 2015.
30) Honda, K., et al.: The differences in sagittal plane whole-body angular momentum during gait between patients with hemiparesis and healthy people. *J. Biomech.*, 86:204–209, 2019.
31) Kao, P.C., et al.: Dynamic instability during post-stroke hemiparetic walking. *Gait Posture*, 40(3): 457–463, 2014.
32) Punt, M., et al.: Do clinical assessments, steady-state or daily-life gait characteristics predict falls in ambulatory chronic stroke survivors? *J. Rehabil. Med.*, 49(5):402–409, 2017.
33) Bower, K., et al.: Dynamic balance and instrumented gait variables are independent predictors of falls following stroke. *J. Neuroeng. Rehabil.*, 16(1): 3, 2019.
34) Dusane, S., et al.: Does stroke-induced sensorimotor impairment and perturbation intensity affect gait-slip outcomes? *J. Biomech.*, 118:110255, 2021.
35) Burpee, J.L., et al.: Biomechanical gait characteristics of naturally occurring unsuccessful foot clearance during swing in individuals with chronic stroke. *Clin. Biomech. (Bristol, Avon)*, 30(10): 1102–1107, 2015.
36) Kollen, B., et al.: Predicting improvement in gait after stroke: A longitudinal prospective study. *Stroke*, 36(12):2676–2680, 2005.
37) Buvarp, D., et al.: Predicting Longitudinal Progression in Functional Mobility After Stroke: A Prospective Cohort Study. *Stroke*, 51(7):2179–2187, 2020.
38) Den Otter, A.R., et al.: Gait recovery is not associated with changes in the temporal patterning of muscle activity during treadmill walking in patients with post-stroke hemiparesis. *Clin. Neurophysiol.*, 117(1):4–15, 2006.
39) Patterson, K.K., et al.: Longitudinal changes in poststroke spatiotemporal gait asymmetry over inpatient rehabilitation. *Neurorehabil. Neural Repair*, 29(2):153–162, 2015.
40) Prajapati, S.K., et al.: A novel approach to ambulatory monitoring: Investigation into the quantity and control of everyday walking in patients with subacute stroke. *Neurorehabil. Neural Repair*, 25(1):6–14, 2011.
41) Ardestani, M.M., et al.: Improved walking function in laboratory does not guarantee increased community walking in stroke survivors: Potential role of gait biomechanics. *J. Biomech.*, 91:151–159, 2019.
42) Mahendran, N., et al.: Accelerometer and Global Positioning System Measurement of Recovery of Community Ambulation Across the First 6 Months After Stroke: An Exploratory Prospective Study. *Arch. Phys. Med. Rehabil.*, 97(9):1465–1472, 2016.

（関口雄介）

歩行障害②
——臨床(評価・治療)

- 歩行評価の目的を理解し，各評価指標の特性を把握して適切な指標を選択する．
- 病期に応じた歩行トレーニングの役割を理解する．
- 近年有効とされている歩行トレーニングの方法について理解する．

A 歩行評価

1 歩行評価の目的

脳卒中片麻痺者に対するリハビリテーションでは，機能回復を促して生活機能を最大限に高めることが重要課題となる．それゆえ，歩行評価では片麻痺者の歩行能力を体系的に評価し，生活場面における歩行の実用性や制限の程度を把握することが目的となる．国際生活機能分類(ICF)に基づいて多面的・包括的に評価することが重要であり，理学療法士の専門性が求められる技術である．評価情報を対象者や家族と共有することで，治療目標やプログラムに役立てることができる．治療効果の判定においても，歩行評価は欠かすことができない．理学療法士は，対象者の歩行状態や予後予測，必要な医療・介護サービスについて多職種から意見を求められることも多い．歩行能力を的確に把握し，わかりやすく伝えることが重要である．

2 歩行評価の実際

a 臨床的指標を用いた歩行評価

各指標が歩行能力のどのような側面を反映しているかを理解し，目的に応じた評価方法を選択する．信頼性，妥当性，応答性の高い指標を選択することが重要である．ここでは，脳卒中の歩行評価で使用されることが多い評価法を4つ紹介する．

(1) FAC(functional ambulation category)

歩行の自立度を6段階に分類した評価指標である(▶表1)[1]．歩行の安全性(自立，見守り，介助)を環境も含めて評価する．簡便に評価でき，片麻痺歩行の評価において広く使用されている．

(2) 歩行速度

快適速度および最大速度で歩行させ，所要時間と歩数を計測する．10m歩行路を使用し，前後に加速・減速のための補助区間を2〜3m設けて実施することが多い．ストップウォッチがあれば簡便に計測できるのが利点である．歩行速度は片麻痺歩行の実用性の指標となり，生活空間の広さを反映することが知られている．0.8m/秒以上であれば地域歩行可能，0.4〜0.8m/秒で地域歩行困難，0.4m/秒未満で屋内歩行レベルと分類されることが多い[2]．

杖や装具の使用条件で比較することにより，適切な歩行補助具を選定するための参考データとなる．所要歩数も同時に計測することで，ストライド長を算出することもできる．施設や在宅の環境により10m歩行路を確保することが難しい場合は，歩行路の距離を調整するなどの工夫が必要で

▶表1　FAC(functional ambulation category)

分類	定義
0：歩行不能	●歩行不可 ●平行棒内でのみ歩行可能 ●平行棒外を安全に歩行するためには，2人以上の監視・介助が必要
1：介助歩行（レベルII）	●転倒予防のため平地歩行中に1人介助が必要 ●介助が常時必要で，バランスや協調性の補助と同時に体重の支持も含まれる
2：介助歩行（レベルI）	●転倒予防のため平地歩行中に1人介助が必要 ●介助は常時あるいは一時的に軽く触れて，バランスや協調性を補助する程度
3：監視歩行	●介助なしで平地歩行できるが，判断力の低下や心機能の問題，口頭指示が必要などの理由により，安全のために1人見守りが必要
4：平地のみ歩行自立	●平地歩行は自立可能だが，階段や坂道，不整地では見守りや介助が必要
5：歩行自立	●平地，不整地，階段，坂道ともに歩行自立

〔Holden, M.K., et al.: Clinical gait assessment in the neurologically impaired. Reliability and meaningfulness. *Phys. Ther.*, 64(1):35–40, 1984 より〕

ある．

歩行速度は治療効果の判定にも使われる．発症後20〜60日後において，modified Rankin（ランキン）Scale(mRS)をアンカーとした場合の臨床的有意な最小変化量(minimal clinically important difference; MCID)は0.16 m/秒と報告されている[3]．

(3) 6分間歩行距離

6分間にできるだけ長い距離を歩行し，その距離を測定する．一般的には歩行路を30 mに設定することが多い．歩行持久性の評価であり，実用性を反映する指標として用いられる．Fulkらは，脳卒中片麻痺者の歩行能力を1日あたりのステップ数で分類し，活動レベルを予測する指標として，運動機能や歩行速度，バランスよりも6分間歩行距離のほうが判別能が高かったと報告している[4]．この研究では，屋内歩行か地域歩行かを判別する指標が205 m，地域歩行で制限の有無を判別する指標が288 mとしている(▶表2)[4]．

運動耐容能には筋力，バランス，心肺機能など種々の要因が影響することに留意する．片麻痺歩行では，バイオメカニクスの指標として麻痺側の推進力やTLA(trailing limb angle)が歩行持久力と関連することが注目されている[5]．評価では，距離とともに疲労に伴う歩容の変化や方向転換時の安定性にも着目すると問題点の把握に役立つ．

6分間歩行距離も治療効果の判定に有効である．発症後20〜60日後においてmRSをアンカーとした場合のMCIDは，歩行速度0.4 m/秒未満では44 m，0.4 m/秒以上では71 mと報告されている[6]．後者では判別能がやや低下することに注意する．施設によっては30 m歩行路が確保できないこともあるため，12 mを推奨しているガイドラインもある[7]．実施可能性を考慮して距離を設定するなどの工夫が求められる．

(4) TUG(Timed Up and Go Test)

肘掛けのある椅子から立ち上がり，3 m先のコーンを回って引き返し，再び着座するまでの時間を計測する．立ち上がり，歩き始め，歩行，方向転換，着座などの動的バランスを含んでいるため，歩行実用性のなかでもバランスの指標として使用されることが多い．広いスペースを使用しないため，在宅でも比較的簡便に評価できる利点がある．安全性とともに，どのようなバランス課題で時間を要するかを評価しておくとよい．

b 観察による歩行分析

前述した臨床的指標を用いた定量的な歩行評価は，歩行能力の把握や治療効果の判定に有効である．一方，歩行障害の問題点を抽出し，治療介入のターゲットを特定することは難しい．その理由は，自立度や歩行パフォーマンスの時間的側面だけでは，麻痺側下肢がどのように運動を制御しているのかをとらえられないからである．片麻痺者の歩行は多様性があるため，歩行分析によって代償動作を含めて歩行の特徴を抽出し，その原因について分析することが求められる．

歩行分析では各関節の動きを詳細に観察し，特

▶表 2　地域在住脳卒中者の歩行関連指標の参考値

	全対象者	屋内歩行 100〜2,499 歩/日 (n = 190)	地域歩行		
			制限大 2,500〜4,999 歩/日 (n = 134)	制限小 5,000〜7,499 歩/日 (n = 63)	制限なし ≧ 7,500 歩/日 (n = 54)
快適速度(m/秒)	0.6 ± 0.3	0.4 ± 0.3	0.7 ± 0.3	0.8 ± 0.2	0.9 ± 0.2
最大速度(m/秒)	0.8 ± 0.4	0.5 ± 0.3	0.9 ± 0.3	1.0 ± 0.3	1.2 ± 0.3
6 分間歩行距離(m)	201.0 ± 106.1	135.1 ± 85.4	225.2 ± 94.3	251.0 ± 79.6	312.2 ± 70.9
BBS(点)	44.2 ± 9.5	38.8 ± 10.5	46.6 ± 6.9	49.9 ± 4.6	50.8 ± 4.2
FMA 下肢(点)	24.9 ± 6.0	22.0 ± 5.8	26.0 ± 5.3	26.8 ± 4.5	30.2 ± 3.4

BBS：Berg Balance Scale，FMA：Fugl-Meyer Assessment
〔Fulk, G.D., et al.: Predicting Home and Community Walking Activity Poststroke. *Stroke*, 48(2):406–411, 2017 より〕

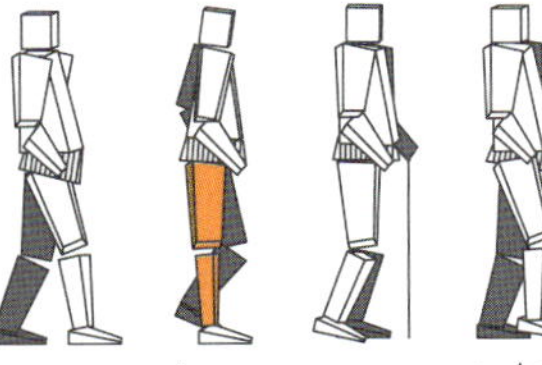

stiff-knee pattern
立脚期全体を通して
膝関節が 20〜30° 屈曲位

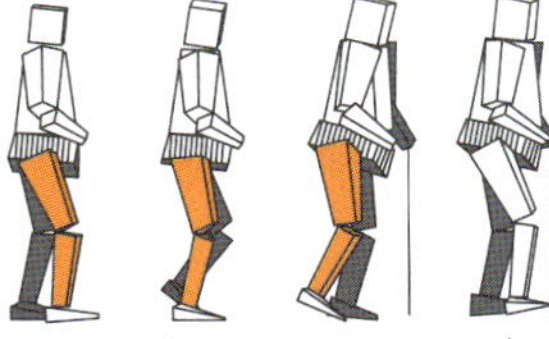

buckling-knee pattern
荷重応答期に膝関節の
屈曲が強まる

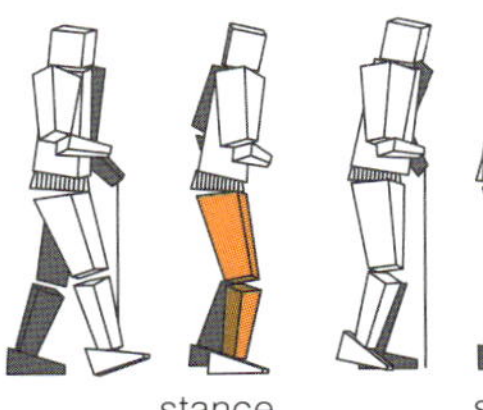
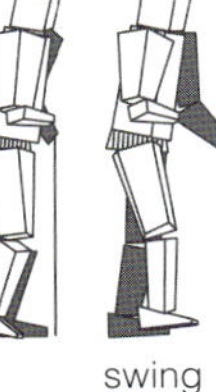

▶図 1　歩行中の膝関節運動の特徴
〔De Quervain, I.A., et al.: Gait pattern in the early recovery period after stroke. *J. Bone Joint Surg. Am.*, 78(10): 1506–1514, 1996 より一部改変〕

徴をとらえる必要がある．片麻痺歩行では，歩行中の膝関節の運動にいくつかのパターンがあるが(▶図 1)[8]，同じ現象でも歩行障害の原因が異なることに留意する．機能障害だけでなく，他関節への影響，前後の歩行相との文脈を考慮しながらバイオメカニクスの観点から問題点を検証する．仮説検証に有効な方法の 1 つに，複数の歩行条件での比較がある．たとえば，立脚期に反張膝を認める症例で，前脛骨筋への機能的電気刺激(FES)にて踵接地とヒールロッカーが適切に制御できるようになり，反張膝が改善したとする(▶図 2)．この場合，反張膝の原因は立脚初期〜荷重応答期においてヒールロッカーが適切に機能できず，床反力が膝関節の前方を通るためと考えられる．歩き方の教示や介助の有無，治療デバイスを用いて条件を比較することは，問題点の検証や治療プログラムの立案に有用である．

観察評価の問題点の 1 つに，信頼性があげられる．観察によって，限られた時間で身体全体の関節運動を正確にとらえるのには限界がある．臨床では，対象者の同意を得て動画撮影を行うなどの工夫も必要である．GAIT(Gait Assessment and Intervention Tool)は，前額面および矢状面(必要であれば水平面も)からビデオカメラで歩行を撮影し，上肢，体幹，下肢の運動学的パラメータを 31 項目に分類してスコアリングする評価法である[9]．歩容を定量的かつ包括的に評価できる利点がある．

C 機器を使用した歩行分析

機器を用いた歩行分析では，観察では正確にと

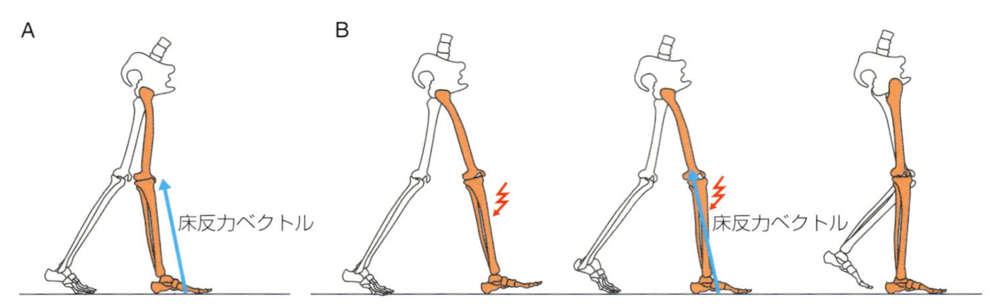

▶図 2　歩行条件の違いによる歩容の変化
A では，床反力ベクトルが膝関節の前方を通り，反張膝を認める．B は，前脛骨筋に対して FES を適用した例である．踵接地と適切な荷重応答を認め，床反力ベクトルが膝関節の中心を通るようになったため，反張膝の改善を認めている．このような例では，反張膝は立脚初期〜荷重応答期のヒールロッカーの不良により生じていると考えられる．

らえられない運動学的パラメータを定量的に解析できる利点がある．一方で，計測データが歩行の問題点を直接明示してくれるわけではないため，結果を解釈する専門的スキルが求められる．機器の特性を理解し，目的に応じて適切な手法を選択することが重要である．

近年，センシングや画像認識の技術発展に伴い，従来は実験室でしか計測できなかった指標がより一般的に評価できるようになっている．ウェアラブルセンサーやマーカーレスのモーションキャプチャーなどは，環境の制約問題を解決できる機器として注目されている．

ここでは，脳卒中の歩行評価で使用されることが多い指標について取り上げる．

(1)　運動学的，運動力学的指標

片麻痺歩行の特徴として，ステップ長やステップ時間の非対称性がある．麻痺側立脚時間の短縮を認めやすく，歩幅も非対称性になりやすい．非対称性はエネルギー効率低下の要因となり，非麻痺側下肢での代償の指標としても使用される．

運動学的特徴では，麻痺側の下垂足に伴い分回し歩行や非麻痺側下肢での伸び上がりを認めやすい．また，遊脚期に内反尖足になりやすいため，足部外側面での接地となり立脚期にも不安定性が生じやすい．さらに，麻痺側の足関節底屈筋の出力低下により，プッシュオフを認めにくいのも片麻痺歩行の特徴である．これは，運動力学的には足関節底屈モーメントの低下や床反力前後成分での推進力低下として計測される．

(2)　神経生理学的指標

表面筋電図を用いると，歩行筋活動のタイミングや振幅を詳細に評価することができる．麻痺筋の特徴として，振幅の低下や活動タイミングの遅延，延長を認めやすい．代償的制御として拮抗筋との同時活動を認めることもある．痙縮などにより筋緊張亢進がある場合は，正常な活動時期以外でも異常筋活動を生じやすい．

歩行筋活動を課題条件ごとに比較することで，麻痺肢の機能回復を目指したトレーニング方法を個別に検討できる利点もある．

B 理学療法の目的と実際

1 理学療法の目的

a 急性期

急性期では運動麻痺や感覚障害，高次脳機能障害によって歩行が困難になることが多く，**歩行の再獲得**が第一目標となる．そのために，廃用症候群の予防をはかり，リスク管理を行いながら抗重力肢位を早期にとらせ，麻痺側下肢の機能回復を目指して荷重トレーニングを積極的に実施する．

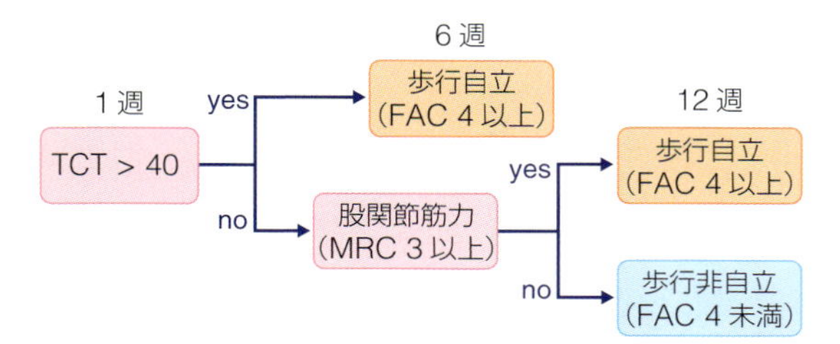

▶図 3　TWIST アルゴリズム
発症後 1 週で TCT(trunk control test)が 40 点以上であれば，6 週までに歩行が自立できる(感度 100%，特異度 91%)．TCT 40 未満で股関節伸展筋力が MRC(Medical Research Council)筋力スコアで 3 以上あれば，12 週までに歩行自立が可能(感度 80%，特異度 100%)．MRC 3 未満であれば歩行自立は困難である(感度 93%，特異度 100%)．
〔Smith, M.C., et al.: The TWIST Algorithm Predicts Time to Walking Independently After Stroke. *Neurorehabil. Neural Repair*, 31(10-11):955-964, 2017 より〕

非麻痺側による過剰な代償を抑制しながら，麻痺側下肢を使わせる頻度をできるかぎり増やすことで，中枢神経系の可塑的変化を誘導する必要がある．歩行自立を予測するアルゴリズムでは，発症後早期の体幹機能および股関節伸展筋力が重要であることが示されている(▶図 3)[10]．重度麻痺でもできるかぎり離床を促すことが重要であり，装具，電気刺激，ロボット，免荷装置などの適用を判断しながらトレーニングを進める．

回復期や生活期とシームレスな連携をはかるために，急性期での情報を適切に共有することも急性期理学療法の大切な役割である．

b 回復期・生活期

回復期では対象者の退院，社会復帰を目指し，目標とする動作を明確にして課題特異的/指向的トレーニングを積極的に実施する．歩行が可能な場合は，歩行速度，持久力，バランスのさらなる改善をはかる．効果を最大限に引き出すには，トレーニングの質と量の両者が重要な鍵となる．退院，社会復帰にあたっては，患者指導だけでなく，環境調整，家族やケアマネジャーなどの介護支援にかかわるスタッフへの適切な情報提供が，切れ目のない支援を提供するうえで重要である．

生活期では，社会参加を目指して日常生活を安全にかつ活動的に過ごせるように，回復期に獲得した歩行能力をできるだけ維持し，日常生活に適応できるように支援する．自宅や施設での生活が始まると，環境変化により入院中よりも歩行量が減少しやすいため，歩行機能を継続的に評価することが重要である．発症期間の推移とともに，非麻痺側への代償が強まり，瘢縮，装具の不適合などの問題も生じやすいことに留意する．

2 理学療法の実際

歩行機能の向上には，非麻痺側での代償を適切に管理しながら，麻痺側下肢の機能改善をはかることが不可欠である．麻痺側下肢の筋力は歩行能力の必要条件であるが，筋力トレーニングのみで効率的な歩行が獲得できるわけではない[11]．歩行トレーニングは目標に対して課題特異的/指向的に行うべきであり，その効果は練習量依存性であることを理解しておく．

歩行トレーニングにおいて留意すべきポイントは，「対象者にどのような感覚情報を付与し，学習を促していくか」という点である．歩行リズムの形成に寄与する重要な感覚情報は，以下のとおりである．

- 股関節伸展運動に伴う股関節屈筋群の Ia 群求心性活動
- 足関節背屈運動によって賦活される足関節底屈筋群の荷重受容器〔Golgi(ゴルジ)腱器官〕を介した Ib 群求心性活動

前者は股関節屈曲運動を促通し，下肢の振り出しを誘導する．後者は股関節伸展を促し，身体を支持するための筋活動を誘導する(▶図 4)[12, 13]．これらの感覚情報を歩行運動のなかで効率的に提供するには，前型歩行の再現により立脚後期の支持性と推進力の形成を促すことが重要となる．患者の歩行能力に応じて適切な課題と難易度を設定し，教示やフィードバックの付与方法も併せて検討しなくてはならない．

プログラムの立案は経験則ではなく，ガイドラ

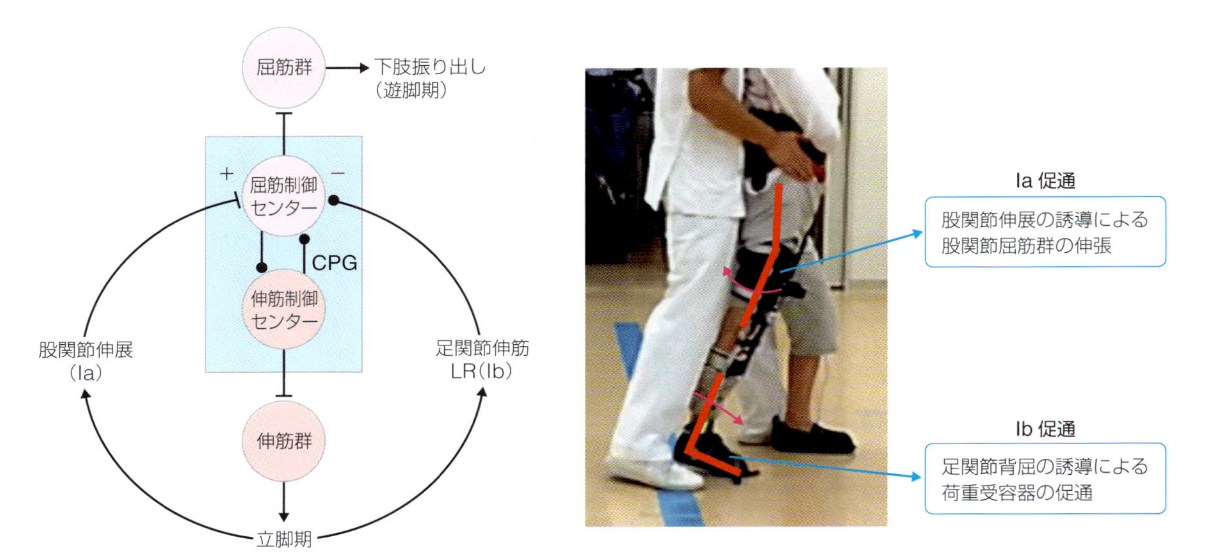

▶図 4　CPG 制御に対する感覚フィードバックの作用

足関節背屈運動に伴う荷重受容器（Golgi 腱器官）を介した Ib 群求心性活動は，歩行運動の基本となる屈筋・伸筋の周期的な運動出力を供給する中枢パターン発生器（central pattern generator; CPG）に作用して，屈曲運動を抑制する．一方，股関節伸展に伴う股関節屈筋群の Ia 群求心性活動は，屈曲運動を促通すると考えられている．歩行リズムを誘導して振り出し運動を練習するためには，その下肢に加わっている荷重量を対側下肢によって減らし，荷重受容器を介した Ib 群求心性活動を抑制するとともに，股関節伸展を促して屈曲運動の促通をはかる必要がある．

〔Pearson, K.G.: Role of sensory feedback in the control of stance duration in walking cats. *Brain Res. Rev.*, 57(1):222–227, 2008；長谷公隆：運動療法で展開される運動学習の戦略．長谷公隆（編著）：運動学習理論に基づくリハビリテーションの実践．第 2 版，pp.36–37，医歯薬出版，2016 より〕

インを参考にしながら科学的に根拠のあるトレーニングを選択すべきであり，対象者と共有した意思決定に基づいて行われることが望ましい．片麻痺者の歩行には多様性があり，1 つのトレーニングがすべての対象者に有効とは限らないことに留意する．定期的に歩行評価を行い，治療の効果検証とともにプログラムを再考することが大切である．ここでは，急性期でのリスク管理と近年有効性が示されているトレーニング方法をいくつか紹介する．

(1) トレッドミル

トレッドミルは，歩行速度や距離を増加させながら課題特異的にトレーニングするのに有効である．重症度に応じて手すりや体重懸垂装置，介助の併用も検討する．運動強度や量を調整しやすいのが利点である．歩き方の教示やフィードバックを効果的に付与することが大切である．

(2) 下肢装具

急性期から治療用装具として使用できる．『脳卒中治療ガイドライン 2021』では，「十分なリスク管理のもとに，早期座位・立位，装具を用いた早期歩行訓練」を発症後できるだけ早期から行うことを推奨している[14]．特に重度麻痺で麻痺側下肢の支持性が低い場合は，長下肢装具（KAFO）によって麻痺側への荷重を促していく．カットダウンが可能になれば，短下肢装具（AFO）へ移行する．

AFO は，一般的には下垂足の予防と立脚期の安定性が主たる目的となるが，個々の歩行能力に応じて継手の種類や可撓性を考慮して適切なものを選択する（▶図 5）．立脚期の不安定性が強い場合は，金属支柱付きやソリッドタイプのプラスチック AFO などが適応となる．背屈筋力のみをサポートしたい場合は，ショートタイプのプラスチック AFO や底屈制動や背屈フリーを備えた継

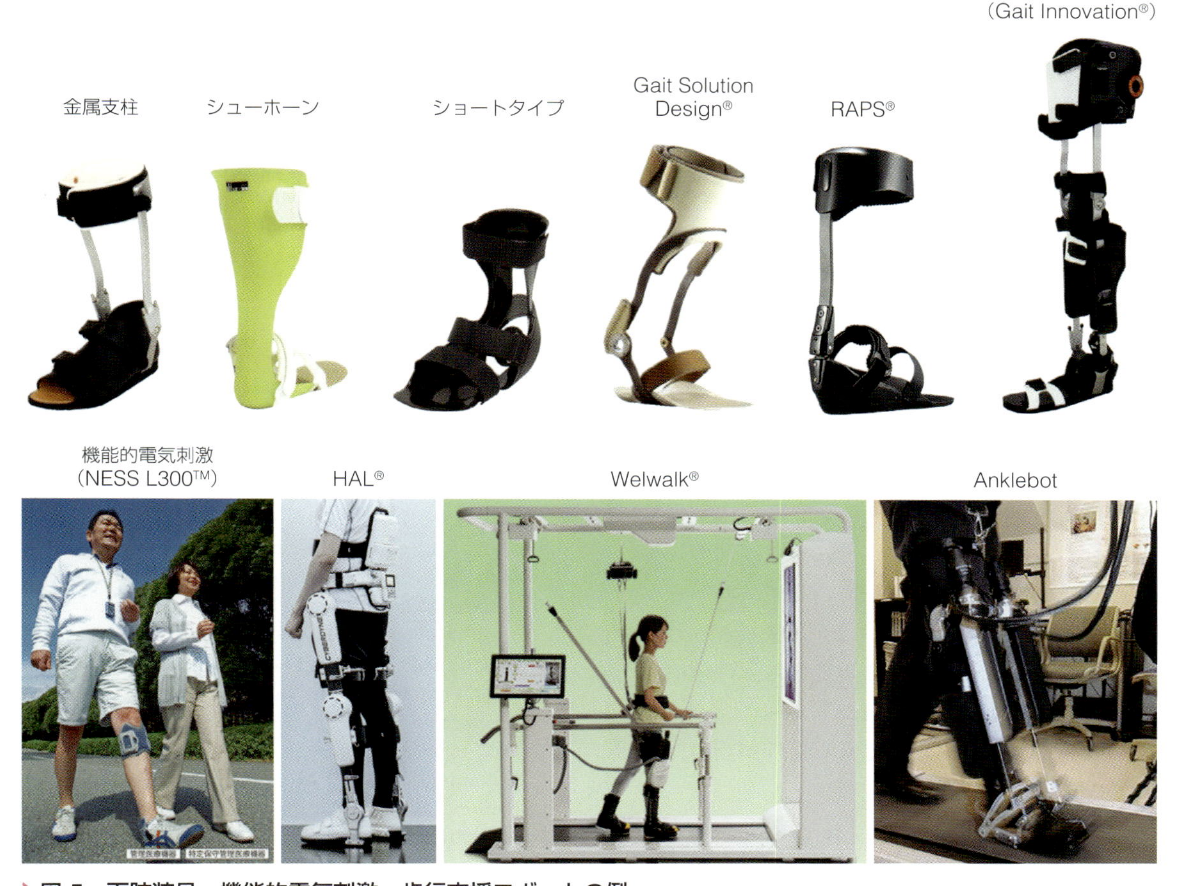

▶図 5　下肢装具，機能的電気刺激，歩行支援ロボットの例
〔パシフィックサプライ，東名ブレース，フランスベッド，CYBERDYNE，トヨタ，MIT のホームページより〕

手つきの装具を選択する．

自宅退院にあたっては，生活環境に合わせた装具を作製することも重要である．生活期では，装具が有効活用されているか，破損したり不適合となっていないかを確認する．

(3)　機能的電気刺激

FES では，筋もしくは末梢神経を刺激して麻痺筋を収縮させながら歩行再建をはかる．片麻痺歩行では，腓骨神経を電気刺激して足関節背屈運動を補助することが多い(▶図 5)．近年の報告では，AFO と FES では，歩行機能に与える効果は同等とされている[15,16]．どちらを選択するかは，歩行指標の変化とともに，装着のしやすさ，快適性，靴との適合，皮膚への影響，金額などを考慮して対象者と意思決定を行うのが望ましい．

(4)　ロボット

近年，さまざまな歩行支援ロボットが開発され，効果検証が行われている．ロボットの種類は，外骨格型(exoskeleton)と末端効果器型(end-effector)に大別される(▶図 5)．2020 年でのコクラン・レビューでは，ロボットトレーニングは従来の歩行トレーニングよりも歩行の自立獲得に有効で，特に発症後 3 か月以内の歩行が自立していない人に有効とされている[17]．歩行速度や持久力の向上には，末端効果器型が有効な可能性がある[17]．一方，慢性期の脳卒中者に対しても有効性を報告している研究が散見される[18, 19]．ロボットにより従来のトレーニング手法では誘導できなかった運動を再現でき，適切な感覚情報を付与することで機能改善に向けた学習を促せる可能性が期待されている．

(5) サーキットトレーニング

サーキットトレーニングは，2 人以上の集団で，異なる数種類の運動を組み合わせながら反復するトレーニング方法である．筋力やバランスの要素が含まれるため，課題特異的/指向的トレーニングとして位置づけられる．2017 年のコクラン・レビューでは，発症時期に限らず歩行持久性や速度の改善に有効とされている[20]．わが国では急性期においてサーキットトレーニングが導入しにくい側面もあるが，興味深いことに入院期間の短縮にも有効であることが示されている[20]．サーキットトレーニングの利点の 1 つは，対象者どうしでの相互作用が得られるという点である．理学療法士の監視のもと複数の対象者がトレーニングを行うため，費用対効果においても有用性が高い．

(6) VR(virtual reality)

コンピュータインターフェイスを介した VR（仮想現実）を用いて，多様性のある課題を反復してトレーニングする方法である．平地やバランスボード上でのバランス課題，トレッドミル上での歩行課題を用いることが多い．2016 年に報告されたメタアナリシスでは，VR は歩行速度やバランス能力の改善に有効とされている[21]．VR は対象者の意欲向上にも有用な可能性があり，転倒予防を含めて今後さらなる効果が期待されている．

●引用文献

1) Holden, M.K., et al.: Clinical gait assessment in the neurologically impaired. Reliability and meaningfulness. *Phys. Ther.*, 64(1):35–40, 1984.
2) Perry, J., et al.: Classification of walking handicap in the stroke population. *Stroke*, 26(6):982–989, 1995.
3) Tilson, J.K., et al.: Meaningful gait speed improvement during the first 60 days poststroke: Minimal clinically important difference. *Phys. Ther.*, 90(2):196–208, 2010.
4) Fulk, G.D., et al.: Predicting Home and Community Walking Activity Poststroke. *Stroke*, 48(2):406–411, 2017.
5) Awad, L.N., et al.: Paretic Propulsion and Trailing Limb Angle Are Key Determinants of Long-Distance Walking Function After Stroke. *Neurorehabil. Neural Repair*, 29(6):499–508, 2015.
6) Fulk, G.D., et al.: Minimal Clinically Important Difference of the 6-Minute Walk Test in People With Stroke. *J. Neurol. Phys. Ther.*, 42(4):235–240, 2018.
7) Moore, J.L., et al.: A Core Set of Outcome Measures for Adults With Neurologic Conditions Undergoing Rehabilitation: A CLINICAL PRACTICE GUIDELINE. *J. Neurol. Phys. Ther.*, 42(3):174–220, 2018.
8) De Quervain, I.A., et al.: Gait pattern in the early recovery period after stroke. *J. Bone Joint Surg. Am.*, 78(10):1506–1514, 1996.
9) Daly, J.J., et al.: Development and testing of the Gait Assessment and Intervention Tool (G.A.I.T.): A measure of coordinated gait components. *J. Neurosci. Methods*, 178:334–339, 2009.
10) Smith, M.C., et al.: The TWIST Algorithm Predicts Time to Walking Independently After Stroke. *Neurorehabil. Neural Repair*, 31(10-11):955–964, 2017.
11) Bohannon, R.W.: Muscle strength and muscle training after stroke. *J. Rehabil. Med.*, 39(1):14–20, 2007.
12) Pearson, K.G.: Role of sensory feedback in the control of stance duration in walking cats. *Brain Res. Rev.*, 57(1):222–227, 2008.
13) 長谷公隆：運動療法で展開される運動学習の戦略. 長谷公隆(編著)：運動学習理論に基づくリハビリテーションの実践. 第 2 版, pp.36–37, 医歯薬出版, 2016.
14) 日本脳卒中学会 脳卒中ガイドライン委員会(編)：脳卒中治療ガイドライン 2021. pp.48–49, 協和企画, 2021.
15) Nascimento, L.R., et al.: Ankle-foot orthoses and continuous functional electrical stimulation improve walking speed after stroke: A systematic review and meta-analyses of randomized controlled trials. *Physiotherapy*, 109:43–53, 2020.
16) Johnston, T.E., et al.: A Clinical Practice Guideline for the Use of Ankle-Foot Orthoses and Functional Electrical Stimulation Post-Stroke. *J. Neurol. Phys. Ther.*, 45(2):112–196, 2021.
17) Mehrholz, J., et al.: Electromechanical-assisted training for walking after stroke. *Cochrane Database Syst. Rev.*, 10(10):CD006185, 2020.
18) Forrester, L.W., et al.: Task-specific ankle robotics gait training after stroke: A randomized pilot study. *J. Neuroeng. Rehabil.*, 13(1):51, 2016.

19) Shihomi, K., et al.: Development of new rehabilitation robot device that can be attached to the conventional Knee-Ankle-Foot-Orthosis for controlling the knee in individuals after stroke. *IEEE Int. Conf. Rehabil. Robot*, 2017:304–307, 2017.
20) English, C., et al.: Circuit class therapy for improving mobility after stroke. *Cochrane Database Syst. Rev.*, 6(6):CD007513, 2017.
21) de Rooij, I.J.M., et al.: Effect of Virtual Reality Training on Balance and Gait Ability in Patients With Stroke: Systematic Review and Meta-Analysis. *Phys. Ther.*, 96(12):1905–1918, 2016.

(脇田正徳)

歩行自立度

「○○さんは歩けるようになりますか？」など，歩行の予後予測に関する質問は脳卒中片麻痺患者を担当する理学療法士が受ける頻度の多い質問の1つであり，実習生や臨床経験の少ない若手理学療法士の頭を悩ます質問の1つであろう．また，「○○さんは病棟内歩行自立にしてよいか？」など，自立度の変更を検討する際には，その判断が妥当なものであるのか自信がもてない理学療法士も多いのではないだろうか．このコラムでは，歩行の予後予測や自立度判定の際に参考になる客観的な指標を紹介する．

脳卒中発症早期における予後予測

(1) 二木の予後予測[1]

二木の予後予測は，脳卒中痺者の歩行自立度に関する代表的な分類方法である．ベッド上生活(起き上がり，座位保持)の自立度や基礎的ADL(食事，尿意の訴え，寝返り)の状況，運動麻痺の程度〔下肢Brunnstrom(ブルンストローム) Stage〕から歩行の最終自立度を予測する方法であり，入院時で67%，入院後2週時で82%，入院後1か月で88%の予測が可能であったと報告されている(▶**表1**)．

(2) Veerbeekらの研究成果[2]

Veerbeekらは，座位保持能力と下肢機能から発症後6か月に歩行機能分類(functional ambulation categories classification; FAC)が4以上(介助なし，見守り歩行)となる可能性について報告している．

①座位保持能力：30秒以上座位保持が可能

②下肢機能：麻痺側下肢の3関節(股関節，膝関節，足関節)の徒手筋力検査(MMT) ≧ 1，もしくはいずれか1関節のMMT ≧ 4

発症後72時間以内に評価

①②を満たす…98%

①のみ満たす…85%

②のみ満たす…75%

①②ともに満たさない…27%

発症5日後に評価

①②を満たす…96%

①のみ満たす…83%

②のみ満たす…59%

①②ともに満たさない…23%

発症9日後に評価

①②を満たす…96%

①のみ満たす…80%

②のみ満たす…40%

①②ともに満たさない…10%

(3) Smithらの研究成果[3]

Smithらは，脳卒中後に自立歩行が可能になるまでの期間に関するアルゴリズムとして，Time to Walking Independently after Stroke(TWIST)アルゴリズムを報告している．TWISTアルゴリズムでは，脳卒中発症1週間後のTrunk Control Test(TCT)と股関節伸展のMedical Research Council(MRC)グレードの評価結果から，6週間後ならびに12週間後の歩行自立度を予測することが可能である．

① TCT：> 40

② MRC(股関節伸展)：≧ 3

発症後1週間で

①を満たす：6週間以内に大多数が歩行自立(FAC ≧ 4)

①は満たさないが，②を満たす：12週間で全員が歩行自立(FAC ≧ 4)

①②ともに満たさない：12週間で全員が歩行非自立(FAC < 4)

(4) まとめ

発症早期の下肢機能(運動麻痺の程度)とベッド上ADLや体幹機能(端座位保持能力やTCT)は，歩行能力の予後予測を行う際の有効な関連因子である．急性期の理学療法を担当する理学療法士は，これらの項目を経時的に評価しておくこと，回復期以降の担当者に情報提供を行うことが重要であろう．

▶表 1　二木の予後予測

1. 入院時の最終自立度予測基準		95% 信頼区間
(1)	ベッド上生活自立(起き上がり，座位保持可能)なら，歩行自立 —その大部分が，入院後 1 か月で屋内歩行自立となり，最終的に屋外歩行が可能となる	85〜99%
(2)-①	基礎的 ADL(食事，尿意の訴え，寝返り)のうち 2 項目以上実行できれば，歩行自立 —その大部分が，入院後 2 か月以内に歩行自立となり，その多くが屋外歩行が可能となる	85〜100%
(2)-②	起居・移動動作が全介助でも下肢 Brunnstrom Stage Ⅳ 以上であれば，歩行自立 —その大部分が，入院後 2 か月以内に歩行自立となり，その多くが屋外歩行が可能となる	79〜100%
(3)-①	発症前の歩行自立度が屋内歩行レベル以下＋下肢 Brunnstrom Stage Ⅲ 以下＋ 60 歳以上なら，自立歩行不能 —その大部分が，全介助	85〜100%
(3)-②	JCS 2 桁以上の意識障害＋ 70 歳以上なら，自立歩行不能 —その大部分が，全介助	79〜100%
2. 入院後 2 週時の最終自立度予測基準		
(1)	新たにベッド上生活自立したなら，歩行自立 —その大部分が，入院後 2 か月以内に歩行自立となり，その多くが屋外歩行が可能となる	90〜100%
(2)-①	基礎的 ADL(食事，尿意の訴え，寝返り)のうち 3 項目とも介助＋ 60 歳以上なら，自立歩行不能 —その大部分が全介助	90〜100%
(2)-②	(JCS 2 桁以上の)遷延性意識障害，重度の認知症または夜間せん妄を伴った中等度の認知症＋ 60 歳以上なら，全介助	91〜100%
3. 入院後 1 か月時の最終自立度予測基準		
(1)	新たにベッド上生活自立したなら，大部分が歩行自立 —その大部分が入院後 3 か月以内に歩行は自立するが，屋外歩行が自立するのは半数	73〜99%
(2)-①	基礎的 ADL(食事，尿意の訴え，寝返り)のうち実行が 1 項目以下＋ 60 歳以上なら，自立歩行不能 —その大部分が全介助	91〜100%
(2)-②	(JCS 2 桁以上の)遷延性意識障害，中等度以上の認知症，両側障害または高度の心疾患＋ 60 歳以上なら，自立歩行不能 —その大部分が全介助	93〜100%
4. 入院後 1 か月時に明確な予測不能な患者		
	全介助レベルだが，59 歳以下 全介助レベルで 60 歳以上だが，遷延性意識障害・認知症・両側障害・高度の心疾患を有さない症例で，基本的 ADL(食事，尿意の訴え，寝返り)の 2 項目以上実行	

JCS：Japan Coma Scale
〔二木 立：脳卒中リハビリテーション患者の早期自立度予測．リハビリテーション医学，19:201–223, 1982 より改変〕

歩行能力と歩行レベル

(1) 歩行速度と歩行レベルの関係

Perry らの研究成果[4] を**表 2** に示す．

(2) 6 分間歩行距離と歩行レベルの関係

Fulk らの研究成果[5] を**表 3** に示す．

(3) まとめ

歩行速度 0.8 m/秒を臨床で用いられる 10 m 歩行試験に換算すると，12.5 秒と算出される(10 m ÷ 0.8 m/秒 ＝ 12.5 秒)．また，6 分間で 288 m 以上歩くためには 0.8 m/秒以上の歩行速度が必要となる(288 m ÷ 360 秒 ＝ 0.8 m/秒)．屋外歩行が自立し，制限なく外出が可能となるには，10 m 歩行を 12.5 秒以内で行える歩行速度(0.8 m/秒)と，6 分間で 288 m 以上歩ける耐久性の獲得が 1 つの鍵になると考えられる．

▶表 2　歩行速度と歩行レベルの関係

歩行速度 < 0.4 m/秒…屋内歩行レベル
　　　　= 0.4〜0.8 m/秒…屋外歩行が部分的に可能，外出に制限あり
　　　　> 0.8 m/秒…制限なく屋外歩行や外出が可能

歩行レベル	練習レベル	屋内歩行レベル（制限あり）	屋内歩行レベル（制限なし）	屋外歩行レベル（制限：大）	屋外歩行レベル（制限：小）	屋外歩行レベル（制限なし）
歩行速度	0.10 m/秒	0.23 m/秒	0.26 m/秒	0.40 m/秒	0.58 m/秒	0.80 m/秒
浴室の移動	車椅子	見守り	自立	自立	自立	自立
寝室の移動	車椅子	見守り	自立	自立	自立	自立
自宅の出入り	車椅子	介助	見守り	自立	自立	自立
段差の昇降	不可/不適用	車椅子	見守り	自立	自立	自立
近所の店舗の移動	不可/不適用	不可/不適用	車椅子	車椅子	見守り	自立
人混みのない店内の移動	不可/不適用	車椅子	車椅子	車椅子	見守り	自立
混んでいる店内の移動	不可/不適用	不可/不適用	車椅子	不可/不適用	車椅子	自立

〔Perry, J., et al.: Classification of walking handicap in the stroke population. *Stroke*, 26(6):982–989, 1995 より改変〕

▶表 3　6 分間歩行距離と歩行レベルの関係

	6 分間歩行距離	Berg Balance Scale	Fugl-Meyer Assessment（下肢スコア）
屋内歩行レベルと屋外歩行レベル（制限あり）のカットオフ値	205 m	48 点	27 点
屋外歩行レベル（制限あり）と屋外歩行レベル（制限なし）のカットオフ値	288 m		27.6 点

〔Fulk, G.D., et al.: Predicting Home and Community Walking Activity Poststroke. *Stroke*, 48(2):406–411, 2017 より〕

バランス機能と歩行レベル・転倒リスクとの関係

(1) Berg Balance Scale（BBS）と歩行レベル・転倒リスクとの関係

① Berg らの研究成果[6] を以下に示す．

地域在住高齢者を対象とした各歩行レベルにおける BBS の平均点

- 歩行補助具なしで歩行可能：49.6 点
- 屋外のみ杖使用：48.3 点
- 屋内でも杖使用：45.3 点
- 歩行器使用：33.1 点

■カットオフ値：45 点

- BBS 45 点以下では転倒発生率が増加するため，歩行補助具や見守りが必要になる．

② Harris らの研究成果[7] を以下に示す．

- BBS 45 点以下の慢性期脳卒中患者は歩行自助具を用いることで転倒リスクが減少する．

③ Mackintosh らの研究成果[8] を以下に示す．

- 対象：脳卒中患者

■カットオフ値：49 点（感度：92%，特異度：65%）

- BBS 49 点以下で転倒発生率が増加する．

④ Persson らの研究成果[9] を以下に示す．

- 対象：脳卒中患者

■カットオフ値：42 点（感度：69%，特異度：65%）

- BBS 42 点以下で転倒発生率が増加する．

(2) Timed Up and Go Test（TUG）と歩行レベル・転倒リスクとの関係

① Podsiadlo らの研究成果[10] を以下に示す．

- 運動機能に問題のない高齢者：10 秒以内
- 屋外外出可能：20 秒以内
- 要介助レベル：30 秒以上

② Shumway-Cook らの研究成果[11] を以下に示す．

- 対象：地域在住高齢者
- 非転倒群と転倒群の TUG の平均値
  - 非転倒群の平均値：8.4 秒

- ○転倒群の平均値：22.2 秒
- ● 歩行レベルと TUG 平均値
  - ○歩行補助具なし群：9.0 秒
  - ○杖使用群：18.1 秒
  - ○歩行器使用群：33.8 秒
- ■カットオフ値：13.5 秒(感度：80%，特異度：100%)
- ● TUG 13.5 秒以上で転倒発生率が増加する．

③ Andersson らの研究成果[12] を以下に示す．

- ● 対象：脳卒中患者
- ■カットオフ値：14 秒(感度：50%，特異度：78%)
- ● TUG 14 秒以上で転倒発生率が増加する．

④ Persson らの研究成果[9] を以下に示す．

- ● 対象：脳卒中患者
- ■カットオフ値：15 秒(感度：63%，特異度：58%)
- ● TUG 15 秒以上で転倒発生率が増加する．

(3) まとめ

BBS のカットオフ値には 45 点が用いられることが多い．45 点以下の場合は，歩行補助具の使用を考慮する必要があるかもしれない．TUG のカットオフ値は 13.5 秒が用いられることが多いが，脳卒中患者を対象とした研究ではカットオフ値がやや高値となっている．したがって，歩行自立の指標としては 13.5〜15 秒程度とするのが妥当であろう．BBS，TUG ともに測定値のみに目を向けるのではなく，BBS ではどの項目で減点となっているか，TUG ではどの動作(立ち上がり，歩行，方向転換，着座)に時間を要し，危うさを有するかなど質的な評価も行うべきである．

脳卒中患者の歩行自立度

諸家らの指標を参考に予後予測や自立度判定を行うことで，精度の高い予後予測や判定が行える可能性が高い．しかし，脳卒中患者の症状は多様性や個別性があるため，ここで紹介した指標がすべての患者に当てはまるわけではないことを念頭におくべきである．また，脳卒中患者の転倒には，歩行機能やバランス機能の低下のほかに鎮静薬や向精神薬の服用，セルフケアの障害，うつ病，認知機能障害，転倒歴などが強く関連する[13]．さらに，失行や半側空間無視などの高次脳機能障害を有する患者では，転倒リスクが増加するため，歩行機能やバランス機能の評価や理学療法場面だけの歩行状態で自立度を判定するのは危険である[14, 15]．実際にゴール設定や自立度の判定を行う際には，必要に応じてカンファレンスを行うなどして，看護師や作業療法士，言語聴覚士などの他部門と十分に情報共有を行い，チームとして最善と考えられる結論を出す必要がある．

●引用文献

1) 二木 立：脳卒中リハビリテーション患者の早期自立度予測．リハビリテーション医学, 19:201–223, 1982.
2) Veerbeek, J.M., et al.: Is accurate prediction of gait in nonambulatory stroke patients possible within 72 hours poststroke? The EPOS study. *Neurorehabil. Neural Repair*, 25(3):268–274, 2011.
3) Smith M.C., et al.: The TWIST Algorithm Predicts Time to Walking Independently After Stroke. *Neurorehabil. Neural Repair*, 31(10-11):955–964, 2017.
4) Perry, J., et al.: Classification of walking handicap in the stroke population. *Stroke*, 26(6):982–989, 1995.
5) Fulk, G.D., et al.: Predicting Home and Community Walking Activity Poststroke. *Stroke*, 48(2):406–411, 2017.
6) Berg, K.O., et al.: Measuring balance in the elderly: Validation of an instrument. *Can. J. Public Health*, 83(Suppl 2):S7–11, 1992.
7) Harris, J.E., et al.: Relationship of balance and mobility to fall incidence in people with chronic stroke. *Phys. Ther.*, 85(2):150–158, 2005.
8) Mackintosh, S.F., et al.: Balance score and a history of falls in hospital predict recurrent falls in the 6 months following stroke rehabilitation. *Arch. Phys. Med. Rehabil.*, 87(12):1583–1589, 2006.
9) Persson, C.U., et al.: Clinical tests performed in acute stroke identify the risk of falling during the first year: Postural stroke study in Gothenburg (POSTGOT). *J. Rehabil. Med.*, 43(4):348–353, 2011.
10) Podsiadlo, D., Richardson, S.: The timed “Up & Go”: A test of basic functional mobility for frail elderly persons. *J. Am. Geriatr. Soc.*, 39(2):142–148, 1991.
11) Shumway-Cook, A., et al.: Predicting the probability for falls in community-dwelling older adults using the Timed Up & Go Test. *Phys. Ther.*, 80(9):896–903, 2000.
12) Andersson, A.G., et al.: How to identify potential

fallers in a stroke unit: Validity indexes of 4 test methods. *J. Rehabil. Med.*, 38(3):186–191, 2006.
13) Xu, T., et al.: Risk factors for falls in community stroke survivors: A systematic review and meta-analysis. *Arch. Phys. Med. Rehabil.*, 99(3):563–573, 2017.
14) Czernuszenko, A., Czlonkowska, A.: Risk factors for falls in stroke patients during inpatient rehabilitation. *Clin. Rehabil.*, 23(2):176–188, 2009.
15) Teasell, R., et al.: The incidence and consequences of falls in stroke patients during inpatient rehabilitation: Factors associated with high risk. *Arch. Phys. Med. Rehabil.*, 83(3):329–333, 2002.

（犬飼康人）

第11章 上肢機能障害

学習目標

- 上肢運動に関与する神経機構について理解する.
- 上肢運動障害に関与する学習性不使用のメカニズムについて理解する.
- 脳卒中後の上肢運動障害に対する評価法について理解する.
- 脳卒中後の上肢運動障害に対する各種アプローチについて理解する.

手を用いた道具操作はヒトの行為の根幹をなす. 意のままに道具を操れる上肢機能は, 日常生活を効率的に営むために大切である. しかしながら, 脳卒中後に運動麻痺などがおこると, 上肢の機能障害がおき, 結果として日常生活に不自由さが生じてしまう.

脳卒中後の上肢機能障害は, 道具使用を中心としたセルフケア能力の低下に直結する. 本章では上肢運動に関与する神経機構を説明したのち, 脳卒中後の上肢運動障害の特徴ならびに評価とアプローチについて概説する.

A 上肢運動にかかわる神経機構とその障害の特徴

1 道具操作に関与する上肢機能

道具を手で操作する行為は, 次の 3 つのコンポーネントに分割される. ①把握する対象まで腕をもっていく**到達運動**(reaching), ②対象に手の形や傾きを合わせる**把握運動**(grasping), ③対象を目標指向的に操作する**操作運動**(operation)である. 把握運動と操作運動は統合され, **把握操作運動**として扱われることが多い.

到達運動には対象の位置・方向の認識が必要である. それらの認識によって対象に到達するための肩・肘関節運動がプログラムされ, 主に近位筋の活動をおこす. 把握運動には対象の大きさや傾きの認識が必要である. それらの認識によって, 手・手指関節, 前腕の運動がプログラムされ, 主に遠位筋の活動をおこす. 対象の位置・方向の情報に基づき, 肩関節によるすばやい運動プログラムがつくられ, 同時に肘関節による調節的な運動プログラムがつくられる. また, 対象の大きさや傾きの情報に基づき, 手の形や傾きをそれら対象に適合させ, つかむ(握る, つまむ)運動のプログラムがつくられる.

対象に到達し, 把握し, 操作するといった動きは目標指向的な運動, すなわち行為である. 視覚情報処理に基づく対象の操作には, 以下の 3 つの神経経路が関与する(▶図 1)[1].

a 背側−背側視覚路

背側−背側視覚路(dorso-dorsal visual stream)は到達運動にかかわる. 対象をとらえる視覚情報は一次視覚野から上頭頂小葉に至り, その情報が前頭葉の背側運動前野に送られることで到達運動のプログラムがつくられる. 対象の位置・方向の認識を一次視覚野から上頭頂小葉までの経路が担い, それに基づき到達運動のプログラムが背側

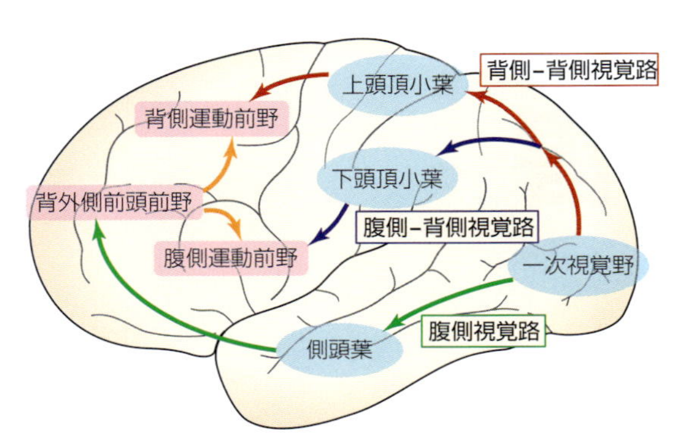

▶図1　道具操作に関与する3つの視覚情報処理系
目の前にある道具などの対象を視覚的にとらえた際，目（網膜）から入った刺激は視床の外側膝状体を経由して後頭葉の一次視覚野に到達する．その後，後頭葉で視覚情報処理が階層的に行われたのち，その情報は3つの経路に分かれ情報処理されていく．上肢の到達運動（reaching）のプログラムは背側−背側視覚路で，把握操作運動のプログラムは腹側−背側視覚路で，そして対象がどのような目的をもつかといった意味的な知識に関する情報処理が腹側視覚路で行われる．

▶図2　プリシェーピングの一例
目標指向的な運動．たとえば，コーヒーを飲むという行為の際，コーヒーカップの持ち手に向かって到達運動が出現している最中に，その持ち手の大きさ，傾きに適合する手指の開口がおこっている．この現象のことをプリシェーピングと呼ぶ．頭頂葉損傷患者ではプリシェーピングが適切におこらず，対象に対して不必要に大きな開口幅を呈する．

運動前野でつくられ，そのプログラム情報に基づき一次運動野が運動指令を脊髄に向けて出力する．この経路が損傷すると，対象に対して上肢をうまく到達させることができない**視覚性運動失調**（optic ataxia）が出現する．

また，この経路は対象の大きさや形の認識も担っており，到達運動中に出現する**プリシェーピング**（preshaping）（▶図2）の機能を担う．これは手の開口幅を対象の大きさや形に対応させるよう，あらかじめシミュレーションし，手を形づけることであり，到達運動中に出現する現象である．これはフィードフォワード制御に基づき，この経路が損傷すると対象に対して過度な開口幅を示す．

b 腹側−背側視覚路

腹側−背側視覚路（ventro-dorsal visual stream）は把握操作運動にかかわる．視覚情報が一次視覚野から下頭頂小葉に投射され，その情報は腹側運動前野に至り，把握操作運動のプログラムがつくられる．対象をどのように把握するかは，その後のどのように目標指向的に操作するかといったプログラムに依存している．例をあげると，ペンを操作しようとする意図が働いた場合，ペン先をつかんだりはしない．その場合，文字を書くという目的を達成するために，ペンの把持部をつかむことで，その後の一連の効率的な行為が生まれる．この経路は操作的な知識を担っているが，過去の経験をそのまま記憶として蓄積しているのではなく，行為の目的と対象の構造を照合し，操作方法を推測する機能をもっている．たとえば，手を使ってネジを回すといった目的の際，目の前にドライバーが見当たらないがコインがあった場合，ヒトはそのコインの大きさや硬さなどの抽象的な情報を用いて，ネジを回せるか推論を立てることができる．こうした問題解決のための技術的推論を担うのがこの経路である[2]．この経路が損傷すると，把握障害あるいは失行（主に拙劣症状，誤反応）が出現する．

この経路の運動プログラム形成にかかわる腹側運動前野は，個々の関節運動ではなく，目標指向的な行為をプログラムする特徴をもつ．たとえば，食べ物を食べる際に，口を動かすとき，食べ物を右手でつかむとき，左手でつかむとき，いずれも同じニューロンが活動する．また，食べ物以外の刺激で口を開閉したり，目的のないまま上肢を動かしたりするときにはそのニューロンは活動しない[1]．つまり，目標指向的にしかこのニューロンは活動しない．

C 腹側視覚路

腹側視覚路(ventral visual stream)は，対象の形態認知とその対象に関する意味的知識の処理にかかわる．視覚情報が一次視覚野から側頭葉に投射され，その情報は背外側前頭前野に至ることで，「どのような用途でこの道具を用いるか」といった意味に関する情報処理が可能になる．それは「ペンは文字などを書く道具である」といった意味的な知識を指す．たとえば，ペンにふさわしい動詞は「切る」「書く」のどちらかと問われると「書く」を選択できるのは，この経路の機能に基づいている．また，文字を書く際に目の前の机にペン，はさみ，電卓が置かれている場合，瞬時にはさみ，電卓はその行為をするのに必要ないと区別できるのもこの経路の役割に基づいている．この経路が損傷すると，視覚失認や失行(意味的錯行為)が出現する．たとえば，鉛筆が提示されたにもかかわらず，誤って櫛のように見立てて鉛筆を使って髪をとくような行為が出現する．

2 随意運動に関与する皮質脊髄路

運動前野などでプログラムされた情報は最終的に一次運動野に送られる．一次運動野の興奮に基づき運動指令がなされ，脊髄の運動ニューロンが興奮することで実運動として筋収縮がおこる．一次運動野の体部位再現領域から脊髄前角細胞に至る経路を**皮質脊髄路**(corticospinal tract; CST)と呼ぶ．この経路は脊髄前角細胞に間接的あるいは直接的にシナプス形成し，それぞれ間接経路，直接経路と呼ばれる．間接経路を構成する一次運動野領域を吻側(rostral)，直接経路を構成する一次運動野領域を尾側(caudal)と呼ぶ．吻側は系統発生的に古く，Old M1 あるいは 4a 野と称されている(以下，4a)．尾側は高度な霊長類，特にヒトで発達した領域であり，New M1 あるいは 4p

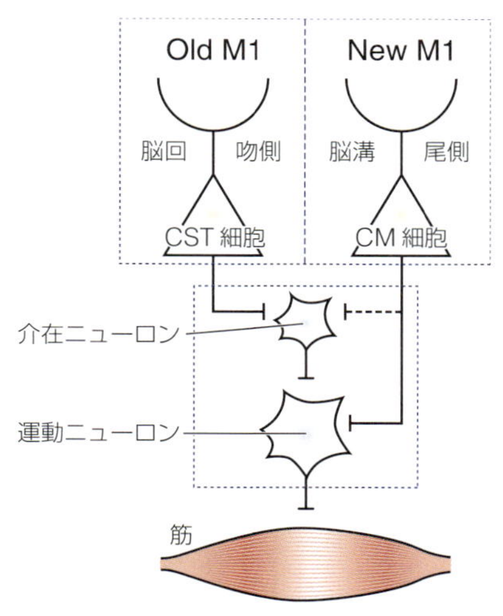

▶**図 3　古い運動野と新しい運動野**
Old M1(古い運動野)は中心溝の前方(吻側)にあり，皮質脊髄路細胞(CST 細胞)は介在ニューロンを介して間接的に運動ニューロンにつながっている．一方で，New M1(新しい運動野)は中心溝の後方(尾側)にあり，直接的に運動ニューロンにつながっている皮質運動ニューロン(corticomotoneuronal; CM)細胞が豊富に存在している．
〔Rathelot, J.A., et al.: Subdivisions of primary motor cortex based on cortico-motoneuronal cells. *Proc. Natl. Acad. Sci. U.S.A.*, 106(3): 918–923, 2009 より〕

野と称される(以下，4p)．4a は単純な運動実行の性質が強い．4p は高度にスキル化された目標指向的な行為に関与する(▶**図 3**)[3]．脳卒中後の上肢機能回復と 4p の活動には相関がみられ[4]，その予後に影響する．また，皮質脊髄路の損傷の大きさが上肢運動麻痺の程度に関係する[5]．

皮質脊髄路が損傷を受けると，上位運動ニューロン障害に基づく中枢性の運動麻痺が出現する〔詳細は，第 2 部第 1 章「運動麻痺」(➡ 98 ページ)参照〕．運動麻痺は弛緩性麻痺と痙性麻痺に分類されるが，異常筋緊張を伴う痙性麻痺を呈する場合，上肢は屈筋優位となり，いわゆる Wernicke-Mann(ウェルニッケ・マン)**肢位**を示すことがある．

3 両手動作の神経機構

上肢は両手を協調させながら行為を営むところ

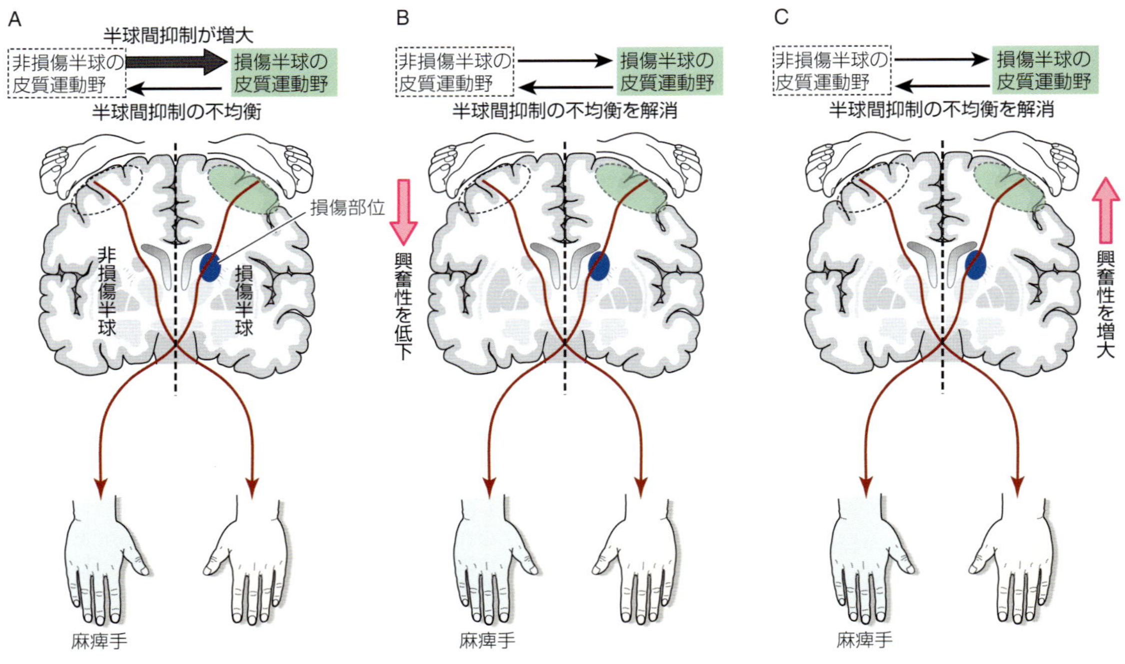

▶図 4　脳損傷後の異常半球間抑制仮説と解決のための 2 つの戦略

A：脳損傷後の異常半球間抑制仮説の模式図．脳損傷後では非損傷半球から損傷半球への半球間抑制が増大し，半球間抑制の不均衡が生じる．

B：非損傷半球の皮質運動野の興奮性を低下させることで半球間抑制の不均衡を解消する戦略．

C：損傷半球の皮質運動野の興奮性を増大させることで半球間抑制の不均衡を解消する戦略．

〔Nowak, D.A., et al.: Interhemispheric competition after stroke: Brain stimulation to enhance recovery of function of the affected hand. *Neurorehabil. Neural Repair*, 23(7):641–656, 2009 より〕

に特徴がある．補足運動野に損傷を受けると両手協調動作に障害をおこす[6]．補足運動野は両手の運動プログラムを形成し，一方の手が遂行する運動の意図を他方の手に教え，それを抑制的に制御するところに機能的な特徴がある．また，脳梁離断患者は，たとえば既存の知識としてもっている靴紐を結ぶなどの両手動作は問題ないものの，ゴルフなど新規に習得する両手協調動作には障害をきたす[7]．

4 左右半球間における抑制システム

左右半球の情報のやりとりは脳梁を通じて行われている．このやりとりは左右半球を相互に抑制し合い，その抑制によって互いの運動制御を円滑に導く特徴がある．これを**半球間抑制**(interhemispheric inhibition)と呼ぶ．脳卒中後は，損傷脳の活動が減弱することによって非損傷半球への抑制が弱まるうえに，非麻痺側上肢が積極的に使われることで非損傷半球の活動が亢進し，それにより損傷脳への抑制が強くなり，結果として半側間抑制の不均衡がおこる(▶図 4A)[8]．非損傷半球からの抑制性の連結が少ないほど，麻痺手の機能は良好である[9]．

脳卒中後の半球間抑制の不均衡化には，**使用依存性脳可塑性**(use-dependent plasticity または use-dependent reorganization)が関与している[10]．脳卒中後，運動麻痺を経験することで麻痺側上肢の不使用がおこり，非麻痺側上肢の使用が多くなる．このような脳損傷後の半球間抑制の不均衡は**異常半球間抑制**と呼ばれている．この

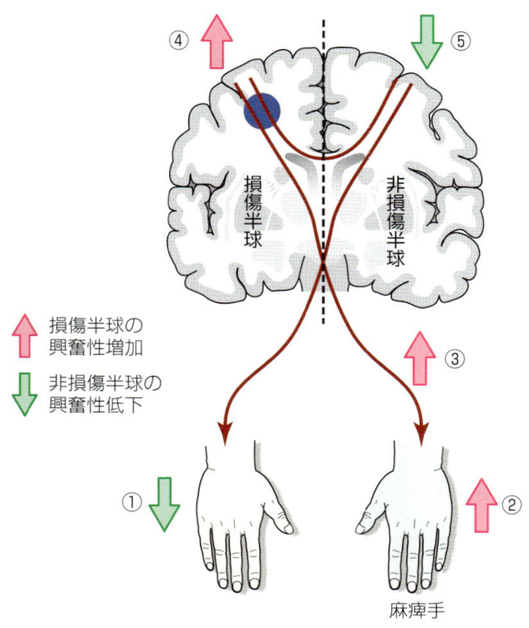

▶**図 5　異常半球間抑制仮説に基づくアプローチ（hypothesis-driven approach）**

①非麻痺肢の体性感覚入力を減少させることによって非損傷半球の興奮性を低下させる．
②麻痺肢の体性感覚入力を増加させることによって損傷半球の興奮性を増加させる．
③麻痺手の運動練習と麻痺側上腕への麻酔の組み合わせによる損傷半球の興奮性増加．
④直接的に損傷半球の興奮性を増加させる．
⑤直接的に非損傷半球の興奮性を低下させる．
〔Ward, N.S., et al.: Mechanisms underlying recovery of motor function after stroke. *Arch. Neurol.*, 61(12): 1844–1848, 2004 より〕

メカニズムを裏づけるために反復性経頭蓋磁気刺激（repetitive transcranial magnetic stimulation; rTMS）が用いられ検証されている．非損傷半球の一次運動野の活動を抑制し，その活動を弱めると運動麻痺が回復すること（▶**図 4B**）や，損傷半球の活動を促進し，その活動を一時的に高めると，それに基づいて麻痺手の運動機能が向上することが示されている（▶**図 4C**）．この手段は hypothesis-driven approach と呼ばれ，運動障害回復の 1 つの戦略として認識されている（▶**図 5**）[11]．**図 5** の④や⑤は直接的に半球の興奮性を操作するが，その手段としては rTMS や経頭蓋直流電気刺激（transcranial direct current stimulation; tDCS）などの非侵襲的な脳刺激法を用いる．**図 5** の①と②の代表的な手段には，Taub ら[12]によって確立された麻痺側上肢を集中的に使用させつつ課題を遂行していく，constraint-induced movement therapy（CI 療法あるいは CIMT）があげられる．

5 上肢機能障害にかかわる学習性不使用

脳卒中後に運動障害がおこれば，運動感覚フィードバックが適切に惹起しないため，次第に麻痺肢にかかわる一次運動野や一次体性感覚野の体部位再現領域が縮小する．このようなプロセスによって「患肢を使用しないことを学習する」といった**学習性不使用**（learned non-use）がおこる（▶**図 6**）[13]．不動が継続することで運動量が減少し，損傷を免れていた領域であっても体部位再現領域が縮小する．非損傷半球の運動皮質領域内の灰白質の減少や，それと連結する複数領域の灰白質の減少と運動障害の程度の間には相関関係が確認されている[14]．ゆえに，早期からの患側肢の積極的な使用が重要となる．また，適切な運動学習プロセスに基づいた課題が提供されずに知覚経験が減少すると，学習性不使用に陥る[15]．

一次運動野手領域を損傷させたサルで，自然治癒のみの場合と，麻痺手を使った課題指向型練習を行った場合の体部位再現領域の変化の違いが調べられた[16]．その結果，手領域損傷後，自然回復の場合は残存している手の領域は縮小した．一方，損傷後に麻痺手に対して課題指向型練習を強制的に実施させた場合は，残存している手の領域が拡大した（▶**図 7**）．麻痺肢の使用は，残存した脳領域の体部位再現のポジティブな再編成に重要な役割を担う．

図 6 で示したように，学習性不使用は心理的要因でもおこる．求める課題の難易度が高すぎると，動くことによって結果的に失敗経験が繰り返され，負の情動が強化されることで行動が抑制さ

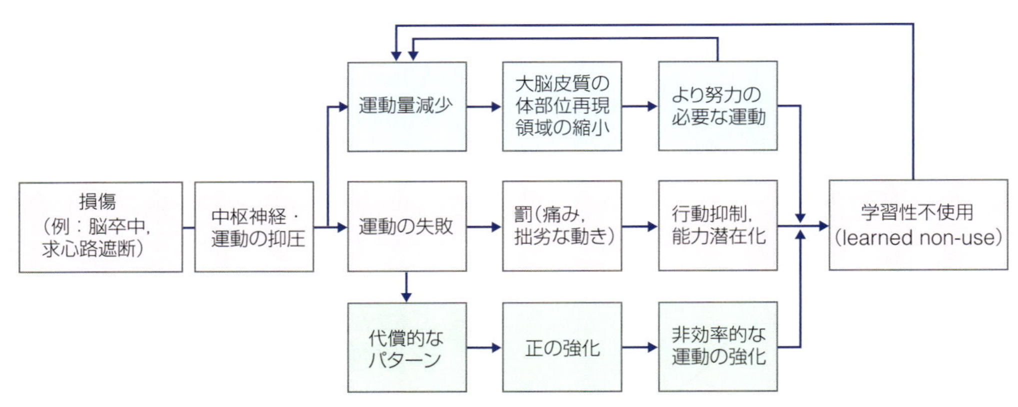

▶図6　学習性不使用(learned non-use)に至るプロセス

脳損傷などによって中枢神経系の機能不全に陥り，運動を抑圧すると運動量が減少し，大脳皮質の体部位再現領域が縮小していく．同時に，運動をおこそうとしても失敗が続くことで負の情動が強化され，結果として行動を抑制していく．さらには，患肢の運動失敗の連続により，健肢による代償的なパターンが強化されることによっても，患部の不使用の学習が促進されてしまう．

〔Taub, E., et al.: New treatments in neurorehabilitation founded on basic research. *Nat. Rev. Neurosci.*, 3(3):228–236, 2002 より改変〕

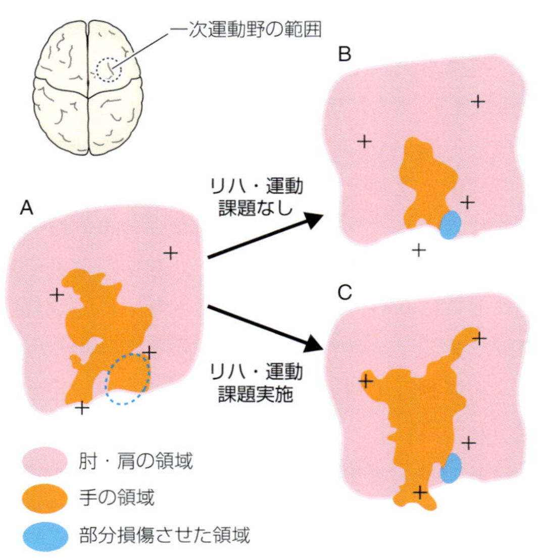

▶図7　一次運動野・手領域の部分損傷後の体部再現領域の変化

Aの点線で囲まれた部分，B・Cの青い部分は部分損傷させた領域を示している．

A：一次運動野損傷前の手・肘・肩の体部位再現領域

B：一次運動野内の手の領域の部分損傷後，運動課題なしで自然回復させた場合の手・肘・肩の体部位再現領域．残存した手の領域が縮小し，肘・肩の領域が拡大している．

C：一次運動野内の手の領域の部分損傷後，手の強制的な運動課題を実施させた場合の手・肘・肩の体部位再現領域．残存した手の領域が拡大している．

〔Nudo, R.J.: Remodeling of cortical motor representations after stroke: Implications for recovery from brain damage. *Mol. Psychiatry*, 2(3):188–191, 1997 より〕

れる．また，代償パターンによって課題が遂行されれば，そのパターンに正の強化がおこり，患肢の不使用がさらに助長される．課題の難易度が高く，失敗が継続され続けると，学習性不使用をまねく．

B 上肢機能障害の評価

運動麻痺，感覚障害，失行など，わが国で使用されている各種の代表的な評価法〔例：Brunnstrom(ブルンストローム) Stage など〕や動作障害の評価法〔例：機能的自立度評価法(FIM)や Modified Ashworth(アシュワース) Scale(MAS)など〕は各章に譲る．ここでは上肢機能を調べる目的で作成された評価法に限り，妥当性ならびに信頼性があるものに絞って紹介する．

1 身体構造・機能レベルの評価法

身体構造に関する代表的評価は，痙縮を観察するために開発されたMAS〔第2部第3章「異常筋緊張」(➡ 126ページ)参照〕，包括的な機能評価である Fugl-Meyer(フーグルマイヤー) Assessment

(FMA), 筋力評価である Motricity Index(MI)である.

a Fugl-Meyer Assessment(FMA)

FMA は上肢に限らず, 上下肢の①運動機能, ②バランス, ③感覚, ④関節可動域と痛みを評価する包括的な評価法である. 上肢の運動項目はさらに「A. 肩/肘/前腕」「B. 手首」「C. 手指」「D. 協調性/速度」と下位項目が設定されている. FMA の上肢運動項目(FMA-upper extremity motor)は, 反射項目以外は 3 段階の順序尺度に従い採点される. 簡略的には, 0 点は廃用レベル, 1 点は一部機能的レベル, 2 点は十分機能的レベルと説明される. 上肢運動項目は全 33 項目であり, 得点範囲は 0〜66 点である.

FMA は検者内, 検者間信頼性ともに確認され, 麻痺側上肢の運動機能回復が連続的な段階尺度によって一定の順序に従い進むため, 妥当性も確認されており, 身体構造レベルの運動麻痺の程度を表す評価法のゴールデンスタンダードとして国際的に受け入れられている. FMA の運動項目における 10% を超える改善(上肢運動項目では 6.6 点)は, 臨床的意義のあるものとして認識されている.

b Motricity Index(MI)

運動麻痺を筋力の観点からとらえる評価法である. 上肢では①肩関節外転, ②肘関節屈曲, ③つまみ(母指関節と示指関節による屈曲)の運動を対象とする. その手続きは Daniels(ダニエル)の徒手筋力検査法の基準を採用している Medical Research Council のグレードに基づく. 採点は, 「グレード 0：筋収縮を認めない」「1：筋収縮を触知可能」「2：重力の影響をなるべく取り除いた状態で要求された動きが遂行可能」「3：重力に抗して要求された動きが遂行可能」「4：軽度の徒手抵抗に抗して要求された動きが遂行可能」「5：正常レベル」で行われる. 肩関節外転/肘関節屈曲は, グレード 0 は 0 点, 1 は 28 点, 2 は 42 点, 3 は 56 点, 4 は 74 点, 5 は 100 点, つまみは, グレード 0 は 0 点, 1 は 33 点, 2 は 56 点, 3 は 65 点, 4 は 77 点, 5 は 100 点を与え, すべての値を総合して 3 で割り, 上肢 MI の得点とする(得点範囲 0〜100 点).

検者内信頼性が確認され, 対象者の運動機能回復の徴候をすばやくとらえることができる特徴をもつ.

2 活動レベルの評価法

a Action Research Arm Test (ARAT)

日常生活に関連する上肢機能を調べるために開発された評価法である. ①つかむ, つまむ, 握るといった手の動作, ②前腕の回内外, ③肘関節の屈伸, ④腕の挙上(肩関節屈曲/外転)で構成された動作を, 「A. つかみ(机上の所定の場所から 37.5 cm の高さの棚に持ち上げて乗せる)」「B. 握り(机上で物体を移動させる)」「C. つまみ(机上で所定の場所にある棚の中に置いたものを 37.5 cm の高さの棚上にある所定の場所の容器につまみ上げて入れる)」「D. 粗大動作(膝の上に置いた手を移動させる)」の 4 つの下位項目に分け, 特殊な器具を用いて評価する〔詳細は HP を参照〕[17]. 採点方法は, 「0 点：課題のどの部分も実施できない」「1 点：対象物品を持ち上げることができるが, それ以上課題を遂行できない」「2 点：要求された課題を完遂できるが, 動作に困難を伴う」「3 点：努力を伴わず, 正常に課題を遂行できる」といった 4 段階で採点し, その得点範囲は 0〜57 点である.

検者内, 検者間の信頼性ならびに各種検査法との相関関係が確認されており, 相応の妥当性を有する.

b Box and Block Test(BBT)

BBT は, つまみ動作を伴う粗大な動きを評価対象としている. 2 つの箱が用意され, その間に高さ 15.2 cm の仕切りを設定し, その仕切りをま

▶表 1　日本語版 Wolf Motor Function Test(WMFT)

	評価項目	課題遂行時間	FAS
机に対して横向き座位(机と椅子の距離，10 cm)			
1	前腕を机へ：肩の外転を用いて前腕を机の上へ乗せる	秒	
2	前腕を箱の上へ：肩の外転を用いて前腕を箱の上に乗せる	秒	
3	肘の伸展：肘を伸展させ，机の反対側へ手を伸ばす	秒	
4	肘の伸展・負荷あり：肘の伸展により重錘(450 g)を机の反対側へ移動させる	秒	
机に対して前向き座位			
5	手を机へ：机の上に麻痺手を乗せる	秒	
6	手を箱の上へ：箱の上に麻痺手を乗せる	秒	
7	前方の引き寄せ：肘や手首の屈曲を用いて，机の反対側からの重錘(450 g)を引き寄せる	秒	
8	缶の把持・挙上：開封していない缶(350 mL)を把持(円筒握り)し，口元まで挙上する	秒	
9	鉛筆の把持・挙上：鉛筆を 3 指つまみでつまみ上げる	秒	
10	クリップの把持・挙上：クリップを 2 指つまみでつまみ上げる	秒	
11	ブロックの積み重ね：ブロックを 3 つ積み上げる	秒	
12	トランプの反転：3 枚のトランプを 1 枚ずつ，つまみ(指尖つまみ)，裏返す	秒	
13	鍵の操作：鍵穴に差してある鍵をつまんで，左右に回す	秒	
14	タオルの折りたたみ：タオルを 1/4 に折りたたむ	秒	
机に対して前向き立位，患側に高さ 110 cm の台を設置			
15	重錘の持ち上げ：机に置かれた重錘(1 kg)の輪をつかんで持ち上げ，側方にある台の上に置く	秒	
	最終スコア(合計)	秒	

Functional Ability Scale(FAS)

0	まったく動かせない
1	機能的に動かすことは困難だが，随意的動きはみられる．片手で行う課題でも健側の支持が相当量必要である
2	課題への参加は可能であるが，動きの微調整や肢位の変更には健側による介助が必要である．課題は完結できるが，動作スピードが遅く，120 秒以上を要する．両手で行う課題では，健側の動きを補助する程度の動きなら可能である
3	課題を遂行することは可能だが，痙縮の影響が大きい，動作スピードが遅い，あるいは努力性である
4	ほぼ健常に近い動作が可能だが，動作スピードがやや遅く，巧緻性の低下，動線の拙劣さなどが残存している
5	健常に近い動作が可能

〔高橋香代子ほか：新しい上肢運動機能評価法・日本語版 Wolf Motor Function Test の信頼性と妥当性の検討．総合リハ，36(8):797–803，2008 より〕

たいで一方の箱から他方の箱にブロックを移動させるように対象者に指示する．1 分間に移動されたブロックの数が得点として採用される．つかんで(つまんで)から離すまでの一連の動作を観察する最も簡便な評価法である一方，要求される動作が単純すぎる問題点もある．

検者内，検者間信頼性が確認されているが，もともとは脳性麻痺の上肢運動評価として開発されたことから，脳卒中患者を対象にした報告が少ない．

c Wolf Motor Function Test (WMFT)

生活期の脳卒中患者の上肢機能を評価する目的で開発され，日本語版も提示されている(▶表 1)[18]．特に CIMT の効果判定に用いられる．WMFT は基本的に 15 課題(筋力に関与する 2 課題を除く)で構成され，6 つの単純な関節運動課題と，物品を介した上肢全体の動作を総合的に観察する 9 つの課題からなる．段階的な難易度(徐々に複雑化)が設定されており，近位関節から遠位関節の運動が段階的に関与するように課題が設定されている．各課題の所要時間を測定すると同時に，Functional Ability Scale (FAS) を用いて動作の質を 6 段階(0〜5)で評価する(得点範囲 0〜75 点)．全 15 項目の合計所要時間と合計 FAS 得点に基づき判定する．

検者内，検者間信頼性が確認されており，他の各種評価法との相関関係が確認されている．

3 上肢の使用頻度をみる評価法

a Motor Activity Log (MAL)

学習性不使用の克服を意図してつくられた評価法であり，日本版も提示されている(▶表 2)[19]．日常生活において，麻痺側上肢をどの程度使用したか(amount of use; AOU)と，麻痺側上肢をどの程度うまく使えたか(quality of movement; QOM)を対象者自身が自己評価する．対象者へ

▶表 2　日本語版 Motor Activity Log(MAL)

	動作評価項目	AOU	QOM
①	本/新聞/雑誌を持って読む		
②	タオルを使って顔や身体を拭く		
③	グラスを持ち上げる		
④	歯ブラシを持って歯を磨く		
⑤	髭剃り/化粧をする		
⑥	鍵を使ってドアを開ける		
⑦	手紙を書く/タイプを打つ		
⑧	安定した立位を保持する		
⑨	服の袖に手を通す		
⑩	物を手で動かす		
⑪	フォークやスプーンを把持して食事をとる		
⑫	髪をブラシや櫛でとかす		
⑬	取っ手を把持してカップを持つ		
⑭	服の前ボタンをとめる		
	合計		
	平均(合計÷該当動作項目数)		

【評価尺度】

AOU(使用頻度)

0. 患側はまったく使用していない(不使用：発症前の 0% 使用)
1. 場合により患側を使用するが，きわめて稀である(発症前の 5% 使用)
2. 時折患側を使用するが，ほとんどの場合は健側のみを使用(発症前の 25% 使用)
3. 脳卒中発症前の使用頻度の半分程度，患側を使用(発症前の 50% 使用)
4. 脳卒中発症前とほぼ同様の頻度で，患側を使用(発症前の 75% 使用)
5. 脳卒中発症前と同様の頻度で，患側を使用(発症前と同様：100% 使用)

QOM(動作の質)

0. 患側はまったく使用していない(不使用)
1. 動作の過程で患側を動かすが，動作の助けにはなっていない(きわめて不十分)
2. 動作に患側を多少使用しているが，健側による介助が必要，または動作が緩慢か困難(不十分)
3. 動作に患側を使用しているが，動きがやや緩慢または力が不十分(やや正常)
4. 動作に患側を使用しており，動きもほぼ正常だが，スピードと正確さに劣る(ほぼ正常)
5. 脳卒中発症前と同様に，動作に患側を使用(正常)

〔高橋香代子ほか：新しい上肢運動機能評価法・日本語版 Motor Activity Log の信頼性と妥当性の検討．作業療法，28(6)：628–636，2009 より〕

の質問形式で行い，14 の動作項目について調査する．各項目において 6 段階(0〜5 点)で採点し，AOU が高いほど麻痺側上肢を日常生活で使用していることになる．一方，QOM が高いほど麻痺側上肢の使用の質が高い(対象者視点)ことになる．病識が欠如している対象者ではこの評価は難しい．

検者内，検者間信頼性が確認されている．他の評価法との相関関係は，本評価法があくまでも対象者視点で採点することから意見が分かれるが，実生活における麻痺側上肢の使用を調べる評価法の国際的バッテリーとして広く認知されている．一般的には MAL における 10%(0.5 点)を超える改善は，臨床的意義があるとされる．

C 上肢機能障害に対するアプローチとそのエビデンス

1 エビデンス

脳卒中後の上肢機能障害に対するアプローチは種々開発され，実践されている．2020 年度版の『Stroke Rehabilitation Clinical Handbook』に主要なアプローチのエビデンスレベルと推奨度が記され[20]，表 3[21] のようにまとめられている[22]．エビデンスレベルとは各治療の確実性を指す．また，American Heart Association/American Stroke

▶表 3　脳卒中後の上肢麻痺に対するアプローチのエビデンス

運動機能	手指機能	ADLs	痙縮	関節可動域(他動)	固有受容感覚	脳卒中重症度	筋力
課題指向型練習							
1b 11 RCTs		1a 4 RCTs	1a 2 RCTs	1b 1 RCT		1b 1 RCT	1b 2 RCTs
筋力増強練習							
1a 6 RCTs	1b 2 RCTs	1b 2 RCTs	1b 2 RCTs	1a 2 RCTs			1a 3 RCTs
CI 療法(亜急性期)							
1a 8 RCTs	1a 4 RCTs	1a 8 RCTs	2 1 RCT				1b 1 RCT
mCI 療法(亜急性期)							
1a 7 RCTs	1b 1 RCT	1a 6 RCTs	1b 1 RCT		1b 2 RCTs		1a 2 RCTs
CI 療法(生活期)							
1a 13 RCTs		1a 11 RCTs					1a 2 RCTs
mCI 療法(生活期)							
1a 10 RCTs		1a 8 RCTs					
運動観察							
1a 6 RCTs	1a 3 RCTs	1b 4 RCTs	2 1 RCT				1b 1 RCT
ミラーセラピー							
1a 15 RCTs	1b 2 RCTs	1a 11 RCTs	1a 6 RCTs		1b 1 RCT	1a 5 RCTs	1a 2 RCTs
メンタルプラクティス							
1a 15 RCTs		1a 6 RCTs					2 2 RCTs
両手動作練習							
1a 4 RCTs	1a 2 RCTs	1a 3 RCTs					1a 2 RCTs
TENS							
1a 10 RCTs	1a 2 RCTs	1a 3 RCTs					1a 5 RCTs

(つづく)

▶表 3　脳卒中後の上肢麻痺に対するアプローチのエビデンス(つづき)

アプローチ	運動機能	手指機能	ADLs	痙縮	関節可動域(他動)	固有受容感覚	脳卒中重症度	筋力
EMG biofeedback	1a 8 RCTs	1a 1 RCT	1a 3 RCTs	2 2 RCTs	1 4 RCTs		1b 2 RCTs	1b 2 RCTs
FES(Cyclic NMES)	1a 7 RCTs		1a 3 RCTs	1a 6 RCTs	1b 2 RCTs		1a 2 RCTs	
FES(EMG-NMES)	1a 7 RCTs	1b 4 RCTs	1a 5 RCTs	2 1 RCT	2 2 RCTs			1a 2 RCTs
FES	1a 11 RCTs	1b 1 RCT	1a 5 RCTs	1a 8 RCTs	1b 4 RCTs		1a 2 RCTs	1b 1 RCT
rTMS(低頻度)	1a 20 RCTs	1a 10 RCTs	1a 9 RCTs	1a 7 RCTs	1a 2 RCTs	1b 1 RCT	11 5 RCTs	1a 10 RCTs
rTMS(高頻度)	1a 7 RCTs	1a 4 RCTs	1a 6 RCTs				1a 6 RCTs	1a 6 RCTs
rTMS(両側刺激)	1b 1 RCT							
Anodal tDCS	1a 11 RCTs	1a 5 RCTs	1a 4 RCTs	1b 1 RCT			1a 1 RCT	1a 9 RCTs
Cathodal tDCS	1a 9 RCTs	1a 3 RCTs	1a 3 RCTs	1b 1 RCT			1a 2 RCTs	1a 6 RCTs
Dual tDCS	1a 4 RCTs	1a 5 RCTs	1b 1 RCT	1a 2 RCTs			1b 1 RCT	1a 4 RCTs
装具療法	1a 5 RCTs	1b 2 RCTs	1a 4 RCTs	1b 7 RCTs	1a 5 RCTs			1b 2 RCTs
ロボット療法(各種アーム/ショルダーエンドエフェクタータイプ)	1a 17 RCTs	1b 6 RCTs	1a 16 RCTs	1b 6 RCTs				1a 9 RCTs
ロボット療法(Bi-Manu-Track)	1a 2 RCTs	1b 1 RCT	1b 1 RCT					1b 1 RCT
ロボット療法(アーム/ショルダー外骨格型タイプ)	1a 4 RCTs	1b 2 RCTs	1b 2 RCTs			1b 1 RCT		1b 2 RCTs
ロボット療法(ハンドエンドエフェクタータイプ)	1a 2 RCTs	1a 2 RCTs		1b 1 RCT				
ロボット療法(ハンド外骨格タイプ)	1a 6 RCTs	1a 4 RCTs	1a 4 RCTs	1b 1 RCT	2 1 RCT			1b 1 RCT

世界中で一般的に使用されているアプローチを抜粋して示している．　は，大部分の研究結果がグループ化されたときに，介入群と比較群の間に有意な差がないことを示す．　は，介入群と比較群の間に有意な差がある研究とない研究が混在している状態を示す．　は，グループ化された研究結果の大部分が，介入グループに有利なグループ間の有意差があることを示す．

1a：ランダム化もしくは，クロスオーバーデザインによる比較が施された対象者を含む高い品質のランダム化比較試験〔PEDro Score(臨床試験の質の高低を判定するツール)6 以上〕を 1 本以上有しているセクション

1b：ランダム化もしくは，クロスオーバーデザインによる比較が施された対象者を含む高い品質のランダム化比較試験(PEDro Score 6 以上)を 1 本有しているセクション

2：質の低いランダム化比較試験(PEDro Score 6 未満)，前向きの比較研究(偽・疑ランダム化)，前向きコホート研究〔少なくとも 2 群の類似した群を用い，一方が特定の曝露にさらされている状態で行う研究(前向き縦断研究)〕を有するセクション

〔Teasell, R., et al.: Stroke Rehabilitation Clinician Handbook 2020. Evidence-Based Review of Stroke Rehabilitation, London, ON, 2020 より〕

Associationの2016年のガイドラインでは，目的的に上肢を使用する課題指向型練習は推奨されており，上肢運動麻痺に対するアプローチの基盤は課題指向型練習であることはいうまでもない．以下に代表的な上肢機能障害に対するアプローチを紹介する．

2 代表的なアプローチ

a CI療法

『脳卒中治療ガイドライン2021』[23]では，軽度から中等度の上肢麻痺に対しては，麻痺側上肢を強制使用させる練習など特定の動作の反復を含む練習を行うようすすめられている(推奨度A，エビデンスレベル高)．その代表格であるCI療法は非麻痺手を拘束し，段階的な難易度で調整された課題(シェーピング課題)を集中的に行い，上肢の機能回復に導く治療法として開発された．その理論背景となる神経メカニズムは，前述した使用依存性脳可塑性である．CI療法は段階的な難易度(▶**表4**)[24,25]で実施するため，対象者の動機づけの向上をはかることで学習性不使用の破棄を目的として遂行するところに特徴がある[26](▶**図8**)．

CI療法の要点は，①非麻痺側の拘束(restraint)，②多様性と繰り返し(massed principle)，③難易度調整と達成感(gradual rebuilding and attainment)，④課題指向型アプローチ(task-oriented approach)，⑤transfer packageである．非麻痺側上肢の代償運動を抑制し，麻痺側上肢の随意運動を引き出すことを前提に，多様性ある課題およびその繰り返しを対象者に要求することで運動学習を導くように進める．なお，③～⑤に関しては課題指向型アプローチの項目で説明する．

CI療法の適応基準と課題内容を**表5**に示す[24]．重度麻痺への適応が難しいが，近年では，電気刺激療法などを併用することで，その適応の拡大がはかられている．

▶**表4　shaping項目(兵庫医科大学方式)**

粗大動作
●前腕を机上のタオルに乗せる ●机上のタオルに前腕を乗せた状態で円を描くように肘を伸ばす ●肘で時計回り・反時計回りに直径10cm・20cmの円をなぞる ●手を机上のタオルに乗せた状態で前方に肘を伸ばす ●反対側の肩をリズミカルに叩く ●穴開けパンチで紙に穴を開ける ●机上のボールをつかみ，患側横の箱に入れる ●机上と机縁をタオルで拭く ●ブロックを2つ以上積み上げる ●紙を手前から2つに折る など
巧緻動作
●人差し指で時計回り・反時計回りに円をなぞる ●計算機のキーを人差し指で順に押す ●ペンをつまんでペン立てに立てる ●うちわで手前や前方に向かって仰ぐ ●食べ物に塩をふる動作 ●洗濯ばさみをさまざまな角度で板に挟む ●直径5cm程度のボトルのねじ蓋を開閉する ●そろばんをはじく ●ティッシュでこよりをつくる ●書字 など
両手動作
●タオルを絞る ●ちょうちょ結びをする ●はさみで紙を切る ●お手玉を前方のかごに投げ入れる ●輪投げ ●上手投げでボールを持ったままゆっくり壁に当てる ●傘をさして歩く など

〔佐野恭子，道免和久：Constraint-induced movement therapy(CI療法)―当院での実践．OTジャーナル，40(9):979–984, 2006のシェーピング項目セットより抜粋〕

b 電気刺激療法

『脳卒中治療ガイドライン2021』[23]では，中等度から重度の上肢麻痺に対して，神経筋電気刺激を行うことは妥当であると示されている(推奨度B，エビデンスレベル中)．随意運動介助型電気刺激装置(integrated volitional control electrical stimulator; IVES)と上肢装具を装着し，治療する手段である[27]．この治療のコンセプトは，麻痺筋に対する電気刺激によって他動的運動を再現

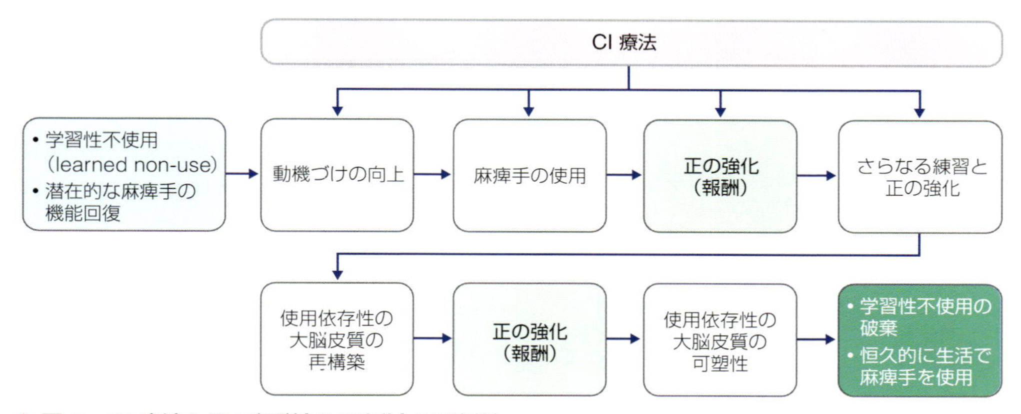

▶図 8　CI 療法と正の報酬(正の強化)の関係性
〔Taub, E., et al.: New treatments in neurorehabilitation founded on basic research. *Nat. Rev. Neurosci.*, 3(3):228–236, 2002 より改変〕

▶表 5　CI 療法の適応基準と課題内容（兵庫医科大学方式）

適応基準
随意的に親指を含む 3 本指の IP または MP 関節伸展 10° 以上可能，かつ随意的手関節伸展 20° 以上 その他，認知症や高次脳機能障害がないこと，自ら運動する意欲があること，重大な合併症がないこと，課題の集中的な実施ストレスに耐えられることなどを，リハビリテーション科医が総合的に判断
課題内容
1. 健側の拘束 　●指間を縫った軍手，三角巾，グローブなどを使用 2. 実施時間(期間) 　●間欠的に 1 日計 5 時間(午前 2 時間，午後 3 時間) 　●土日を除いた平日の 10 日間 　●評価を含めて 3 週間弱の入院(外来でも可) 3. 課題内容 　●オリジナルのシェーピング課題(患側上肢段階的運動) 4. 作業療法室で実施．基本的には自主運動．動作遂行の確認・徒手誘導 5. 課題実施時間以外は健側拘束解除(転倒事故防止，ストレス軽減のため)

〔道免和久(編)：ニューロリハビリテーション．p.114，医学書院，2015 より改変〕

するのではなく，あくまでも電気刺激は随意運動を補助するために用い，運動の主体は対象者自身が行う能動的なものであるところである．日常生活で麻痺肢の使用を促すことは CI 療法と共通しており，随意運動が乏しい対象者に装具や電気刺激を通じて補助することで，上肢機能を回復させる手段として用いられている．IVES は，標的筋(多くは手指伸筋群)を動かそうと筋電図が感知された場合のみ電気刺激がされるところに特徴がある．IVES と併用で用いる装具は，長・短対立装具や手関節装具である．

C ロボット療法

『脳卒中治療ガイドライン 2021』[23] では，麻痺の重症度は指定されていないが，ロボットを用いた上肢機能練習を行うことは妥当であると示されている(推奨度 B，エビデンスレベル高)．少ない人的資源で同一運動を一定の介助量で何度も繰り返すこと，そしてさまざまな難易度や多様性をもった運動をあらかじめプログラムして対象者に提供できることが，ロボットを用いた介入の最大の利点である．代表的なロボットとしては，Bi-Manu-Track®，MIT-Manus®，ReoGo® などがある．ロボット療法は次項で述べる仮想現実(virtual reality; VR)同様に没入感を与えると同時に，実運動を伴うことから，対象者の主体性を促す特徴がある．近年では CI 療法などと併用しながら，その効果検証が行われている．難易度や負荷量の設定は，対象者に見合った形で設定されるべきであることから，理学療法士による評価が重要になる．

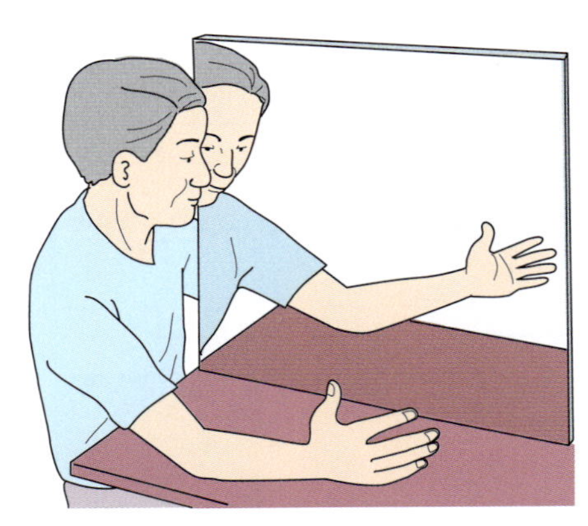

▶図9　ミラーセラピー

d 認知的介入

代表的なアプローチとして，①運動錯覚課題，②運動イメージ課題，③行動観察課題がある．運動錯覚課題にミラーセラピーやVRが含まれる．いずれも，実運動時と等価的な脳活動(運動関連領域の活性化)が得られ，脳卒中患者においてもそれは同様である．『脳卒中治療ガイドライン2021』[23]では，視覚刺激や運動イメージの想起を用いた練習を行うことは妥当であると示されている(推奨度B，エビデンスレベル中)．

ミラーセラピーとは，鏡を使用して非麻痺肢で正常な運動をおこし，投影された鏡を対象者に観察させ，麻痺肢があたかも動いているような錯覚をおこさせる手段のことである(▶図9)．最近では，VR技術を用いた治療法も開発されている．virtual handを映像に映し出し，それを観察することで，あたかも自分の手を動かしているような錯覚を与える手段である．VRは対象者に没入感を与えることが可能である．これらは非麻痺肢の身体意識を活性化させるところに特徴がある．メタアナリシスによって，ミラーセラピーやVRは上肢運動機能の改善，ADLの改善，疼痛の軽減に効果があることが確認されている．

運動イメージ課題あるいはメンタルプラクティス課題は，実際に行う運動課題のイメージを対象者に要求するものである．脳卒中患者を対象としたメタアナリシスでは中等度の効果が確認されているが，課題以外の動作に汎化されにくいとの指摘もある．それを補う方法として行動観察課題が開発されている．対象者に対して，何種類かのADLや生活関連動作(APDL)を行っている他者の動きをモニターで観察させることで，あたかもその行動を自分自身が行っているかのような脳活動を促すことを目的としている．近年では，上肢運動機能の改善に寄与することが示されている．

e ニューロモデュレーション技術

大脳皮質の興奮性を頭皮上から人工的に変調させる手段であり，その代表的なものがrTMSとtDCSである．『脳卒中治療ガイドライン2021』[23]では，患者の選択と安全面に注意したうえでrTMSやtDCSを行うことも考慮してよいと示されている(推奨度C，エビデンスレベル中)．

図5で説明した半側間の活動の不均衡を是正することを目的に行う手段である．なお，理学療法士単独であってもtDCSの施行が可能である．tDCSは損傷半球の一次運動野の興奮を高め，非損傷半球の一次運動野の活動を抑制するように設定する．つまり，損傷半球には陽極刺激，非損傷半球には陰極刺激を行い，その活動を膜電位レベルで変調させる．他の運動・作業課題と併用することで上肢運動機能の改善を試みるのが一般的である．なお，rTMSは理学療法士が単独で用いることはできず，医師による適応となる．

3 課題指向型練習のポイント

脳卒中後の運動障害に対して課題指向型練習は多くの有効性が確認されている．『脳卒中治療ガイドライン2021』[23]においても，運動障害に対するリハビリテーションの項目で「課題に特化した練習の量もしくは頻度を増やすことがすすめられる(推奨度A，エビデンスレベル高)」と示され，課題指向型練習の量・頻度が重要であることが示されている．課題指向型練習は前述の代表的なアプ

▶表 6　課題指向型練習の構成要素

1	機能的運動：ADL に明確に向けられている課題運動を実行する
2	明確な機能的ゴール：ゴールは，患者の ADL や趣味活動のなかで作成する
3	運動負荷：課題の反復，治療時間，抵抗の種類や量，頻度を十分に与える
4	実生活での物品使用：普段の ADL で扱う物品を使用する
5	運動環境：特定の課題実行はその状況や文脈に影響されるので，課題実行の際にはできるだけ自然状況下で実施する
6	運動の段階的進行：患者の能力の獲得に沿って，徐々に難易度を上げていく
7	運動の多様性：さまざまな運動や環境，問題解決戦略を経験するような運動の多様性は，運動スキル学習を支える
8	フィードバック：運動学習を促進したり，患者のモチベーションを上げるような運動パフォーマンスに関する情報を与える
9	患者に合わせた運動負荷：個々の患者に合わせた運動負荷量を設定する

〔Timmermans, A.A., et al.: Influence of task-oriented training content on skilled arm-hand performance in stroke: A systematic review. *Neurorehabil. Neural Repair*, 24(9):858–870, 2010 より〕

ローチの一手段として位置づけるべきと思われるが，このアプローチは，それら(たとえば，CI 療法，電気刺激療法，ロボット療法など)すべてに共通するものであり，あえて項を独立させ，そのコンセプトを説明する．

a 概念と重要なポイント

課題指向型練習(task-oriented training)(▶表 6)[28] とは，スキル(一貫性，柔軟性，効率性)を獲得(再獲得)する意図をもって，実生活で行う課題を練習することであり，その課題は挑戦的であり，漸進的に調整され，かつ自律的なかかわりを伴うものである[29]．注目すべきは，対象者自身が運動スキルを再獲得するという意図をもつこと，そして課題は挑戦的，漸進的，自律的であるというところである．提案された課題を解決すべく，対象者自身が能動的かつ意図的に課題にかかわることが課題指向型練習の最大の特徴である．ゆえに，「受動的に動かされる(他動的な関節運動，動く意図のない歩行介助など)」のみでは課題指向型練習とは呼べない．対象者の能動的な意図を引き出す手続きが課題指向型練習の重要なコンテンツである．また，挑戦的課題の視点からもエラーを伴う難易度であること，そのエラーの度合いに応じて課題は適切に調整され，かつ漸進的に難易度が操作されることも重要なポイントである．さらに，自律的であるということは，理学療法士などの促しがなくても，対象者自らが行動を主体的におこす点に特徴がある．

b 重要なコンポーネント

CI 療法はそれ単独でなく，transfer package と名づけられた手続きを加えた場合において，脳機能，上肢運動機能，そして行動変容の観点からその効果が確認されている[30,31]．transfer package とは，「麻痺肢をよくして何がしたいか」を対象者に確認し，「麻痺肢をよくするためには患肢を生活で使わなければならない」ことを説明し，主体的なかかわりや意図の必要性を理解させていく手続きを表し，練習課題の日常生活への汎化を目指すものである．これには対象者と理学療法士の対話から，達成したい目標を決める手続きも含まれている．目標は報酬予測となる．対話のなかから目標を設定・共有し，対象者のライフゴールに応じた目標を設定することが，課題への参加意欲の増大の観点からも望ましい[32]．言い換えれば，単純な運動の出現(例：肘の屈伸)を価値ある報酬とせず，そうした運動障害によっておこった問題(行為の不自由さ，能力低下)を解決することが価値ある報酬であると，対象者の意識をこの手続きによって変容させ，その報酬を得るためには具体的に「どのような行動が必要であるか」を対話によって意思決定させる手続きを加えつつ，課題を遂行していく．

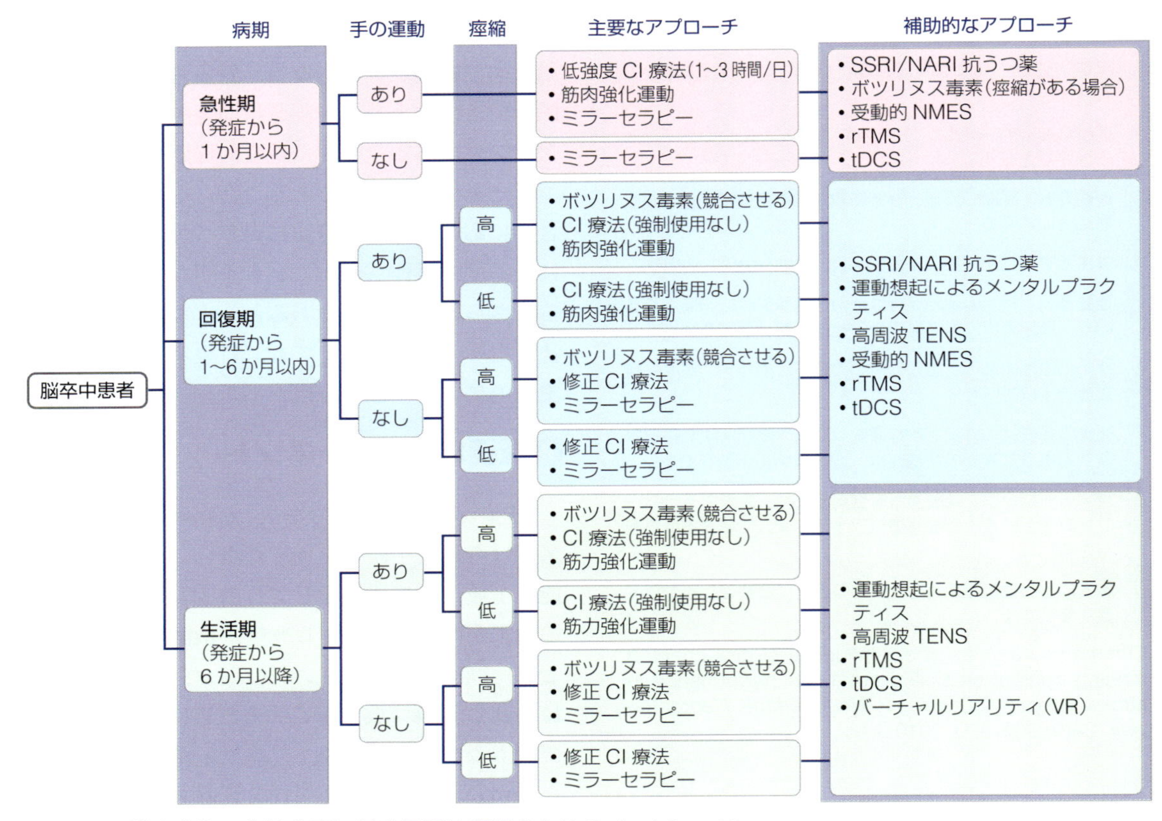

▶図10 脳卒中後の上肢麻痺に対する手法選択のためのdecisional tree

SSRI：選択的セロトニン再取り込み阻害薬，NARI：ノルアドレナリン再取り込み阻害薬，NMES：神経筋電気刺激，TENS：経皮的電気神経刺激

〔Hatem, S.M., et al.: Rehabilitation of Motor Function after Stroke: A Multiple Systematic Review Focused on Techniques to Stimulate Upper Extremity Recovery. *Front. Hum. Neurosci.*, 10:442, 2016 より〕

D 複合的アプローチ

課題指向型練習を補完する目的，あるいは実施前のコンディショニングを目的に複合的にアプローチを組み合わせることがある．たとえば，課題指向型練習の最中に電気刺激やロボット，動的装具を併用することで介入の効率性を上げることや適応範囲の拡大につながる．あるいは，エビデンスが示されている方法を組み合わせることによって，それぞれの短所を相互補完する目的も含まれる．

一方，各種アプローチを選択するための指標もシステマティックレビューから示されている[33]．図10では発症からの時期(急性期，回復期，生活期)，手の運動の有無，痙縮の高低といった情報から，個々の病態に対して適切なアプローチを組み合わせることが推奨されている．加えて，主要なアプローチに対して何を補助的に加えるかが示されている．近年では，主要アプローチである課題指向型練習に組み合わせるべき補助的手段が示されている[34]が，結果として，末梢神経刺激もしくは運動閾値の電気刺激を組み合わせて提供した場合，課題指向型練習を単独で提供した際より上肢運動機能の改善が大きい可能性が示されている．いずれにしても，理学療法の実施時間が限られているなかで闇雲に組み合わせればよいわけではない．病期や病態を適切に評価し，方法の適応と限界を把握したうえで意思決定すべきである．

●引用文献

1) Rizzolatti, G., et al.: Mirrors in the Brain: How Our Minds Share Actions, Emotions, and Experience. Oxford University Press, Oxford, 2008.
2) Osiurak, F., et al.: Mechanical problem-solving strategies in left-brain damaged patients and apraxia of tool use. *Neuropsychologia*, 51(10):1964–1972, 2013.
3) Rathelot, J.A., et al.: Subdivisions of primary motor cortex based on cortico-motoneuronal cells. *Proc. Natl. Acad. Sci. U.S.A.*, 106(3):918–923, 2009.
4) Sharma, N., et al.: Motor imagery after subcortical stroke: A functional magnetic resonance imaging study. *Stroke*, 40(4):1315–1324, 2009.
5) Riley, J.D., et al.: Anatomy of stroke injury predicts gains from therapy. *Stroke*, 42(2):421–426, 2011.
6) Brinkman, C.: Supplementary motor area of the monkey's cerebral cortex: Short- and long-term deficits after unilateral ablation and the effects of subsequent callosal section. *J. Neurosci.*, 4(4):918–929, 1984.
7) Franz, E.A., et al.: The effect of callosotomy on novel versus familiar bimanual actions: A neural dissociation between controlled and automatic processes? *Psychol. Sci.*, 11(1):82–85, 2000.
8) Nowak, D.A., et al.: Interhemispheric competition after stroke: Brain stimulation to enhance recovery of function of the affected hand. *Neurorehabil. Neural Repair*, 23(7):641–656, 2009.
9) Grefkes, C., et al.: Cortical connectivity after subcortical stroke assessed with functional magnetic resonance imaging. *Ann. Neurol.*, 63(2):236–246, 2008.
10) Mark, V.W., et al.: Neuroplasticity and constraint-induced movement therapy. *Eura. Medicophys.*, 42(3):269–284, 2006.
11) Ward, N.S., et al.: Mechanisms underlying recovery of motor function after stroke. *Arch. Neurol.*, 61(12):1844–1848, 2004.
12) Taub, E., et al.: Technique to improve chronic motor deficit after stroke. *Arch. Phys. Med. Rehabil.*, 74(4):347–354, 1993.
13) Taub, E., et al.: New treatments in neurorehabilitation founded on basic research. *Nat. Rev. Neurosci.*, 3(3):228–236, 2002.
14) Gauthier, L.V., et al.: Atrophy of spared gray matter tissue predicts poorer motor recovery and rehabilitation response in chronic stroke. *Stroke*, 43(2):453–457, 2012.
15) Buma, F., et al.: Understanding upper limb recovery after stroke. *Restor. Neurol. Neurosci.*, 31(6):707–722, 2013.
16) Nudo, R.J.: Remodeling of cortical motor representations after stroke: Implications for recovery from brain damage. *Mol. Psychiatry*, 2(3):188–191, 1997.
17) ARAT アクションリサーチアームテスト．http://www.irc-web.co.jp/arat/
18) 高橋香代子ほか：新しい上肢運動機能評価法・日本語版 Wolf Motor Function Test の信頼性と妥当性の検討．総合リハ, 36(8):797–803, 2008.
19) 高橋香代子ほか：新しい上肢運動機能評価法・日本語版 Motor Activity Log の信頼性と妥当性の検討．作業療法, 28(6):628–636, 2009.
20) 竹林 崇(編)：作業で紡ぐ上肢機能アプローチ．医学書院, 2021.
21) Teasell, R., et al.: Stroke Rehabilitation Clinician Handbook 2020. Evidence-Based Review of Stroke Rehabilitation, London, ON, 2020.
22) Langhorne, P., et al.: Motor recovery after stroke: A systematic review. *Lancet Neurol.*, 8(8):741–754, 2009.
23) 日本脳卒中学会 脳卒中ガイドライン委員会(編)：脳卒中治療ガイドライン 2021．協和企画, 2021.
24) 道免和久(編)：ニューロリハビリテーション．医学書院, 2015.
25) 佐野恭子, 道免和久：Constraint-induced movement therapy(CI 療法)—当院での実践．OT ジャーナル, 40(9):979–984, 2006.
26) 道免和久(監), 竹林 崇(編)：行動変容を導く！ 上肢機能回復アプローチ—脳卒中上肢麻痺に対する基本戦略．医学書院, 2017.
27) Fujiwara, T., et al.: Motor improvement and corticospinal modulation induced by hybrid assistive neuromuscular dynamic stimulation (HANDS) therapy in patients with chronic stroke. *Neurorehabil. Neural Repair*, 23(2):125–132, 2009.
28) Timmermans, A.A., et al.: Influence of task-oriented training content on skilled arm-hand performance in stroke: A systematic review. *Neurorehabil. Neural Repair*, 24(9):858–870, 2010.
29) Hebert, D., et al.: Canadian stroke best practice recommendations: Stroke rehabilitation practice guidelines, update 2015. *Int. J. Stroke*, 11(4):459–484, 2016.
30) Gauthier, L.V., et al.: Remodeling the brain: Plastic structural brain changes produced by different motor therapies after stroke. *Stroke*, 39(5):1520–1525, 2008.
31) Takebayashi, T., et al.: A 6-month follow-up after constraint-induced movement therapy with and

without transfer package for patients with hemiparesis after stroke: A pilot quasi-randomized controlled trial. *Clin. Rehabil.*, 27(5):418–426, 2013.
32) Ogawa, T., et al.: Short-term effects of goal-setting focusing on the life goal concept on subjective well-being and treatment engagement in subacute inpatients: A quasi-randomized controlled trial. *Clin. Rehabil.*, 30(9):909–920, 2016.
33) Hatem, S.M., et al.: Rehabilitation of Motor Function after Stroke: A Multiple Systematic Review Focused on Techniques to Stimulate Upper Extremity Recovery. *Front. Hum. Neurosci.*, 10:442, 2016.
34) Valkenborghs, S.R., et al.: Interventions combined with task-specific training to improve upper limb motor recovery following stroke: A systematic review with meta-analyses. *Phys. Ther. Rev.*, 24(3-4):100–117, 2019.

（森岡 周）

第12章

脳卒中後疼痛

学習目標

- 痛みの定義と分類について理解する.
- 脳卒中後の痛みの発生メカニズムを理解する.
- 筋骨格系の問題による疼痛と中枢性脳卒中後疼痛の違いを明確にするための評価を理解する.
- 筋骨格系の問題による疼痛と中枢性脳卒中後疼痛の理学療法について知る.

A 痛みの定義と分類

痛みは「実際の組織損傷もしくは組織損傷が起こりうる状態に付随する，あるいはそれに似た，感覚かつ情動の不快な体験」と2020年に国際疼痛学会(International Association for the Study of Pain; IASP)が定義している[1]．これは，“痛み”は常に個人的な経験であり，社会・心理的要因によって影響を受け，感覚ニューロンの活動だけから痛みの存在を推測することはできないことを表現している.

1 急性疼痛と慢性疼痛

慢性疼痛は「治療に要すると期待される期間の枠を超えて持続する痛み，あるいは進行性の非がん性疼痛に基づく痛み」とIASPで定義されており，痛みの急性疼痛と慢性疼痛の違いは**表1**のような概念でとらえることができる[2]．**表1**にある難治性慢性疼痛は，組織の損傷が修復しているにもかかわらず，痛みの情報処理システムに異常をきたして生じている痛みである．なお，以前は発症からおおむね6か月を超えて症状が持続する病態を慢性疼痛とすることもあったが，現在は，薬物療法の充実などにより3か月以上を慢性疼痛とすることが多い[1].

2 痛みの原因による分類(▶図1)

以前まで，痛みは「侵害受容性(炎症性)疼痛」「神経障害性疼痛」「非器質的(心因性)疼痛」と分類されていたが，慢性疼痛患者の心理的・行動学的な問題は，生物学的変化と密接に関係していることが多くの神経生理学分野などの研究で明らかになってきたことから，痛みの分類は「侵害受容性疼痛」「神経障害性疼痛」「痛覚変調性疼痛」の3つに改められた[3]．このことからもわかるように，従来のように痛みを「体性」と「心因性」などに分けることは現在では誤った解釈となっている.

(1) 侵害受容性疼痛(nociceptive pain)

組織の損傷，あるいは損傷の危険性がある場合に生じる痛みであり，侵害受容器の活性化により生じる疼痛.

(2) 神経障害性疼痛(neuropathic pain)

侵害受容器や痛覚伝導路を含む体性感覚神経系の病変や疾患によって生じる疼痛.

(3) 痛覚変調性疼痛(nociplastic pain)

侵害受容器を活性化するような損傷やその危険性のある明確な組織損傷，あるいは体性感覚神経系の病変や疾患がないにもかかわらず，痛みの知覚異常，過敏により生じる疼痛.

▶表 1　急性疼痛と慢性疼痛の概念

	急性疼痛	慢性疼痛	
		急性疼痛を繰り返す慢性疼痛，急性疼痛が遷延化した慢性疼痛	難治性慢性疼痛
痛みの原因	侵害受容器の興奮	侵害受容器の興奮	中枢神経系の機能変化，心理社会的要因による修飾
持続時間	組織の修復期間を超えない	組織の修復期間をやや超える	組織の修復期間を超える（3 か月以上）
主な随伴症状	交感神経機能亢進（超急性期）	睡眠障害，食欲不振，便秘，生活動作の抑制	睡眠障害，食欲不振，便秘，生活動作の抑制
主な精神症状	不安	抑うつ，不安，破局的思考	抑うつ，不安，破局的思考

〔熊澤孝朗：痛みの学際的アプローチへの提言．菅原 努（監）：慢性痛はどこまで解明されたか．昭和堂，2005 より一部改変〕

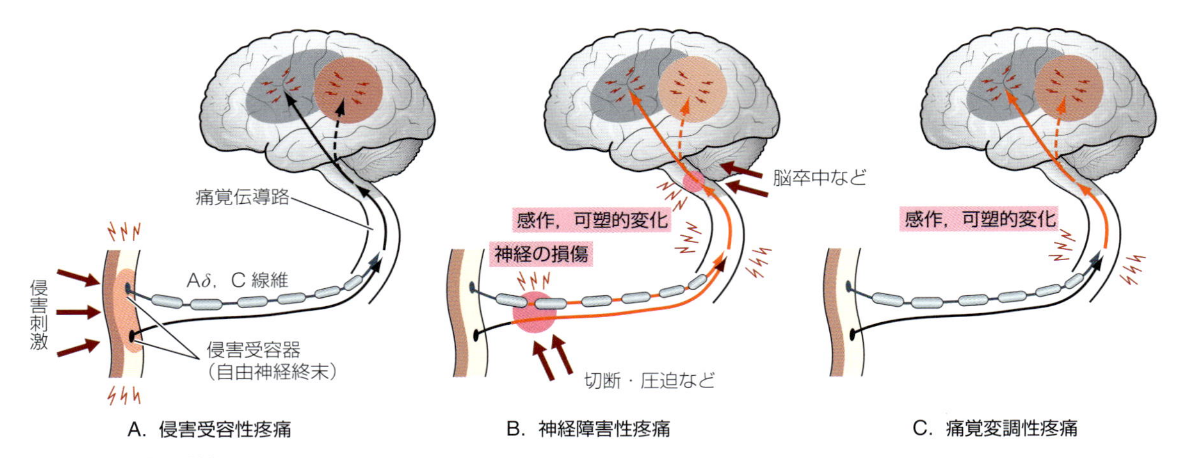

▶図 1　疼痛の分類

痛みの分類は，「侵害受容性疼痛（nociceptive pain）」「神経障害性疼痛（neuropathic pain）」「痛覚変調性疼痛（nociplastic pain）」の 3 つに改められた．

新たに提唱された**痛覚変調性疼痛**は，侵害受容性疼痛を惹起する組織損傷や神経障害性疼痛を引き起こす末梢・中枢神経の損傷もない場合に生じる疼痛であり，痛覚に関連した神経系の可塑的変化によって知覚異常・過敏が生じている状態のことである．なお，痛覚変調性疼痛の英語表記にある nociplastic とは “nociceptive plasticity” からなる造語であり，nociceptive は侵害受容・痛覚を意味し，plasticity は可塑性という意味である．

B 脳卒中後疼痛の分類（▶図 2）

脳卒中後疼痛に厳密な定義は存在しないが，脳卒中後に生じた痛みのことであり，主に「痙縮による痛み」「肩関節痛」「筋骨格系疼痛」「中枢性脳卒中後疼痛」「頭痛」に分類される[4)]．

1 痙縮による痛み

痙縮そのものによって痛みが生じることは決して多くはなく，一時的に痙縮が増大したときにも

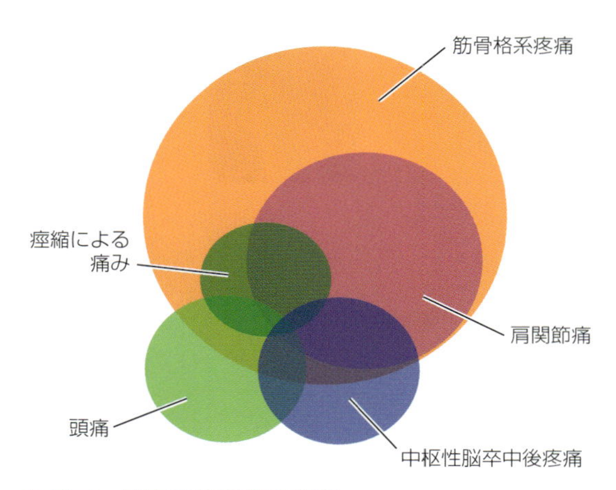

▶図 2　脳卒中後疼痛の分類
脳卒中後疼痛におけるいくつかの痛みのタイプは症例によって異なっているだけでなく，それらは重なって生じていることがほとんどである．図内の円の大きさはそれぞれのタイプの痛みの相対的なおよその発生頻度を表現している．痙縮による痛み 7%，肩関節痛 20%，筋骨格系疼痛 40%，中枢性脳卒中後疼痛 10%，頭痛 10%．
〔Klit, H., et al.: Central post-stroke pain: Clinical characteristics, pathophysiology, and management. *Lancet Neurol.*, 8(9):857–868, 2009 より改変〕

痛みが誘発されることも多くない．ただし，長期化した痙縮による筋血流不全は疼痛誘発物質の灌流不全を引き起こし，それが筋の軽微な炎症状態をつくり出すため，痙縮が長引く場合には痛みが発生しやすい．

2 肩関節痛

脳卒中後の**肩関節痛**は脳卒中患者の 25～50% と推定されていることから，少なくはない頻度で生じる[5]．異常な筋緊張や肩関節の亜脱臼，あるいは身体失認や注意障害が存在するなかで誤った運動を繰り返して肩関節周囲の軟部組織に問題が生じることによって痛みが発生する（▶**図 3**）[5]．ここでの軟部組織の問題としては，回旋筋腱板の腱鞘炎/断裂，上腕二頭筋の腱鞘炎/断裂，癒着性関節包炎，滑液包炎などがあり，それらがどれほど存在している/混在しているかは症例によって異なっている．これらの軟部組織における問題で発生する痛みは侵害受容性疼痛としての肩関節痛に分類されるが，これが長期化してしまい，痛覚過敏，肩以外の疼痛，異常感覚，アロディニア*1などの症状が出現したときには，脊髄・大脳皮質での感作が生じていることを疑い，この場合の痛みは痛覚変調性疼痛に分類される．脊髄・大脳皮質での感作が生じてしまい痛覚変調性疼痛が生じると，肩関節周囲の軟部組織が修復しても痛みが持続してしまうため，侵害受容性疼痛を長期化させないことを目的に急性期から亜脱臼への対策・患肢の管理を徹底するべきである．

3 筋骨格系疼痛

ここまでに解説してきた痙縮による痛み，肩関節痛も含めて，筋骨格系で生じている痛みを総称して**筋骨格系疼痛**と呼ぶ．たとえば，肩甲骨の挙上という代償運動が長期化した際には，頸部から肩にかけて痛みが出現することがあるが，このような痛みも筋骨格系疼痛に分類される．臨床場面では，**表 2** にある項目をチェックして筋骨格系疼痛かどうかを鑑別する[4]．

4 中枢性脳卒中後疼痛

中枢性疼痛の定義は「中枢神経の病巣・機能障害を根幹的な契機・原因として疼痛をきたすもの」とされており，中枢性脳卒中後疼痛は，その名のとおり，脳卒中後に生じる中枢性疼痛のことである．以前には，視床の損傷で中枢性脳卒中後疼痛が出現しやすいことから**視床痛**（thalamic pain）と呼ばれていたが，視床以外の病変でも類似した症状が出現することから現在では視床痛と呼ばれることはなく，**中枢性脳卒中後疼痛**と呼ばれている．

中枢性脳卒中後疼痛は，脳卒中後の約 10% で発生すると報告されているが，この発生頻度は症

*1：アロディニア：触る・なでるといった，通常では痛みを生じさせない刺激でも痛みが生じること．

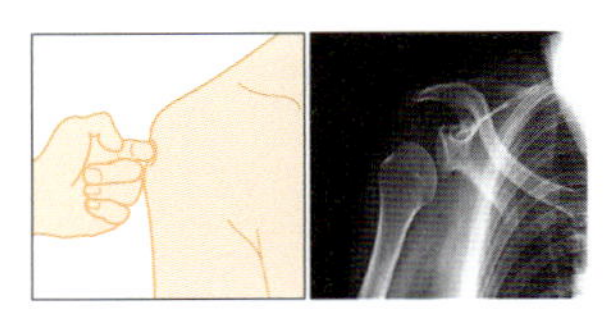

▶図3　脳卒中後の肩関節痛

〔Roosink, M., et al.: Towards a mechanism-based view on post-stroke shoulder pain: Theoretical considerations and clinical implications. *NeuroRehabilitation*, 30(2):153–165, 2012 より改変〕

▶表2　筋骨格系疼痛の鑑別ポイント

典型的な筋骨格系疼痛ではこれら4つの症状が出現する
①“うずくような”痛みがあるか
②運動機能の低下に関連した痛みかどうか
③関節運動によって痛みが増幅するか
④関節可動域制限・亜脱臼・痙縮が存在しているか

状を確認する時期によって異なることを念頭においておかなければならない．というのも，中枢性脳卒中後疼痛は遅発性であることに最大の特徴があり，脳卒中後3か月あるいは6か月が経過した時点で出現することも少なくない[4)]．そのため，急性期あるいは回復期でのリハビリテーションで中枢性脳卒中後疼痛を認めなかったとしても，生活期で出現することもよくある．

a 中枢性脳卒中後疼痛の臨床症状と鑑別のポイント[4)]

脳卒中後疼痛では灼熱痛，凍るような痛み，うずくような痛み，圧迫するような痛み，針で刺されるような痛み，電気が走るような痛み，しびれで特徴づけられる持続痛かつ間欠痛が損傷領域の対側（麻痺側身体）に認められる．なかでも，灼熱痛と電気が走るような痛みは中枢性脳卒中後疼痛で頻繁に認められ，これらは典型的な痛みの性質であるといって間違いない．これらの症状に加えて，通常なら痛くないはずの触刺激や冷刺激で痛みが生じるアロディニアも典型的な症状である．ただし，中枢性脳卒中後疼痛が生じている身体部位の痛覚は鈍麻していることも多く，チクチクするような刺激を与えても痛みを感じないことも大きな特徴である．これらの症状を加味して，中枢性脳卒中後疼痛の鑑別アルゴリズムが提案されている（▶表3）．特に，脳卒中を発症して数日後に痛覚鈍麻，冷覚鈍麻，アロディニアもしくは異常感覚*2が認められる症例には，脳卒中発症6か月

*2：異常感覚：痛くない刺激を与えると生じる不快で異常な感覚および自発的に生じているしびれなどの異常な感覚．

▶**表 3　中枢性脳卒中後疼痛を鑑別するためのアルゴリズム**

以下の症状がある場合に中枢性脳卒中後疼痛であることを疑う
必須基準
● 中枢神経系の異常に対応する身体部位における痛み ● 脳卒中後に出現した痛みがあること ● 中枢神経の病変に対応する身体部位における感覚異常（過敏/鈍麻） ● 侵害受容性疼痛や末梢神経障害に由来する痛みがないこと
支持的基準
● 運動，炎症あるいは局所の損傷に起因する痛みではないこと ● 灼熱痛，冷痛，電気が走るような痛み，うずくような痛み，圧迫される痛み，針で刺されるような痛みがある ● 触刺激や冷刺激によってアロディニアもしくはしびれが生じる

〔Klit, H., et al.: Central post-stroke pain: Clinical characteristics, pathophysiology, and management. *Lancet Neurol.*, 8(9):857–868, 2009 より〕

後までには中枢性脳卒中後疼痛が高頻度で出現することが明らかになっているため，急性期からこれらの症状は見落とさずに評価するべきである[6]．

b 中枢性脳卒中後疼痛の病態メカニズム[7, 8]

温冷感覚および痛覚を大脳皮質へ伝える**外側脊髄視床路**の損傷で中枢性脳卒中後疼痛が生じる．つまり，外側脊髄視床路の経路である延髄外側，橋，中脳，視床，内包，体性感覚野，島皮質のいずれかの損傷で中枢性脳卒中後疼痛が生じやすい（▶図 4）．外側脊髄視床路が温痛覚を伝える経路であることから，この損傷で生じやすい中枢性脳卒中後疼痛では温痛覚刺激への鈍麻/過敏が認められやすいことは理解しやすい．なぜ外側脊髄視床路を損傷すると中枢性脳卒中後疼痛が生じやすいのかは明確にされてはいないが，"脱抑制メカニズム"によって生じると理解されている．具体的には，外側脊髄視床路の損傷によって視床内側核に脱抑制が生じて，これが痛み関連脳領域である前部帯状回・島皮質の過活動を引き起こす．なかでも，外側脊髄視床路の経路である視床後外側核の損傷で中枢性脳卒中後疼痛が生じやすいが，この場合には，視床内側核の活動を抑制する視床後外側核の機能が破綻して，前部帯状回・島皮質

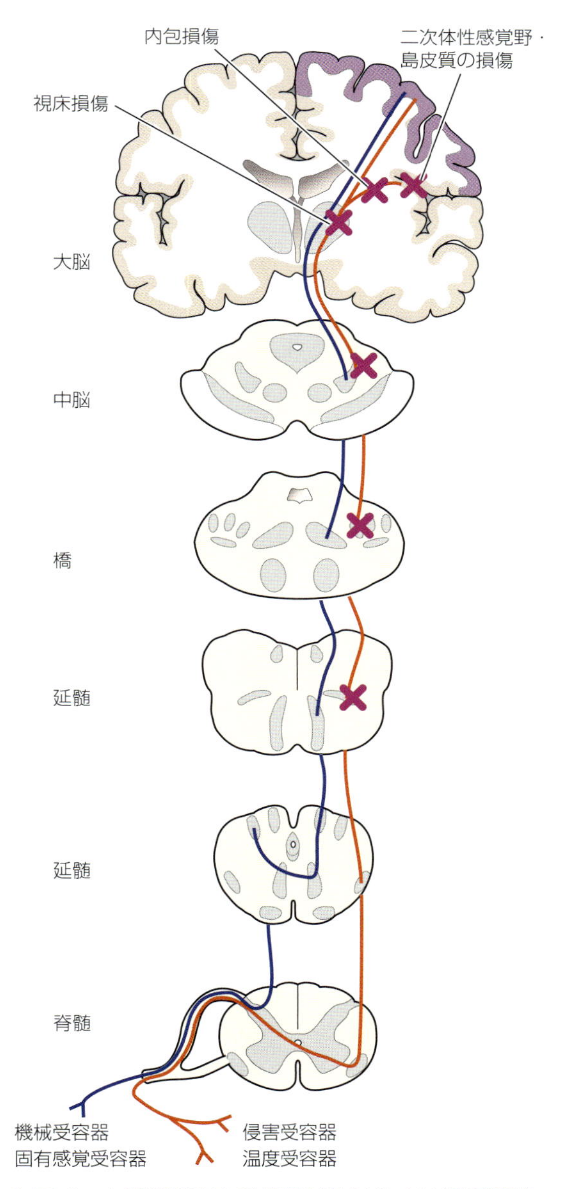

▶**図 4　中枢性脳卒中後疼痛が生じやすい損傷領域**

×マークがある部分の損傷で中枢性脳卒中後疼痛が生じやすい．赤線は温度感覚と痛覚を伝える外側脊髄視床路であり，青線は触覚や固有感覚を伝える内側毛帯系を表している．

〔Hosomi, K., et al.: Modulating the pain network—Neurostimulation for central poststroke pain. *Nat. Rev. Neurol.*, 11(5):290–299, 2015 より〕

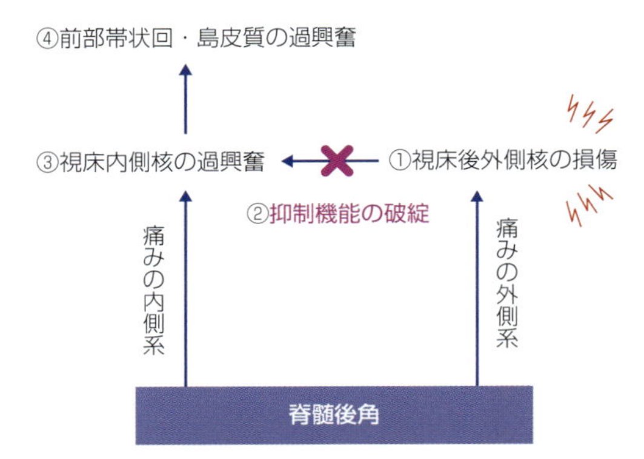

▶図 5　視床損傷によって生じる中枢性脳卒中後疼痛

①視床後外側核に損傷が生じると，②視床内側核を抑制できなくなり，③視床内側核の過興奮が生じる．④それに伴って痛み関連脳領域である前部帯状回・島皮質の過興奮が生じる．

の過活動が生じて中枢性脳卒中後疼痛が生じていると理解できる(▶図 5)．ちなみに，上記のような脳領域の損傷によって，外側脊髄視床路だけでなく触覚や固有感覚を伝える**内側毛帯系**も同時に損傷することが多く，中枢性脳卒中後疼痛を有する症例は触覚や固有感覚の異常が生じることが頻繁にあるが，このような触覚や固有感覚の異常が直接的に中枢性脳卒中後疼痛を生じさせているとは考えられておらず，あくまで同時並列的に生じていると考えるべきである．

ただし，これだけでは中枢性脳卒中後疼痛のメカニズムを説明できない．最近の研究では，中枢性脳卒中後疼痛が長期化してしまうと損傷領域とは離れている前頭領域，頭頂領域などの複数の脳領域に可塑的な構造変化をまねき，それがさらなる痛みの増悪を引き起こすことも明らかになっている．つまり，中枢性脳卒中後疼痛は脳全体のネットワーク異常によって生じていると解釈するべきである．

5 頭痛[4)]

脳卒中の神経症状が出現するのと同時に発症する頭痛は，血管閉塞と虚血によるものであると考えられている．それに対して，脳卒中の神経症状が出現したのちに発症した頭痛は，脳浮腫，頭蓋内圧上昇，出血性変化，血栓や梗塞巣の分泌因子，三叉神経系の機能障害などによるものと考えられている．また，慢性的に続く頭痛は緊張型頭痛が多い．

C 脳卒中後疼痛の評価

1 筋骨格系疼痛と中枢性脳卒中後疼痛の鑑別

理学療法で重要となるのは，肩関節痛，痙縮の痛みを含む筋骨格系疼痛と中枢性脳卒中後疼痛の鑑別である．これらは混在していることも多いため，明確に分類できないが，**表 2，3** にある項目を中心に鑑別していく．ただし注意しておくべきは，痛覚過敏やアロディニアのような刺激–応答タイプの症状は症例自身で気がついていないこともあるため，これらを問診だけで済ませることは避けるべきであり，**図 6** のように実際に身体へ刺激を与えて評価するべきである．

2 痛みの強さの評価

a VAS(visual analogue scale)

紙に書かれた 10 cm 横棒の左端に「痛みがない」と記載し，右端に「想像できる最大の痛み」と記載して，患者に自身の痛みがどれくらいなのか印を付けさせる．そして，左端から印までの距離を測定する．ただし，患者に印を付けてもらう作業が含まれるため，手指に運動障害がある場合には使い勝手が悪い．

b NRS(numerical rating scale)

「痛みがない＝0」「想像できる最大の痛み＝10」としたときの痛みを 0〜10 までの 11 段階の数値

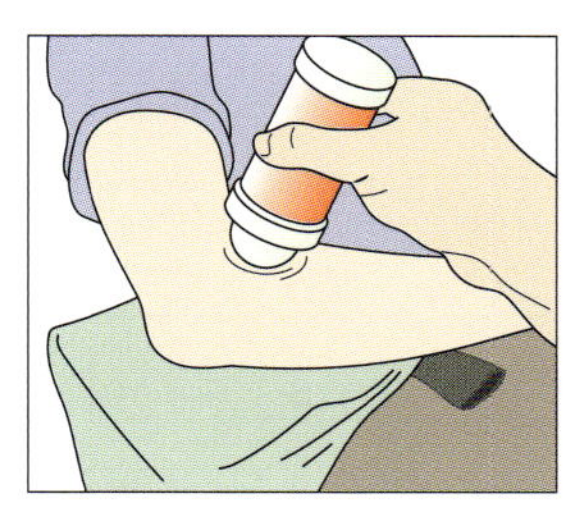
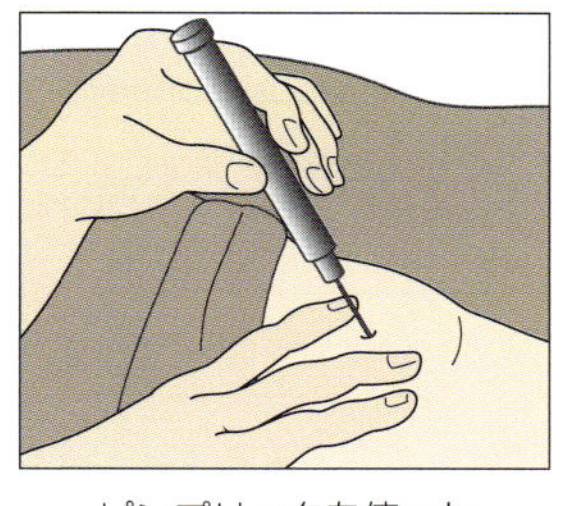
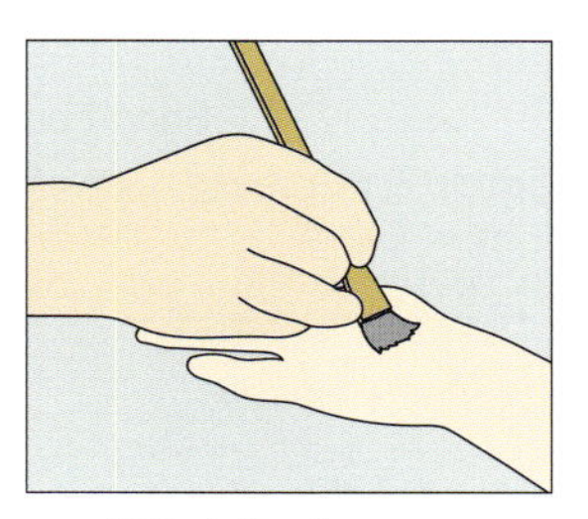

寒冷療法器具(クリッカー)を使った冷刺激アロディニアの評価　ピンプリックを使った痛覚過敏の評価　ブラシを使った触覚アロディニアの評価

▶図 6　痛覚過敏とアロディニアの評価
リハビリテーション室に置かれている備品で工夫しながら実施する必要がある.

で回答してもらう．臨床報告によっては，0〜100までの 101 段階の数値を回答させているが(「痛みがない = 0」「想像できる最大の痛み = 100」)，0〜10 までの 11 段階での評価がよく使用されている．NRS は患者の痛みの絶対値評価をより端的に行い，あいまいさを排除することにつながる利点がある．

3 痛みの性質の評価

症例ごとの痛みの性質を分析することは病態メカニズムを間接的に推しはかることになる．極端な例では，亜脱臼による肩関節の痛みでは“灼熱痛”のような性質は存在せずに，このような痛みの性質は中枢性脳卒中後疼痛を有する症例に存在することが多い．臨床場面で痛みの性質を評価するときには，**簡易版マクギル疼痛質問表 2**(Short-From McGill Pain Questionnaire-2; SF-MPQ-2)が使いやすい(▶図 7)[9]．加えて，**PainDETECT 日本語版**を用いて評価することによって症例の痛みが神経障害性疼痛であるか否かをスクリーニングすることが可能である(▶図 8)[10]．

4 心理的側面の評価

心理社会的問題は痛みを増悪させる要因になるため，理学療法を進めるにあたって，それらの要因も十分に把握しておくことが重要である．わが国でもよく使用されるのが，HADS(Hospital Anxiety and Depression Scale)，STAI(State-Trait Anxiety Inventory)，PCS(Pain Catastrophizing Scale)，TSK(Tampa Scale for Kinesiophobia)，FABQ(Fear-Avoidance Beliefs Questionnaire)であり，抑うつ・不安・破局的思考・恐怖を網羅的に評価することができる．

D 脳卒中後疼痛の理学療法

1 脳卒中後の筋骨格系疼痛に対する理学療法

a 運動療法

ストレッチ，筋力増強運動などの運動療法によって筋緊張の弛緩/亢進あるいは肩関節の亜脱臼を解決して，それに伴う痛みを緩和させることを目指す(▶図 9A)．

b 装具

上肢を懸垂することのできる装具(▶図 9B)を使用することによって肩関節の亜脱臼が整復できるだけでなく，肩関節痛の予防/緩和が可能となる[11]．このような装具は上肢を懸垂して上肢の重量を低減させるため，体幹の対称性ないしは歩容

Short-Form McGill Pain Questionnaire-2（SF-MPQ-2）

この質問票には異なる種類の痛みや関連する症状を表す言葉が並んでいます．過去 1 週間に，それぞれの痛みや症状をどのくらい感じたか，最も当てはまる番号に×印をつけてください．あなたの感じた痛みや症状に当てはまらない場合は，0 を選んでください

1. ずきんずきんする痛み	なし	0	1	2	3	4	5	6	7	8	9	10	考えられる最悪の状態
2. ビーンと走る痛み	なし	0	1	2	3	4	5	6	7	8	9	10	考えられる最悪の状態
3. 刃物で突き刺されるような痛み	なし	0	1	2	3	4	5	6	7	8	9	10	考えられる最悪の状態
4. 鋭い痛み	なし	0	1	2	3	4	5	6	7	8	9	10	考えられる最悪の状態
5. ひきつるような痛み	なし	0	1	2	3	4	5	6	7	8	9	10	考えられる最悪の状態
6. かじられるような痛み	なし	0	1	2	3	4	5	6	7	8	9	10	考えられる最悪の状態
7. 焼けるような痛み	なし	0	1	2	3	4	5	6	7	8	9	10	考えられる最悪の状態
8. うずくような痛み	なし	0	1	2	3	4	5	6	7	8	9	10	考えられる最悪の状態
9. 重苦しい痛み	なし	0	1	2	3	4	5	6	7	8	9	10	考えられる最悪の状態
10. 触ると痛い	なし	0	1	2	3	4	5	6	7	8	9	10	考えられる最悪の状態
11. 割れるような痛み	なし	0	1	2	3	4	5	6	7	8	9	10	考えられる最悪の状態
12. 疲れてくたくたになるような	なし	0	1	2	3	4	5	6	7	8	9	10	考えられる最悪の状態
13. 気分が悪くなるような	なし	0	1	2	3	4	5	6	7	8	9	10	考えられる最悪の状態
14. 恐ろしい	なし	0	1	2	3	4	5	6	7	8	9	10	考えられる最悪の状態
15. 拷問のように苦しい	なし	0	1	2	3	4	5	6	7	8	9	10	考えられる最悪の状態
16. 電気が走るような痛み	なし	0	1	2	3	4	5	6	7	8	9	10	考えられる最悪の状態
17. 冷たく凍てつくような痛み	なし	0	1	2	3	4	5	6	7	8	9	10	考えられる最悪の状態
18. 貫くような	なし	0	1	2	3	4	5	6	7	8	9	10	考えられる最悪の状態
19. 軽く触れるだけで生じる痛み	なし	0	1	2	3	4	5	6	7	8	9	10	考えられる最悪の状態
20. むずがゆい	なし	0	1	2	3	4	5	6	7	8	9	10	考えられる最悪の状態
21. ちくちくする/ピンや針	なし	0	1	2	3	4	5	6	7	8	9	10	考えられる最悪の状態
22. 感覚の麻痺/しびれ	なし	0	1	2	3	4	5	6	7	8	9	10	考えられる最悪の状態

▶図 7　簡易版マクギル疼痛質問表 2（Short-From McGill Pain Questionnaire-2; SF-MPQ-2）

この項目番号 1・5・6・8・9・10 が持続的な痛み，項目番号 2・3・4・11・16・18 が間欠的な痛み，項目番号 7・17・19・20・21・22 が神経障害性の痛み，項目番号 12・13・14・15 が感情的表現となっている．

〔圓尾知之ほか：痛みの評価尺度・日本語版 Short-Form McGill Pain Questionnaire 2（SF-MPQ-2）の作成とその信頼性と妥当性の検討．*PAIN RES.*, 28(1):43–53, 2013 より〕

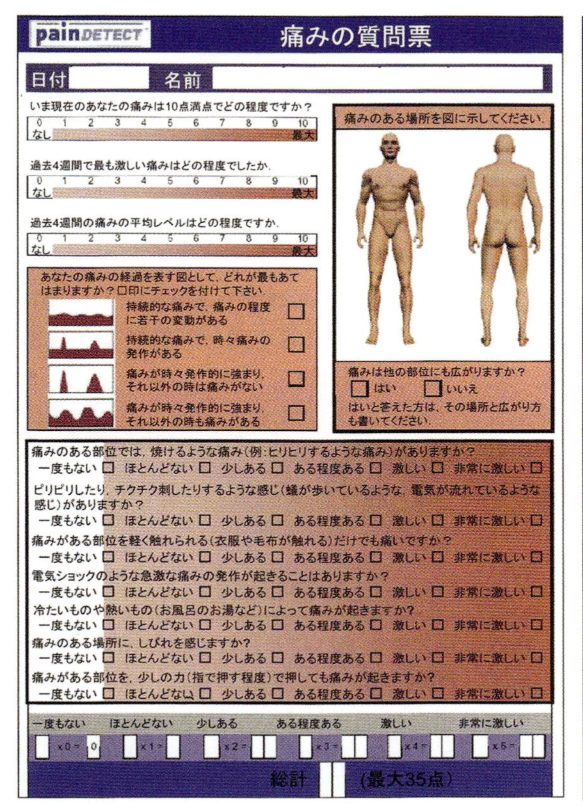

painDETECT 痛みの質問票

日付　　名前

いま現在のあなたの痛みは10点満点でどの程度ですか？
0 1 2 3 4 5 6 7 8 9 10
なし　最大

過去4週間で最も激しい痛みはどの程度でしたか.
0 1 2 3 4 5 6 7 8 9 10
なし　最大

過去4週間の痛みの平均レベルはどの程度ですか.
0 1 2 3 4 5 6 7 8 9 10
なし　最大

あなたの痛みの経過を表す図として，どれが最もあてはまりますか？□印にチェックを付けて下さい.
持続的な痛みで，痛みの程度に若干の変動がある □
持続的な痛みで，時々痛みの発作がある □
痛みが時々発作的に強まり，それ以外の時は痛みがない □
痛みが時々発作的に強まり，それ以外の時も痛みがある □

痛みのある場所を図に示してください.

痛みは他の部位にも広がりますか？
□はい □いいえ
はいと答えた方は，その場所と広がり方も書いてください.

痛みのある部位では，焼けるような痛み（例：ヒリヒリするような痛み）がありますか？
一度もない □ ほとんどない □ 少しある □ ある程度ある □ 激しい □ 非常に激しい □
ピリピリしたり，チクチク刺したりするような感じ（蟻が歩いているような，電気が流れているような感じ）がありますか？
一度もない □ ほとんどない □ 少しある □ ある程度ある □ 激しい □ 非常に激しい □
痛みがある部位を軽く触れられる（衣服や毛布が触れる）だけでも痛いですか？
一度もない □ ほとんどない □ 少しある □ ある程度ある □ 激しい □ 非常に激しい □
電気ショックのような急激な痛みの発作が起きることはありますか？
一度もない □ ほとんどない □ 少しある □ ある程度ある □ 激しい □ 非常に激しい □
冷たいものや熱いもの（お風呂のお湯など）によって痛みが起きますか？
一度もない □ ほとんどない □ 少しある □ ある程度ある □ 激しい □ 非常に激しい □
痛みのある場所に，しびれを感じますか？
一度もない □ ほとんどない □ 少しある □ ある程度ある □ 激しい □ 非常に激しい □
痛みがある部位を，少しの力（指で押す程度）で押しても痛みが起きますか？
一度もない □ ほとんどない □ 少しある □ ある程度ある □ 激しい □ 非常に激しい □

一度もない	ほとんどない	少しある	ある程度ある	激しい	非常に激しい
□ x0 = 0	□ x1 = □	□ x2 = □□	□ x3 = □□	□ x4 = □□	□ x5 = □□

総計 □□ （最大35点）

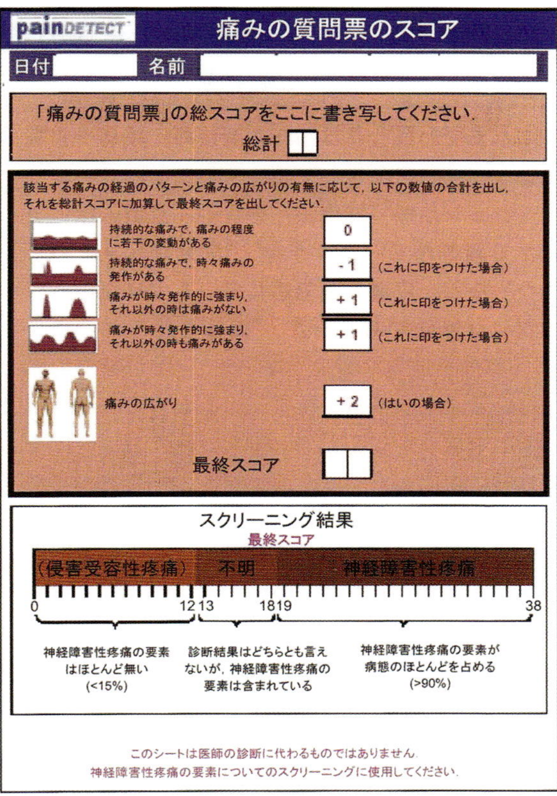

painDETECT 痛みの質問票のスコア

日付　　名前

「痛みの質問票」の総スコアをここに書き写してください.
総計 □□

該当する痛みの経過のパターンと痛みの広がりの有無に応じて，以下の数値の合計を出し，それを総計スコアに加算して最終スコアを出してください.

持続的な痛みで，痛みの程度に若干の変動がある	0	
持続的な痛みで，時々痛みの発作がある	-1	（これに印をつけた場合）
痛みが時々発作的に強まり，それ以外の時は痛みがない	+1	（これに印をつけた場合）
痛みが時々発作的に強まり，それ以外の時も痛みがある	+1	（これに印をつけた場合）
痛みの広がり	+2	（はいの場合）

最終スコア □□

スクリーニング結果
最終スコア
侵害受容性疼痛　不明　神経障害性疼痛
0　12 13　18 19　38
神経障害性疼痛の要素はほとんど無い（<15%）
診断結果はどちらとも言えないが，神経障害性疼痛の要素は含まれている
神経障害性疼痛の要素が病態のほとんどを占める（>90%）

このシートは医師の診断に代わるものではありません.
神経障害性疼痛の要素についてのスクリーニングに使用してください.

▶図 8　PainDETECT（左）と採点方法（右）

13 点以上では神経障害性疼痛の要素が含まれている痛み，19 点以上で神経障害性疼痛が病態のほとんどを占めていると判断できる.
〔Matsubayashi, Y., et al.: Validity and reliability of the Japanese version of the painDETECT questionnaire: A multicenter observational study. *PLoS One*, 8(9):e68013, 2013 より〕

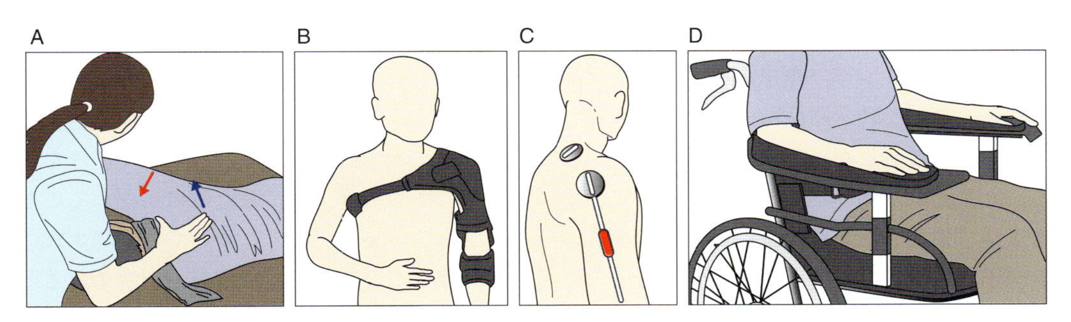

▶図 9　脳卒中後の筋骨格系疼痛に対する理学療法

A：運動療法，B：肩関節の亜脱臼に対する上肢懸垂可能な装具，C：肩関節の亜脱臼に対する電気刺激療法，D：肩関節の亜脱臼に対する車椅子アームサポート

の改善にもつながる.

C 電気刺激

電気刺激によって肩関節周囲筋を収縮させて亜脱臼を物理的に整復することで痛みを緩和させることができる（▶図 9C）．三角筋後部線維と棘上筋に電極を装着して電気刺激を与える手続きがオーソドックスであるが[12]，症例によっては三角

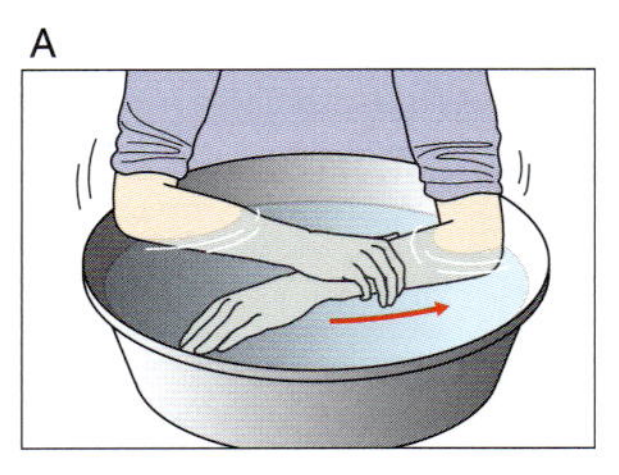
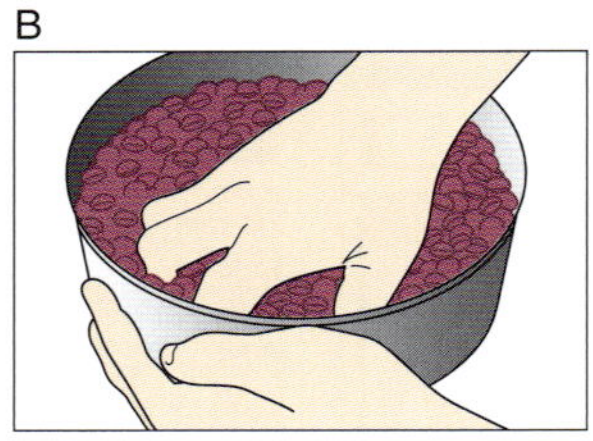
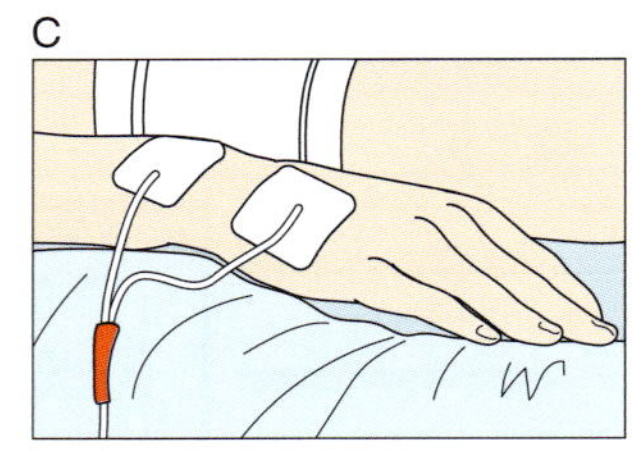

▶図10　中枢性脳卒中後疼痛に対する理学療法
A：痛みが出現しない程度のお湯/水に手を入れて動かす.
B：小豆，米などの小片を容器に入れて触れる.
C：経皮的電気刺激によって痛みの緩和をはかる.

筋前部や上腕二頭筋長頭などへ刺激したほうが効果的な場合もあるので，刺激する部位は症例ごとに検討する必要がある.

d 上肢のポジショニング

車椅子座位時に上腕が重力で下方に牽引されると肩関節の亜脱臼が進行する危険性があるため，車椅子用のアームサポートなどを活用する(▶図9D)．また，ベッド上での臥位時にはクッションなどを活用して亜脱臼が整復された状態に保つことも重要である.

2 中枢性脳卒中後疼痛に対する理学療法

残念ながら中枢性脳卒中後疼痛そのものを解決してくれる効果的な理学療法は明らかになっていない．ただし，対処しないと痛みが増悪することがある．たとえば，痛みがあるからといって患肢を日常生活で使用しなくなると，筋血流不全による筋骨格系疼痛の痛みが新たに出現するため，可能な範囲で患肢を使用するような理学療法プログラムを計画する．加えて，触わる経験が不足するとさらなる痛覚過敏やアロディニアを引き起こすため，これらを予防するために可能な範囲で多感覚入力の機会を設けるべきである．図10のような刺激を与えることは神経障害性疼痛における痛覚過敏やアロディニアを低減する手続きとして知られている[13)]．また，経皮的電気神経刺激(transcutaneous electrical nerve stimulation; TENS)も神経障害性疼痛を緩和できることが明らかになっていることから[14)]，このような物理療法も上記の運動および感覚入力と併せて実施するとよい.

これらの理学療法に加えて，経頭蓋直流電気刺激(transcranial direct current stimulation; tDCS)が中枢性脳卒中後疼痛の新しい手段として報告されてきている．今後の報告が待たれる段階ではあるが，損傷側の一次運動野の陽極刺激によって視床の興奮性を制御でき，これが中枢性脳卒中後疼痛を緩和すると考えられている[15)].

3 教育的かかわりの重要性

どのような痛みであっても，自身の痛みの原因を誤って理解することは痛みを長期化させる．そのため，理学療法士が症例に対して痛みを正しく理解してもらうように教育的にかかわることが重要である．特に，痛みについての神経生理学をわかりやすく説明し，症例自身が理解することには一定の効果があることが明らかになっているため，理学療法士はこれを怠らずに臨床場面で時間を割くべきである.

●引用文献

1) 田口敏彦：痛みの生物学的意義. 田口敏彦ほか(監)：疼痛医学. pp.2–6, 医学書院, 2020.
2) 熊澤孝朗：痛みの学際的アプローチへの提言. 菅原 努(監)：慢性痛はどこまで解明されたか. 昭和堂, 2005.

3) 古江秀昌ほか：侵害受容性, 神経障害性, nociplastic な疼痛の区別. 田口敏彦ほか(監)：疼痛医学. pp.7–10, 医学書院, 2020.
4) Klit, H., et al.: Central post-stroke pain: Clinical characteristics, pathophysiology, and management. *Lancet Neurol.*, 8(9):857–868, 2009.
5) Roosink, M., et al.: Towards a mechanism-based view on post-stroke shoulder pain: Theoretical considerations and clinical implications. *NeuroRehabilitation*, 30(2):153–165, 2012.
6) Klit, H., et al.: Early evoked pain or dysesthesia is a predictor of central poststroke pain. *Pain*, 155(12): 2699–2706, 2014.
7) Hosomi, K., et al.: Modulating the pain network—Neurostimulation for central poststroke pain. *Nat. Rev. Neurol.*, 11(5):290–299, 2015.
8) Forstenpointner, J., et al.: The cornucopia of central disinhibition pain—An evaluation of past and novel concepts. *Neurobiol. Dis.*, 145:105041, 2020.
9) 圓尾知之ほか：痛みの評価尺度・日本語版 Short-Form McGill Pain Questionnaire 2(SF-MPQ-2)の作成とその信頼性と妥当性の検討. *PAIN RES.*, 28(1):43–53, 2013.
10) Matsubayashi, Y., et al.: Validity and reliability of the Japanese version of the painDETECT questionnaire: A multicenter observational study. *PLoS One*, 8(9):e68013, 2013.
11) Nadler, M., et al.: Shoulder orthoses for the prevention and reduction of hemiplegic shoulder pain and subluxation: Systematic review. *Clin. Rehabil.*, 31(4):444–453, 2017.
12) Linn, S.L., et al.: Prevention of shoulder subluxation after stroke with electrical stimulation. *Stroke*, 30(5):963–968, 1999.
13) Quintal, I., et al.: Tactile stimulation programs in patients with hand dysesthesia after a peripheral nerve injury: A systematic review. *J. Hand Ther.*, 34(1):3–17, 2021.
14) Gibson, W., et al.: Transcutaneous electrical nerve stimulation (TENS) for neuropathic pain in adults. *Cochrane Database Syst. Rev.*, 9(9):CD011976, 2017.
15) Lefaucheur, J.P., et al.: Evidence-based guidelines on the therapeutic use of transcranial direct current stimulation (tDCS). *Clin. Neurophysiol.*, 128(1): 56–92, 2017.

（大住倫弘）

第13章

二次性機能障害

(関節可動域制限，サルコペニア・フレイル)

学習目標
- 脳卒中後の関節可動域制限に対する理学療法について理解する．
- 脳卒中におけるサルコペニア・フレイルが与える影響について理解する．
- 脳卒中におけるサルコペニア・フレイルに対する理学療法について理解する．

脳卒中の症状は主に中枢神経障害であることはいうまでもないが，その影響は効果器でもある末梢機能(末梢神経，筋，関節，軟部組織)に影響を与え，身体機能・生活機能悪化を助長する．本章では，それら二次的機能障害の代表である，**関節可動域制限**および**サルコペニア・フレイル**について解説する．

A 脳卒中における関節可動域制限

1 関節可動域制限の疫学

関節可動域制限は，脳卒中者の16〜60%でみられるといわれている[1]．Sackleyらの報告によると，発症3か月時点において関節可動域制限は43%の脳卒中者で生じ，1年後には67%に増加し，他の二次的機能障害(褥瘡，肩の痛み，転倒，疼痛，抑うつ)と比べて最も高い出現率であった[2]．関節可動域制限が生じやすい部位を調べた報告では，発症6か月時点においていずれかの関節に可動域制限が生じている脳卒中者は52%であり，上肢では肩(25%)，下肢では股関節(28%)が最も出現率が高かった[3] (▶図1)．このように，脳卒中者における関節可動域制限は脳卒中者の約半数で生じ，発症後経過とともに増加しやすく，特に近位部の関節で生じやすいことがわかる．

2 脳卒中における関節可動域制限のメカニズム

脳卒中者では運動麻痺や痙縮などが契機となり，麻痺肢の不活動や不動に陥り，麻痺筋は長期間短縮位で保持することになる．その結果，筋節

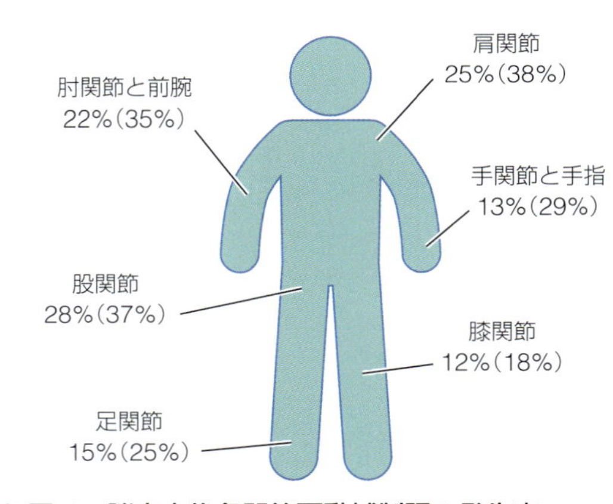

▶図1 脳卒中後各関節可動域制限の発生率
30%以上の関節可動域制限が生じた場合に可動域制限ありと判定．括弧内は中等症以上〔NIHSS(National Institute of Health Stroke Scale) 5点以上〕の例を対象とした場合の有病率．
〔Kwah, L.K., et al.: Half of the adults who present to hospital with stroke develop at least one contracture within six months: An observational study. *J. Physiother.*, 58(1):41–47, 2012を参考に作成〕

が減少し，結合組織のリモデリングが進み，筋・腱・関節包・靱帯の伸張性低下をまねくことで関節可動域制限が生じると考えられている[4]．

脳卒中者特有の症状である痙縮と関節可動域制限との関係は長く調べられているが，その関係は複雑であり依然結論は得られていない．痙縮が関節可動域制限の進行に関与しているという報告がある一方，関連性は少ないとする報告もある[3,5]．さらには，脳卒中者のなかでも運動機能回復不良例においてのみ痙縮と関節可動域制限が関連していることなども報告されており[6]，痙縮と関節可動域制限の関係は一様でない．また，筋力が関与している可能性[1,3,5]が指摘されている一方，発症早期の予測因子としては筋力よりも巧緻性や疼痛が重要因子であることも報告されている[1]．これらの結果は，研究対象とした時期や重症度，部位などによって差異はあるものの，脳卒中者の関節可動域制限には対象者によってその原因が多様であることを示唆しており，各症例の運動麻痺や痙縮，感覚障害や高次脳機能障害の程度や有無，病巣や発症後の経過など，各病態の特徴を詳細に評価することが重要になる．

3 脳卒中における関節可動域制限の理学療法

a 関節可動域制限の評価

関節可動域制限の評価は一般的な評価と同様，他動関節可動域の測定を行う．角度そのものを指標として用いる場合や，非麻痺側と比較してどの程度可動域が制限されているのかを判定するものもある．いずれにせよ，痙縮の影響を可能なかぎり小さくするためにも，他動関節可動域測定時には他動運動の速度が速くならないように配慮が必要である．

上述のように，脳卒中後の関節可動域制限は主に痙縮などの反射性要素と，筋や関節などの組織の伸張性低下のような非反射性要素の 2 つが混在している．さらに，疼痛などが加わるとその病態は複雑になる．これらの要素を可能なかぎり分けて評価し，理学療法の効果判定を行う必要がある．

b 関節可動域制限に対する介入

脳卒中者の関節可動域制限に対する介入効果を検証したシステマティックレビューにおいて，ポジショニングや他動的なストレッチ，装具やスプリントなどさまざまな手法が取り上げられている[7]．そのなかで最も多く検証されていた手法はストレッチである．しかし，ストレッチは長期的な効果だけでなく即時的な効果においても一定の有効性は認められていない[7]．これは，脳卒中における関節可動域制限の原因に個人差が生じていることと同様，画一的な介入では効果にばらつきがある証拠といえる．近年，ストレッチに電気刺激療法を併用した介入[8]，課題指向型練習を用いた効果[9]などの効果を検証した報告はあるものの，ボツリヌス毒素を用いた治療を除けば，明らかな有効性を示した介入は報告されていない[10]．以下，これまで行われてきている介入について解説する．

(1) 他動的ストレッチ（▶図 2）

手関節や足関節を中心に，対象者自身のセルフエクササイズとしても実施しやすい方法である．手関節は背屈制限が生じやすいが，座位で手関節背屈位を保持するように床面に設置し，徐々に体重をかけて強度を調整して背屈可動域改善をはかる．また，足関節も背屈制限が生じやすいが，この場合，起立台を用いて持続的に行うことが有効である．

肩関節に対しては，外旋・屈曲可動域制限に対して実施されることが多い．ベッド上臥床状態で肩関節外旋位や外転位をとり，手関節部に重錘などの重りを置いて固定する．1 セッション 30 分の実施が多く，特に肩関節外旋可動域改善に有効なことが報告されている[11]．

(2) 上肢装具および下肢装具

夜間などに装着して関節可動域悪化を防ぐ上肢

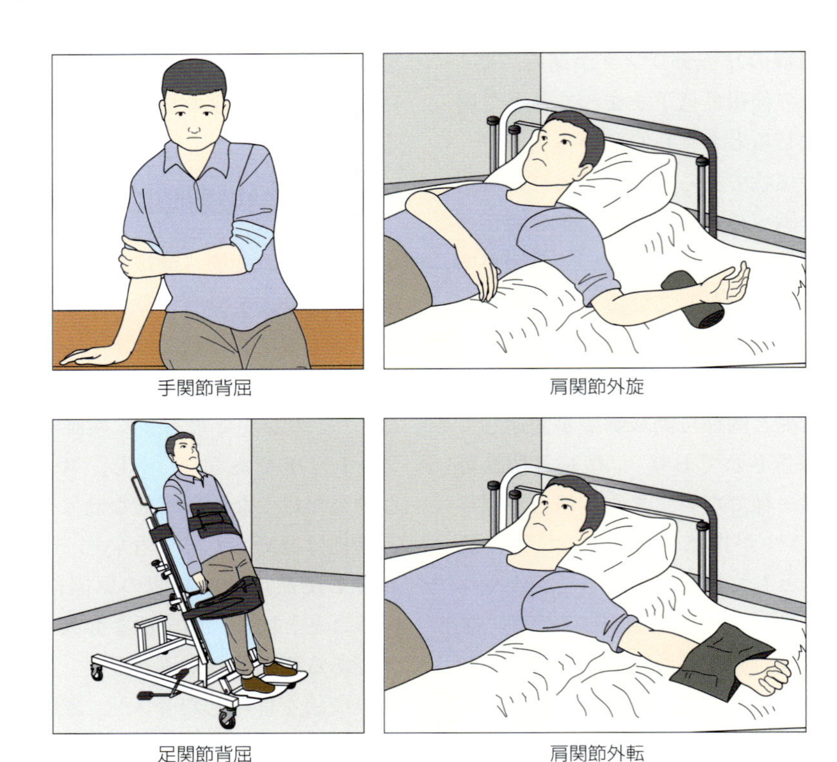

▶図 2　さまざまな他動的ストレッチの方法

装具(スプリント)が古くから用いられている．一方，そのエビデンスレベルは低く，大きな効果は期待しにくい場合もある[12]．足関節背屈可動域制限に対する下肢装具は，夜間の利用だけでなく立位で荷重をかける際に併用することで有効であり[13]，上肢装具と比べて病院などに配備してある備品での対応も行いやすく，比較的利用しやすい方法といえる．

(3)　ボツリヌス毒素

痙縮を伴う関節可動域制限に対して，ボツリヌス毒素の筋注やそれにストレッチや理学療法を併用することの有効性が報告されている[10]．関節可動域制限の原因となっている痙縮筋を同定し，選択的に注射することでより有効性が高くなる．注射そのものは医師が行うが，注射筋の同定には理学療法士による適切な評価が必要になる．

(4)　電気刺激療法

電気刺激療法が痙縮抑制，筋萎縮予防に効果が期待できることから，ストレッチに併用して実施されることがある．伸張したい筋の拮抗筋に対して実施することで相反抑制効果などが期待できるので，痙縮による関節可動域制限が強い脳卒中者では有効な可能性がある．

(5)　課題指向型練習

上肢の不活動・不動によって麻痺筋が短縮位になることで関節可動域制限が生じることから，その上肢の活動量を増やすことで関節可動域制限を予防する効果を期待して実施される．これまでの報告ではまだ有効性は示されていないが[9]，上肢機能改善に課題指向型練習が有効なことからも[12]，今後の研究成果が期待される．

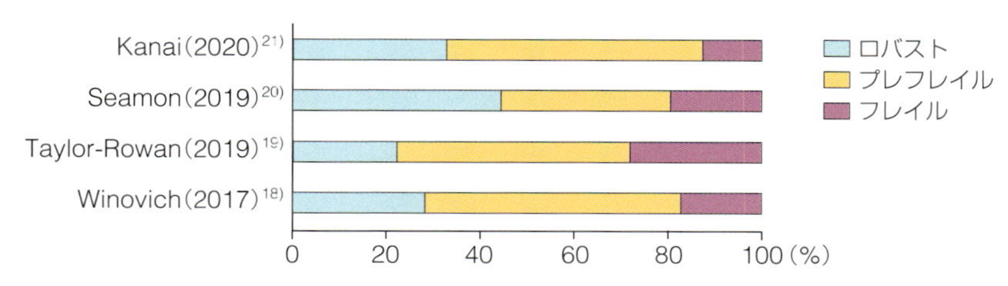

▶図 3　脳卒中発症前フレイルの有病率
加齢に伴うさまざまな予備能力低下のため，ストレスに対する回復力が低下した状態をフレイル，その一歩手前の状態をプレフレイルと呼ぶ．フレイル，プレフレイルであっても早期から対策を講じることでロバスト(健常な状態)に戻る可能性がある．

B 脳卒中における サルコペニア・フレイル

1 脳卒中における サルコペニア・フレイルの疫学

a サルコペニアの疫学

脳卒中におけるサルコペニアの有病率は 42% であるとメタアナリシスから報告されている[14]．しかし，研究によってその有病率は異なり，発症 6 か月以降における生活期(33.6%)と比べて，発症 1 か月未満の亜急性期(50.4%)で高くなっている[14]．また，一般高齢者においてもサルコペニアは 14.1% に認められるが[15]，その有病率は脳卒中者のほうが高い．このことからも，サルコペニアは脳卒中発症後に増加し，特に回復期リハビリテーションを必要とする例ではその有病率は非常に高くなる．

b フレイルの疫学

脳卒中発症前有病率に関する報告を図 3 に示す．フレイル判定方法によって違いもあるが，急性発症して入院となった高齢脳卒中患者のうち，約半数がプレフレイル，約 2 割がフレイルの状態に発症前から陥っていることがわかる[16-19]．

一方，脳卒中発症後は 49% がプレフレイルに，22% はフレイルに陥り，結果的に脳卒中患者は一般高齢者と比べてフレイルを有する割合が高いことがメタアナリシスから報告されている[20]．

2 脳卒中におけるサルコペニア・フレイルのメカニズム

a サルコペニアのメカニズム

脳卒中に関連したサルコペニアの原因はまだ十分に解明されていない．現時点で報告されている影響因子について，以下に解説する．

(1)　脱神経

脳卒中の主症状である神経症状のなかでも，運動麻痺がサルコペニアの発生に大きな影響を与える．脳卒中発症後，麻痺肢は非麻痺肢と比較して筋萎縮の進行が著しいことが知られており[21]，その一因として中枢神経損傷後に生じる二次的な α 運動ニューロンの不活性化および減少，そしてそれに伴う運動単位の減少があげられる．

(2)　不活動

脳卒中発症後には不活動に陥りやすいが，不活動によってインスリン抵抗性は増大し，糖質代謝に影響を与えるだけでなくインスリン合成能を低下させ，結果的に筋内脂肪が蓄積する[22]．そのため，脳卒中者の骨格筋量は麻痺側優位に減少する一方，筋内脂肪は麻痺側優位に増加する[22]．

(3)　栄養障害

脳卒中後に摂食嚥下障害は低栄養の重要な要因にもなっている．低栄養はサルコペニアの大きな要因であることからも，摂食嚥下障害や低栄養の

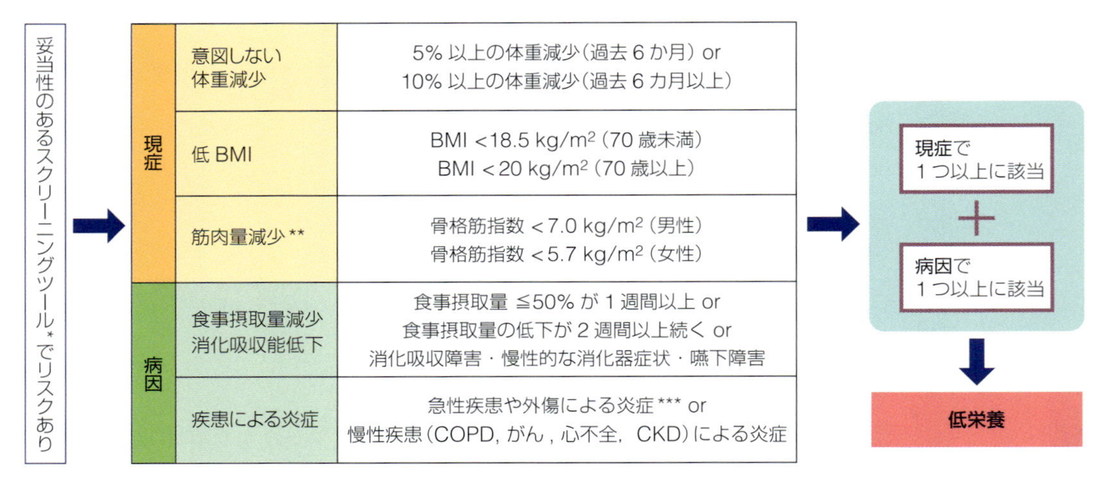

▶図 4　GLIM 基準に基づいた低栄養評価

COPD：慢性閉塞性肺疾患，CKD：慢性腎臓病
* スクリーニングツールとしては，MNA-SF，MUST，NRS2002，GNRI などがあげられる．
** 筋肉量減少指標として下腿周囲長なども使用できる．
*** 炎症指標として CRP を利用することもできる．

評価も重要になる．摂食嚥下障害に関して理学療法士が直接的に嚥下評価を行う機会は少ないが，栄養摂取状況から評価可能な嚥下能力（例：Food Intake LEVEL Scale，Functional Oral Intake Scale）を把握することは必要である．また，低栄養の評価ツールとしては現症と病因の両面を評価して行う GLIM（Global Leadership Initiative on Malnutrition）基準に基づいた診断が有用である[23]（▶図 4）．

(4)　交感神経活性と炎症

脳卒中発症後，特に急性期においては交感神経系の過剰活性，免疫抑制が生じ，結果的に局所および全身性炎症や異化亢進に陥る．交感神経の過剰活性が炎症に関与しており，特に TNF-α に代表されるような炎症性サイトカインがその炎症に関与していることが知られている．一方，動物実験において，高カロリー食や β 遮断薬，抗菌薬を投与しても急性期脳梗塞モデルラットの筋萎縮を防ぐことができなかったことからも，脳卒中でみられる異化亢進には他のメカニズムが関与している可能性も考えられている[24]．交感神経活性や炎症が強い場合，臨床的には高血圧，血圧変動増加，不整脈，体温上昇などといった症状が観察される．

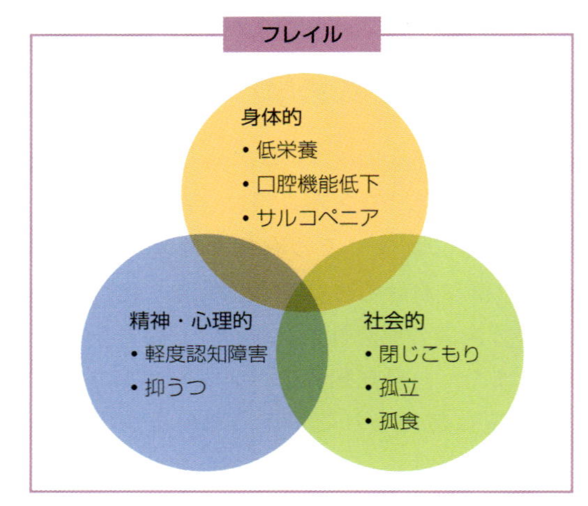

▶図 5　フレイルの多面性

b フレイルのメカニズム

フレイルは多面性を有しており，主には身体的フレイル，精神・心理的（認知的）フレイル，社会的フレイルの 3 つに分類されるが，サルコペニアは主には身体的フレイルの一因である（▶図 5）．フレイルの各要素は相互関係が存在しており，あるフレイル要素が原因となって他のフレイル要素が進行する場合が多い．

▶表 1　サルコペニア・フレイルが与える主な影響

サルコペニア	フレイル
● 脳卒中重症化 ● 運動麻痺重症化 ● ADL 改善不良 ● 口腔機能低下 ● 摂食嚥下能力低下	● 脳卒中重症化 ● 治療効果減少 ● 転帰不良 ● 認知機能低下 ● QOL 低下 ● 入院中死亡 ● 再入院

また，フレイルを合併した脳卒中患者の特徴として，“Brain Frailty(脳のフレイル)”と表現されるような，大脳皮質の萎縮や深部白質病変を有していることも報告されており[25]，脳卒中発症後の認知機能低下の進行などに関与している可能性が考えられる．しかし，脳卒中におけるフレイル研究はまだ始まったばかりであり，その機序は明確でないことから，今後の研究成果が期待される．

3 脳卒中におけるサルコペニア・フレイルの影響(▶表 1)

a サルコペニアの影響

脳卒中におけるサルコペニアの合併はさまざまなアウトカムに負の影響を与える．回復期病棟入棟時にサルコペニアがある場合，入院時点で日常生活活動(ADL)能力や嚥下能力が低く，口腔機能も低い．そして，回復期の主なアウトカムであるFIM(Functional Independence Measure)運動項目の改善不良，嚥下能力の改善不良につながることが報告されている[26]．同時に，急性期病院入院時点でサルコペニアが確認される場合も機能予後不良である．また，脳卒中発症前からサルコペニアを有している場合，脳卒中の神経症状や下肢運動麻痺が重症化しやすい．一方，サルコペニアを合併した脳卒中者の生活の質(QOL)や生命予後に与える影響は明らかにされていない．

b フレイルの影響

脳卒中発症前からフレイルに陥っている場合，脳卒中発症後の死亡リスクや再入院率が増加し，機能予後や QOL が低下しやすい．また，入院中のせん妄も増加し，認知機能も低下しやすいといった特徴がある．

4 脳卒中におけるサルコペニア・フレイルの理学療法

a サルコペニアの評価方法

一般に，サルコペニアを評価するためには，①骨格筋量の測定，②筋力・身体機能の測定が必要になる．わが国で比較的使用されることが多い AWGS(Asian Working Group for Sarcopenia) 2019 の診断基準では，骨格筋量の減少〔生体インピーダンス法での骨格筋指数では 7.0 kg/m^2 未満(男性)，5.7 kg/m^2 未満(女性)〕に加えて，筋力(握力)の低下(男性 28 kg 未満，女性 18 kg 未満)，もしくは身体機能の低下〔歩行速度 1 m/秒未満，5 回椅子立ち上がりテスト 12 秒以上，SPPB(short physical performance battery) 9 点以下のいずれか〕に該当する場合，サルコペニアと診断される．一方，脳卒中ではサルコペニアではなく神経症状が原因となって身体機能低下をまねきやすいため，脳卒中におけるサルコペニア判定方法として，骨格筋量の減少と筋力低下によって行う場合もある．また，骨格筋量測定のための機器がない場合は，スクリーニングとして下腿周径を用いることで，サルコペニアもしくは骨格筋量減少の評価に代用することも可能である[27,28] (▶表 2)．

b フレイルの評価方法

脳卒中におけるフレイル評価として，実際の身体機能の評価や問診で実施する表現型(例：改訂日本版 CHS 基準)，診療録や本人・家族などから多角的に情報収集して実施する障害蓄積モデル(修正 Frailty Index)，ルーブリック形式の Clinical Frailty Scale や診療情報である ICD コードから判定する Hospital Frailty Risk Score が用いられている．上述のように，脳卒中発症後は神経症

▶表2　下腿周径を用いた回復期高齢脳血管疾患患者における骨格筋量減少およびサルコペニアのカットオフ値

	性別	カットオフ値	感度	特異度
骨格筋量減少の指標 (Nishioka, et al., 2021)[27]	男性 女性	33 cm 32 cm	80% 85%	84% 82%
サルコペニアの指標 (Inoue, et al., 2021)[28]	男性 女性	34 cm 32 cm	85% 80%	66% 56%

▶表3　修正 Frailty Index 評価項目(33項目に修正したもの)

評価項目	
●高血圧	●高血糖
●心房細動	●貧血
●脳卒中既往歴	●低カルシウム
●糖尿病	●低アルブミン
●血管疾患	●多剤服用
●脂質異常症	●補聴器利用
●心不全	●視覚・聴覚障害
●心筋梗塞既往歴	●尿失禁
●腎不全	●便失禁
●COPD	●施設入所中
●がん	●要介護状態
●肝疾患既往歴	●転倒歴がある
●褥瘡	●手段的 ADL(IADL)障害
●関節炎	●ADL 障害
●骨折既往歴	●歩行補助具利用
●うつ病	●歩行要介助
●不安	

〔Evans, N.R., et al.: Frailty and cerebrovascular disease: Concepts and clinical implications for stroke medicine. *Int. J. Stroke*, 4:17474930211034331, 2021 を参考に作成〕

状によって身体機能が低下するため，脳卒中発症前のフレイルの有無を同定するためには表現型では難しいことが多く，障害蓄積モデルで評価するほうが有効である．

脳卒中で用いられやすい33項目からなる修正 Frailty Index 評価項目を**表3**に示す．Frailty Index の算出は，該当項目数を評価項目数で割ることで行い，Frailty Index で0.08未満(2項目以下の該当)をロバスト，0.08〜0.24(3〜7項目の該当)をプレフレイル，0.25以上(8項目以上の該当)をフレイルと判定する．また，脳卒中における発症前生活機能レベルは，modified Rankin(ランキン) Scale(mRS)を用いて評価することが一般的である．このmRSはフレイルと関係がある一方，それぞれの概念ならびに評価法が違うことからフレイル評価の代替にはなりづらい．したがって，それぞれの評価を行うことが推奨されている[25]．

C サルコペニア・フレイルに対する急性期での介入

急性期では，サルコペニア・フレイル(特に身体的フレイル)の予防が重要になる．発症前からサルコペニア・フレイルに陥っている場合はもちろんのこと，ハイリスク例について早期に発見し対応していくことが必要になる．

脳卒中に限った報告ではないが，急性期病院入院中に新たにサルコペニアに陥るリスク因子として，ADL障害，低BMI，低骨格筋量，臥床日数延長が報告されている[29]．つまり，急性期脳卒中に一般的に行われる早期離床と早期のADL改善，身体活動の増加はサルコペニア発生予防につながる可能性がある．

また，サルコペニア・フレイルの要因として低栄養が大きくかかわっていることからも，入院後可及的早期に栄養状態と摂食嚥下機能の評価を実施し，経口摂取困難例に対しては早期経腸栄養を実施する必要がある[30]．現時点で急性期脳血管疾患における推奨されるエネルギー摂取量および蛋白質摂取量までは言及されていないが，2021年に欧州臨床栄養代謝学会による入院患者の栄養管理に関するガイドラインにおいては，1日あたり30 kcal/kg以上のエネルギー摂取と，少なくとも1.2 g/kgの蛋白質摂取が推奨されている[31]．しか

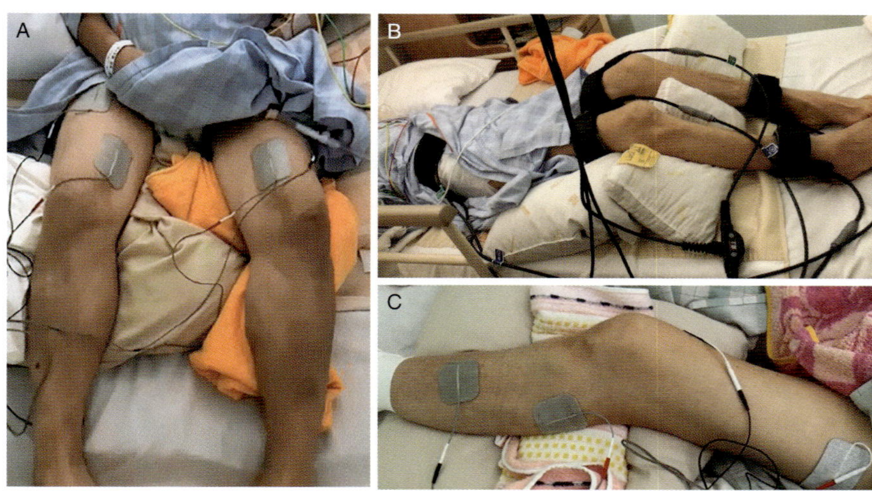

▶図 6　下肢に対する神経筋電気刺激療法の実施例
A：両側大腿四頭筋に対する実施例
B：ベルト式タイプによる実施例
C：大腿四頭筋と総腓骨神経に対する実施例

し，これはあくまで低栄養者もしくは低栄養リスクが高い場合に対しての推奨であり，全例一律に目標とすべき数値ではない．また，入院時点では栄養状態が良好であっても，入院中に低栄養に陥るリスクは十分にある．日々の摂食状況や身体機能・身体活動の変化を把握し，必要に応じた再評価を行うことが重要になる．

さらに，重症の脳血管疾患では運動麻痺や意識障害などの影響で活動量が極端に減少し，筋萎縮は進行しやすい．そのような場合，骨格筋量減少を予防するための神経筋電気刺激療法が有効な場合もある(▶図 6)．

d サルコペニア・フレイルに対する回復期以降での介入

回復期以降においては，サルコペニア・フレイルに陥る原因を探索し，その原因に対して介入を行うことが重要になる．以下に，一般的な介入方法を提示する．

(1)　運動介入(レジスタンストレーニング，身体活動)

脳卒中者に対するレジスタンストレーニングを中心とした運動介入が骨格筋機能改善に有効なことが知られている[32]．特に，サルコペニアを呈した脳卒中者において，骨格筋量の増加やサルコペニアの改善が ADL 能力改善に好影響を与えることからも[33,34]，サルコペニアの改善を目指すことが基本になる．一方，多くの脳卒中者にとって重要なアウトカムはサルコペニアの改善ではなく，身体機能の改善や QOL 改善である．高齢者や脳卒中者では骨格筋量の改善よりも筋力や身体機能の改善のほうが得られやすいことからも[35,36]，骨格筋量増加にだけ目を向けすぎず，身体機能の変化を把握し，その推移を確認しながら介入を行うことが重要である．

- **レジスタンストレーニング**：サルコペニア改善のために脳卒中者に対してレジスタンストレーニングを行うことは有効であるが，最終的に目指すべき身体機能の改善のためには，実際の動作を中心とした介入がより効果的である．特に反復した起立練習が効果的である[37]．
- **身体活動**：回復期脳卒中における身体活動(歩数)は骨格筋量と相関しており[38]，身体活動が制限されている重症例ほど骨格筋量は減少している[39]．また，回復期リハビリテーション病棟入棟中の身体活動が自立歩行獲得の指標になることからも[40]，身体活動の把握および促進が重要になる．一方，その目安・目標値なるものは明らかにされていない．

(2) 栄養介入

栄養介入に関しては，急性期同様，栄養状態の評価と十分なエネルギー投与が推奨されているが，目標値や目安は提示されていない[30]．また，栄養介入はあくまで低栄養リスクが高い，もしくは低栄養状態に陥っている例に対して行われるべきものである．回復期リハビリテーション病棟入棟時の低栄養合併率は高いため[41]，入棟後速やかに栄養状態の評価を行い，低栄養状態の場合は管理栄養士を中心とした個別の栄養計画の立案が必要になる．理学療法士としては，日々の運動療法中のパフォーマンスや疲労と栄養摂取量の関係を把握しておくことが重要である．また，体重が減少した例では体重増加を目標に栄養摂取量を決定していくことも少なくない．低体重の高齢脳卒中者では，体重1kg増加のためには9,600kcal必要になることは栄養摂取量決定の目安になる[42]．また，サルコペニアを合併した脳卒中患者では，ONS(oral nutritional supplementation)であるロイシン強化アミノ酸サプリメントを使用することで，筋力・サルコペニア・ADL能力改善に有効であることも示されている[37]．

●引用文献

1) Matozinho, C.V.O., et al.: Incidence and potential predictors of early onset of upper-limb contractures after stroke. *Disabil. Rehabil.*, 43(5):678–684, 2021.
2) Sackley, C., et al.: The prevalence of joint contractures, pressure sores, painful shoulder, other pain, falls, and depression in the year after a severely disabling stroke. *Stroke*, 39(12):3329–3334, 2008.
3) Kwah, L.K., et al.: Half of the adults who present to hospital with stroke develop at least one contracture within six months: An observational study. *J. Physiother.*, 58(1):41–47, 2012.
4) Lieber, R.L., et al.: Skeletal muscle mechanics, energetics and plasticity. *J. Neuroeng. Rehabil.*, 14(1):108, 2017.
5) Ada, L., et al.: Relation between spasticity, weakness and contracture of the elbow flexors and upper limb activity after stroke: An observational study. *Disabil. Rehabil.*, 28(13-14):891–897, 2006.
6) Malhotra, S., et al.: Spasticity and contractures at the wrist after stroke: Time course of development and their association with functional recovery of the upper limb. *Clin. Rehabil.*, 25(2):184–191, 2011.
7) Katalinic, O.M., et al.: Effectiveness of stretch for the treatment and prevention of contractures in people with neurological conditions: A systematic review. *Phys. Ther.*, 91(1):11–24, 2011.
8) de Jong, L.D., et al.: Combined arm stretch positioning and neuromuscular electrical stimulation during rehabilitation does not improve range of motion, shoulder pain or function in patients after stroke: A randomised trial. *J. Physiother.*, 59(4): 245–254, 2013.
9) Horsley, S., et al.: Additional early active repetitive motor training did not prevent contracture in adults receiving task-specific upper limb training after stroke: A randomised trial. *J. Physiother.*, 65(2):88–94, 2019.
10) Andringa, A., et al.: Effectiveness of Botulinum Toxin Treatment for Upper Limb Spasticity Poststroke Over Different ICF Domains: A Systematic Review and Meta-Analysis. *Arch. Phys. Med. Rehabil.*, 100(9):1703–1725, 2019.
11) Ada, L., et al.: Thirty minutes of positioning reduces the development of shoulder external rotation contracture after stroke: A randomized controlled trial. *Arch. Phys. Med. Rehabil.*, 86(2):230–234, 2005.
12) Winstein, C.J., et al.: Guidelines for Adult Stroke Rehabilitation and Recovery: A Guideline for Healthcare Professionals From the American Heart Association/American Stroke Association. *Stroke*, 47(6):e98–e169, 2016.
13) Robinson, W., et al.: No difference between wearing a night splint and standing on a tilt table in preventing ankle contracture early after stroke: A randomised trial. *Aust. J. Physiother.*, 54(1):33–38, 2008.
14) Su, Y., et al.: Prevalence of stroke-related sarcopenia: A systematic review and meta-analysis. *J. Stroke Cerebrovasc. Dis.*, 29(9):105092, 2020.
15) Kitamura, A., et al.: Sarcopenia: Prevalence, associated factors, and the risk of mortality and disability in Japanese older adults. *J. Cachexia Sarcopenia Muscle*, 12(1):30–38, 2021.
16) Winovich, D.T., et al.: Factors Associated With Ischemic Stroke Survival and Recovery in Older

Adults. *Stroke*, 48(7):1818–1826, 2017.
17) Taylor-Rowan, M., et al.: The prevalence of frailty among acute stroke patients, and evaluation of method of assessment. *Clin. Rehabil.*, 33(10):1688–1696, 2019.
18) Seamon, B.A., et al.: The Effect of Frailty on Discharge Location for Medicare Beneficiaries After Acute Stroke. *Arch. Phys. Med. Rehabil.*, 100(7):1317–1323, 2019.
19) Kanai, M., et al.: Pre-Stroke Frailty and Stroke Severity in Elderly Patients with Acute Stroke. *J. Stroke Cerebrovasc. Dis.*, 29(12):105346, 2020.
20) Palmer, K., et al.: Frailty Syndromes in Persons With Cerebrovascular Disease: A Systematic Review and Meta-Analysis. *Front. Neurol.*, 10:1255, 2019.
21) Nozoe, M., et al.: Changes in quadriceps muscle thickness in acute non-ambulatory stroke survivors. *Top. Stroke Rehabil.*, 23(1):8–14, 2016.
22) Ryan, A.S., et al.: Atrophy and intramuscular fat in specific muscles of the thigh: Associated weakness and hyperinsulinemia in stroke survivors. *Neurorehabil. Neural Repair*, 25(9):865–872, 2011.
23) Nozoe, M., et al.: Prevalence of Malnutrition Diagnosed with GLIM Criteria and Association with Activities of Daily Living in Patients with Acute Stroke. *J. Stroke Cerebrovasc. Dis.*, 30(9):105989, 2021.
24) Springer, J., et al.: Catabolic signaling and muscle wasting after acute ischemic stroke in mice: Indication for a stroke-specific sarcopenia. *Stroke*, 45(12):3675–3683, 2014.
25) Evans, N.R., et al.: Frailty and cerebrovascular disease: Concepts and clinical implications for stroke medicine. *Int. J. Stroke*, 17(3):251–259, 2022.
26) Yoshimura, Y., et al.: Sarcopenia is associated with worse recovery of physical function and dysphagia and a lower rate of home discharge in Japanese hospitalized adults undergoing convalescent rehabilitation. *Nutrition*, 61:111–118, 2019.
27) Nishioka, S., et al.: Validity of calf circumference for estimating skeletal muscle mass for Asian patients after stroke. *Nutrition*, 82:111028, 2021.
28) Inoue, T., et al.: Calf circumference value for sarcopenia screening among older adults with stroke. *Arch. Gerontol. Geriatr.*, 93:104290, 2021.
29) Martone, A.M., et al.: The incidence of sarcopenia among hospitalized older patients: Results from the Glisten study. *J. Cachexia Sarcopenia Muscle*, 8(6):907–914, 2017.
30) 日本脳卒中学会 脳卒中ガイドライン委員会(編)：脳卒中治療ガイドライン 2021. 協和企画, 2021.
31) Thibault, R., et al.: ESPEN guideline on hospital nutrition. *Clin. Nutr.*, 40(12):5684–5709, 2021.
32) Pak, S., et al.: Strengthening to promote functional recovery poststroke: An evidence-based review. *Top. Stroke Rehabil.*, 15(3):177–199, 2008.
33) Nagano, F., et al.: Muscle mass gain is positively associated with functional recovery in patients with sarcopenia after stroke. *J. Stroke Cerebrovasc. Dis.*, 29(9):105017, 2020.
34) Matsushita, T., et al.: Effect of Improvement in Sarcopenia on Functional and Discharge Outcomes in Stroke Rehabilitation Patients. *Nutrients*, 13(7):2192, 2021.
35) Aarden, J.J., et al.: Longitudinal Changes in Muscle Mass, Muscle Strength, and Physical Performance in Acutely Hospitalized Older Adults. *J. Am. Med. Dir. Assoc.*, 22(4):839–845.e1, 2021.
36) Tanaka, S., et al.: Relationship between longitudinal changes in skeletal muscle characteristics over time and functional recovery during intensive rehabilitation of patients with subacute stroke. *Top. Stroke Rehabil.*, 28:1–10, 2021.
37) Yoshimura, Y., et al.: Effects of a leucine-enriched amino acid supplement on muscle mass, muscle strength, and physical function in post-stroke patients with sarcopenia: A randomized controlled trial. *Nutrition*, 58:1–6, 2019.
38) Nozoe, M., et al.: Physical Activity, Physical Function, and Quadriceps Muscle Thickness in Male Patients with Sub-Acute Stroke during Hospitalization: A Pilot Study. *Eur. Neurol.*, 80(3-4):157–162, 2018.
39) Nozoe, M., et al.: Changes in Quadriceps Muscle Thickness, Disease Severity, Nutritional Status, and C-Reactive Protein after Acute Stroke. *J. Stroke Cerebrovasc. Dis.*, 25(10):2470–2474, 2016.
40) Shimizu, N., et al.: Daytime physical activity at admission is associated with improvement of gait independence 1 month later in people with subacute stroke: A longitudinal study. *Top. Stroke Rehabil.*, 27(1):25–32, 2020.
41) Shimizu, A., et al.: Comparison between the Global Leadership Initiative on Malnutrition and the European Society for Clinical Nutrition and Metabolism definitions for the prevalence of malnutrition in geriatric rehabilitation care. *Geriatr. Gerontol. Int.*, 20(12):1221–1227, 2020.
42) Yoshimura, Y., et al.: Stored Energy Increases Body Weight and Skeletal Muscle Mass in Older, Underweight Patients after Stroke. *Nutrients*, 13(9):3274, 2021.

(野添匡史)

3

病期別の脳卒中理学療法

第1章

急性期

学習目標
- 急性期に行う早期離床の効果，適応，実施方法について理解する．
- 急性期に行う予後予測手法について理解する．
- 急性期から行う運動機能改善のための理学療法について理解する．

A 急性期とは

脳卒中発症後に入院し，初期治療が行われる期間が**急性期**に該当し，わが国の診療における入院期間は，早い場合で1週間以内，平均すると2〜3週間が多い．多くは直接自宅に退院できるが，運動障害や歩行障害の回復に治療を要すために回復期リハビリテーション病棟へ入棟するケースや，重度障害のために在宅復帰・社会復帰が困難と判断されるケースもある．急性期では脳卒中後の症状改善および進行・再発を予防するための医学的管理が行われるが，それとともに多様な患者像に合わせた転帰判断(退院先決定)も行われる．

B 急性期における理学療法士の役割

急性期脳卒中理学療法の主目的の1つに臥床や低活動に伴う**二次的障害(廃用性変化)の予防**があげられる．また，早期から心身機能や活動の改善をはかることで，機能予後改善をはかることにもつながる．一方，発症後間もない急性期であれば，理学療法によって神経症状や全身機能の悪化をまねき，機能予後に悪影響を及ぼす可能性もある．急性期においては，これら理学療法が及ぼす正・負の影響を把握し，管理したうえで介入する必要がある．

さらに，各病院の機能分化が進み，在院日数も短縮化していくなかで，急性期病院入院後早い段階で転帰先の検討を始める必要がある．対象者の機能改善，活動・参加の向上，生活の質改善のために，どのような転帰先がよいか，主には心身機能や活動面から考えて判断し，他職種ならびに本人・家族に情報提供し，意思決定の支援を進める必要がある．

本章では急性期脳卒中理学療法について，上記視点に基づいたうえで行う早期離床と予後予測に加え，急性期から行う運動機能改善のための理学療法について概説する．

C 早期離床

脳卒中発症後，脳循環の自動調節能が破綻することは古くから知られている．そのため旧来は，脳血流を維持するためにも頭高位を避けることを重要視する傾向にあった．しかし，内科的・外科的治療の改善に伴い対象者の生命予後・機能予後も改善していくなかで，現在は発症後早期から活動量を向上させ，二次的障害を予防するために**早期離床**を実践することが一般的となっている．ここでは，急性期脳卒中で行う早期離床の効果，方

▶表 1　脳卒中に対する早期離床の効果

- 起立性低血圧（循環障害）の予防
- 呼吸器合併症の予防
- 尿路感染症の予防
- 深部静脈血栓症の予防
- 褥瘡の予防
- 廃用性筋萎縮の予防
- 関節拘縮の予防
- 神経系の可塑的再組織化

法，その後の活動向上に向けた取り組みについて概説する．

1 早期離床の効果

脳卒中発症後に行う早期離床の効果について**表 1** に示す．一般的な早期離床同様，主には不動に伴い発生する合併症に対して予防効果がある．特に意識障害を伴う重症例では合併症を予防する効果は高いことが知られている[1, 2]．一方，神経系の可塑的再組織化は脳卒中発症後に生じるが，特に発症後急性期の段階で急激に進むことからも，脳機能改善のためにはこの時期からの介入が重要視されている．

2 早期離床のリスクとベネフィット

早期離床は上述のような有効性がある一方，ペナンブラとなっている領域はさらなる血流減少をきたす可能性があり[3]，活動に伴う血圧上昇が脳浮腫や出血を誘発し，症状悪化をまねくリスクがある．そのため，離床を実施する際は個々の症例の病態に配慮し，リスクとベネフィット（▶**図 1**）を天秤にかけたうえで，実施可否も含めて検討する必要がある．

3 早期離床の実際

a 離床開始時期・基準

発症後 24 時間に開始する早期離床の効果を検証した AVERT study の報告以降[4]，各国のガイドラインにおいても発症 24 時間以内に開始する超早期離床の有害性が記載された[5–8]（▶**表 2**）．一方，重症度によっては発症 24 時間以内に行うことが大きな問題にならない場合もある（▶**表 2**）．また，急性期の症状変化および管理方法が大きく異なるくも膜下出血に関しては，現状では十分なコンセンサスが得られていない．以下に，離床開始時期および基準について，病型ごとの特徴を述べる．

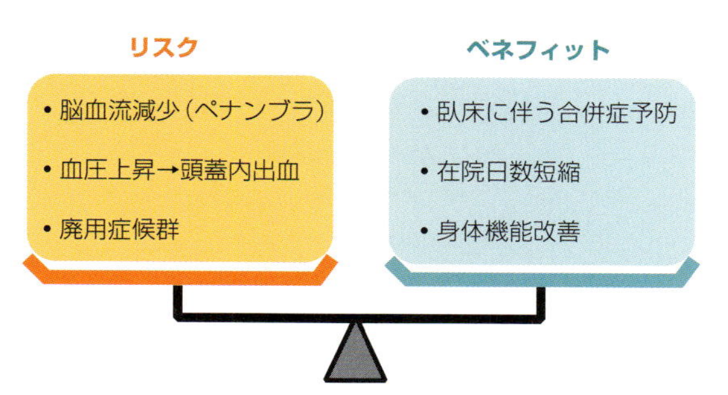

▶図 1　脳卒中に対する早期離床のリスクとベネフィット

(1)　脳梗塞

急性期脳梗塞例を対象にした頭高位での脳血流を調べた結果からも，離床に伴って脳血流が減少することは明らかだが[3]，それが必ずしも機能予後悪化に影響するわけではない．そのため，離床に伴い脳血流が減少し，神経症状悪化につながるハイリスク例を事前にスクリーニングし，離床開始時期・方法を個別に検討する必要がある．脳梗塞後の神経症状悪化のリスク因子を**表 3** に示す．これら総合的な判断のもと，神経症状悪化のリスクが低いと判断されれば，発症 24 時間以内の離床開始も問題ない．一方，ハイリスク例と判断されれば，少なくとも発症 24 時間以上は経過を観察したのちに行うべきである．その間，カルテから脳循環と神経症状の変動を確認し，医師と相談のうえ，開始時期を検討する必要がある．特に主幹動脈閉塞例は症状進行リスクが非常に高い（▶**図 2**）．画像評価だけでなく，閉塞血管領域における神経症状が悪化していないか，注意深く評

▶表2　脳卒中に対する早期離床開始時期に関する各ガイドラインの推奨内容

ガイドライン名	早期離床開始時期に関する主な推奨内容
AHA/ASA Guideline（米国，2016）	発症後24時間以内に開始する頻回な離床は3か月後の機能予後を悪化させるので推奨できない
National clinical guideline for stroke（英国，2016）	移動に介助が不要もしくはわずかな介助で可能な場合は発症後24時間以内の離床も可 残りの例は発症後24～48時間から短時間・頻回な離床を開始する
Canadian Stroke Best Practice（カナダ，2019）	重症例においては長時間に及ぶ離床に関して発症後2・3日間は実施するべきではない
脳卒中治療ガイドライン（日本，2021）	発症後24～48時間以内に病態に合わせたリハビリテーションの計画を立てることが推奨される

▶表3　脳梗塞の神経症状悪化の主なリスク因子

- 高齢者
- 女性
- アテローム血栓性脳梗塞
- 糖尿病・高血糖
- 発症から早期に入院
- 再開通療法実施
- 重篤な神経症状（NIHSS高値）
- 発症後の高血圧
- 主幹動脈閉塞・狭窄
- branch atheromatous disease（BAD）
- 発症前からのADL障害

価しながら介入する必要がある（例：左中大脳動脈閉塞の場合，失語症の悪化・出現に留意する）．

(2) 脳出血

急性期脳出血例の神経症状悪化の最大のリスク因子は血圧である．これは，血圧上昇が再出血リスクを上昇させ，血腫増大，脳浮腫増強，神経症状増悪，機能予後不良の要因になるからである．離床に伴う活動増加が血圧上昇を伴わないか否か注意深く確認しながら実施する必要がある．一方，頭高位の姿勢変換は頭蓋内圧を低下させるため，脳出血に伴って頭蓋内圧が亢進傾向となっている場合は離床時に神経症状が軽減することも多い．開始時期としては，過去24時間で画像検査にて血腫増大がないか，つまり，入院翌日の画像検査で血腫量の変化がないか確認することが必要である．また，臨床で大きな問題になるのが抗血栓薬服薬中の脳出血である[9]．この場合，再出血ならびに出血傾向が持続しやすく，重症化しやすいリスクがあるため介入前の持参薬確認が必要になる．

(3) くも膜下出血

前述のとおり，くも膜下出血の離床開始時期については明確なコンセンサスは得られていない．その一番の懸念は，主に脳血管攣縮に起因して生じる**遅発性脳虚血**である．近年，脳血管攣縮期における早期離床が必ずしも遅発性脳虚血などの有害事象に結びつかないとの報告は多い[10-12]．そのため，脳血管攣縮期に離床を行うことは禁忌とは考えられていない．一方，遅発性脳虚血リスクが高い場合，さらには神経症状が悪化・進行している例では実施するべきではない．特に，脳梗塞・脳出血と比べて比較的対象者が若年のこともあり，多少の臥床期間延長があっても不可逆的な二次性障害に至らない場合も少なくない．その場合，**図1**のリスクとベネフィットを天秤にかける考え方のもと，リスクのほうが高いと考えてあえて離床を促さないこともある．

くも膜下出血例の離床は少なくとも外科的治療終了から24～48時間経過して，再出血リスクが十分低くなったことを確認したのちに開始する．また，発症4～14日の脳血管攣縮期，特にそのピークとなる発症1週間前後の時期には症状変化に注意して実施可否を判断し，介入中も症状悪化への注意を怠らないこと，症状悪化が確認された

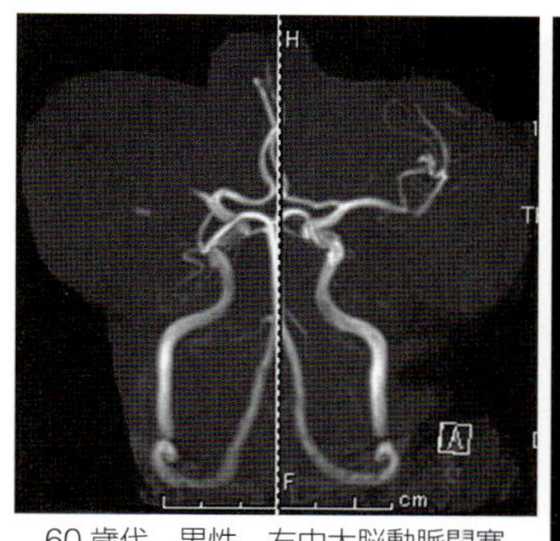

60 歳代，男性，右中大脳動脈閉塞
（入院時 MRA）

構音障害，顔面麻痺，軽度左片麻痺を認め来院．3 日後に左上下肢麻痺の悪化と左半側空間無視症状が出現した

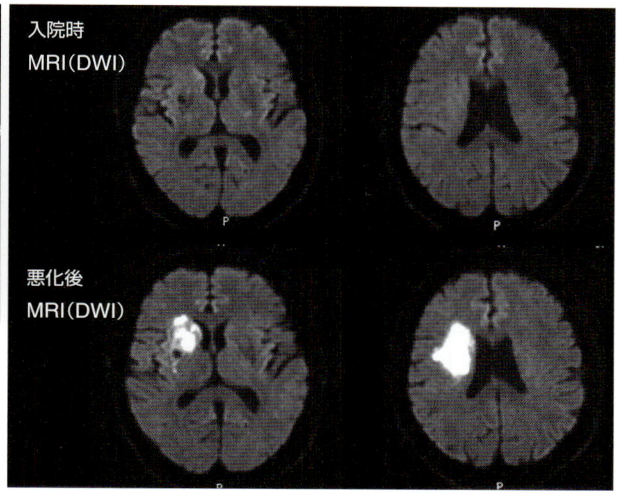

▶図 2　神経症状の悪化を認めた主幹動脈閉塞例

NIHSS スコアと各重症度		予想される機能レベル	実践する離床レベル
NIHSS 6 点以下	軽症	mRS：3 以下	立位・歩行
NIHSS 7〜15 点	中等症	mRS：3〜4	端座位 or 立位・歩行
NIHSS 16 点以上	重症	mRS：4〜5	端座位・立位・歩行

▶図 3　重症度ごとに層別化した早期離床の実践内容

際は速やかな医学的処置が行える環境で行うことが重要である．

b 具体的な離床実施方法

(1) 層別化した離床

離床の定義は研究によって差はあるものの，少なくとも日本語の意味から考えると，「床(ベッド)を離れる」ことを指すので，車椅子に座っている時間や病棟内を歩いて移動している時間など，すべての時間を離床ととらえることができる．一方，歩行が自立しているような軽症例では，椅子に座るだけでは十分な活動にはなっておらず，逆に座位保持困難な重症例では，介助下で端座位をとる意義は高いと考えられる．そのため，離床の内容は各対象者の重症度ごとにある程度層別化する必要がある．脳卒中そのものの重症度(National Institute of Health Stroke Scale; NIHSS)とそれに応じた機能レベル〔modified Rankin(ランキン) Scale; mRS〕で分類し，実践するべき離床レベルについて図 3 に示す．

(2) 実施時間，実施頻度

離床実施時間と頻度に関して，現時点においても明確に規定されたものはない．しかし，AVERT study のサブ解析の結果[13]では，一度の離床時間は短く，頻度は多いほうが機能予後はよかったことからも，原則として「少量・頻回」で行うことが推奨される．また，AVERT study においては 3 回/日の離床を実施した対照群のほうが，6 回/日の離床を実施した介入群よりも予後がよかった[4]．これらの結果からも，1 日に実施する離床頻度の目安は 3 回/日以上と考えるのが妥当である．1 日 3 回以上の離床を実施するためには，理学療法

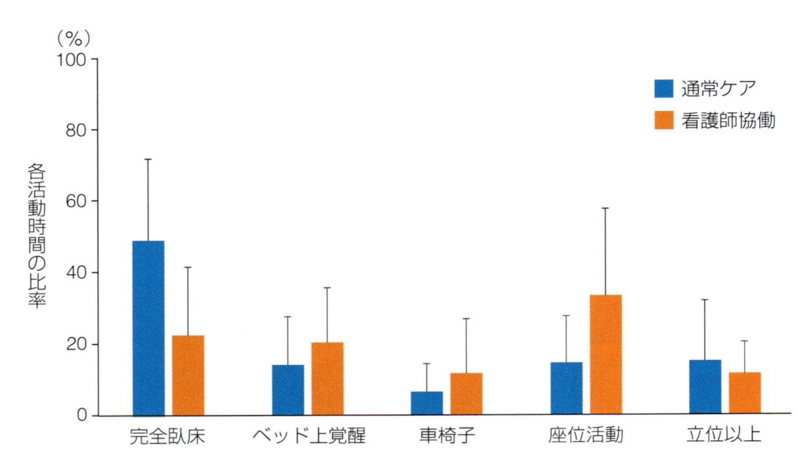

▶図 4　看護師協働による離床内容の違い

日中 8 時間における急性期脳卒中患者の活動時間の比率を示す〔通常ケア（$N = 20$）：看護師協働（$N = 20$）〕．看護師協働のもと離床を実施すると，臥床時間は減少し座位活動時間が増加する．

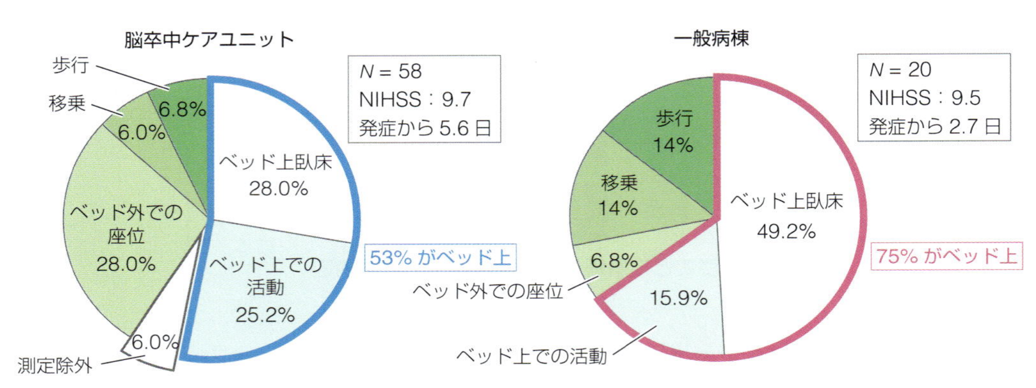

▶図 5　脳卒中ケアユニット（stroke care unit）と一般病棟における活動時間の違い

〔Bernhardt, J., et al.: Inactive and alone: Physical activity within the first 14 days of acute stroke unit care. *Stroke*, 35(4):1005–1009, 2004；野添匡史ほか：一般病棟における急性期脳卒中患者の離床時間及びリハビリテーション実施中の活動状況について．甲南女子大研紀 看リハ, 12:23–27, 2017 をもとに作成〕

士だけではマンパワーが不足する．そのため，作業療法士や言語聴覚士，看護師などの他職種と連携し，計画的に離床を行っていくことが必要になる．特に看護師と協働した場合，立位や歩行時間は増加しづらいが，座位での活動は増加しやすい特徴がある（▶図 4）．一方，AVERT study での検討はすべて脳卒中ケアユニットで行われたものであり，一般病棟のようなマンパワーが少ない環境では当然離床実践が難しくなる（▶図 5）[14, 15]．各施設の医療提供状況に合わせて，実現可能性および継続性のある方法で実践する必要がある．

また，一度の離床時間は 10～60 分と報告によって幅があるが，少量頻回の原則と，わが国の診療報酬制度から考えても，一度に 15 分程度の離床が現実的である．一方，一部の重症例，神経症状悪化のハイリスク例を除けば，離床時間以外の活動としてはすべての時間をベッド上で臥床しておくことは不要である．車椅子で過ごす時間や食事の時間など，ベッド・病室から離れて過ごす時間は積極的に確保・延長していくことが必要である．

現状のエビデンスに基づいた標準的な離床プログラムについて**表 4** に示す．

4 早期離床から病棟 ADL の拡大

一般に，脳卒中ケアユニットから退室し病状が安定すれば，個々の離床計画を立案しながらの介入ではなく，一般的なリハビリテーションプログラムを実施することになる．一方，1 人では離床が困難な重症例ではその限りではなく，引き続き離床プログラムを継続することになるため，離床支援をどこまで継続するかは対象者の状態によって変化する．

また，離床が進むに併せて病棟での日常生活活動（ADL）レベルの改善に取り組む必要がある．急性期の症状変化は目まぐるしく，できていなかった動作・課題が一晩でできるようになることも少なくない．一方，改善してはいるものの，その動作方法には工夫や指導が必要な場合も多く，段階的に自立度を向上させる必要がある．理学療法士は，心身機能と活動の評価結果から，各対象者の動作レベルを把握し，そのレベルに準じた動作方法を適宜指導する必要がある．特に前述のように症状変化が目まぐるしいため，その判断が遅延せず，能力の改善に合わせた ADL 拡大が円滑に進むよう支援する必要がある．以下，重症度ごとに自立度向上の流れの例を示す（▶**図 6**）．

▶**表 4　標準的な脳卒中後早期離床の内容**

項目	基本的な目安
開始時期	発症後 24〜48 時間
時間・頻度	15 分/回，3 回/日〜
内容	軽症例では立位・歩行での活動 中等症〜重症例では座位・立位・歩行での活動
その他	離床実施時以外も積極的に車椅子座位時間を延長する

a 軽症例

軽症例では運動麻痺は軽度で，発症当初から歩行可能な場合も少なくない．移動に車椅子は不要

A．軽症例

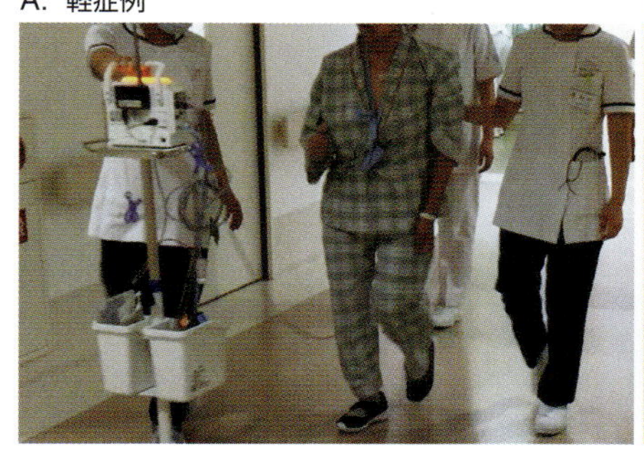

B．中等症例

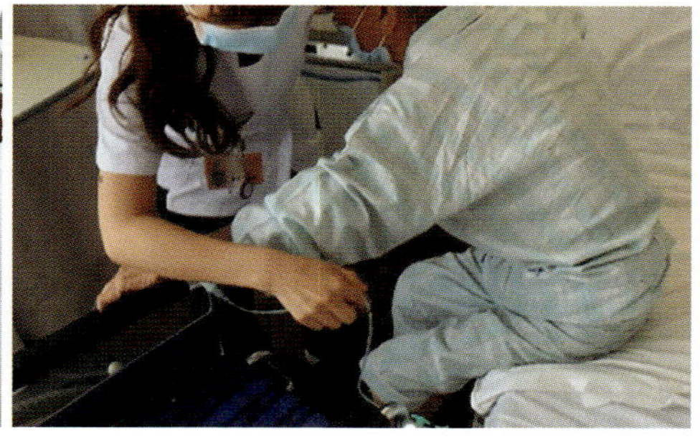

C．重症例

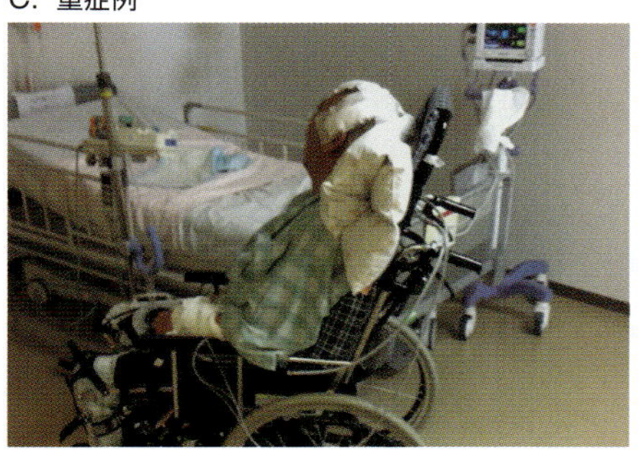

▶**図 6　重症度に合わせた ADL 拡大**
A：歩行中の安全面確認
B：移乗練習
C：リクライニング車椅子での離床

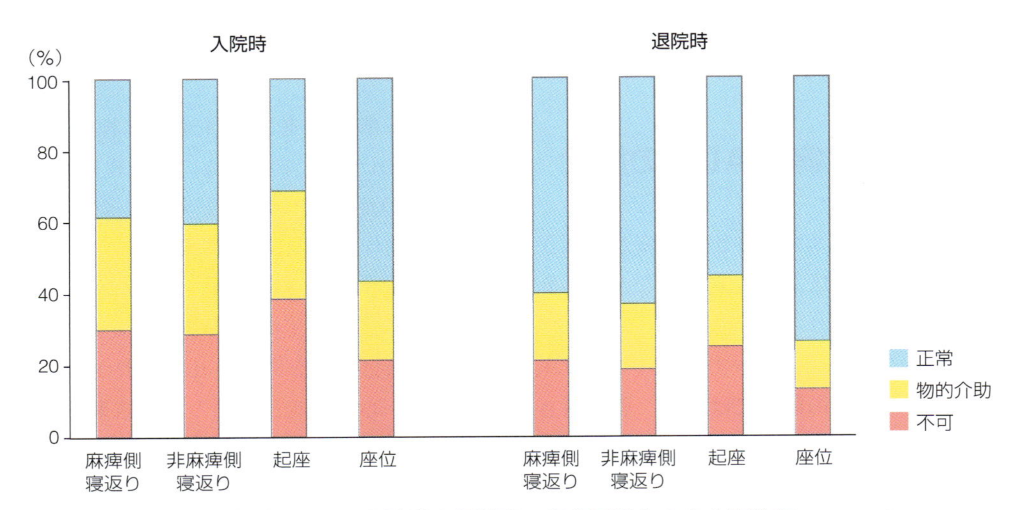

▶**図7　急性期脳卒中例における入院時と退院時の各起居動作の自立度分布**（N = 125）

なものの，安全面への配慮から歩行器を利用しての移動を指導するケースも多い（上肢運動障害が重度あればこの限りではない）．心身機能の改善および症状悪化のリスク軽減に伴い，歩行の安全性が確保されれば杖ありや杖なしでの歩行へ切り替え，活動範囲を病棟内から院内へ変更し，自発的な活動量促進へ導く．

b 中等症例

中等症例では移動に車椅子を要し，移乗動作なども見守りや介助が必要なことが多い．まずは，車椅子を利用した移動・移乗動作の自立度向上をはかり，早期にトイレでの排泄実施が可能な状態へ導く．また，起居動作も介助が必要な場合が多いため，非麻痺側上下肢を用いた代償手段を指導して自立を促す．一方，起居動作は難易度が異なり，急性期の段階でも座位が最も獲得しやすく，起き上がり動作の獲得は最も難しい（▶図7）．一般的には非麻痺側へ側臥位となったのちに，下肢をベッド端から下垂させて起き上がる方法が行いやすいが，個々の能力によって方法の工夫は必要である．介助量が多い場合，昇降式ベッドで背上げを併用するなど，過剰努力にならないような配慮も必要である．

c 重症例

重症例では起居動作から移乗，移動動作の大半に介助を要する場合が多く，経口摂取が難しく，経管・経腸栄養管理となっていることも多い．まずは車椅子での座位時間を延長し，意識障害や嚥下障害の改善に合わせて車椅子での食事機会を設ける．姿勢保持が困難な場合はチルトリクライニングタイプの車椅子などで開始し，身体機能改善に合わせて普通型車椅子への変更や食事動作の自立度向上を検討する．これら一連の過程は理学療法士1人では実施困難であり，作業療法士，言語聴覚士，看護師などの他職種と連携して行う必要がある．

5 姿勢管理（ポジショニング）

重症例だけでなく，中等症例においても自ら起居動作が困難な場合は少なくない．ハイリスク例では離床時間の確保も不十分なことから，ベッド上臥床時間も延長しやすい．そのため，褥瘡や関節拘縮予防のためにもベッド上での姿勢管理（ポジショニング）も重要になる．

D 急性期予後予測

脳卒中で生じる神経症状は直接的に機能障害や活動に影響を与えるため，重症度と機能予後とは相関する．一方，脳機能局在や脳内ネットワークの影響で，その症状は画一的ではなく，梗塞巣が同じ大きさであっても出現する症状・予後は同じではない．さらには，もともとの脳や身体機能の影響も受けるため，予後予測は非常に難しくなる．脳卒中患者はそれらの活動・参加制限によって，長期的な入院・リハビリテーションを必要とする場合も多く，その意思決定に際し，適切な予後予測に基づいた転帰先決定の支援が必要になる．特に，この時期に理学療法士が評価する身体機能結果が予後予測に直結することからも，適切な評価の実施は急性期理学療法の基本になる．ここでは，理学療法士が関与することの多い歩行の機能予後予測を中心に，必要な評価方法と予後予測法について概説する．

1 運動障害（下肢）

下肢の運動障害は歩行能力に直結することから，いくつかの手法で予後予測に用いられている．急性期に用いられることの多い評価は Motricity Index であり，下肢運動障害を筋力という視点でのみ評価する欠点があるものの，簡便かつ短時間で実施できる利点がある．一方，下肢運動障害を包括的にとらえる手法としては Fugl-Meyer（フーグルマイヤー）Assessment があげられる．筋力という視点に加え，痙縮（反射）や共同運動の観点からの評価で構成されている．

2 体幹機能

自立した歩行を獲得するためには，安定した体幹機能が必須である．最も汎用される評価法は Trunk Control Test（TCT）であるが，その評価内容は起居動作の自立度を総合的に判定するものであり，体幹の機能そのものを評価しているわけではない．体幹機能をより詳細に評価する手法としては Trunk Impairment Scale があげられる．どちらも歩行や ADL の予後予測に用いられることが多い[16–18]．

3 併存疾患

高齢脳卒中者が増加するに合わせて，多くの併存疾患を有する例は増えており，併存疾患の把握・管理の重要度は増している．特に，脳卒中危険因子でもある糖尿病の保有は，脳梗塞後の梗塞巣の拡大や脳出血後の脳浮腫悪化に関与しており[19]，自立歩行獲得の大きな阻害因子である[20]．また，併存疾患の種類だけでなく，併存疾患数とその重症度も影響を受けるために注意が必要である[21]．評価としては Charlson（チャールソン）Comorbidity Index が用いられることが多い[21]．

4 重症度，損傷側，高次脳機能障害

NIHSS で測定される脳卒中による重症度そのものが与える影響は非常に大きく，重症例ほど歩行自立は難しくなる[20]．損傷側としては右半球損傷例で歩行自立が難しい可能性が指摘されており[20]，認知機能障害や半側空間無視，尿失禁の存在も影響する[22]．

5 病前情報

脳卒中発症前の状況は歩行だけでなくさまざまな予後に大きな影響を与える．なかでも病前の自立度が与える影響は大きく，脳卒中の機能予後評価で一般的に用いられる mRS を用いて評価することが多い．一般に mRS ≦ 2 の場合，病前の状態は比較的良好であったと判断されることが多い．また，身体活動も影響を与えるので[23]，質問紙や問診などで把握する必要がある．さらに，高

▶表 5　急性期に歩行自立可否を予測するアルゴリズム

	評価実施時期	評価結果	アウトカム
Veerbeek, et al.[17]	発症 72 時間以内	下肢 Motricity Index > 25 点 ＋ TCT > 25 点	6 か月後の歩行自立
TWIST Smith, et al.[18]	発症 1 週間以内	TCT > 40 点	6 週間後の歩行自立
		TCT < 40 点 ＋ 股関節伸展筋力(MRC) 3 以上	12 週間後の歩行自立

TCT：Trunk Control Test，MRC：Medical Research Council

齢脳卒中者の増加は併存疾患だけでなくサルコペニア，フレイル，低栄養といった老年症候群を合併した患者の増加にもつながっている．発症前からこれら老年症候群を有していた場合，機能予後回復に影響を与えることからも，対象者自身の評価だけでなく，家族や介護者などから発症前の状況について詳しく情報収集することが重要である．

6 画像情報

一般的に脳卒中者の損傷範囲の大きさと予後との関係は存在するものの[24]，歩行自立可否に関しては損傷部位の影響が大きく，特に皮質脊髄路損傷の有無が影響を与えることが報告されている[22,25]．拡散テンソル画像を用いた評価などが行われるが，一般的な病院で広く臨床応用されているとはいえない．そのため，画像上で皮質脊髄路を大まかに同定し，実際の症状と照らし合わせつつ損傷部位を確認する作業も必要になる．

7 歩行自立度予測のアルゴリズム

これまで発症後間もない時期(おおむね 1 週間以内)に歩行自立を予測するアルゴリズムがいくつか報告されている[17,18](▶表 5)．これらのアルゴリズムには下肢運動障害と体幹機能の評価が含まれているが，体幹機能としては座位保持ができるか否か(具体的には 30 秒の保持)が重要視される．予後予測のためには多面的な評価が重要なことはいうまでもないが，下肢運動障害と座位保持の可否は歩行の予後予測のために必須の評価になるといえる．

8 くも膜下出血例の予後予測

前述した予後予測は主には脳梗塞・脳出血を対象にした研究成果に基づくものである．くも膜下出血については，その予後の悪さや管理・治療の難しさ，必ずしも運動障害を呈する例が多いわけではないことからも，理学療法士がかかわる評価結果を中心に予後予測されることは少ない．歩行自立に限らず，障害度との関係においては意識障害や重症度，血腫量や脳血管攣縮，遅発性脳虚血[26-28]が関与しているため，これらの情報とともに総合的に予後予測を行う必要がある．

E 急性期から行う運動機能改善のための理学療法

脳卒中例に対して行う運動療法・物理療法のなかで，急性期に特化した介入があるわけではなく，一般的に軽症～中等症の場合は発症早期から回復期以降で行う介入と同等のものを行う．一方，特に急性期に有効性・必要性が示されている介入もあり，以下に解説する．

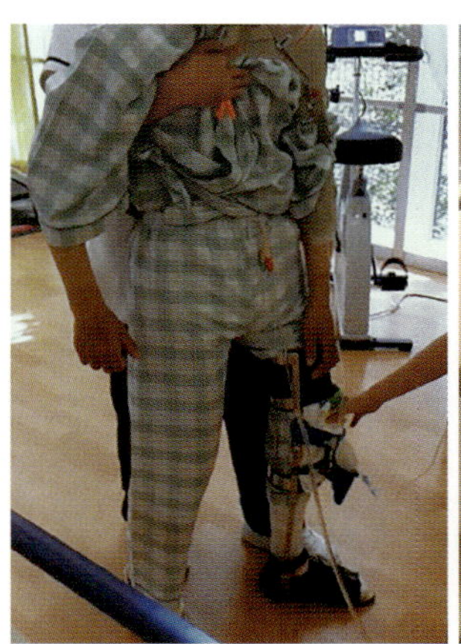
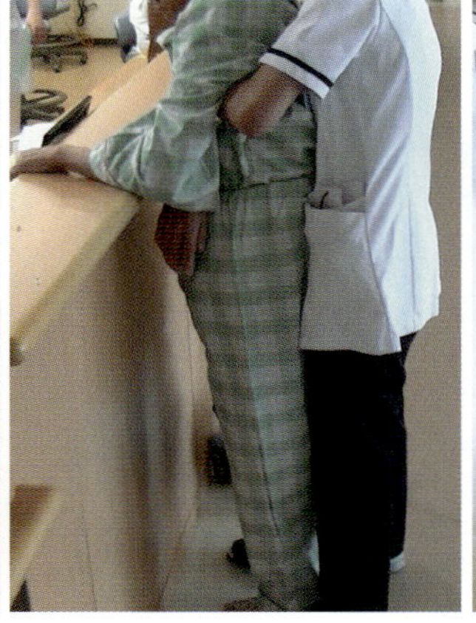
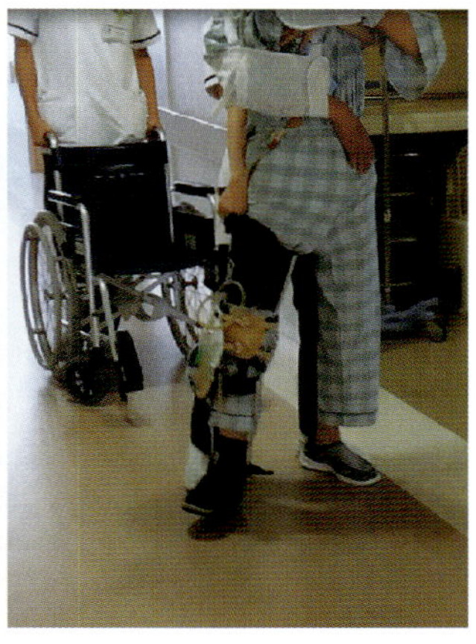

▶図 8　装具やテーブルを利用した重症例に対する立位・歩行練習
適宜アームスリングや上肢懸垂用肩関節装具を併用する.

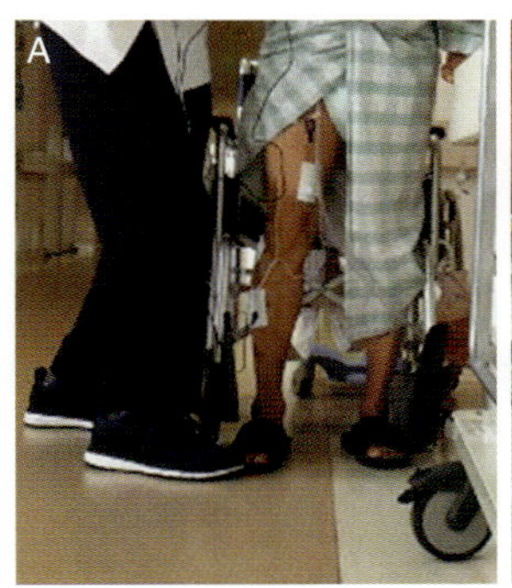

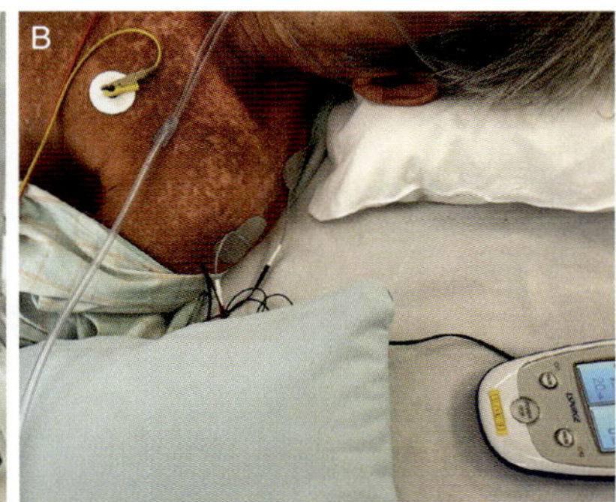

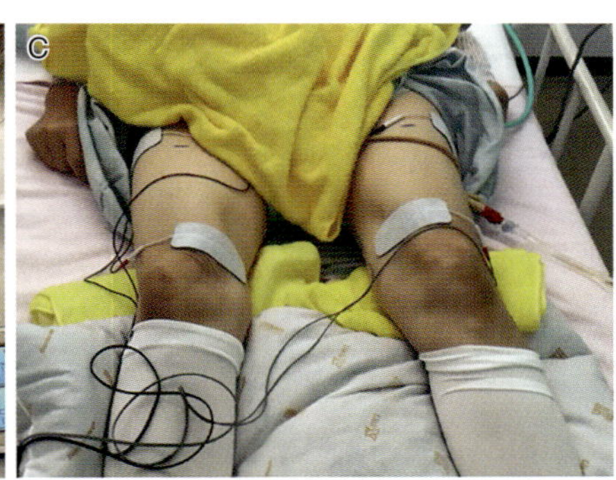

▶図 9　電気刺激療法
A：立位練習時に電気刺激療法を併用する（大腿四頭筋および総腓骨神経への通電）.
B：肩関節亜脱臼に対する電気刺激療法（棘上筋および三角筋後部線維への通電）.
C：大腿四頭筋に対する電気刺激療法.

1 運動療法（早期立位・歩行，装具，課題指向型）

脳卒中後に課題指向型練習を中心とした運動療法を行うことは推奨されているが，特に急性期においては早期から立位・歩行練習を行うことが推奨されている[8]．一方，この時期は弛緩性の重度運動麻痺を呈している場合も多く，理学療法士の介助だけでは十分な立位・歩行練習の実施は困難なことがある．その場合，長下肢装具も含めた適切な装具を用いて立位・歩行練習を実施する（▶図 8）．また，立位・歩行練習実施中は肩関節亜脱臼の二次的障害予防のために，重度上肢麻痺に対しては，アームスリングや三角巾，上肢懸垂用肩関節装具などを併用することも有効である．

2 電気刺激療法，各種機器

急性期では筋萎縮予防のために電気刺激療法を行うことが有効である．また，課題指向型練習に併用することも有効であり[29]，回復期以降と同様に，積極的な利用が望まれる（▶図 9）．さらに，肩関節亜脱臼に対する電気刺激療法は特に急性期

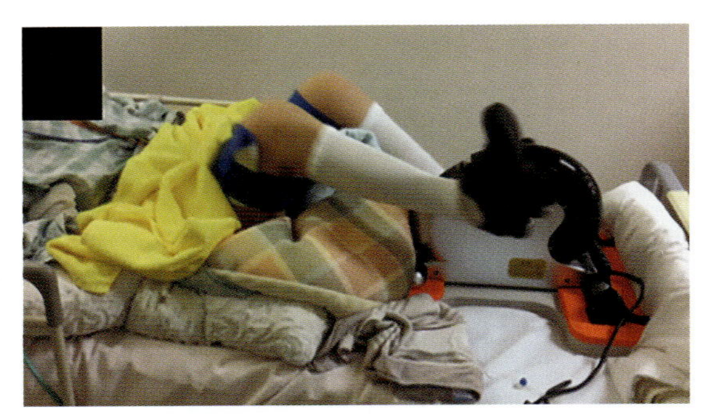

▶図 10　ベッド上で実施するエルゴメータ
安価な機器も販売されており，比較的導入が容易である．

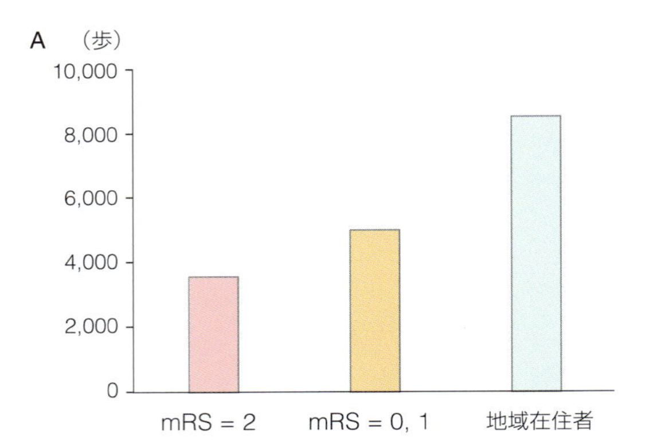

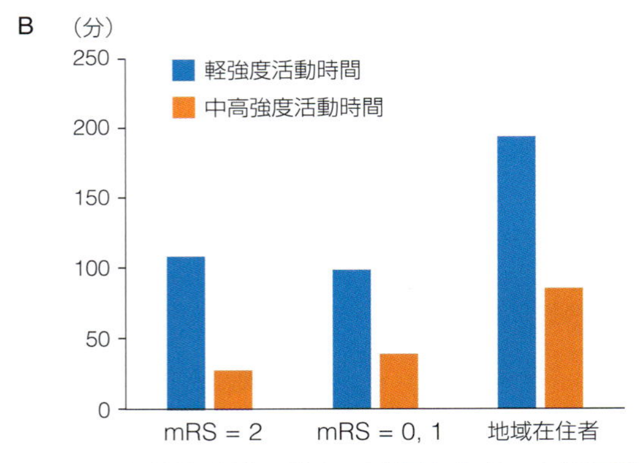

▶図 11　急性期病院入院中の脳梗塞患者の身体活動量(各群 $N = 15$)
A：入院中の歩数は減少し，障害度によってはさらに減少する．
B：軽強度活動時間(1〜3 METs)，中高強度活動時間(3 METs 以上)ともに入院脳梗塞患者で減少する．
〔Nozoe, M., et al.: Physical activity in acute ischemic stroke patients during hospitalization. *Int. J. Cardiol.*, 202:624–626, 2016 より〕

に 1 時間以上実施することの有効性が示されており[30]，同様に積極的な利用が望まれる(▶図 9)．

また，近年はロボットを用いた歩行練習の有効性が報告されており，特に歩行自立度改善に有効なことから[8]，急性期でも用いることは可能である．一方，高価なため広く臨床応用されているわけではない．比較的安価な機器として，ベッド上で実施できるエルゴメータが有効な場合があり，歩行が自立していない中等症〜重症例での適応を検討する(▶図 10)．

3 意識障害例への介入

意識障害を呈した重症例への介入方法として，意識障害改善のために長下肢装具やチルトテーブルなどを用いた練習が行われることもある．十分なリスク管理のもと実施することで即時効果が期待でき，意識障害の改善に合わせて，さまざまな活動を促進することが有効である．

4 身体活動指導

脳卒中後急性期病院に入院となった患者の多くは早期に歩行が自立している軽症例であり，直接自宅に退院するケースは少なくない．また，入院中に歩行での移動は自立している例も多いが，そのような場合も入院中は身体活動量が減少し[31](▶図 11)，疾患そのものの影響ではなく入院に関連した機能障害をまねくケースも少なくない．歩行が自立している軽症例では，たとえ急性期であっても院内を中心に活動機会を設けるように自己管理を指導することで，早期退院支援や退院後の社会復帰を促進することにつながる[32](▶図 12)．また，このような身体活動は脳卒中再発にも関与していることから[33]，再発予防の取り組みとして行うことも有効である．

▶図 12　身体活動の自己管理例
歩数計を利用できない場合でも，歩行頻度・歩行距離などを自己管理するように指導する．

F おわりに

脳卒中に限らず，入院は身体活動の低下をまねき，身体機能低下のリスクは高くなる．それらの予防のために理学療法をはじめとしたリハビリテーション介入が必要であることは一般的にも知られ始めている．一方，急性期脳卒中患者の多くは，突然の脳卒中発症とそれに伴うさまざまな神経症状，そして不自由な入院生活によって大きなストレスを感じている状況にある．さらに，後遺症の有無・程度・予後に対する不安も強くなっており，多くの対象者が決して前向きな心理状況にあるとはいえない．本章で概説した取り組みが必要な一方，対象者のこのような心理変化を把握していくことで，急性期に適切な理学療法を実施することが可能になるといえる．

●引用文献

1) Naito, Y., et al.: Association between out-of-bed mobilization and complications of immobility in acute phase of severe stroke: A retrospective observational study. *J. Stroke Cerebrovasc. Dis.*, 29(10): 105112, 2020.
2) Diserens, K., et al.: Early mobilization out of bed after ischaemic stroke reduces severe complications but not cerebral blood flow: A randomized controlled pilot trial. *Clin. Rehabil.*, 26(5):451–459, 2012.
3) Olavarría, V.V., et al.: Head position and cerebral blood flow velocity in acute ischemic stroke: A systematic review and meta-analysis. *Cerebrovasc. Dis.*, 37(6):401–408, 2014.
4) AVERT Trial Collaboration group: Efficacy and safety of very early mobilisation within 24 h of stroke onset (AVERT): A randomised controlled trial. *Lancet*, 386(9988):46–55, 2015.
5) Winstein, C.J., et al.: Guidelines for Adult Stroke Rehabilitation and Recovery: A Guideline for Healthcare Professionals From the American Heart Association/American Stroke Association. *Stroke*, 47(6):e98–e169, 2016.
6) Rudd, A.G., et al.: The latest national clinical guideline for stroke. *Clin. Med. (Lond.)*, 17(2):154–155, 2017.
7) Teasell, R., et al.: Canadian Stroke Best Practice Recommendations: Rehabilitation, Recovery, and Community Participation following Stroke. Part One: Rehabilitation and Recovery Following Stroke; 6th Edition Update 2019. *Int. J. Stroke*, 15(7):763–788, 2020.
8) 日本脳卒中学会 脳卒中ガイドライン委員会(編)：脳卒中治療ガイドライン 2021. 協和企画, 2021.
9) Toyoda, K., et al.: Antithrombotic therapy influences location, enlargement, and mortality from intracerebral hemorrhage. The Bleeding with Antithrombotic Therapy (BAT) Retrospective Study. *Cerebrovasc. Dis.*, 27(2):151–159, 2009.
10) Olkowski, B.F., et al.: Safety and feasibility of an early mobilization program for patients with aneurysmal subarachnoid hemorrhage. *Phys. Ther.*, 93(2):208–215, 2013.
11) Karic, T., et al.: Impact of early mobilization and rehabilitation on global functional outcome one year after aneurysmal subarachnoid hemorrhage. *J.*

Rehabil. Med., 48(8):676–682, 2016.
12) Karic, T., et al.: Effect of early mobilization and rehabilitation on complications in aneurysmal subarachnoid hemorrhage. *J. Neurosurg.*, 126(2):518–526, 2017.
13) Bernhardt, J., et al.: Prespecified dose-response analysis for A Very Early Rehabilitation Trial (AVERT). *Neurology*, 86(23):2138–2145, 2016.
14) Bernhardt, J., et al.: Inactive and alone: Physical activity within the first 14 days of acute stroke unit care. *Stroke*, 35(4):1005–1009, 2004.
15) 野添匡史ほか：一般病棟における急性期脳卒中患者の離床時間及びリハビリテーション実施中の活動状況について. 甲南女子大研紀 看リハ, 12:23–27, 2017.
16) Ishiwatari, M., et al.: Trunk Impairment as a Predictor of Activities of Daily Living in Acute Stroke. *Front. Neurol.*, 12:665592, 2021.
17) Veerbeek, J.M., et al.: Is accurate prediction of gait in nonambulatory stroke patients possible within 72 hours poststroke? The EPOS study. *Neurorehabil. Neural Repair*, 25(3):268–274, 2011.
18) Smith, M.C., et al.: The TWIST Algorithm Predicts Time to Walking Independently After Stroke. *Neurorehabil. Neural Repair*, 31(10-11):955–964, 2017.
19) Lau, L.H., et al.: Prevalence of diabetes and its effects on stroke outcomes: A meta-analysis and literature review. *J. Diabetes Investig.*, 10(3):780–792, 2019.
20) Kennedy, C., et al.: Factors associated with time to independent walking recovery post-stroke. *J. Neurol. Neurosurg. Psychiatry*, 92(7):702–708, 2021.
21) Jiménez Caballero, P.E., et al.: Charlson comorbidity index in ischemic stroke and intracerebral hemorrhage as predictor of mortality and functional outcome after 6 months. *J. Stroke Cerebrovasc. Dis.*, 22(7):e214–218, 2013.
22) Preston, E., et al.: Prediction of Independent Walking in People Who Are Nonambulatory Early After Stroke: A Systematic Review. *Stroke*, 52(10):3217–3224, 2021.
23) Yamaguchi, T., et al.: Premorbid physical activity is modestly associated with gait independence after a stroke: An exploratory study. *Eur. Rev. Aging Phys. Act.*, 15:18, 2018.
24) Ganesh, A., et al.: Discrepancy between post-treatment infarct volume and 90-day outcome in the ESCAPE randomized controlled trial. *Int. J. Stroke*, 16(5):593–601, 2021.
25) Imura, T., et al.: A systematic review of the usefulness of magnetic resonance imaging in predicting the gait ability of stroke patients. *Sci. Rep.*, 11(1):14338, 2021.
26) Galea, J.P., et al.: Predictors of Outcome in Aneurysmal Subarachnoid Hemorrhage Patients: Observations From a Multicenter Data Set. *Stroke*, 48(11):2958–2963, 2017.
27) van Donkelaar, C.E., et al.: Prediction of Outcome After Aneurysmal Subarachnoid Hemorrhage. *Stroke*, 50(4):837–844, 2019.
28) Takemoto, Y., et al.: Predictors for Functional Outcome in Patients with Aneurysmal Subarachnoid Hemorrhage Who Completed In-Hospital Rehabilitation in a Single Institution. *J. Stroke Cerebrovasc. Dis.*, 28(7):1943–1950, 2019.
29) Yen, H.C., et al.: Standard early rehabilitation and lower limb transcutaneous nerve or neuromuscular electrical stimulation in acute stroke patients: A randomized controlled pilot study. *Clin. Rehabil.*, 33(8):1344–1354, 2019.
30) Lee, J.H., et al.: Effectiveness of neuromuscular electrical stimulation for management of shoulder subluxation post-stroke: A systematic review with meta-analysis. *Clin. Rehabil.*, 31(11):1431–1444, 2017.
31) Nozoe, M., et al.: Physical activity in acute ischemic stroke patients during hospitalization. *Int. J. Cardiol.*, 202:624–626, 2016.
32) Kanai, M., et al.: Effect of accelerometer-based feedback on physical activity in hospitalized patients with ischemic stroke: A randomized controlled trial. *Clin. Rehabil.*, 32(8):1047–1056, 2018.
33) Kono, Y., et al.: Predictive impact of daily physical activity on new vascular events in patients with mild ischemic stroke. *Int. J. Stroke*, 10(2):219–223, 2015.

（野添匡史）

第2章

回復期

- 回復期における理学療法士の役割や流れについて理解する．
- 下肢運動障害や歩行障害に対する練習の特徴について理解する．
- 退院後の生活環境の調整の流れについて理解する．

A 回復期とは

急性期からの経過で，身体機能や日常生活活動（ADL）の改善が不十分であったり，社会復帰が困難であったりする場合，わが国では回復期リハビリテーション（以下，リハ）病棟での集中的なリハが提供される．全身状態が安定してくる回復期の脳卒中後片麻痺の理学療法では，最大限の機能障害や活動制限の回復を目指すとともに，適切な代償手段の獲得によって，在宅復帰などの参加制約の改善を目指す（▶図 1）．『脳卒中治療ガイドライン 2021』では，「回復期において，訓練時間を長くすることは妥当である（推奨度 B，エビデンスレベル中）」として推奨されている[1]．週 15 時間以上の理学療法士，作業療法士，言語聴覚士によるリハを行った場合，ADL の改善やその効率，在宅復帰率が有意に高いことが示されている[2]．回復期は，制度面，環境面でも積極的なリハを提供できることが多く，少なくとも 15 時間/週以上のリハ機会の提供が望ましいといえる．

また脳卒中患者の長期的経過の調査では，回復期にあたる発症後 6 か月時に ADL や運動機能が最も改善していたが，徐々に低下し，5 年後には，発症後 2 か月時の回復期入院直後の程度まで低下していた[3]．回復期は，その後の生活期のための時期であり，単に退院を目標とするのではなく，退院後の生活も考慮し，よりよい生活や参加を継続していくための動作能力の獲得や環境設定についても検討する必要がある．

B 回復期における理学療法士の役割

回復期は入院中の身体機能の改善，ADL の再獲得，在宅生活や施設入所のための環境やサービス調整などをはかる必要があり，理学療法士にも非常に多くの役割が求められるが，中核的な役割の 1 つが歩行や移動能力の再獲得である．歩行障害は脳卒中患者の多くが経験する．脳卒中発症時には 63% の患者が自立歩行困難となり，そのうちの 22% はリハ医療を受けたのちも自立に至らないことが報告されている[4]．歩行が自立困難なために自宅退院が困難な患者も多く，歩行や移動能力を再獲得することは重要である．

C 回復期における脳卒中患者の歩行障害の目標

回復期では疾患由来で生じた機能障害の回復が徐々に停滞するため，理学療法などによって患者の最大限の機能回復を目指すとともに，機能障害

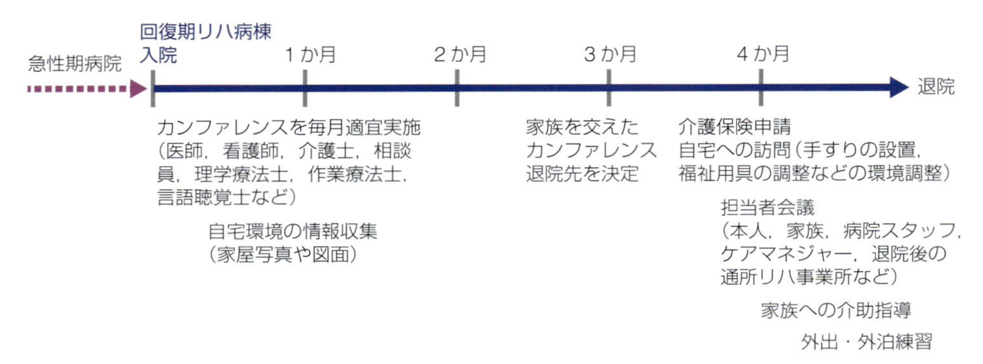

▶図1　脳卒中患者の回復期リハビリテーション病棟における流れの一例

回復期リハ病棟に5か月間入院した場合の大まかな流れを記載しているが，患者の状態や施設によって流れは大きく異なるため，あくまでも一例である．

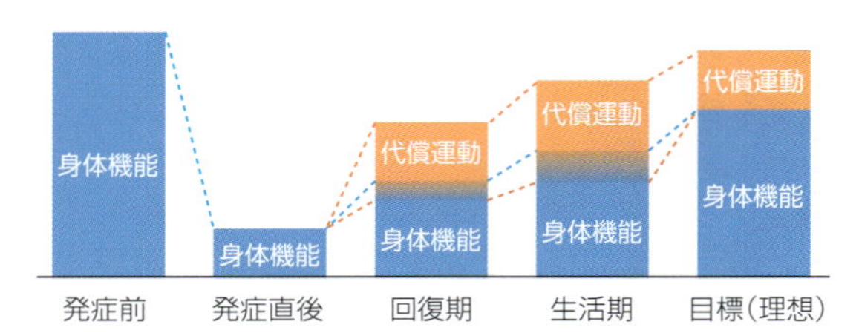

▶図2　脳卒中後における動作能力再獲得のスキーマ

脳卒中発症直後は疾患由来で生じる一次性機能障害，不動による二次性機能障害のほか，精神，心理的影響により身体機能が低下する．自然回復とリハ医療の実施の効果によって身体機能は徐々に改善するが，その傾向は緩徐となる．そのため，身体機能低下を補うために患者にとって適切な代償運動を含めた動作能力の向上をはかる．

が残存するなかで，患者にとって適切な代償運動を用いた歩行を獲得することで，ADLの獲得と参加制約の解消を目指す(▶図2)．つまり，機能回復，ADL獲得のバランスを考慮して理学療法を進める．そのためには，まず急性期からの情報を整理したうえで，入院時の身体機能を評価し，各評価などと照らし合わせながら障害されうる機能と残存機能を適切に把握することが重要である．

目標とする歩行能力は，環境因子や個人因子によって異なることに留意しなくてはならない．同じ運動機能をもつ患者であっても，買い物のために屋外を移動する必要がある者では歩行の持久力や速度の優先順位も高くなる．一方，自宅内の移動のみである者では，これらの優先度は低くなる．そのため，家族構成，介助者の有無，役割，趣味活動や家屋構造などの個人因子，環境因子についても早期に情報収集，解釈しておくことが重要である．

D 回復期における脳卒中患者の理学療法の流れ

回復期において機能障害へのアプローチを優先するべきか，歩行障害のような活動制限に直接アプローチするべきかは，患者の状態や入院期間，目標によっても異なるため，一概にはいえないが，同時進行的に進める．しかし，入院初期には最大限の機能障害の改善をはかり，歩行能力の向上につなげる．後期には退院後の社会参加を考慮し，跨ぎ動作や不整地歩行，物品操作をしながらの歩行など，生活環境をふまえた応用的な歩行練習を重点的に実施する．これによって退院後にも円滑に移動手段の獲得，生活範囲の拡大，活動量の確保を目指す．施設入所予定の患者の場合には，施設の環境を考慮した動作能力を検討する．

E 脳卒中患者の歩行と下肢運動障害

麻痺側下肢の筋力は，ADL や社会参加，身体的健康に関連する生活の質(QOL)の予測因子であり[5]，地域への社会復帰に影響するが，その寄与は低いとされる．歩行には感覚障害や運動失調，非麻痺側の機能障害，注意障害や半側空間無視のような高次脳機能障害，恐怖心のような心理面の影響など，多くの影響を受けるため，運動障害単独で歩行を説明できるわけではない．しかし，寄与は低いものの運動障害を改善することは，歩行能力向上に影響する可能性があるため，積極的なアプローチの対象となる．また，歩行以外に跨ぎ動作や段差昇降では，より随意的な運動制御が必要となるため，運動障害の改善は重要な課題である．

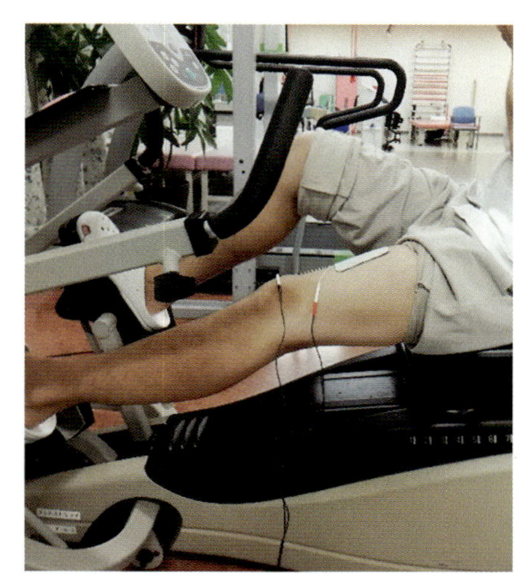

▶図 3　レッグプレスなどの機器を用いた抵抗運動

膝関節伸展運動よりもレッグプレスのほうがバランス能力や立位の筋電図活動の改善に有効である可能性が示されている[8]．中等度から重度の運動麻痺を呈する症例であってもレッグプレスは可能な症例も多く，早期から実施可能である．また，後述する電気刺激療法とも併用しやすい．

F 下肢運動障害に対するアプローチ

下肢運動障害に対しては，筋力増強運動や電気刺激療法，課題指向型練習やトレッドミル歩行練習，メンタルプラクティスなどが各ガイドラインに記載されている．発症後 6 か月以内の対象者を対象にしたランダム化比較試験(RCT)のシステマティックレビューでは，下肢運動機能を改善させるものとして体重免荷型トレッドミル練習，介護者による家庭での練習，運動閾値強度の電気刺激療法，混合アプローチ(単一理論のアプローチではなく，ストレッチングや筋力増強運動などのさまざまな理論を併用)，ミラーセラピーやバーチャルリアリティーがあげられたが，標準的リハと比較して，電気刺激にわずかに優位性がある程度である[6]．多くのアプローチにおいて，効果に及ぼす重症度や病態などは不明であり，適応，不適応も不明であるため，病態に応じて伝統的な運動療法にこれらの治療を組み込み，実施していくことが必要である．

1 筋力増強運動

『理学療法ガイドライン第 2 版』において筋力増強運動は，「脳卒中患者に対して呼吸機能やバランス能力，歩行能力向上のために筋力強化運動の実施を条件付きで推奨する」とされている[7]．条件としては，レッグプレスなどの機器を用いた抵抗運動ということである(▶図 3)．筋力増強運動は，筋力や下肢運動機能に対して，低強度よりも高強度の練習のほうが効果が高く，他の介入よりも優れているが，歩行能力，バランスなどに対しては，他の介入と有意な差はないことが示されている[8]．筋力増強運動によって痙縮が増強するなどのネガティブな影響があげられることがあるが，カナダの脳卒中ガイドラインである『Canadian Stroke Best Practice』において，筋力増強運動は筋緊張や疼痛に影響を与えないことがエビデンスレベル

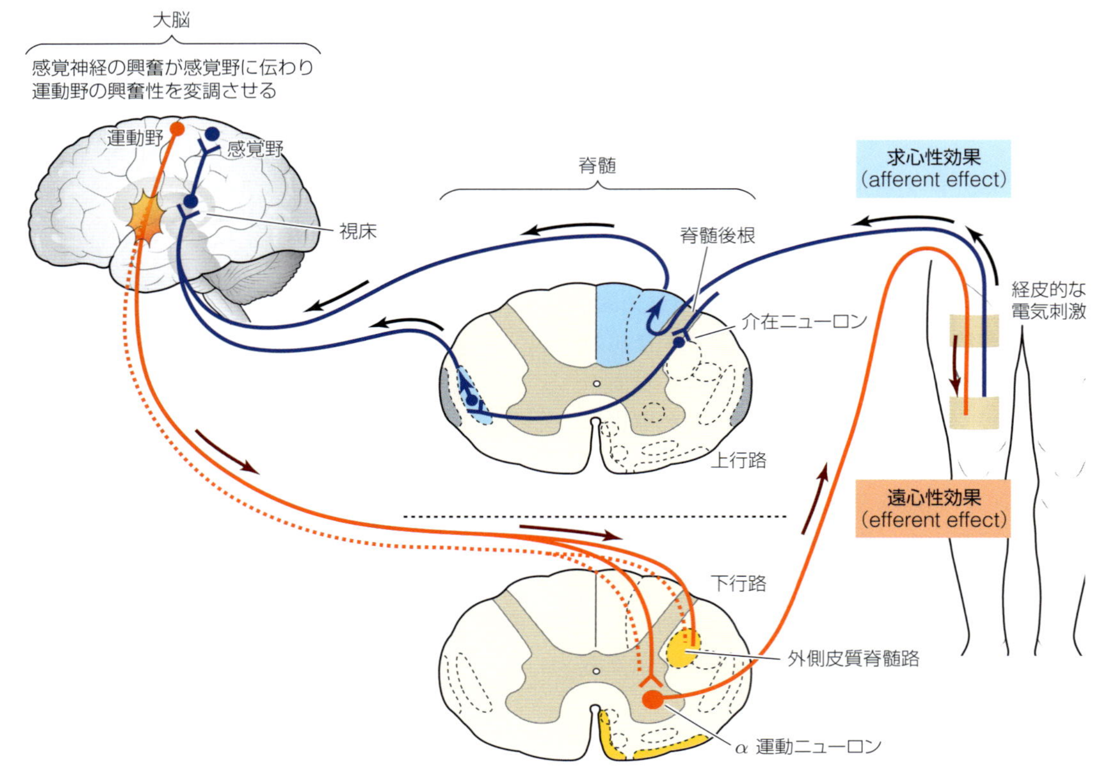

▶図 4 神経筋電気刺激(NMES)の概要

電気刺激により電極直下の運動神経が脱分極することで筋収縮が生じ，随意運動が困難な症例に対して筋力増強運動の代替手段として応用できる．一方，皮膚に存在する感覚神経や筋収縮による Ia 感覚情報は脊髄後角から脊髄を上行し，視床を介して一次感覚野に到達する．この一次感覚野への感覚入力は皮質間連絡により一次運動野の興奮性を増大させるとされる．この中枢性効果を用いて，中枢神経疾患などの神経筋再教育に応用される．

〔生野公貴：中枢性運動麻痺に対する NMES. 庄本康治(編)：PT・OT ビジュアルテキスト, エビデンスから身につける物理療法. p.216, 羊土社, 2017 より〕

“A” として示されており，積極的に実施することを検討すべきである[9]．

2 電気刺激療法

電気刺激療法は多くのガイドラインやシステマティックレビューにおいて使用を推奨されており，重症例から軽症例まで適応可能である．特に運動麻痺が中等度から重度の患者の場合では，随意運動による十分な筋収縮が困難だが，強制的な筋収縮が可能な電気刺激であれば可能である．電気刺激療法は運動障害に対して末梢性，中枢性に影響を及ぼす．末梢性には筋萎縮の予防[10]，改善[11]にも影響する．また，電気刺激による筋収縮や感覚入力は大脳皮質の感覚野に入力され，感覚野から運動野への皮質間連絡によって一次運動野の興奮性を増大させる(▶図 4)[12]．電気刺激療法は単独で実施するよりも運動と併用したほうが皮質脊髄路の興奮性を高めたり[13]，運動機能や歩行能力を向上させたり[14]，痙縮を抑制するなどの多くの利点がある．回復期の早期から筋萎縮の予防や運動障害の改善などをはかるために，状態に応じた刺激方法での電気刺激療法を併用する必要がある(▶図 5)．

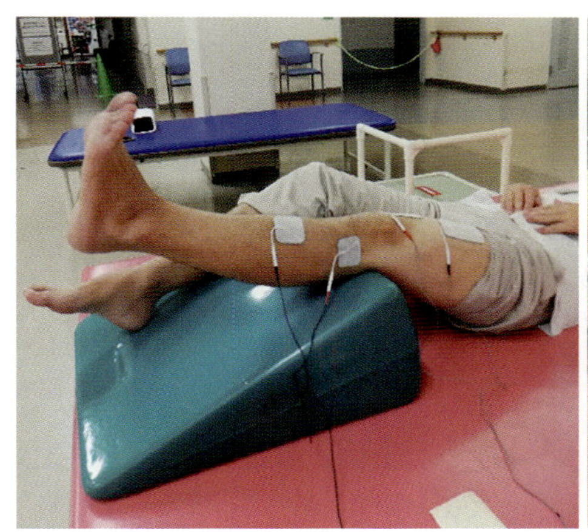
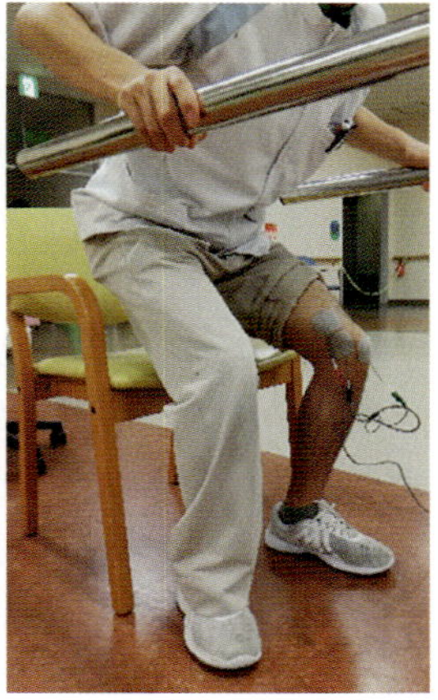

▶図 5　NMES の実施例
膝関節伸展や足関節背屈運動のような単関節運動との併用だけでなく，起立練習などの運動療法と併用し，問題点に対して選択的にアプローチする．

3 持久力増強運動，フィットネストレーニング

屋外歩行の自立には，歩行速度よりも歩行耐久性のほうが重要であることが示されている[15]．脳卒中患者の持久力低下は，歩行効率が悪くエネルギー消費が高いことに加え，発症後の ADL 低下に伴う活動量低下が影響していると考えられる．持久力低下を予防，改善し，病院での活動量を高めることが退院後に生活範囲を拡大させる一要因でもあり，回復期においても早期から持久力増強運動を実施することが望ましい．

心肺機能を高めるための歩行練習や階段昇降，サイクリング運動などの機器を用いた持久力増強運動は，通常ケアと比較して脳卒中患者の歩行速度や 6 分間歩行距離のような耐久性の改善に対してエビデンスレベルが高く，動作能力やバランス能力の改善に対して中等度のエビデンスレベルがあることが示されており，最大歩行速度や歩行の耐久性には持続効果がみられている[16]．これは持久力の向上によって日常生活中の活動量が増加した可能性がある．しかし，発症後 5〜45 日に，部分免荷式トレッドミルを用いた歩行練習による持久力増強運動を 25 分/日，5 日/週実施した群では，リラクセーション主体の治療と比較し，脳卒中の再発などの心血管イベントの有害事象が 1.81 倍に増加するとされている[17]．回復期においても，高い身体活動の際，意識レベルや血圧，脈拍などのバイタルサインや症状の変化を慎重にモニタリングしながら実施する．

4 脳卒中患者の歩行練習

『AHA/ASA ガイドライン 2016』において，反復的・集中的なモビリティトレーニングは推奨され[18]，『脳卒中治療ガイドライン 2021』では推奨度 A，エビデンスレベルが高に設定され，「歩行機能を改善させるために，頻回な歩行訓練を行うことがすすめられる」としている[1]．『Canadian Stroke Best Practice』においてもエビデンスレベルは A に設定されており，歩行が困難な脳卒中患者であっても可能なかぎり歩行練習を反復して行う機会を提供するべきであるとされる[9]．

脳卒中発症後 6 か月間で，歩行や歩行に関連した下肢運動に費やす時間を増やすことで，歩行能力や歩行速度，ADL の拡大が認められている[19]．必要な量は不明であるが，歩行練習には高強度，

練習量の増加が推奨されており，これらは歩行能力の向上のための重要な要素である．

練習量，活動量の増加は非常に重要だが，脳卒中のリハに特化したリハ病院での過ごし方を調査した研究では，日中の 74 ± 21% が臥床，座位であった．また，1 時間以上動かない時間が 44 ± 21% あり，リハ室でのリハ中よりも病棟にいるときのほうが身体活動量が多かったといった報告がある[20]．さらに，加速度計で活動量を計測したところ，1 日の 86% 程度が座位で，理学療法中でもおおむね 65% 程度は座位であり[21]，回復期リハ病棟入院中にもかかわらず活動量が乏しい状況もありうる．これには患者の全身状態や動作能力の低下だけでなく，マンパワーや時間的制約，運動量や強度を高めることの効果に関するスタッフの知識不足も影響しているとされる[22]．患者の動作能力の向上はもちろん，病棟での活動量を確保しなければ ADL には汎化しない可能性がある．歩行量，活動量の向上には，看護師や介護士との連携により，病棟での歩行機会を増やすことも検討する．

5 屋外歩行

歩行能力が高い者であっても，生活環境を想定し，屋外歩行や跨ぎ動作，段差昇降練習を行う必要がある．屋外は不整地，斜面，段差や車に対する注意など，屋内とは大きく異なる．生活範囲拡大のために，患者の生活環境での実用性を身につけることが必要である．一般的に脳卒中患者は長距離歩行や横断歩道を渡る，階段やエスカレーター，雨天，騒がしい環境といったさまざまな環境因子を回避する傾向がある[23]．これにはバランスに対する自己効力感の低下といった心理的要素が影響しているとされる[23]．退院後の在宅での活動性向上を考慮した場合，運動機能障害や高次脳機能障害に加え，心理面に関しても考慮したうえで屋外歩行動作における問題点を検討する．

屋外歩行練習を行う場合には，課題指向型練習の観点から実際の環境下での歩行練習が望ましいと考えられる．しかし，単に屋外を歩くだけでは課題指向型練習になっているとはいいがたく，患者にとって必要な能力を考慮し，屋外歩行のルートを調節する．また，歩行補助具の選定，距離，傘や荷物を持つ，話をしながら歩くなどの難易度調整の視点ももつべきである（▶図 6）．

▶**図 6　屋外歩行練習**
坂道や傘をさしながら不整地を歩行するなど，患者にとって必要な環境や動作の練習を難易度調整しながら行う．

さまざまな外的要因が影響する屋外歩行では，自宅よりも注意機能を要することもあるため，注意を選択，分配するために二重課題下での動作にも着目する必要がある．脳卒中患者の歩行は代償動作を制御するために，大脳による随意的な制御の貢献度が高くなり，通常の歩行においても前頭葉の過活動が生じている[24]．また，歩行を反射的制御から随意的な制御に移行させる要因は，脳卒中患者に影響しやすく，歩行を随意的に制御せざるをえない背景がある（▶表 1）[25]．歩行中の二重課題では，認知的負荷が干渉し，歩行速度の低下や歩行の変動性が増大するなどが生じるが[26]，その要因としては前頭連合野の処理容量である注意資源を課題の遂行に分配し，歩行動作への分配が減少するためと考えられる．高齢者では，前頭前野の質量が低下している人ほど，二重課題処理中の歩行での前頭前野の活動が大きくなる[27]．つまり，注意資源の余力がない人ほど前頭葉の過活動

▶表 1　歩行を随意的制御に移行させる要因

要因	脳卒中患者において生じる可能性
中枢神経系の障害	○
固有受容感覚の障害	○
触覚，体性感覚障害	○
視覚障害	△
過度の身体努力	○
疼痛	△
状態不安	○
補助具の使用	○
生体力学的構造の障害	△
聴覚障害	△

○：脳卒中患者に生じる可能性が高い．
△：脳卒中患者に生じる可能性がある．

〔Clark, D.J.: Automaticity of walking: Functional significance, mechanisms, measurement and rehabilitation strategies. *Front. Hum. Neurosci.*, 9:246, 2015 より作成〕

が生じ，歩行への影響が生じる可能性がある．脳卒中患者は認知的負荷の干渉を受けやすく，特に運動麻痺が強い患者ほど随意的制御せざるをえない状態にあり，歩行速度の低下が著しく，前頭葉の過活動が生じている[24]．

歩行中の注意分配機能の影響を評価するには，動作中に二重課題を行い，通常歩行との差を評価する．二重課題には計算課題や語想起などの認知課題や，ボールやトレイを運ぶ，傘をさすなどの運動課題があり，患者の状態によって影響を強く受ける課題は異なる．現状および退院後の環境，ADL を考慮し，二重課題を負荷することによる問題点を評価する．特に，歩行中に話しかけられた際に停止するような場合には，転倒リスクが高く[28]，注意が必要である．

歩行中に計算課題や語想起のような認知課題や運動課題を組み合わせる練習は，二重課題時の歩行やバランスの改善に有用である[29]．これによる二重課題処理能力の改善は課題特異的な改善である可能性があり，認知負荷を加えた練習を行うと認知的課題下での歩行能力が改善し，運動負荷を加えた練習を行うと運動的課題下での歩行能力が改善することが報告されている[30]．そのため，単

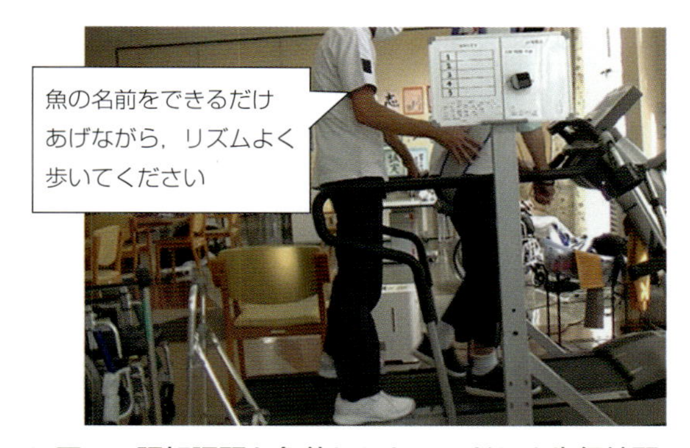

▶図 7　認知課題を負荷したトレッドミル歩行練習
認知課題を負荷したトレッドミル歩行練習の様子．認知課題の負荷による歩行への干渉を観察しながら速度設定や課題難易度を調整する．

にしりとりや計算のような二重課題では，患者の問題点を改善できない可能性があり，課題選択や難易度調整を行う必要がある(▶図 7)．

G 回復期脳卒中後片麻痺患者に対する装具療法

脳卒中患者の歩行障害へアプローチするうえで下肢装具の使用は重要である．『AHA/ASA ガイドライン 2016』において，歩行能力の改善に対しては短下肢装具の使用が推奨されている[18]．短下肢装具の短期的，即時的使用による影響を調査したメタアナリシスでは，短下肢装具の装着により歩行速度，歩幅，ケイデンス，Timed Up and Go Test（TUG），歩行自立度に改善がみられ，立脚初期の足関節背屈角度や立脚後期の膝関節屈曲角度が改善することが示されている[31]．回復期においては，治療用としてだけでなく，日常生活上での使用に関しても考慮すべきである．長下肢装具は，固定性が強固であり，重症患者の歩行練習には重要なツールである．早期からの積極的な運動療法に有用であるが，日常生活上での使用に制限が伴う．短下肢装具は，日常生活でも使用しやすく，歩行以外にもトイレ動作や移乗動作の際にも活用できる反面，下肢の支持が困難な重症患者で

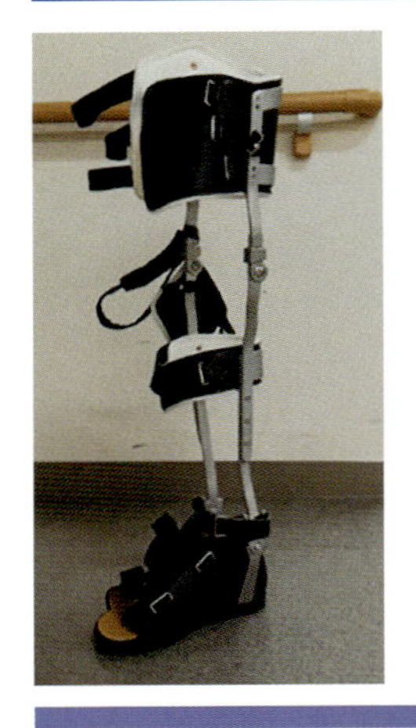

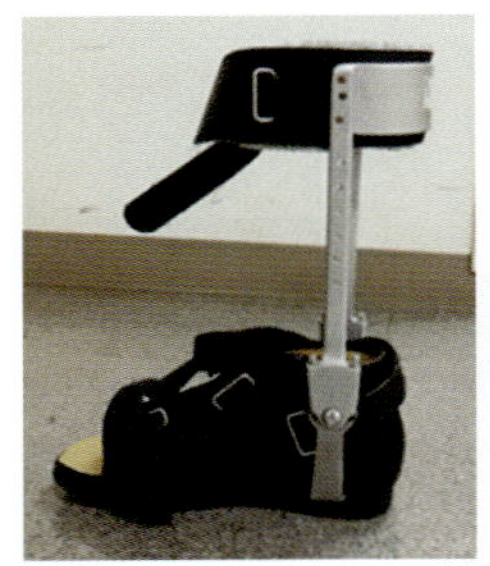

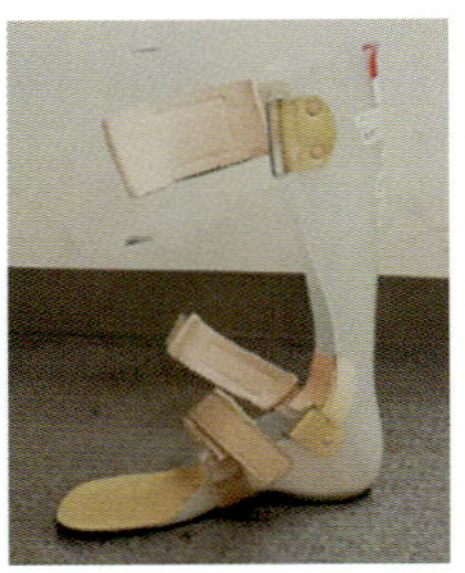

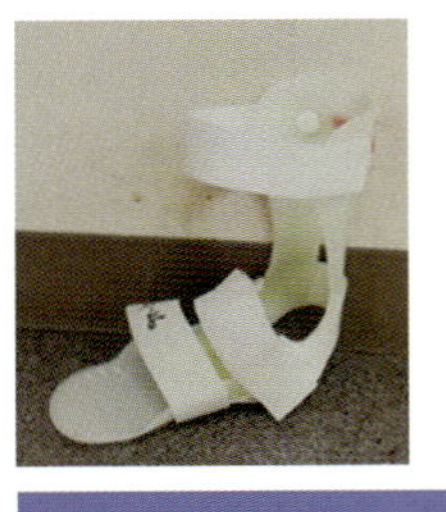

▶**図 8　装具の段階的調整**
患者の能力によって適応となる装具は異なる．運動障害が重度であるほど，長下肢装具のような膝関節，足関節を固定する必要がある場合が多いため，患者の状態に応じた使用を検討する．

は固定性が不十分な可能性があり，段階的な使用も検討する（▶図 8）．

装具作製の適切な時期は根拠をもって示されておらず，現状では患者の状態に応じた選択となるが，早期に作製することで ADL を獲得できる場合には，早期に作製することが望ましいと考えられる．また，身体の形態や能力に適合した下肢装具を装着することで，歩行能力や機能障害の改善，関節可動域制限の予防にも影響する可能性がある．身体機能の劇的な改善や浮腫などによる形態的な変化がある場合には，早期作製が適切ではない可能性もあり注意が必要である．装具の着脱が自己で可能かどうかも重要な点である．装着は足を組んで行うことが多いが，股関節屈曲や外転，外旋の関節可動域制限，座位バランス能力の低下があると困難である．さらに，半側空間無視や構成障害などの高次脳機能障害によって適切に装着できない場合もあるため，患者の状態に合わせて評価，練習しなければならない．

作製にあたっては，現状の能力からの判断だけでなく，状態変化に応じて装具の設定を調整できるようにすることも視野に入れ，医師，義肢装具士などの他職種と協同して検討すべきである．調整はダブルクレンザック型のような継手付きだけでなく，プラスチック型のものでも可能である．図 9 のような中敷きを下腿後面に設置することで

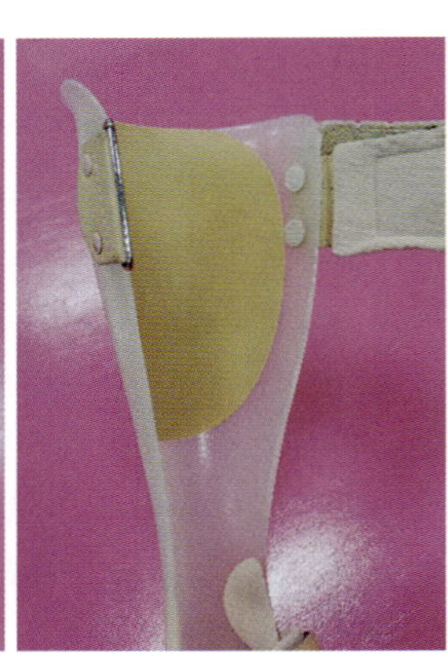

▶**図 9　プラスチック型短下肢装具の背屈角度調整**
左図のような中敷きを装具後面部分に挿入することで，背屈角度を簡便に調整可能である．

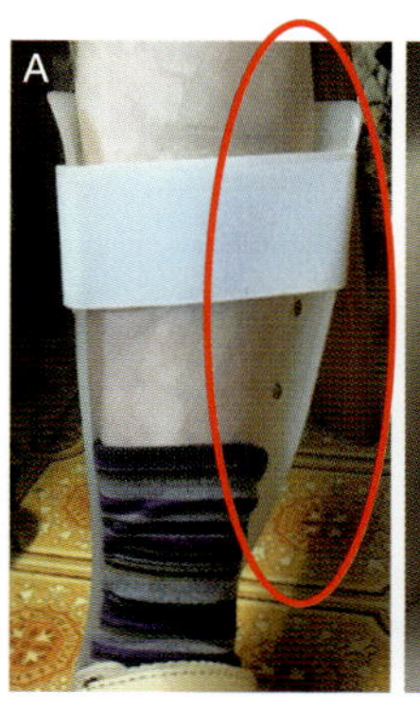

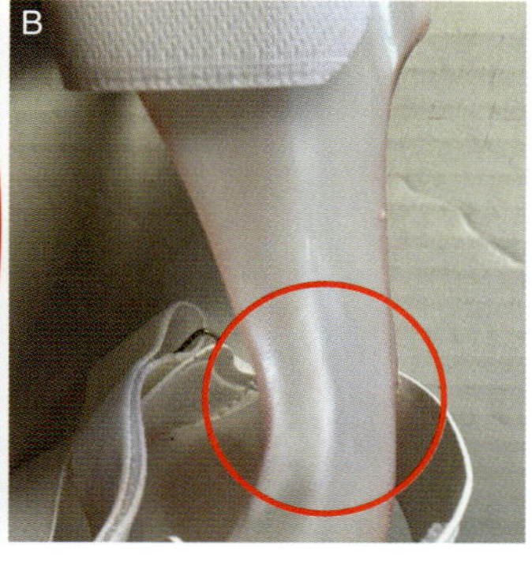

▶図 10　装具の不適合や破損
A：下腿の筋萎縮により装具との間に隙間が生じ，装具内で下腿が動いてしまい固定性が低下する．
B：足関節の支柱部分にストレスが頻回に加わってしまいプラスチックが白く濁っており，この部分で破損する可能性が高い．

背屈角度を調整したり，足関節の最狭部をトリミングすることで可撓性を調整したりすることなども視野に入れて作製する．

また回復期の退院後に，下肢装具の長期使用による破損や患者の形態，動作能力の変化によって踵が奥まで入らない，ベルトが届かない，隙間が広がってしまうなどの不適合が生じる場合がある（▶図 10）．入院中から装具は不適合が生じてくる可能性があり，装着時に破損や不具合がないかを確認するように伝える．またベルトや底材は消耗品であり，修理の必要性が出る可能性があること，修理や破損時の連絡先についての情報提供を行っておくとよい．破損に関しては再作製の必要があるが，装具作製には採形後でも 1〜2 週間程度要するため，注意が必要である．入院中の装具作製は，各種医療保険制度を用いて治療用装具として作製するが，著しい形態変化や破損，装具の種類によって定められた耐用年数を超えなければ，新たに作製することができない．回復期の後期や生活期に身体障害者手帳を取得している場合には，更生用装具として新たに作製することが可能であることも患者や家族に伝えておくとよい．

H　脳卒中患者の起居動作

回復期において，起居動作が困難な症例は少なくない．特に起き上がり動作は獲得に時間を要する症例も多く，重症例では体幹機能障害が著しく，起き上がり動作の介助量が大きい場合が多い．また入院直後は，動作手順がわからず，麻痺側の上下肢を忘れた状態で行ってしまう場合が多く，肩関節の損傷を引き起こす可能性もある（▶図 11）．さらに身体失認や病態失認がある症例では，回復期の大半を経過しても上下肢を忘れてしまうことがある．起き上がり動作の練習は，まず動作手順の理解をしたうえでベッドをギャッチアップした状態から始め，段階的にギャッチアップを下げていくことで難易度調整を行うとよい．

車椅子─ベッド間の移乗動作は，歩行困難な症例において活動範囲を広げるための重要な動作の 1 つである．積極的に離床し，車椅子座位時間を確保することで，廃用症候群を予防するといったアプローチがとられるが，転倒リスクの高い動作の 1 つでもある．特に移乗動作が自立や見守りに近い，最小介助で可能な症例ほど，転倒リスクが高いとされる[32]．転倒の要因にはブレーキやフットプレートの上げ忘れ，端座位からの転落などがあげられるため，患者のエラーに応じてブレーキ忘れに対する注意喚起の掲示や床に車椅子停車位置をマーキングするなど，ベッド周囲の環境設定や情報共有は重要である．

I　退院後の生活環境の調整

自宅の生活環境は可能なかぎり詳細に確認し，日常の練習内容にも環境に応じた課題指向型練習を実施する．理学療法士が直接訪問し，自宅や周辺環境を調査することが望ましいが，それが困難で家族の協力が得られる場合は，早期に自宅などの生活環境の写真撮影や図面の提出を依頼する．

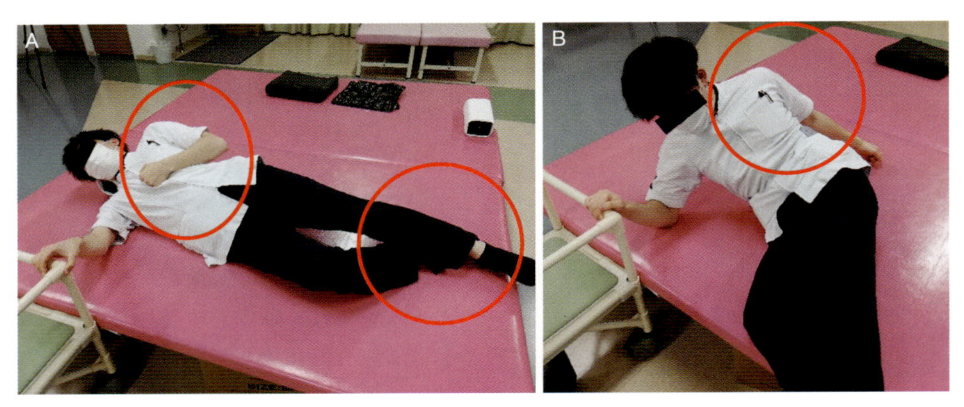

▶図 11　起き上がりの際の麻痺側上肢の忘れ
運動障害が重度な患者では，A のように麻痺側上肢を体幹上に置き，非麻痺側下肢で麻痺側下肢を支持した状態で起き上がる．しかし，B のように起き上がりの際に麻痺側上下肢を忘れた状態で起き上がり，肩関節を損傷してしまう患者もいる．動作練習だけでなく，リスクがあることを病棟スタッフと共有することも必要である．

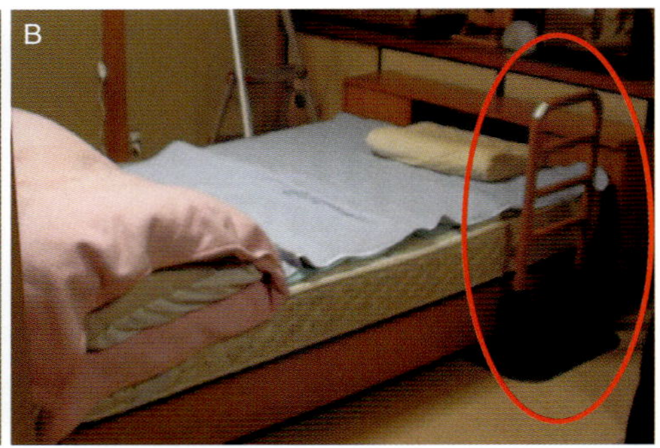

▶図 12　住宅環境の調整
A：患者は重度の右片麻痺を呈していた．自宅への出入りには階段昇降が必須であり，昇段は杖を使用して可能であった．しかし，降段は麻痺側下肢の随意的制御が困難で，麻痺側下肢を降段する際に段鼻に踵が引っかかってしまい転倒リスクが高かったため，手すりを設置した．
B：ベッドは発症前から使用していたものがあったが，起き上がりに必要なベッド柵がなかったため，据え置き型の手すりを介護保険でレンタルした．

写真撮影を依頼する際には，段差や敷居の高さがわかるように各部位の高さや幅などの寸法を測定してもらうとよい．

退院に向けての環境調整のために自宅訪問を行う場合も多いが，ケアマネジャー，福祉用具業者などにも同行してもらうとよい．実施時期は退院の１か月ほど前には調整しておくとよいと考えられる．訪問時に実際の環境での動作が実用的に可能かどうかを確認するが，事前に動作困難な可能性が考えられる場合には，手すりの設置や福祉用具のレンタルによって対応可能かどうかなど，代替案を検討しておく．安全性を重視しすぎるあまり，手すりを過剰に設置したり，物品を購入しすぎたりすると動線の妨げや経済的負担を強いる可能性もあり，動作能力と必要性との関係から検討する（▶図 12）．環境調整後に外出，外泊練習を行うことで，さらなる検討事項があがる可能性もあり，それに応じた環境の修正や集中的な動作練習，家族への介助指導が可能である．また，退院後の生活を円滑に過ごすために，入院中の様子や退院後に想定される課題，自宅環境や外出，外泊の情報などについて，ケアマネジャーやヘルパー，退院後に利用する通所リハや通所介護，訪問リハなどの関連職種と情報共有することも非常に有益である．サービス担当者会議を行うことで情報伝達を行うとよい．

また入院中には，患者家族への介助指導や環境調整，自主練習の指導，疾患に対する情報の提供などを行うことも少なくないが，入院中の数回の指導や教育的介入だけでは退院後の生活には不十分な可能性があり，生活期においても継続的な指導が必要である．

J おわりに

回復期の脳卒中患者の理学療法は，運動障害や歩行障害に対するものが中核的であり，歩行障害や運動障害の改善に対する各練習は，さまざまなエビデンスも認められてきてはいるが，詳細な適応や不適応などは明らかではない．既存のエビデンスを参照しながら，各患者の発症からの経過や身体機能，動作能力について詳細に評価しつつ介入を進める．重要な点として，参加制約を解消するための移動手段としての歩行を獲得するために，病態に加え生活環境，役割などの個人因子，環境因子についても把握し，高次脳機能や心理面を含めた包括的な評価，介入が必要である．また，機能回復を目的とした介入と代償戦略によるADL の向上を目指し，両者のバランスを意識して進めることが重要である．そして退院後，円滑に生活期につなげるための環境面やサービス面の調整にも積極的に関与する．

●引用文献

1) 日本脳卒中学会 脳卒中ガイドライン委員会(編)：脳卒中治療ガイドライン 2021. 協和企画, 2021.
2) Kamo, T., et al.: Effectiveness of Intensive Rehabilitation Therapy on Functional Outcomes After Stroke: A Propensity Score Analysis Based on Japan Rehabilitation Database. *J. Stroke Cerebrovasc. Dis.*, 28(9):2537–2542, 2019.
3) Meyer, S., et al.: Functional and motor outcome 5 years after stroke is equivalent to outcome at 2 months: Follow-up of the collaborative evaluation of rehabilitation in stroke across Europe. *Stroke*, 46(6):1613–1619, 2015.
4) Jørgensen, H.S., et al.: Outcome and time course of recovery in stroke. Part I: Outcome. The Copenhagen Stroke Study. *Arch. Phys. Med. Rehabil.*, 76(5):399–405, 1995.
5) Cohen, J.W., et al.: Do Performance Measures of Strength, Balance, and Mobility Predict Quality of Life and Community Reintegration After Stroke? *Arch. Phys. Med. Rehabil.*, 99(4):713–719, 2018.
6) Lin, I.H., et al.: Effectiveness and Superiority of Rehabilitative Treatments in Enhancing Motor Recovery Within 6 Months Poststroke: A Systemic Review. *Arch. Phys. Med. Rehabil.*, 100(2):366–378, 2019.
7) 日本理学療法学会連合 理学療法標準化検討委員会ガイドライン部会(編)：理学療法ガイドライン．第 2 版, 医学書院, 2021.
8) Veldema, J., et al.: Resistance training in stroke rehabilitation: Systematic review and meta-analysis. *Clin. Rehabil.*, 34(9):1173–1197, 2020.
9) Hebert, D., et al.: Canadian stroke best practice recommendations: Stroke rehabilitation practice guidelines, update 2015. *Int. J. Stroke*, 11(4):459–484, 2016.
10) Nozoe, M., et al.: Efficacy of neuromuscular electrical stimulation for preventing quadriceps muscle wasting in patients with moderate or severe acute stroke: A pilot study. *NeuroRehabilitation*, 41(1):143–149, 2017.
11) Gondin, J., et al.: Electromyostimulation training effects on neural drive and muscle architecture. *Med. Sci. Sports Exerc.*, 37(8):1291–1299, 2005.
12) 生野公貴：中枢運動麻痺に対する NMES. 庄本康治(編)：PT・OT ビジュアルテキスト, エビデンスから身につける物理療法. p.216, 羊土社, 2017.
13) Khaslavskaia, S., et al.: Motor cortex excitability following repetitive electrical stimulation of the common peroneal nerve depends on the voluntary drive. *Exp. Brain Res.*, 162(4):497–502, 2005.
14) Ng, S.S.M., et al.: Transcutaneous electrical nerve stimulation combined with task-related training improves lower limb functions in subjects with chronic stroke. *Stroke*, 38(11):2953–2959, 2007.
15) Fulk, G.D., et al.: Predicting Home and Community Walking Activity Poststroke. *Stroke*, 48(2):406–411, 2017.
16) Saunders, D.H., et al.: Physical fitness training for stroke patients. *Cochrane Database Syst. Rev.*, 3(3):CD003316, 2020.
17) Nave, A.H., et al.: Physical Fitness Train-

ing in Patients with Subacute Stroke (PHYS-STROKE): Multicentre, randomised controlled, endpoint blinded trial. *BMJ*, 366:l5101, 2019.
18) Winstein, C.J., et al.: Guidelines for Adult Stroke Rehabilitation and Recovery: A Guideline for Healthcare Professionals from the American Heart Association/American Stroke Association. *Stroke*, 47(6):e98–e169, 2016.
19) Veerbeek, J.M., et al.: Effects of augmented exercise therapy on outcome of gait and gait-related activities in the first 6 months after stroke: A meta-analysis. *Stroke*, 42(11):3311–3315, 2011.
20) Sjöholm, A., et al.: Sedentary behaviour and physical activity of people with stroke in rehabilitation hospitals. *Stroke Res. Treat.*, 2014:591897, 2014.
21) Barrett, M., et al.: Excessive sedentary time during in-patient stroke rehabilitation. *Top. Stroke Rehabil.*, 25(5):366–374, 2018.
22) Clarke, D.J., et al.: Why do stroke survivors not receive recommended amounts of active therapy? Findings from the ReAcT study, a mixed-methods case-study evaluation in eight stroke units. *Clin. Rehabil.*, 32(8):1119–1132, 2018.
23) Robinson, C.A., et al.: Participation in community walking following stroke: Subjective versus objective measures and the impact of personal factors. *Phys. Ther.*, 91(12):1865–1876, 2011.
24) Hawkins, K.A., et al.: Prefrontal over-activation during walking in people with mobility deficits: Interpretation and functional implications. *Hum. Mov. Sci.*, 59:46–55, 2018.
25) Clark, D.J.: Automaticity of walking: Functional significance, mechanisms, measurement and rehabilitation strategies. *Front. Hum. Neurosci.*, 9:246, 2015.
26) Hollman, J.H., et al.: Age-related differences in spatiotemporal markers of gait stability during dual task walking. *Gait Posture*, 26(1):113–119, 2007.
27) Wagshul, M.E., et al.: Multi-modal neuroimaging of dual-task walking: Structural MRI and fNIRS analysis reveals prefrontal grey matter volume moderation of brain activation in older adults. *Neuroimage*, 189:745–754, 2019.
28) Hyndman, D., et al.: "Stops walking when talking" as a predictor of falls in people with stroke living in the community. *J. Neurol. Neurosurg. Psychiatry*, 75(7):994–997, 2004.
29) He, Y., et al.: Dual-task training effects on motor and cognitive functional abilities in individuals with stroke: A systematic review. *Clin. Rehabil.*, 32(7):865–877, 2018.
30) Liu, Y.C., et al.: Cognitive and motor dual task gait training improve dual task gait performance after stroke—A randomized controlled pilot trial. *Sci. Rep.*, 7(1):4070, 2017.
31) Choo, Y.J., et al.: Effectiveness of an ankle-foot orthosis on walking in patients with stroke: A systematic review and meta-analysis. *Sci. Rep.*, 11(1):15879, 2021.
32) Kato, Y., et al.: Stroke Patients with Nearly Independent Transfer Ability are at High Risk of Falling. *J. Stroke Cerebrovasc. Dis.*, 31(1):106169, 2022.

（中村潤二）

第3章 生活期

- 生活期に生じる脳卒中後遺症者の問題を理解する.
- 生活期に求められるセルフマネジメントの視点と身体活動の有効性を理解する.
- 社会参加の意義と社会参加を支援する理学療法士の役割を理解する.

A 生活期とは

入院で展開される急性期や回復期でのリハビリテーション(以下,リハ)に対して,生活期のリハは医療機関を退院したのちに在宅や居住施設で展開される.脳卒中は後遺症が残存しやすい疾患であるため,生活期は障害とともに新たな生活を再建していく時期となる.一般的に,急性期や回復期では医学的治療や機能改善を通して,日常生活活動(ADL)を向上することが目的となりやすい.一方,生活期では個々で異なる物的環境や人的環境,社会保障制度をふまえつつ新たな生活環境への適応をはかり,ADL や応用的 ADL の向上から社会参加を促し,長期的に心身機能の維持・向上や生活の質(QOL)をよりよい状態に保つことが求められる(▶図 1)[1].また,維持・向上を求めるだけではなく,期間の長い生活期においては機能低下が避けられない場合もある.そのため,長期的には低下の速度を緩徐なものとする対応(重度化予防)や,心身機能や活動,参加とは別に,QOL の維持・向上を目的とした対応(緩和ケア)が求められる場合もある.いずれにしても,リハの理念である"全人間的復権"の実現が求められる時期である.このため,本章は病態や機能障害ではなく,障害の理解に重きをおいた内容とする.

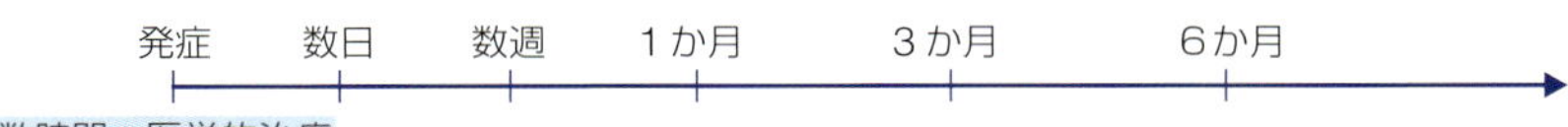

数時間:医学的治療

数時間〜数日:早期離床

数日〜数週:活動を取り戻すための機能改善

数日〜数か月:適応学習と代償戦略を活用した課題特異的トレーニング

数日〜数か月:応用的 ADL と社会的交流の改善を目的とした特異的なリハ介入(体力向上を含む)

数週〜数か月:在宅での環境適応とサービスの利用

数か月〜数年:身体的状態の維持と QOL のモニタリング

▶図 1 発症後の時間経過に応じた介入戦略

生活期は主として緑枠内の対応に重きがおかれる時期となる.

〔Langhorne, P., et al.: Stroke rehabilitation. *Lancet*, 377(9778):1693–1702, 2011 を参考に作成〕

B 本章を理解するための対象者像

生活期では，脳卒中“患者”から 1 人の生活者(以下，脳卒中後遺症者)となる．このため，健康状態や障害は生活機能だけではなく，個人因子や環境因子といった個々の背景因子の影響を強く受ける．また，目指すべき目標も個々で異なるため，生活期の脳卒中理学療法を理解するには具体的な対象者像の設定が必要となる．たとえば，対象者が青年～中年の場合には復学や復職，就労に向けた対応が必要となる．しかし，わが国の脳卒中患者の多くは高齢者であり，その発症年齢は脳梗塞で 70 歳代前半(男性)～80 歳代前半(女性)，脳出血で 60 歳代後半(男性)～70 歳代後半(女性)である[2]．さらに，わが国では脳卒中は要介護認定を受ける要因の第 2 位であるため，生活期では介護保険における訪問や通所での理学療法の対象となることが多い．

これらより，本章では要介護認定を受けた高齢な脳卒中後遺症者を対象者像とし，理学療法の目的は冒頭で述べた「ADL や応用的 ADL の向上から社会参加を促し，長期的に心身機能の維持・向上や QOL をよりよい状態に保つ」という一般的なものを設定する．

C 生活期に生じる脳卒中後遺症者の諸問題

生活期の対応を理解する前に，まずはその長期経過のなかで生じる諸問題を理解しておかなければならない．脳卒中は身体的な問題だけではなく，社会的な問題に至るまでさまざまな問題をもたらす．このため，身体的な問題の理解にとどまっていては，生活の再建が求められる生活期では不十分である．

▶表 1　発症後の時間経過による脳卒中再発率の推移

		再発率(%)		
		1 年	5 年	10 年
全体		12.8	35.3	51.3
性別	男性	12.9	38.1	55.6
	女性	12.5	32.3	47.1
病型	脳梗塞	10.0	34.1	49.7
	脳出血	25.6	34.9	55.6
	くも膜下出血	32.5	55.0	70.0

1 死亡率と再発率の問題

わが国における脳卒中の死亡率は発症後 1 年で男性 40.3%，女性 43.7%，5 年で男性 66.9%，女性 67.7%，10 年で 80.7%，80.2% と経時的に高くなる[3]．なお，この 10 年内の死亡に関連する要因は，高齢であること，BMI(体格指数)の高さ，脳出血，高血圧，心房細動となっており[3]，加齢の影響に加え，心血管系の健康状態の影響を受けることに留意しなければならない．また，脳卒中は再発しやすく，全体では発症後 1 年で 12.8%，5 年で 35.3%，10 年で 51.3% の再発率となっており，死亡率と同様に経時的に高くなる[4]．脳卒中の病型ではくも膜下出血が再発しやすく，脳梗塞に比べ脳出血は 1 年内の再発率が高くなっている(▶表 1)[4]．

つまり，たとえ急性期で死を免れたとしても，5 年や 10 年といった長期経過のなかで，死亡や再発といった重大な問題が生じやすいわけである．日本の平均寿命(男性 81.64 歳，女性 87.74 歳)を考えると，高齢で発症した脳卒中後遺症者が寿命を全うするまでに，約 5～10 年の生活期があることになる．このため，生活期では目の前の問題とともに，長い期間で問題をとらえる視点が求められる．

2 身体機能と ADL の問題

脳卒中後遺症者の長期経過を考えると，要介護

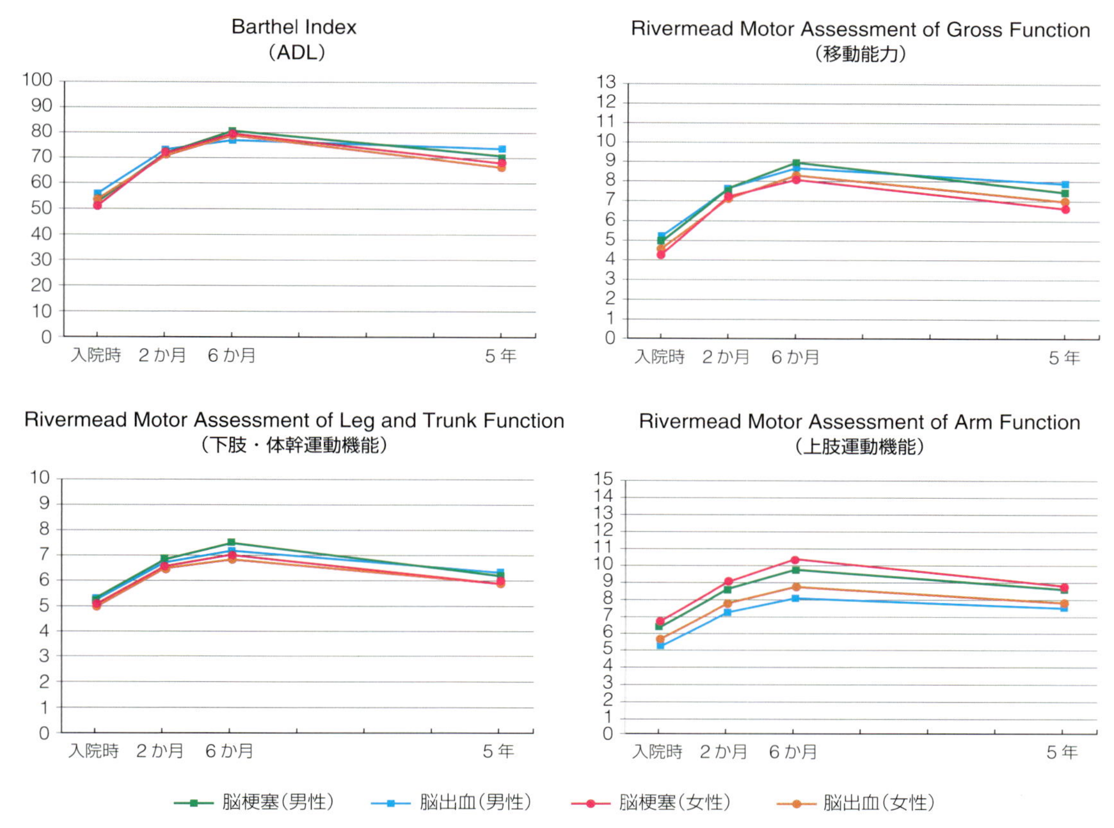

▶図 2　発症後の時間経過による ADL，移動能力，運動機能の推移
いずれの評価指標とも 6 か月までは改善するものの，5 年後には発症 2 か月時と同程度まで低下する．
Rivermead Motor Assessment of Gross Function：起居移乗動作や歩行，階段昇降，方向転換，走行などからなる移動能力の評価指標
Rivermead Motor Assessment of Leg and Trunk Function：寝返りや立ち上がり，分離運動が求められる下肢運動課題からなる下肢・体幹運動機能の評価指標
Rivermead Motor Assessment of Arm Function：物品操作や分離運動が求められる上肢運動課題からなる上肢運動機能の評価指標
〔Meyer, S., et al.: Functional and motor outcome 5 years after stroke is equivalent to outcome at 2 months: Follow-up of the collaborative evaluation of rehabilitation in stroke across Europe. *Stroke*, 46(6):1613–1619, 2015 より〕

認定の理由の第 3 位である「高齢による衰弱」も考慮しなければならない．脳卒中に伴う一次的な機能障害だけではなく，高齢者の加齢により二次的な心身機能の低下の影響も大きい．つまり，脳卒中後遺症者は疾患に由来する障害に加え，加齢による心身機能の低下の影響が合わさり，結果として生活機能の低下，ひいては要介護度の重度化を呈する場合が多い．

脳卒中後の身体機能や ADL の長期経過として，入院時，発症 2 か月後，6 か月後，そして 5 年後まで ADL，移動能力，下肢・体幹運動機能，上肢運動機能を調査した研究では，いずれも 6 か月まで改善するものの，5 年後には発症 2 か月時と同程度まで低下するとされている（▶図 2）[5]．なお，この低下は高齢であること，入院時の疾患重症度が高い者ほど生じやすく，全例が一律に低下するわけではない．実際，この対象者の多く（70～91%）は週単位で定期的な理学療法や作業療法を利用していない者であり，適切な介入が実施されれば改善可能性がある者も含まれていると推察

される．

3 認知機能の問題

認知機能障害は脳卒中後に生じやすい機能障害の 1 つであり，QOL の低下，機能低下の助長，要介護や死亡リスクの増加に影響する[6-8]．認知機能障害の長期的な機能予後は，発症 5 年後でも遂行機能や情報処理速度を中心に約 30〜50% の者に障害が認められる[7]．さらに，発症直後では 49%，6 か月後で 41%，2 年後で 39% の有障害率とされ，主たるものは記憶，視覚，遂行機能である[9]．また，全体では認知機能の改善は主として発症から 6 か月以内に生じ，6 か月から 2 年の間では大きな変化が認められていない．しかし，なんらかの認知機能障害を有している者であっても，その一部では 2 年後までに改善が認められており，長期的な改善可能性を有する者も存在する[9]．

一方，脳卒中の経験は認知症発症のリスク因子であり，同性・同年代の健常者に比べると，その発症確率は 1 年内で 10.0 倍，1〜5 年内で 2.7 倍となる．さらに，発症時の疾患重症度が重度な者では，1 年内で 47.3 倍，1〜5 年で 6.5 倍になる[10]．

4 精神・心理機能の問題

抑うつも脳卒中後によく生じる問題であり，乏しい心身機能の改善に影響し，一部では死亡率の向上，低い QOL，施設入所や非効率なリハサービスの利用に影響する[11]．抑うつの発生率は 31% であり，発症後の期間別では 2〜5 か月の期間に 36% と最も高い．2 年以降に低下する傾向にあるものの，5 年後でも 23% は抑うつ症状を示す[12]．さらに，わが国の脳卒中後 5 年以内の自殺率は非脳卒中群に比べて 10.2 倍と高く[13]，多くは脳卒中後の抑うつを介して自殺に至ると考えられている．

5 QOL の問題

生活機能だけではなく，QOL に対する視点も重要となる．発症後 5 年においても，脳卒中後遺症者の 40% が健常者よりも明らかに低い QOL を示し，これには抑うつや不安，応用的 ADL の低さが関連する[14]．また，発症後 2 年の QOL には低い社会経済的地位（収入や学歴）や抑うつ，機能障害（痛み，認知，視覚，コミュニケーション，感情，対人関係，睡眠，疲労），能力障害（移動，ADL）に加え，脳卒中に関する情報やサービスの提供，サービス間の連携への不満も影響する[15]．さらに，発症後 10 年における新たな生活への適応や高い主観的幸福感（例：人生全般に対する満足感）には，①前向きな性格，②新たな生きがい，③新たな健康習慣，④社会と家族とのつながり，⑤経済的資源，⑥公的な援助といった，多様な要因がかかわる[16]．つまり，脳卒中後遺症者の QOL には身体的，精神・心理的，社会的な問題が影響しており，機能改善や ADL の向上だけに傾倒することは不十分な対応となる．

6 家族関係の問題

生活期において，自身で対処困難な問題には介護者の存在が欠かせない．主として配偶者や子，子の配偶者などが主介護者となるが，主介護者との関係性も重要となる．たとえば，本人（脳卒中後遺症者）の問題の多さが主介護者の抑うつや低い生活満足度に影響し，それを介して本人の抑うつに影響する[17]．つまり，本人と主介護者との関係性や相互作用が，本人の QOL に影響する．また，発症後 2 年における本人と主介護者の高い生活満足度には，相手との関係性のよさが作用する[18]．これらは，生活期では家族という人的環境の問題に着目する必要性を示している．

また，家族との関係性で重要になるのは，主介護者の QOL や介護負担感である．介護負担感とは「親族を介護した結果，介護者の情緒的，身体的健康，社会生活および経済的状態に関して被った苦痛の程度」と定義される[19]．高い介護負担感は主介護者の死亡，体重減少，乏しいセルフケア・健康管理，睡眠不足，抑うつ，社会的孤立や社会活動の減少，不安，自殺，経済的負担，離職や雇用形態の変化に関連し，介護状況の悪化は提供される介護の質の低下から本人（被介護者）の苦痛につながる[20]．脳卒中後遺症者の主介護者で介護負担感を明確に感じている者は 25～54% であり，これは時間経過で一律に変化するものではない[21]．また，介護負担感と QOL は密接に関係しており，発症後 1 年内の本人と主介護者の QOL には本人の身体機能の改善が影響し，主介護者の介護負担の軽減には主介護者の QOL の改善が影響する[22]．つまり，1 年という比較的短期間においては，脳卒中後遺症者の身体機能の改善が本人の QOL の改善に作用するだけではなく，それが主介護者の QOL を介して介護負担感の軽減にも寄与する．そのため，主介護者の介護負担感に対しても本人との相互作用を考慮する必要がある．

D 生活期の脳卒中理学療法に求められる視点と対応

1 わが国の生活期理学療法の状況

本章では「介護認定を受けた高齢な脳卒中後遺症者」を対象者像に設定しているため，そのかかわりとしては介護保険制度での訪問もしくは通所での理学療法となる．この場合，入院時の理学療法と比べると，かかわれる頻度や時間が少ないことを理解しておく必要がある．たとえば，現行の介護保険制度のなかで個別にかかわれる時間が最も長い訪問リハであっても，原則的には週に 120 分が上限となっている．これは 1 週間（10,080 分）を考えた場合，その 1.2% にすぎず，多様な問題を有する生活期において十分な介入時間とはいいがたい．そのため，生活期では直接的な対応と間接的な対応の視点をもち，これらが相互によい影響をもたらす好循環の関係を形成する対応が求められる．たとえば，直接的な対応として運動療法や物理療法を積極的に実施しても，それ以外の時間のほとんどを寝たり座ったりの低活動な生活となっていては，直接的な対応で得られるはずの効果が打ち消されかねない．逆に，間接的な対応として活動的な生活や自主運動の習慣化が形成された場合には，より高い効果が期待できるだろう．要するに，生活の一部として理学療法が展開されるように心がける必要がある．

2 生活期に求められるセルフマネジメントの視点

近年，慢性疾患患者のケアにおいて，**セルフマネジメント**という概念が着目されている．セルフマネジメントとは「慢性疾患とともに生きる人が医療者とのパートナーシップに基づく協働により，疾患特有の問題とその影響の管理という課題に対処する活動であり，その人が問題とすることに主体的に取り組み，対処法が洗練されていくプロセス」と定義されるものである[23]．脳卒中後遺症者でも同様に「脳卒中サバイバー（脳卒中後遺症者）が，前向きな気持ちに変化できるように支援者と協働しながら資源を活用し，脳卒中に伴う課題に対処すること」と定義されている[24]．

セルフマネジメントには管理する対象があり，その対象は医学管理，役割管理，感情管理の 3 つに分類されている．脳卒中後遺症者の医学管理は服薬管理，食事療法，運動療法などがあり，疾患の再発や合併症（後遺症や二次的障害を含むもの）の予防や改善に向けた行動である．そして，役割管理は支援者（専門職や家族）との協働や資源（物的環境や人的環境，社会保障制度など）の活用を経て，仕事や社会的役割の維持や変更，あるいは新たな役割や目標を見出したときにそれらの実現を目指す“社会のなかでその人らしく生きること”を含むものである．最後に感情管理は，疾患や後遺症とつき合うなかで生じる怒り，不安，孤独感などにうまく対処し，抑うつの予防だけではなく，障害の受容や適応，自己実現に向けて意識や行動を変化させることまでを含むものである．すなわち，セルフマネジメントとは専門職や家族を含む支援者と協力しつつ，身体的，社会的，精神・心理的な問題に対する適切なつき合い方を，脳卒中後遺症者自身が身につけていくことである．

実際，このようなセルマネジメントの概念による介入効果も示されており，脳卒中発症後1年未満という短期間において，ADLと応用的ADLの改善，介護や死亡といったネガティブな帰結の減少，社会参加を促進する[25]．また，わが国の『脳卒中治療ガイドライン2021』でも，「自己管理プログラム」としてQOLと**自己効力感**の向上が期待できるとされている（▶**表2**）[26–29]．

セルフマネジメントに向けた対応のポイントは，①問題解決能力や意思決定能力などのセルフマネジメントスキルの向上，②それらスキルにより促進される医学的，感情的，役割的な管理行動の実施，③適切な行動の実施に伴う自己効力感の向上によるスキルの強化の3点である（▶**図3**）[25]．特に重要となるのが自己効力感である．自己効力感（セルフエフィカシー）とは「目標とする行動をどの程度，成功に達することができるかについての予期」，つまり自信である．そのため，対象者の特徴に応じ，どのようなかかわりをすれば自己効力感を高め，管理行動が強化されやすいかを考察し，セルフマネジメントの支援に盛り込んでいくことが重要となる．

3 脳卒中後遺症者の問題に対する身体活動の有効性

理学療法が担うセルフマネジメントの主たる対象は，医学管理にあたる“身体活動”となる．ここでは，脳卒中後遺症者の問題に対して，理学療法士が専門とする運動を含む身体活動の有効性について理解する．

身体活動は「エネルギー消費を必要とする骨格筋によって生じるあらゆる身体的運動」と定義され[30]，いわゆるエクササイズとしての運動（有酸素運動や抵抗運動などの運動療法）と生活活動（ADLや家事，外出，趣味活動に伴う身体運動など）に分類される．また，脳卒中後遺症者の身体活動量は健常者や他の慢性疾患をもつ者よりも低く，歩数では健常高齢者は6,294～14,730歩/日であるのに対し，脳卒中後遺症者は1,389～7,379歩/日[31]，もしくは4,355歩/日[32]と少ない．さらに，身体活動は実施する運動の代謝当量（metabolic equivalents; METs）に応じて，座位行動（覚醒している1.5 METs未満の活動），軽強度活動（1.6～2.9 METsの立位やゆっくりした歩行に相当する活動），中高強度活動（3.0 METs以上のウォーキングや階段昇降に相当する活動）の3つの活動強度に分類される．なお，3.0～5.9 METsを中強度活動（息はあがるがなんとか会話ができる程度の運動），6.0 METs以上を高強度活動（息があがり会話できない程度の運動）と中高強度活動を細分化する場合もある．いずれにしても，脳卒中後遺症者と健常者の各活動強度の身体活動量は，それぞれ座位行動が10.9時間/日（74.8%），8.2時間/日（52.8%），軽強度活動が206.0分/日，361.5分/日，中高強度活動が4.9分/日，38.0分/日となっており，脳卒中後遺症者は健常者よりも座位行動が多く，軽強度活動と中高強度活動が少ない[33]．

このように脳卒中後遺症者の低活動を背景に，良好な身体活動はさまざまな問題に効果的である．まず，脳卒中後の死亡に対して，運動は薬物（抗凝固薬，抗血小板薬）よりも死亡率を低減させる[34]．また，軽症者を対象としたものだが，6,025歩/日の身体活動量が再発予防に対する目安となる[35]．

そして，近年の関連ガイドラインでは，各ガイドラインによりエビデンスレベルや推奨度は異なる

▶表 2　生活期の脳卒中理学療法に関するわが国の各ガイドライン

理学療法ガイドライン第 2 版[26]	脳卒中治療ガイドライン 2021[27]	高齢者在宅医療・介護サービスガイドライン 2019[28]
Q：脳卒中患者に対して在宅での理学療法や遠隔地トレーニングは有用か A：生活指導を含む在宅での理学療法を行うことを条件つきで推奨する （推奨の強さ：条件つき※，エビデンスの強さ：非常に弱い） ※推奨の条件：ADL や手段的 ADL，QOL，歩行持久力の向上を目的とする場合 ■ 有効性が認められたアウトカム mRS（疾患重症度） Barthel Index（ADL） Katz extended ADL（応用的 ADL） EQ-5D（健康関連 QOL） SF-36 Physical Component（身体的な健康関連 QOL） 6 分間歩行テスト（歩行持久力） ※遠隔地トレーニングの効果は論文数が少なく判断できず	■ 在宅で生活する生活期脳卒中患者に対して，歩行機能を改善するために，もしくは ADL を向上させるために，トレッドミル訓練，歩行訓練，下肢筋力増強訓練を行うことがすすめられる （推奨度 A，エビデンスレベル高） ■ 地域におけるグループやサーキットトレーニングを行うことがすすめられる （推奨度 A，エビデンスレベル高） ■ 患者と家族もしくは介護者を対象とした，多職種チームによる情報提供（基本動作および ADL の継続的な訓練の必要性とその内容，介護方法，脳卒中発症後のライフスタイル，福祉資源など）と脳卒中知識の啓発がすすめられる （推奨度 A，エビデンスレベル中） ■ 患者の行動変容を長期的に継続させるために対面，郵便，オンラインなどによって自己管理プログラムを提供することは妥当である （推奨度 B，エビデンスレベル高） ■ 家族もしくは介護者に対して，対面，郵便，オンラインなどによる支援を提供することは妥当である （推奨度 B，エビデンスレベル中） • 推奨度 A：行うようすすめられる/行うべきである • 推奨度 B：行うことは妥当である • エビデンスレベル高：良質な複数 RCT による一貫したエビデンス，もしくは観察研究などによる圧倒的なエビデンスがある．今後の研究により評価が変わることはまずない • エビデンスレベル中：重要な limitation のある（結果に一貫性がない，方法論に欠陥，非直接的である，不正確である）複数 RCT によるエビデンス，もしくは観察研究などによる非常に強いエビデンスがある．もしさらなる研究が実施された場合，評価が変わる可能性が高い	■ 脳卒中患者に対する早期サポート，退院後の十分なサポート体制のある在宅サービスの導入は，入院期間の短縮，入所率の減少，身体的依存の減少，ADL の改善，満足度についての効果があり，行うことを推奨する （推奨の強さ：強，エビデンスの確信性：高） ■ 脳卒中患者に対する多職種介入は，社会活動の改善，脳卒中に関する知識，脳卒中リスクにかかわる生活習慣の改善に関して効果が期待でき，行うことを提案する （推奨の強さ：弱，エビデンスの確信性：中） ■ 脳卒中患者に対する訪問リハと通所リハに関しては ADL の悪化予防に対する効果が確実であり，行うことを推奨する （推奨の強さ：強，エビデンスの確信性：高） • 推奨の強さ，強：行うことを強く推奨する • 推奨の強さ，弱：行うことを弱く推奨する（提案する，または条件つきで推奨する） • エビデンスの確信性，高：効果の推定値に強く確信がある • エビデンスの確信性，中：効果の推定値に中程度の確信がある

※生活期の脳卒中理学療法に関する内容を抜粋して記載している．

ものの，おおむね生活期における運動療法は生活機能（主に運動機能や ADL）に対して有効とされている（▶表 2）[26–28]．また，具体的な運動療法として，米国心臓協会/米国脳卒中協会（AHA/ASA）から有酸素運動，抵抗運動，柔軟運動，協調性運動の推奨内容がまとめられている（▶表 3）[36]．そして，この基準と満たした運動療法介入の歩行能力への有効性も確認されている[37]．さらに，世界保健機関（WHO）からも高齢者や脳卒中を含む障害者へ推奨する身体活動・座位行動のガイドライ

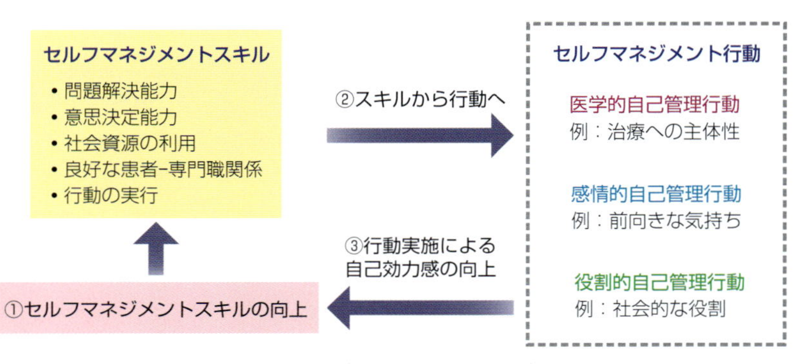

▶図3 セルフマネジメントをサポートする対応のポイント

①問題解決能力や意思決定能力などのセルフマネジメントスキルの向上をはかる.
②スキルにより促進される医学的，感情的，役割的な管理行動の実施を促す.
③適切な行動の実施に伴う自己効力感の向上からセルフマネジメントスキルが強化される.
〔Parke, H.L., et al.: Self-Management Support Interventions for Stroke Survivors: A Systematic Meta-Review. *PLoS One*, 10(7):e0131448, 2015 より〕

ンが示されており，これでは活動強度別の推奨値(中強度活動150分/週以上，高強度活動75分以上)が設定され，抵抗運動やマルチコンポーネント運動(有酸素運動や抵抗運動，バランストレーニングを複合する運動様式)を行い，座位行動をできるだけ減らすことが推奨されている(▶表4)[38].

身体活動が脳卒中後の認知機能に及ぼす効果について，身体活動の増加を目的に有酸素運動や筋力トレーニング，理学療法などを4週間よりも長く実施している運動療法は，総じて認知機能に対して有効である[39]. 運動療法の種別としては，マルチコンポーネント運動が最も高い有効性を示し，次いで抵抗運動とバランストレーニングの併用介入でも有効性が認められるが，有酸素運動のみでは有効性が認められない．加えて，発症後期間では発症後3か月より長い経過の生活期の対象者(平均2.6年)には有効性が認められているが，3か月以内の比較的早期の対象者では有効性が認められていない．つまり，一次的に生じる認知機能の改善ではなく，二次的な機能障害の改善に身体活動は有効となる.

運動は抑うつの改善に弱いながらも作用する[40]. この効果は発症後6か月の脳卒中後遺症者を対象とした場合にも弱い効果が認められ，さらに週3回，4週間以上という一定以上の運動量を確保した介入は効果が認められるが，この要件を満たさない低負荷な介入では有効性が認められていない.

4 身体活動のセルフマネジメントを目的とした行動変容介入

脳卒中後遺症者の身体活動を促進することは，生活期に生じやすいさまざまな問題に対して有益な介入手段となる．しかし，脳卒中後遺症者は，身体活動を得るための運動に対して消極的であることが多い．たとえば，理学療法士から指導された自主運動があったとしても，その順守度(アドヒアランス)は十分とはいえない．具体的には，発症6か月以内の脳卒中後遺症者(55名)の多く(89%)は「退院時に理学療法士から自主運動の指導を受けた」とあるが，そのうち，退院後も指導された自主運動を一部でも行っている者は65%であり，残りの35%は指導内容を順守できていない[41]. つまり，指導すれば必ずしも順守されるわけではない．指導内容や運動に対する個々の価値観や認識が影響しており，適切な指導を行うには対象者の価値観や認識を評価する必要性がある．たとえば，脳卒中後遺症者の運動の促進因子には7つ，阻害因子には9つがあるとされている

▶表 3　米国心臓協会/米国脳卒中協会が推奨する運動様式別の内容

運動様式	目標/目的	頻度/強度/時間
有酸素運動 ● 大きな筋を用いた運動（例：ウォーキング，漸増的ウォーキング，自転車エルゴメータ，上肢エルゴメータ，上下肢エルゴメータ，座位での機能運動）	● 歩行速度と効率の向上 ● 運動耐容能（機能的能力）の向上 ● ADL の自立度向上 ● 運動障害の軽減と認知機能の向上 ● 血管系の健康の向上と他の心臓保護効果	● 酸素摂取予備能の 40～70% ● 心拍予備能の 55～80% ● 自覚的運動強度 11～14（楽である～ややきつい） ● 3～5 日/週 ● 20～60 分/回（または複数の 10 分セッション） ● 5～10 分のウォームアップとクールダウン ● 歩数計で日常生活の身体活動を補完的に増加させる
抵抗運動 ● 上下肢・体幹のフリーウエイト，体重負荷，部分的な体重負荷，弾性バンド，ばね，プーリーなどを用いた抵抗運動 ● サーキットトレーニング ● 機能的な移動能力のトレーニング	● 筋力と持久力の向上 ● 余暇活動や職業活動，ADL を行う能力の向上 ● 筋力の向上により物を持ち上げたり運んだりする際の負荷を減らす（より低い筋収縮で実施できるようにする）	● 主要な筋群を含む 8～10 種類のエクササイズ ● 1 RM（repetition maximum）の 50～80% ● 10～15 回 ● 1～3 セット ● 2～3 日/週 ● 体力の許す限り，時間をかけて徐々に抵抗を増加させる
柔軟運動 ● 体幹，上肢，下肢のストレッチ	● 可動域を大きくする ● 拘縮を防ぐ ● 怪我のリスクを減らす ● ADL の向上	● 静的ストレッチ ● 10～30 秒間保持 ● 2～3 日/日 ● 有酸素トレーニングまたは筋力トレーニングの前後
協調性運動 ● バランスと協調性を高める運動 ● 太極拳 ● ヨガ ● パドルやスポーツボールを使って手と目の協調性を高めるレクリエーション活動 ● 身体運動を用いた能動的なコンピュータゲーム	● バランス・技能の再獲得，QOL・移動能力の向上 ● 転倒に対する恐怖心の軽減 ● ADL 時の安全性向上	● 有酸素運動，筋力・持久力トレーニング，ストレッチなどの補助として使用 ● 2～3 日/週

※急性期に相当する時期の内容は省略し，回復期や生活期に相当する時期における推奨内容を記載している．

〔Billinger, S.A., et al.: Physical activity and exercise recommendations for stroke survivors: A statement for healthcare professionals from the American Heart Association/American Stroke Association. *Stroke*, 45(8):2532–2553, 2014 より改変〕

（▶表 5）[42]．これらを参考に対象者の個別評価を行い，順守されやすい運動の内容や方法を選択，協議していく必要がある．つまり，目的とする行動（身体活動）を促進する**行動変容介入**が重要となる．

実際の行動変容介入として，脳卒中後遺症者の身体活動量と自習運動の順守を目的に，理学療法士が在宅訪問して行動変容介入を行った効果が近年報告されている[43]．この報告では，運動の価値観の評価や目標設定，セルフモニタリング（チェック表などで取り組み状況を自ら記録する）といった行動変容技法が用いられており，結果として運動機能や ADL，認知機能に対する一様な効果は認められなかったものの，身体活動量や自主運動の順守度の高さと身体機能，歩行能力，ADL，認知機能の改善に正の関連が認められている[44,45]．つまり，行動変容介入により，身体活動量や自主運動の順守を達成するかかわりが重要となる．また，通所での理学療法に相当する，グループ活動による行動変容介入の身体活動量および身体活動

▶表 4　WHO の身体活動・座位行動ガイドライン

	障害のある成人	65 歳以上の高齢者
概要	● 成人に対する身体活動の健康効果の多くは，障害のある成人にも関係している．障害のある成人には以下のような健康効果もある ・多発性硬化症患者：身体機能の改善，および健康に関連した QOL における身体的，精神的，社会的領域の改善 ・脊髄損傷者：歩行機能，筋力，上肢機能の向上，健康関連の QOL の向上 ・認知機能に障害がある疾病や障害をもつ者：**身体機能および認知機能の改善（Parkinson 病および脳卒中の既往のある者において）**，認知機能の改善，QOL の改善（統合失調症の成人において），身体機能の改善（知的障害のある成人において），および QOL の改善（うつ病の成人において）	高齢者では身体活動により，総死亡率や心血管系疾患による死亡率の低下，高血圧や部位別のがん，2 型糖尿病の発症の予防，メンタルヘルス（不安やうつ症状の軽減）や認知的健康，睡眠の向上，および肥満の指標の改善といったさまざまな健康効果が得られる．また，身体活動は転倒や転倒に関連した障害の予防に役立ち，骨の健康と機能的能力の低下を防ぐことができる
中強度の有酸素運動もしくは高強度の有酸素運動	● **中強度：少なくとも週に 150〜300 分** ● **高強度：少なくとも週に 75〜150 分** 健康効果を得るためには，1 週間を通して，中強度の有酸素性の身体活動を少なくとも 150〜300 分，高強度の有酸素性の身体活動を少なくとも 75〜150 分，または中強度と高強度の身体活動の組み合わせによる同等の量を行うべきである （強い推奨，中程度のエビデンスレベル）	● **中強度：少なくとも週に 150〜300 分** ● **高強度：少なくとも週に 75〜150 分** 健康効果を得るためには，1 週間を通して，中強度の有酸素性の身体活動を少なくとも 150〜300 分，高強度の有酸素性の身体活動を少なくとも 75〜150 分，または中強度と高強度の身体活動の組み合わせによる同等の量を行うべきである （強い推奨，中程度のエビデンスレベル）
抵抗運動（筋力向上活動）	● **少なくとも週に 2 日以上** 健康増進のために，週に 2 日以上，すべての主要筋群を使用して実施する中強度以上の強度の筋力向上活動を行うことが推奨される （強い推奨，中程度のエビデンスレベル）	● **少なくとも週に 2 日以上** 健康増進のために，週に 2 日以上，すべての主要筋群を使用して実施する中強度以上の強度の筋力向上活動を行うことが推奨される （強い推奨，中程度のエビデンスレベル）
マルチコンポーネント運動（身体活動）	● **少なくとも週に 3 日以上** 障害のある高齢者は，機能的な能力の向上と転倒予防のために，週の身体活動の一環として，機能的なバランスと筋力トレーニングを重視した多様な要素を含む身体活動（マルチコンポーネント身体活動）を週 3 日以上，中強度以上の強度で行うべきである （強い推奨，中程度のエビデンスレベル）	● **少なくとも週に 3 日以上** 機能的な能力の向上と転倒予防のために，週の身体活動の一環として，機能的なバランスと筋力トレーニングを重視した多様な要素を含む身体活動（マルチコンポーネント身体活動）を週 3 日以上，中強度以上の強度で行うべきである （強い推奨，中程度のエビデンスレベル）
座位行動	● 座りっぱなしの時間を減らすべきである．座位時間を身体活動（強度は問わない）に置き換えることで，健康効果が得られる （強い推奨，弱いエビデンスレベル） ● 長時間の座りすぎが健康に及ぼす悪影響を減するため，中強度から高強度の身体活動を推奨レベル以上に行うことを目標にすべきである （強い推奨，弱いエビデンスレベル）	● 座りっぱなしの時間を減らすべきである．座位時間を身体活動（強度は問わない）に置き換えることで，健康効果が得られる （強い推奨，中程度のエビデンスレベル） ● 長時間の座りすぎが健康に及ぼす悪影響を減するため，中強度から高強度の身体活動を推奨レベル以上に行うことを目標にすべきである （強い推奨，中程度のエビデンスレベル）

● 強い推奨：推奨事項を順守することの望ましい効果が望ましくない結果を上回るという確信に基づいている．
● 中程度のエビデンスレベル：効果の推定値に中程度の確信がある．真の効果は推定効果に近いと思われるが，大きく異なる可能性もある．
● 弱いエビデンスレベル：効果の推定値に対する信頼度は低い．真の効果が効果の推定値と大きく異なる可能性がある．

〔Bull, F.C., et al.: World Health Organization 2020 guidelines on physical activity and sedentary behaviour. *Br. J. Sports Med.*, 54(24):1451–1462, 2020 より改変〕

▶表 5　運動の促進因子と阻害因子の例

促進因子	意味
指導による支援	●運動への直接的な指導 ●進捗についてのフィードバック
自信と挑戦	●習慣的に運動を続ける自信 ●運動により自身の状態を改善する挑戦
健康と幸福	●健康のために運動を行うこと ●調子をよくするための運動の重要性
運動の状況	●運動をともに行う家族または友人の存在 ●屋外で運動を行うこと
自宅・単独	●自宅で運動を行うこと ●1 人で運動を行うこと
類似した仲間	●同年代の仲間と運動を行うこと ●同じ疾患をもつ仲間と運動を行うこと
音楽・テレビ	●音楽を聴いたりテレビを見ながら行うこと

阻害因子	意味
再発への不安	●運動により再発することへの不安
コスト	●運動に必要な費用
痛み	●運動に伴う痛み
有益な情報	●自分がなすべき運動の情報
転倒への不安	●運動により転倒することへの不安
場所	●運動したいと思う場所
安全性	●運動に伴う危険性
疲労	●運動に伴う疲労
きっかけ	●運動開始への躊躇

〔Bonner, N.S., et al.: Developing the Stroke Exercise Preference Inventory (SEPI). *PLoS One*, 11(10):e0164120, 2016 より改変〕

に対する自己効力感などへの有効性も検討されている[46]．仲間の存在を活用した行動変容介入(例：行動に向けた仲間とのディスカッションや問題への対処方法を教え合うなど)も，対象者の性格や価値観に応じて有効な手段となる．

5 家族へのかかわりと家族支援による可能性

理学療法で行う主介護者の介護負担感へのかかわりとして，介護に伴う介助方法の指導や福祉用具の選定により，身体的な負担を減らすことが代表的なものとなる．しかし，脳卒中後遺症者の主介護者の介護負担感に対し，リハ専門職がアプローチすることのエビデンスは限られている．現時点において主介護者へのかかわりとして有効性が高いのは，心理学の専門家による心理学的手法を使用したアプローチであり，これらでは介護者の抑うつや不安症状，介護負担感を軽減する[47]．しかし，このような直接的なかかわりでなくとも，介護や療養，リハに必要な情報提供を行うかかわりは，脳卒中後遺症者に必要な知識の向上をもたらし，抑うつや不安の軽減，主介護者の気分や満足度の改善，死亡の減少に作用する可能性がある[48]（▶表 2）．これらは心理学的手法を専門としない理学療法士でも実施可能なかかわりであり，情報提供による“教育”という対応も重要といえる．

さらに，主介護者が理学療法の支援者として参加することも有効なかかわりである．具体的には，運動療法を本人と理学療法士から指導を受けた家族が実施するものであり，これにより身体機能，歩行速度，歩行持久力，立位バランス，ADL が改善し，さらに介護負担感も増加しない[49]．具体的な家族のかかわりを**表 6** に示す．このような家族支援による介入は十分に確立していないものの，本人と主介護者との関係性やモチベーションに応じて，導入を検討する価値がある．

6 社会参加の意義

社会参加が重要な理由は 2 つある．1 つは社会参加が QOL を向上させる．次いで，社会参加は良好な身体活動量の確保に有益というものである．脳卒中後遺症者の社会参加の定義は統一されたものはないが，ここでは「社会においてつなが

▶表 6　家族支援による介入プログラムの例

期間・目的	ポイント	メニュー	介護者の役割
① 1〜4 週 身体機能の改善	●関節筋機能 ●筋力 ●立位バランス ●持久力	●関節可動域練習 ●動作中心の筋力トレーニング ●タンデム立位やバランスマット上立位 ●屋内歩行練習 ※約 1 時間のセッションを週 2 回以上	●関節可動域練習や筋力トレーニングの方法を学ぶ ●歩行介助の方法を学ぶ
② 5〜8 週 ADL の改善	●自宅歩行 ●清拭，更衣，排泄，物を拾う，軽い家事，階段昇降	●課題に応じた代償手段によるトレーニング方法と日常生活で実施を奨励 ※約 1 時間のセッションを週 2 回以上（①のメニューを継続しつつ）	●難易度調整のために視覚や口頭指示，身体的な介助を行う ●転倒・転落を生じさせないための介助を行う ●ADL の実施を見守り，必要に応じて介助する
③ 9〜12 週 社会参加	●友人と会う ●横断歩道 ●公園・郵便局・ショッピングモール・観光地への外出 ●公共交通機関の利用	●友人に会う ●地元の公園を散歩（20 分/回，2〜3 回/週） ●横断歩道やエスカレーターの使用 ●ショッピングモールへの外出（2 回/月） ●公共の場所への半日の外出 ●プログラムの仕上げとして，公共交通機関を利用したショッピングモールへの外出（①と②のメニューを継続しつつ）	●屋外活動で転倒を予防するために見守りまたは介助を行う ●通りを渡る際はそばに立つ ●エスカレーターの利用時は他者と少なくとも 2〜3 m 程度の距離を保つようにする ●エスカレーターの上りでは後ろに立ち，下りでは前に立つ

〔Wang, T.C., et al.: Caregiver-mediated intervention can improve physical functional recovery of patients with chronic stroke: A randomized controlled trial. *Neurorehabil. Neural Repair*, 29(1):3–12, 2015 より改変〕

りをもつ」「コミュニティへの参加・趣味や娯楽活動」「地域活動の参加」「家庭，社会における役割をもつこと」と定義して扱う[50]．

社会参加（仕事や社会での役割的な活動をもつこと）は発症 3 か月後および 1 年後の良好な QOL に関連する[51]．つまり，活動や参加の促進が QOL の向上に重要となる．実際，社会参加を促進する介入によって地域社会への統合が促進され，QOL の向上が得られる[52]．さらに，余暇活動（趣味や対人交流，外出など）の促進も気分の改善や QOL の向上に作用する[53]．また，逆説的ではあるが，活動や参加の促進が ADL の改善に寄与することも示されている[54]．さらに，脳卒中後遺症者の身体活動量には身体機能，運動耐容能，疲労感，転倒しないことへの自己効力感，抑うつのほかに QOL がかかわっている[55]．つまり，社会参加や高い QOL は良好な身体活動量を介し，生活機能の維持・向上にも肯定的に作用すると考えられる．

7 社会参加を支援する理学療法士の役割

社会参加は QOL や身体活動のために有益な手段となる．理学療法士としては，基本的動作能力の改善から社会参加を促すことが多い．その代表的なものは歩行である．たとえば，歩行能力で生活範囲が規定され，集中的な歩行トレーニングによる歩行速度向上に伴い QOL が向上する[56]．これは，歩行能力の向上により生活範囲が拡大し，それにより社会参加が促進され，結果として QOL が向上するためと考えられる．しかし，社会参加には個々の価値観が強く反映される．そのため，基本的動作能力の向上に伴い機械的に社会参加するわけではなく，本人が達成したいと思う社会参加が重要であり，強制的な社会参加とならないように注意が必要である．たとえば，在宅への個別訪問により外出を促しても，社会参加や QOL の向上に有効とはいえない[57]．つまり，基本的動作能力の向上はあくまでも選択肢の拡大であり，個

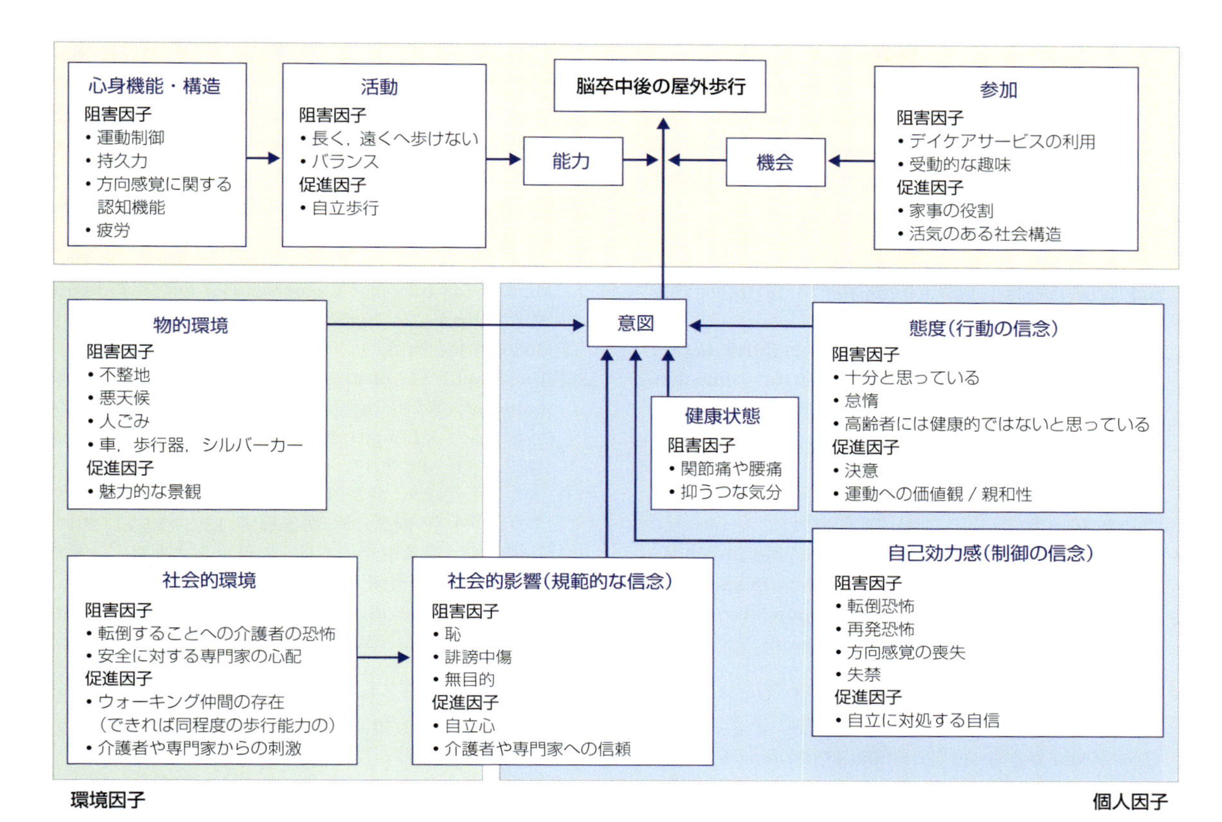

▶図 4　屋外歩行にかかわる諸要因の構造

〔Outermans, J., et al.: What's keeping people after stroke from walking outdoors to become physically active? A qualitative study, using an integrated biomedical and behavioral theory of functioning and disability. *BMC Neurol.*, 16(1):137, 2016 より〕

人の生活背景や価値観，リハの目標をふまえ，社会参加することで QOL の向上が期待できる場合に，その達成を支援していくことが重要となる．

いずれにしても，手段としての歩行能力，特に屋外歩行は社会参加のために有用な手段である．この屋外歩行に必要な歩行能力として，単独指標の基準値としては 6 分間歩行距離が 205 m 以上で近隣屋外歩行自立（感度 71%，特異度 79%），288 m 以上で地域歩行自立（感度 68%，特異度 77%）となる[58]．しかし，実際に屋外歩行自立には歩行能力だけではなく，適切に道順を理解する認知機能や社会的な環境，個人の価値観や認識などの多様な要因がかかわっている（▶図 4）[59]．屋外歩行を通して社会参加や身体活動の促進を推奨しやすい理学療法士にとって，実際には歩行能力以外の多様な評価も求められる点は注意が必要である．

●引用文献

1) Langhorne, P., et al.: Stroke rehabilitation. *Lancet*, 377(9778):1693–1702, 2011.
2) Toyoda, K., et al.: Small but Steady Steps in Stroke Medicine in Japan. *J. Am. Heart Assoc.*, 8(16): e013306, 2019.
3) Kiyohara, Y., et al.: Ten-year prognosis of stroke and risk factors for death in a Japanese community: The Hisayama study. *Stroke*, 34(10):2343–2347, 2003.
4) Hata, J., et al.: Ten year recurrence after first ever stroke in a Japanese community: The Hisayama study. *J. Neurol. Neurosurg. Psychiatry*, 76(3): 368–372, 2005.
5) Meyer, S., et al.: Functional and motor outcome 5 years after stroke is equivalent to outcome at 2 months: Follow-up of the collaborative evaluation

of rehabilitation in stroke across Europe. *Stroke*, 46(6):1613–1619, 2015.
6) Patel, M.D., et al.: Cognitive impairment after stroke: Clinical determinants and its associations with long-term stroke outcomes. *J. Am. Geriatr. Soc.*, 50(4):700–706, 2002.
7) Barker-Collo, S., et al.: Auckland Stroke Outcomes Study. Part 2: Cognition and functional outcomes 5 years poststroke. *Neurology*, 75(18):1608–1616, 2010.
8) Jokinen, H., et al.: Post-stroke cognitive impairment is common even after successful clinical recovery. *Eur. J. Neurol.*, 22(9):1288–1294, 2015.
9) Turunen, K.E.A., et al.: Domain-Specific Cognitive Recovery after First-Ever Stroke: A 2-Year Follow-Up. *J. Int. Neuropsychol. Soc.*, 24(2):117–127, 2018.
10) Pendlebury, S.T., et al.: Incidence and prevalence of dementia associated with transient ischaemic attack and stroke: Analysis of the population-based Oxford Vascular Study. *Lancet Neurol.*, 18(3):248–258, 2019.
11) Kutlubaev, M.A., et al.: Part II: Predictors of depression after stroke and impact of depression on stroke outcome: An updated systematic review of observational studies. *Int. J. Stroke*, 9(8):1026–1036, 2014.
12) Hackett, M.L., et al.: Part I: Frequency of depression after stroke: An updated systematic review and meta-analysis of observational studies. *Int. J. Stroke*, 9(8):1017–1025, 2014.
13) Yamauchi, T., et al.: Death by suicide and other externally caused injuries after stroke in Japan (1990–2010): The Japan Public Health Center-based prospective study. *Psychosom. Med.*, 76(6):452–459, 2014.
14) De Wit, L., et al.: Long-term impact of stroke on patients' health-related quality of life. *Disabil. Rehabil.*, 39(14):1435–1440, 2017.
15) Baumann, M., et al.: Associations between quality of life and socioeconomic factors, functional impairments and dissatisfaction with received information and home-care services among survivors living at home two years after stroke onset. *BMC Neurol.*, 14:92, 2014.
16) Brunborg, B., et al.: Sense of well-being 10 years after stroke. *J. Clin. Nurs.*, 23(7-8):1055–1063, 2014.
17) Grant, J.S., et al.: Does caregiver well-being predict stroke survivor depressive symptoms? A mediation analysis. *Top. Stroke Rehabil.*, 20(1):44–51, 2013.
18) Ostwald, S.K., et al.: Predictors of life satisfaction in stroke survivors and spousal caregivers after inpatient rehabilitation. *Rehabil. Nurs.*, 34(4):160–167, 2009.
19) Zarit, S.H., et al.: Relatives of the impaired elderly: Correlates of feelings of burden. *Gerontologist*, 20(6):649–655, 1980.
20) Adelman, R.D., et al.: Caregiver burden: A clinical review. *JAMA*, 311(10):1052–1060, 2014.
21) Zhu, W., et al.: A Meta-analytic Study of Predictors for Informal Caregiver Burden in Patients With Stroke. *J. Stroke Cerebrovasc. Dis.*, 27(12):3636–3646, 2018.
22) Pucciarelli, G., et al.: Roles of Changing Physical Function and Caregiver Burden on Quality of Life in Stroke: A Longitudinal Dyadic Analysis. *Stroke*, 48(3):733–739, 2017.
23) 浅井美千代ほか：我が国における「慢性疾患のセルフマネジメント」の概念分析. 医療看研, 13(2):10–21, 2017.
24) 片山将宏：脳卒中サバイバーのセルフマネジメントの概念分析. 人間看研, 19:43–49, 2021.
25) Parke, H.L., et al.: Self-Management Support Interventions for Stroke Survivors: A Systematic Meta-Review. *PLoS One*, 10(7):e0131448, 2015.
26) 日本理学療法学会連合 理学療法標準化検討委員会ガイドライン部会(編)：理学療法ガイドライン. 第2版, 医学書院, 2021.
27) 日本脳卒中学会 脳卒中ガイドライン委員会(編)：脳卒中治療ガイドライン 2021. 協和企画, 2021.
28) 日本老年医学会, 日本在宅医学会, 国立長寿医療研究センター(編)：高齢者在宅医療・介護サービスガイドライン 2019. ライフ・サイエンス, 2019.
29) Fryer, C.E., et al.: Self management programmes for quality of life in people with stroke. *Cochrane Database Syst. Rev.*, 2016(8):CD010442, 2016.
30) Caspersen, C.J., et al.: Physical activity, exercise, and physical fitness: Definitions and distinctions for health-related research. *Public Health Rep.*, 100(2):126–131, 1985.
31) English, C., et al.: Physical activity and sedentary behaviors in people with stroke living in the community: A systematic review. *Phys. Ther.*, 94(2):185–196, 2014.
32) Field, M.J., et al.: Physical Activity after Stroke: A Systematic Review and Meta-Analysis. *Int. Sch. Res. Notices*, 2013:464176, 2013.
33) English, C., et al.: Sitting and Activity Time in People With Stroke. *Phys. Ther.*, 96(2):193–201, 2016.
34) Naci, H., et al.: Comparative effectiveness of exercise and drug interventions on mortality outcomes: Metaepidemiological study. *Br. J. Sports Med.*, 49(21):1414–1422, 2015.
35) Kono, Y., et al.: Predictive impact of daily physical activity on new vascular events in patients with

mild ischemic stroke. *Int. J. Stroke*, 10(2):219–223, 2015.
36) Billinger, S.A., et al.: Physical activity and exercise recommendations for stroke survivors: A statement for healthcare professionals from the American Heart Association/American Stroke Association. *Stroke*, 45(8):2532–2553, 2014.
37) Pogrebnoy, D., et al.: Exercise Programs Delivered According to Guidelines Improve Mobility in People With Stroke: A Systematic Review and Meta-analysis. *Arch. Phys. Med. Rehabil.*, 101(1):154–165, 2020.
38) Bull, F.C., et al.: World Health Organization 2020 guidelines on physical activity and sedentary behaviour. *Br. J. Sports Med.*, 54(24):1451–1462, 2020.
39) Oberlin, L.E., et al.: Effects of Physical Activity on Poststroke Cognitive Function: A Meta-Analysis of Randomized Controlled Trials. *Stroke*, 48(11):3093–3100, 2017.
40) Eng, J.J., et al: Exercise for depressive symptoms in stroke patients: A systematic review and meta-analysis. *Clin. Rehabil.*, 28(8):731–739, 2014.
41) Miller, K.K., et al.: Exercise after Stroke: Patient Adherence and Beliefs after Discharge from Rehabilitation. *Top. Stroke Rehabil.*, 24(2):142–148, 2017.
42) Bonner, N.S., et al.: Developing the Stroke Exercise Preference Inventory (SEPI). *PLoS One*, 11(10):e0164120, 2016.
43) Askim, T., et al.: Efficacy and Safety of Individualized Coaching After Stroke: The LAST Study (Life After Stroke): A Pragmatic Randomized Controlled Trial. *Stroke*, 49(2):426–432, 2018.
44) Ihle-Hansen, H., et al.: A physical activity intervention to prevent cognitive decline after stroke: Secondary results from the Life After STroke study, an 18-month randomized controlled trial. *J. Rehabil. Med.*, 51(9):646–651, 2019.
45) Gunnes, M., et al.: Associations Between Adherence to the Physical Activity and Exercise Program Applied in the LAST Study and Functional Recovery After Stroke. *Arch. Phys. Med. Rehabil.*, 100(12):2251–2259, 2019.
46) Mansfield, A., et al.: Promoting Optimal Physical Exercise for Life: An Exercise and Self-Management Program to Encourage Participation in Physical Activity after Discharge from Stroke Rehabilitation—A Feasibility Study. *Stroke Res. Treat.*, 2016:9476541, 2016.
47) Panzeri, A., et al.: Interventions for Psychological Health of Stroke Caregivers: A Systematic Review. *Front. Psychol.*, 10:2045, 2019.
48) Forster, A., et al.: Information provision for stroke patients and their caregivers. *Cochrane Database Syst. Rev.*, 11(11):CD001919, 2012.
49) Wang, T.C., et al.: Caregiver-mediated intervention can improve physical functional recovery of patients with chronic stroke: A randomized controlled trial. *Neurorehabil. Neural Repair*, 29(1):3–12, 2015.
50) 小向佳奈子ほか：リハビリテーション分野における社会参加の定義と評価指標. 理学療法科学, 32(5):683–693, 2017.
51) Tse, T., et al.: Increased work and social engagement is associated with increased stroke specific quality of life in stroke survivors at 3 months and 12 months post-stroke: A longitudinal study of an Australian stroke cohort. *Top. Stroke Rehabil.*, 24(6):405–414, 2017.
52) Mayo, N.E., et al.: Getting on with the rest of your life following stroke: A randomized trial of a complex intervention aimed at enhancing life participation post stroke. *Clin. Rehabil.*, 29(12):1198–1211, 2015.
53) Dorstyn, D., et al.: Systematic review of leisure therapy and its effectiveness in managing functional outcomes in stroke rehabilitation. *Top. Stroke Rehabil.*, 21(1):40–51, 2014.
54) Mutai, H., et al.: Longitudinal functional changes, depression, and health - related quality of life among stroke survivors living at home after inpatient rehabilitation. *Psychogeriatrics*, 16(3):185–190, 2016.
55) Thilarajah, S., et al.: Factors Associated With Post-Stroke Physical Activity: A Systematic Review and Meta-Analysis. *Arch. Phys. Med. Rehabil.*, 99(9):1876–1889, 2018.
56) Schmid, A., et al.: Improvements in speed-based gait classifications are meaningful. *Stroke*, 38(7):2096–2100, 2007.
57) Logan, P.A., et al.: Rehabilitation aimed at improving outdoor mobility for people after stroke: A multicentre randomised controlled study (the Getting out of the House Study). *Health Technol. Assess.*, 18(29):1–113, 2014.
58) Fulk, G.D., et al.: Predicting Home and Community Walking Activity Poststroke. *Stroke*, 48(2):406–411, 2017.
59) Outermans, J., et al.: What's keeping people after stroke from walking outdoors to become physically active? A qualitative study, using an integrated biomedical and behavioral theory of functioning and disability. *BMC Neurol.*, 16(1):137, 2016.

（石垣智也）

II 神経筋疾患の障害と理学療法

第1章

Parkinson病の理学療法

学習目標

- Parkinson 病の病態と治療方針について理解する.
- 障害に対する評価の目的と実際について理解する.
- 理学療法の目的と実際について理解する.
- 理学療法におけるリスク管理について理解する.

A 疾患概要

1 疫学

Parkinson(パーキンソン)病(Parkinson's disease; PD)は，Alzheimer(アルツハイマー)病に次いで頻度の高い緩徐進行性神経変性疾患である．わが国における有病率は，人口 10 万人あたり 120〜130 人程度と推定されている．PD は高齢者に多い疾患であり，高齢化の急速な進行に伴い，罹病患者数も増加する傾向にある．

2 大脳基底核の構造と機能

PD は主要な大脳基底核疾患の 1 つであり，ここでは大脳基底核の構造と機能について概説する．

大脳基底核は大脳半球の深部に存在する．大脳基底核は，線条体，淡蒼球，黒質，視床下核からなる．線条体は尾状核と被殻に，淡蒼球は内節と外節に，黒質は緻密部と網様部に分かれる(▶図 1)．

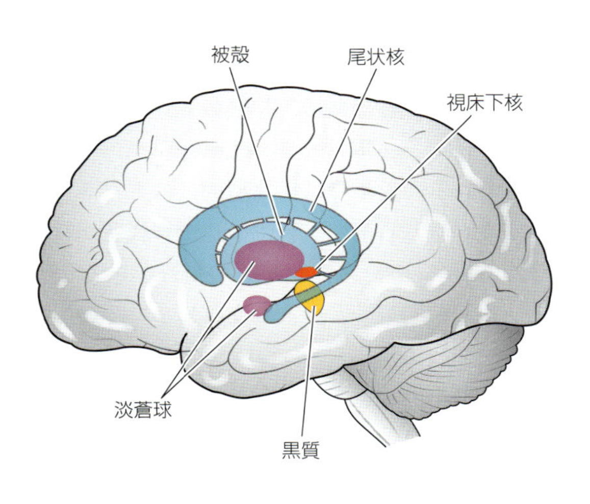

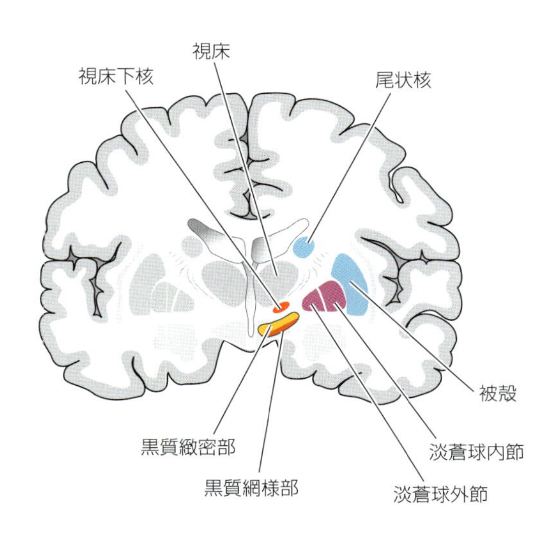

▶図 1　大脳基底核の構造
被殻と尾状核を合わせて線条体と呼ぶ．線条体は大脳皮質からの入力を受ける．黒質緻密部のドパミン神経は線条体に投射する．

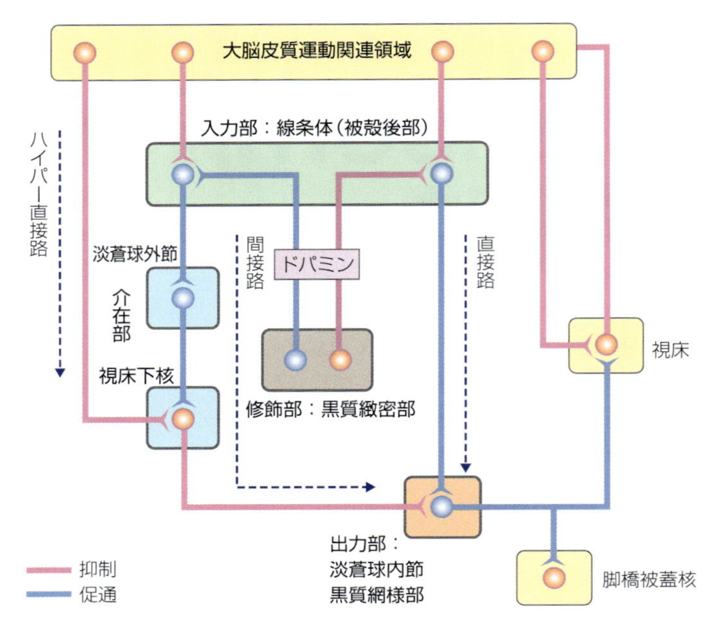

▶**図 2　大脳基底核回路**
青は興奮性ニューロンを，赤は抑制性ニューロンを示す．直接路は，出力部である淡蒼球内節，黒質網様部からの抑制性出力を抑制（脱抑制）する働きをし，間接路は出力部からの抑制性出力を促す働きをする．修飾部である中脳黒質緻密部から線条体に投射するドパミン神経は，直接路を促通し，間接路を抑制する働きをする．

線条体は大脳皮質から投射を受ける入力部であり，淡蒼球外節，黒質網様部は大脳基底核の出力部である（▶**図 2**）．大脳基底核は視床を介して大脳皮質へ，あるいは脳幹へと投射しており，その投射は抑制性である．大脳基底核内では，入力部から出力部へと直接投射する直接路と，淡蒼球，視床下核などの介在部を介して投射する間接路がある．修飾部である黒質緻密部から線条体へはドパミン神経が投射しており，ドパミンは，大脳基底核から視床，脳幹への抑制性出力を抑制する働きがあり，大脳基底核からの抑制性出力を調整する重要な働きを担っている．

大脳基底核は，大脳皮質運動関連領域や前頭連合野，前帯状皮質，前頭眼野などの前頭葉を中心とした大脳皮質，脳幹と強い神経ネットワークを形成している[1]．そのため，大脳基底核は，運動機能（運動遂行や運動プログラム，運動準備），認知機能（ワーキングメモリや注意，遂行機能など），情動，精神活動や意欲，眼球運動や筋緊張の調整など，多くの機能に関与する（▶**図 3**）．

3 病態

PD の主な病態は，中脳黒質緻密部のドパミン神経の脱落，変性である．神経の変性部位には α シヌクレインを主成分とする **Lewy（レビー）小体**が認められる．近年では，典型的にはドパミン神経の変性が生じる前に，脳幹の迷走神経背側核や嗅球などから α シヌクレインの病理学的な広がりを認め，大脳辺縁系や大脳皮質にまでその影響は広がる[2]（▶**図 4**）．さらに，α シヌクレインの病理変化は中枢神経系のみでなく，消化管や心臓など末梢の自律神経系まで広がりを認める．

中脳黒質緻密部のドパミン神経の変性は，直接路の活動低下と間接路の亢進につながり，大脳基底核からの抑制性出力が亢進する．その結果，大

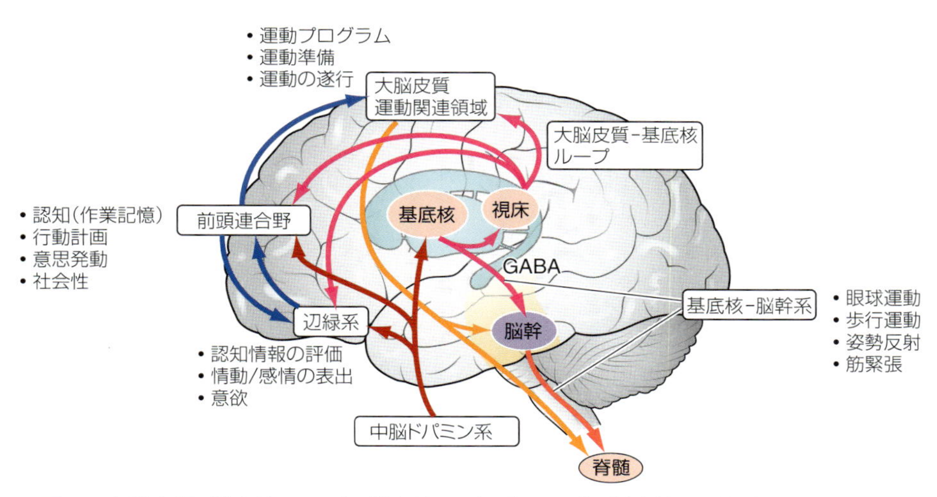

▶図 3　大脳皮質–基底核ループ，基底核–辺縁系ループ，基底核–脳幹系
大脳基底核は大脳皮質(主に前頭葉)，大脳辺縁系，脳幹と神経ネットワークを形成しており，さまざまな機能の制御に関与している．

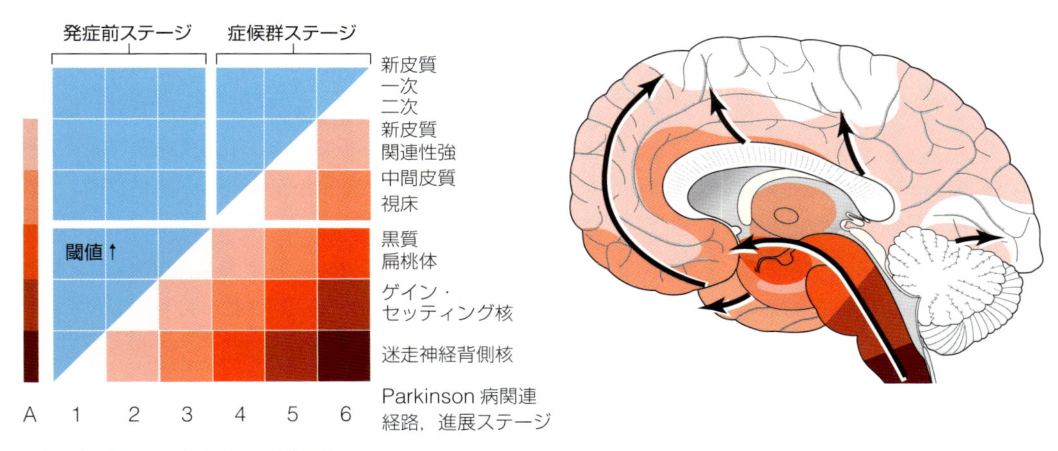

▶図 4　Braak(ブラーク)仮説
疾患の進行に伴う α シヌクレインの病理学的な広がりのパターンを示す．

脳基底核が神経ネットワークを形成している大脳皮質や脳幹の機能が障害され，運動障害や認知機能障害，自律神経障害，精神障害，睡眠障害などさまざまな障害が引き起こされると考えられる．

4 疾患由来の症状

PD 患者の呈する臨床症状は，運動症状と，認知機能障害，精神症状，自律神経症状，睡眠障害，感覚障害などの非運動症状に分類される(▶表 1)．

運動症状としては，振戦，固縮，無動，姿勢反射障害があげられる．また，PD 患者は眼球運動の遅延や小ささなどの異常を呈する．

認知機能障害としては，遂行機能障害，注意障害，ワーキングメモリの低下，手続き記憶の障害，視空間認知障害があげられる．認知機能障害は診断時年齢が高い症例，姿勢反射障害，歩行障害が顕著な症例，重度の嗅覚障害を呈する症例などにおいて顕著となる傾向にある．精神症状としては，うつ，不安などがあげられ，生活の質(QOL)

▶表 1　疾患由来の症状

分類	症状
運動症状	振戦，固縮，無動，姿勢反射障害
認知機能障害，精神症状	遂行機能障害，注意障害，ワーキングメモリ低下，手続き記憶の障害，視空間認知障害，うつ，多幸，不安，パニック，強迫的行為，病的賭博
自律神経症状	起立性低血圧，便秘，脂顔，浮腫，食後低血圧，発汗障害，高体温，インポテンツ
感覚障害，疼痛	疼痛，異常感覚，しびれ，嗅覚障害，固有感覚統合異常
睡眠障害	不眠，日中の眠気，夜間頻回覚醒，レストレスレッグス症候群，レム睡眠期行動異常

▶表 2　Hoehn & Yahr 重症度分類

Stage	判定基準
1	症状は一側性で，機能的障害はないか，あっても軽微
2	両側性の症状．姿勢反射障害はない．日常生活，職業には多少の障害があるが行うことができる
3	姿勢反射障害がみられる．活動がある程度制限される．機能的障害は軽度ないし中等度だが，1 人で生活可能
4	重度の機能障害．自力での生活困難．支えられずに立つことや歩くことはどうにか可能
5	立位や歩行不可．介助なしではベッドまたは車椅子での生活を強いられる

〔Hoehn, M.M., Yahr, M.D.: Parkinsonism: Onset, progression, and mortality. *Neurology*, 17(5):427–442, 1967 より一部改変〕

の低下に影響を与える．

自律神経症状としては，起立性低血圧，便秘などがあげられる．起立性低血圧が顕著な症例では，それが原因となって転倒する場合もある．便秘は高頻度に認められ，抗 PD 薬の効果を低下させる要因となりうる．睡眠障害としては，日中過眠や突発性睡眠，夜間不眠，レム睡眠期行動異常などがあげられ，感覚障害としては，疼痛，アカシジアに関連した不快感やジストニアに関連した疼痛などがあげられる．運動症状や非運動症状の出現のしかたは症例によって異なり，疾患の経過に伴い変化するため，対象者が疾患の経過のなかでどのような臨床症状を呈するかを把握する必要がある．

5 経過

PD の重症度の指標として，**Hoehn-Yahr**（ホーエン・ヤール）**重症度分類**（HY 分類）（▶**表 2**）[3] が用いられる．症状は一側から出現し（stage 1），徐々に両側に認めるようになる（stage 2）．姿勢反射障害が出現し始めるころから転倒頻度が高くなる（stage 3）．徐々に日常生活に介助を要するようになり（stage 4），徐々に寝たきりに近い状態になる（stage 5）．stage 2 以上に進行しても症状に左右差は残存する場合が多い．

6 医師による治療とリハビリテーション

PD 患者に対する医師による治療は現時点では対症療法が中心であり，抗 PD 薬，脳深部刺激療法（deep brain stimulation; DBS）*1 などの外科治療などが行われる．抗 PD 薬治療開始初期（3～5 年）は，L-dopa 製剤およびドパミン受容体作動薬などの抗 PD 薬によって症状のコントロールが良好である場合が多い．疾患の進行に伴い，**wearing-off**（ウェアリングオフ）**現象**や **on-off**（オンオフ）**障害**，**ジスキネジア**，**ジストニア**などの運動症状の変動を認めるようになる．wearing-off 現象は，1 日のなかで薬効が十分でない時間が生じるようになることを示し，on-off 障害ではその変動がより急峻となる．ジスキネジアは，四肢，頸部，体幹などに生じる不随意運動であり，抗 PD 薬服用 1～2 時間後のドパミン血中濃度が高

---

*1：脳深部に電極を埋め込み刺激する外科的治療であり，視床下核あるいは淡蒼球内節などが刺激部位として選択される．DBS は PD の主要運動症状，薬物療法に伴うウェアリングオフ現象などの合併症に対して有効であり，抗 PD 薬の減量も期待できる．DBS を行っている PD 患者に対して極超短波，超短波療法を実施し，死亡した例が報告されており，絶対禁忌である．

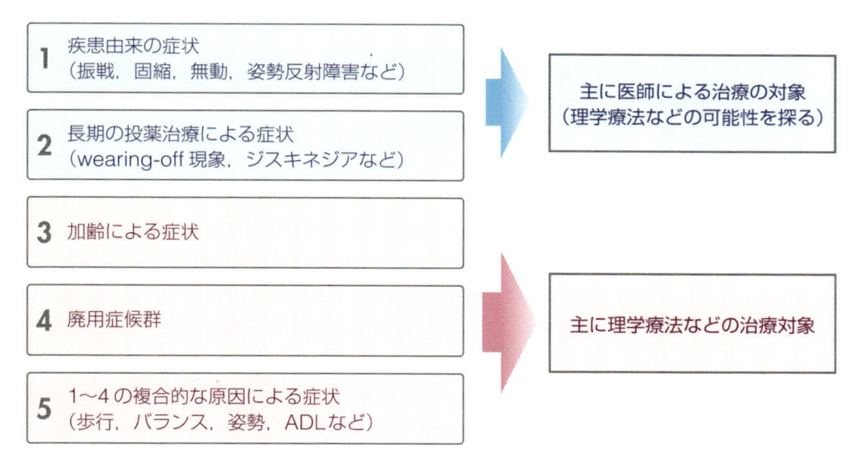

▶図 5　原因による症状分類と医師による治療，理学療法などの治療対象

いオン期(on periods)，あるいはドパミン血中濃度が上昇，下降する際に二相性に認めることが多い．ジストニアは異常な筋緊張亢進を示し，薬効状態の不良なオフ期(off periods)に認めることが多い．

症状の変動は運動症状のみでなく，うつや疲労感，思考緩慢，発汗異常，疼痛，異常感覚などの非運動症状においても認める場合がある．投薬治療によって症状の日内変動の改善が不十分な場合は，両側視床下核や両側淡蒼球に対する DBS などの手術療法が検討される．

PD の臨床症状は，疾患由来の症状，長期の抗 PD 薬治療による症状，加齢による症状，不活動による廃用症候群，それらの複合的な原因による症状(歩行，バランス，姿勢，ADL，認知機能障害など)に分類される．疾患由来の症状や長期の抗 PD 薬治療による症状は主に医師による治療対象となるが，加齢による症状，廃用症候群，複合的原因による症状は医師による治療のみでは十分な効果が得られず，理学療法などの介入が重要となる(▶図 5)．

PD 患者の平均寿命は一般人口とほとんど差がないが，疾患の経過に伴い機能障害は徐々に進行し，日常生活における活動を制限し，社会参加能力を低下させ，QOL の低下に結びつく．疾患の経過において，QOL をできるかぎり高く維持するためにも，医師による治療とともに理学療法，作業療法，言語聴覚療法などのリハビリテーション医療は大変重要である．

B 理学療法評価

1 UPDRS

UPDRS(Unified Parkinson's Disease Rating Scale)は世界で最も標準的な PD の機能障害の評価尺度であり，4 つの part に分かれている．part 1 は認知機能障害，精神症状，part 2 は ADL，part 3 は運動症状，part 4 は投薬治療に伴う合併症についての評価である．HY 分類よりも詳細な評価が可能で，症状の変化をとらえやすい．また，各症状の左右差について部位ごとに評価可能である．UPDRS は順序尺度であり，点数が高いほど重症度が高いことを示す．理学療法評価としては UPDRS part 3 や part 2，全体スコアを用いることが多い．

2008 年に発表された最新版の MDS-UPDRS (Movement Disorder Society-sponsored revi-

▶表 3　MDS-UPDRS の評価項目

part 1	日常生活における非運動症状
1.1	認知障害
1.2	幻覚と精神症状
1.3	抑うつ気分
1.4	不安感
1.5	無関心
1.6	ドパミン調節異常症候群の症状
1.7	睡眠の問題
1.8	日中の眠気
1.9	痛みおよび他の感覚異常
1.10	排尿の問題
1.11	便秘
1.12	立ちくらみ
1.13	疲労
part 2	**日常生活で経験する運動症状の側面**
2.1	会話
2.2	唾液とよだれ
2.3	咀嚼と嚥下
2.4	摂食動作
2.5	着替え
2.6	身のまわりの清潔
2.7	書字
2.8	趣味や娯楽
2.9	寝返り
2.10	振戦
2.11	ベッド，車の座席，深い椅子からの立ち上がり
2.12	歩行とバランス
2.13	すくみ足

part 3	運動症状の調査
3.1	言語
3.2	顔の表情
3.3	固縮
3.4	指タッピング
3.5	手の運動
3.6	前腕の回内・回外運動
3.7	つま先タッピング
3.8	下肢の敏捷性
3.9	椅子からの立ち上がり
3.10	歩行
3.11	歩行のすくみ
3.12	姿勢の不安定性
3.13	姿勢
3.14	運動の全般的な自発性
3.15	手の姿勢時振戦
3.16	手の運動時振戦
3.17	静止時振戦の振幅
3.18	静止時振戦の持続性
part 4	**運動合併症**
4.1	ジスキネジア出現時間
4.2	ジスキネジアの機能への影響
4.3	オフ状態で過ごす時間
4.4	症状変動の機能への影響
4.5	運動症状変動の複雑さ
4.6	痛みを伴うオフ状態ジストニア

〔Goetz, C.G., et al.: Movement Disorder Society-sponsored revision of the Unified Parkinson's Disease Rating Scale (MDS-UPDRS): Process, format, and clinimetric testing plan. *Mov. Disord.*, 22(1): 41–47, 2007 より一部改変〕

sion of the Unified Parkinson's Disease Rating Scale)[4]（▶表 3）では，part 1 で睡眠障害や自律神経症状，感覚障害についても評価可能であり，日本語版も利用可能である．

2 機能障害の評価

a 振戦

振戦(tremor)は，1 秒間に 4～6 回の不随意のふるえである．振戦は安静時に認めることが多いが，姿勢保持時や動作時に認められる場合もある．上肢(手指)，下肢，顔面(口唇，下顎)の振戦の有無や振幅，持続時間，左右差を評価する．また振戦が，食事動作，書字動作，更衣動作などの ADL に及ぼす影響についても評価する．

b 固縮

固縮(rigidity)は，他動で上下肢，頸部，体幹の関節を動かした際の被動抵抗の有無やその程度，左右差を評価する．固縮を認める際の被動抵抗は鉛管様，あるいは歯車様を呈する．固縮は，痙縮と異なり，関節を動かす速さによって変化しない．評価の際は，対象者に話しかけるなどして，できるかぎり評価部位に注意を向けないように配慮する．被動抵抗を感じない場合は，対象者に他の身体部位で運動(指タッピングや手の開閉，踵のタッピングなど)を行ってもらうことにより固縮が誘発される場合がある．

c 無動，寡動

無動(akinesia)は自発的な運動の開始の遅延を示し，**寡動**(bradykinesia)は運動の大きさや速度の低下を示す．対象者に自発的に指タッピングや手の開閉，前腕回内外，股関節を屈曲しての踵打ち，足関節底屈によるつま先タッピングなどを連続で実施してもらい，その際の運動の大きさや速度，リズムの乱れ，停止の有無などを評価する．PD 患者は自発的な随意運動の障害が顕著となるため，評価の際に検者が対象者と一緒に運動を実施しないようにする．無動・寡動は四肢遠位部ほど強くなる場合が多い．無動・寡動の評価は一側ずつ行い，左右差も評価する．PD 患者は両手動作の障害を認めるため，前腕回内外などの動きを両手同時に行った際の評価も行う．運動を行った際の自覚的な動かしにくさに関する内省も聴取する．

d 関節可動域制限

無動・寡動や固縮の影響の強い関節の可動域は特に制限されやすいため，定期的に評価する．足関節背屈，股関節外転・伸展，体幹・頸部側屈回旋，肩関節水平内転・伸展，肘関節伸展などの関節可動域は制限されやすい．

e 筋力低下

等尺性筋力の評価として，徒手筋力テストあるいはハンドヘルドダイナモメータによる計測を行う．PD 患者は速い運動において筋出力が低下する傾向にあるため，等張性筋力を徒手で評価する際には運動速度を変化させて評価する．PD 患者の筋力低下には不活動に伴う筋萎縮と無動などの神経学的要因が関与する．筋萎縮の程度を評価するため，視診，触診，四肢の周径計測を行う．無動，寡動の影響が強い場合には，最大筋力が発揮されるまでに時間を要するため，最大筋力を評価する際には，ウォーミングアップを十分に行ったり，測定回数を増やしたりするなどの工夫を行う．

f 呼吸機能障害

PD の呼吸機能障害は拘束性障害，気道閉塞障害，咳嗽障害からなる．拘束性障害は呼吸筋の固縮や姿勢異常に伴う胸郭の拡張制限などが主な原因となる．気道閉塞障害は上気道筋群の協調運動障害，自律神経障害による末梢の気道閉塞などが原因であると考えられている．

スパイロメータを用いた呼吸機能評価においては，％肺活量や努力性肺活量，1 秒量が減少しやすい．胸郭のコンプライアンスの評価は徒手で確認するとともに，テープメジャーを用いて，最大吸気時と最大呼気時の胸郭周径の差を腋窩，剣状突起，第 10 肋骨のレベルでおのおの計測する．咳嗽障害はピークフローメータにフェイスマスクを接続して，随意的に咳嗽を行ってもらい，その際の peak cough flow(PCF)(L/分)を評価する．

g 全身持久力

全身持久力の臨床的な評価指標として，6 分間歩行テストがあげられる．6 分間歩行テストでは，30 m のコースで 3 m おきにマークし，両端にはコーンを設置し，速い速度で 6 分間歩き，その際の歩行距離，心拍数，自覚的運動強度を表す Borg(ボルグ)スケールなどを評価する．必要があれば途中で休憩することが許されるが，休憩した時間についても記録する．

h 認知機能

全般性の認知機能評価は，Mini-Mental State Examination (MMSE) や Montreal Cognitive Assessment 日本語版(MoCA-J)などの指標を用いる．MoCA-J は，MMSE と比較してより軽度の認知機能低下を検出することが可能である．

PD の認知機能障害は前頭葉機能低下に由来するものが多い．前頭葉機能全般の評価としては frontal assessment battery(FAB)があげられる．概念形成やルール発見，セット転換の要素の評価には Wisconsin card sorting test(WCST)，

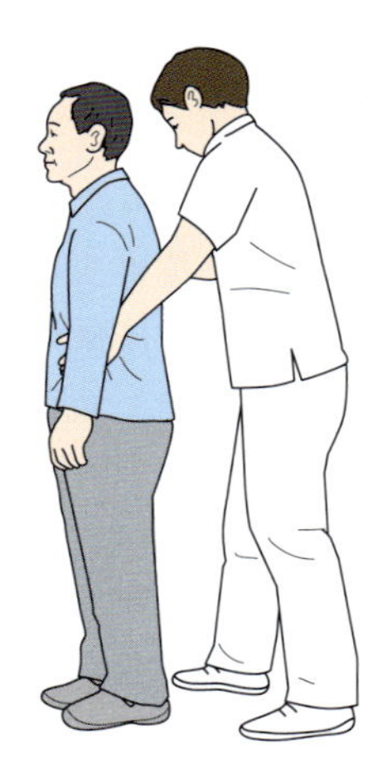
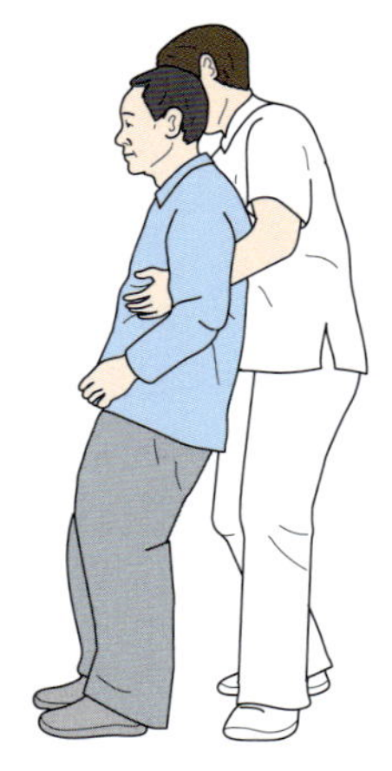
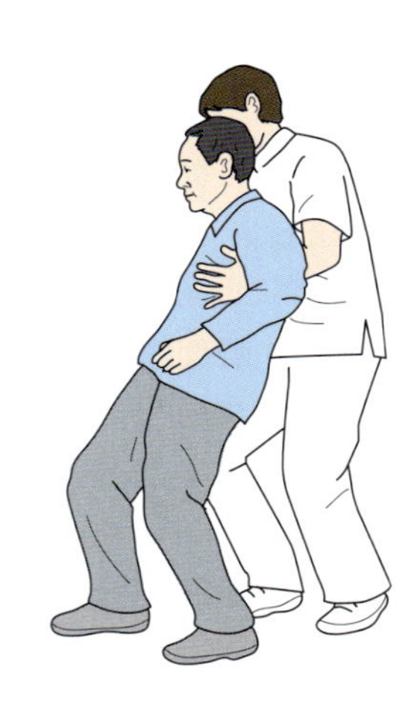

▶**図 6　後方外乱負荷に対する姿勢反応の評価**
一度弱めの負荷で練習してから，2 度目は練習のときよりやや強めに外乱を与え，その際の姿勢反応を評価する．対象者に外乱後にステッピングを行ってよいことを伝え，検者は対象者がステップすることができる空間を保ちながら，転倒しないようリスク管理も行う．図は後方外乱負荷後，ステッピング反応が出たものの，平衡を保持できなかった様子を示す．

セット転換の要素の評価には trail making test (TMT)，ワーキングメモリ機能の評価には digit span（順唱，逆唱）などが用いられる．

日常生活において，問題解決のために自発的に計画を立て，実行する能力の異常として認められることが多く，対象者や周囲の人々からの問診も行う．

3 活動制限の評価

a 立位

(1) 姿勢不安定性

PD の姿勢不安定性には姿勢反射障害が関与する．姿勢反射障害の評価では，対象者に前後，側方，斜め方向に外乱を与え，その後の立ち直りの可否や立ち直りに必要なステップ数などの姿勢反応をみる（▶図 6）．PD では後方外乱に対する姿勢反応の障害が顕著となる．また，外乱を与える際，外乱の方向や強さ，タイミングなどの情報を事前に与える場合と与えない場合の反応の差異も評価する．PD では外乱に関する情報の予期がない状態での反応がより低下することが多い．進行期の PD 患者では，外乱を与えなくても平衡を失いそうになったり，立位保持が困難になったりすることがある．

PD 患者は外乱負荷応答だけでなく，静的姿勢制御，随意運動に伴う姿勢制御も異常を呈する．静的姿勢制御については，通常の静止立位に加えて，姿勢制御にかかわる視覚，体性感覚，前庭感覚などの感覚情報や支持基底面の広さや形状を変化させたり，二重課題を課したりして姿勢動揺や重心偏位を評価する．

随意運動に伴う姿勢制御として，上下肢の随意運動に伴う予測的な姿勢制御や随意的な重心移動能力を評価する．予測的姿勢制御は，立位や座位，歩行時に四肢によるさまざまな運動課題を課し，その際の平衡保持の可否や姿勢不安定性を評価する（▶**表 4**）．随意的な重心移動能力は，静止立位の状態から前後左右斜め方向に移動してもらい，各方向へ重心移動可能な範囲（安定性限界）や重心移動のスムーズさ，重心移動する際の戦略（股関節戦略，足関節戦略など）を評価する．

姿勢不安定性を評価する際の**転倒リスク**には十分に注意する．姿勢不安定性を呈する患者は日常生活において転倒や転倒しそうになる経験を有している場合が多く，転倒や転倒傾向の有無，転倒

▶表 4　予測的姿勢制御の理学療法評価，介入のための課題設定の例

肢位・動作	随意運動
座位	●上肢挙上（一側か両側か，方向，運動範囲，速度，重錘などによる負荷）
立位	●上肢到達動作（一側か両側か，方向，運動範囲，速度）
歩行	●両手で物を持ち上げる（重さ，大きさ，形状，置いてある場所） ●物を置く（物の重さ，大きさ，形状，置く場所） ●扉を開ける〔開き戸（内開き，外開き），引き戸〕 ●タンスや棚の引き出しを引く ●手を振る（一側か両側か，運動範囲，速度） ●衣服の着脱（上衣，下衣） ●ステップ（方向，大きさ，速度，左右どちらの足を出すか） ●振り返る（方向，大きさ，速度） ●キャッチボール（方向，速さ，高さ，速度，片手あるいは両手） ●ボールを蹴る（ボールの大きさ，位置，壁当て，相手の位置） ●ボールつき（ボールの大きさ，弾性） ●風船つき（方向，高さ，速度，相手の有無）

方向，転倒の衝撃の程度，転倒した/しそうになる動作，場所，時間，外傷や骨折の有無，程度についても評価する．

(2) 姿勢異常

PD の姿勢異常には前屈姿勢，側屈姿勢，首下がりがあげられ，対象者の姿勢アライメントを矢状面，前額面，水平面から評価する．姿勢異常は，臥位になることによりほとんど完全に消失することが多い．PD の姿勢異常には，体幹筋ジストニアや固縮，ミオパシー，骨の退行性変化，軟部組織変化，固有感覚の統合異常などが関与すると考えられているが，軟部組織変化や固有感覚の統合異常については理学療法の対象となる．そのため，姿勢異常を呈する患者の脊柱や股関節の可動性や筋力，筋持久力低下について評価する．また，固有感覚の統合異常により自己身体の垂直認識が障害されている場合もあり，座位や立位で閉眼した状態で垂直定位することにより評価する．

▶表 5　すくみ足が発生しやすい状況

- 歩行開始
- 方向転換（特に小さな回転半径での方向転換）
- 目標地点付近での歩行
- 歩行中
- 二重課題
- 歩行中の動作の切り替え
- 狭い通過口
- 人通りの多い場所
- 疲労時
- タイムプレッシャーの加わる場面

b 歩行

PD 患者は歩幅や歩隔，遊脚期におけるクリアランスの低下，ストライド時間の変動性の増加，歩行周期，関節運動の左右非対称性増加などの異常を認めることが多い．ストライド時間変動性の増加は，PD 患者における歩行の自動的な制御の障害と随意的な制御への依存の増加を示すと考えられる．歩行評価の際は，対象者の歩行を前額面，矢状面から観察する．PD 患者は自身の動作に注意が向いていないときに動作の異常が顕著となる傾向にあるため，理学療法実施中などの自己の動作に注意が向いている際と，理学療法終了後などの自己の動作に注意が向いていない際の歩行を比較する．

日常生活，QOL に大きく影響を与える歩行障害として，すくみ足があげられる．**すくみ足**（freezing of gait; FOG）とは「歩行開始時や歩行中に足が地面にくっついたようになって動けなくなる症状」である．すくみ足の評価は，対象者や周囲の人にすくみ足について説明したのち，日常生活におけるすくみ足の有無を確認する．すくみ足の生じやすい状況を**表 5** に示す．すくみ足は環境や課題によって変化し，対象者によって発生しやすい状況は異なる．そのため，すくみ足の評価は直線歩行の評価のみでは不十分であり，歩行時の環境や課題を評価者が意図的に設定し，観察する必要がある．歩行中にすくみ足が生じる前には，歩幅が低下し，歩行率が上昇することが知られている．理学療法の臨床場面は自身の動作に対する注

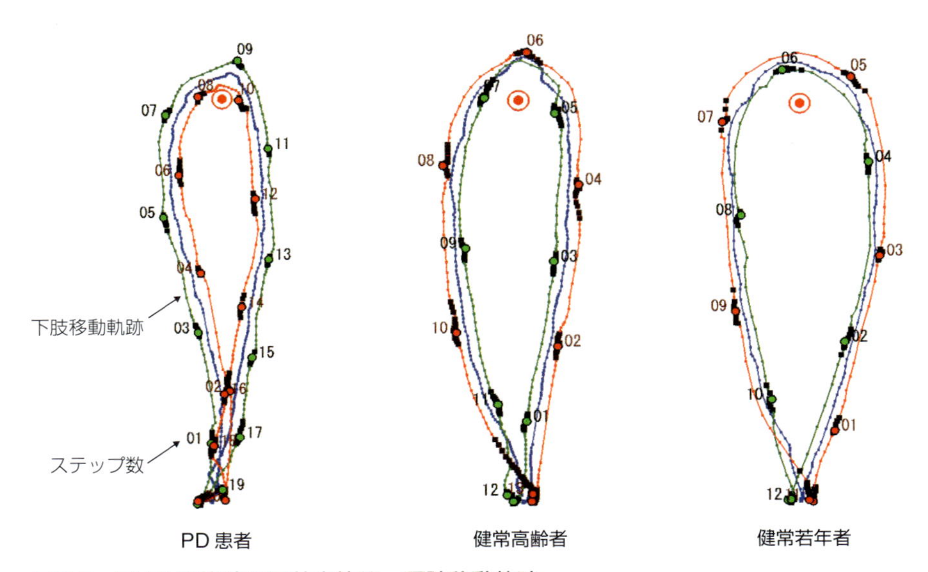

▶図 7　TUG 実施時の足着床位置，下肢移動軌跡
PD 患者が健常高齢者，健常若年者と比較して，マーカーのすぐ近くに足を接地して，小さな回転半径で方向転換し，方向転換する相において歩幅低下が顕著となっている様子を示す．

意が高くなっているため，すくみ足が出現しにくいことが多いが，課題や環境の変化による歩幅の減少や歩行率の上昇などがないかについても評価する．すくみ足の評価指標としては NFOGQ (New Freezing of Gait Questionnaire)があげられる．また，TUG(Timed Up and Go Test)は一般的には動的バランスの指標として利用されるが，歩行開始，方向転換，目標地点付近の歩行といったすくみ足が発生しやすい状況を含むため，すくみ足の評価としても利用可能である．

PD 患者は，歩行開始における下腿の前傾や振り出し側から支持側への体重移動，振り出し側下肢の制御に異常を呈することが多い．歩行開始の障害には，下腿の前傾を引き起こすための足関節の関節可動域の減少や，背屈筋の活動低下，側方の体重移動に必要な中殿筋の活動の低下や姿勢不安定性なども関与しうるため，それらの機能評価も行う．また，理学療法場面や日常生活において，振り出し開始側を意図的に設定した際の動作の変化についても評価する．

方向転換動作は，回転方向や軌跡によって変化しうるため，PD 患者が方向転換時にどのような回転方向や移動軌跡を選択するかについても評価する(▶図 7)．PD 患者は，方向転換時の頸部，体幹，骨盤の分離した動きが低下することが多い．

先述のように，PD 患者は自動的な歩行制御が障害されており，歩行の認知的な制御への依存は健常者と比較して大きいと考えられる．PD は疾患の経過に伴いワーキングメモリ，注意などの認知機能の障害が顕著となるため，認知的負荷や心理的負荷の加わる状況においては歩行を適切に制御できず，すくみ足が発生する場合がある．そのため，認知機能評価とともに，歩行時に運動課題(例：水の入ったコップの乗ったトレーを運ぶ)や認知課題(例：しりとり，Serial 7)などの二重課題を課したり，時間を規定してタイムプレッシャーを与えたりした際の歩行も評価する．狭い通過口を通り抜ける場面においてすくみ足が誘発される場合もあるため，対象者の肩幅などを基準としてさまざまな通り抜け幅を設定し，通過する際の歩行の評価も行う．

C 立ち上がり，移乗動作，起居動作

構成する一連の動きのなかで不足している要素

について評価する．立ち上がりや移乗動作に関しては下腿前傾や股関節，体幹屈曲などの動きが不足し，起居動作に関しては頸部，体幹の回旋や肩関節の水平内転などの動きが不足することが多い．また，座面の高さやアームレスト，ベッド柵の有無などの環境設定を変化させて評価を行う．

d 車椅子駆動

日常生活において自立歩行が困難となった際には車椅子を利用することになる．PD 患者は標準型車椅子駆動時に上肢，頸部，体幹の動きが小さくなり，駆動能力が低下することが多いため，駆動時に不足している動きについて評価する．車椅子駆動能力の低下により病棟や施設内で排泄時にトイレに間に合わないことがないかなど，日常生活に及ぼす影響についても評価する．

e セルフケア動作

姿勢異常や上肢の運動症状，バランス障害の影響により食事動作や服薬動作，上下衣の更衣動作，整容動作，入浴動作，洗髪動作，排泄動作などが障害される場合があり，必要に応じて実際の動作を評価する．セルフケア動作については対象者，家族，看護師，介護士などと協力しながら，実際の日常生活における動作についても評価を行う．

4 抗 PD 薬，症状の日内変動への配慮

抗 PD 薬が PD 患者の症状に与える影響は大きく，医師による抗 PD 薬の内容に変化があった際には再評価を行うことが望ましい．一定期間の理学療法を行い，効果判定のための定期評価を行う際には，介入前後で抗 PD 薬の内容に変化がないかを確認し，抗 PD 薬のサイクルを考慮して，できるかぎり同じ時間に評価を行う．

長期の投薬治療に伴い症状に**日内変動**を呈する場合，抗 PD 薬の効いているオン期と効いていないオフ期では機能障害や活動制限も異なるため，日内変動が顕著な場合にはオン期，オフ期ともに評価を行い，障害構造の差異について評価する．症状の日内変動のパターンの評価には症状日記（▶図 8）を用いる．症状日記には服薬時間と時間による動きやすさ，ジスキネジア，睡眠の状態などを記載する．1 週間程度記載することにより，症状の日内変動のパターンや日差変動について評価可能である．ジスキネジアやジストニアの出現の有無や部位，抗 PD 薬内服のタイミングと出現する時間の関係性についても情報収集する．

C 理学療法の実際

1 PD の理学療法の効果に関するエビデンス

PD 患者に対する運動療法が，運動症状，歩行，バランスの障害を改善することに関するエビデンスが蓄積されてきており，『理学療法ガイドライン第 2 版』（日本理学療法学会連合）[5]，『パーキンソン病診療ガイドライン 2018』（日本神経学会）[6]において，疾患早期から理学療法を実施することが推奨されている．また，疾患早期からのリハビリテーションが運動症状の進行を抑え，抗 PD 薬の内服量の増加を抑える効果があることについても報告されている[7]．PD 患者に対して，疾患早期から継続して理学療法を行うことは，患者の運動症状の進行を抑制し，疾患の経過によい影響を与えることが期待される．

2 病期別理学療法

疾患早期は運動機能が低下し始め，日常生活における活動性が低下しやすいため，身体機能の維持・向上を目的とした運動療法や，活動的な生活様式を促すための指導を行う．疾患の進行に伴いバランス能力が低下し，立位，歩行時などに転倒

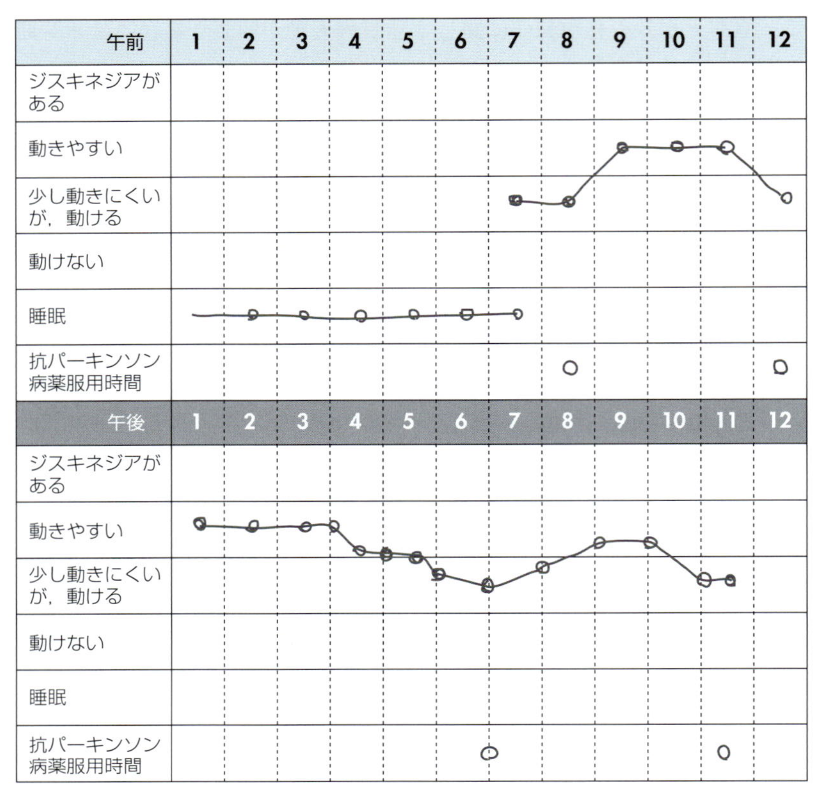

▶図 8　症状日記の記載例

しやすくなり，ADL も障害されてくるため，それまでの介入に加えて転倒予防や ADL の改善を目的とした運動療法を行う．進行期には日常生活自立度が低下し，活動量も著しく低下することで，呼吸・嚥下機能などの生命維持機能が低下し，拘縮や褥瘡の発生リスクが高まるため，呼吸・嚥下機能の維持・改善，拘縮，褥瘡予防を目的とした運動療法，家族，介護者などに対する指導や情報提供を行う（▶図 9）[8]．

3 理学療法介入

a 外的キューを用いた運動療法

PD 患者は自発的な随意運動が障害されるが，感覚刺激などを用いた外的キューによる随意運動は残存される傾向にある．そのため，PD の運動療法において，聴覚刺激，視覚刺激，体性感覚刺激などの**外的キュー**が利用される．PD 患者は外的キューを与えない歩行では歩幅の低下などの異常が顕著であるが，外的キューを与えることにより歩行が即時的に改善する〔逆説性歩行（kinesie paradoxale）〕．

歩行練習時の聴覚刺激としてはメトロノーム音やリズミカルな音楽などが利用される．一般には，音に合わせて足を接地して歩くよう指導する．すくみ足のある PD 患者に対しては通常の歩行よりやや遅いリズムで設定するとよい．すくみ足のある PD 患者に対する聴覚刺激はすくみ足を誘発する場合があり，適用時には注意が必要である．視覚刺激としては床に引いた線や床の模様などを利用する（▶図 10 A）．体性感覚刺激としては，タッピングなどによる皮膚刺激を利用する．

外的キューを用いた歩行は，運動前野，頭頂葉，小脳などの外発的な随意運動を行うための神

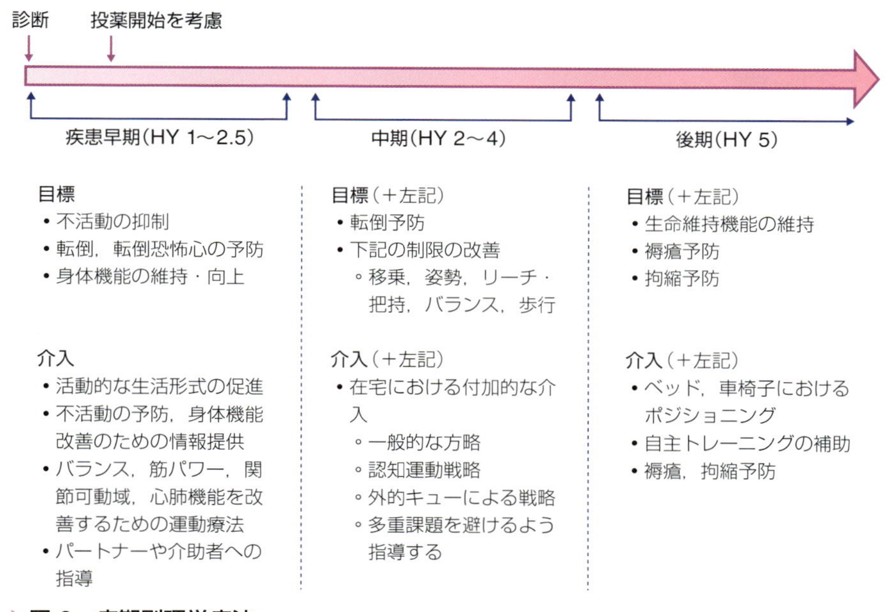

▶図 9　病期別理学療法
〔Keus, S.H., et al.: Evidence-based analysis of physical therapy in Parkinson's disease with recommendations for practice and research. *Mov. Disord.*, 22(4):451–460, 2007 より一部改変〕

経ネットワークを介して発現する．外的キューを用いることにより，PD において障害される内発性随意運動を行うための補足運動野，大脳基底核などの神経ネットワークを介さずに運動が発現されるため，即時的に運動が改善すると考えられる(▶図 10 B)．

外的キューを用いた歩行練習を一定期間続けることにより，外的キューを用いない際の歩行も改善することが期待される[9]．外的キューを用いて歩行練習する際は，動作の改善とともに，徐々にキューを与える頻度を下げていくように配慮する．

b 認知運動戦略

PD 患者は自己の運動に適切に注意を向けることにより動作が改善する傾向にあるため，動作時の注意の向け方について各症例に応じて指導する．認知運動戦略を指導する際，事前にこれから実施する運動をデモンストレーションなどにより観察してもらったり，イメージしてもらったりする場合もある．

歩行練習時には歩幅を大きくするよう意識したり，踵から地面につけるよう意識したりすることで，動作が即時的に改善する．意識的に大きく身体を動かす運動療法を一定期間集中的に行うことにより，PD の運動症状や歩行能力が改善することが報告されている[10]．PD 患者に対して目標とする動きを明確に呈示したのち，運動を実施してもらい，意図した運動と実際に生じた運動の誤差の修正を促す．実施する際には，必要以上の大きさの動作やバランスを失ってしまうほどの動作にならないように注意する．起居動作や立ち上がり動作については，一連の動きの要素のなかで不足している動きを同定し，まず，その動きの練習を行い，徐々に前後の要素とつなげて練習を行う．

認知的に負荷の加わった状態での動作を改善するため，認知課題などを負荷した二重課題の状態で運動療法を行うこともある．PD 患者は動作ではなく負荷された第二課題を優先し，動作の制御に異常を呈する傾向にあるため，患者の注意がど

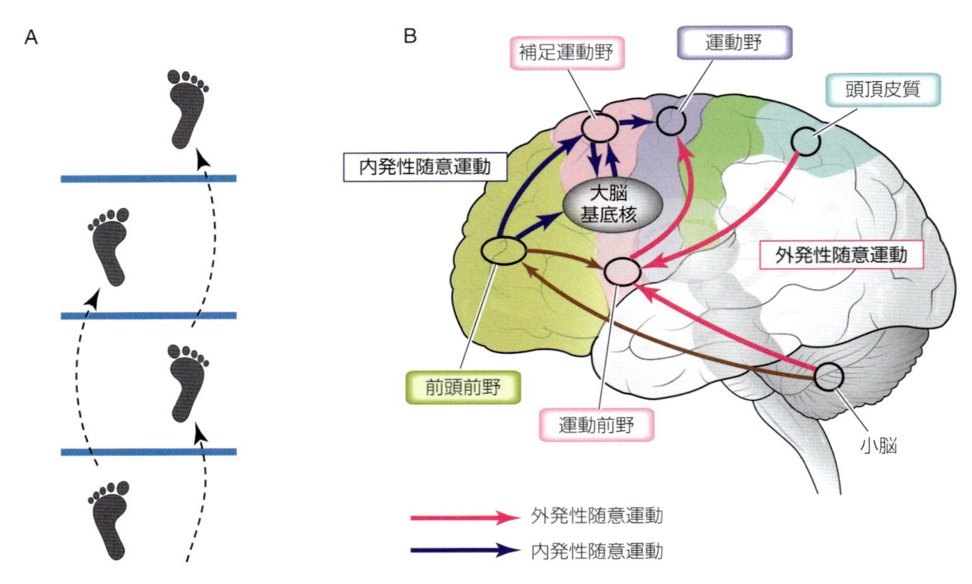

▶図 10　視覚キューの歩行への適用と外的キューの効果の神経機構

A：進行方向に垂直な床の線を視覚キューとして利用する様子を示す．線の間隔は，対象者の体格や歩幅に応じて調整する．線の長さが短すぎると，歩隔が減少する可能性があるため，短くなりすぎないよう注意する．

B：青矢印は内発性随意運動の神経ネットワークを，赤矢印は外発性随意運動の神経ネットワークを示す．

こに向いているのかについて十分配慮し，必要に応じて指示しながら運動療法を行う．

c トレッドミル歩行練習

トレッドミル歩行練習は，軽度から中等度の重症度の PD 患者の歩幅や歩行速度，歩行耐久性を改善するというエビデンスが確立されている[11)]．トレッドミル歩行練習は，歩行リズムや歩行左右非対称性を改善する効果も期待される．姿勢不安定性や転倒恐怖心が強い症例に対しては，手すりを利用しながら実施する．

d 姿勢バランス練習

静的姿勢制御の練習を行う際は，評価時と同様に，感覚情報や支持基底面の状態を変化させたり，二重課題を負荷したりしながら，バランスを保持する練習を行う．

バランスマット上における立位では，足底からの圧感覚情報を立位姿勢制御に有効に利用することができなくなる．そのため，バランスマット上で閉眼して姿勢バランスを保持する練習により，固有感覚や前庭感覚を用いて平衡を保持する機能の改善を狙う．前庭器官は頭部に位置し，頭部に加わる加速度を感知している．前庭感覚入力に伴い平衡を保持する機能の向上を目的とする際には，患者自身に頭部を前後屈，側屈，回旋してもらうなどして頭部に加速度を加え，姿勢バランスを保持する練習を行う．

外乱負荷応答の練習は，外乱の方向や強度，それらの条件の予告の有無などを変化させて行う．後方外乱に対するステッピング反応は，つま先から接地するように指導する．外乱後のステッピング反応が出現しない場合は，外的キューを利用したり，ステッピング側を事前決定するように指示したりしながら実施する．また，ステッピング後に平衡を保持する練習も行う．

随意運動に伴う姿勢制御の練習として，予測的姿勢制御，随意的な重心移動などを行う．予測的姿勢制御の練習を行う際には，評価時と同様に座位，立位，歩行時に四肢の運動を課し，平衡を保持する練習を行う(▶表 4)．随意的な重心移動の練習は，前後左右斜方向に実施する．その練習のなかで，平衡を保持した状態で自身の重心移動可能な範囲(安定性限界)の認識を促す．

e 姿勢異常に対する練習

姿勢異常に対する練習として，体幹・股関節周囲のストレッチング，体幹・股関節周囲筋の筋力増強運動，姿勢の垂直定位を促す練習，四肢の運動を課しながら姿勢を保持する練習などを行う．

f 関節可動域運動

拘縮の生じている部位に対しては持続的なストレッチングを，拘縮は生じていないが拘縮発生の可能性の高い部位に対しては他動運動を行う．関節可動域練習に超音波療法などの物理療法を併用することも検討する．しかし，DBS を受けた症例に対する極超短波や超短波療法といったジアテルミーを実施し死亡した例について報告されており，絶対禁忌である．頸部の関節可動域制限は嚥下障害にも関与するため，制限が生じている場合には関節可動域練習を十分に実施する．

g 筋力増強運動

筋力低下の生じている部位に対して，筋の収縮様式，運動範囲，速度を考慮し，徒手や弾性ゴムなどの用具，機器を用いて筋力増強運動を実施する．PD 患者が筋力増強運動によって過用性筋力低下をおこしたとする報告はなく，他の疾患によるリスクがなければ高負荷で実施しても問題はないと考えられる．PD 患者は最大筋力を発揮するまで時間を要する場合があるので，ウォーミングアップを十分に行ってから実施する．また，無動，寡動の影響が強い PD 患者に対して等張性収縮で筋力増強運動を行う際，運動範囲が小さくなりやすいため，全運動範囲にわたって十分な筋の出力が得られるように指示したり，外的キューを与えたりしながら実施する．

h 持久力増強運動

PD 患者に対する持久力増強運動は，全身持久力，運動機能，認知機能，うつ傾向，疲労などを改善し[12)]，神経保護作用やドパミン神経伝達を改善する可能性があること[13)] などが報告されている．他の疾患によるリスクがなければ，定期的に実施することが推奨される．持久力増強運動として，歩行練習，水泳，水中ウォーキング，自転車エルゴメータ駆動練習などを用いる．すくみ足の顕著な症例では，歩行により持久力増強運動を実施することが困難となる．PD 患者は自転車駆動能力が残存する傾向にあるため，背もたれのある設置型の自転車エルゴメータ駆動練習は疾患の重症度を問わず利用しやすい．

i 呼吸障害に対する介入

拘束性換気障害の改善のために，頸部，体幹，胸郭，肩甲帯周囲の可動性の改善を目的としたストレッチングやモビライゼーションを行う．咳嗽機能を改善させるため，腹筋群の筋力増強運動，声帯内転運動などを行う．姿勢異常の改善は呼吸障害に好影響を与える．持久力増強運動により換気を促すことによって呼吸障害の改善効果も期待される．呼吸機能の改善は嚥下機能や発声の改善にもつながる．

j 代償的手段の紹介

姿勢異常に対する代償的な手段として，背負いカバンや高いフレームの歩行器などを利用する．巧緻動作の障害のため，箸の使用や薬を飲むための動作などが困難な場合は，操作性に優れている箸や薬をシートから出すための自助具が利用可能である．歯磨きの連続した動作の障害が顕著な場合は，口腔内の清潔保持，肺炎予防の観点からも電動歯ブラシの使用を検討する．下衣の着脱などのバランスを要求される動作は，可能なかぎり座って実施するように指導する．両手動作の障害のため，片手で食器を持って，もう片方の手で箸やスプーンなどを持って食べる動作が難しい場合は，返しのついた食器などをすべり止めマットの上に置き，片手で箸やスプーンなどを操作して食べるように指導する場合もある．握力低下や無動，寡動の影響が強い症例においては，柄の太いスプーンなどを紹介する．入浴時の浴槽内座位では，浴槽の材質，水の浮力の影響による滑りやすさや座位の安定性などにより溺死の危険性があるため，浴槽内に滑り止めマットや手すりを設置することが望ましい．

4 症状の日内変動への配慮

症状の日内変動が顕著である場合，抗 PD 薬の薬効状態のいいオン期は，固縮や無動，寡動，易疲労性などの影響を受けにくいため，関節可動域運動，筋力増強運動，持久力増強運動などを実施することが望ましい．抗 PD 薬の薬効状態の悪いオフ期の動作の障害が顕著である場合には，動きにくい場合の動作方法の指導などをオフ期に行う．薬効状態による認知機能の変動があり，オフ期には動作方法の習得が困難な場合もある．

●引用文献

1) 高草木 薫：大脳基底核の機能─パーキンソン病との関連において．日生理誌, 65(4.5):113–129, 2003.
2) Braak, H., et al.: Stages in the development of Parkinson's disease-related pathology. *Cell Tissue Res.*, 318(1):121–134, 2004.
3) Hoehn, M.M., Yahr, M.D.: Parkinsonism: Onset, progression, and mortality. *Neurology*, 17(5):427–442, 1967.
4) Goetz, C.G., et al.: Movement Disorder Society-sponsored revision of the Unified Parkinson's Disease Rating Scale (MDS-UPDRS): Process, format, and clinimetric testing plan. *Mov. Disord.*, 22(1): 41–47, 2007.
5) 日本理学療法学会連合 理学療法標準化検討委員会ガイドライン部会(編)：理学療法ガイドライン．第 2 版, pp.116–127, 医学書院, 2021.
6) 日本神経学会(監)：パーキンソン病診療ガイドライン 2018. pp.87–89, 211–213, 医学書院, 2018.
7) Okada, Y., et al.: Effectiveness of Long-Term Physiotherapy in Parkinson's Disease: A Systematic Review and Meta-Analysis. *J. Parkinsons Dis.*, 11(4): 1619–1630, 2021.
8) Keus, S.H., et al.: Evidence-based analysis of physical therapy in Parkinson's disease with recommendations for practice and research. *Mov. Disord.*, 22(4):451–460, 2007.
9) Nieuwboer, A., et al.: Cueing training in the home improves gait-related mobility in Parkinson's disease: The RESCUE trial. *J. Neurol. Neurosurg. Psychiatry*, 78:134–140, 2007.
10) Ebersbach, G., et al.: Comparing exercise in Parkinson's disease—The Berlin LSVT® BIG study. *Mov. Disord.*, 25(12):1902–1908, 2010.
11) Mehrholz, J., et al.: Treadmill training for patients with Parkinson's disease. *Cochrane Database Syst. Rev.*, 8:CD007830, 2015.
12) Uc, E.Y., et al.: Phase I/II randomized trial of aerobic exercise in Parkinson disease in a community setting. *Neurology*, 83(5):413–425, 2014.
13) Petzinger, G.M., et al.: Exercise-enhanced neuroplasticity targeting motor and cognitive circuitry in Parkinson's disease. *Lancet Neurol.*, 12(7):716–726, 2013.

（岡田洋平）

COLUMN 嚥下障害

摂食と嚥下の流れに沿って，その障害と病態について述べる．

摂食・嚥下の流れは，先行期，準備期，口腔期，咽頭期，食道期の5段階に分けられる（▶**表1**）．

先行期

食物を見たり，匂いを嗅いだり，食物に触れて硬さを認識したりすることにより，これから摂食し，嚥下する食物を認知する段階である．食物の認知により，食欲を感じ，唾液が分泌され，消化管の運動が促進される．認知機能低下に伴う注意障害などにより，食物の認知が欠けたり，不十分になったりすると準備が不十分になるため，一口量や摂食ペースの調整に異常が生じたり，食物が口腔や咽頭に入った際の嚥下反射が弱くなったり，タイミングがずれたりして，**誤嚥**の危険が高くなる．

準備期

食物を口腔内に取り込み，咀嚼し，唾液と混ぜ合わせることにより，嚥下しやすい形態に食塊を形成する重要な段階である．食物を取り込んだのち，口唇を閉鎖できなければ，食物や水分が口からこぼれてしまう．咀嚼運動は，三叉神経，顔面神経，舌下神経などが協調して働くことによって行われる．咀嚼の中枢は脳幹に存在し，大脳皮質など上位中枢の支配を受けている．咀嚼は食塊を形成するために食物を砕く重要な段階である．咀嚼，食塊形成がうまくされないと，嚥下が困難になる．

口腔期

口腔期は，食塊が舌の動きによって口腔から咽頭入口部まで運ばれる時期である．舌尖が口蓋についていないと，咽頭への送り込みもその後の嚥下反射も生じにくい．食塊が咽頭に入ると嚥下反射が始まる．口腔期と咽頭期は連続して生じるため，厳密に区別することはできない．嚥下に関連する中枢は延髄に存在するが，口腔期は随意性が高く，大脳皮質の影響が大きい時期である．口腔期が延長すると，食塊が効率的に咽頭に送り込まれず，咽頭期の一連の動きを誘発する有効な刺激になりにくいため，咽頭期に遅れが生じやすい．水分のようなものは喉頭蓋谷に長く停滞することができず，梨状窩に流入してしまう．このときに，息を吸い込むと誤嚥が生じる．

▶表1　摂食，嚥下の各段階

段階	定義
先行期	食物を認識する段階
準備期	食物を口に取り込み，咀嚼し，食塊を形成する過程
口腔期	咽頭に食物を送り込む段階
咽頭期	食物が咽頭を通過する段階（嚥下反射）
食道期	食道の蠕動運動により胃に食物を送り込む段階

咽頭期

食塊が嚥下反射により咽頭から食道に運ばれる．軟口蓋が挙上し，鼻咽腔が閉鎖され，鼻腔への逆流が防がれる．また，気道の閉鎖は喉頭蓋の反転によって生じる．咽頭期は嚥下中枢にプログラムされた運動パターンが短時間で実行される．大脳皮質や大脳基底核が嚥下反射の駆動に関与している．咽頭期では呼吸は停止される．嚥下関連筋群の機能低下や口腔および咽頭の感覚低下により嚥下反射が誘発されるのが遅延すると，咽頭残留や喉頭侵入や誤嚥をまねきやすくなる．喉頭感覚の低下や，呼吸機能の低下を有すると，誤嚥した際に“むせ”（咳嗽反射）が誘発されず，不顕性誤嚥の原因となる．**不顕性誤嚥**とは，食物を誤嚥しても“むせ”などの反応が生じないことを表す．嚥下時にむせが生じていなくても，誤嚥が生じていないとは限らない．

食道期

嚥下反射時に食道入口部が開き，食塊は食道に入る．嚥下後は食道に送り込まれた食物が逆流しないように輪状咽頭筋が収縮し，食道入口部が閉じられる．下食道括約筋の閉鎖不全により胃食道逆流がおこり，食道括約筋の閉鎖が不完全であると細菌を含んだ食物が咽頭に逆流して，誤嚥すると肺炎の原因になる．その他，さまざまな原因で食道蠕動の低下がみられ，食道に食物が残留したり，残留物が逆流したりする原因となる．

球麻痺と仮性球麻痺

神経疾患では，その病変部位により，**球麻痺**と**仮性球麻痺**に分類されることが多い．脳幹部延髄の嚥下中枢病変による球麻痺では，嚥下反射が残存しない場合が多く，重度の嚥下障害を呈する．球麻痺では舌の萎縮がみられ，口腔期に与える影響も大きい．仮性球麻痺は，延髄の嚥下中枢に対する上位運動ニューロンの障害によるものである．嚥下反射の中枢は上位中枢から両側性支配を受けているため，一側の病変では嚥下障害はおこりにくく，球麻痺と比較して軽度になる．

仮性球麻痺では，嚥下反射は残存するが遅延したり，嚥下に関連する筋力や協調性が低下したりする．仮性球麻痺では通常，舌の萎縮はみられない．

（岡田洋平）

第2章

脊髄小脳変性症の理学療法

- 脊髄小脳変性症の代表的な病型の特徴を把握する．
- 失調症状，バランス能力障害の代表的な評価方法を知る．
- 脊髄小脳変性症に対する標準的な理学療法介入を知る．

脊髄小脳変性症(spinocerebellar degeneration; SCD)は小脳の萎縮を主体とする進行性の神経変性疾患の総称である．主症状には歩行不安定性，バランス機能低下，構音障害がある．SCDには多くの病型があり，それぞれ進行速度，症状に違いがある．よって，理学療法では病型別の特徴を把握しておくことが望ましい．また，SCDは進行性の病気であるため，長期的に継続した介入が必要となる．そのなかで病気の進行度合いを正しく把握するための評価は大変重要である．本章では，標準的な理学療法の実施に必要な疫学情報，評価・介入方法について解説する．

A 疾患の概要と障害の特徴

1 わが国におけるSCDの全体像

わが国におけるSCDの有病率は10万人あたり18.5人と推定されている．全体の約2/3を孤発性SCD，1/3を遺伝性SCDが占める[1]．孤発性SCDの3/2は**多系統萎縮症**(multiple system atrophy; MSA)である．残りが**皮質性小脳萎縮症**(cortical cerebellar atrophy; CCA)に分類される(▶図1)．わが国における遺伝性SCDはMachado-Joseph(マシャド・ジョセフ)**病**(Machado-Joseph disease/spinocerebellar ataxia type 3; MJD/SCA3)の割合が最も多い．次いで，**脊髄小脳変性症6型**(spinocerebellar ataxia type 6; SCA6)，**歯状核赤核淡蒼球ルイ体萎縮症**(dentatorubral-pallidoluysian atrophy; DRPLA)，**脊髄小脳変性症31型**(spinocerebellar ataxia type 31; SCA31)の順に多い(▶図2)[2]．

本項では，比較的割合の多いMJD/SCA3，SCA6，SCA31，DRPLA，MSAの病態について解説する．

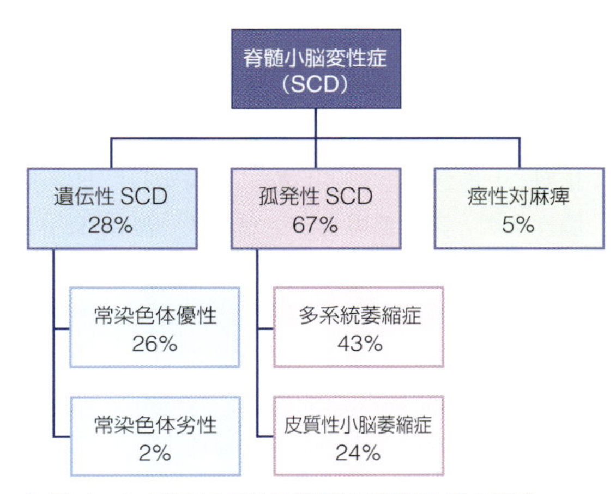

▶図1 わが国における脊髄小脳変性症の割合
わが国では行政的に痙性対麻痺もSCDに包含されている．

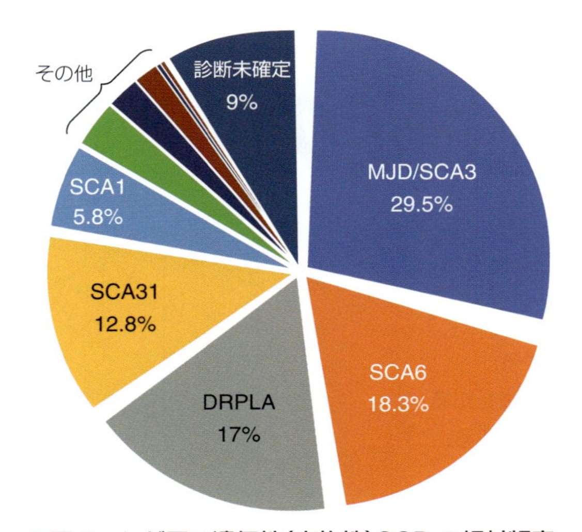

▶図 2　わが国の遺伝性(家族性)SCD の相対頻度
〔辻 省次：小脳と運動失調─小脳はなにをしているのか. 西澤正豊(編), 辻 省次(総編集)：アクチュアル 脳・神経疾患の臨床. 中山書店, p.76, 2013 より作成〕

2 マシャド・ジョセフ病(MJD/SCA3)

多系統障害型であり，小脳のみでなく他の脳部位にも変性が及ぶ．病理的には歯状核，Clarke(クラーク)核・副楔状束核，大脳基底核に強い変性を認める．橋核，錐体路，脊髄前角，脊髄後根神経節，末梢神経にも病変が及ぶ．小脳皮質は比較的保たれる．発症年齢によって臨床症状が異なり，以下の病型に分類される．

- I 型：若年発症(10〜30 歳)．ジストニアなどの錐体外路障害が主症状．錐体路障害も認める．
- II 型：中年発症(20〜50 歳)．失調歩行などの小脳性失調と錐体路障害が主な症状．錐体外路障害を呈することもある．
- III 型：高齢発症(40〜70 歳)．小脳症状や筋萎縮，末梢神経障害が主症状となる．
- IV 型：発症年齢はさまざま．パーキンソニズムと末梢神経障害が主症状となる．

3 脊髄小脳変性症 6 型(SCA6)

平均発症年齢は 50 歳代で高齢発症が多い．失調歩行，構音障害，眼球運動障害を特徴とする．痙縮やジストニアを伴う場合もある．認知機能は一般的に保たれる．病理的には，小脳皮質の Purkinje(プルキンエ)細胞の変性を認める．顆粒細胞，歯状核，下オリーブ核にも変性を認める．

4 脊髄小脳変性症 31 型(SCA31)

わが国特有の病型である．欧米でも現段階では報告例がない．平均発症年齢は 50 歳以降の高齢発症が主である．失調歩行を主とする純粋な小脳性失調症状を呈する．病理学的には Purkinje 細胞の変性をきたす．

5 歯状核赤核淡蒼球ルイ体萎縮症(DRPLA)

小児では運動失調，ミオクローヌス，てんかん，進行性知的障害，成人では運動失調，振戦，認知症または性格変化を伴う．発症は乳児から高齢者までと幅広く，平均発症年齢は 31.5 歳とされる．淡蒼球，視床下核，小脳歯状核，大脳皮質に変性を認める．

6 多系統萎縮症(MSA)

孤発性 SCD のなかで最も頻度が高い．小脳症状，錐体路障害，パーキンソニズム，自律神経症状を呈する．さらに分類として，小脳症状の強い型(MSA-cerebellar variant; MSA-C)とパーキンソニズムの強い型(MSA-parkinsonian variant; MSA-P)の 2 群が存在する．MSA-C は小脳皮質の変性，下オリーブ核，橋核の強い変性を伴う．その他，大脳基底核，大脳皮質，自律神経核にも変性を伴う．

▶表 1　MSA の診断区分

Definite MSA	病理診断で α シヌクレイン陽性のグリア封入体を認め，線条体黒質系かオリーブ橋小脳系に変性がある
Probable MSA	孤発進行性の成人期発症．**高度の自律神経障害を呈する**(起立性低血圧，尿失禁)．加えてレボドパ不応性パーキンソニズムか小脳症状を呈する
Possible MSA	孤発進行性の成人期発症．パーキンソニズムか小脳症状を呈する．自律神経障害を示す徴候が少なくとも 1 つあり，かつ臨床的あるいは画像上で少なくとも 1 つの異常(錐体路徴候，早期進行のパーキンソニズム，発症 3 年以内の姿勢保持障害，小脳性運動失調，発症 5 年以内の嚥下障害，MRI 上での中小脳脚，脳幹，小脳などの萎縮など)を認める

〔Gilman, S., et al.: Second consensus statement on the diagnosis of multiple system atrophy. *Neurology*, 71(9):670–676, 2008 より改変〕

▶表 2　MSA の診断を支持する特徴と支持しない特徴

支持する特徴	● 口顔面ジストニア ● 過度の首下がり ● camptocormia(腰曲がり)，ピサ症候群 ● 手または足の拘縮 ● 吸気性ため息 ● 重度の発声障害 ● 重度の構音障害 ● いびきの新規発生，増強 ● 手足の冷感 ● 病的泣き笑い ● 痙攣様，ミオクローヌス様振戦
支持しない特徴	● 古典的な丸薬丸め様静止時振戦 ● 末梢神経障害 ● 非薬剤性幻覚 ● 75 歳以上での発症 ● 小脳症状，パーキンソニズムの家族歴 ● 認知症 ● 多発性硬化症を示唆する白質病変

〔Gilman, S., et al.: Second consensus statement on the diagnosis of multiple system atrophy. *Neurology*, 71(9):670–676, 2008 より改変〕

MSA の確定診断は脳組織の病理診断によってなされるため，臨床上の診断では，国際的コンセンサス基準による分類〔Gilman(ギルマン)分類〕が用いられる(▶**表 1，2**)[3]．特徴として，Probable MSA の診断には高度の自律神経障害(autonomic dysfunction; AD)を呈することが条件に含まれる．

7 各病型における予後の違いについて

病型によって平均的な予後に違いがある．前向きコホート研究の結果，5 年生存率は MJD/SCA3 で 87%，SCA6 で 98%，10 年生存率は MJD/SCA3 で 73%，SCA6 で 87% であった[4]．また，生命予後の悪化因子として，MJD/SCA3 ではジストニアがあること，失調症状が強いことがあげられる．SCA6 でも失調症状が強い患者ほど生命予後不良となっている[5]．

一方，MSA では 3 つの研究から，発症より平均 9.8 年，中央値 7.51 年，平均 9 年で死亡に至ったとの報告がある[6–8]．MSA の生命予後の悪化因子には，MSA-P の診断，排尿障害，発症後 3 年以内の転倒，発症後 3 年以内の尿道カテーテル挿入，発症から 1 年以内の起立性低血圧(orthostatic hypotension; OH)がある．このように，MSA は他の SCD と比較して著しく生命予後が不良である．

B 理学療法の実施に必要な基礎知識

1 姿勢・歩行制御に関する小脳の機能区分

姿勢・歩行制御に関係する小脳の機能区分について説明する(▶**図 3，4**)．虫片葉小節葉を中心とする前庭小脳は内耳の前庭器から平衡感覚情報が入力され，姿勢制御における頭位と眼球の制御を担当する．虫部は脊髄，前庭，視覚情報の入力を統合し，前庭脊髄路と網様体脊髄路を介して姿勢制御を行う[9]．虫部が障害されると立位バラン

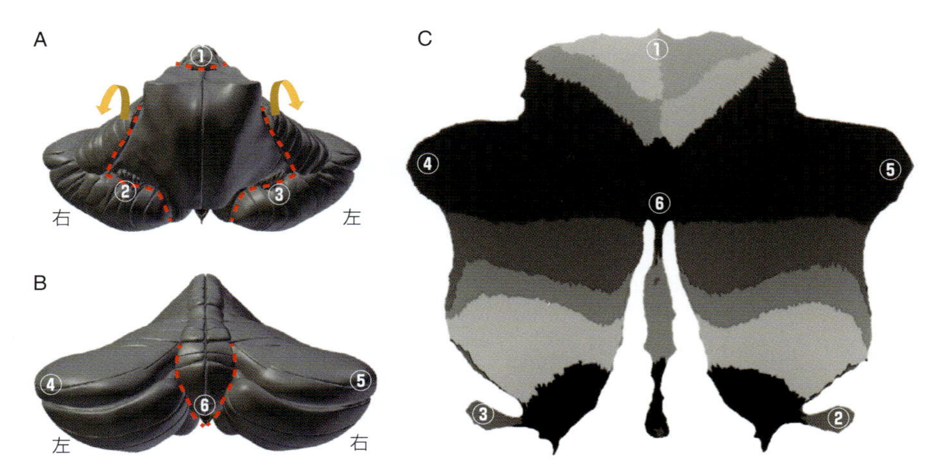

▶図 3　小脳の二次元フラットマップへの展開図
A は小脳前面，B は後面の図．A，B の赤点線に沿って小脳を切開し，矢印方向に展開すると C のようなフラットマップが得られる．図内の番号は A，B，C の位置関係に対応している．

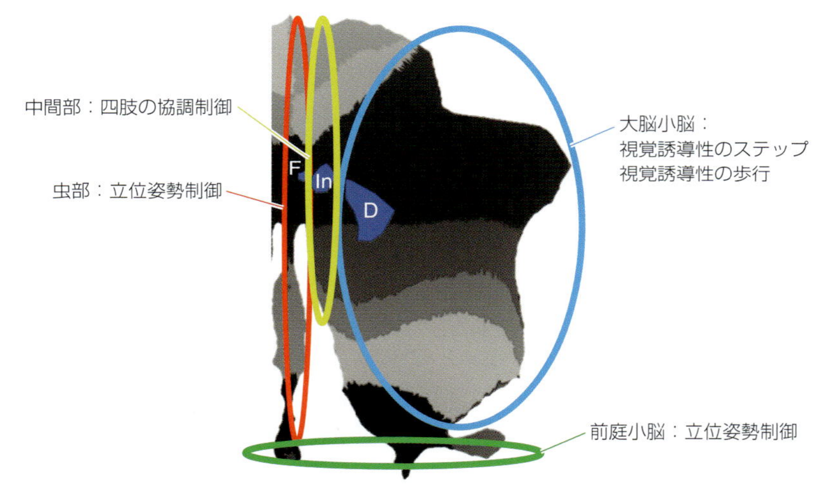

▶図 4　小脳の歩行機能区分
D：歯状核(dentate nucleus)，In：中位核(interposed nucleus)，F：室頂核(fastigial nucleus)

ス障害が出現する[10]．中間部は脊髄と大脳皮質からの入力を統合し，皮質運動野と赤核への投射を介して四肢間の協調性を制御するとされる[9]．小脳半球外側部は，大脳-小脳ループを介して視覚情報を必要とする動作時の適応に関与しているとされる[11]．また，多系統障害型の SCD では脳幹の変性を認める．脳幹は姿勢反射の中心的役割を担い，障害されると姿勢保持障害を呈する．

このように，小脳の内部において，大まかに姿勢・歩行制御の機能区分が存在する．理学療法評価では，これらを可能なかぎり区別(立位バランス障害，四肢協調性障害，姿勢保持障害)して評価する必要がある．

2 姿勢・歩行制御以外の小脳・脳幹の機能

小脳半球外側部は大脳皮質の運動関連領域のみでなく，前頭前野，側頭葉，視覚野などの大部分の皮質領域と機能的結合関係にある[12]．このような広範囲にわたる結合は，小脳が運動制御のみでなく高次脳機能にかかわるという考えの基盤となっている．小脳の障害により，①実行機能障害，②言語障害，③空間認知能力低下，④情動障害を呈する**小脳性認知情動症候群**(cerebellar cognitive affective syndrome; CCAS)が出現することがある[13]．

よって，理学療法では運動障害のみでなく高次脳機能の改善にも焦点を当てる必要がある．脳幹は中枢自律神経網の重要な部位である[14]．特に，MSA は重度の AD を呈する場合が多い．AD は患者の活動性を著しく低下させる要因であるため，十分に評価および対応の検討を行う必要がある．

3 小脳における内部モデル仮説と失調症状との関係

バスケットボールのシュート場面を想定していただきたい．いったんシュートを放つと，軌道が外れていても修正不可能である．よって，事前に目的とする動作をシミュレーションする必要がある．これを行うシステムとして小脳を主体とする「内部モデル」が想定されている[15]．SCD 患者は内部モデルの機能低下があり，代償としてフィードバック制御を多用することが示唆されている[16]．フィードバック制御が主体のコントロールは，エアコンでの自動温度管理がイメージしやすい．たとえば，設定温度を 25℃ とすると，エアコンは設定温度を一定に保つために風量を強めたり，弱めたりを繰り返す．このようにフィードバック制御では制御に振れ幅が生じる．このような振れ幅の拡大は失調症状の特徴としてよく観察される．後述する理学療法評価においても，動作の軌跡の振れ幅を評価対象とすることが多い．

C 標準的な理学療法評価

1 一般情報

病型は，症状や予後予測に重要な情報である．しかし，病型の情報自体が遺伝性か否かの情報を含むため，取り扱いに注意する必要がある．施設によっては，遺伝カウンセラーが介入し適切な遺伝情報や社会支援体制の説明，本人・家族の心理的サポートが行われる．また，家屋情報や移動手段の聴取を行う．MSA では移動能力の低下が早い(発症 3 年で歩行補助具が必要，5 年で車椅子使用，8 年で寝たきりとの報告)[8] ため，家屋内で歩行補助具，車椅子が使用可能か事前の確認をすべきである．

2 失調症状の評価

Scale for the Assessment and Rating of Ataxia(SARA)は代表的な失調症状の評価方法として世界的に広く普及している(▶表 3)．SARA より以前に使用されていた Internal Cooperative Ataxia Rating Scale(ICARS)では「眼球運動障害」の項目があったが，SARA では省略されている．Schmahmann らは，眼球運動障害の重要性をふまえたうえで，新たに Brief Ataxia Rating Scale を作成している．また MSA では，運動項目や日常生活活動(ADL)項目を総合的に評価する統一多系統萎縮症評価尺度(Unified Multiple System Atrophy Rating Scale; UMSARS)が使用される．

ここでは，SARA 実施時の注意点を記載する．評価の目的は失調症状を出現させて観察するこ

▶表 3　Scale for the Assessment and Rating of Ataxia（SARA）

1）歩行	2）立位
以下の 2 種類で判断する．①壁から安全な距離をとって壁と平行に歩き，方向転換し，②帰りは介助なしで継ぎ足歩行（つま先に踵を継いで歩く）を行う 0：正常．歩行，方向転換，継ぎ足歩行が困難なく 10 歩より多くできる（1 回までの足の踏み外しは可） 1：やや困難．継ぎ足歩行は 10 歩より多くできるが，正常歩行ではない 2：明らかに異常．継ぎ足歩行はできるが 10 歩を超えることができない 3：普通の歩行で無視できないふらつきがある．方向転換がしにくいが，支えはいらない 4：著しいふらつきがある．時々壁を伝う 5：激しいふらつきがある．常に，1 本杖か，片方の腕に軽い介助が必要 6：しっかりとした介助があれば 10 m より長く歩ける．2 本杖か歩行器か介助者が必要 7：しっかりとした介助があっても 10 m には届かない．2 本杖か歩行器か介助が必要 8：介助があっても歩けない	被検者に靴を脱いでいただき，開眼で，順に①自然な姿勢，②足をそろえて（母趾どうしをつける），③継ぎ足（両足を一直線に，踵とつま先に間を空けないようにする）で立っていただく．各肢位で 3 回まで再施行可能，最高点を記載する 0：正常．継ぎ足で 10 秒より長く立てる 1：足をそろえて，動揺せずに立てるが，継ぎ足で 10 秒より長く立てない 2：足をそろえて，10 秒より長く立てるが動揺する 3：足をそろえて立つことはできないが，介助なしに，自然な肢位で 10 秒より長く立てる 4：軽い介助（間欠的）があれば，自然な肢位で 10 秒より長く立てる 5：常に片方の腕を支えれば，自然な肢位で 10 秒より長く立てる 6：常に片方の腕を支えても，10 秒より長く立つことができない
Score	Score
3）座位	**4）言語障害**
開眼し，両上肢を前方に伸ばした姿勢で，足を浮かせてベッドに座る 0：正常．困難なく 10 秒より長く座っていることができる 1：軽度困難．間欠的に動揺する 2：常に動揺しているが，介助なしに 10 秒より長く座っていられる 3：時々介助するだけで 10 秒より長く座っていられる 4：ずっと支えなければ 10 秒より長く座っていることができない	通常の会話で評価する 0：正常 1：わずかな言語障害が疑われる 2：言語障害があるが，容易に理解できる 3：時々，理解困難な言葉がある 4：多くの言葉が理解困難である 5：かろうじて単語が理解できる 6：単語を理解できない．言葉が出ない
Score	Score

（つづく）

とである．代償動作を許容しないようにする．指追い試験（▶図 5）では，患者の上肢を完全伸展位（100%）の 50%（中間位）で実施する．理由は完全伸展位では関節の自由度が減り，失調症状が出現しにくいためである．鼻–指試験（▶図 6）では，完全伸展位（100%）の 90% 位置に検者の指を設定する．これは，ターゲットが近すぎると肘関節の屈伸運動のみで課題遂行が可能になってしまうためである．手の回内・回外運動では，大腿に手の小指側がついたまま実施せず，はっきりと回内外を実施するように説明する．また，正確な運動を重視し，ゆっくりとした動作を行うのではなく，検者の手本で示した速さ（7 秒で 10 回の速さ）で実施するように説明する．踵–脛試験は，代償動作（足底や外果で脛を滑らせる）を許容せず，踵先端で実施するように説明する．また，脛から踵まで滑らせる時間は 1 秒とし，ゆっくり実施することは許容しない．

3 失調症状以外の評価

SCD では小脳性失調以外にもさまざまな症状が出現する（▶図 7）[17]．Inventory of Non-Ataxia Signs はそれらの症状を網羅的に評価する目的で作成された検査である[18]．MJD/SCA3 では末梢神経障害による感覚障害を合併することがある

▶表 3　SARA(つづき)

5)指追い試験			6)鼻─指試験		
被検者は楽な姿勢で座ってもらい，必要があれば足や体幹を支えてよい．検者は被検者の前に座る．検者は，被検者の指が届く距離の中間の位置に，自分の人差し指を示す．被検者に，自分の人差し指で，検者の人差し指の動きに，できるだけ速く正確についていくように命じる．検者は被検者の予測できない方向に，2 秒かけて，約 30 cm，人差し指を動かす．これを 5 回繰り返す．被検者の人差し指が，正確に検者の人差し指を示すかを判定する．5 回のうち最後の 3 回の平均を評価する 0：測定障害なし 1：測定障害がある．5 cm 未満 2：測定障害がある．15 cm 未満 3：測定障害がある．15 cm より大きい 4：5 回行えない (注)原疾患以外の理由により検査自体ができない場合は 5 とし，平均値，総得点に反映させない			被検者は楽な姿勢で座ってもらい，必要があれば足や体幹を支えてよい．検者はその前に座る．検者は，被検者の指が届く距離の 90% の位置に，自分の人差し指を示す．被検者に，人差し指で被検者の鼻と検者の指を普通のスピードで繰り返し往復するように命じる．運動時の指先の振戦の振幅の平均を評価する 0：振戦なし 1：振戦がある．振幅は 2 cm 未満 2：振戦がある．振幅は 5 cm 未満 3：振戦がある．振幅は 5 cm より大きい 4：5 回行えない (注)原疾患以外の理由により検査自体ができない場合は 5 とし，平均値，総得点に反映させない		
Score	Right	Left	Score	Right	Left
平均(R + L)/2			平均(R + L)/2		
7)手の回内・回外運動			**8)踵─脛試験**		
被検者は楽な姿勢で座ってもらい，必要があれば足や体幹を支えてよい．被検者に，被検者の大腿部の上で，手の回内・回外運動を，できるだけ速く正確に 10 回繰り返すよう命じる．検者は同じことを 7 秒で行い手本とする．運動に要した正確な時間を測定する 0：正常．規則正しく行なえる．10 秒未満でできる 1：わずかに不規則．10 秒未満でできる 2：明らかに不規則．1 回の回内・回外運動が区別できない，もしくは中断する．しかし 10 秒未満でできる 3：きわめて不規則．10 秒より長くかかるが 10 回行える 4：10 回行えない (注)原疾患以外の理由により検査自体ができない場合は 5 とし，平均値，総得点に反映させない			被検者をベッド上で横にして下肢が見えないようにする．被検者に，片方の足を上げ，踵を反対の膝に移動させ，1 秒以内で脛に沿って踵まで滑らせるように命じる．その後，足をもとの位置に戻す．片方ずつ 3 回連続で行う 0：正常 1：わずかに異常．踵は脛から離れない 2：明らかに異常．脛から離れる(3 回まで) 3：きわめて異常．脛から離れる(4 回以上) 4：行えない(3 回とも脛に沿って踵を滑らすことができない) (注)原疾患以外の理由により検査自体ができない場合は 5 とし，平均値，総得点に反映させない		
Score	Right	Left	Score	Right	Left
平均(R + L)/2			平均(R + L)/2		

ので必ず感覚検査を実施する．SCA6 では眼球運動障害の合併率が高いため，眼球運動評価を実施する必要がある．眼球運動の評価には，Head Impulse Test，衝動性眼球運動評価*1，滑動性眼球運動評価*2がある．しかし，これらの眼球運動評価は安静座位での実施であり，たとえば歩行中に眼球運動異常がどの程度影響しているかは不明である．主観的なめまいの評価には Dizziness Handicap Inventory がある[19]．

*1：2 点の注視点を設定し，すばやく片方の注視点に視線を移す．小脳障害では測定過大が観察される．

*2：ペン先などを追視する．その際，眼球の運動がスムーズではなく，衝動化することが観察される．この障害は小脳に特異的ではない．

4 歩行評価

SCD における初期症状の 66% が歩行障害とされている[20]．また，歩行が不安定な患者では支持基底面の拡大を示す．これは歩行中の動的バランスを補償するための代償戦略と解釈されている[21]．SCD では歩行パラメータ(ストライド長

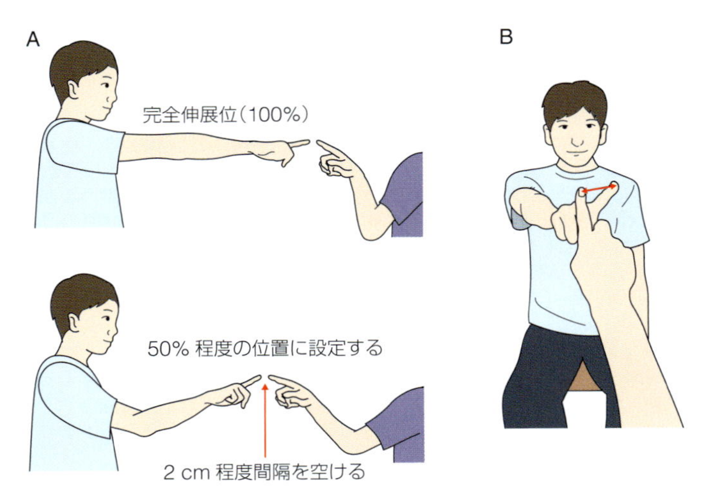

▶図 5　指追い試験の注意点
A：完全伸展位を 100% とし，それの 50% 程度を検査肢位とする.
B：検査者の示指と被検者の示指間の距離を評価する.

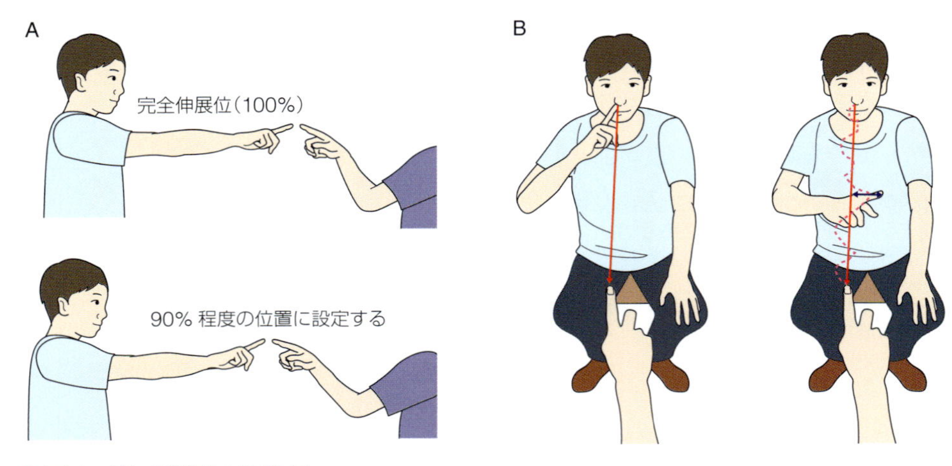

▶図 6　鼻−指試験の注意点
A：完全伸展位を 100% とし，それの 90% 程度を検査肢位とする.
B：鼻と目標点間に引いた直線からのずれた距離を評価する.

やストライド時間など)の時空間的変動が増加する．この変動(ばらつき)が歩行障害の本質とされる[22]．変動の要因として，立位バランス障害，協調性障害の 2 つが考えられている．SCD では速度依存的に歩行パラメータの変動を誘発する要因が異なるとの指摘がある．低速歩行速度では“立位バランス障害”の影響を反映しているとし，高速歩行では“四肢協調性障害”を反映しているとされる(▶図 8)[23]．臨床では，対象者の最適歩行の評価のみではなく，歩行スピードを変化させて評価し，歩行障害の特徴を観察する必要がある．

5 バランス障害の評価

バランス障害は SCD 患者の生活の質(QOL)を低下させる要因となる[22]．Berg(ベルグ) Balance Scale，Timed Up and Go Test は SCD のバランス障害の評価に広く用いられている[24]．し

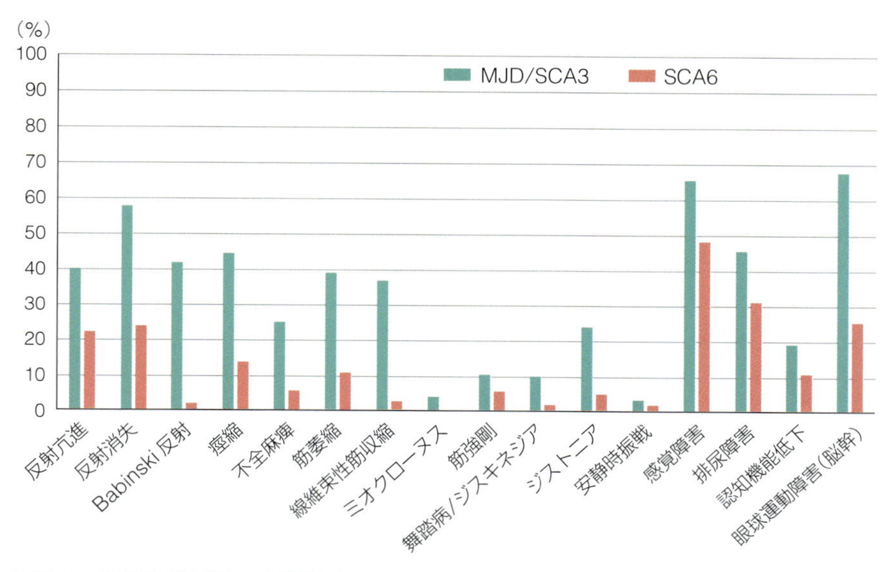

▶図 7　失調症状以外の出現頻度
〔Schmitz-Hübsch, T., et al.: Spinocerebellar ataxia types 1, 2, 3, and 6: Disease severity and nonataxia symptoms. *Neurology*, 71(13):982–989, 2008 より〕

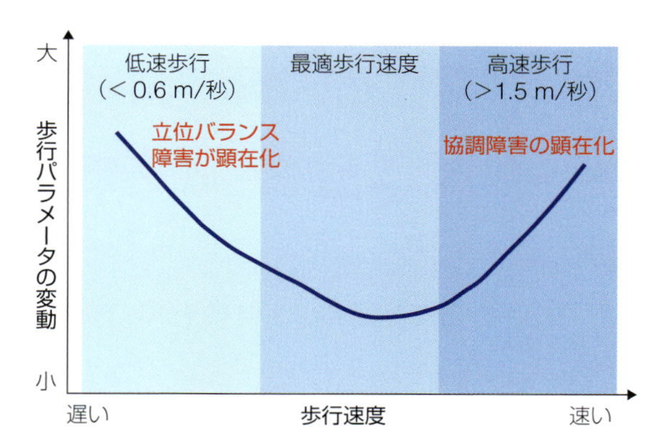

▶図 8　歩行速度が歩行のばらつきに与える影響
小脳失調性歩行では，低速歩行と高速歩行で歩行のばらつきに違いを認める．低速歩行では立位バランス要素が関係している．高速歩行では協調障害の影響が大きい．

かし，SCD で信頼性・妥当性の検証はなされていない．近藤らは歩行可能な SCD 群において，Balance Evaluation Systems Test (BESTest) の信頼性・妥当性の検証を行っている[25]．BESTest はバランス能力を 6 つ (生体力学的制約，安定限界，姿勢変化–予測的姿勢制御，反応的姿勢制御，感覚機能，歩行安定性) のシステムに分けて評価する．BESTest は実施に時間がかかるが，バランス障害を詳しく評価することが可能なため臨床上，重要な評価項目である．さらに重心動揺計がある場合は，定量的な評価が可能なため使用する．重心動揺計から得られる基本的なデータには，総軌跡長，矩形面積，スペクトル解析などがある．そのなかでも，3 Hz 付近のスペクトルパワー増大 (前後方向) は小脳性運動失調に特異的であるとされている[26]．

6 自律神経機能の評価

Composite Autonomic System Score 31 (COMPASS31) は自律神経機能 (起立不耐性，血管運動，分泌運動，胃腸，膀胱，および瞳孔運動) の包括的な評価を行うための 31 項目の質問指標である[27]．スコアは各項目の点数×重みづけ係数にて算出される (▶表 4)．起立不耐性 (0～10 点×4.0)，血管運動 (0～6 点×0.83333333)，分泌運動 (0～7 点×2.1428571)，胃腸 (0～28 点×0.8928571)，膀胱 (0～9 点×1.1111111)，瞳孔

▶表 4　COMPASS31

質問 1	過去 1 年間で，ぼんやりしたり，めまいがしたり，頭の回転が悪いと感じたことはありますか？ もしくは，起き上がったり，立ち上がったりした直後に，頭が働かなかったことはありますか？
	●はい(1 点)　●いいえ(0 点)（「いいえ」の場合は，質問 5 に）
質問 2	(質問 1 で「はい」の場合のみ)立ち上がるときに，これらの感覚や症状をどれくらいの頻度で経験しますか？
	●めったにない(0 点)　●時々ある(1 点)　●頻繁にある(2 点)　●ほぼ毎日ある(3 点)
質問 3	(質問 1 で「はい」の場合のみ)これらの感覚や症状の程度はどれくらいですか？
	●軽度(1 点)　●中等度(2 点)　●重度(3 点)
質問 4	(質問 1 で「はい」の場合のみ)過去 1 年間で，これらの感覚や症状はどのように変化しましたか？
	●とても悪化した(3 点)　●やや悪化した(2 点)　●変わらない(1 点)　●やや改善した(0 点) ●とても改善した(0 点)　●完全になくなった(0 点)
質問 5	過去 1 年間で，自分の肌の色の変化(赤，白，紫など)に気づいたことはありましたか？
	●はい(1 点)　●いいえ(0 点)（「いいえ」の場合は，質問 8 に）
質問 6	(質問 5 で「はい」の場合のみ)肌の色が変わったのは，身体のどの部分ですか？
	手　●はい(1 点)　●いいえ(0 点)　足　●はい(1 点)　●いいえ(0 点)
質問 7	(質問 5 で「はい」の場合のみ)肌の色の変化は，現在どのようになりましたか？
	●とても悪化した(3 点)　●やや悪化した(2 点)　●変わらない(1 点)　●やや改善した(0 点) ●とても改善した(0 点)　●完全になくなった(0 点)
質問 8	過去 5 年間で，全身の汗のかき方に変化がありましたか？
	●以前よりもとても汗をかくようになった(1 点)　●以前よりも少し汗をかくようになった(0 点)　●変わらない(0 点) ●以前よりも汗をかく量は少し減った(1 点)　●以前よりも汗をかく量はとても減った(2 点)
質問 9	眼がひどく乾燥していると感じますか？
	●はい(1 点)　●いいえ(0 点)
質問 10	口の中がひどく乾燥していると感じますか？
	●はい(1 点)　●いいえ(0 点)
質問 11	これまでに感じていた眼や口の乾燥は，現在どのようになりましたか？
	●このような症状はこれまでにない(0 点)　●とても悪化した(3 点)　●やや悪化した(2 点)　●変わらない(1 点) ●やや改善した(0 点)　●とても改善した(0 点)　●完全になくなった(0 点)
質問 12	過去 1 年間で，食事をしていて満腹感を感じるスピードに変化はありましたか？
	●以前よりもとても早く満腹感を感じるようになった(2 点)　●以前よりもやや早く満腹感を感じるようになった(1 点) ●変わらない(0 点)　●以前よりもやや遅く満腹感を感じるようになった(0 点) ●以前よりもとても遅く満腹感を感じるようになった(0 点)
質問 13	過去 1 年間で，食後に過度の満腹感を感じたり，膨満感が続いたりすることはありましたか？
	●一度もない(0 点)　●時々ある(1 点)　●頻繁にある(2 点)
質問 14	過去 1 年間で，食後に嘔吐することはありましたか？
	●一度もない(0 点)　●時々ある(1 点)　●頻繁にある(2 点)
質問 15	過去 1 年間で，けいれん性の，もしくは差し込むような腹痛はありましたか？
	●一度もない(0 点)　●時々ある(1 点)　●頻繁にある(2 点)

（つづく）

▶表 4　COMPASS31（つづき）

質問 16	過去 1 年間で，突発的な下痢はありましたか？
	●はい（1 点）　●いいえ（0 点）（いいえの場合は，質問 20 に）
質問 17	（質問 16 で「はい」の場合のみ）突発的な下痢はどれくらいの頻度でおきますか？
	●めったにない（0 点）　●時々ある（1 点）　●頻繁にある（2 点）　●常にある（3 点）　（月に ＿＿ 回）
質問 18	（質問 16 で「はい」の場合のみ）突発的な下痢の症状の程度はどれくらいですか？
	●軽度（1 点）　●中等度（2 点）　●重度（3 点）
質問 19	（質問 16 で「はい」の場合のみ）突発的な下痢の症状は，現在どのようになりましたか？
	●とても悪化した（3 点）　●やや悪化した（2 点）　●変わらない（1 点）　●やや改善した（0 点） ●とても改善した（0 点）　●完全になくなった（0 点）
質問 20	過去 1 年間で，便秘になりましたか？
	●はい（1 点）　●いいえ（0 点）（いいえの場合は，質問 24 に）
質問 21	（質問 20 で「はい」の場合のみ）便秘はどれくらいの頻度でおきますか？
	●めったにない（0 点）　●時々ある（1 点）　●頻繁にある（2 点）　●常にある（3 点）　（月に ＿＿ 回）
質問 22	（質問 20 で「はい」の場合のみ）便秘の症状の程度はどれくらいですか？
	●軽度（1 点）　●中等度（2 点）　●重度（3 点）
質問 23	（質問 20 で「はい」の場合のみ）便秘の症状は，現在どのようになりましたか？
	●とても悪化した（3 点）　●やや悪化した（2 点）　●変わらない（1 点）　●やや改善した（0 点） ●とても改善した（0 点）　●完全になくなった（0 点）
質問 24	過去 1 年間で，尿もれ，尿失禁はありましたか？
	●一度もない（0 点）　●時々ある（1 点）　●頻繁にある（2 点）　●常にある（3 点）　（月に ＿＿ 回）
質問 25	過去 1 年間で，排尿が難しいと感じることはありましたか？
	●一度もない（0 点）　●時々ある（1 点）　●頻繁にある（2 点）　●常にある（3 点）　（月に ＿＿ 回）
質問 26	過去 1 年間で，残尿感を感じることはありましたか？
	●一度もない（0 点）　●時々ある（1 点）　●頻繁にある（2 点）　●常にある（3 点）　（月に ＿＿ 回）
質問 27	過去 1 年間で，サングラスや色つきメガネなしでは，光が異常にまぶしく感じたことはありますか？
	●一度もない（0 点）（一度もない場合は，質問 29 に）　●時々ある（1 点）　●頻繁にある（2 点）　●常にある（3 点）
質問 28	光が異常にまぶしく感じる程度はどのくらいですか？
	●軽度（1 点）　●中等度（2 点）　●重度（3 点）
質問 29	過去 1 年間で，目の焦点が合わせにくいと感じることはありましたか？
	●一度もない（0 点）（一度もない場合は，質問 31 に）　●時々ある（1 点）　●頻繁にある（2 点）　●常にある（3 点）
質問 30	目の焦点が合わせにくいと感じる程度はどのくらいですか？
	●軽度（1 点）　●中等度（2 点）　●重度（3 点）
質問 31	眼の症状で最も煩わしかった症状（光が異常にまぶしく感じる，焦点が合わせづらい，など）は，現在どのようになりましたか？
	●このような症状はこれまでにない（0 点）　●とても悪化した（3 点）　●やや悪化した（2 点）　●変わらない（1 点） ●やや改善した（0 点）　●とても改善した（0 点）　●完全になくなった（0 点）

〔Sletten, D.M., et al.: COMPASS 31: A refined and abbreviated Composite Autonomic Symptom Score. *Mayo Clin. Proc.*, 87(12):1196–1201, 2012 より〕

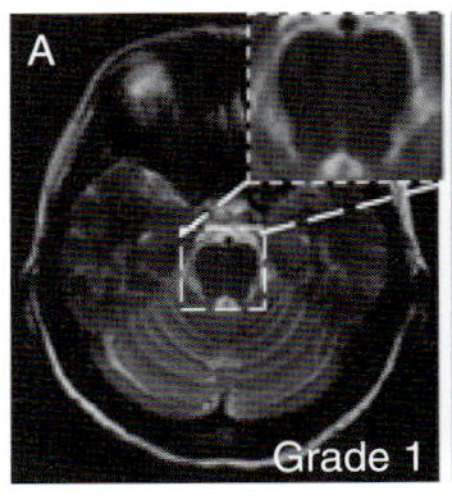

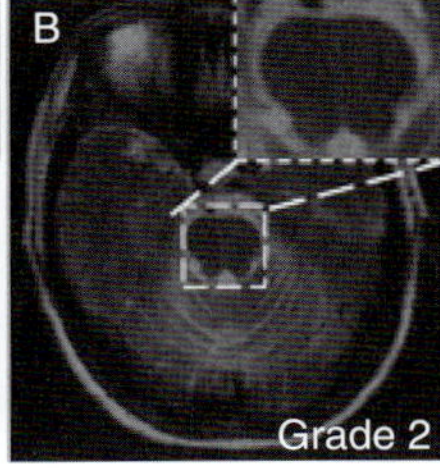

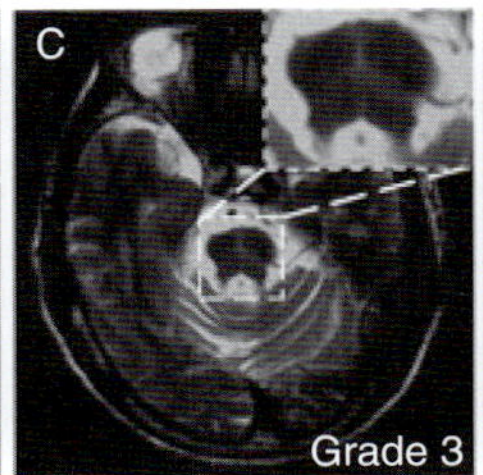

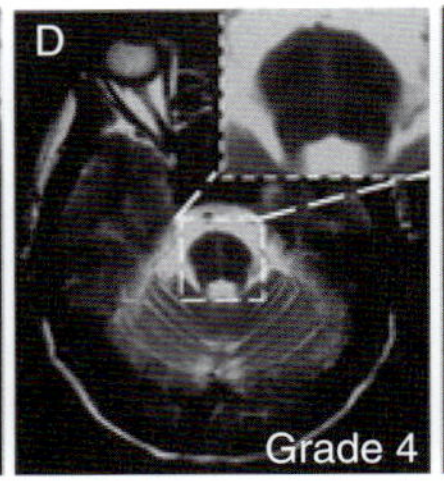

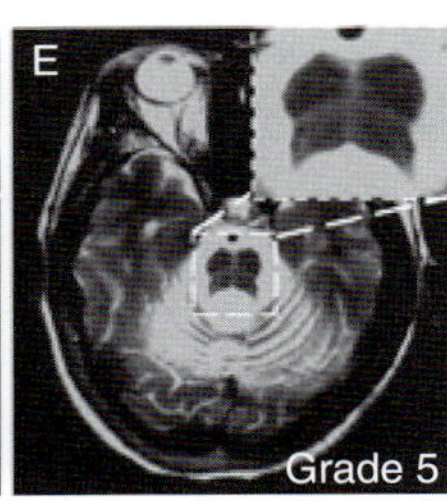

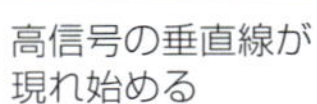

高信号の垂直線を認める

垂直線の出現ののちに水平線が出現し始める

はっきりとした十字サインの完成

はっきりとした十字サインと橋腹側部の萎縮

▶図 9　The grade of hot cross bun sign(HCBs)
確認する MRI 画像：T2 強調画像の水平断面(橋レベル)

運動(0〜15 点×0.3333333)で計算され，合計スコアが高いほど症状が重いことを示す．OH が疑われる場合には，Schellong(シェロング)テストを実施する．UMSARS の項目 3(自律神経機能評価)においても採用されている方法であり，2 分間の安静背臥位後に立位を 2 分間保持し，安静背臥位と 2 分立位時の血圧・脈拍の差を評価する．前後の血圧差が収縮期血圧 30 mmHg，拡張期血圧 15 mmHg 以上で OH と判断する場合もあるが，血圧差と OH の出現率には個人差があるため，症状の有無(意識もうろう，めまい，目のかすみ，脱力，疲労，頸部痛，肩こりなど)を優先的に評価する．

7 磁気共鳴画像(MRI)の評価

SCD は変性疾患であり，脳卒中のように脳画像上の損傷部位から症状を予測することは困難といえる．変性部位を明確に示すには voxel-based morphometry などの画像解析処理を行う必要がある．一方，T2 強調画像(橋レベル)の所見である hot cross bun sign(HCBs)は MRI 画像で評価可能である(▶図 9)．HCBs は MSA-C や MJD/SCA3 にみられる所見である[28]．中小脳脚，橋底部の萎縮でおこり，萎縮の度合いによって 5 段階に分けられる．重度になるほど失調症状が強いことが示されている[29]．

8 小脳性認知情動症候群(CCAS)の評価

CCAS では，遂行機能障害，言語障害，視空間認知障害，人格障害の 4 要素に影響が出るとされる．これらを総合的に評価する目的で，The cerebellar cognitive affective/Schmahmann syndrome scale が開発された[13]．10 項目で構成されており，各項目のカットオフ値が設けられている．カットオフ値以下の項目が 1 つで Possible CCAS，2 つで Probable CCAS，3 つ以上で Definite CCAS と判定される．

9 SCD の理学療法介入に使用する標準的なエンドポイント

SCD は進行性の病気である．病勢の進行と介入効果を判断するためには，繰り返しの評価による縦断データが必要である．よって，使用される評価は信頼性が担保される必要がある．最も広く使用される評価は SARA である．再テスト法による変化量の標準誤差(standard error of measurement; SEM)は 1.28 点である[30]．1 年間での SARA の変化量は，MJD/SCA3 = 1.41，SCA6 = 0.81 とされている[31]．バランス障害の評価では，SARA 歩行項目 3 点以下の群において BESTest の信頼性の検討がなされており，最小可検変化量(clinical detectable change; MDC95)は 8.7 点である[25]．SCD における歩行障害の特徴は，歩行パラメータの時空間的な変動である．Gait Variability Index(GVI)は，9 つの時空間パラメータ(ステップ長，ストライド長，ステップ時間，ストライド時間，立脚時間，遊脚時間，単脚支持時間，両脚支持時間，速度)を主成分分析にて重みづけして開発された複合変動スコアである[32]．Friedreich(フリードライヒ)運動失調症患者群から算出された MDC95 は 8.6 点とされている．その後，GVI の冗長性を考慮した enhanced GVI が開発された．いずれにしても，算出には機器による歩行の時空間パラメータの算出が必要であり，実行可能性が低いことが問題である．

D 標準的な理学療法介入

1 理学療法介入の全体像

前述したように SCD は進行性であり，病型によっては数年で ADL に介助が必要となる．介入研究が進んでいるバランストレーニングは「機能維持・改善」に着目しており，標準的な理学療法介入の主体を担っている．しかし，患者個人レベルで考えると必ずしも運動介入が第一優先であるとは限らない．ADL 動作練習，補装具の導入，環境設定などが目標となることもある．

2 バランストレーニング

SCD に対する 2〜4 週間(1 日 3 時間/週 5 回程度)の集中的な運動プログラムの効果が示されている[33-36]．これらは，姿勢バランストレーニングを含む複合的なプログラムの効果である．よって，現段階では特異的にどのトレーニング内容が効果的かは明らかではない．現在，有酸素運動と姿勢バランストレーニングとの効果比較，認知負荷下での姿勢バランストレーニング効果検証などのランダム化比較試験が検討されている．今後それらの結果をふまえた標準的な理学療法プログラムが構成されるであろう．

現段階では，厚生労働省「運動失調症の医療基盤に関する調査研究班」リハビリテーション分科会によってまとめられた「SCD・MSA 標準リハビリテーションプログラム」が網羅的な内容となっているため，参考にするとよいだろう．プログラムは functional ambulation categories(FAC)にて歩行レベル別にまとめられている．しかし，必ずしも担当患者の歩行レベルに合わせたカテゴリーを実施する必要はない．可能であれば安全を考慮したうえで，チャレンジングなプログラムを立案するとよい．

3 病型別の注意点

MSA では OH が頻発する．患者の生活場面で OH 症状がどのように影響しているか，問診および動作観察を行う．介入には，起立時に下肢に血流が集中することを防ぐ目的で，弾性ストッキングの使用が推奨される．また，臥位から立位になる際に，いったん座位で休憩を挟むなどの動作指導が行われる．これらの介入も必要であるが，OH を事前に予防する環境設定も重要である．患者と相談しながら，OH のリスクを考慮して車椅子移動を選択する，適時座って休憩できる環境設定(屋内移動経路に椅子を設置する)を行うなどが例としてあげられる．

MJD/SCA3 では末梢神経障害を合併することがある．このような症例では，視覚代償がしにくかったり，方向転換時や暗い部屋でのバランス不良がおこりやすかったりする．自宅であれば適所に手すりを設置するなどの工夫が求められる．

4 継続的な理学療法介入の重要性

SCD に対する理学療法の主目的は，継続的な

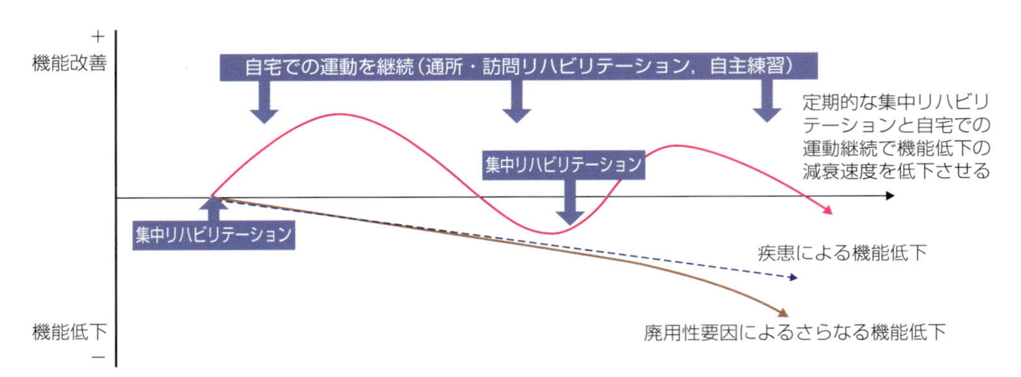

▶**図 10　継続的な理学療法介入の重要性について**
〔宇川義一(編)：運動失調のみかた，考えかた—小脳と脊髄小脳変性症．p.329，図 4，中外医学社，2017 を参考に作成〕

運動介入を実施し，疾患の自然経過や廃用性要因での機能低下と比較して，可能なかぎり進行速度をゆるやかにすることであろう．これには，入院で実施される集中リハビリテーションだけでなく，自宅などでの継続的な運動介入が必須である（▶図 10）[37]．

5 転倒予防に対する介入

失調歩行の特徴として歩隔拡大（支持基底面拡大），歩幅減少があげられる．しかし，これらの特徴は歩行不安定性を軽減させる代償動作と考えられる．バランストレーニング中は，あえて歩隔を狭くして不安定な歩行を実施する場合もある．しかし，日常生活では安定性を重要視し，歩隔を広くして歩行することを考慮する．また，SCD 患者では手すりなどに軽く触れるだけでも歩行不安定性が改善する場合があり，杖の使用が有効な場合もある．MSA のような姿勢保持障害が強い場合には，歩行器などの車輪がある補助具を安易に用いると前方突進様の歩行になり転倒の危険性が高い．よって，抑速ブレーキ機能やハンドブレーキのついた歩行器を検討する．

●**引用文献**

1) Sato, N., et al.: Spinocerebellar ataxia type 31 is associated with "inserted" penta-nucleotide repeats containing (TGGAA)n. *Am. J. Hum. Genet.*, 85(5):544–557, 2009.
2) 辻 省次：小脳と運動失調—小脳はなにをしているのか．西澤正豊(編)，辻 省次(総編集)：アクチュアル 脳・神経疾患の臨床．中山書店，p.76，2013.
3) Gilman, S., et al.: Second consensus statement on the diagnosis of multiple system atrophy. *Neurology*, 71(9):670–676, 2008.
4) Diallo, A., et al.: Survival in patients with spinocerebellar ataxia types 1, 2, 3, and 6 (EUROSCA): A longitudinal cohort study. *Lancet Neurol.*, 17(4):327–334, 2018.
5) Diallo, A., et al.: Prediction of Survival With Long-Term Disease Progression in Most Common Spinocerebellar Ataxia. *Mov. Disord.*, 34(8):1220–1227, 2019.
6) Wenning, G.K., et al.: The natural history of multiple system atrophy: A prospective European cohort study. *Lancet Neurol.*, 12(3):264–274, 2013.
7) Coon, E.A., et al.: Clinical features and autonomic testing predict survival in multiple system atrophy. *Brain*, 138(Pt 12):3623–3631, 2015.
8) Watanabe, H., et al.: Progression and prognosis in multiple system atrophy. *Brain*, 125(Pt 5):1070–1083, 2002.
9) Dijkstra, B.W., et al.: Functional neuroimaging of human postural control: A systematic review with meta-analysis. *Neurosci. Biobehav. Rev.*, 115:351–362, 2020.
10) Konczak, J., et al.: Functional recovery of children and adolescents after cerebellar tumour resection. *Brain*, 128(Pt 6):1428–1441, 2005.

11) Ilg, W., et al.: Gait ataxia—specific cerebellar influences and their rehabilitation. *Mov. Disord.*, 28(11):1566–1575, 2013.
12) Buckner, R., et al.: The organization of the human cerebellum estimated by intrinsic functional connectivity. *J. Neurophysiol.*, 106(5):2322–2345, 2011.
13) Hoche, F., et al.: The cerebellar cognitive affective/Schmahmann syndrome scale. *Brain*, 141(1): 248–270, 2018.
14) Martín-Gallego, A., et al.: Brainstem and Autonomic Nervous System Dysfunction: A Neurosurgical Point of View. *Acta. Neurochir. Suppl.*, 124: 221–229, 2017.
15) Honda, T., et al.: Tandem internal models execute motor learning in the cerebellum. *Proc. Natl. Acad. Sci. U. S. A.*, 115(28):7428–7433, 2018.
16) Bando, K., et al.: Impaired Adaptive Motor Learning Is Correlated With Cerebellar Hemispheric Gray Matter Atrophy in Spinocerebellar Ataxia Patients: A Voxel-Based Morphometry Study. *Front. Neurol.*, 10:1183, 2019.
17) Schmitz-Hübsch, T., et al.: Spinocerebellar ataxia types 1, 2, 3, and 6: Disease severity and nonataxia symptoms. *Neurology*, 71(13):982–989, 2008.
18) Jacobi, H., et al.: Inventory of Non-Ataxia Signs (INAS): Validation of a new clinical assessment instrument. *Cerebellum*, 12(3):418–428, 2013.
19) Masuda, K., et al.: Investigation of the Reliability and Validity of Dizziness Handicap Inventory (DHI) Translated into Japanese. *Equilib. Res.*, 63(6):555–563, 2004.
20) Globas, C., et al.: Early symptoms in spinocerebellar ataxia type 1, 2, 3, and 6. *Mov. Disord.*, 23(15): 2232–2238, 2008.
21) Palliyath, S., et al.: Gait in patients with cerebellar ataxia. *Mov. Disord.*, 13(6):958–964, 1998.
22) Schniepp, R., et al.: The interrelationship between disease severity, dynamic stability, and falls in cerebellar ataxia. *J. Neurol.*, 263(7):1409–1417, 2016.
23) Schniepp, R., et al.: Gait ataxia in humans: Vestibular and cerebellar control of dynamic stability. *J. Neurol.*, 264(Suppl 1):87–92, 2017.
24) Winser, S.J., et al.: Balance outcome measures in cerebellar ataxia: A Delphi survey. *Disabil. Rehabil.*, 37(2):165–170, 2015.
25) Kondo, Y., et al.: Test-retest reliability and minimal detectable change of the Balance Evaluation Systems Test and its two abbreviated versions in persons with mild to moderate spinocerebellar ataxia: A pilot study. *NeuroRehabilitation*, 47(4): 479–486, 2020.
26) Dankova, M., et al.: 3 Hz postural tremor: A specific and sensitive sign of cerebellar dysfunction in patients with cerebellar ataxia. *Clin. Neurophysiol.*, 131(10):2349–2356, 2020.
27) Sletten, D.M., et al.: COMPASS 31: A refined and abbreviated Composite Autonomic Symptom Score. *Mayo Clin. Proc.*, 87(12):1196–1201, 2012.
28) Takao, M., et al.: 'Hot-cross Bun Sign' of Multiple System Atrophy. *Int. Med.*, 46(22):1883, 2007.
29) Zhu, S., et al.: "Hot cross bun" is a potential imaging marker for the severity of cerebellar ataxia in MSA-C. *Npj Park. Dis.*, 7(1):15, 2021.
30) Schmitz-Hübsch, T., et al.: Scale for the assessment and rating of ataxia: Development of a new clinical scale. *Neurology*, 66(11):1717–1720, 2006.
31) Diallo, A., et al.: Natural history of most common spinocerebellar ataxia: A systematic review and meta-analysis. *J. Neurol.*, 268(8):2749–2756, 2021.
32) Gouelle, A., et al.: The gait variability index: A new way to quantify fluctuation magnitude of spatiotemporal parameters during gait. *Gait Posture*, 38(3):461–465, 2013.
33) 近藤夕騎ほか：歩行可能な脊髄小脳変性症患者に対する短期集中バランストレーニングが身体機能に及ぼす効果—Balance Evaluation Systems Test (BESTest) を用いて. 神経治療学, 35(5):628–632, 2018.
34) 加藤太郎ほか：歩行可能な脊髄小脳変性症患者の運動失調に対する短期集中リハビリテーション治療—Scale for the Assessment and Rating of Ataxia の総得点と下位項目得点による検証. リハビリテーション医学, 58(3):326–332, 2021.
35) Miyai, I., et al.: Cerebellar ataxia rehabilitation trial in degenerative cerebellar diseases. *Neurorehabil. Neural Repair*, 26(5):515–522, 2012.
36) Ilg, W., et al.: Intensive coordinative training improves motor performance in degenerative cerebellar disease. *Neurology*, 73(22):1823–1830, 2009.
37) 宇川義一(編)：運動失調のみかた, 考えかた—小脳と脊髄小脳変性症. p.329, 図 4, 中外医学社, 2017.

（板東杏太）

第3章

筋萎縮性側索硬化症の理学療法

学習目標

- 筋萎縮性側索硬化症の病態と治療方針について理解する．
- 障害に対する評価の目的と実際について理解する．
- 理学療法の目的と実際について理解する．
- 理学療法におけるリスク管理について理解する．

A 疾患の概要

1 疾患概念

筋萎縮性側索硬化症(amyotrophic lateral sclerosis; ALS)は，上位運動ニューロンと下位運動ニューロンが選択的にかつ進行性に変性・消失していく原因不明の疾患である[1]．1869年にCharcotによって初めて報告された疾患であり，中年以降に多く発症し，現在においても根本的な治療法はもちろん，進行をくい止める手段も確立されていない[1]．

上位運動ニューロン徴候としては，痙縮，深部腱反射亢進，病的反射陽性がある．**下位運動ニューロン徴候**としては，筋萎縮，筋力低下，線維束攣縮などがあり，上下肢の筋力低下から発症する．筋力低下は，初期は非対称性であるが，徐々に他の体節へ進行していく．進行すると，歩行障害，構音障害，嚥下障害，呼吸障害などが生じる．球麻痺が先行する場合，構音障害から発症することが多いが，嚥下障害から発症することもある．また，稀ではあるが呼吸筋の筋力低下が先行し，呼吸障害から発症することもある．いずれの発症部位であっても短期間に筋力低下が全身に広がり，呼吸不全の進行のため平均3～5年で死亡する．その一方で経過が緩徐な場合もあり，画一的な予後予測は困難である．

わが国のALS患者は**侵襲的人工呼吸療法**(tracheostomy positive pressure ventilation; TPPV)を実施することが諸外国より多い[2]．その結果，TPPV装着を含めたALS療養のケアが発展し，呼吸不全を超えた療養生活が可能となっている．ALS患者の長期療養において良質な療養支援を継続することにより，身体的な障害があったとしても活動性は維持・拡大され，生きがいをもった豊かな人生を過ごすことができる．しかしながら，TPPVを装着したとしてもALSの進行が止まることはなく，身体的・精神的負担に加え，家族の介護負担が問題となることは少なくない[3]．

2 病態と疫学

ALSは希少疾患であるが，その患者数は年々増加しており，世界で約22万人，わが国では約1万人となっている[1]．わが国におけるALSの発症率は，1.1～2.5人/10万人/年であり，発症率は年齢とともに増大して50～60歳代でピークに達する[1]．わが国におけるALSの有病率は，7～11人/10万人と推計されている[1]．有病率は，世界で人種にかかわらずほぼ同程度であるものの，グアム島や紀伊半島に集積地帯があることが知られており，地下水の鉱物濃度や植物種子の摂取などが可能性としてあげられているが，確実な根拠とはされていない．

ほとんどのALSは孤発性（非遺伝性）の神経変性疾患（古典的ALS）であるが，5〜10%は家族性ALS（常染色体優性遺伝性）である[4]．現在，家族性ALSの原因遺伝子が相次いで同定され，孤発例にも遺伝子変異がみられることがわかった．また，ALSの運動神経と前頭側頭葉変性症（frontotemporal lobar degeneration; FTLD）の大脳皮質神経に出現するユビキチン陽性封入体・蓄積構造の主構成蛋白がともにTDP43であることが発見されて以降，ALSとFTLDとは一連のスペクトラムをなすことが提唱され，ALSの疾患概念は変化しつつある[5]．

3 診断基準

ALSの診断は，上位および下位運動ニューロン障害の存在，進行の経過，除外診断によってなされる．ALSの生化学的診断マーカーは現時点で存在していないことから，臨床所見と補助検査（電気生理学的検査，神経画像）所見を総合して診断する[1]．

1990年，スペインALS協会（Asociación Española de Esclerosis Lateral Amiotrófica; ADELA）では臨床所見に，筋電図，神経伝導速度と画像所見からの情報を加えて，臨床的診断確実性を4段階に区分した．これはさらに1994年に改定され，世界神経学会（World Federation of Neurology; WFN）のEl Escorialの診断基準として広く認められてきた[6]（▶**表1**）[7]．その後，1998年に世界神経学会運動ニューロン疾患研究委員会により，El Escorialの診断感度を上げる必要があるとして，El Escorial改訂Airlie House診断基準が提唱されている[1]．

4 症状

a 筋力低下

筋萎縮による筋力低下はALSにおける主症状である．筋萎縮は四肢の遠位筋である母指球筋・小指球筋，または舌の萎縮が初期からおこりやすく，四肢近位筋および全身に波及し，最終的な残存筋力は四肢遠位筋であることが多い．筋力低下に伴いADLに支障をきたすようになり，介護負担が増加する．

b 球麻痺

ALSの初期症状や進行期に，**球麻痺**（bulbar palsy）として，発声，発語，嚥下，咀嚼，表情の障害をおこす．これは延髄にある下位運動神経障害（舌咽神経，迷走神経，舌下神経の神経核）により流涎，嚥下困難，コミュニケーションなどの支障をきたす．球麻痺症状が進行すると誤嚥や唾液の流入により気道クリアランスを保つことが困難となる．

c 呼吸障害

ALSの呼吸障害の特徴は呼吸筋力の低下に基づく拘束性換気障害であり，特に肋間筋，横隔膜が障害され，肺胞低換気となる[2,8]．横隔膜機能障害は肺活量（vital capacity; VC）の低下，また二次的な代償として呼吸補助筋の過活動をきたすため低換気頻呼吸となる[2,8]．進行すると高二酸化炭素血症により慢性呼吸性アシドーシス・代償性代謝〔HCO_3^-，ベースエクセス（BE）異常高値〕となり，呼吸障害末期にはCO_2ナルコーシスに陥る[9]．呼吸障害の初期症状は，不眠，早朝の頭痛，倦怠感などが多い．また個々により，歩行可能レベルであっても呼吸困難を訴える症例から，呼吸不全に陥っても呼吸困難感の訴えがない症例までが存在し，自覚症状を含めて，他覚的検査所見にも注意しなければならない[10]．

▶**表 1　WFN(El Escorial)による ALS 診断基準**
ALS の診断には，UMN（上位運動ニューロン）徴候，LMN（下位運動ニューロン）徴候，疾患の進行性が認められることが必要である．

A. 診断基準	
Definite	3 領域で UMN＋LMN 徴候 たとえば，古典的 ALS
Probable	2 領域で UMN＋LMN 徴候 UMN 徴候が LMN 徴候より上位にみられる
Possible	1 領域で UMN＋LMN 徴候または 2〜3 領域で UMN 徴候 たとえば，monomelic ALS，進行性球麻痺，原発性側索硬化症
Suspected	2〜3 領域で LMN 徴候 たとえば，進行性脊髄性筋萎縮症，他の運動症候群

B. 4 領域における UMN 徴候，LMN 徴候				
領域	球部	頸部	胸部	腰仙部
LMN 徴候 ●筋力低下 ●筋萎縮 ●線維束攣縮	●下顎 ●顔面 ●軟口蓋 ●舌，咽頭	●頸部 ●上肢 ●手 ●横隔膜	●背部 ●腹部	●背部 ●腹部 ●下肢 ●足
UMN 徴候 ●腱反射亢進など	●下顎間代 ●咽頭反射 ●口尖らし反射亢進 ●仮性球麻痺 ●強制あくび ●病的腱反射亢進 ●痙縮	●間代を伴う腱反射 ●Hoffmann（ホフマン）反射陽性 ●病的腱反射亢進 ●痙縮	●表在腹壁反射消失 ●病的腱反射亢進 ●痙縮	●間代を伴う腱反射 ●Babinski（バビンスキー）反射陽性 ●病的腱反射亢進 ●痙縮

〔Brooks, B.R.: El Escorial World Federation of Neurology criteria for the diagnosis of amyotrophic lateral sclerosis. Subcommittee on Motor Neuron Diseases/Amyotrophic Lateral Sclerosis of the World Federation of Neurology Research Group on Neuromuscular Diseases and the El Escorial "Clinical limits of amyotrophic lateral sclerosis" workshop contributors. *J. Neurol. Sci.*, 124(Suppl):96–107, 1994 より一部改変〕

d 前頭側頭葉変性症(FTLD)

記銘力は保たれているが人格変化や病識の欠如，脱抑制などの行動障害が特徴的な FTLD を呈する ALS 患者がおり，療養支援を行っていくうえで問題となることがある．ALS はこれまで認知機能障害は伴わないと思われていたが，認知症を呈する者が 5〜15%，認知症の周辺症状がみられる者は 30〜50% 存在することがわかってきた[11,12]．

e 陰性四徴候の崩壊

TPPV 装着による長期療養により ALS には出現しないとされていた褥瘡，膀胱直腸障害，眼球運動障害，感覚障害の，いわゆる**陰性四徴候**が陽性となることが少なくない[2,13]．療養生活が長期化すると，筋量の低下に伴う低体温症，蠕動運動の不良が起因となる便秘や下痢などの消化器疾患，難聴の原因となる滲出性中耳炎などの耳鼻科疾患などが出現する．また，長期臥床で同一姿勢を好む ALS 患者においては褥瘡を呈する患者もいる．膀胱残尿で感染症を生じることも多く，膀胱留置カテーテルでの排尿管理やおむつを使用する場合も少なくない．明らかな表在感覚や深部感覚障害はないが，痙性麻痺や筋緊張異常に加え，筋萎縮が進行していく過程での疼痛，さらに筋力低下に伴い自分では動かせないことなど，異常感覚として四肢体感の痛みを自覚する症例は非常に多い．

f 自律神経障害の問題

球麻痺を呈する ALS 患者において発症初期の頻脈がある．また経管栄養直後におこる頻脈があるため，栄養管理に難渋することもある．長期 TPPV 療養生活において，交感神経活動亢進が循環動態の不安定性と突然死のリスクとなり，日中の高血圧・頻脈，夜間の低血圧，徐脈などの**自律神経障害**に注意が必要である[14]．

g 栄養管理の問題

ALS 症状として急激な体重減少がおこる．これは単に機能障害からくる摂取エネルギー不足ではなく，病態過程で代謝の亢進がおこり，消費エネルギーが高まるからである[1]．また，体重減少そのものが予後不良因子であるため，発症初期は摂取エネルギーを通常より多く必要とする．その一方で，TPPV 後においてはむしろ摂取エネルギーを少なくすることが推奨されている[1]．過剰な摂取カロリーにより，巨舌や胆石・腎結石などによる胆肝・腎症を併発することが多い[1,2,13]．

h 誤嚥性肺炎などの肺合併症

TPPV 装着 ALS 患者においては肺合併症を併発する頻度が高く，また致死的な問題となる場合が多い．その原因には，**誤嚥性肺炎**(aspiration pneumonia)，**人工呼吸器関連肺炎**(ventilator associated pneumonia)，**沈下性肺炎**(hypostatic pneumonia)などが考えられ，生活の質(QOL)の著しい低下をきたす[15]．誘因としては，嚥下障害に伴う誤嚥，肺コンプライアンス低下，易感染，胸水貯留が考えられているが，さらに不動や長期臥床により肺下葉に無気肺を伴う難治性肺炎を形成し，これが徐々に増加することで生命を脅かす[2]．

i 完全な閉じ込め状態

ALS における症状の大きな課題として，病状の進行により眼球運動も含めた全随意筋麻痺による**完全な閉じ込め状態**(totally locked in state; TLS)になることがあげられる[2,16]．通常，ALS 患者は眼球運動が障害されにくく，眼球運動により透明文字盤を使用し，外界とコミュニケーションをとれる．しかしながら，ALS 全例が TLS になるのではなく，TPPV 患者の 11～13% であり，TLS になりやすい特徴として，発症から半年以内に四肢，橋・延髄(球)，呼吸および外眼運動系の 4 つの随意運動系のうち 2 つ以上が麻痺すると，70% 程度が人工呼吸器装着後 5 年以内に TLS になるとされている[16]．

5 予後

ALS は，呼吸筋力低下に伴う呼吸機能障害による高二酸化炭素血症における CO_2 ナルコーシスや誤嚥性肺炎を契機にした肺合併症などが直接的な死因となる．発症から死亡もしくは TPPV に至るまでの期間の中央値は 20～48 か月であるが，生存期間は個々の患者間で相当の違いがあり，10% 程度の患者が発症後 1 年以内に死亡する一方で，5～10% の患者が発症 10 年後も生存している[1]．つまり，ALS は稀な疾患であり，治療やケアの進歩により生存期間の変化があること，緩徐進行例もおり，画一的な予後を示すことは困難である[1]．現在わかっていることとして，球麻痺や呼吸障害から発症している症例では生存期間が短い傾向がある[1,17]．また，発症年齢は進行・予後を左右する因子であり，高齢になるほど発症からの生存期間が短い．さらに，診断時または経過中の栄養不良は独立した予後不良因子となる．性別による予後に差はなく，球筋，上肢筋，下肢筋の各領域において，発症早期に複合領域に進展する例は予後不良である[17]．非侵襲的人工呼吸療法(noninvasive positive pressure ventilation; NPPV)や TPPV を行うことにより呼吸不全を超えた療養生活が可能となり，TPPV を装着した ALS 患者のほうが生命予後は延長している[18]．

6 治療法

わが国をはじめ各国でALSの根本的治療を目指した臨床研究や治験が行われているが，現時点では有効な治療には至っていない．しかしながら，わが国ではALS患者の療養生活の支援により，ALS患者の生命予後のみならず，QOLを改善する取り組みがなされている．

a 薬物療法

ALSにおいてわが国で承認されている治療薬はリルゾールとエダラボンのみである．リルゾール（リルテック®）は2000年に承認された錠剤であり，生存期間を数か月延長する．エダラボン（ラジカット®）は2016年に承認された静脈注射であり，ALS初期患者への有効性が示されている．いずれも根治薬ではなく，副作用や薬物療法をし続けていくことがかえって療養生活の妨げになっていないか確認する．

b 栄養療法

ALSにおける体重減少は生命予後の推定因子となる[1,19]．ALSに対する栄養サポートは重要であり，筋蛋白量の維持，免疫力の向上，ADLの維持，感染症の予防，QOLの維持・向上に寄与する．嚥下障害が出現した場合，適切な口腔内ケアを行い，咀嚼しやすい食形態の変更をし，必要摂取エネルギー量を維持する．経口摂取が困難になった場合や低栄養・体重減少が著しい場合は，経口栄養摂取の代替として，胃瘻，経鼻経管栄養，間欠的経口経管栄養，高カロリー輸液などを行う．適切な胃瘻造設時期は，安全面を考慮して，%VCが50%以上あるときに推奨している[1]．

c 非侵襲的人工呼吸療法（NPPV）

NPPVは，気管切開チューブや気管挿管を留置せずにマスクなどのインターフェイスを用いて非侵襲的に陽圧換気補助を行うものである[1,20]．わが国では1990年に筋ジストロフィー患者にNPPVが導入され，生命予後のみならず，活動性の維持・拡大やQOLの向上が認められたことから，ALSを含め多くの神経筋疾患患者が利用するようになった．NPPVの効果を最大にして，副作用を最小にするためには，インターフェイスのフィッティング，夜間のリーク予防，体位による上気道の確保，徒手や排痰補助装置（mechanical insufflation-exsufflation; MI-E）での咳介助による気道クリアランスを良好に保つことが必要である[1,20]．

d 侵襲的人工呼吸療法（TPPV）

TPPVは気管切開チューブを留置して侵襲的に陽圧換気補助を行うものであり，確実に換気補助が行え，生命予後が改善することから，従来から多く行われてきた対症療法である[1,2,20]．TPPV装着においては，その意思決定支援のあり方や人工呼吸器取り外し問題など，倫理社会的な課題について議論されている[2]．

e 誤嚥防止術

重度の誤嚥があり，発話が困難な場合，気管切開を含めた誤嚥防止術がすすめられる．誤嚥防止術には，声門閉鎖術，気管喉頭分離術，気管食道吻合術，喉頭摘出術がある．これによりTPPVを装着していても安全に経口摂取することが可能となる．また，喀痰吸引回数の減少，夜間の良眠などQOLの向上に有効であり，ALS患者と家族の満足度が高い[21]．しかし，発話は不能となり，経口のみでの摂取エネルギーでは不十分な場合が多いため，栄養管理として別に補完することが必要である．

7 障害像

近年，ALSはチャリティ活動やテレビで取り上げられ，「難病中の難病である」と一般的認知が高まっている．その一方で，病名告知によりALS

患者や家族は，「原因不明で治療法がない＝何もすることがない」という呪縛にとらわれ，予後不良という認識から悲嘆が強く，心的ストレスはきわめて高い．それに加え，現実的に筋力低下による転倒，経口摂取困難，声が出ない，呼吸苦などの経験が次々とおこるなかで，ALS 患者は医療的処置を含めた療養生活について自己決定していくことが求められる．

このように，ALS は重篤な障害を呈し，生命を脅かす疾患ではあるが，対症療法や療養支援により生命予後や QOL が大きく変化する疾患である．そのため，さまざまな社会的資源を活用し，地域コミュニティと多専門職種との継続的なかかわりを深めていくことが必要となる．また，療養支援者との経過的関係性により，ALS 患者や家族の意思決定が変化していくことは認識すべきである．そのなかで理学療法士は，障害像を把握し，発症早期より適切な介入を行い，ALS 患者が肯定的に生きていけるよう支援を実践していく役割がある．

B 疾患・障害のとらえ方

1 ガイドライン

わが国における ALS の臨床上の解決すべき多数の課題において，科学的根拠(evidence-based medicine; EBM)をもとにした治療を体系化することが望まれ，日本神経学会により 2002 年に『ALS 治療ガイドライン 2002』として刊行された[1]．その後，ALS の診断や治療など新しい知見が増加し，リハビリテーションやコミュニケーションによる療養支援，そして東日本大震災の経験をふまえた災害時の対処，その他これまでの療養ケアを加味し，2013 年に『筋萎縮性側索硬化症診療ガイドライン 2013』として改訂・刊行された[1]．日本リハビリテーション医学会から『神経筋疾患・脊髄損傷の呼吸リハビリテーションガイドライン』[20] が刊行，ALS を含めた神経筋疾患の呼吸障害に特化した呼吸リハビリテーションが示されている．また，厚生労働省の「特定疾患患者の生活の質(QOL)向上に関する研究」班における ALS の包括的呼吸ケア指針として，いずれもインターネットで閲覧可能である[1,20]．2021 年に日本理学療法士協会より『理学療法ガイドライン 第 2 版』が刊行され，ALS 患者に実践している理学療法(バックグラウンドクエッション)と EBM に基づいた ALS 患者における理学療法の推奨(クリニカルクエッション)が述べられている[22]．

2 病歴聴取

ALS では現病歴として，発症時期，部位，進行の程度などを記載する．病名の告知をいつ・どのように受け止めているか，胃瘻や気管切開の治療方針，治療薬の服用歴などを確認する．生活状況として，職業，同居者の有無，住宅環境，福祉サービスについても調査する．指定難病患者の医療費受給者証，身体障害者手帳，介護保険について利用状況を調査する．

3 活動性評価

病状の進行により活動性が低くなることは容易に想像できる．就労が困難となり，人と会うことや外出が困難になる．しかしながら，適切な時期に福祉機器や車椅子を導入することなどにより外出支援が行えれば，病状の進行とは関係なく，活動性を維持することは可能である．また，近年ではインターネットの普及に伴い，在宅ワークやソーシャルネットワークサービスを利用した社会参加が可能であり，ベッド上で過ごす ALS 患者であったとしても，さまざまな方法で社会活動を行うことが可能となっている．

4 神経学的所見

神経学的所見では，筋緊張または深部腱反射や線維束性攣縮を観察することが理学療法を行ううえで重要である．上位および下位運動ニューロンのどちらの障害が著しいのかを把握することで，今後の進行を予測できるためである．下位運動ニューロンの線維束性攣縮を視診するには，腹部筋や下肢筋を軽く撫でると出現することがあり，病態の進行によるものか，もしくは疲労により労作を調整する必要があるのかを見極める必要がある．また，疼痛を有する ALS 患者は多い．

5 姿勢・歩行評価

筋萎縮に伴い，動筋と拮抗筋のアンバランスが生じるために不良姿勢や歩容が崩れてくる．また多くの ALS 患者は，筋力低下に伴い，歩行時にはできるかぎり身体を支持基底面内に抑えて，大きく関節モーメントを働かさなくても姿勢を維持できるようにコントロールするか，骨や靱帯の制限を利用して姿勢を維持しながら移動している．ALS 患者の歩行の限界を把握し，移動手段の変化を見極めて提示していくことが評価のポイントとなる．定期的な評価として，床から立位までの所要時間(秒)や 6 分間歩行距離(m)，10 m 歩行(分速)を測定する．ALS 患者は転倒による外傷率が高く，頭部外傷や骨折により歩行不能，臥床状態へと ADL を著しく低下させる場合があるため，十分注意し，可能なかぎり活動性が低下しないよう取り組む[22,23]．

6 呼吸評価

呼吸機能検査を定期的に行い，% 肺活量(%VC)や % 努力性肺活量(% forced vital capacity; %FVC)を測定する．また，呼吸筋を圧力で評価するため，口腔内圧計や sniff nasal inspiratory pressure(SNIP)を用いて最大吸気圧(maximal inspiratory pressure; MIP)や最大呼気圧(maximal expiratory pressure; MEP)を測定する．血液ガス分析では，pH や二酸化炭素分圧($PaCO_2$)，重炭酸イオン(HCO_3^-)，過剰塩基(BE)を評価する．そのほかにも非侵襲的に二酸化炭素分圧を評価するために呼気終末二酸化炭素分圧(end tidal CO_2; $ETCO_2$)や経皮二酸化炭素分圧(transcutaneous partial pressure of arterial carbon dioxide; $tcpCO_2$)が用いられ，数か月に 1 回は測定することが推奨されている．また，呼吸障害は夜間に出現することが多く，夜間動脈血酸素飽和度(SpO_2)や $tcpCO_2$ をモニタリングすることが望ましい[1,2,21,22,24]．

咳嗽の有効性を評価する目的で最大咳嗽流速(cough peak flow; CPF)を測定する．測定姿勢は，VC，CPF ともに呼吸筋障害が進行すると座位と比較し背臥位で低下するので，両方で測定する．CPF は咳嗽時に呼出される呼気の流量であり，健常成人は 360〜960 L/分の速度で呼気が排出される．有効な咳嗽力の目安として CPF 270 L/分以上あることが必要であり，平時は問題ないが感冒症状時に咳嗽力が困難となるのは 240 L/分以下，常時咳嗽力が困難となるのは 160 L/分以下である．これらの検査はガイドラインで推奨され，定期的な測定が簡易であり，呼吸障害の進行を把握するうえでも重要である[1,20-22,24]．

ALS 患者の咳嗽力を高める目的で最大強制吸気量(maximum insufflation capacity; MIC)を評価する[1,21,22,24]．MIC は強制的に最大限に吸気し air stack(息溜め)できる量であり，咳嗽力の指標として MIC を得た状態で CPF を測定する(▶図 1)．MIC 測定における吸気介助方法にはバッグバルブマスク(bag valve mask; BVM)，従量式で設定された NPPV の吸気 2〜3 回分，MI-E の陽圧，舌咽頭呼吸(glossopharyngeal breathing; GPB)がある．これらにより肺に強制的に陽圧を送り込みながら，声門や声帯などの喉頭・咽頭機能により息溜めすることで MIC が得られる．

ALS が進行すると球麻痺症状が悪化したり，気管切開後は息溜めが困難となるため，MIC を測定することが不可能となる．近年，一方向弁を利用した最大強制吸気量(lung insufflation capacity; LIC)を評価する方法が示されている[22, 24–26]．LIC とは，外付けの息溜め機構を利用することで咽頭・喉頭機能を使用する必要がなく，ALS 患者が耐えうる圧で送気された空気を肺内へ吸気する最大量のことである[22, 24–26]．2016 年よりわが国において，LIC 機能を有し，安全性，気密性，快適性を有する LIC TRAINER® (▶図 2)が医療機器として使用できるようになった[27, 28]．LIC TRAINER® を使用することで，神経筋疾患患者の呼吸不全に至る前から呼吸不全時期，呼吸不全を超えた時期においても，肺や胸郭の柔軟性を評価することが可能となっている[29]．

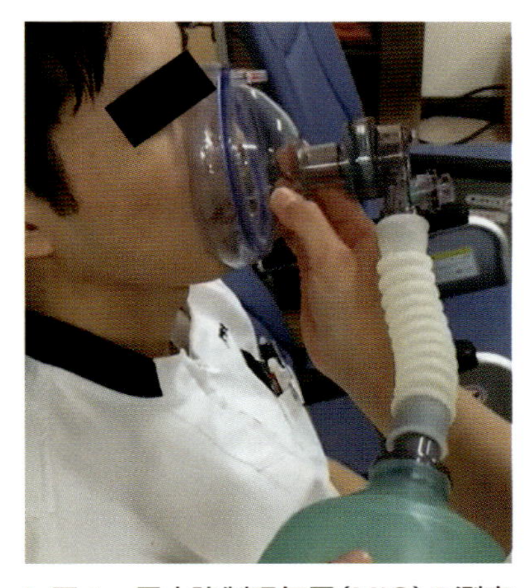

▶図 1　最大強制吸気量(MIC)の測定
バッグバルブマスクなどを用いて強制吸気を行い，息溜めをすることで肺活量以上の吸気量を測定し，有効な咳嗽ができているか CPF を測定する．

7 口腔内唾液分泌物スケール(OSS)

口腔内唾液分泌物スケール(oral secretion scale; OSS)は唾液と嚥下に注目した指標であり，球麻痺の機能を反映する[30]．NPPV 開始時の OSS はその後の生存期間に関係しており，スコアが悪くなると NPPV を使用しても生存期間が短くなる．また NPPV ができなくなる患者の 8 割が OSS スコア 1 であり，球麻痺が呼吸と密接にかかわっていることがわかる[31]．

8 ALSFRS-R

ALSFRS-R(ALS functional rating scale-revised)は，ALS の包括的な重症度尺度として 1999 年に開発され，治験や治療などのアウトカムとして国際的に頻用される機能評価スケールである(▶表 2)[32]．評価項目は，言語，唾液，嚥下，書字，摂食動作，身支度，寝床での動作，歩行，階段昇降，呼吸困難感，起座呼吸，呼吸不全の 12

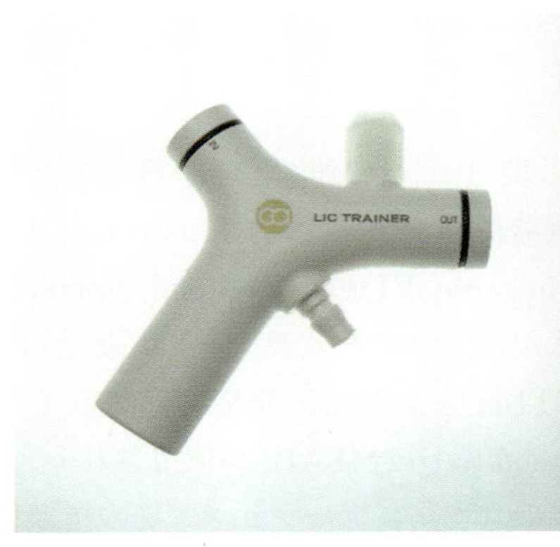

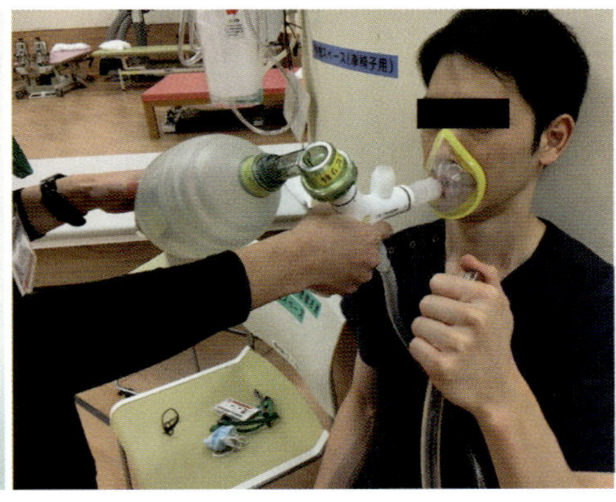

▶図 2　LIC TRAINER®〔カーターテクノロジーズ株式会社〕

▶表 2　ALS functional rating scale-revised（ALSFRS-R）

項目 1 言語		4. 正常 3. 軽度の言語障害 2. 繰り返すと理解できる 1. 言語以外の伝達方法を併用 0. 言葉にならない
項目 2 唾液		4. 正常 3. 口に唾液が溜まり夜間に漏れる 2. 中程度に唾液が多く少し漏れる 1. 明らかに唾液が多く，漏れる 0. 絶えずティッシュやハンカチを当てる
項目 3 嚥下		4. なんでも飲み込める 3. 時々むせる 2. 食事内容の工夫を要する 1. 経管栄養が補助的に必要 0. 全面的に非経口栄養
項目 4 書字		4. 正常 3. 遅く拙劣だが判読できる 2. 判読できない文字がある 1. ペンを握れても書けない 0. ペンを握れない
項目 5 胃瘻有無の選択	胃瘻なし 食事用具の使い方	4. 正常 3. 少し遅く拙劣でも介助不要 2. フォーク・スプーンは使えるが，箸は使えない 1. 食物は誰かに切ってもらわなければならないが，なんとかフォークまたはスプーンで食べることができる 0. 全面介助
	胃瘻あり 指先の動作	4. 正常 3. ぎこちないがすべての指先の作業ができる 2. ボタンやファスナーを留めるのにある程度手助けが必要 1. 身のまわりの動作に手助けが必要 0. まったく指先の動作ができない
項目 6 着衣と身のまわりの動作		4. 障害なく正常に着る 3. 努力を要するが遅くても完全自立 2. 時々介助あるいは工夫を要する 1. 介助が必要 0. 全面介助
項目 7 病床での動作		4. 障害なくできる 3. 努力を要し，遅いが自立 2. 1 人で寝返ったり，寝具を整えられるが非常に苦労する 1. 寝返りを始めることはできるが，1 人で寝返りをうったり，寝具を整えることができない 0. 自分ではどうすることもできない
項目 8 歩行		4. 正常 3. やや歩行が困難 2. 補助歩行 1. 歩行不能 0. 意図した下肢の動きができない
項目 9 階段を昇る		4. 正常 3. 遅い 2. 軽度に不安定，疲れやすい 1. 介助を要する 0. 昇れない
項目 10 呼吸困難		4. ない 3. 歩行時に出る 2. 食事，入浴，身支度の 1 つができる 1. 座位あるいは臥床安静時に出る 0. 呼吸器が必要
項目 11 起座呼吸		4. ない 3. 息切れのため夜間の睡眠がやや困難 2. 眠るのに支えとする枕が必要 1. 座位でなければ睡眠できない 0. 睡眠できない
項目 12 呼吸不全		4. ない 3. 間欠的に BiPAP を使用する 2. 夜間は BiPAP を継続する 1. 夜間，昼間とも BiPAP を継続する 0. 気管挿入または気管切開で呼吸器装着

ALS の包括的な重症度尺度として，治験や治療などのアウトカムとして国際的に頻用される機能評価スケールである．
〔日本神経学会（監）：筋萎縮性側索硬化症診療ガイドライン 2013. 巻末資料, p.201, 南江堂, 2013 より〕

項目からなり，0〜4 の 5 段階評価で合計最高点は 48 点，点数が低いほど重症である．

9 厚生省重症度分類，その他の ALS 評価スケール

わが国における ALS の重症度分類は，1974 年に厚生省特定疾患研究班によりつくられた（▶表 3）．その他の ALS 評価スケールとして，機能的自立度評価法（Functional Independence Measure; FIM），modified Norris scale 四肢症状尺度・球症状尺度（日本語版）がある[1]．また，FTLD を念頭に，発症初期より frontal assessment battery（FAB）が使用される．TPPV 装着後のコミュニケーション評価の指標として，意思伝達能力障害 stage 分類がある（▶表 4）[1, 33]．

▶表 3　ALS の重症度分類

重症度 1	1 つの体肢の運動障害，または球麻痺による構語障害，日常生活不自由なし
重症度 2	各肢体の筋肉，体幹の筋肉，舌，顔面，口蓋，喉頭部の 6 体節の筋肉のうち，いずれか 1 つ，または 2 つの部位の明らかな運動障害のため，日常生活上の不自由があるが，日常生活は独力で可能
重症度 3	各肢体の筋肉，体幹の筋肉，舌，顔面，口蓋，喉頭部の 6 体節の筋肉のうち，3 体節以上の部分の筋力低下のために，家事や職業などの社会的活動が継続できず，日常生活に介助が必要
重症度 4	呼吸，嚥下，または座位保持のうち，いずれかが不能になり，日常生活すべての面で介助が必要
重症度 5	寝たきりで，全面的な生命維持装置操作が必要

〔厚生省特定疾患研究班，1974 より〕

10 QOL 評価

一般的に広く臨床で用いられる QOL 評価は健康関連 QOL(health related quality of life; HRQOL)であり，代表的な QOL 評価に，ALS 特異的 QOL 尺度(ALS assessment questionnaire 40; ALSAQ-40)，MOS 36-item short-form health survey(SF-36)がある．これらは簡易的評価であるが，必ずしも TPPV を装着した ALS 患者の QOL を的確にとらえているとはいえない[22]．近年，ALS の QOL 評価で活用されるものの 1 つとして，生活の質ドメインを直接的に重みづけする個人の生活の質評価法(schedule for the evaluation of individual quality of life-direct weighting; SEIQOL-DW)が注目されている[22, 34]．

C 理学療法の実際

1 目的と役割

ALS は根治困難な疾患であるが，理学療法士は，療養生活が安定し快適に過ごせることを主

▶表 4　TPPV 導入後の ALS における意思伝達能力障害 stage 分類

Stage I	文章にて意思表出が可能
Stage II	単語のみ表出可能
Stage III	Yes / No のみ表出可能
Stage IV	残存する随意運動はあるが，Yes / No の確認が困難なことがある
Stage V	全随意運動が消失して意思伝達不能な状態

眼においた支援として，移動支援，呼吸ケア，コミュニケーション支援などの重要な役割を担っている．これらは単に ALS 患者の機能・能力の維持・向上を目的にしているのではなく，病状から残存機能を最大限に生かす工夫に加え，病状の進行を予測したなかで行う絶え間ない支援であり，病院や地域コミュニティを含めた多職種連携により成り立っている[22]．

ALS における理学療法は，「患者が人生を肯定して生きていく」支援である[2, 35]．それらは「障害や死という喪失からの受容」ではなく，「価値観や考え方は変化しうるもの」であり，療養ケアのかかわり方が大きな影響をもたらす．適切な理学療法が行われることで ALS 患者は自分の人生の意味づけを再構築していく．ここでいう適切な理学療法とは，多専門職種と協力した継続的な支援である．そのなかで，ALS 患者が人生を肯定して生きていくことを支援する最も強いコンテンツに理学療法があることをわれわれは自負し，その役割を果たさなければならない．

2 重症度に合わせた介入

ALS の進行に合わせた理学療法を実践していくためには定期的な評価が必要である．重症度評価として，厚生省重症度分類，ALSFRS-R などを用いるが，臨床では ADL，筋力，体重の推移を総合して評価し，療養支援に必要な福祉機器や車椅子を導入することや代償動作を指導する．また，

定期的に呼吸機能評価を行い，呼吸不全に至る前から呼吸理学療法を実施し，適切な時期にNPPVやMI-Eが導入できるよう支援する．TPPV装着後においても移動支援や呼吸ケアに理学療法は不可欠であり，活動性が維持できるよう取り組む．

a 運動負荷

ALSにおける運動負荷が，運動ニューロン変性の危険性を増加させるか，あるいは促進させるかは依然として論争になっている[36,37]．わが国では，筋力トレーニングは筋力低下を増悪させることが強調され，筋力トレーニングはむしろ有害であると考えられていることが多く，廃用症候群の要素が強い．その一方で，筋萎縮を少しでも抑えようと過負荷なトレーニングを行うALS患者もおり，過用症候群を危惧されている．『理学療法ガイドライン』(2021)では，発症初期のALS患者への筋力トレーニングについて「十分な研究結果がないため，現段階では上下肢の筋力トレーニングは推奨できない」としており[22]，今後研究が必要となっている．

b 運動療法

ALS患者のADL支援につながる起居動作や移動動作などの運動療法を行う．運動療法では筋力トレーニングの有効性が示され[38]，ストレッチや有酸素運動，日常生活に必要な動作の練習などを組み合わせて実施・指導している．わが国では，機能障害が軽度なALS患者に対して，日常生活で行う動作の練習や歩行などの全身運動が，機能低下を軽減する効果があることについて言及されている[39]．また，低強度な運動療法は継続することにより自信や満足感が高まり，心理的な効果をもたらす[40]．

c 関節可動域練習，ストレッチ

上位運動ニューロン障害が強いALS患者は，痙性麻痺のために拘縮や疼痛をおこしやすい．そのため，ストレッチは欠かさず行う．立位保持が困難となってもティルトテーブルを使うことで立位練習を行い，関節可動域(range of motion; ROM)制限予防に努める．また，痙性麻痺を利用して支持性を維持している場合もあるため，ストレッチなどの筋緊張の調整を行ったのちに動作が困難になっていないか注意する．また，筋緊張異常により疼痛が著しいALS患者であっても，筋力低下の進行により筋緊張異常が消失し，ROMや疼痛が改善してくる場合がある．

d 耐久性練習

ALSの有効な有酸素運動として自転車エルゴメータを低負荷で15分程度行う．運動負荷量は自覚的運動強度を聞きながら行うが，中枢性(呼吸や循環器系)疲労と末梢性(四肢や体幹)疲労を分けて評価する．中枢性疲労を補完するためにNPPVやTPPVを装着する場合や，末梢性疲労を補完するためにベッドサイドでも持ち運び可能なタイプやアシスト機能が内蔵されているタイプのエルゴメータを利用する．ただし，『理学療法ガイドライン』(2021)では発症初期のALS患者への有酸素運動について「十分な研究結果がないため，現段階では上下肢の筋力トレーニングは推奨できない」としており[22]，今後研究が必要となっている．

e HAL® 医療用下肢タイプを用いた歩行練習

2015年に身体に装着して歩行能力を高めるロボットスーツHAL® 医療用下肢タイプ(医療用HAL)が医療機器として承認され[41]，2016年に保険適用となった．医療用HALを間欠的に装着し，生体の電気信号に基づき下肢の動きを助けつつ歩行運動を繰り返すことで，歩行機能を維持および改善するALSの新たな歩行練習プログラムとして注目されている．

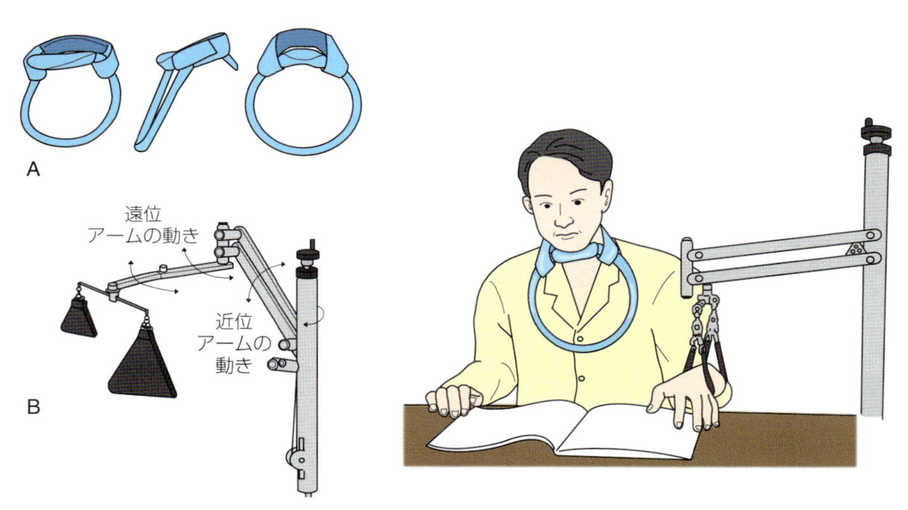

▶図 3　頸椎装具(ヘッドマスターカラー)(A)と上肢補助装具(ポータブルスプリングバランサー)(B)

3 補装具と車椅子

a 補装具

装具療法は筋力低下により生じる問題に対して用いることが多く，**下垂足**(drop foot)と**首下がり**(drop head)がある．下垂足は転倒に，首下がりは視界不良や頸部〜背部の疼痛をまねきやすい．下垂足の初期において，軽量かつ必要時にすぐ使用できるアンクルバンド，オルトップ® が効果的である．下肢内反痙性が強い場合，プラスチック型短下肢装具や支柱付き短下肢装具を作製することもある．頸部下垂に対してはヘッドマスターカラーなどの頸椎装具が適応となることがある．また，手指が動くが肩周囲の近位筋の筋力低下がある場合，食事動作や整容動作を補助するためにポータブルスプリングバランサーが適応になることがある(▶図 3)．

b 車椅子

導入は標準型車椅子が多く，乗り心地よりも軽量であることや折りたたみ機能が優先されるが，車椅子の選定は病態に合わせて変更していく必要がある．頸部や体幹の支持性が乏しい場合，頸部支持付き車椅子や，リクライニングやティルト機能を有する車椅子を選定する．また，人工呼吸器や吸引器などを搭載できる車椅子を選定することで，活動性の維持・拡大を得ることができる．

4 呼吸理学療法

ALS の呼吸理学療法は，呼吸筋力の強化と維持，肺胸郭の柔軟性維持，排痰および窒息・肺炎・無気肺などの合併症予防，心地よさ，代償的手段の使用による運動量の維持などの教育的な視点も含まれる[20, 22, 24]．それに加え，離床は ALS における呼吸理学療法の重要な目的の 1 つであり，下側肺障害などの肺合併症の予防となる．

a 胸郭可動域練習

体幹の回旋，肩甲帯分離運動，頸部筋のストレッチ，肋骨捻転，ポストリフト，徒手的呼吸介助を行う．呼吸補助筋の活動が過度な場合では呼吸補助筋のストレッチを行い，人工呼吸器下では肋骨捻転やポストリフトなどで他動的に可動性を維持する[20, 24]．

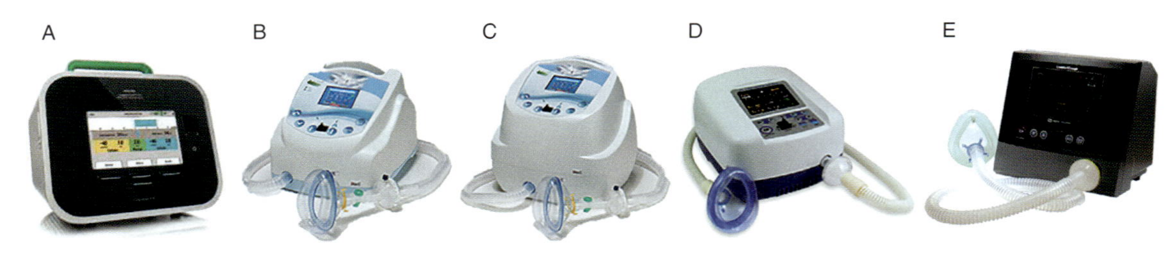

▶図 4　在宅で人工呼吸器加算が使用できる機械的排痰補助装置
A：カフアシスト E70®〔フィリップス・レスピロニクス合同会社〕
B：ミニ ペガソ II®〔エア・ウォーター株式会社〕
C：ペガソ カフ®〔エア・ウォーター株式会社〕
D：コンフォートカフプラス®〔パシフィックメディコ株式会社〕
E：コンフォートカフ II®〔株式会社スカイネット〕

b MIC 練習

BVM を用いて 4〜5 回程度他動的に加圧する．その際には患者の吸気努力およびタイミングを合わせて声門や声帯の開閉を行いながら息溜めを行う．胸郭可動域の柔軟性を維持するためには，強制吸気による他動的な最大伸長をさせることが効果的とされている[20, 24]．MIC は球麻痺がない ALS 患者に有効であり，換気量の増加が認められている．患者家族に指導し，継続的な練習を行う．

c LIC 練習

わが国で LIC 練習が可能な医療機器は LIC TRAINER® のみである[29]．LIC TRAINER® を用いた LIC 練習方法は，BVM にて 4〜5 回程度加圧し，声帯などを使った息溜めは必要なく，外づけのリリーフ弁の操作にて MIC と同等か，それ以上の吸気量を得る．LIC は球麻痺進行例や気管切開後の ALS 患者の利用が可能であり，継続的に練習ができるよう支援する．LIC TRAINER® は気密性が高い構造をしているため，リークすることなく肺内の陽圧を高めることができる．また，肺損傷予防のための安全弁機構が内蔵されている．さらに，リリーフ弁の開放は ALS 患者自身で操作可能であることが特徴である[27–29]．

d 舌咽頭呼吸（GPB）

GPB は横隔膜などの呼吸筋を使わず，舌，下顎，喉頭を下げ，口腔と喉頭一杯に空気を取り入れ，咽頭は閉じながら行い，その後に下顎，舌など口腔下部，喉頭を挙上と同時に舌を動かして，空気を喉頭から気管へ押し込む方法で，臨床ではカエル呼吸と呼ばれている．BVM を使わずに行う MIC であり，GPB により正常な肺胞換気を保つことができる[24]．

e 排痰機器

排痰機器の利用は，気道クリアランス法の 1 つの手段であると同時に，肺や胸郭の柔軟性を維持・改善することが期待されている[2, 24]．2010 年より排痰補助装置加算が認められ，MI-E が在宅療養で行えるようになり，緊急入院となるケースが減少している[2, 20, 24]．ALS の排痰ケアは MI-E を使用する頻度がきわめて高く，患者家族や在宅療養支援者などが日々のケアとして恒常的に使用できるよう支援する．

近年，MI-E 実施時に CPF や吸気流量の測定が可能な機種や内蔵バッテリーの追加，パーカッション機能や高頻度胸壁振動排痰補助装置（high frequency chest wall oscillation; HFCWO），患者の咳への同調など，多様な付随機能をもつ MI-E が開発されている[20, 24]（▶図 4）．また，在宅で利用できる排痰機能を有する陽陰圧体外式人工

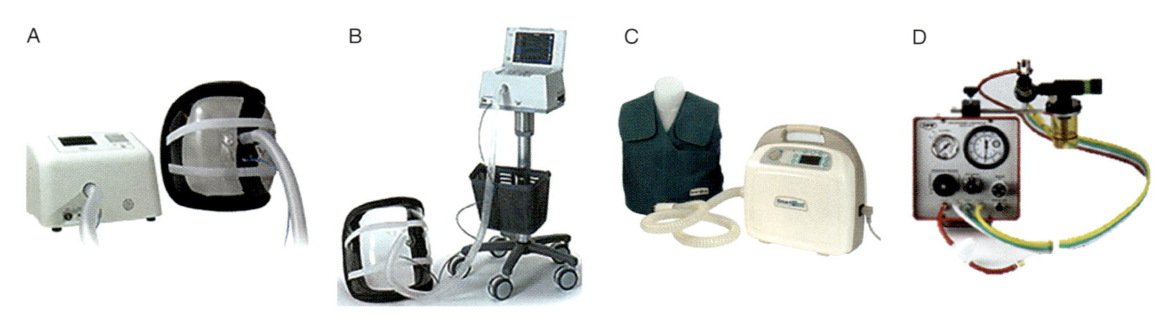

▶図 5　機械的咳嗽機器以外の排痰機器
A：HRTX®〔パシフィックメディコ株式会社〕
B：RTX レスピレータ®〔アイ・エム・アイ株式会社〕
C：呼吸補助機器スマートベスト®〔株式会社東機貿〕
D：人工呼吸器 IPV®（肺内パーカッションベンチレーター）〔パーカッショネア・ジャパン株式会社〕

呼吸器(biphasic cuirass ventilation; BCV)や，HFCWO に特化した排痰機器の使用など，機器選択の幅は広い(▶図 5).

D 理学療法士の役割

ALS 患者の療養支援において理学療法士が果たすべき役割は大きい．ALS 患者が望む療養生活を実現するために，理学療法士には適切な評価とさまざまな課題に対して具体的な支援を行っていくことが求められる．そのためには病態を把握し，人工呼吸器に加え，排痰補助装置，その他さまざまな医療機器や福祉機器の知識をもち，多専門職種と連携をとりながら療養生活を支援し続けていくことが重要である．

●引用文献

1) 日本神経学会(監)：筋萎縮性側索硬化症診療ガイドライン 2013. 南江堂, 2013.
2) 寄本恵輔：ALS の呼吸障害と人工呼吸器について—諸問題に対する考え方とリハビリテーション. *Med. Reha.*, 113:61–70, 2009.
3) 松田千春ほか：対応困難な症状や障害への訪問看護—ALS 療養者に焦点を当てて. コミュニティケア, 15(8):16–20, 2013.
4) Hadano, S., et al.: Loss of ALS2/Alsin exacerbates motor dysfunction in a SOD1-expressing mouse ALS model by disturbing endolysosomal trafficking. *PLoS One*, 5(3):e9805, 2010.
5) 中野今治：前頭側頭葉変性症(FTLD)の概念と分類 update. 臨神経, 51(11):844–847, 2011.
6) 田代邦雄：WFN(El Escorial)の改訂診断基準. 神経内科, 54(1):1–6, 2001.
7) Brooks, B.R.: El Escorial World Federation of Neurology criteria for the diagnosis of amyotrophic lateral sclerosis. Subcommittee on Motor Neuron Diseases/Amyotrophic Lateral Sclerosis of the World Federation of Neurology Research Group on Neuromuscular Diseases and the El Escorial “Clinical limits of amyotrophic lateral sclerosis” workshop contributors. *J. Neurol. Sci.*, 124(Suppl):96–107, 1994.
8) Kaplan, L.M., et al.: Respiratory dysfunction in amyotrophic lateral sclerosis. *Clin. Chest Med.*, 15(4):675–681, 1994.
9) 向井栄一郎ほか：筋萎縮性側索硬化症の呼吸不全—経時的な血液ガス分析. 臨神経, 23(7):599–604, 1983.
10) 難波玲子：ALS 患者終末期医療の現状と問題点. 医療, 59(7):383–388, 2005.
11) Ringholz, G.M., et al.: Prevalence and patterns of cognitive impairment in sporadic ALS. *Neurology*, 65(4):586–590, 2005.
12) Lomen-Hoerth, C., et al.: Are amyotrophic lateral sclerosis patients cognitively normal? *Neurology*, 60(7):1094–1097, 2003.
13) 笠井秀子ほか：筋萎縮性側索硬化症長期人工呼吸器装着療養患者の看護課題. 厚生省特定疾患「特定疾患患者の QOL 向上に関する研究」班：人工呼吸器を装着している ALS 患者の訪問看護ガイドライン, pp.92–98, 厚生省, 2000.
14) 清水俊夫：筋萎縮性側索硬化症における自律神経異常—人工呼吸器下患者における経験. 自律神経, 42(2):60–65, 2005.
15) 寄本恵輔：気管切開・侵襲的人工呼吸器装着患者の早

期離床と難治性肺炎. 呼吸理学療法, 難病と在宅ケア, 12(6):41–44, 2006.
16) 川田明広ほか：Tracheostomy positive pressure ventilation(TPPV)を導入した ALS 患者の totally locked-in state(TLS)の全国実態調査. 臨神経, 48(7): 476–480, 2008.
17) 木村文治ほか：筋萎縮性側索硬化症 100 例の変遷. 臨神経, 43(7):385–391, 2003.
18) Furukawa, Y., et al.: Cause of death in Japanese patients with amyotrophic lateral sclerosis on tracheostomy-positive pressure ventilation. *Eur. Neurol.*, 68(5):261–263, 2012.
19) Desport, J.C., et al.: Nutritional status is a prognostic factor for survival in ALS patients. *Neurology*, 53(5):1059–1063, 1999.
20) 日本リハビリテーション医学会(監)：非侵襲的陽圧換気療法(NPPV). 神経筋疾患・脊髄損傷の呼吸リハビリテーションガイドライン, pp.47–62, 金原出版, 2014.
21) 箕田修治：ALS の嚥下障害対策─喉頭気管分離術/気管食道吻合術の有用性と適応基準. *Brain and nerve*, 59(10):1149–1154, 2007.
22) 日本理学療法士協会(監)：筋萎縮性側索硬化症. 理学療法ガイドライン. 第 2 版, 医学書院, 2021.
23) 寄本恵輔：ALS の独歩不能となる理由. 呼吸理学療法, 難病と在宅ケア, 12(2):30–31, 2006.
24) 寄本恵輔：呼吸障害. 小森哲夫(監)：神経難病領域のリハビリテーション実践アプローチ, pp.93–116, メジカルビュー社, 2015.
25) Bach, J.R., et al.: Lung insufflation capacity in neuromuscular disease. *Am. J. Phys. Med. Rehabil.*, 87(9):720–725, 2008.
26) Kim, D.H., et al.: Artificial external glottic device for passive lung insufflation. *Yonsei Med. J.*, 52(6): 972–976, 2011.
27) 寄本恵輔：ALS におけるバックバルブマスクを用いた新しい呼吸理学療法─肺や胸郭の柔軟性を高めるための MIC/LIC トレーニングについて. 難病と在宅ケア, 20(3):23–25, 2014.
28) 寄本恵輔, 有明陽佑：ALS の呼吸障害に対する LIC TRAINER の開発─球麻痺症状や気管切開後であっても肺の柔軟性を維持・拡大する呼吸リハビリテーション機器. 難病と在宅ケア, 21(7):9–13, 2015.
29) Yorimoto, K., et al.: Lung insufflation capacity with a new device in amyotrophic lateral sclerosis: Measurement of the lung volume recruitment in respiratory therapy. *Prog. Rehabil. Med.*, 5:20200011, 2020.
30) Cazzolli, P.A., Oppenheimer, E.A.: Home mechanical ventilation for amyotrophic lateral sclerosis: Nasal compared to tracheostomy-intermittent positive pressure ventilation. *J. Neurol. Sci.*, 139(Suppl):123–128, 1996.
31) Cazzolli, P.A., et al.: Oral Secretion Scale (OSS) Score in amyotrophic lateral sclerosis [ALS] patients is associated with tolerance of noninvasive positive pressure ventilation (NPPV), need for hospice or transition to tracheal positive pressure ventilation (TPPV) and survival. *Neurology*, 74(Suppl 2):A1–A727, A181, 2010.
32) Cedarbaum, J.M., et al.: The ALSFRS-R: A revised ALS functional rating scale that incorporates assessments of respiratory function. BDNF ALS Study Group (Phase Ⅲ). *J. Neurol. Sci.*, 169(1-2): 13–21, 1999.
33) 林 健太郎ほか：侵襲的陽圧補助換気導入後の筋萎縮性側索硬化症における意思伝達能力障害─Stage 分類の提唱と予後予測因子の検討. 臨神経, 53(2):98–103, 2013.
34) SEIQoL-DW 日本語版 QOL 評価の新しい実践. http://seiqol.jp/seiqol/
35) 寄本恵輔：神経疾患における緩和ケアの視点を持ったリハビリテーション. 心疾患, COPD, 神経疾患の緩和ケア. 緩和ケア, 6(増刊号):156–161, 2017.
36) Liebetanz, D., et al.: Extensive exercise is not harmful in amyotrophic lateral sclerosis. *Eur. J. Neurosci.*, 20(11):3115–3120, 2004.
37) Dalbello-Haas, V., et al.: Therapeutic exercise for people with amyotrophic lateral sclerosis or motor neuron disease. *Cochrane Database Syst. Rev.*, (2): CD005229, 2008.
38) Armon, C.: A randomized controlled trial of resistance exercise in individuals with ALS. *Neurology*, 71(11):864–865, 2008.
39) Kamide, N., et al.: Identification of the type of exercise therapy that affects functioning in patients with early-stage amyotrophic lateral sclerosis: A multicenter, collaborative study. *Neurol. Clin. Neurosci.*, 2(5):135–139, 2014.
40) Kilmer, D.D.: The role of exercise in the treatment of neuromuscular diseases. *Jpn. J. Rehabil. Med.*, 38(12):955–963, 2001.
41) 厚生労働省ホームページ. https://www.mhlw.go.jp/stf/houdou/0000105014.html

（寄本恵輔）

第4章

多発性硬化症の理学療法

学習目標

- 多発性硬化症の病態と治療方針について理解する.
- 障害に対する評価の目的と実際について理解する.
- 理学療法の目的と実際について理解する.
- 理学療法におけるリスク管理について理解する.

A 疾患の概要

1 疾患概念

多発性硬化症(multiple sclerosis; MS)は，主要な中枢神経系の**時間的多発性**(dissemination in time; DIT)および**空間的多発性**(dissemination in space; DIS)を示す炎症性脱髄疾患であり，自己免疫的な機序が病態に関与していると考えられている[1-3]. DITとは1か月以上の間隔をあけて再発すること，DISとは中枢神経系内の2つ以上の病巣に由来する症状があることを示している. そのためMRI画像の病変は動的であり，中枢神経の多様な部位に出現や消失する特徴的をもつ(▶図1).

臨床的には，慢性炎症性脱髄性多発神経炎(chronic inflammatory demyelinating polyneuropathy; CIDP)やリウマチ関節炎(rheumatoid arthritis; RA)などのほかの自己免疫疾患とオーバーラップする病態があるため，臨床所見のみで疾患を同定することは困難であり，多様な症状を呈する[1-3]. そのため，MSにおけるリハビリテーションは刻々と変化する病態像をとらえながら，ICF(国際生活機能分類)の視点から心身機能，活動，社会参加，環境因子，個人因子を考慮した包括的なアプローチが必要である[1].

MSは1838年に初めて報告され，1868年にCharcotによる臨床症状の詳細な報告によって疾患概念が確立された[1-3]. わが国にもMS患者は存在していたが，欧米人に多い通常型MSとは異なり，重い視力低下(視神経炎)や対麻痺(横断性脊髄炎)を呈し，増悪と寛解を繰り返すタイプが多く，この病型はアジア特有の視神経脊髄型MS(opticospinal MS; OSMS)として認知されてきた[3]. しかし，2004年に**視神経脊髄炎**(neuromyelitis optica; NMO)の原因抗体であるNMO-IgG(抗アクアポリン4抗体)が発見されると，これまでOSMSと診断されてきた患者の多くがNMO患者であったことが明らかとなり，現在では，MSとNMOは異なる疾患と考えられている[1-3].

2 病態と疫学

MSは，自己反応性のヘルパーT細胞の獲得免疫により，神経軸索を囲む髄鞘蛋白質に対する自己免疫性炎症反応とそれに伴う脱髄が病態を形成する[1]. また，再発期には獲得免疫系による自己免疫性の炎症性脱髄が中心となるが，進行期は自然免疫系の関与が優位となり，炎症より神経変性

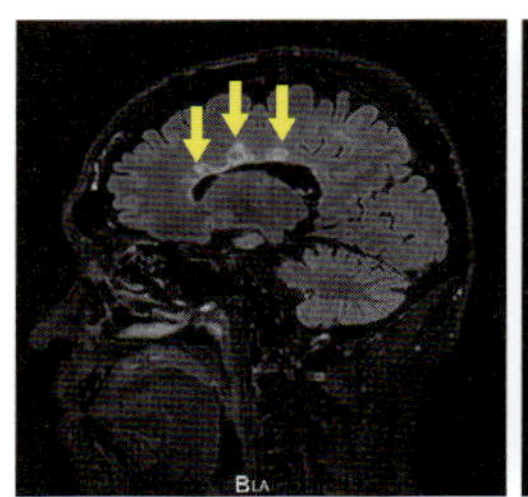

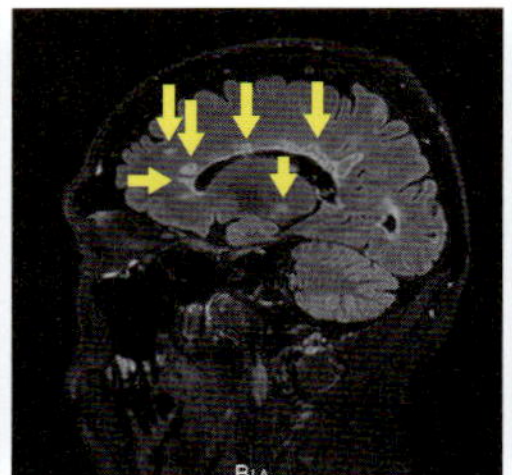

A. 大脳：矢状面(FRAIR 画像)

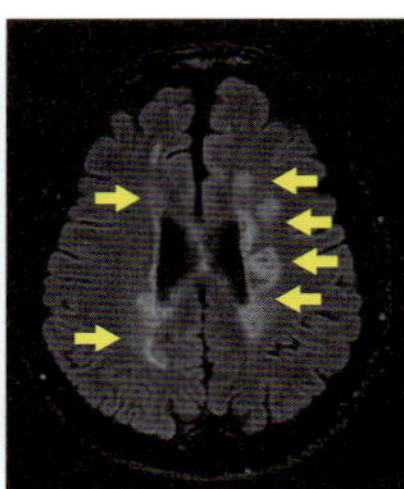
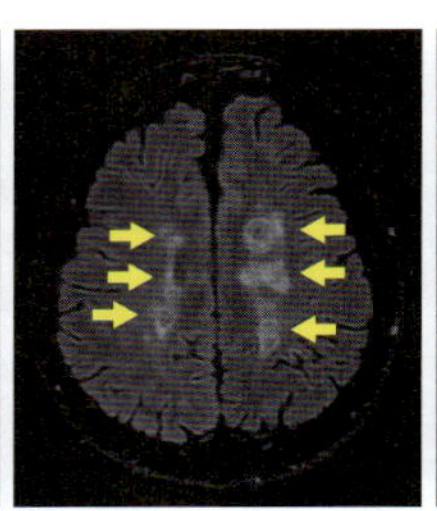
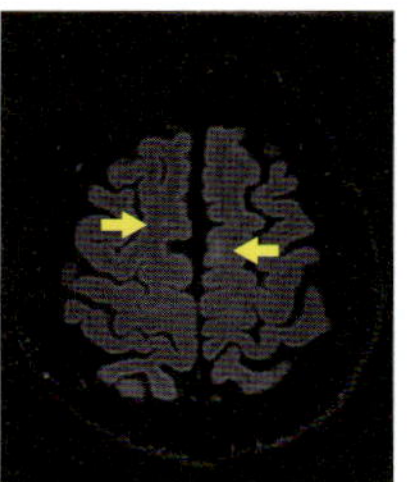

B. 大脳：水平面(FRAIR 画像)

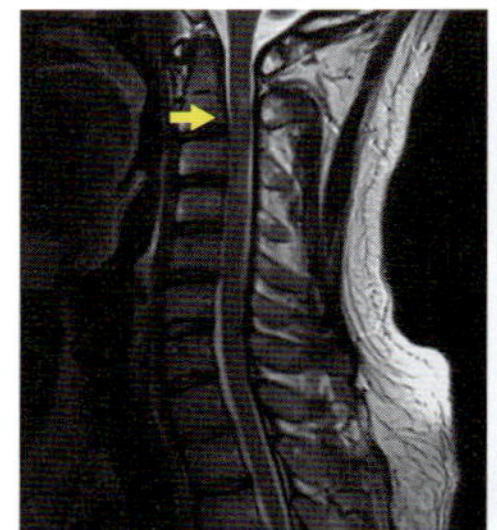
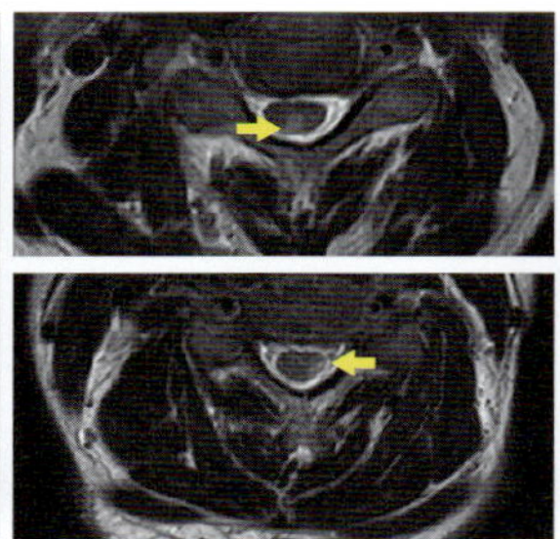

C. 頸髄：矢状面と水平面(T2 強調画像)

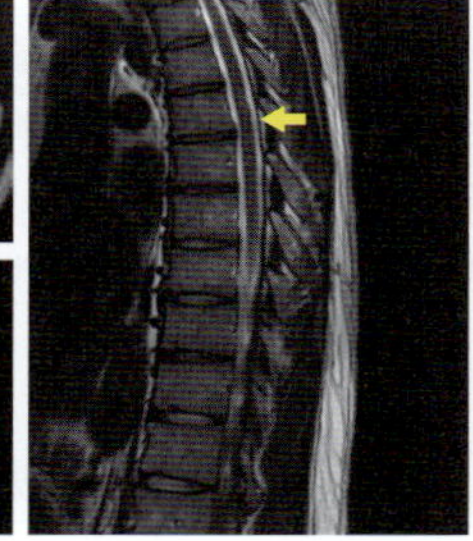
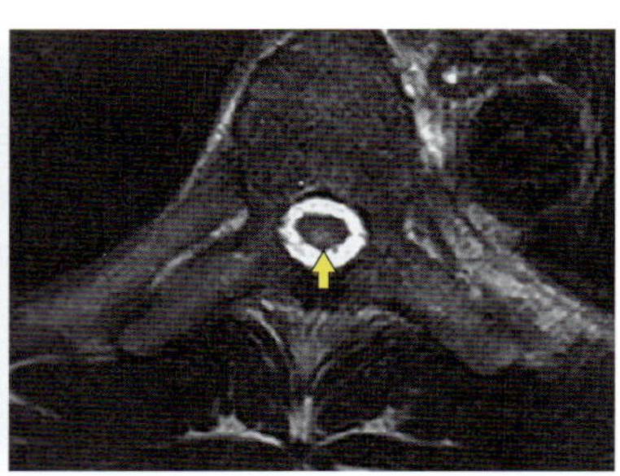

D. 胸髄：矢状面と水平面(T2 強調画像)

▶図 1　MS の画像所見(MRI)
中枢神経の多様な部位に病変が認められる(空間的多発性).

が目立つとされている[1,3]．その結果，神経伝達障害に起因するさまざまな症状を呈すると考えられている．しかしながら，MS の進行性の病態はまだ不明な点が多く，自然免疫系の役割が注目されている．

MS の患者数は世界に約 250 万人，わが国では 1.3 万人を超え，年々増加傾向である[1,3]．MS の発症ピークは 20〜30 歳代と若年であり，性差は女性に多い(男性 1：女性 2.9)．MS は女性患者の増加が顕著であり，その増加率は北米で最も高く，欧州がこれに次ぐ[1,3]．MS の有病率は地域により大きく異なるのが特徴であり，これまで MS の発生地域として欧米に多く，アジアに少ないこと，また高緯度地域に多く発症することから，日照時間が関与しているといわれていたが，近年はその差がないことが報告されている[1]．遺伝的要因として，患者数に明らかな人種差があること，環境要因として，血清ビタミン D 濃度，EB ウイルス感染，喫煙などの要因が述べられている[1]．また，妊娠・出産に伴う MS の発生率が高く，特に出産後 3 か月間は再発が多く，育児ストレスや疲労，環境変化，出産後の免疫機能の変化が誘因であることが考えられている[1]．

近年，自己免疫疾患の発症ならびに病態に，腸内細菌叢などが関与する可能性が注目されている[4]．MS 患者数増加の背景には，日本人の食生活の変化などの環境因子の変化が腸内細菌に影響を及ぼし，発症しやすくなったことが考えられ，MS 患者の腸内細菌を構成する菌について詳細に検討する研究が行われている．

3 診断基準

国際的に広く用いられる診断基準は McDonald 診断基準(2010 年度版)である[1]．わが国では，2015 年に厚生労働省「エビデンスに基づいた神経免疫疾患の早期診断基準・重症度分類・治療アルゴリズムの確立に関する研究」班によって発表された，McDonald 診断基準(2010 年度版)を一部改変した診断基準がある(▶表 1)[2,5]．

MS の診断の基本は，中枢神経における炎症性脱髄病変の DIT および DIS を証明し，他の疾患

▶表 1　MS の改変 McDonald 診断基準(2010 年)

臨床像	診断に必要な追加事項
2 回以上の増悪と 2 個以上の臨床的他覚的病巣(1 回の増悪でも，病歴で増悪を示唆するものがあればよい)	なし[*1]
2 回以上の増悪と 1 個の臨床的他覚的病巣	MRI による「空間的多発性(DIS)」の証明 または 他の病巣に由来する臨床的増悪
1 回の増悪と 2 個以上の臨床的他覚的病巣	MRI による「時間的多発性(DIT)」の証明 または 2 回目の臨床的増悪
1 回の増悪と 1 個の臨床的他覚的病巣(CIS)	MRI による「空間的多発性(DIS)」の証明 または 他の病巣に由来する臨床的増悪 および MRI による「時間的多発性(DIT)」の証明 または 2 回目の臨床的増悪
MS を示唆する進行性の増悪(一次性進行型)	1 年間の進行性の増悪 そして以下のうちの 2 つ ● 特徴的な領域(脳室周囲，皮質直下，テント下)の少なくとも 1 領域に 1 つ以上の T2 病変[*2] ● 脊髄に 2 つ以上の T2 病変[*2] ● 髄液所見陽性[*3]

[*1] MS と診断するためには，他の疾患を完全に否定し，すべての所見が MS に矛盾しないものでなければならない．
[*2] 造影効果の有無は問わない．
[*3] 髄液所見陽性とは，等電点電気泳動法によるオリゴクローナルバンドもしくは IgG インデックス高値をいう．
CIS：clinically isolated syndrome
〔Polman, C.H., et al.: Diagnostic criteria for multiple sclerosis: 2010 revisions to the McDonald Criteria. *Ann. Neurol.*, 69(2):292–302, 2011 より改変〕

を除外することである．MS を確定する単一のバイオマーカーはいまだに知られていないため，従来は，臨床的発作と MRI 画像，その他の検査を総合的に判断して診断されていた．しかし，それでは特に DIT の証明に時間がかかり，早期診断・早期治療が行えなかった．そこで早期の正確な診断を目指して，McDonald 診断基準(2010 年度版)が採用された[1]．この基準では，DIS を証明するための基準はより簡素化され，また，無症候性の造影病変と非造影病変が同時に混在すれば 1 回の MRI 撮像で DIT が証明できることとなった．この結果，初発の段階で臨床的あるいは MRI 上の再発が確認される以前であっても，一定の MRI 基準を満たせば MS と診断することが可能となった．MS との鑑別診断が必要な疾患は，腫瘍，梅毒，脳血管障害，脊髄小脳変性症，膠原病などさまざまであるが，特に NMO との鑑別には抗アクアポリン 4 抗体検査を行うことが推奨されている[1–3]．

4 症状

MS の症状はどこに病変ができるかによって多彩である．視神経が障害されると視力が低下したり，視野が欠ける．視神経のみが侵されるときは**球後視神経炎**といい，多くの患者は眼科を受診し，その一部がのちに MS となる．球後視神経炎の場合，眼球を動かすと疼痛が出現することがある．また，脳幹部が障害されると複視，眼振，顔面の感覚障害や運動麻痺，嚥下障害や構音障害が出現する．小脳が障害されると運動失調や姿勢バランス障害が出現する．大脳の病変では手足の感覚障害や運動障害のほか，認知機能にも影響を与える．ただし，大脳皮質の病変は，脊髄や視神経に比べると大きいので，病変部位が明らかであっても何も症状を呈さないこともある．その一方で広範囲の頭蓋内病変がある場合，痙攣をおこすこともあるため注意が必要である．脊髄が障害されると胸や腹の帯状のしびれ，ぴりぴりした痛み，手足のしびれや運動麻痺，尿失禁，排尿・排便障害などがおこる．脊髄障害の回復時期に手や足が急に突っ張る症状を呈する**有痛性強直性痙攣**があるが，臨床上では見過ごされることが多く，てんかんと間違えることもある．熱い風呂に入ることなど，体温が上がると一過性に MS の症状が悪化することを **Uhthoff(ウートフ)徴候**という．

MS は症状変化があり，朝方調子がよく，夕方に調子が悪化するような日内変動や，日によって

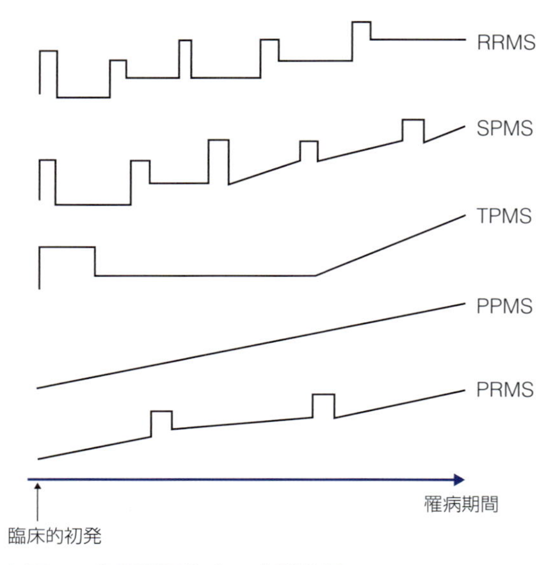

▶**図 2　多発性硬化症の病型分類**
MS は RRMS, SPMS, PPMS の 3 型に分類される．さらに，TPMS（transitional progressive MS）は病初期には SPMS に類似した特徴を示すが，進行期に入ると PPMS と同様な経過を示す．また，PRMS（progressive relapsing MS）は病初期から進行性の経過に増悪寛解が加わる．
〔松井 真：多発性硬化症の予後と予測因子．臨床研究の進歩，日本臨牀，61(8):1396–1401, 2003 より〕

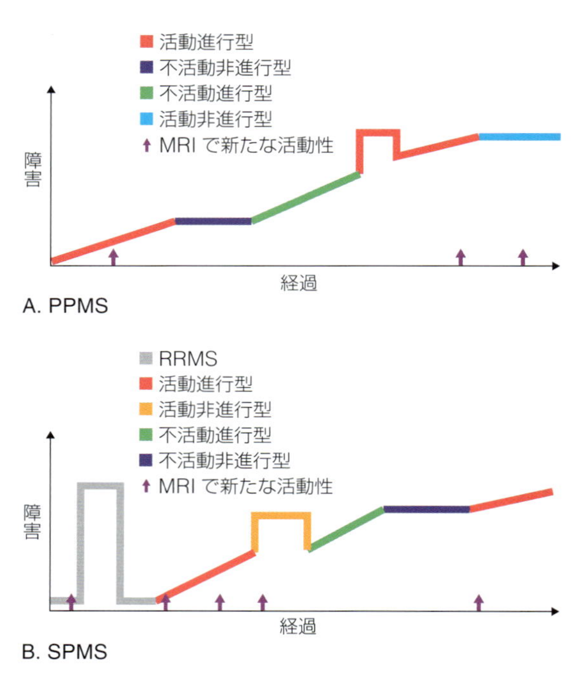

▶**図 3　多発性硬化症の臨床経過分類**
〔Lublin, F.D., et al.: Defining the clinical course of multiple sclerosis: The 2013 revisions. *Neurology*, 83(3): 278–286, 2014 より〕

調子が異なる**日差変動**がある．すなわち，MS は日常生活を遂行するだけでも疲労が蓄積されやすい易疲労性疾患ととらえられる．そのため活動性が低下し，筋力低下をきたすなどの廃用症候群となる場合もある．

MS 患者の基本動作評価として，起居動作や歩行が可能であっても筋力評価をするとその動作を担う筋力を発揮できない解離性障害に遭遇することがある．もちろん，精神的影響が少なからずあるが，むしろ，慢性炎症性に大脳皮質が侵されているため高次脳機能障害により，模倣障害が潜んでいると考えるほうが病態理解を深める．その場合は機能評価に固執せず，日常生活活動（ADL）から理学療法を展開していくほうがよい．

5 予後

MS は自然経過から再発寛解を繰り返す**再発寛解型 MS**（relapsing-remitting MS; RRMS）と，経過中に進行性の病態に移行する**二次性進行型 MS**（secondary progressive MS; SPMS），発症当初から進行性の経過をとる**一次性進行型 MS**（primary progressive MS; PPMS）の 3 型に分類される（▶**図 2**）[6]．

しかしながら，この病型分類では患者の現状を把握することが必ずしも有効ではない．近年，RRMS は不活動と活動に分類されている．一方，SPMS と PPMS は，①活動進行型，②活動非進行型，③不活動進行型，④不活動非進行型の 4 つに分類されている（▶**図 3**）[7]．

MS の予後予測には神経学的な障害度のスケールである Kurtzke の EDSS（expanded disability status scale）スコアによる評価が不可欠である．MS の予後不良因子として，発症から 2 年の EDSS スコアが 4.0 以上（歩行障害がある），男性，高齢発症，PPMS，初発時の運動症候・小脳症候・膀胱

▶表 2　MS の予後に影響を与えることが明らかにされている因子

予後関連因子	予後良好	予後不良
臨床病型(経過)	RRMS	PPMS，SPMS
初発時の年齢	若年	中年以降
初発から再発までの期間	長期	短期
最初の 2 年間の再発回数*	稀	4 回以上
初発時の症状	感覚障害のみ	小脳あるいは錐体路症状
初発時の障害部位	1 FS に限局	複数の FS にわたる
初発から 2 年後の障害度	EDSS ＜ 3.0	EDSS ≧ 3.0
初期の MRI 所見	病巣数 ≧ 2	典型的病巣の多発

* 再発回数は初発の attack を含まない.
EDSS：expanded disability status scale, FS：functional system
〔松井 真：多発性硬化症の予後と予測因子. 臨床研究の進歩, 日本臨牀, 61(8):1396–1401, 2003 より〕

直腸障害の存在，再発間隔の短さ(年間再発率の高さ)，病初期の再発の多さ，初期からの障害の残存，より多くの神経機能障害，発症 5 年後の障害度の高さと MRI 病巣の多さなどがあげられる[8](▶表 2)．また，MS の大多数を占める RRMS 患者は発症から 10 年以内に 50% が SPMS へ移行する．

MS はうつ病を併発する確率が高く，自殺念慮をもつ患者が少なくない[9]．特に若年発症や独居生活者など社会的支援が乏しい場合，精神的ケアを含めた包括的な支援が必要である．

6 治療法

a 急性増悪期の治療(初発を含む)

(1) ステロイドパルス療法 (intravenous methylprednisolone; IVMP)

大量の副腎皮質ステロイド(corticosteroid; CS)薬を静注する IVMP は急性期治療の第一選択である．方法は CS〔特にメチルプレドニゾロン(MP)〕薬 500 mg/日以上を経静脈的に 3〜5 日間投与する．効果としては抗炎症作用，免疫抑制作用があげられる[*1]．わが国で使用されている主な商品名はソル・メドロール®(静注用 MP)，プレドニン®(経口プレドニゾロン)などである．治療中におこる副作用としては不眠，不安，うつ症状，高血糖が報告されており，長期投与では骨粗鬆症や骨壊死に注意が必要である．

(2) 血漿浄化療法(plasmapheresis; PP)

PP には血漿交換療法(plasma exchange; PE)と血漿吸着療法(immunoadsorption plasmapheresis; IAPP)があり，PE はさらに単純血漿交換療法(simple plasma exchange; SPE)と二重膜濾過療法(double filtration plasmapheresis; DFPP)に分かれる．適応としては，IVMP の効果が不十分な症例や合併症や副作用のためにステロイド治療が実施できない症例に用いる．PP の作用機序は，病因物質除去，体外免疫調節機能がある．自己抗体，PP は各種サイトカインなどを除去することで生体内の免疫バランスを改善させると考えられている．多くの患者は採血で IgG などの抗体を確認しながら IAPP から始める．改善が乏しい場合，DFPP や SPE に移行することが多い．

b 再発予防期(進行抑制)の治療

RRMS に対する再発予防および身体的障害の進行抑制薬として，インターフェロン β，フィンゴリモド，ナタリズマブ，グラチラマーなどがある．また，アザチオプリン，シクロホスファミドなどの免疫抑制薬も用いられることがある．

c その他の治療

MS の病巣や再発などは多種多様であるため，治療に難渋することが少なくない．その場合，障害進行抑制や再発予防のために経口ステロイド

*1：抗炎症作用とは，炎症性サイトカインの遺伝子発現を低下させ，プロスタグランジンやロイコトリエンの合成を阻害する．免疫抑制作用とは，リンパ球増殖や細胞性免疫反応を抑制し，免疫細胞のアポトーシスを促進して血液中のヘルパー T 細胞や好酸球，単球などを減少させる．

薬や免疫グロブリン大量静注療法(intravenous immunoglobulin; IVIg)が用いられることがある．

7 障害像

MS の病態はいまだ不確かであり，多様な症状を呈し，治療も経過とともに複雑化する．また寛解−増悪期病状があることに加え，日内変動や日差変動があり，症状を把握することが容易でないこと，治療が著効する場合も多く，症状が劇的に変化する．すなわち，瞬間的に障害像をとらえることは容易ではなく，かつ慢性化するため長期的なかかわりが必要となる．

また，対症治療は薬物療法が主体のため，病態進行に伴う問題に加え，たとえばステロイド服用による紅顔，浮腫，満月顔貌，皮膚の萎縮，中心性肥満などに加え，白血球や血小板の低下を認めれば易感染性，出血傾向になるため外出を制限することもある．このように，MS 患者の外見の変化や活動制限において十分に配慮したうえで適切な支援が必要となる．また，長期ステロイド服用による高血糖に伴う糖尿病や高血圧症，脂質異常症，月経不全，白内障や緑内障，骨粗鬆症による骨折や大腿骨頭壊死のリスクが高まることを念頭に入れた理学療法が必要となる．さらに，入院を伴う定期的な薬物治療を余儀なくされることが少なくないため，就学，就労，家事，自動車の運転，結婚，出産，育児など，ライフイベントにおいても大きく影響を及ぼすことを知るべきである．

B 疾患・障害のとらえ方

1 ガイドライン[1)]

日本神経学会より発行された『多発性硬化症・視神経脊髄炎診療ガイドライン 2017』[1)]は，これまでのガイドラインでは扱っていなかった対症療法やリハビリテーションなどの項目も追加されている．リハビリテーションの重要性は述べられているが，ガイドラインで強い根拠となるエビデンスは乏しいことが明確になったため，さらなる理学療法の臨床研究によるエビデンスの構築が求められている．

2 病歴聴取

MS は責任病巣により出現する神経症状が多彩であることに加え，再発寛解を繰り返すため，病歴を聴取する際には注意が必要である．急性増悪時には歩行困難であった患者が寛解時には歩いて旅行に行けるほどに回復している例も少なくない．また，患者によっては再発寛解を繰り返すことで後遺症が積み重なり，神経症状が重篤化することで ADL が徐々に低下していく例もある．カルテからの情報収集を実施し，病型，画像所見，発症日からの経過年数，服薬状況，社会的情報などをあらかじめ把握しておく．経過が長期化した患者に対しては，今回の急性増悪により出現した症状と，以前からの後遺症が積み重なって出現している症状を区別し把握する．特に RRMS から SPMS の移行期において，社会的支援の対応が後手に回らないように注意する．

3 活動性評価

MS は一般的に若年成人が罹患しやすく，女性の比率が高いため，子育てや家事などの主婦業を行っている人が多い．また，男女ともに働き盛りの患者が多いため，就労を継続するためには MS の進行に合わせて職場での仕事内容や雇用形態の検討が必要となり，多専門職種との連携および行政や雇用先との連携が必要となることもある．

活動性の目安として，活動量計や万歩計を用いて活動性の指標にするのも有効である．最近はスマートフォンに万歩計や歩行距離が測定できる機能が付帯していることがあるので，活動量として記録することが可能である．

4 神経学的所見

MS における神経学的所見を把握することは重要である．画像所見と一致しなくても症状が出現していることも多く，病状を把握するためには総合的評価が必要である．具体的には，眼，顔面・舌および咽頭，反射，協調運動，姿勢および歩行，精神状態および言語，運動麻痺の有無，感覚などを検査する．

また，身体所見に加え，電気生理学的検査として，誘発電位検査は当該伝導路に存在する潜在性病巣の検出に有用である．視覚誘発電位(visual evoked potential; VEP)，体性感覚誘発電位(somatosensory evoked potential; SEP)，聴性脳幹誘発反応(auditory brainstem evoked potential; AEP)などがある．錐体路病巣の検出には，磁気刺激装置を用いた運動誘発電位(motor evoked potential; MEP)が用いられる．

5 姿勢と歩行の評価

筋力低下，感覚障害，運動失調などにより姿勢保持が困難な場合がある．また，静止立位は可能であるが，タンデム肢位や片脚立ちになるとバランスがうまくとれないこともある．よくある異常歩容として，大・中殿筋筋力低下に伴う **Trendelenburg(トレンデレンブルグ)歩行**，大腿四頭筋筋力低下に伴う**反張膝歩行**，**痙性歩行**などがある．MS 患者がどのような姿勢アライメントをしているか評価することに加え，さまざまな姿勢をとることでバランス能力の評価をする必要がある．

MS 患者の歩行障害が進行すると移動手段が変化していく．患者の現在の移動手段を把握することはとても重要である．歩行能力を客観的に把握するために 10 m 歩行や 6 分間歩行を行う．MS は進行性であり，薬物反応性が良好である場合も多く，歩行能力を経時的に測定することは重要である．

6 視力・視覚の評価

病巣により，視力低下に加え中心暗転や複視などの視覚障害が生じる．臨床場面で視覚障害による日常生活での不便さを感じている患者も多い．具体的に困っている ADL や手段的 ADL(IADL)を把握する．日中は問題なくても暗くなる夕方以降は見えないことで動作が困難となることや，視空間認知障害による影響で色彩の識別や物体の認知に障害がみられることもある．

7 感覚障害と疼痛の評価

MS 患者は脊髄病変に伴った感覚鈍麻・脱失に加え，燃えるような熱いしびれや電気ショックを受けたようなビリビリとしたしびれ，きつい帯で胸のまわりを締めつけられたような痛みなど，強い異常感覚を伴う疼痛が主訴になることが多い．感覚障害には短期間に発作的に出現する場合と慢性的に生じる場合があり，日差変動，日内変動がみられる．感覚障害の評価方法としては，表在感覚(知覚，痛覚，温度覚)，深部感覚(振動覚，位置覚，受動運動感覚)，複合感覚(二点識別覚)の検査を実施する．疼痛の評価方法としては痛みの性質や部位を確認したのち，程度については VAS (visual analogue scale)，10 段階ペインスケールを用いて評価する．感覚障害が生じている患者は，やけどや怪我に気づきにくいため注意する．

8 筋力低下の評価

脊髄病変に伴った**脱力・筋力低下**が出現するが，左右非対称性に生じ，不完全性であることが多い．通常，数時間～数日かけて四肢の運動障害をきたす．感覚障害と同様に短期間に発作的に出現する場合と慢性的に生じる場合があり，日差変動，日内変動がみられることも多い．筋力低下の測定としては徒手筋力検査(manual muscle test; MMT)を用いる．また，ハンドヘルドダイナモメータや握力計などを用いる．

9 痙縮・筋緊張の評価

痙縮(spasticity)は錐体路障害によって出現し，痙縮状態はすべての筋にみられるのではなく，上肢では屈筋群，下肢では伸筋群に出現しやすく，特有な筋緊張異常の分布を示す．MS においては典型的な痙縮を示さない場合も多いため，経時的変化をよく観察し，疼痛管理や拘縮の予防・改善を行う[10]．

10 運動失調の評価

運動失調評価として，測定障害評価(鼻指鼻試験，線引き試験，膝打ち試験，踵膝試験，向こう脛叩打試験など)，反復拮抗運動障害評価(前腕回内回外試験，タッピングなど)，Stewart-Holmes(スチュアート・ホームズ)反跳現象，協動収縮異常試験(背臥位からの起き上がり)を行う．また，立位では Romberg(ロンベルグ)テストや Mann(マン)テストを行い，歩行は，失調性歩行を呈するかを評価するため線上歩行や継足歩行を評価する．MS の運動失調は中枢性障害(小脳)や脊髄後索性障害の両方の要因が考えられる．

11 疲労の評価

疲労は MS 患者に非常に出現しやすい症状であり，運動療法を行ううえで十分気をつけなくてはならない．疲労の原因として脱髄による伝導速度遅延のような器質的な影響に加え，うつや睡眠障害，ストレスなど多くの要素が絡み合っており，総合的に疲労をとらえる．

疲労の評価として VAS や Borg(ボルグ)スケール，FSS(fatigue severity scale)などがある．運動前後に評価し，その運動が本人にとってどの程度疲労感を感じているか確認する．また，翌日に残るような運動量は過負荷であるため，翌日にも疲労度を評価する．易疲労性であるため，疲労を数値化して患者自身にどの程度の運動で疲労が出現するのかを提示し，運動や ADL での疲労のコントロールを患者自身にも教育していく．

12 排尿・排泄の評価

脊髄病変による自律神経症状として**膀胱直腸障害**が出現することがある．排尿障害は中枢障害や上位脊髄障害による**過活動膀胱**に伴う蓄尿障害(頻尿，尿意切迫，失禁)と仙髄レベル障害による**弛緩性膀胱**に伴う排出障害(残尿，排尿困難，失禁など)，排尿筋・括約筋協調不全がある．対処法としては一般的な薬物療法が中心になるが，尿道括約筋収縮練習や水分摂取量の評価，失禁用パッド使用の提案，便秘体操など，理学療法士として対応できることもある．

13 EDSS

EDSS は MS で使用する総合障害度スケールであり，Kurtzke(クルツケ)尺度としても知られており，これまで多くの臨床試験や治験に使われている(▶表 3)．

EDSS の disability status scale(障害度評価尺度)は 20 段階に分割されており，0 が正常な健康，20 が MS による死亡を表している．EDSS を測定する方法は，まず，機能系(functional system; FS)と呼ばれる中枢神経系の機能を測定する．この尺度では，軽症の段階では，顔面または指の一過性のしびれ感，視力障害など機能系の状態を測定する．比較的症状の重い段階では，歩行可能距離などの運動能を測定し，EDSS の値を算出する．EDSS で測定される FS には，錐体路機能，小脳機能，脳幹機能，感覚機能，膀胱直腸機能，視覚

▶表 3　Kurtzke の EDSS スコア

総合障害度（EDSS）の評価基準

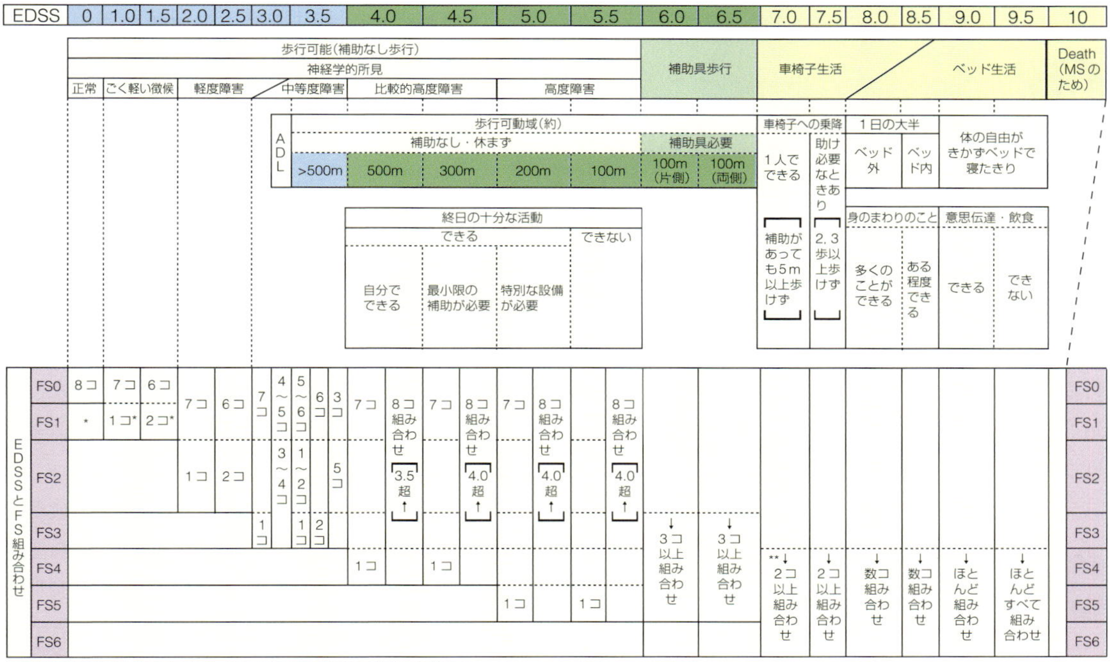

EDSS	生活・歩行	神経学的所見	ADL：歩行可動域（約）／車椅子への乗降／1 日の大半	終日の十分な活動／身のまわりのこと・意思伝達・飲食	EDSS と FS 組み合わせ
0	歩行可能（補助なし歩行）	正常			FS0 8コ／FS1 *
1.0	歩行可能（補助なし歩行）	ごく軽い徴候			FS0 7コ／FS1 1コ*
1.5	歩行可能（補助なし歩行）	ごく軽い徴候			FS0 6コ／FS1 2コ*
2.0	歩行可能（補助なし歩行）	軽度障害			FS0〜1 7コ／FS2 1コ
2.5	歩行可能（補助なし歩行）	軽度障害			FS0〜1 6コ／FS2 2コ
3.0	歩行可能（補助なし歩行）	中等度障害			FS0〜1 7コ／FS3 1コ；FS0〜1 4〜5コ／FS2 3〜4コ
3.5	歩行可能（補助なし歩行）	中等度障害	補助なし・休まず >500m		FS0〜1 5〜6コ／FS2 1〜2コ／FS3 1コ；FS0〜1 6コ／FS3 2コ；FS0〜1 3コ／FS2 5コ
4.0	歩行可能（補助なし歩行）	比較的高度障害	補助なし・休まず 500m	できる：自分でできる	FS0〜1 7コ／FS4 1コ；8コ組み合わせ［3.5超↑］
4.5	歩行可能（補助なし歩行）	比較的高度障害	補助なし・休まず 300m	できる：最小限の補助が必要	FS0〜1 7コ／FS4 1コ；8コ組み合わせ［4.0超↑］
5.0	歩行可能（補助なし歩行）	高度障害	補助なし・休まず 200m	できる：特別な設備が必要	FS0〜1 7コ／FS5 1コ；8コ組み合わせ［4.0超↑］
5.5	歩行可能（補助なし歩行）	高度障害	補助なし・休まず 100m	できない	FS5 1コ；8コ組み合わせ［4.0超↑］
6.0	補助具歩行		補助具必要 100m（片側）		↓FS3 以上 3コ以上組み合わせ
6.5	補助具歩行		補助具必要 100m（両側）		↓FS3 以上 3コ以上組み合わせ
7.0	車椅子生活		車椅子への乗降：1人でできる	補助があっても5m以上歩けず	**↓FS4 以上 2コ以上組み合わせ
7.5	車椅子生活		車椅子への乗降：助け必要なときあり	2, 3歩以上歩けず	↓FS4 以上 2コ以上組み合わせ
8.0	車椅子生活／ベッド生活		1 日の大半：ベッド外	身のまわりのこと：多くのことができる	↓FS4 以上 数コ組み合わせ
8.5	ベッド生活		1 日の大半：ベッド内	身のまわりのこと：ある程度できる	↓FS4 以上 数コ組み合わせ
9.0	ベッド生活		体の自由がきかずベッドで寝たきり	意思伝達・飲食：できる	↓FS4 以上 ほとんど組み合わせ
9.5	ベッド生活		体の自由がきかずベッドで寝たきり	意思伝達・飲食：できない	↓FS4 以上 ほとんどすべて組み合わせ
10	Death（MS のため）				

*ほかに精神機能は1（FS）でもよい．**非常に稀であるが錐体路機能 5（FS）のみ

〈EDSS 評価上の留意点〉
- ○EDSS は，多発性硬化症により障害された患者個々の最大機能を，神経学的検査成績をもとに評価する．
- ○EDSS 評価に先立って，機能別障害度（FS）を下段の表により評価する．
- ○EDSS の各グレードに該当する FS グレードの一般的な組み合わせは中段の表に示す．歩行障害がない（あっても＞500m 歩行可能）段階の EDSS（≦ 3.5）は FS グレードの組み合わせによって規定される．また EDSS ≧ 4.0 では，ADL のみによって規定される．
- ○FS および EDSS の各グレードにぴったりのカテゴリーがない場合は，一番近い適当なグレードを採用する．

機能別障害度（FS：functional system）の評価基準

FS	錐体路機能	小脳機能	脳幹機能	感覚機能		膀胱直腸機能	視覚機能	精神機能	その他
0	正常	正常	正常	正常		正常	正常	正常	なし
1	異常所見あるが障害なし	異常所見あるが障害なし	異常所見のみ	1〜2 肢	振動覚または描字覚の低下	軽度の遅延･切迫･尿閉	暗点があり，矯正視力 0.7 以上	情動の変化のみ	あり
2	ごく軽い症状	軽度の失調	中等度の眼振／軽度の他の脳幹機能障害	1〜2 肢	軽度の触・痛・位置覚の低下／中等度の振動覚の低下	中等度の遅延･切迫･尿閉／稀な尿失禁	悪いほうの眼に暗点あり，矯正視力 0.7〜0.3	軽度の知能低下	
				3〜4 肢	振動覚のみ低下				
3	軽度〜中等度の対麻痺・片麻痺／高度の単麻痺	中等度の躯幹または四肢の失調	高度の眼振／高度の外眼筋麻痺／中等度の他の脳幹機能障害	1〜2 肢	中等度の触・痛・位置覚の低下／完全な振動覚の低下	頻繁な失禁	悪いほうの眼に大きな暗点／中等度の視野障害 矯正視力 0.3〜0.2	中等度の知能低下	
				3〜4 肢	軽度の触・痛覚の低下／中程度の固有覚の低下				
4	高度の対麻痺・片麻痺／中等度の四肢麻痺／完全な単麻痺	高度の四肢全部の失調	高度の構音障害／高度の他の脳幹機能障害	1〜2 肢	高度の触・痛覚の低下／固有覚の消失（単独 or 合併）	ほとんど導尿を要するが，直腸機能は保たれている	悪いほうの眼に高度視野障害 矯正視力 0.2〜0.1／悪いほうの眼は [grade 3] で良眼の視力 0.3 以下	高度の知能低下（中等度慢性脳徴候）	
				2 肢以上	中等度の触・痛覚の低下				
				3 肢以上	高度の固有覚の消失				
5	完全な対麻痺・片麻痺／高度の四肢麻痺	失調のため協調運動まったく不能	嚥下または構音まったく不能	1〜2 肢	全感覚の消失	膀胱機能消失	悪いほうの眼の矯正視力0.3以下／悪いほうの眼は [grade 4] で良眼の視力 0.3 以下	高度の痴呆／高度の慢性脳徴候	
				顎以下	中等度の触・痛覚の低下／ほとんどの固有覚の消失				
6	完全な四肢麻痺			顎以下	全感覚消失	膀胱・直腸機能消失	悪いほうの眼は [grade 5] で良眼の視力 0.3 以下		
?	不明	不明	不明	不明		不明	不明	不明	不明
X		小脳機能：脱力（錐体路機能 [grade 3] 以上）により判定困難な場合，gradeとともにチェックする					視覚機能：耳側蒼白がある場合，grade とともにチェックする		

機能，精神機能，その他がある．それぞれの機能障害の程度に従って FS がグレード分類されている．グレードの範囲は正常の 0 から最大の機能障害の 5 または 6 までである．8 つの FS のグレードに運動能と日常生活の制限の指標を加え，EDSS の 20 段階が決まる．EDSS スコアが低値の場合には，訴える症状の種類が増えると EDSS スコアが 1 以上増加する．このことは，新たな機能系に

も障害が及ぶことや，同一の機能系内であっても重症度の増加があることを意味する．

C 理学療法の実際

MS のリハビリテーションは「運動機能・能力を改善する」という狭義の概念に終始するのではなく，「MS 患者が肯定的な生き方をしていくために必要な支援をする」という全人的支援を行っていく必要がある．IADL や ADL にどのような弊害があるのかを模索するため ICF により障害構造を把握するが，それに加えて MS 患者がどのようなことに生きがいをもって生活しているかをとらえることが重要である．

1 目的

MS における理学療法の目的は，対症的治療に沿いながら，その治療の効果を最大限引き出せるよう理学療法を継続的に実施し，多職種連携を行ったなかで，MS 患者が肯定的な生き方ができるよう支援することである．

2 治療に沿った理学療法プログラム

治療に沿った理学療法プログラムとして，治療前後の評価に加え，運動療法を行う．また，PP などの治療は原則入院して実施されるため，入院期間中に運動の重要性や退院後寛解期に行える自主トレーニングなどの指導を行うことが重要である．運動療法は機能を回復させ，生活の質を最適化し，日常生活の活動への参加を促進し，MS の有益なアプローチである[11]．また，運動療法は機能的な能力，持久力，筋力，疲労，抑うつ症状などを改善，あるいは悪化を防止できる可能性がある．このように，運動療法は臨床症状の改善に加えて白質の保護作用，皮質領域の可塑性が神経発達を促し，髄鞘をつくるオリゴデンドロサイト前駆細胞へ刺激を与えることでオリゴデンドロサイトの成長に関与し，髄鞘の再生化に貢献できるとされている[12]．

a 運動負荷

ガイドラインには至適運動負荷量について述べられていない．しかし，MS 患者への運動の必要性を示し，運動時間・種類・頻度をあげた報告は多数ある[13]．自転車エルゴメータを低負荷で 30 分間，2 回/週，さらに筋力トレーニングを 2 回/週実施するとよいと推奨されている．また，運動負荷を決定する際に疲労に十分留意する必要がある．対策として，過負荷にならないように Borg スケールや VAS をつけること，翌日に疲労感が残っていないかなどを確認する必要がある．また，少量頻回にするなど 1 回に高負荷・長時間をかけず，できるかぎり休憩を多くとることが重要である．

b 自主トレーニング

MS は易疲労性や Uhthoff 徴候などの影響で日ごろから運動を行っていない患者が多い．活動性が低く，運動習慣がない場合，廃用症候群のリスクが高まる．自主トレーニングは各患者の症状に合わせて作成する必要があるが，基本的な筋力トレーニング，ストレッチ，持久力増強運動(散歩，自転車エルゴメータなど)を指導するとよい．さらに，実施する際の注意ポイント(涼しい環境で行う，体調が比較的よい朝に行うなど)も指導することが大切である(▶図 4)．

c 関節可動域運動

運動麻痺や痙縮により関節可動域(range of motion; ROM)制限が生じる．特に足関節背屈制限が生じることが多く，立位や歩行時の妨げになる．そのため，日ごろから ROM 運動やストレッチを実施する必要がある．

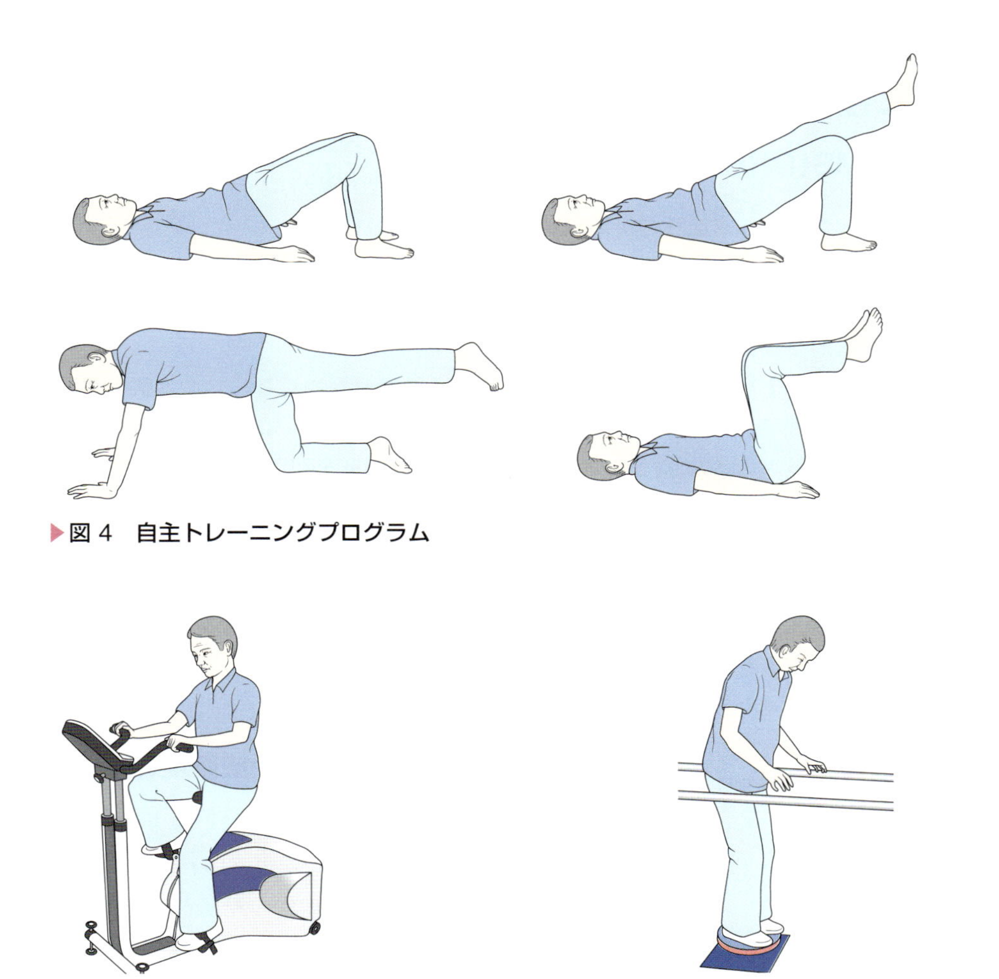

▶図 4　自主トレーニングプログラム

▶図 5　自転車エルゴメータ

▶図 6　立位バランストレーニング

d 耐久性練習

再発や進行期に入ると耐久性低下がみられる．そのため，座位や立位練習から ADL や歩行練習など段階的に負荷を上げていく．また，自宅でどの程度家事や趣味活動をしていたのか確認し，それに見合った運動ができるのか確認する．下肢痙縮や筋力低下により長距離歩行が困難な場合，臨床では運動負荷量の調整が容易な自転車エルゴメータを 15〜20 分程度実施する(▶図 5)．

e 姿勢バランストレーニング

小脳性運動失調や脊髄後索性感覚障害に伴うバランス障害に対し，立位バランストレーニングを行う(▶図 6)．MS の場合，独歩が可能であっても視力障害を併発することで視覚でのバランスの代償が行えないことを考慮すべきである．静的な姿勢バランストレーニングに加え，継足歩行や蹲踞など動的バランストレーニングも重要である．また，歩行不安定性がある姿勢バランス障害に対し，転倒・転落を予防するために歩行器の利用や，活動性を維持するために電動車椅子の利用をすすめることがある．

3 進行型に合わせたプログラム

a 再発寛解型 MS(RRMS)

再発の対応策として本人・家族への疾病理解を促すとともに，前述したような万歩計や活動量計などの活動性の評価を用いて，自分の疲労しない程度の活動量を具体的な数値として日ごろから意識させるための患者教育を行う．たとえば，犬の散歩をする際に万歩計で測定した歩数(活動性評価)と脈拍，Borg スケール(疲労の評価)の値を照らし合わせてしびれや Uhthoff 徴候の出現しない休憩場所を指導する．再発の予兆を感じたら活動量を減らしていつもより休憩の多い生活をするようにする．精神的なストレスは MS の再発を助長するため，ストレスの少ない生活を送るように指導する．ストレスを軽減するためにその要因を明確化し，できるだけ回避するよう心がけることや，余暇活動を取り入れて気分転換をしたり，余裕のある生活となるようにあらかじめスケジュールにゆとりをもたせたりなど，ストレスを溜めないように工夫する．

b 一次性進行型 MS(PPMS)，二次性進行型 MS(SPMS)の進行期

(1) EDSS 6.0 程度までの患者

障害に応じて，運動耐容能，筋力，バランス能力，易疲労性，歩行能力などの維持・改善を目的に運動療法を行う．患者の疲労感や発汗の様子，パフォーマンスの変化などに注意して運動を行い，負荷量は持久性運動で 60%$\dot{V}O_2max$ 程度の中等度(運動中にややきつく感じ，翌日に疲れが残らない程度)までの運動強度で実施する．

(2) EDSS 6.5 以上の患者

歩行補助具・足装具の選定や座位・臥位でできる低強度の運動療法を検討する．歩行補助具の選定について，上肢機能が低下している例では電動車椅子やロフストランド杖を提案する．下肢遠位優位の筋力低下をきたす患者については，アンクルサポート，オルトップ® などの足装具の使用を検討する．患者の ADL や環境，社会生活に必要なものを選ぶ．家事動作・社会活動の練習，環境調整など，リハビリテーションの範囲は障害に応じて多岐にわたる．

4 社会制度と福祉について

「神経難病の患者に対する医療等に関する法律」(以下，難病法)により MS と診断を受けると公的助成制度を利用することができる．受けられるサービスは居住地域や収入によって異なるが，通常の医療保険制度に加え，いくつかの公的助成制度を使うことができる．ただし，MS は介護保険法における第 2 号被保険者の特定疾病には該当しないため，その場合，介護保険サービスの利用ができない．

a 難病医療費助成制度(都道府県が窓口)

MS は難病法によって指定難病に定められている(以前は特定疾患といわれていた)．MS と確定診断され，「症状の程度が一定以上」あるいは「医療費が高額」の場合は，医療費の一部が公費で負担される．

b 身体障害者福祉(市町村が窓口)

身体に障害がある場合，身体障害者手帳の交付が受けられる．MS 患者は寛解と再燃を繰り返すため障害像が一定的ではなく，公的制度の申請や取得がしにくい場合がある．障害者手帳を利用することで，医療費助成，税金控除，公共交通機関の割引，補装具(車椅子，装具)などの交付がある．

c 生活費の助成(年金事務所，市町村が窓口)

障害年金や生活保護などがある．

上記の公的サービスを利用するとともに，MS 患者をとりまく環境(学校，会社)の理解や協力が

必要である．

d その他

都道府県にいる難病相談員，その地区を管轄している保健所の難病担当保健師や市区町村で行っている医療相談，病院などにいる在宅支援部の退院調整看護師やソーシャルワーカーとの連携方法も把握しておく必要がある．また，いくつかの全国的な患者会やソーシャルネットワークシステムのなかにおいて患者どうしがつながり，知識や経験談を通して療養生活のサポートにつながる場合もある．

D 理学療法に求められるもの

MS の理学療法は，病態や症状を理解し，薬物療法の効果や副作用を考慮することで積極的なかかわりが可能となる．また，MS の理学療法は画一的なものではなく，個別性の高いかかわりであり，治療や予防という観点からも必須なものと考える．また，理学療法士は MS 患者にとって人生を肯定的に生きていくことを支援する役割を担っていることを自覚し，継続的な支援を行っていく．

●引用文献

1) 日本神経学会(監)：多発性硬化症・視神経脊髄炎診療ガイドライン 2017. 医学書院, 2017.
2) 糸山泰人：多発性硬化症. 主要疾患の歴史, 日内会誌, 91(8):2339–2343, 2002.
3) 吉良潤一：日本人多発性硬化症の臨床研究における最近の進歩. 臨神経, 49(9):549–559, 2009.
4) Yokote, H., et al.: NKT cell-dependent amelioration of a mouse model of multiple sclerosis by altering gut flora. *Am. J. Pathol.*, 173(6):1714–1723, 2008.
5) Polman, C.H., et al.: Diagnostic criteria for multiple sclerosis: 2010 revisions to the McDonald Criteria. *Ann. Neurol.*, 69(2):292–302, 2011.
6) 松井 真：多発性硬化症の予後と予測因子. 臨床研究の進歩, 日本臨牀, 61(8):1396–1401, 2003.
7) Lublin, F.D., et al.: Defining the clinical course of multiple sclerosis: The 2013 revisions. *Neurology*, 83(3):278–286, 2014.
8) 辻 省次(総編集), 吉良潤一(専門編集)：最新アプローチ 多発性硬化症と視神経脊髄炎. アクチュアル 脳・神経疾患の臨床. 中山書店, 2012.
9) Mohr, D.C., et al.: Treatment of depression for patients with multiple sclerosis in neurology clinics. *Mult. Scler.*, 12(2):204–208, 2006.
10) Bohannon, R.W., Smith, M.B.: Interrater reliability of a modified Ashworth scale of muscle spasticity. *Phys. Ther.*, 67(2):206–207, 1987.
11) Motl, R.W., et al.: Exercise in patients with multiple sclerosis. *Lancet Neurol.*, 16(10):848–856, 2017.
12) 中原 仁：オリゴデンドロサイト前駆細胞(OPC)とミエリン再生. MS キャビンバナナチップス, 86:19–21, 2015.
13) Latimer-Cheung, A.E., et al.: Development of evidence-informed physical activity guidelines for adults with multiple sclerosis. *Arch. Phys. Med. Rehabil.*, 94(9):1829–1836.e7, 2013.

（寄本恵輔）

第5章

Guillain-Barré 症候群の理学療法

学習目標

- Guillain-Barré 症候群の病態と治療について理解する.
- Guillain-Barré 症候群の亜型について理解する.
- 理学療法の目的と実際について理解する.
- 理学療法におけるリスク管理について理解する.

Guillain-Barré(ギラン・バレー)症候群(GBS)は急性の運動麻痺を主徴とする多発末梢神経障害である. その症状は四肢の運動麻痺にとどまらず, 場合によっては呼吸筋にまで麻痺がおよび人工呼吸器管理が必要となる. 本章では GBS の病態を概説し, 随伴する障害に対する理学療法について述べる.

A 疾患概念

GBS は, 急速に発症する四肢筋力低下と深部腱反射消失・低下を主徴とする自己免疫性末梢神経疾患である. GBS は典型的なものでは運動・感覚神経線維の障害であり, 末梢神経の髄鞘が障害される**急性炎症性脱髄性多発ニューロパチー**(acute inflammatory demyelinating polyneuropathy; AIDP)および軸索が障害される**急性運動軸索ニューロパチー**(acute motor axonal neuropathy; AMAN)に大別することができる.

わが国における GBS の発症率は, 人口 10 万人あたり 1.15 人であり, 平均発症年齢は 39 歳である. 発症の男女比は 3 : 2 とやや男性に多い[1]. 北米およびヨーロッパにおける GBS 患者の 90% は AIDP であるが, わが国では全 GBS 症例の約半数が AMAN である.

GBS の特徴として, 以下のものがあげられる.

①GBS 症例の約 2/3 の症例で感冒や胃腸炎などの先行感染の既往がある.
②四肢および体幹に左右対称の運動障害をきたす.
③症状のピークは数日間～数週間以内で, その後数週～数か月かけて徐々に改善する.
④深部腱反射は消失ないし低下する.
⑤髄液に蛋白細胞解離を認める.
⑥経過中に末梢神経伝導速度の遅延をきたす.

そのほかにも膀胱直腸障害や高血圧, 起立性低血圧といった自律神経障害もみられることがある.

B 亜型

GBS の典型例では四肢に弛緩性運動麻痺や感覚障害を呈する. しかし, GBS はさまざまな症状の発現様式があるため, 注意が必要である. 典型例において, 症状の進行は対称性に下肢遠位部から始まり上行性に進行するが, 症状の拡大様式は一様ではなく, 上行型, 下行型, 四肢型, 上肢発症型に分類できる. 電気生理・病理学的所見による分類では, 脱髄型と軸索型に分類できる. 障

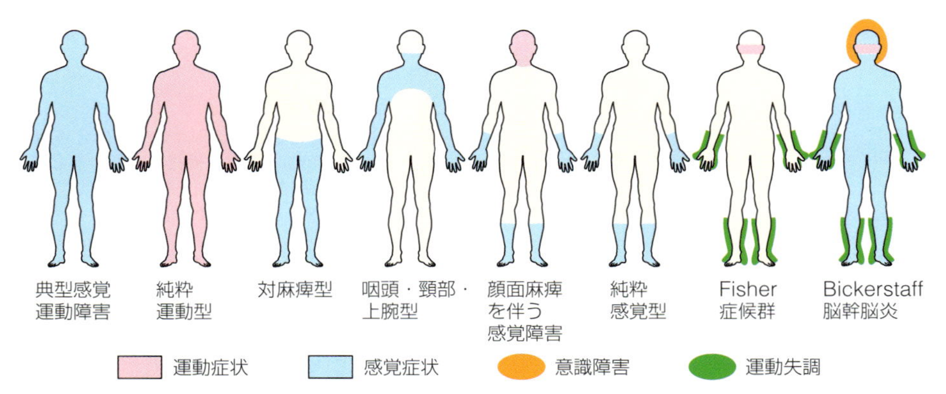

▶図 1　Guillain-Barré 症候群の亜型にみられる症状分布パターン
典型例では全身に運動麻痺と感覚障害がみられるが，純粋運動型や純粋感覚型，運動失調を伴う Fisher 症候群などがみられる．
〔Leonhard, S.E., et al.: Diagnosis and management of Guillain-Barré syndrome in ten steps. *Nat. Rev. Neurol.*, 15(11):671–683, 2019 より一部改変〕

▶表 1　Guillain-Barré 症候群（GBS）の亜型

亜型	神経所見	鑑別疾患
急性外眼筋麻痺	外眼筋麻痺	● 脳幹部血管障害・脱髄 ● 動脈瘤 ● 糖尿病性ニューロパチー ● 重症筋無力症
Fisher（フィッシャー）症候群	● 外眼筋麻痺 ● 運動失調 ● 深部腱反射の低下・消失	Wernicke（ウェルニッケ）脳症
咽頭・頸部・上腕型 GBS	咽頭部，頸部，上肢近位部の限局性の脱力	● 重症筋無力症 ● ボツリヌス中毒 ● ジフテリア ● 脳幹部血管障害・脱髄
対麻痺型 GBS，Bickerstaff（ビッカースタッフ）脳幹脳炎	● 両下肢限局性の脱力 ● 意識障害 ● 外眼筋麻痺 ● 運動失調 ● 錐体路徴候	● 腰椎疾患 ● Wernicke 脳症 ● ウイルス性脳幹脳炎 ● 脳幹部血管障害・脱髄 ● 神経 Behçet（ベーチェット）病

害を受ける末梢神経により運動感覚型，純粋運動型，純粋感覚型，自律感覚運動型に分類される．その他，脳神経障害や運動失調，上肢の脱力などで発症する例も存在し，これらは GBS の亜型として分類されている．

GBS の亜型として，外眼筋麻痺，運動失調，深部腱反射消失を主徴とする Fisher（フィッシャー）症候群，感覚障害を欠く純粋運動型 GBS，咽頭部・頸部・上腕部に筋力低下が限局する咽頭・頸部・上腕型 GBS，両下肢に限局した筋力低下を呈する対麻痺型 GBS などがある（▶**図 1**[2]，**表 1**）．なかでも Fisher 症候群は GBS の亜型として最も頻度が高い[3]．

C 診断

2013 年に日本神経治療学会より『ギラン・バ

▶表 2　Hughes の運動機能尺度

Grade 0	正常
Grade 1	軽微な神経症候を認める
Grade 2	歩行器，またはそれに相当する支持なしで 5 m の歩行が可能
Grade 3	歩行器，または支持があれば 5 m の歩行が可能
Grade 4	ベッド上あるいは車椅子に限定 （支持があっても 5 m の歩行が不可能）
Grade 5	補助換気を要する
Grade 6	死亡

▶表 3　Hadden らの電気生理学的診断基準

1	**正常**
2	**一次性脱髄**（AIDP） 以下の項目のうち 1 つ以上の所見が 2 本以上の神経にみられる．または 1 本の神経の遠位刺激 CMAP が正常下限の 10% 以上でその他の神経すべてが誘発不能の場合，以下の項目の 2 つ以上を満たすこと 1）伝導速度 正常下限の 90% 未満（遠位刺激 CMAP が正常下限の 50% 未満の場合 85% 未満） 2）遠位潜時 正常上限の 110% 以上（遠位刺激 CMAP が正常下限の 50% 未満の場合 120% 以上） 3）近位刺激 CMAP 振幅/遠位刺激 CMAP < 0.5（遠位刺激 CMAP が正常下限の 20% 以上のとき） 4）F 波潜時が正常上限の 120% 以上
3	**一次性軸索障害**（AMAN） 1）上記の脱髄の基準を満たさない（遠位刺激 CMAP が正常下限の 10% 未満の場合は 1 つの髄液所見が 1 本の神経にあってもよい） 2）遠位刺激 CMAP が正常下限の 80% 未満の神経が 2 本以上みられる
4	**誘発不能** すべての神経で遠位刺激 CMAP が誘発されない（または，正常下限の 10% 未満の遠位刺激 CMAP が 1 本の神経のみにみられる）
5	**不確定** 上記の基準に当てはまらない

AIDP：急性炎症性脱髄性多発ニューロパチー，AMAN：急性運動軸索ニューロパチー，CMAP：複合筋活動電位

レー症候群，フィッシャー症候群診療ガイドライン 2013』[4] が発行され，そのなかに診断基準が示されている．診断のポイントは，上気道炎や下痢などの先行感染の存在，左右対称性の筋力低下，深部腱反射の低下・消失などである．そのほかに，電気生理学的な末梢神経障害を検出すること，さらに AIDP なのか AMAN なのかを同定すること，抗ガングリオシド抗体を検出することが重要である．

また，GBS の重症度の指標として Hughes[5] の運動機能尺度が使用される（▶表 2）．

1 電気生理学的特徴

神経伝導検査（nerve conduction studies; NCS）を筆頭とする神経生理学的検査は，脳脊髄液検査，抗体検査などと並ぶ GBS 評価のための代表的検査である．したがって，NCS のどのパラメータが初期から異常となりやすいかを知ることが重要である．GBS 発症から 1～2 週間以内にみられやすい異常所見として，運動神経伝導検査の遠位刺激における複合筋活動電位（compound muscle action potential; CMAP）振幅低下，伝導ブロック，遠位 CMAP の時間的分散，A 波の出現，特に絞扼部位での遅延や伝導ブロックがある．

GBS の脱髄型もしく軸索型を判別するためには，電気生理学的検査が有用である．現在，病型分類に最もよく用いられているのは Hadden ら[6] の基準である（▶表 3）．AIDP では障害部位に脱髄を生じるため，遠位潜時延長，F 波潜時延長，時間的分散の増大，伝導ブロックなどの所見をきたす．AMAN は障害部位において軸索機能障害をきたすため，初期に伝導ブロックを呈するが，急速に回復する場合とそのまま軸索変性に陥る場合がある．神経根部で軸索機能障害がおこった場合には最初の所見として F 波の消失がみられるが，のちに F 波が再出現する．運動神経終末において軸索機能障害が生じると，初期から CMAP 振幅が低下する．このまま軸索変性に至らなければ CMAP 振幅は回復し，軸索再生が生じていると考えられる．

2 抗ガングリオシド抗体

ガングリオシドとは細胞膜の脂質二重膜構造の外層に存在しており，その構造は糖が連なってできる糖鎖上に 1 つ以上のシアル酸を結合しているスフィンゴ糖脂質の一種である．ガングリオシドは他の構造物とともに細胞膜上に集まって，脂質ラフトと呼ばれるマイクロドメインを構成している．このマイクロドメインにおいて，細胞接着，細胞内シグナル伝達，ミエリン–軸索間相互作用などに関与していると考えられている[7]．

このガングリオシドは神経系に豊富に存在しており，特に GBS では血清抗体の標的抗原となる．生体内の抗体のうち，IgG_1，IgG_3 のサブクラスの抗体がガングリオシドを攻撃する．この体内で産生された抗体はガングリオシドに特異的に作用するため，**抗ガングリオシド抗体**と呼ばれる．抗ガングリオシド抗体の産生機序については未解明の部分も多いが，GBS の多くにみられる先行感染が抗体産生のトリガーとなっていると考えられている．これらの抗体は発症時に最も高力価を示し，1〜6 か月程度で陰性化するので，特に発症早期であっても診断的価値が高い．

D 病態

GBS の神経症状出現の 1〜3 週間前に，上気道感染，胃腸炎などの感染症を呈するものが約 2/3 を占める．GBS の発症には感染後の自己免疫学的な機序が関与している．GBS においてみられる先行感染症状として頻度が高いのは上気道炎症状であり，先行感染症状の 6〜7 割を占める．しかし，GBS により特異的という観点では，先行感染症状の約 3 割を占める胃腸炎症状のほうが勝っている．先行感染の病原体には，サイトメガロウイルス，EB ウイルス，カンピロバクターなどが知られている．

カンピロバクター腸炎などの先行感染病原体にガングリオシドと似た構造が見つかっており，それに対して産生された抗体がヒト末梢神経上に存在する類似のガングリオシドに交叉反応し，神経障害を生じることが知られている[8]．このカンピロバクターは急性下痢症の原因菌であり，カンピロバクターに起因する GBS は軸索型が多く，症状が重症化することがわかっている．

このような抗ガングリオシド抗体は複数見つかっており，GBS の亜型それぞれに特異的な抗体がわかっている．GBS の亜型で感覚神経障害を伴わずに運動神経障害のみ出現する純運動型 GBS において，抗 GM1 抗体，抗 GalNac-GD1a 抗体，抗 GD1a 抗体，抗 GM1b 抗体といった抗ガングリオシド抗体が有意に相関する．このなかでも抗 GM1 抗体が最も多く，症状の重症度と相関する可能性が指摘されている[9]．

このように，先行感染によって引き起こされた免疫反応によって抗体が体内で産生され，その抗体が交叉反応性に抗原と類似の構造を有するガングリオシドを攻撃してしまうことで，神経が障害されてしまうのである．

GBS の経過として大半の症例が 4 週間以内に症状のピークに達する．症状の進行が停止したのちに，数週〜数か月をかけて徐々に改善する．多くの症例では後遺症を残すことなく完全に回復するが，重症例では回復しても障害が残存することがある．

自律神経障害は交感神経・副交感神経のどちらかが障害される可能性もあり，また機能亢進および低下の場合もある．さらに，交感神経と副交感神経は互いにバランスをとりながら機能しているため，どちらか一方の機能低下は，もう一方の機能亢進と同じ状態になることから，解析が難しい．なかでも迷走神経の脱髄性障害は頻度の高いものとして注目されている．自律神経障害の症状として重要なのは心血管系の症状である．血圧は高血圧，低血圧のどちらもみられることがあり，起立性低血圧をきたすこともある．また頻脈あるいは徐脈をきたすこともあり，特に気道吸引などを契機とした突然の徐脈や心停止には注意が必要である．

E 治療

GBS の治療として早期から積極的な免疫療法が行われ，回復の促進と合併症の予防に努める．理学療法士は急性期からかかわることも多く，GBS の病期に合わせた対応が必要となるため，どの時期にどのような治療が行われているかを理解していなければならない．

1 免疫療法

GBS の重症度が Grade 3 以上は免疫療法の適応である．一般的に血漿交換療法または免疫グロブリン大量静注療法が行われている．

a 血漿交換療法(PE)

GBS に対する血漿交換療法(plasma exchange; PE)は，発症からできるだけ早期(2 週以内)に開始すれば，罹病期間を著しく短縮し，重篤な自律神経症状(不整脈，頻脈，洞性徐脈，洞停止など)，呼吸不全，深部静脈血栓症などの合併症を減少させるなどの短期的効果がある．また，1 年目の予後(筋脱力からの回復速度の促進)をより改善させるなどの長期的な効果が証明されている[10)]．免疫療法としての PE の意義の第 1 は病因物質を急速かつ大量に除去することである．

PE は標準的に 10～14 日間に 4～5 回実施される．1 回の PE での交換血漿量は，体重の約 5% 相当量が基本とされている．PE の副作用は実施中の血圧低下が主なものである．

b 免疫グロブリン大量静注療法(IVIg)

免疫グロブリン大量静注療法(intravenous immunoglobulin; IVIg)は，GBS の治療において PE と同等の効果が証明されている[10)]．IVIg は 0.4 g/kg/日で 5 日間実施されるのが標準的である．副作用としては筋肉痛，発熱，悪寒，アナフィラキシー，溶血，肝機能障害などがあるが，一般的に重大な副作用は少なく，安全な治療と考えられている[11)]．IVIg の作用機序は十分に解明されていないが，T 細胞増殖抑制作用，炎症性サイトカイン産生抑制作用，内因性免疫グロブリン産生抑制作用，B 細胞分化抑制作用，IgG 代謝促進作用，自己抗体中和作用などが考えられている[12)]．

2 急性期のケア

GBS の急性期においては症状が進行するため，注意深い観察が求められる．重症例では急速に呼吸不全に陥ることがあり，人工呼吸器での管理が必要となる．呼吸不全は 20～30% に生じ，特に急速に進行するもの，球麻痺を伴うもの，上肢の麻痺の強いもの，自律神経障害の強いものには注意が必要である．

そのほかには下肢の運動麻痺のために深部静脈血栓がおこりやすくなっている．深部静脈血栓が生じると，肺塞栓症などの重篤な合併症につながる可能性があるので，予防のために弾性ストッキングや間欠的空気圧迫法を行う．

また，血圧の変動，不整脈，電解質バランスにも注意が必要である．そして，大部分の症例で，経過中に下肢または腰背部の疼痛が出現するため，疼痛対策も必要である．

F 理学療法

GBS は基本的に回復する疾患ではあるが，機能障害を残存する症例もあるため，注意が必要である．機能的な予後について予後不良推定因子を表 4[13)] にまとめた．長期機能予後に関連する臨床的因子による評価法として，発症後 6 か月の時点で独歩可能かどうかを予測する modified Eras-

▶表 4　予後不良推定因子

- 高齢者(60 歳以上)
- 呼吸筋麻痺(人工呼吸器装着)
- 筋力低下の進行が速く，発症 4 日以内に臥床状態
- M 波振幅(1 mV 以下，正常の 20% 未満)
- 発症から 28 日以内の筋萎縮
  抗 GM1 抗体の検出患者(軸索病変が疑われる患者)
- 発症から治療開始まで 2 週間以上

mus GBS Outcome Score(mEGOS)(▶表 5)[14]がある．

GBS に対して理学療法を行うにあたり注意すべき点は，急性期は症状が進行すること，急性期に二次的な機能障害が発生すると機能的予後に影響すること，回復期では過負荷により症状が増悪するリスクがあることなどである．

▶表 5　modified Erasmus GBS Outcome Score (mEGOS)

予後因子		スコア	
		入院時	入院 7 日目
年齢	≦40	0	0
	41～60	1	1
	60<	2	2
下痢の先行	なし	0	0
	あり	1	1
MRC sum score	51～60	0	0
	41～50	2	3
	31～40	4	6
	0～30	6	9
合計スコア		0～9	0～12

MRC：Medical Research Council
〔桑原 基：Guillain-Barré syndrome の予後予測と治療戦略．神経治療，37(3):411–414, 2020 より〕

1 呼吸管理

GBS の急性期は症状が増悪していくため，患者の心理的ストレスにも配慮しながら理学療法を実施することとなる．急性期では筋力低下が急速に進行するため，それによって引き起こされる二次的合併症の予防が重要である．関節可動域運動による拘縮予防，体位変換による褥瘡予防，圧迫性神経障害の予防に努める．重症例では呼吸筋にまで麻痺が生じ，気管切開，人工呼吸器管理となる．また，呼吸筋にまで麻痺を生じる症例では，自律神経障害を併発していることが多く，集中治療室での管理が行われることが多い．

人工呼吸管理にまで至った症例では呼吸リハビリテーションの対応となるが，基本的病態は低換気であるため，人工呼吸は肺胞換気量の維持，酸素化の改善，呼吸仕事量の軽減を目的として行われる．GBS は回復する疾患であるため，人工呼吸器からの離脱に向けての介入，気道内分泌物の除去，呼吸困難の改善などが求められる．呼吸理学療法の実際として，①排痰，②呼吸介助，③胸郭可動性の維持・改善，④自発呼吸の練習があげられる．

a 排痰

GBS の重症例では全身の筋力低下により，自主的な体位変換どころか，背臥位の状態で手が腹部に置かれてしまうと，それをどかすことも一切できなくなる．気管切開された症例においては発声もできなくなるため，意思を伝えることも困難となる．そのため細心の注意を払い，ポジショニング，体位排痰法を考えなければならない．体位排痰法では排痰を促すべき肺野を考慮して体位を決めることが重要である．排痰のもう 1 つの方法としてスクイージングがある．スクイージングでは痰が貯留している肺野に振動を加え，痰を気管支へ流れでる様子を頭でイメージしながら行うことが効果的である．

b 呼吸介助

呼吸介助では胸郭の運動をしっかりと理解したうえで行う．胸郭は，上部胸郭と下部胸郭ではその骨運動が異なるため，それぞれの運動学的特性を十分理解して行うことが大事である．

c 胸郭可動域の維持・改善

胸郭は，胸椎・肋骨・胸骨から構成され胸骨にさらに鎖骨が関節接合し，胸郭後面には肩甲骨がある．したがって上肢の動きに胸郭の運動は大きな影響を受けている．

まず，胸郭の可動性を維持・拡大するためにも肩関節屈曲可動域を確認しておく．肩関節屈曲 90° を超えると胸椎の伸展，上部胸郭容積の拡大が生じる．そのため，肩関節可動域の制限が生じないように早期から肩関節の可動域維持・拡大を行う．胸郭部へは肋骨の捻転，肋間筋のストレッチ，体幹部の回旋などを行って胸郭可動性の維持・拡大を行う．

d 自発呼吸の練習

GBS の病状の進行が止まり，回復が始まれば少しずつ人工呼吸器の離脱が始まるが，これに合わせ腹式呼吸の練習を行う．努力性の呼吸とならないようリラクセーションをはかりながら，一番楽な呼吸パターンで行い，息切れや疲労をおこさないことが重要である．

2 関節可動域の維持・拡大

関節可動域維持・拡大のために関節可動域運動を行うが，筋緊張低下による over stretching に注意する．運動麻痺は基本的に近位から回復が始まり遠位へと進んでいくため，遠位の筋群の回復が最後となる．特に手内在筋の回復には時間がかかるため，手指の特に MP 関節の拘縮が生じやすい．MP 関節が過伸展位となると，指屈筋腱が緊張して IP 関節が屈曲するため，いわゆる鉤爪変形を呈する．

3 筋力の維持・増強

症状が進行する急性期では筋力増強は控えるべきである．回復期に入ると筋力増強を行うが，過剰な負荷は脱力を悪化させてしまう．

筋力増強の負荷量を考慮するうえで，クレアチンキナーゼ(creatine kinase; CK)値を参考にするとよい．CK は骨格筋や心筋などに多く存在しており，筋収縮の際に必要となるエネルギー代謝に関与している．血液中の CK 値の上昇は骨格筋・心筋が傷害を受けた際の臨床上重要な指標であり，心筋梗塞，筋炎，筋ジストロフィー症などでは上昇する．また，激しい運動などでも骨格筋の筋線維が破壊されることで CK 値が上昇することが知られており，GBS の回復期において CK 値が上昇することは，過負荷により筋線維が破壊されていることを意味する．

4 日常生活活動(ADL)トレーニング

GBS は予後良好の疾患といわれているが，なんらかの障害が残存し復職を断念する患者も少なくない．したがって，残存する運動機能を生かした ADL の工夫を行うことが重要である．

たとえば，移動能力を考慮した場合に，急性期では四肢の運動麻痺に加え，体幹筋の麻痺を併発している症例も少なくない．まず，車椅子での姿勢保持獲得を目指すが，自律神経障害がある場合には血圧変動に注意が必要である．また，感覚障害を伴っている場合には長時間の車椅子座位による褥瘡にも配慮しなければならない．体幹筋の麻痺がある場合には，体幹ベルトによる体幹の固定や，座面およびバックサポートを調節することも心がける．

上肢の近位筋筋力が回復し車椅子自走が可能となってくると自走練習を行うが，遠位筋の筋力低下によりハンドリムを把持できない場合などはハンドリムにゴムを巻き付けるなどの工夫をするとよい．

起立・歩行においても同時に練習を開始するが，下肢筋力の脱力が強い場合には適宜下肢装具を使用する．初期では長下肢装具を用いていても回復に合わせて長下肢装具を短下肢装具に短縮できるようにしておくとよい．歩行補助具の選別も重要となるが，上肢の筋力を考慮するとロフストランド杖を使用することが有用である．

GBS の好発年齢を考えると，将来的に社会復帰が求められる場合が多く，歩行能力が向上するとともに社会復帰について検討する時期がくる．就労・就学に対する準備として，通勤・通学の手段の検討や職場・学校環境に対する整備などについて，会社側・学校側との調整が求められる．また，回復途中もしくは障害が残存したままでの社会復帰においては，危険回避行動についての指導も忘れてはならない．たとえば歩行中の転倒に対する転倒練習から，杖を落としてしまったときの対処などである．

上肢機能において，重症例では手指機能が回復しないまま障害が残存することも多い．手指機能が回復しないと就業・就学にも影響を及ぼすため，作業療法士らと連携し，手指のスプリントや手関節固定装具や自助具を用いて機能的代償をはかる．

5 自律神経障害と痛み

GBS のなかには自律神経線維を選択的に障害する自律神経型も存在する．症状としては発汗異常，起立性低血圧，便秘，嘔吐，下痢などがみられる．なかでも心血管系の症状には特に注意が必要である[15]．

痛みは発症後 1 年でも約 40% に認められている．痛みに対しては経皮的電気神経刺激(transcutaneous electrical nerve stimulation; TENS)が行われる．

最後に，GBS は予後良好な疾患であるが，回復遅延例などは 1～2 年かけて機能回復することも少なくない．そのため，長期にわたる継続的な理学療法・リハビリテーションが提供されることが求められる．

●引用文献

1) 千葉厚郎：ギラン・バレー症候群の疾患概念と疫学・診断. 医学のあゆみ, 226(2):125–128, 2008.
2) Leonhard, S.E., et al.: Diagnosis and management of Guillain-Barré syndrome in ten steps. *Nat. Rev. Neurol.*, 15(11):671–683, 2019.
3) 古賀道明, 神田 隆：ギラン・バレー症候群─診断までの神経学的考え方. 臨床と研究, 87(6):838–842, 2010.
4) 日本神経学会：ギラン・バレー症候群, フィッシャー症候群診療ガイドライン 2013. pp.33–80, 南江堂, 2013.
5) Hughes, R.A., et al.: Controlled trial prednisolone in acute polyneuropathy. *Lancet*, 2(8093):750–753, 1978.
6) 国分則人ほか：ギラン・バレー症候群の電気生理─軸索障害と脱髄, AIDP と AMAN. 臨床脳波, 50(4):221–228, 2008.
7) 海田賢一, 楠 進：抗ガングリオシド抗体─ギラン・バレー症候群とその関連疾患における病態への関与. 日臨免疫会誌, 34(1):29–39, 2011.
8) Yuki, N., et al.: A bacterium lipopolysaccharide that elicits Guillain-Barré syndrome has a GM1 ganglioside-like structure. *J. Exp. Med.*, 178(5):1771–1775, 1993.
9) Lardone, R.D., et al.: Anti-GM1 IgG antibodies in Guillain-Barré syndrome: Fine specificity is associated with disease severity. *J. Neurol. Neurosurg. Psychiatry*, 81(6):629–633, 2010.
10) Plasma Exchange/Sandoglobulin Guillain-Barré Syndrome Trial Group: Randomised trial of plasma exchange, intravenous immunoglobulin, and combined treatments in Guillain-Barré syndrome. *Lancet*, 349(9047):225–230, 1997.
11) 川杉和夫：免疫グロブリン大量療法の現状と今後. 日臨免疫会誌, 26(3):87–95, 2003.
12) 野寺裕之：神経疾患におけるγグロブリン大量静注療法. 炎症と免疫, 18(2):140–144, 2010.
13) 川手信行ほか：ギラン・バレー症候群, 慢性炎症性脱髄性多発ニューロパチーの治療とリハビリテーション. *J. Clin. Rehabil.*, 14(7):620–627, 2005.
14) 桑原 基：Guillain-Barré syndrome の予後予測と治療戦略. 神経治療, 37(3):411–414, 2020.
15) 棚野浩司, 甲斐 悟：ギラン・バレー症候群に対するリハビリテーション. 保医誌, 11(2):175–185, 2020.

（棚野浩司）

III 頭部外傷の障害と理学療法

第1章

頭部外傷の理学療法

学習目標
- 頭部外傷の形態的分類と病態について理解する．
- 頭部外傷患者に必要な救命処置や初期治療について理解する．
- 頭部外傷のリハビリテーション時の注意点について病期別に理解する．

A 疾患概念

頭部外傷(traumatic brain injury; TBI)とは，転倒や自転車事故などによる外傷によって生じる脳損傷である．米国における救急搬送者数は年間250万人，外傷性死亡の30％に関与している[1]．そのなかでも，Glasgow Coma Scale(GCS) ≦ 8を定義とした意識障害を認める重症TBI患者は，回復を助ける継続的なケアが必要な場合が多い．そのため，個人とその家族の生活に影響を与えるだけでなく，社会的，経済的にも大きな打撃を与え，直接・間接医療費を含む重症TBIの生涯経済コストは米国では約765億ドルと推定されている．さらに，致死的TBIと入院を要するTBIのコストがTBIの医療費全体の約90％を占める[2]．

外傷のなかでも特に頭部外傷患者の頻度は高い．日本外傷データバンクの報告では[3]，2019年1月から12月の1年間に登録された22,089人の外傷患者のうち，入院を要した頭部外傷患者は6,990人であり，骨折など下肢外傷に次いで2番目に多い．TBIは若年層と高齢層に二相性のピークを有していたが，近年は80代を中心とする高齢層が増加し，単相性のピークになりつつある．若年層では交通事故が，高齢層では転倒・転落事故が主な原因である．近年，交通事故対策と救急医療の進歩の結果，交通事故の死亡者は年々減少しているが，救命率の改善により，重症例が増加している．不慮の事故による外傷患者の年齢層に着目すると，就労年齢である20～50歳が22.5％であるのに対し，65歳以上の高齢者はその約3倍である59.4％にも及ぶ．つまり，TBI患者は，復職を目指す若年層に加えて，多疾患を併存し，サルコペニア・フレイルに代表されるような病前ADLが低く治療に難渋するために，早期から機能回復が必要な高齢者まで，対象は非常に幅広い．

B 定義と重症度分類

TBIは，外力による脳の構造的損傷および生理的な機能障害を原因とし，以下の臨床症状の少なくとも1つが急性に発症または悪化するものと定義される[4]．

①意識喪失または意識レベル低下期間．
②受傷直前または直後の出来事の記憶の喪失．
③受傷時の精神状態の変化(意識がもうろう，混乱，何がおこっているのかわからない，考えがまとまらない，精神状態に関する質問に適切に答えられない)．
④神経学的な障害(脱力感，バランス障害，視覚の変化)が一過性であるかどうか，および頭蓋内病変がある．

▶表 1　重症度分類

	軽症	中等症	重症
脳画像の所見	正常	正常 or 異常	正常 or 異常
意識消失の持続時間	0～30 分	30 分～24 時間	24 時間以上
精神症状の持続時間	24 時間以内	24 時間を超える	24 時間を超える
外傷後健忘の持続時間	1 日以内	1～7 日以内	7 日以上
GCS	13～15	9～12	8 以下

▶表 2　頭部外傷の形態的分類

①頭蓋骨骨折	頭蓋骨円蓋部骨折
②局所性脳損傷	脳挫傷 急性硬膜外血腫 急性硬膜下血腫 外傷性脳内血腫 慢性硬膜下血腫
③びまん性脳損傷	びまん性軸索損傷 外傷性くも膜下出血 びまん性脳腫脹

また，頭蓋骨と硬膜を損傷し，脳に直接損傷を与える「貫通損傷」と，頭蓋骨や硬膜が無傷である「閉鎖性頭部外傷」に分けることもでき[5]，重症度は意識障害の程度，意識消失の持続時間，健忘症や神経症の有無，および脳画像所見などの臨床的要因に基づき，軽症，中等症，重症に分類される[4]（▶表 1）.

C 形態的分類と画像所見の特徴[6]

頭部外傷は形態的分類[7]で，①頭蓋骨骨折，②局所性脳損傷，③びまん性脳損傷の 3 つに分類される（▶表 2）.

1 頭蓋骨骨折[8]

a 頭蓋骨円蓋部（▶図 1A）

線状骨折と陥没骨折に分類でき，頭部 CT 画像で確認できる．また，硬膜動・静脈を損傷し，急性硬膜外血腫を合併することもある.

b 頭蓋底骨折（▶図 1B）

髄液漏（鼻漏，耳漏）などの症状や頭部 CT 画像から確認でき，中頭蓋底骨折では耳介後部の皮下出血，前頭蓋底骨折では眼周囲の皮下出血を認めることが多い.

2 局所性脳損傷

局所性脳損傷は以下に分類される．いずれも占拠性病変が頭蓋内圧（intracranial pressure; ICP）を亢進させることで脳ヘルニアをまねく危険性があり，その際は外科手術による血腫除去が必要となる.

a 脳挫傷（▶図 2A）

脳挫傷（brain contusion）は，病理学的には実質組織の破壊と微小血管の破綻である．浮腫と出血が混在し，頭部 CT 画像では血管支配に無関係な低吸収域（脳浮腫）のなかに高吸収域（小出血）が散見される所見〔“ごま塩状” 所見（salt and pepper appearance）〕を呈する.

b 急性硬膜外血腫（▶図 2B）

急性硬膜外血腫（acute epidural hematoma; AEDH）は，頭部 CT 画像では凸レンズ型の高吸収域を特徴とする．打撲により頭蓋骨骨折が生じ，その直下の硬膜動脈からの出血により硬膜外

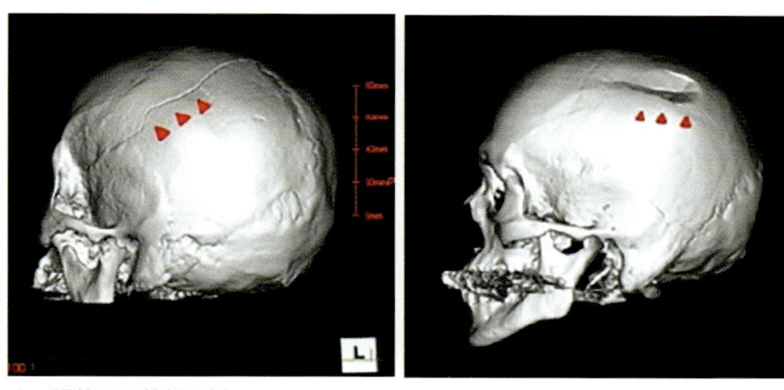

A. 頭蓋骨円蓋部骨折

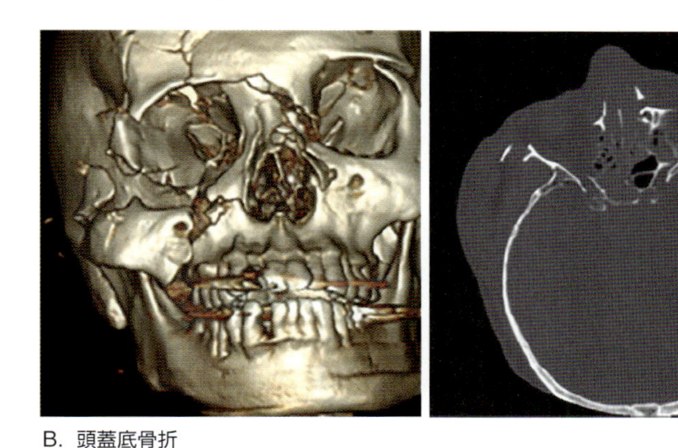

B. 頭蓋底骨折

▶図 1　頭蓋骨骨折

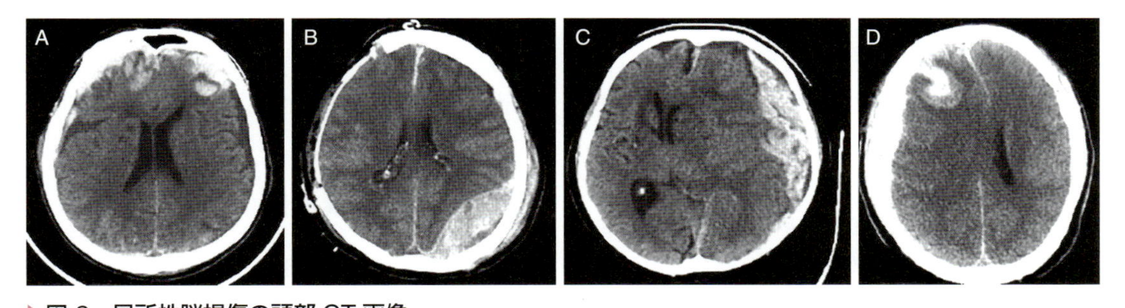

▶図 2　局所性脳損傷の頭部 CT 画像

A：脳挫傷(brain contusion)，B：急性硬膜外血腫(AEDH)，C：急性硬膜下血腫(ASDH)，D：外傷性脳内血腫(TICH)

に血腫を生じる．硬膜を剝がすように血腫増大がおこるため両側が凸レンズ型を呈する．

c 急性硬膜下血腫(▶図 2C)

急性硬膜下血腫(acute subdural hematoma; ASDH)は頭部 CT 画像では硬膜と脳表の間に血腫が広がり，三日月状の形状が特徴的である．出血が進行し，脳表面を圧迫することで虚血性脳障害を併発し，減圧術後の脳腫脹もしばしば認める．

d 外傷性脳内血腫(▶図 2D)

脳挫傷による小出血が癒合すると脳内血腫に進展し，これを**外傷性脳内血腫**(traumatic intracerebral hematoma; TICH)という．脳内の穿通枝が外傷によって破綻して生じることもあり，この場合は受傷早期から血腫の形成がみられる．受

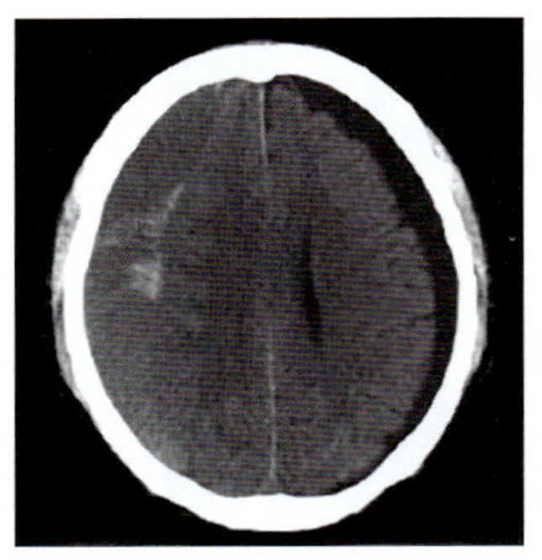

▶図 3　慢性硬膜下血腫(CSDH)

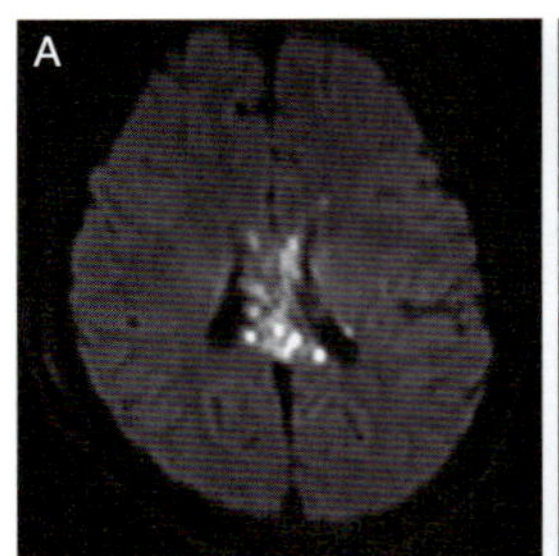

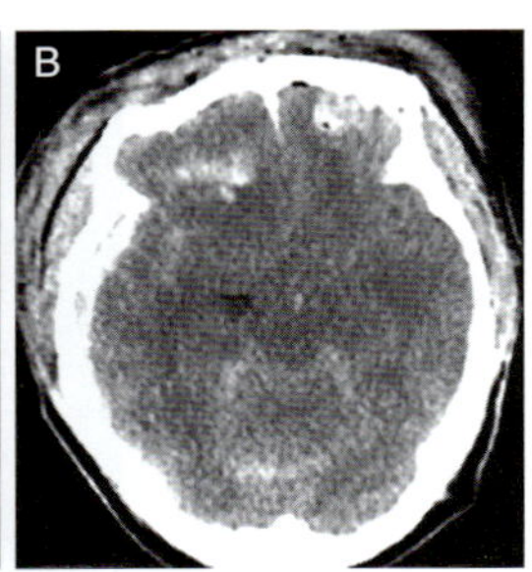

▶図 4　びまん性脳損傷
A：びまん性軸索損傷(DAI)，B：外傷性くも膜下出血(tSAH)

傷後に遅れて脳内血腫が出現する場合を**遅発性外傷性脳内血腫**(delayed traumatic intracranial hematoma; DTICH)という．

e 慢性硬膜下血腫(▶図 3)

慢性硬膜下血腫(chronic subdural hematoma; CSDH)とは，若年者よりも高齢者に高頻度で発症し，臨床症状の多くは記銘力障害，尿失禁，活動性の低下や意識障害があげられる[9]．また，意識障害は 70 歳以下では 37.5%，70 歳以上では 50% 以上の患者で呈しており[10]，高齢者は受傷後の二次的合併症に注意が必要である．さらに，意識障害の程度も，80 歳以上では GCS 3〜12 の中等症〜重症例が多く，重症例では予後不良である[9]．

受傷機転の大半は頭部への軽度な外力で発症し，中等度から重度の外傷が原因となることもある．ここで重要なのは，軽度な外力で発症するがゆえに，症状を認めるまで気づかれないことである[11]．そのため，頭部外傷以外に CSDH 発症の危険因子を把握することが重要である．具体的には，長期の大量飲酒，アスピリンなどの抗炎症薬，抗凝固薬や抗血小板薬の長期服用，血液凝固能の低下に関連する疾患などがあげられる[12]．これらリスク因子も高齢者が受傷前から有する併存疾患に起因することが考えられるため，患者の既往歴の確認は必須である．

CSDH の画像所見の特徴としては，血腫は通常低吸収域であるが，等密度または高吸収域と低吸収域が混在した病変も観察される．これらは通常凹凸状であるが，稀に急性硬膜外血腫に似た病変を認める[13]．

3 びまん性脳損傷

大脳白質を中心とした広範な脳損傷で，頭蓋内に占拠性病変のないものをいう．**脳震盪**(のうしんとう)や**びまん性軸索損傷**など幅広い範囲の外傷を含む．交通事故が原因となることが多く，頭部の回転加速度によって脳内に発生する剪断力により生じ，頭部への直接的な打撃がなくても生じうる．

びまん性脳損傷は以下に分類される．

a びまん性軸索損傷(▶図 4A)

びまん性軸索損傷(diffuse axonal injury; DAI)は，脳組織全体に強い回転加速度が加わり，剪断力がかかることでびまん性に神経線維が断裂する病理学的概念である．臨床的には，頭部 CT 画像では微細な所見(小出血の散在)のみにもかかわらず，意識障害が遷延するのが特徴である．確定診断は頭部 MRI 検査によることが多く，大脳基底核や脳室周囲などの比較的脳深部に T2 強調画像で高信号が描出される．

b 外傷性くも膜下出血(▶図 4B)

外傷性くも膜下出血(traumatic subarachnoid

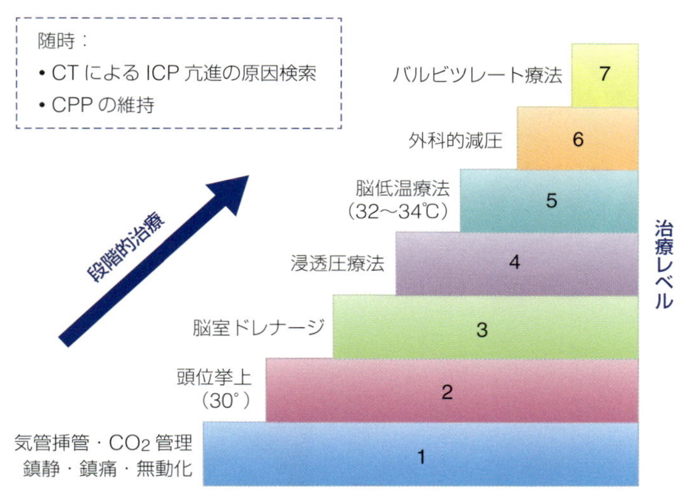

▶図 5　頭蓋内圧モニタリングと管理
〔横堀將司：神経集中治療：頭蓋内圧モニタリングと管理. *Intensivist*, 5(3): 525–537, 2013 より〕

hemorrhage; tSAH）はびまん性脳損傷に合併することが多く，びまん性脳損傷の間接的所見ともいわれている．くも膜下出血が脳底槽に存在する場合や，脳底槽から円蓋部に広がる場合は，不良転帰の徴候と考えられている．tSAH においても脳血管攣縮の合併が数多く報告されているが，一般的には内因性に比べ脳血管攣縮をおこす率は低いとされている．

C びまん性脳腫脹

血管床増大による頭蓋内血液量の増加や血管性浮腫，細胞性浮腫の病態が関与しているといわれる．急激な**びまん性脳腫脹**（diffuse brain swelling; DBS），頭蓋内圧亢進をきたし，内科的治療に抵抗性を示すことが多い．一度発生すると予後不良である．

D 治療

TBI は一次性脳損傷と二次性脳損傷に分けられる．**一次性脳損傷**とは外傷によって直接受ける損傷のことで，局所性脳損傷とびまん性脳損傷に分けられる．TBI 患者の理学療法を実施するためには，救命処置や初期治療の理解が重要である．**二次性脳損傷**とは，頭蓋内血腫や脳浮腫により頭蓋内圧が亢進し，その結果，脳への血流が低下し脳虚血となって脳損傷を生じる場合や，全身性の合併症による低血圧症や低酸素血症により脳への酸素供給が低下し，さらなる脳損傷を生じる場合をいう．頭部外傷の治療の目的は，この二次性脳損傷を抑制することである[14]（▶図 5）．TBI 患者の理学療法を実施するうえで，必要な救命処置や初期治療について理解する必要がある．

1 脳挫傷，急性硬膜外血腫，急性硬膜下血腫，外傷性脳内血腫，びまん性軸索損傷

血腫や脳浮腫により脳幹を圧迫し，神経症状が進行性に悪化する患者や，保存的治療でも ICP 亢進が制御できない患者は，手術適応となる．つまり，ICP 亢進に伴う意識障害や巣症状が出現すれば，緊急開頭術の適応となる．わが国のガイドラインによると，厚さ 1〜2 cm 以上の血腫もしくは 20〜30 mL の血腫で，意識障害を呈し，正中偏

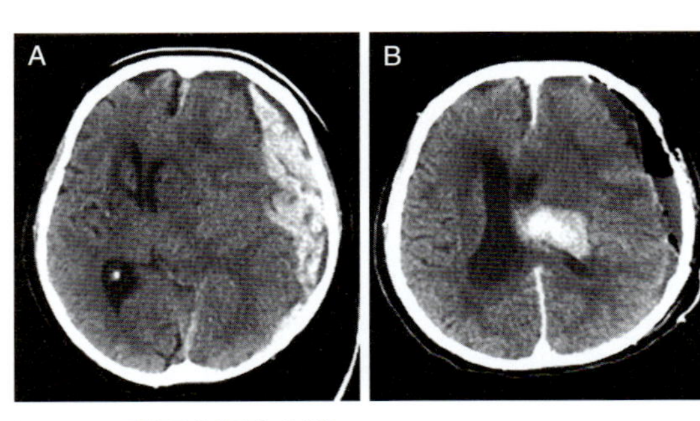

▶図 6　開頭血腫除去術
A：ASDH 術前，B：開頭血腫除去術後

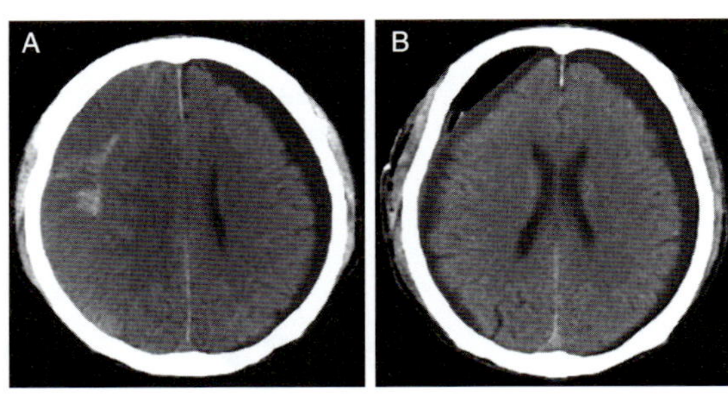

▶図 7　穿頭ドレナージ術
A：CSDH 術前，B：穿頭ドレナージ術後

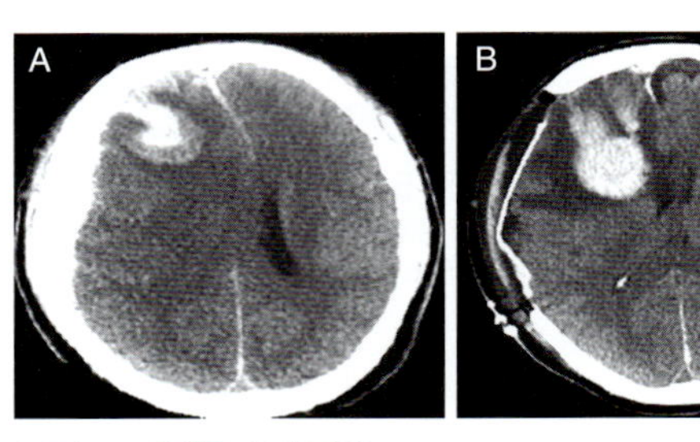

▶図 8　開頭外減圧術
A：右皮質下出血，B：開頭外減圧術後

位(midline shift)が 5 mm 以上で明らかな占拠性病変による腫瘤効果(mass effect)がある場合は，開頭血腫除去術(▶図 6)が推奨されている．

近年の RCT では，手術に迷う患者は，積極的に開頭血腫除去術を施行することで生命予後が改善したとの報告があり(非手術群の死亡率 33% に対し手術群は 15%)，救命目的で，穿頭ドレナージ術や開頭外減圧など，積極的な手術も許容される(▶図 7，8)．また，挫傷脳の切除による内減圧術を考慮される場合もある．びまん性軸索損傷に対しては ICP 亢進に対する対症療法が中心であり，外科的減圧を含めて手術になる患者は比較的少ない．

2 慢性硬膜下血腫

外科的治療としては，局所麻酔下の穿頭血腫ドレナージ術が第一選択となる．わが国では最も一般的な治療法で，90% 以上の患者で施行されている[10]．また，通常の内科的治療と比較して，穿頭血腫ドレナージ術は予後に対する有効性は明確ではないが，再発率が少ないことがわかっている[15]．内科的治療に関してはわが国では少なく，米国や英国で軽症な高齢患者に適応されることが多い[16]．特に，女性で軽度の正中偏位と薄い低吸収域の血腫を呈する場合，内科的治療が著効することが報告されている[17]．使用される薬物としてはトラネキサム酸，五苓散，ステロイドなどがあげられる[18]．

E 急性期の理学療法

1 理学療法士が把握しておくべき情報

TBI 患者において，受傷時のインパクトによって一次性脳損傷の程度が決まり，患者が医療機関へ搬送されるころにはすでに完成していることが多い．このことからも，一次性脳損傷に対する直接的な治療介入は難しい[6]．つまり，TBI 患者の初期治療後は，再出血，脳浮腫の増悪による脳ヘルニア，ICP 亢進による脳灌流圧(cerebral perfusion pressure; CPP)低下，あるいは脳梗塞，出血性梗塞に注意が必要である．外科治療後および内科的治療中ともに，CPP や血圧などのバイ

▶表 3 二次性脳損傷をきたす因子

全身性因子	頭蓋内因子
● 低血圧 ● 低酸素 ● 貧血 ● 高体温 ● 高二酸化炭素血症 ● 低血糖 ● 酸塩基異常・代謝異常 ● 全身炎症・感染 ● 血液凝固異常	● 頭蓋内圧亢進 ● 頭蓋内占拠性病変 ● 脳浮腫 ● 脳血管攣縮 ● 水頭症 ● 頭蓋内感染症 ● てんかん ● 脳血流低下 ● 脳代謝障害 ● 電解質異常 ● フリーラジカル産生

〔横堀將司ほか：頭部外傷の病態と治療. 日医大医会誌, 15(2):71–79, 2019 より〕

タルサイン管理によって，上記のような二次性脳損傷を予防することが重要となる(▶表 3)．そのため，二次性脳損傷の予防を目的に血圧，CPP，血糖値，電解質などに対する治療が進められる．さらに，肺の損傷や頸部・体幹・四肢のうち複数個所に骨折を伴っていることが多く，集中治療室での全身管理や二次的合併症の予防が重要となる．理学療法士は，最新の患者情報をもとに病態の把握に努める必要があり，理学療法の早期介入に伴うリスクとベネフィットを天秤にかけながら患者の回復の潜在能力を引き出していくことが求められる．

近年，脳損傷患者に対する早期離床の是非について議論されている．早期離床がもたらすメリットとして，筋骨格系，循環器系，呼吸器系，免疫機構の廃用性変性の予防や，安静臥床に伴う肺炎や尿路感染などの二次的合併症の予防，神経組織の可塑的再組織化の促進があげられる[19–21]．脳卒中患者において，発症後 24 時間以内に離床および集中的介入を行った群では，長期的に身体機能改善の停滞，死亡率の増加を認めた[22]．循環動態が不安定な脳障害患者は画一的な離床ではなく，個々の症例の病態に応じた離床プログラムの検討が必要である．患者の病態を把握せずに介入することは，理学療法の効果を期待できないばかりか，患者の二次性脳障害の増悪を助長する可能性もある．そのため，患者の病態に応じた適切な負荷量の検討が重要である．

TBI 患者における治療目標は一次性脳損傷の改善ではなく，その後の脳浮腫，再出血，脳血管攣縮に伴う脳虚血などによる二次性脳損傷を防ぐことである．つまり，障害された脳組織と，障害のない脳組織双方の酸素需要を満たすため，適切な酸素供給を考慮する必要がある．具体的には，脳組織の低灌流，痙攣，高体温などに伴う相対的な脳組織の低酸素状態，電解質および酸塩基平衡異常などでは酸素供給が重要となる．TBI 患者の離床に際しては，運動療法に伴って二次性脳損傷が増悪しないことが重要である．そのため，ICP 亢進および CPP 低下に注意しながら離床をはからなければならない．CPP は平均動脈圧(mean arterial pressure; MAP)と ICP の差であり，正常の圧は 60～100 mmHg である．脳血流自己調節機能が破綻してしまう TBI 患者では，脳血流量が血圧に依存するとされる．このため，離床に際して，血圧変動はもちろん，運動中の意識レベルの変化を注意深くモニタリングしなければならない．よって，理学療法介入中は低酸素血症と血圧の変動には注意が必要である．

2 TBI 患者において理学療法士が注意すべき病態

a ICP 亢進と脳ヘルニア[23]

TBI 後の二次性脳損傷の発現に最も関係するのは，外傷初期から生じる脳の低酸素状態や虚血状態であり，その後に ICP 亢進などの増悪因子が加わると，さらに脳虚血が進行する悪循環に陥る．特に，TBI 患者の脳浮腫は受傷後 3～5 日の間に増大し，発症 5 日前後がピークとなり[24]，この時期の理学療法は注意が必要である．なぜなら，脳浮腫が脳ヘルニアを引き起こした場合，48 時間以内に死亡することが多く[25]，脳ヘルニアがない患者と比較して院内死亡率は約 10 倍高い[26] ということが報告されており，救命目的の開頭術や脳室ドレーン挿入術の適応となるからである．

b 痙攣重積発作

TBI 受傷後 7 日以内に**痙攣発作**が発生した場合は，受傷後**てんかん**を発症する危険性が高くなる[27]．また，TBI 患者のてんかん発作の発症率は 12〜50%，痙攣重積状態に陥る割合が 8〜35%[28] と，頻度は比較的高い．さらに，てんかん発作の既往歴や開頭血腫除去術を要する硬膜下血腫が，てんかん発作発症の有用な予測因子であるという報告[29] もあり，TBI 受傷後は注意が必要である．そのため，TBI 患者に薬物コントロールの不十分なてんかん発作や痙攣重積発作を認める場合，非可逆的な脳の後遺症や呼吸抑制などの有害事象が生じる可能性があり，積極的なリハビリテーション(以下，リハ)は控えるべきである[30]．つまり，TBI 患者のリハ開始前後で，脳波上のてんかん波，肉眼的な痙攣発作の有無を確認することが重要である．

c 外傷性髄液漏

外傷性髄液漏とは，TBI に伴い頭蓋骨硬膜の断裂に骨折や骨欠損が加わることで，髄液腔から脳脊髄液が鼻や耳から漏れること指す．脳脊髄液が漏れることで脳脊髄圧が低下し，離床や起立時に脳が下方へ牽引される．その結果，脳神経が牽引・刺激され，頭痛や髄膜刺激症状などのさまざまな症状が出る．主な症状は起立性頭痛，悪心，嘔吐，めまい，耳鳴り，視機能障害，倦怠・易疲労感などがある[31]．TBI の 1〜3% に発症し，交通外傷に起因するものでは，通常 TBI 受傷後 48 時間以内に発症(診断)されることが多く，95% は受傷後 3 か月以内の発症である．TBI の患者のうち，頭蓋底骨折は 12〜30% の症例に認められ，特に前頭蓋窩に多い．この前頭蓋窩では，硬膜と頭蓋底との密着性が高く，外傷の影響を受けやすいため，髄液漏を発症するリスクがある[32]．髄液漏を発症した 70% 以上の患者は，semi-Fowler(セミファウラー)位によるベッド上安静，髄液持続ドレナージなどの保存的治療により閉鎖する[33]．そのため，TBI 受傷後早期にリハを開始する際は，頭蓋底骨折の有無や姿勢変換に伴う低髄圧症状がないか確認する必要がある．

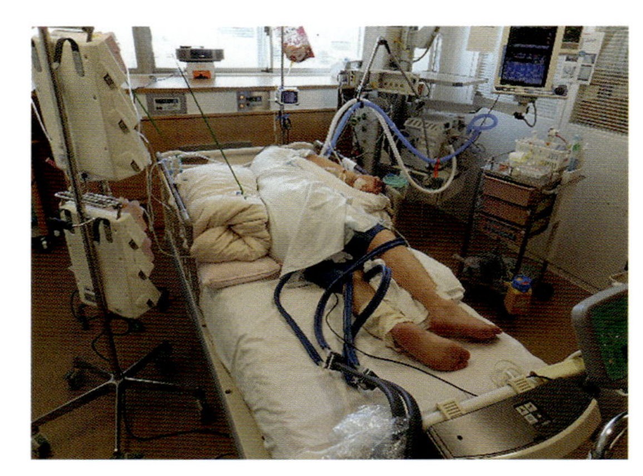

▶図 9　低体温療法中の患者への体位ドレナージ

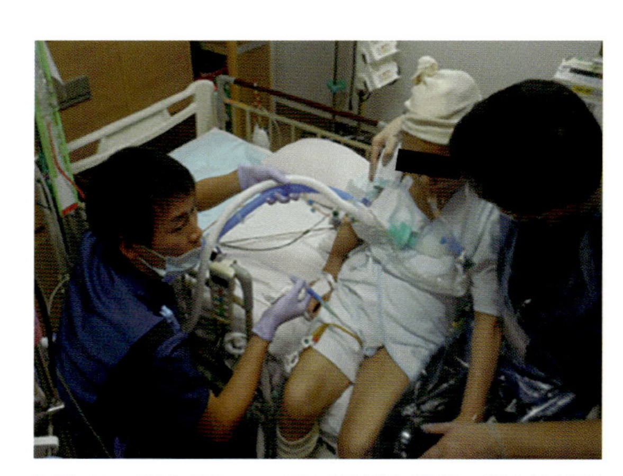

▶図 10　脳室ドレーン(CVD)挿入患者の端座位練習

3 理学療法の実際

循環動態が不安定で離床が困難な場合，体位ドレナージや排痰援助で気道クリアランスの確保をはかり，肺炎に伴う低酸素血症を予防することも重要である(▶図 9，10)．また，一般的な運動開始・中止基準に当てはまらない患者に関しては，医師と協議し介入方法を個別に検討する．

TBI 患者の理学療法介入では，意識障害の改

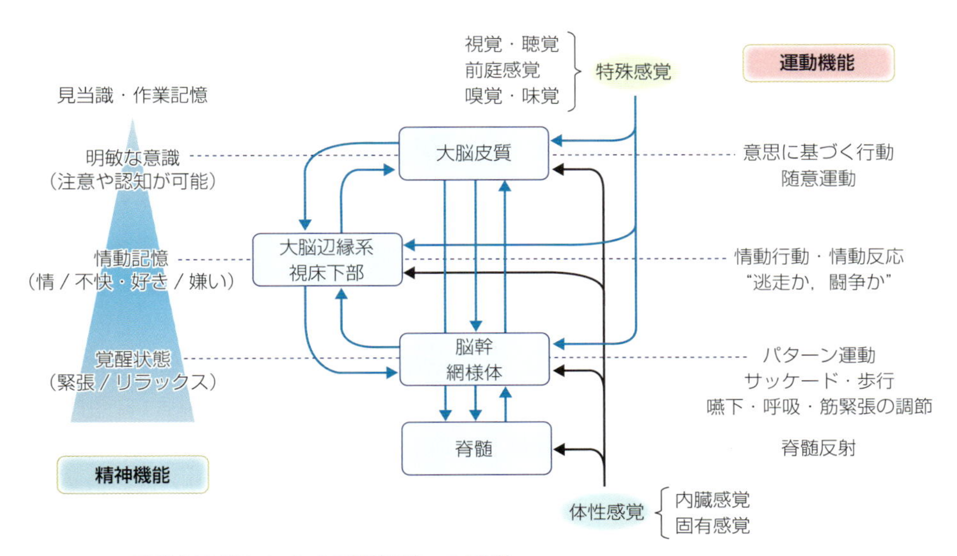

▶図 11　理学療法がもたらす覚醒状態への影響
〔高草木 薫：脳の可塑性と理学療法．理学療法学，37(8):575–582, 2010 より改変〕

善が重要である．意識障害によって，不顕性誤嚥リスクの増大，不活動に伴う深部静脈血栓症，褥瘡形成などのリスクが高まるだけでなく，使用依存的に促進される神経組織の可塑的変化においても，能動的な活動の低下が長期的な機能回復を遅らせる可能性もある．意識障害の改善には，体性感覚および特殊感覚入力が有効であると考えられ，これらの感覚情報入力が上行性脳幹網様体賦活系に作用し，精神機能，運動機能の反応を誘発すると考えられている（▶図 11，12）．

さらに，われわれが受容する感覚情報は，覚醒状態，情動状態，そして認知などの精神活動に影響を及ぼすだけでなく，脊髄反射，パターン運動，情動行動，そして，随意的行動などの運動を誘発する[34–36]．これらの理論的背景から，TBI 患者に対しては，二次的合併症の予防に努めながら，可及的早期に積極的な理学療法を展開する必要がある．

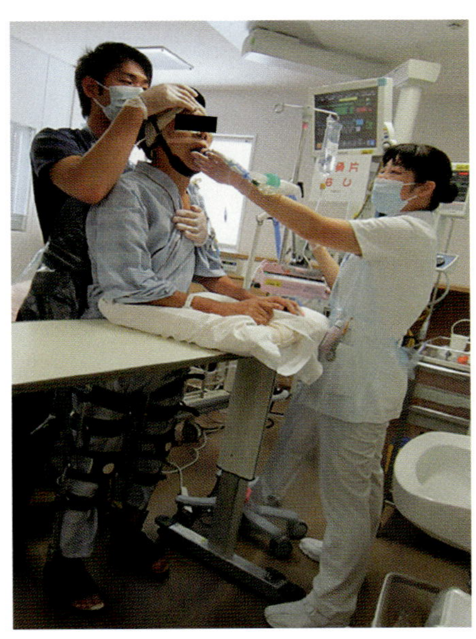

▶図 12　開頭血腫除去術後患者に対する長下肢装具を用いた立位練習

F 回復期の理学療法

1 障害像

a 身体障害

急性期は救命と二次性脳損傷の予防を中心とした治療が中心となる．その後，病態が安定すると，四肢の麻痺・失調・脳神経の障害などの身体障害に対する治療に移行する．身体障害は，損傷部位に一致してみられる．脳挫傷，硬膜下血腫，硬膜外血腫などでは錐体路を損傷した場合，片麻痺を呈する．また，脳幹を損傷した場合，四肢不全麻痺を呈する場合がある．一方，血腫を伴わないびまん性損傷では片麻痺を呈することは稀である．受傷時に，脳幹を基軸に大脳半球が前後左右に加速・減速されると，大脳と小脳との連絡が損傷され，四肢・体幹の失調を呈する場合がある．脳神経のうち，嗅神経が最も損傷を受けやすく，嗅覚障害を呈すると食事や調理などで問題となる．歩行も含めた日常生活活動(ADL)が自立していても，認知されづらい障害を呈することに留意する必要がある．

b 高次脳機能障害

大脳皮質あるいは皮質下の広範囲損傷では，知的機能に重大な障害を呈する．びまん性軸索損傷においても，主に前頭葉あるいは側頭葉機能の障害を呈する．そのため，TBI 患者では知能，記憶力，注意・集中力，遂行機能などが低下する．記憶力の低下は，重度の TBI 患者のほぼ全例にみられる．エピソード記憶の障害や約束などの未来の記憶(展望記憶)の障害は，ADL や IADL (instrumental ADL)において大きな問題となる．一方，頭蓋内血腫(硬膜外血腫，硬膜下血腫，脳内血腫)が，大脳半球の特定の部位を占拠あるいは圧迫すると，失語，失行，半側空間無視，地誌失認などの巣症状を呈するが，脳卒中患者に比べて頻度は高くない．

2 理学療法の実際

一般に TBI は，前頭葉および側頭葉に損傷をきたしやすい．そのため，身体障害としては，失調症状は多いが運動麻痺は少なく，重症例でも ADL は自立する例が多い．しかし，高次脳機能障害としては，前頭葉損傷として注意障害，遂行機能障害，社会的行動障害(自発性の低下，易怒性，病識の低下など)が，側頭葉損傷として記憶障害がみられやすい．リハは，環境調整，要素特異的訓練，代償的訓練，行動変容療法，全人的・包括的リハ，地域リハ，職業リハからなる．重度の高次脳機能障害例は，病院内の回復期までのリハでは改善せず，地域の社会資源を活用した，医療・福祉・行政の連携体制が必要となる．

G 理学療法に求められるもの

受傷直後の TBI 患者は，治療管理上，座位，歩行などの積極的な理学療法介入が困難であったり，重度の意識障害を呈することで自身による体動が困難な患者が多い．二次的脳障害を予防するために医師・看護師と緊密に協働することはもちろんであるが，安静臥床や医原性におこりうる肺炎，尿路感染症，深部静脈血栓症などの二次的合併症[37-39]の予防が理学療法士の役割である．特に肺炎は最たる二次的合併症であり，**人工呼吸器関連肺炎**(ventilator associated pneumonia; VAP)はもちろん，脳障害患者では**誤嚥性肺炎**が高頻度に発生する[40]．二次的合併症の発症によって，在院日数が延長してしまうことはもちろん，その後の機能回復に影響を及ぼすことも報告されており，急性期にこれらを予防することは非常に重要である[41]．また，前述のような安静臥床を強いられる患者は，二次的合併症を発症するリスクが高く，可及的速やかに活動量を上げる必要があ

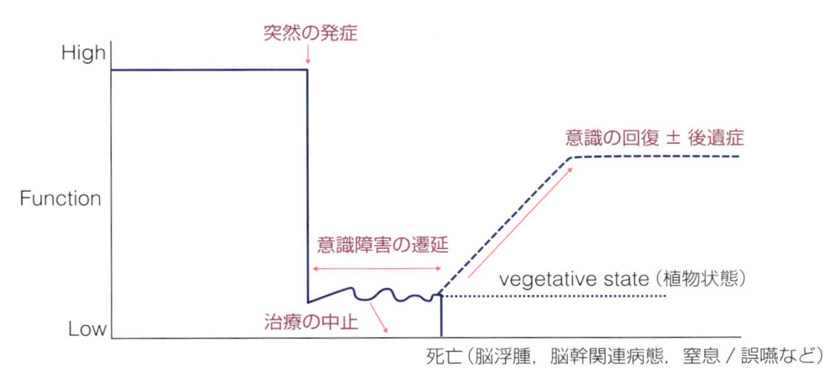

▶図 13　機能回復過程と予後予測

〔Frontera, J.A., et al.: Integrating Palliative Care Into the Care of Neurocritically Ill Patients: A Report From the Improving Palliative Care in the ICU Project Advisory Board and the Center to Advance Palliative Care. *Crit. Care Med.*, 43(9):1964–1977, 2015 より〕

る．このことから，二次的合併症を予防しつつ，その後のスムーズな理学療法介入を達成するためには，受傷直後の理学療法は積極的に行われるべきである．さらに，TBI における理学療法は，回復期リハ病院へ転院するまでの橋渡しではなく，長期予後を左右するきわめて重要な時期であることを認識すべきである．

回復期以降は，長期的な目線で患者の機能回復過程を想像しつつ，理学療法を実施する．脳損傷の程度，年齢，意識障害の長さ，高次脳機能障害の程度などによって長期的な予後は変わる．頭部外傷の一般的予後では身体機能や意思の疎通などに比べ，高次脳機能障害，社会的行動障害などの回復は悪く，大きな問題となることがある．昏睡期間の長期化や，認知機能障害が大きい場合に後遺症が大きくなりやすい．回復の期間については，受傷後 6 か月以降は回復が少ないとされるが，1 年までは神経学的回復がみられる．また，社会的行動に関しては 10 年以降も改善がみられるといわれている．職場復帰できるまで回復する場合もあるが，残念ながら重い後遺症が残る場合もある．いずれにしても，急性期以降に意識が回復することが多いとされ，急性期の時点での予後予測は容易ではなく，意識障害が遷延するという理由のみで治療を縮小することは避けるべきである[42]（▶**図 13**）．また，重症 TBI 患者へのリハの介入効率とリハ治療の早期介入は ADL 改善率と関連しており[43]，1989〜2019 年の 30 年間で中等症–重症 TBI で回復期リハ施設へ転院した患者に関して意識レベルと機能予後を調査した結果，リハ転院時に意識障害のあった患者の 82% が入院中のリハで意識を回復した．さらに，10 年ごとに患者群の機能予後の変遷をみてみると，どの 10 年でも，神経機能予後がリハ病院で改善していた[44]．

特に急性期の重症 TBI 患者においては，その後の回復過程を想像するのは難しく，機能回復を目指したリハの必要性を理解されないこともおこりうる．そのため，重症 TBI 患者の治療方針決定や退院支援を目的とした多職種カンファレンスにおいて，理学療法士は積極的にかかわることが重要である．高齢化が進むにつれて TBI 患者のリハのニーズは高くなり，リハ職種による急性期から生活期にかけてのシームレスな連携が求められる．

●引用文献

1) Taylor, C.A., et al.: Traumatic Brain Injury-Related Emergency Department Visits, Hospitalizations, and Deaths—United States, 2007 and 2013. *MMWR Surveill. Summ.*, 66(9):1–16, 2017.

2) Finkelstein, E.A., et al.: The Incidence and Economic Burden of Injuries in the United States. Oxford University Press, New York, 2006.
3) 日本外傷診療機構：Japan Trauma Data Bank Report 2020.
https://www.jtcr-jatec.org/traumabank/dataroom/data/JTDB2020.pdf(2022 年 1 月 10 日アクセス)
4) Management of Concussion/mTBI Working Group: VA/DoD Clinical Practice Guideline for Management of Concussion/Mild Traumatic Brain Injury. *J. Rehabil. Res. Dev.*, 46(6):CP1–CP68, 2009.
5) Cassidy, J.D., et al.: Incidence, risk factors and prevention of mild traumatic brain injury: Results of the WHO Collaborating Centre Task Force on Mild Traumatic Brain Injury. *J. Rehabil. Med.*, 36(43 Suppl):28–60, 2004.
6) 横堀將司ほか：頭部外傷の病態と治療. 日医大医会誌, 15(2):71–79, 2019.
7) Yokobori, S., et al.: Lower extracellular glucose level prolonged in elderly patients with severe traumatic brain injury: A microdialysis study. *Neurol. Med. Chir.(Tokyo)*, 51(4):265–271, 2011.
8) 日本外傷学会・日本救急医学会(監), 日本外傷学会外傷研修コース開発委員会(編)：外傷初期診療ガイドライン JATEC. 改訂, p.128, へるす出版, 2004.
9) 大場さとみほか：超高齢者慢性硬膜下血腫の臨床的特徴と治療成績. *Neurol. Surg.*, 34(3):273–278, 2006.
10) Toi, H., et al.: Present epidemiology of chronic subdural hematoma in Japan: Analysis of 63,358 cases recorded in a national administrative database. *J. Neurosurg.*, 128(1):222–228, 2018.
11) Feng, J.F., et al.: Traumatic subdural effusion evolves into chronic subdural hematoma: Two stages of the same inflammatory reaction? *Med. Hypotheses*, 70(6):1147–1149, 2008.
12) Yadav, Y.R., et al.: Chronic subdural hematoma. *Asian J. Neurosurg.*, 11(4):330–342, 2016.
13) Mishra, A., et al.: Giant unusual shaped chronic subdural hematoma in a patient with untreated congenital hydrocephalus. *Asian J. Neurosurg.*, 6(2):121–122, 2011.
14) 横堀將司：神経集中治療：頭蓋内圧モニタリングと管理. *Intensivist*, 5(3):525–537, 2013.
15) Liu, W., et al.: Chronic subdural hematoma: A systematic review and meta-analysis of surgical procedures. *J. Neurosurg.*, 121(3):665–673, 2014.
16) Miranda, L.B., et al.: Chronic subdural hematoma in the elderly: Not a benign disease. *J. Neurosurg.*, 114(1):72–76, 2011.
17) Thotakura, A.K., et al.: Nonsurgical Treatment of Chronic Subdural Hematoma with Steroids. *World Neurosurg.*, 84(6):1968–1972, 2015.
18) 村上陳訓：高齢者の慢性硬膜下血腫の特徴. 京二赤医誌, 39:2–8, 2018.
19) Govan, L., et al.: Does the prevention of complications explain the survival benefit of organized inpatient (stroke unit) care?: Further analysis of a systematic review. *Stroke*, 38(9):2536–2540, 2007.
20) Arya, K.N., et al.: Movement therapy induced neural reorganization and motor recovery in stroke: A review. *J. Bodyw. Mov. Ther.*, 15(4):528–537, 2011.
21) Arnold, S.M., et al.: Very early mobilization in stroke patients treated with intravenous recombinant tissue plasminogen activator. *J. Stroke Cerebrovasc. Dis.*, 24(6):1168–1173, 2015.
22) Bernhardt, J., et al.: Efficacy and safety of very early mobilisation within 24 h of stroke onset (AVERT): A randomised controlled trial. *Lancet*, 386(9988):46–55, 2015.
23) 宮城知也ほか：頭部外傷の急性期治療. リハビリテーション医学, 50(7):557–569, 2013.
24) 桂 研一郎ほか：虚血性神経細胞死の分子機構と脳保護療法—新規脳保護薬への期待. 脳循環代謝, 18(2):73–77, 2006.
25) Bounds, J.V., et al.: Mechanisms and timing of deaths from cerebral infarction. *Stroke*, 12(4):474–477, 1981.
26) Vo, H.K., et al.: High In-Hospital Mortality Incidence Rate and Its Predictors in Patients with Intracranial Hemorrhage Undergoing Endotracheal Intubation. *Neurol. Int.*, 13(4):671–681, 2021.
27) Oliveros-Juste, A., et al.: Preventive prophylactic treatment in posttraumatic epilepsy. *Rev. Neurol.*, 34(5):448–459, 2002.
28) Sutter, R., et al.: Continuous electroencephalographic monitoring in critically ill patients: Indications, limitations, and strategies. *Crit. Care Med.*, 41(4):1124–1132, 2013.
29) Freund, B., et al.: Seizure incidence in the acute postneurosurgical period diagnosed using continuous electroencephalography. *J. Neurosurg.*, 130(4):1203–1209, 2019.
30) Hodgson, C.L., et al.: Expert consensus and recommendations on safety criteria for active mobilization of mechanically ventilated critically ill adults. *Crit. Care*, 18(6):658, 2014.
31) 橋爪圭司ほか：低髄液圧性頭痛(脳脊髄液減少症)について—硬膜穿刺後頭痛, 特発性および外傷性脳脊髄液減少症. 日臨麻会誌, 31(1):141–149, 2011.
32) Eljamel, M.S., et al.: Post-traumatic CSF fistulae, the case for surgical repair. *Br. J. Neurosurg.*, 4(6):479–483, 1990.
33) Scholsem, M., et al.: Surgical management of anterior cranial base fractures with cerebrospinal fluid

fistulae: A single-institution experience. *Neurosurgery*, 62(2):463–469; discussion 469–471, 2008.
34) Moruzzi, G., et al.: Brain stem reticular formation and activation of the EEG. *Electroencephalogr. Clin. Neurophysiol.*, 1(4):455–473, 1949.
35) 高草木 薫：脳の可塑性と理学療法. 理学療法学, 37(8): 575–582, 2010.
36) Fuller, P.M., et al.: Reassessment of the structural basis of the ascending arousal system. *J. Comp. Neurol.*, 519(5):933–956, 2011.
37) Brocklehurst, J.C., et al.: Incidence and correlates of incontinence in stroke patients. *J. Am. Geriatr. Soc.*, 33(8):540–542, 1985.
38) Langhorne, P., et al.: Medical complications after stroke: A multicenter study. *Stroke*, 31(6):1223–1229, 2000.
39) Kelly, J., et al.: Venous thromboembolism after acute stroke. *Stroke*, 32(1):262–267, 2001.
40) Kasuya, Y., et al.: Ventilator-associated pneumonia in critically ill stroke patients: Frequency, risk factors, and outcomes. *J. Crit. Care*, 26(3):273–279, 2011.
41) Langhorne, P., et al.: Early supported discharge services for stroke patients: A meta-analysis of individual patients' data. *Lancet*, 365(9458):501–506, 2005.
42) Frontera, J.A., et al.: Integrating Palliative Care Into the Care of Neurocritically Ill Patients: A Report From the Improving Palliative Care in the ICU Project Advisory Board and the Center to Advance Palliative Care. *Crit. Care Med.*, 43(9):1964–1977, 2015.
43) Finotti, P., et al.: Factors Influencing Functional Recovery during Rehabilitation after Severe Acquired Brain Injuries: A Retrospective Analysis. *Trauma Care*, 1(3):173–182, 2021.
44) Kowalski, R.G., et al.: Recovery of Consciousness and Functional Outcome in Moderate and Severe Traumatic Brain Injury. *JAMA Neurol.*, 78(5):548–557, 2021.

（岩田健太郎）

IV

脊髄損傷の障害と理学療法

第1章

脊髄損傷の病態

学習目標

- 脊髄の構造と機能を理解する.
- 脊髄損傷の病態と症状を理解する.
- 評価と理学療法の実際について理解する.

脊髄損傷は，中枢神経系の一部である脊髄の損傷に伴い，運動麻痺や感覚麻痺，自律神経障害を主症状とする疾患である．脊髄損傷後には，これらの障害に加えさまざまな合併症が生じ，日常生活の制限や社会参加の制約，生活の質(QOL)を低下させる．本章では脊髄損傷の症状を理解するため，脊髄の構造と機能，病態と合併症・随伴症状を中心に述べる．

A 中枢神経系における脊髄の構造と機能

1 脊髄の構造

a 外観

脊髄は，中枢神経系の一部であり，脊柱管のなかにある部分を指す．脊髄の頭側では延髄に移行し，尾側は脊髄円錐と呼ばれる部位になる．脊髄円錐の高さは，成人であれば第1腰椎下縁の高さに相当する(▶図1).

脊髄は，脊髄高位(分節)に対応して頸髄，胸髄，腰髄，仙髄，尾髄に区分され，頸髄は8分節，胸髄は12分節，腰髄は5分節，仙髄は5分節，尾髄は1分節ある(▶図1)．頸髄から出入りする脊髄神経は**頸神経**，胸髄からは**胸神経**，腰髄からは**腰神経**，仙髄から**仙骨神経**，尾髄からは**尾骨神経**と呼ぶ．これらの神経は，頸髄に頸膨大と腰髄に腰膨大と呼ばれる大きな膨らみを形成し，それぞれ上肢，下肢の神経が入出力されている．なお，脊髄と脊柱管の長さが異なるため，脊髄分節と脊椎の高位は一致しない．脊髄神経は対応する椎骨よりも高位から出ており，脊柱管内を下方に走行してから椎間孔を出る．脊髄円錐の近くでは，尾側にある神経が馬の尾に見えることから**馬尾**(馬尾神経)と呼ばれる．

b 横断面

脊髄の横断面では，中央部に縦走する脳室と連なる**中心管**があり，その周囲にH字型の**灰白質**，その外側を**白質**がとりまいている．脊髄の灰白質は細胞体と樹状突起で構成され，白質は有髄線維からなる．脊髄の灰白質の腹側は**前角**，背側を**後角**，それらの間を**側角**と呼び，前角は運動ニューロン，後角は感覚ニューロン，側角は自律神経系のニューロンが含まれる．脊髄の白質は，腹側部分を**前索**，側方を**側索**，背側を**後索**と呼ぶ(▶図2).

脊髄前角は運動ニューロンが集合しており，脊髄神経の運動線維(遠心性)とシナプスを形成している．後角では感覚ニューロンが集まっており，一次感覚線維(求心性)と二次感覚線維をシナプス接続している．側角は胸髄と腰髄にのみあり，こ

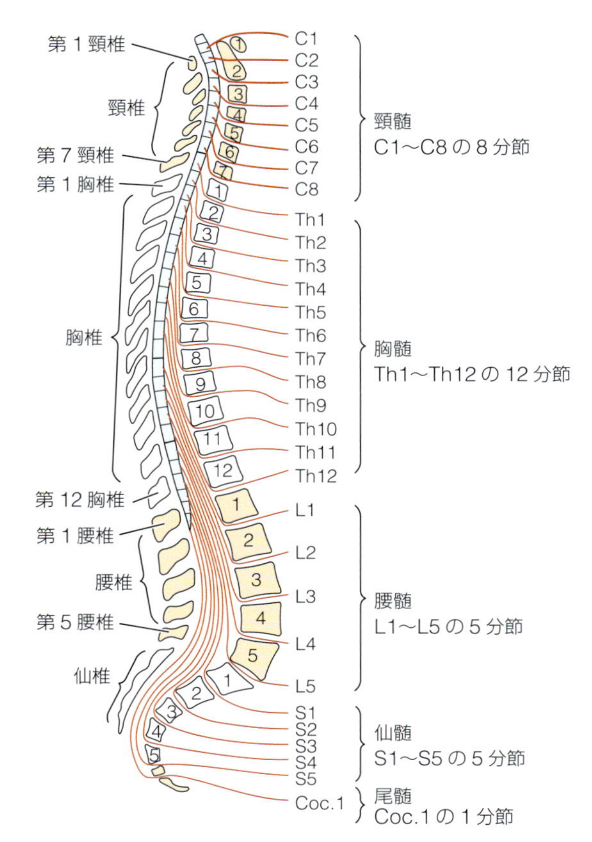

▶図 1　脊髄

C：cervical（頸部），Th：thoracic（胸部），L：lumber（腰部），S：sacral（仙骨），Coc：coccygeal（尾骨）

脊椎・脊髄の矢状面断を示す．脊髄は頸髄，胸髄，腰髄，仙髄，尾髄に分類される．脊椎と脊髄神経の高位は一致しない．

こには交感神経の神経細胞体が集合し，前根を通って全身へ分布していく．

脊髄の前索，側索，後索には，上位中枢に感覚を入力する上行性伝導路，上位中枢からの運動指令を伝える下行性伝導路，脊髄間の連絡をしている連合路がある．

C 脊髄を通過する伝導路

(1) 種類

前索には，上行性伝導路として前脊髄視床路，下行性伝導路として錐体路系は前皮質脊髄路，錐体外路系は視蓋脊髄路，前庭脊髄路，橋網様体脊髄路が通過する．

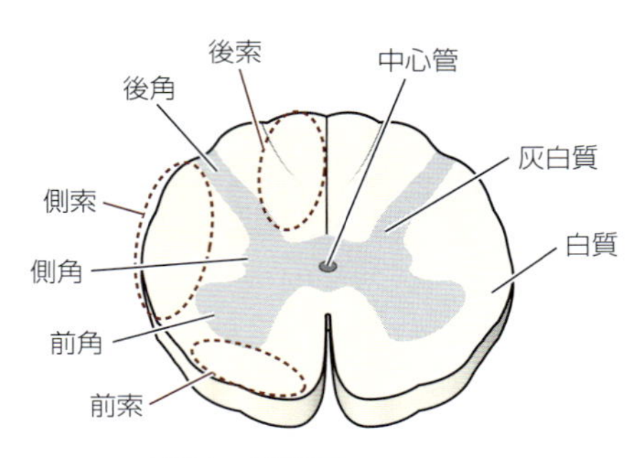

▶図 2　脊髄の横断面

側索は，上行性伝導路として外側脊髄視床路，前脊髄小脳路，後脊髄小脳路，下行性伝導路として錐体路系は外側皮質脊髄路，錐体外路系は赤核脊髄路，延髄網様体脊髄路がある．

後索には，上行性伝導路として後索–内側毛帯路（薄束，楔状束）があり，運動にかかわる下行性伝導路は通過しない（▶図 3A）．これらの伝導路は，上行性伝導路の外側脊髄視床路や後索–内側毛帯路，下行性伝導路の外側皮質脊髄路で体部位局在が認められる（▶図 3B）．

(2) 上行性伝導路の走行

上行性伝導路では，触覚や温度覚・痛覚，深部感覚が感覚器官を通して脊髄へ入力され，各伝導路が異なる走行で脳へと伝達する．

温度覚や痛覚を伝える外側脊髄視床路は，一次感覚神経が後根より入力され脊髄後角にて二次感覚神経とシナプス接続する．二次感覚神経は，反対側の側索を上行し，視床で三次感覚神経とシナプスを形成し，体性感覚野へと入力される（▶図 4A）．

粗大触覚に関係する前脊髄視床路は，一次感覚神経が脊髄後角で二次感覚神経とシナプス接続をもち，反対側の前索を上行して視床で三次感覚神経に伝達し体性感覚野へ至る．

深部感覚や精細触覚を伝える内側–後索毛帯路は，一次感覚神経が後根に入り同側の薄束，楔状束を上行する．続いて，延髄下部で二次感覚神経と接続があり，対側を上行して視床で三次感覚神経とシナプスを形成し，体性感覚野へ至る

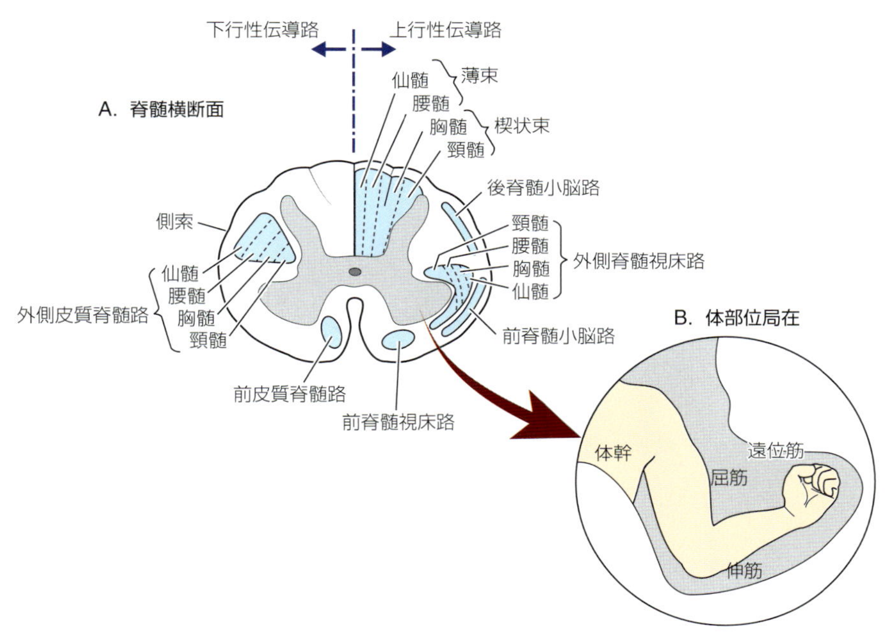

▶図 3　脊髄の伝導路

A：脊髄横断面の伝導路．左側に下行性伝導路，右側に上行性伝導路を示した．下行性伝導路，上行性伝導路ともに各髄節からの神経線維が通過する位置が決まっている．

B：脊髄前角の拡大図．中心部に近い位置から，体幹・屈筋・伸筋・遠位筋といった形で，体部位局在がある．

(▶図 4B)．このとき，薄束は下半身からの感覚入力，楔状束は上半身からの感覚入力が通過する．

(3)　下行性伝導路の走行

外側皮質脊髄路は，大脳の感覚運動領域から出力された運動指令が，延髄の錐体で反対側へ交錯したのち，側索を下行して脊髄前角で脊髄神経に接続される．延髄の錐体で交叉しなかった遠心性出力線維は前皮質脊髄路と呼ばれ，同側の前索を下行し，脊髄前角細胞へとシナプス接続する(▶図 4C)．

d 脊髄分節

脊髄には分節（髄節）があり，各分節が支配する四肢・体幹の感覚領域，筋がだいたい決まっている．皮膚の感覚は**皮膚分節**（デルマトーム）に対応しており，1 つの皮膚分節は 1 つの脊髄神経根からの感覚神経が支配する領域である(▶図 5)．

筋については**筋分節**（ミオトーム）があり，1 つの分節から支配される筋群が決まっているものの，皮膚分節ほど明確な区分にはなっていない(▶図 5)．

e 脊髄の血管

脊髄を栄養している血管には，脊髄の腹側を走行する**前脊髄動脈**と背側にある**後脊髄動脈**がある．脊髄の動脈灌流は，前・後脊髄動脈とその分枝である脊髄中心部と周辺の灌流にかかわっている中心動脈と周辺動脈がある．脊髄の腹側 2/3 は前脊髄動脈，背側 1/3 が後脊髄動脈の灌流域とされている．

2 脊髄の機能

脊髄の主な機能は，脳と末梢器官をつなぐ伝導路としての役割と，運動制御，反射中枢として作用することがあげられる．脊髄は，運動制御に重

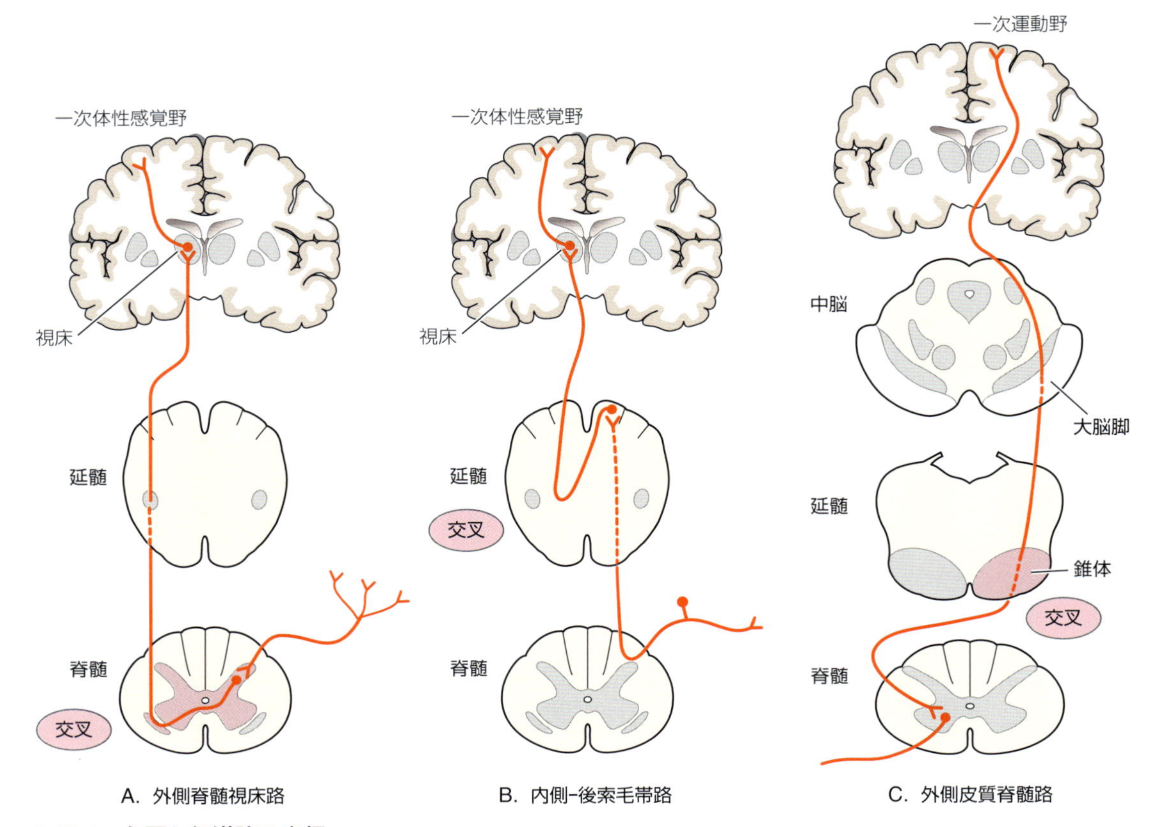

▶図 4　主要な伝導路の走行

A の温痛覚の求心路である外側脊髄視床路は，刺激側と同側の脊髄後角でシナプスを変え，対側の側索を上行し視床で三次感覚神経とシナプスを形成する．B の深部感覚の求心路である内側-後索毛帯路は，刺激側と同側の脊髄後索を上行し，延髄で対側へ交叉したのち，視床で三次感覚神経へ連絡される．C の運動の遠心路である外側皮質脊髄路は，運動側と対側の運動野から中脳を経由して，延髄の錐体で対側へ交叉し，側索を下行，脊髄前角で α 運動ニューロンと連絡している．

要な役割を担うとともに自律神経の制御にも大きく関係している．伝導路としての役割については，「脊髄を通過する伝導路」(➡ 398 ページ)に詳しく記載した．ここでは，脊髄による運動制御と脊髄反射を中心に自律神経の調節についても記載する．

a 運動制御にかかわる下位運動ニューロン

下位運動ニューロンは脊髄前角にあり，α 運動ニューロンと γ 運動ニューロンの 2 つがある．

α 運動ニューロンは支配する筋の収縮を引き起こす細胞であり，行動制御の最終共通経路として知られている．1 つの α 運動ニューロンとそれに支配される筋線維の集まりを**運動単位**といい，運動制御の構成単位である．運動時には適切な力を出すことが求められるが，筋収縮の調整は上位中枢からの指令により，α 運動ニューロンの発火頻度の変化や協同作用をもつ運動単位の動員数を増減させることで実現されている．また，α 運動ニューロンには，上位中枢からの入力のほかに，筋紡錘からの感覚である後根神経節からの入力と，脊髄内の介在ニューロンからの入力の 2 つがある．そのうち介在ニューロンからの入力が最も多く，協調的な運動に必要な神経回路網を形成している．

γ 運動ニューロンは筋紡錘内の特殊な形状をした錘内筋線維を制御しており，筋紡錘の外にある

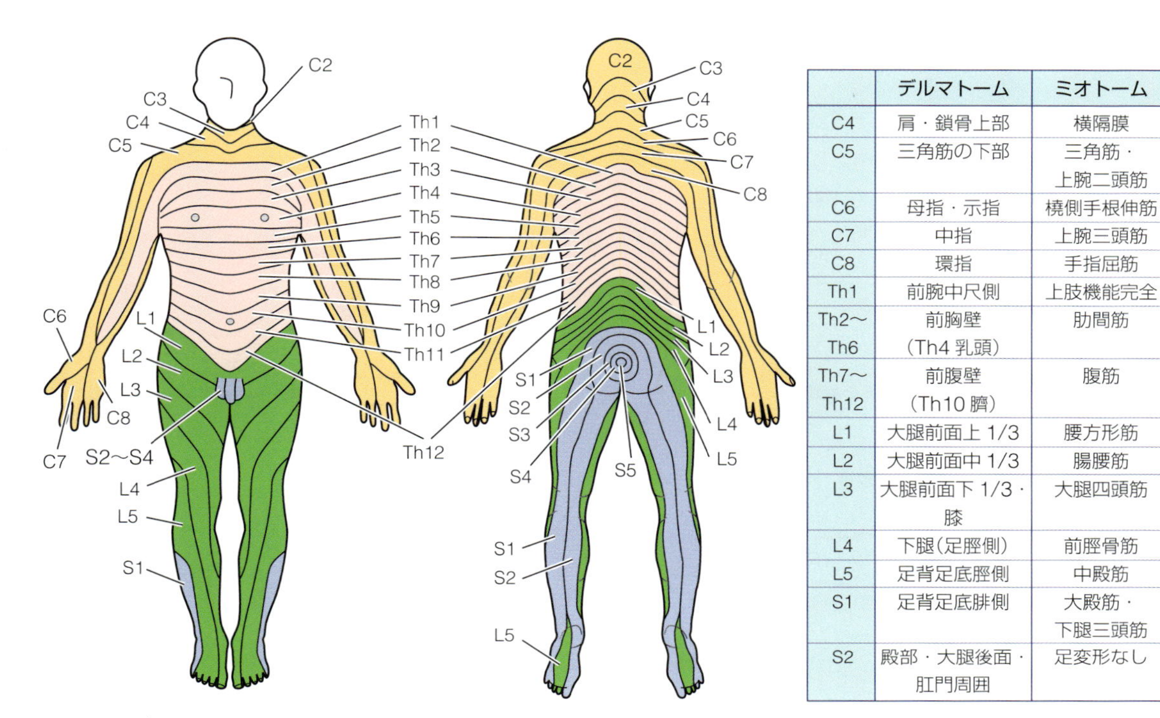

	デルマトーム	ミオトーム
C4	肩・鎖骨上部	横隔膜
C5	三角筋の下部	三角筋・上腕二頭筋
C6	母指・示指	橈側手根伸筋
C7	中指	上腕三頭筋
C8	環指	手指屈筋
Th1	前腕中尺側	上肢機能完全
Th2〜Th6	前胸壁（Th4 乳頭）	肋間筋
Th7〜Th12	前腹壁（Th10 臍）	腹筋
L1	大腿前面上 1/3	腰方形筋
L2	大腿前面中 1/3	腸腰筋
L3	大腿前面下 1/3・膝	大腿四頭筋
L4	下腿（足脛側）	前脛骨筋
L5	足背足底脛側	中殿筋
S1	足背足底腓側	大殿筋・下腿三頭筋
S2	殿部・大腿後面・肛門周囲	足変形なし

▶図 5　デルマトームとミオトーム
左側の図はデルマトームを示した．各髄節により支配される領域が決まっている．右側の表はデルマトーム・ミオトームの詳細を記載した．

錘外筋線維とは区別される．一方，錘外筋線維は α 運動ニューロンによって制御されている．運動時には，α・γ 運動ニューロンの両方が活動し，錘外筋の収縮に応じて錘内筋線維が収縮することでIa 群求心性線維の活性を維持する働きがある．こうした α 運動ニューロンと γ 運動ニューロンによる協調的な作用は **α–γ 連関**といわれ，脳からの指令を受けて作用している（▶図 6）．

b 脊髄反射

脊髄反射は脊髄を中枢とする反射のことであり，2 つに大別することができる．1 つは**体性反射**であり，一般的に脊髄反射として知られ，反射の効果器は骨格筋である．もう 1 つは**自律性反射**と呼ばれ，平滑筋や腺が反射の効果器であり，内臓機能の調整にかかわる．

脊髄反射は興奮性と抑制性の反射に大別することができる．興奮性の反射は単シナプスの神経回路で構成され，抑制性の反射は介在ニューロンを介する多シナプスの神経回路が特徴である．

■興奮性の反射

(1)　伸張反射

筋が伸張されると筋紡錘から求心性感覚神経を介して同髄節内の脊髄後角に入力され，脊髄前角の α 運動ニューロンを興奮させる．それに続いて，運動神経の神経活動が下行性に骨格筋へ伝わり，筋収縮を引き起こす．この反射は，反射弓に含まれるシナプス伝達の回数が 1 回であるため**単シナプス反射**とも呼ばれ，四肢と体幹では程度の差があるもののすべての骨格筋でみられる（▶図 7A）．

(2)　屈曲（逃避）反射

皮膚や筋，その他の深部組織に損傷するような刺激が加わると，その肢を屈曲する（引っ込めるような）反射と，反対側の四肢を伸展させる**交叉**

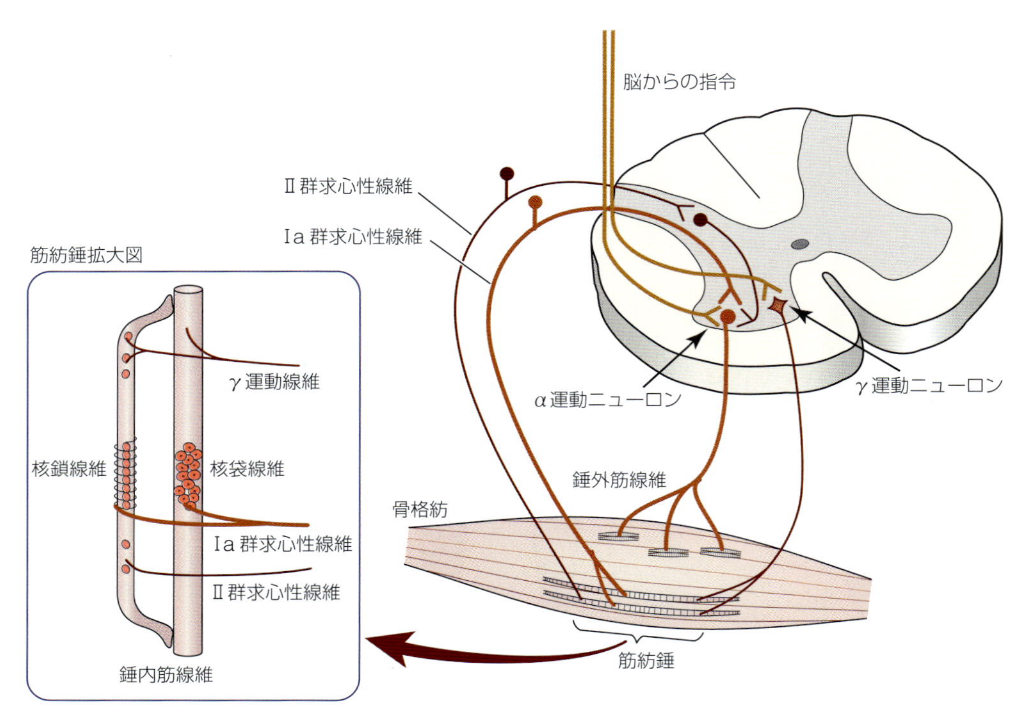

▶図 6　筋紡錘と α・γ 運動ニューロン
筋紡錘の構造と α 運動ニューロンおよび γ 運動ニューロン，神経線維の接続を示した．γ 運動ニューロンは α 運動ニューロンとともに活動し，筋収縮に伴い筋長が変化した場合でも筋紡錘の感度を一定に保つように調整している．錘内筋線維には，核袋線維と核鎖線維の 2 種類がある．

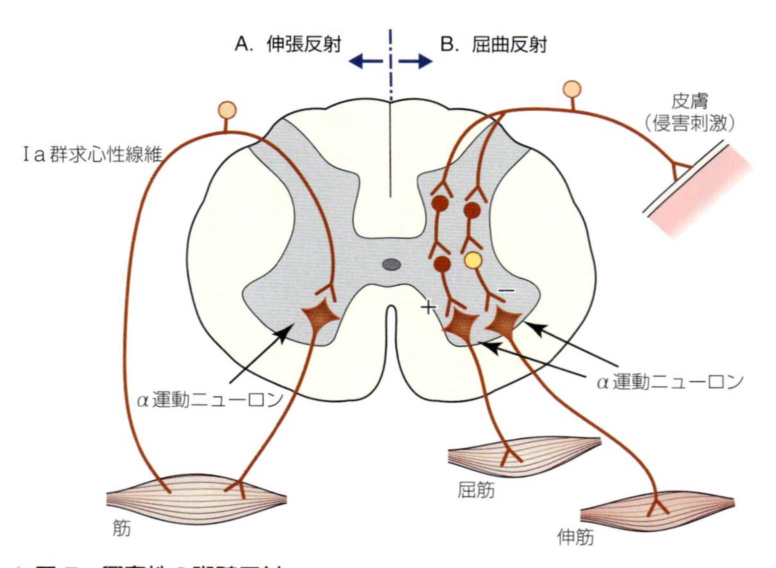

▶図 7　興奮性の脊髄反射
左側に伸張反射に示した．伸張反射は単シナプスで形成されており，筋の伸張刺激は，Ia 群求心性線維を介して脊髄後角から前角の α 運動ニューロンに至る(A)．右側は屈曲反射を示した．皮膚からの侵害刺激は脊髄後角から入力され，介在ニューロンを介して α 運動ニューロンへと接続される(B)．

性伸展反射が出現する．たとえば，皮膚に加えられた侵害刺激は，求心性感覚神経を介して脊髄後角に入力される．脊髄後角では，介在ニューロンを介して屈筋の運動ニューロンに伝えられ，屈筋の筋収縮が生じる．この屈曲反射は，反射が発生するのに 2 回以上のシナプス伝達が必要なため，**多シナプス反射**と呼ばれる（▶図 7B）．

■抑制性の反射

(1) 相反抑制

伸張反射と屈曲反射は興奮性の反射であったが，脊髄反射には抑制性の反射も存在する．この抑制性の反射の 1 つに**相反抑制**があり，関節を動かす主動筋と反対の動きに関与する拮抗筋の両者が抑制し合う反射回路である．主動筋の筋収縮に伴って，筋紡錘からのインパルスが Ia 群求心性線維を通じて脊髄後角に入力され，抑制性の介在ニューロンを介して拮抗筋の運動ニューロンの神経活動を抑制する（▶図 8A）．

(2) 反回抑制（Renshaw 抑制）

運動ニューロンが脊髄前角を走行している途中で分枝を出し，Renshaw（レンショウ）細胞と呼ばれる介在ニューロンとシナプスを形成する．Renshaw 細胞は，そのニューロンや付近にある運動ニューロンの神経活動を抑制し，自ら過度な運動ニューロンの興奮を抑制する（▶図 8B）．

(3) 自原性抑制（Ib 抑制）

腱にある Golgi（ゴルジ）腱器官（腱紡錘）が筋張力の発生に伴い興奮し，Ib 線維を経由し脊髄後角から入力され，介在ニューロンを介してその筋の運動ニューロンを抑制する（▶図 8C）．

(4) II 群求心性線維による抑制

筋紡錘の二次終末からの II 群線維は，屈筋の α 運動ニューロンを刺激し，介在ニューロンを介して伸筋の α 運動ニューロンを抑制する．機能としては，伸張反射および屈曲反射に関与する（▶図 8D）．

(5) シナプス前抑制

シナプス前抑制は，介在ニューロンを介して，求心性刺激に応答して運動ニューロンで生成される興奮性シナプス後電位の振幅が低下する現象である．シナプス前抑制にかかわる介在ニューロンは，脊髄上レベルの中枢により制御されており，重要でない求心性情報の自動的な抑制が行われている（▶図 8E）．

c 中枢パターン発生器（CPG）

脊髄は歩行をはじめとした周期的な運動を行う際の神経回路の一部を担っており，これらの神経回路網の総称を**中枢パターン発生器**（central pattern generator; CPG）と呼んでいる．歩行にかかわる CPG は，上位中枢と脊髄運動ニューロンの中間的な役割であり，歩行運動に必要な屈筋–伸筋間の周期的な運動出力を脊髄運動ニューロンに与える．

d 自律神経系

自律神経系は，呼吸・循環・消化・排尿・生殖などの基本的な人間の生命活動に不可欠な役割を果たしている．末梢性の自律神経の細胞体は，交感神経が胸腰髄の側角，副交感神経は仙髄にあり，支配器官へシナプス伝達を 1～2 回行い到達する．副交感神経については，仙髄以外に脳幹部にも細胞体がある．これらの自律神経の細胞体は，各支配器官から求心性ニューロンと接続をもっており，さまざまな自律機能の反射中枢をつくっている（▶図 9）．

自律神経系は二重神経支配であり，交感神経と副交感神経の作用が拮抗する形で調整が行われている．また，自律神経では，交感神経と副交感神経が持続的かつ自律的に活動しており，平衡する形で維持されている．そのため，どちらか片方の機能低下は他方の機能亢進と同じ作用をもたらす．たとえば，血圧調整であれば，交感神経機能が低下すると血圧を上昇させる作用が低下し，相対的に副交感神経の機能亢進状態となるため低血圧を引き起こす．

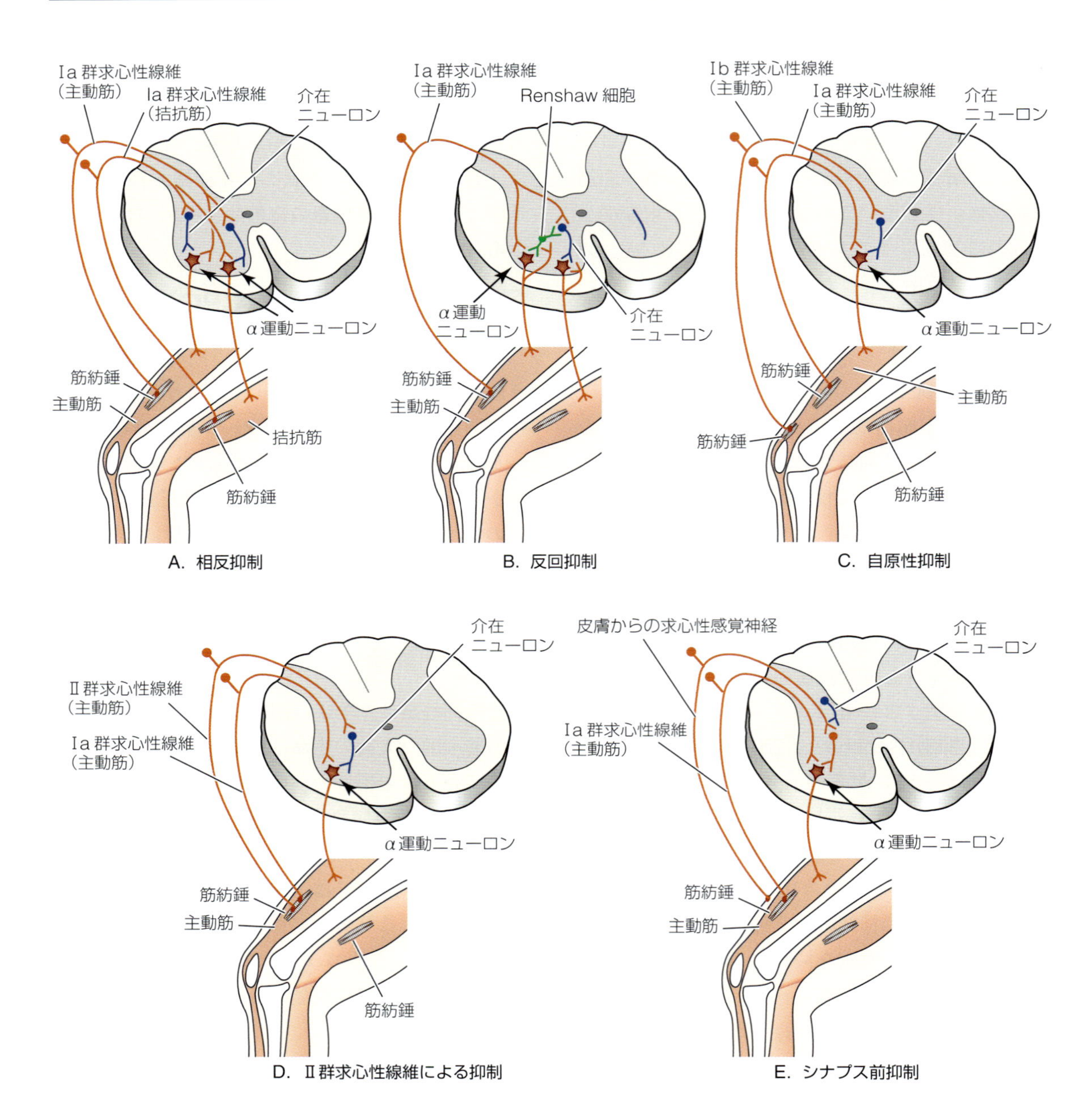

▶図 8　抑制性の脊髄反射

A：相反抑制．主動筋の伸張は拮抗筋の筋活動を減少させる．
B：反回抑制．Renshaw 細胞がかかわっており，主動筋の伸張刺激が α 運動ニューロンの活性を抑制する．
C：自原性抑制．腱紡錘への伸張刺激は，介在ニューロンを介して α 運動ニューロンの活動を低下させる．
D：Ⅱ群求心性線維による抑制．介在ニューロンを介して α 運動ニューロンの活動を抑制する．
E：シナプス前抑制．皮膚からの求心性感覚刺激が α 運動ニューロンへ伝達される前に抑制する．

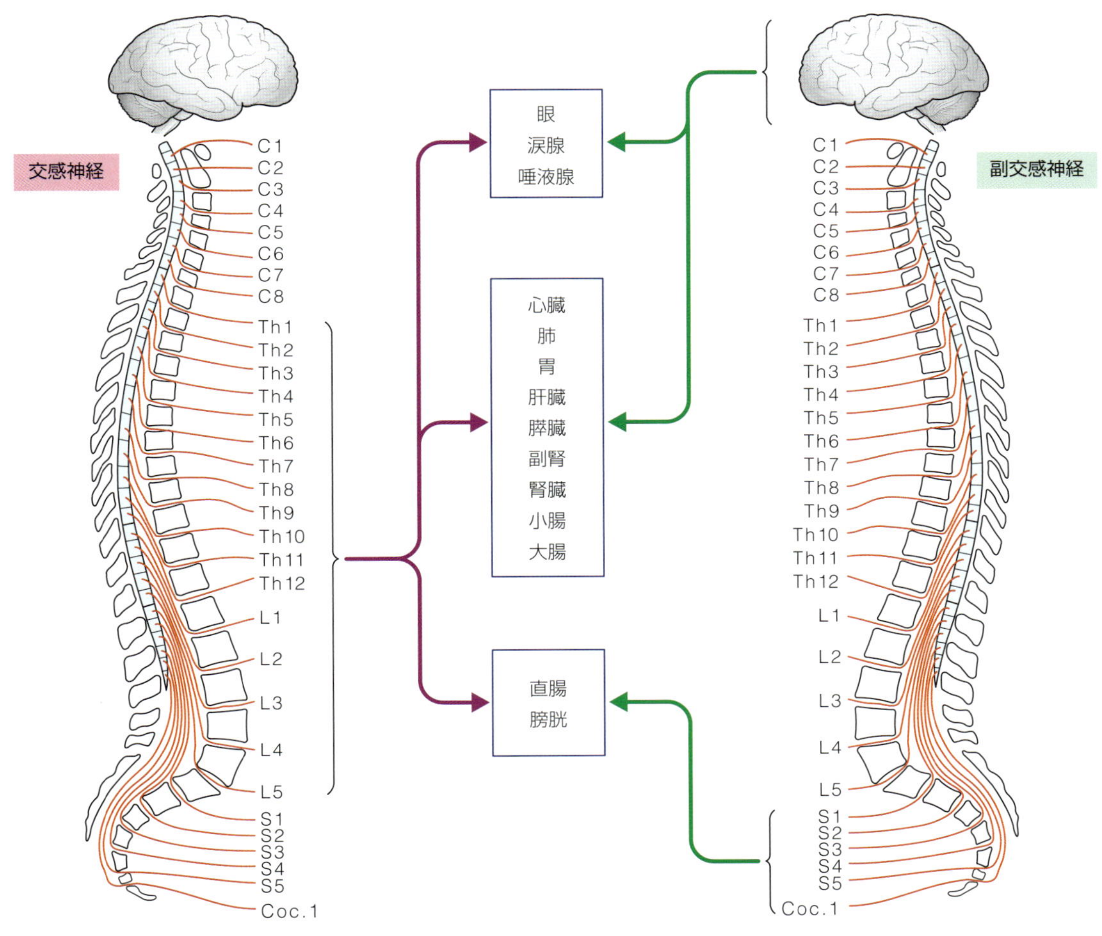

▶図 9　自律神経

交感神経の細胞体は胸髄にあり，副交感神経は脳幹と仙髄にある．各臓器は交感神経と副交感神経による二重支配を受け，調節されている．

B 疾患概要

1 疫学

a 脊髄損傷の原因

脊髄損傷を引き起こす原因は，主に外傷性によるものと炎症性疾患，神経変性疾患，腫瘍，脊椎疾患，その他の疾患に起因するものに区別することができる(▶表 1)．

b 発生原因と受傷時年齢の推移

脊髄損傷の日本国内での推定年間発生率は，100 万人あたり 49 人と報告されており[1)]，脳血管障害と比較するときわめて少ない．以前は受傷時年齢が 20 代と 50 代の二峰性であったのに対して，近年では高齢化社会に伴い 70 代の割合が高い．受傷原因としては外傷性が多く，これまでは交通事故による高エネルギー外傷の割合が多かったのに対して，転落や起立・歩行時の転倒による低エネルギーの外傷が増加してきている．年代と受傷原因の関係では，若年者で交通事故が多く，高齢者

▶表 1　脊髄損傷の原因

区分	種類
外傷性	開放創：切創，銃創，刺創 閉鎖創：骨折，脱臼，血腫
炎症性疾患	脊髄炎，梅毒，脊髄痨，膿瘍，ポリオ
神経変性疾患	筋萎縮性側索硬化症，Friedreich(フリードライヒ)病，多発性硬化症，悪性貧血，脊髄空洞症
腫瘍	脊髄内腫瘍，脊髄外腫瘍
脊椎疾患	変形性脊椎症，椎間板ヘルニア，脊椎カリエス，後縦靱帯骨化症，脊椎腫瘍，脊椎破裂
その他	癒着性くも膜炎，前脊髄動脈閉塞症，スモン，脊髄血管障害，癒着性脊髄膜炎，脊髄軟膜炎

では転倒・転落によるものの割合が高くなっている．

2 病態と症状

a 脊髄損傷の病態

(1) 一次損傷

脊髄損傷の多くは，外傷性エネルギーにより脊椎の骨折や脱臼が生じ，その際の機械的な外力が脊髄を損傷させる．この外力による損傷を一次損傷と呼び，衝撃と持続的な圧迫，衝撃と一時的な圧迫，脱臼，裂傷/切断といった 4 つの特徴的なメカニズムがかかわるとされている[2]．これらの一次損傷により脊髄が完全に切断されることは稀である．一般的に骨折や脱臼により，脊髄への衝撃とともに持続的な圧迫が加わることによる損傷が多い．衝撃と一時的な圧迫では，椎体間が引き離される形で過伸展が生じる際に発生する．裂傷/切断は，重度の脱臼や爆発による受傷，鋭い骨片の脱臼により発生する．

(2) 二次損傷

一次損傷に引き続き，数分以内に損傷脊髄周辺に進行性の損傷である二次損傷が始まる．二次損傷は，数週間から数か月の間続くことが知られている[3]．二次損傷は，損傷脊髄に対して脊髄組織を自己破壊し，損傷脊髄の神経学的回復を妨げる一連の細胞，分子，生化学的現象を指している(▶図 10)[2]．

二次損傷は，急性・亜急性・慢性の 3 つのフェーズに分けることができる．急性フェーズは，脊髄損傷の直後から始まり，血管損傷，イオンの不均衡，神経伝達物質の蓄積(興奮毒性)，フリーラジカル形成，カルシウム流入，過酸化脂質，炎症，浮腫と壊死性細胞死が生じる．それに引き続き，亜急性フェーズでは，アポトーシスや残存軸索の脱髄，Waller(ワーラー)変性，軸索の退縮，基質のリモデリング，グリア瘢痕形成が拡大する．慢性フェーズにおいては，囊胞性の空洞化，軸索退縮の進行，グリア瘢痕形成が成熟する．

(3) 脊髄損傷後の可塑的変化

脊髄損傷後は，損傷脊髄周辺での異常な神経活動が生じる．脊髄損傷により求進路が遮断された状態は，上位中枢へも影響を及ぼし，視床の異常活動を引き起こすことが報告されている[4]．さらに，視床の異常活動とともに，一次体性感覚野の麻痺部位の体部位再現領域が縮小することが明らかにされている[5]．こうした，脊髄上レベルでの可塑的変化は，神経障害性疼痛の強度とも関連する．また，運動機能と皮質の体部位再現との関連においては，集中的なトレーニングと感覚刺激によって活動依存的に再拡大することが報告されている[6]．

b 症状

脊髄損傷は，損傷した髄節レベル以下の運動，感覚の麻痺と自律神経障害が生じ，損傷高位(損傷脊髄の髄節)や損傷の完全性(損傷される程度)によって呼び方や症状が異なる．脊髄損傷の病態を把握するためには，この損傷高位と損傷の完全性の両者を考慮する必要がある．損傷高位は出現する症状の種類を決定し，損傷の完全性は症状の程度に影響する．加えて，合併症や随伴症状においても同様に，損傷高位と損傷の完全性は出現する症状と程度に影響する．脊髄損傷は，損傷脊髄の上位と下位の連絡が分断される状態であり，損

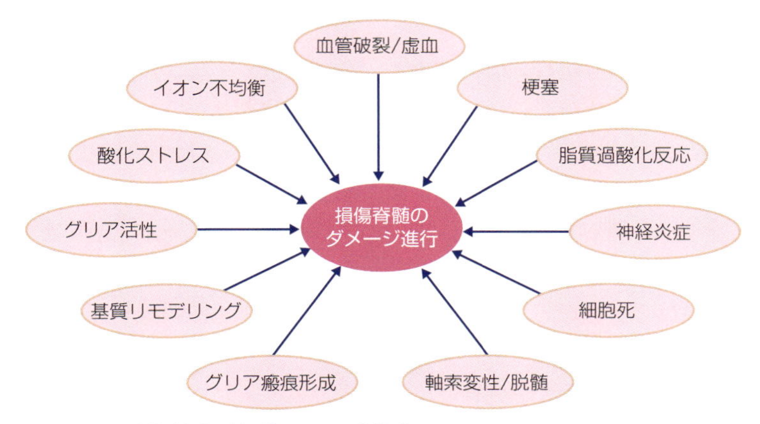

▶図 10　外傷性脊髄損傷での二次損傷
〔Alizadeh, A., et al.: Traumatic Spinal Cord Injury: An Overview of Pathophysiology, Models and Acute Injury Mechanisms. *Front. Neurol.*, 10:282, 2019 より〕

傷脊髄より下位の脊髄が死滅するわけでない．そのため，損傷脊髄より下位では，上位中枢からの制御が失われた状態で神経回路が残存することになる．

また，脊髄損傷後には身体イメージの変容がみられることがあり，切断者で観察されるような幻肢が出現する場合がある[7]．

(1)　運動麻痺

筋の神経支配はミオトームに従っており，脊髄の損傷高位に応じて，残存筋と麻痺筋とを区別することができる．多くの筋は，複数の髄節にまたがって支配されているため，筋力評価により実質的な残存機能を判別する必要がある．

(2)　感覚麻痺

皮膚の神経支配は，デルマトームに応じて残存領域と麻痺領域を判別することができる．触覚(粗大触覚)と痛覚，深部感覚(精細触圧覚)は上行性の神経経路が異なるため，個別の評価が必要である．特に不完全損傷では脊髄が部分的に障害されるため，損傷部位と伝導路の走行を対応させて評価を行うことが重要である．

(3)　自律神経障害

自律神経障害については，第 5・6 胸髄にある交感神経の中枢より上位の損傷か，下位の損傷かによって異なる．加えて，副交感神経の細胞体が存在している仙髄領域の損傷によっても，膀胱・直腸障害の出現のしかたが変わってくる．また，第 5・6 胸髄より上位であれば，交感神経の機能不全が生じ，自律神経過反射と呼ばれる症状が出現する．自律神経障害は，合併症や随伴症状と関係することが多い．

C 合併症と随伴症状

合併症・随伴症状は，動作獲得の阻害因子や QOL を低下させる要因となるため，十分に理解し，他職種とともに対策を講じる必要がある．運動機能に関連が深いものでは痙縮があり，ほかにも脊髄ショック，呼吸器，泌尿器，消化器，循環器，体温調整，骨・関節，皮膚，疼痛，自律神経過反射，心理，脊髄空洞症，身体イメージの変容というように多岐にわたる．

(1)　痙縮

痙縮は中枢神経損傷により生じ，脊髄反射の制御を喪失した状態である．通常は，脊髄反射の興奮と抑制のバランスが保たれることにより，筋収縮が調整されている．痙縮は，筋紡錘からの入力に対する脊髄の神経回路での異常な処理が原因であり，α 運動ニューロンの過興奮，屈曲反射の増強，筋紡錘運動の増加，脊髄内抑制機序（シナプス前抑制，相反抑制，反回抑制，自原性抑制）の喪失が関与すると考えられている．痙縮の特徴は伸張反射の亢進であり，主に筋の伸張速度に依存し，筋の長さにも反応している．損傷した脊髄の部位や程度により神経回路への影響が異なるため，単一の機序によって痙縮が引き起こされているわけではない．また，脊髄には可塑性があるため，痙縮にかかわる神経回路の活動が時間とともに変化する可能性がある．加えて，筋実質の粘弾性低下は，受動的な伸張に対する抵抗性を強化し，筋紡錘の感受性を高めることが指摘されている．痙縮に対しては，痙縮を引き起こす刺激の種類や状況をふまえつつ，個々の状態に応じた対処を検討する必要がある．

(2) 脊髄ショック

脊髄損傷後の急性期には，**脊髄ショック**と呼ばれる脊髄反射の一過性消失，損傷高位以下の弛緩性麻痺，徐脈，血圧低下，低体温，尿閉，便失禁を示す現象が生じる．脊髄ショックが消失するまでに数日から数か月かかるとされており，脊髄ショックの消失とともに麻痺域では痙縮が出現する．

(3) 呼吸器

脊髄損傷の高位によって呼吸器への影響は大きく異なる．高位の頸髄損傷（第3頸髄より上位損傷）であれば，**横隔膜麻痺**のため恒常的に人工呼吸器を必要とする場合がある．頸髄損傷，上位の胸髄損傷では，肋間筋や腹筋の運動麻痺のため呼吸機能低下が引き起こされる．急性期では，交感神経が遮断されて副交感神経優位となるため，気道内分泌物の増加，呼吸筋の機能低下による咳嗽反射・喀痰呼出能が低下し，**肺炎**を引き起こしやすくなるので注意が必要である．

(4) 泌尿器

排尿機能は，仙髄にある副交感神経の中枢より上位・下位によって症状が異なる．上位の損傷では，脊髄−膀胱間の排尿反射の反射回路は維持されている状態となり，膀胱が意思とは関係なく反射的収縮により排尿がみられる**自動膀胱**（反射性膀胱）となる．一方，下位の損傷では，排尿反射の神経回路が損傷されるため，膀胱内に尿が蓄積する**自律膀胱**（非反射性膀胱）となる．膀胱に尿が貯留した状態では，腎障害を引き起こす可能性があり，尿道カテーテルを使った導尿が行われる．脊髄損傷者では尿路感染症や尿路結石症もたびたびみられ，排尿法の確立と管理は重要である．

また，性機能についても胸髄と仙髄に中枢があり，脳からの支配を受け調整されている．脊髄損傷者においては男性であれば勃起・射精障害が生じ，女性では妊娠・出産の問題が生じる．

(5) 消化器

排便中枢は，排尿中枢と同様に仙髄領域にある．排尿と比べ，胃結腸反射や肛門刺激，腹部マッサージにより排便をコントロールしやすく，重篤な症状を示すことは少ない．しかし，慢性期では麻痺による胃腸活動の低下から，**腸閉塞**を引き起こすことがある．

(6) 循環器

頸髄損傷，上位胸髄損傷者は交感神経の中枢より上位での損傷となるため，**起立性低血圧**が生じる．起立性低血圧は，座位保持や立位・歩行能力獲得に影響するため，臥床期間を極力短くし，腹帯や加圧ソックスを併用しながら早期に離床を進める必要がある．また，麻痺域の血管収縮の消失は，血流や筋ポンプ作用を低下させ深部静脈血栓を形成し，肺塞栓のリスクが高くなるため注意が必要である．

(7) 体温調節障害

脊髄損傷者では，麻痺域の発汗機能が消失，低下するため，産熱と放熱のバランスが崩れる．特に夏季には**うつ熱**を生じるため，冷房を使用することや頸部，腋窩，鼠径部を冷却する対応が必要である．

(8) 骨・関節

脊髄損傷者の麻痺領域では，**骨萎縮**により骨が脆弱となる．そのため，理学療法実施中や移乗時，軽微な外傷でも骨折に至る場合がある．

また，**異所性骨化**という麻痺域の筋組織内に石灰化が生じ，関節可動域制限を引き起こす合併症がある．異所性骨化は，骨盤・股・膝・肩・肘関節が好発部位であり，受傷より 2 か月前後～1 年の間に発生することが多い．発生してしまうと進行を止めることが困難なため，予防することが重要である．予防には，愛護的に関節運動を行い，筋組織に強いストレスが加わることを避けるようにする．

(9) 皮膚(褥瘡)

脊髄損傷後の麻痺域は，長時間の圧迫や皮膚のズレにより**褥瘡**がたびたび生じる．褥瘡は骨の突出部に発生しやすく，予防することがきわめて重要である．褥瘡は一度発生すると繰り返してしまい，脊髄損傷者の生活動作を制限するために対処が必要である．

(10) 疼痛

脊髄損傷後には高い割合でなんらかの**疼痛**が生じる．脊髄損傷後の疼痛は，筋骨格痛，内臓痛，神経障害性疼痛に分けられる．筋骨格や内臓に生じる疼痛は，原因を特定できれば対処可能であるが，神経障害性疼痛は鎮痛薬による効果も十分でなく難治性である．神経障害性疼痛は，損傷脊髄周辺と損傷脊髄以下の領域に出現するものに分類でき，脊髄の過興奮や視床の異常活動，視床–大脳皮質間の神経回路の機能異常，大脳皮質の可塑的変化が関与することが指摘されている．また，幻肢痛の出現や，痙縮に伴って筋に疼痛が発生することもあるため，他の症状との関連も考慮しておく必要がある．

(11) 自律神経過反射

自律神経過反射は，第 5・6 胸髄より上位の損傷で生じる自律神経障害であり，急激な血圧の上昇や徐脈，頭痛，顔面紅潮がみられる．高血圧発作により脳出血をきたすおそれがあるため，早急に対処が必要である．自律神経過反射時は頭位を高くし，膀胱カテーテルの詰まりや尿路感染，便秘，褥瘡や皮膚損傷の有無を確認し，ただちに原因を除去しなければならない．

(12) 心理

受傷後に**抑うつ**や**不安**といった負の気分状態が生じることが知られている[8]．特に受傷後間もない時期は，身体障害へのショック，将来への不安などにより心理的問題が生じやすい．心理的に不安定な状態は理学療法実施や効果にも影響するため，他職種とともに心理面への対応が求められる．

(13) 脊髄空洞症

損傷した脊髄に脳脊髄液が貯留し，神経障害が出現する．脊髄損傷後に新たな誘因のない疼痛，歩行運動失調，感覚障害・異常，運動麻痺，痙縮の増強を発見した場合には，医師による診察を検討すべきである．

(14) 身体イメージと運動イメージ

脊髄損傷に伴う運動麻痺や感覚麻痺は，**身体イメージの変容**や**運動イメージの低下**を引き起こす．身体イメージの変容は，幻肢痛や神経障害性疼痛，心理的ストレスと関連しており，通常では理学療法などリハビリテーション医学によって修正されていく．運動との関連では，非麻痺域を動力源とした動作(運動)を通じ，麻痺した身体部位を自己の身体として実感できるように変化していく．

運動イメージについては，下肢の運動イメージ中に下肢運動にかかわる領域の脳活動が認められたことから運動イメージが保たれている[9]とされる一方で，不完全損傷者では運動イメージの鮮明度が低下することが報告されている[10]．運動イメージを用いたトレーニングは，麻痺肢の運動機能向上や神経障害性疼痛に対して試みられているが，有効性については明確になっていない．

d 損傷高位別にみた症状

脊髄損傷は損傷した脊髄高位に対応して呼び方が異なり，頸髄であれば頸髄損傷，胸髄・腰髄であればそれぞれ胸髄損傷・腰髄損傷と表現する．損傷高位は，脊髄損傷後の運動麻痺，感覚麻痺，自律神経障害および合併症・随伴症状の種類や範囲が決まるため重要である．

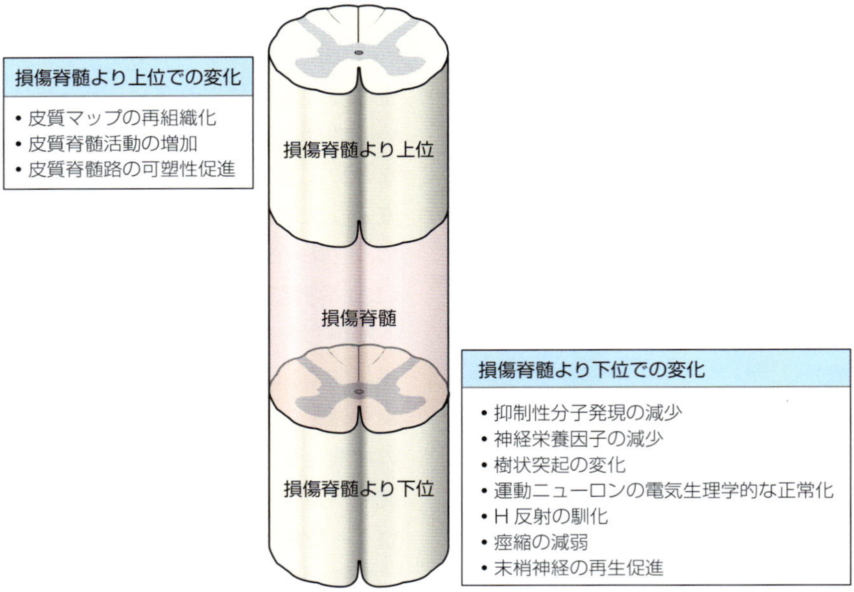

▶図 11　活動依存的な可塑性の影響
活動に依存して生じる変化を損傷脊髄より上位と下位に分けて示した．
〔Lynskey, J.V., et al.: Activity-dependent plasticity in spinal cord injury. *J. Rehabil. Res. Dev.*, 45(2):229–240, 2008 より改変〕

e 損傷の完全性からみた症状

損傷の完全性による区別では，完全損傷と不完全損傷に分けられる．

完全損傷とは，損傷髄節以下の身体機能の自己制御が失われた状態を指し，不完全損傷では損傷髄節以下の自己制御が部分的に残存している状態である．医学的な完全損傷と不完全損傷の正確な判別は難しく，脊髄損傷の神経学的分類のための国際基準(International Standards for Neurological Classification of Spinal Cord Injury; ISNCSCI)[11] を指標とした判別を行うのが一般的である．ISNCSCI では，仙髄領域である肛門の収縮と感覚の有無によって完全損傷と不完全損傷の判別を行う．

不完全損傷は，完全損傷に近い重症のものから軽症のものまであり非常に幅広い．しかし，不完全損傷の程度によって出現する症状に一貫性があるわけではなく，個々の症状と程度を把握することが重要である．特に自律神経障害については，軽症とはいえ症状がまったくないわけではない点に留意すべきである．

C 脊髄損傷後の運動機能回復のメカニズム

脊髄の不完全損傷では，損傷後に大幅な機能回復を示す症例もいる．この回復の程度は，損傷レベルや程度，理学療法の介入，外科的治療，ケアなどによっても異なる．理学療法においては，集中的な運動によって，脊髄損傷からの回復を促進できることが提案されている．この回復のメカニズムについては不明な点も多いが，活動依存的に回復を促進できることが示されている(▶図 11)[12]．活動依存的な運動介入は，損傷脊髄より上位と下位にそれぞれ影響を及ぼすことが考えられる．現在，理学療法で行われている手段として受動運動，自動運動に分けて記載する．

1 受動運動

受動運動は，受傷後早期から適応できる利点がある．脊髄損傷後には，損傷髄節以下で上位中枢からの制御が失われた状態となり痙縮が出現するが，損傷髄節以下での反復運動は脊髄反射を正常化する働きがあることが提案されている．主に反復運動では，自動の自転車エルゴメータによって行われる．しかし，反復運動による脊髄反射への効果は一時的なものであり，効果を維持させるためには継続的に実施する必要がある．

2 自動運動

自動運動は，歩行をはじめとする動作獲得には重要な運動である．不完全損傷では，集中的な運動により皮質の体部位再現の可塑的変化を引き起こすことが可能である．動物での研究では，運動により神経成長の阻害因子を減少させ，神経栄養因子を増加させることが明らかにされている．ヒトに対しては免荷式トレッドミルによる歩行や自転車エルゴメータが用いられ，皮質脊髄路の改善を促進する．

●引用文献

1) Miyakoshi, N., et al.: A nationwide survey on the incidence and characteristics of traumatic spinal-cord injury in Japan in 2018. *Spinal Cord*, 59(6): 626–634, 2021.
2) Alizadeh, A., et al.: Traumatic Spinal Cord Injury: An Overview of Pathophysiology, Models and Acute Injury Mechanisms. *Front. Neurol.*, 10:282, 2019.
3) Oyinbo, C.A.: Secondary injury mechanisms in traumatic spinal cord injury: A nugget of this multiply cascade. *Acta. Neurobiol. Exp. (Wars.)*, 71(2):281–299, 2011.
4) Lenz, F.A., et al.: Characteristics of the bursting pattern of action potentials that occurs in the thalamus of patients with central pain. *Brain Res.*, 496(1-2):357–360, 1989.
5) Wrigley, P.J., et al.: Neuropathic pain and primary somatosensory cortex reorganization following spinal cord injury. *Pain*, 141(1-2):52–59, 2009.
6) Hoffman, L.R., et al.: Cortical reorganization following bimanual training and somatosensory stimulation in cervical spinal cord injury: A case report. *Phys. Ther.*, 87(2):208–223, 2007.
7) Conomy, J.P.: Disorders of body image after spinal cord injury. *Neurology*, 23(8):842–850, 1973.
8) Kennedy, P., et al.: Anxiety and depression after spinal cord injury: A longitudinal analysis. *Arch. Phys. Med. Rehabil.*, 81(7):932–937, 2000.
9) Alkadhi, H., et al.: What disconnection tells about motor imagery: Evidence from paraplegic patients. *Cereb. Cortex*, 15(2):131–140, 2005.
10) 佐藤剛介ほか：脊髄損傷者の下肢運動イメージ能力．神経心理学, 30(2):158–168, 2014.
11) Kirshblum, S.C., et al.: International standards for neurological classification of spinal cord injury (revised 2011). *J. Spinal Cord Med.*, 34(6):535–546, 2011.
12) Lynskey, J.V., et al.: Activity-dependent plasticity in spinal cord injury. *J. Rehabil. Res. Dev.*, 45(2): 229–240, 2008.

（佐藤剛介）

第2章

不全損傷の理学療法

学習目標
- 不全損傷者の評価から理学療法までの流れを理解する．
- 不全損傷者の機能および動作能力評価，予後について理解する．
- 不全損傷者の理学療法について理解する．

A 評価から理学療法までの流れ

脊髄損傷の理学療法においては，残存機能評価をもとに高位診断と重症度を判定し，既存の予後予測から機能および動作能力の予後を推定する．その後，現状の動作能力を評価し，長期ゴールおよび短期ゴールを設定し，理学療法プログラムの立案を行う．理学療法開始後は2週間ごとに機能や動作能力を評価し，再度ゴール設定を行い，新たな理学療法プログラムを立案する(▶図1)．

B 不全損傷者の機能および動作能力評価，予後

1 残存機能評価

a 運動・感覚機能

脊髄損傷の神経学的分類のための国際基準(International Standards for Neurological Classification of Spinal Cord Injury; ISNCSCI)の評価を実施し〔詳細は，第3章「完全損傷の理学療法」(➡421ページ)を参照〕，評価結果から高位診断(神経学的高位)，完全損傷または不全損傷であるかを判別する．ISNCSCIとは別に深部感覚検査も実施する．

b 筋緊張

脊髄損傷全体の65%で合併する[1]と報告されている痙縮については，Modified Ashworth(アシュワース) Scale(MAS)やModified Tardieu(ターデュー) Scale(MTS)などを用いて評価する．可能であれば神経伝導検査を実施し，H波などから脊髄の興奮性も評価する．一方で，動作時に努力性が強くなると，拮抗筋である反応しやすい痙縮筋の過活動により，主動作筋である重度麻痺筋の本来の力が打ち消されてしまう場合があるため，安静時と運動時を比較して評価することも

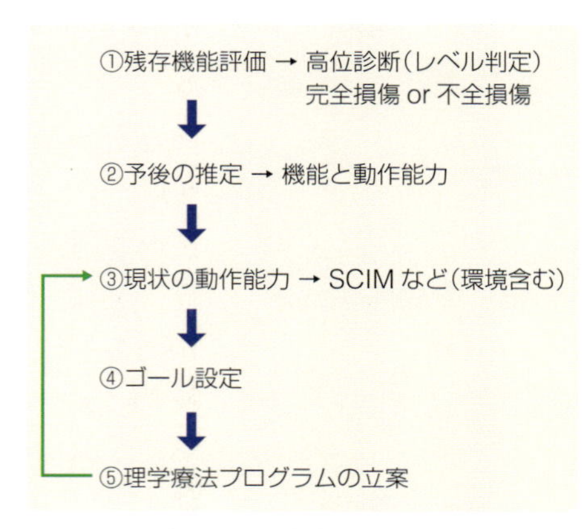

▶図1 評価から理学療法までの流れ

重要である．

c 関節可動域

筋の短縮は痙縮発現の誘因ともなるため，四肢の関節はもとより，体幹の屈伸と回旋，下肢伸展挙上(straight leg raising; SLR)の評価も忘れずに行う．可動域制限によって動作の効率が低下し，必要以上のエネルギー(力)が必要となる場合がある．

d 疼痛

安静時と運動時について評価を実施する〔詳細は，第 1 章「脊髄損傷の病態」(➡ 397 ページ)を参照〕.

2 予後の推定

a 機能予後

受傷後 72 時間あるいは受傷後 30 日の ASIA Impairment Scale(AIS)から受傷後 1 年の AIS における回復予測からすると，72 時間時点で AIS B(感覚不全損傷)であった者は，29% が C，31% が D へと改善し，受傷後 30 日時点においても 21% が C，26% が D へと改善する．また，72 時間時点で AIS C(運動不全損傷)であった者は，67% が D へと改善し，受傷後 30 日時点においても 54% が D へと改善する．一方，AIS D(運動不全損傷)であった者は，受傷後 72 時間あるいは受傷後 30 日においても約 90% が D のままであった(▶表 1)[2,3]．

▶表 1　ASIA Impairment Scale(AIS)による予後予測

AIS grade at admission	A	B	C	D
受傷後 72 時間時点での AIS グレード	受傷 1 年時点での AIS グレード			
A	84%	8%	5%	3%
B	10%	30%	29%	31%
C	2%	2%	25%	67%
D	2%	1%	2%	85%
受傷後 30 日時点での AIS グレード	受傷 1 年時点での AIS グレード			
A	95%	0	2.5%	2.5%
B	0	53%	21%	26%
C	1%	0	45%	54%
D	2%	0	0	96%

〔Burns, A.S., et al.: Clinical diagnosis and prognosis following spinal cord injury. *Handb. Clin. Neurol.*, 109:47–62, 2012 : Scivoletto, G., et al.: Neurologic recovery of spinal cord injury patients in Italy. *Arch. Phys. Med. Rehabil.*, 85(3):485–489, 2004 より〕

一方，わが国の調査においては，受傷後 72 時間以内において AIS A と分類された患者 203 例中 35 例(17%)が AIS A からの回復を示し，35 例中 34 例(97%)が受傷後 8 週間以内に回復を示した[4]．また，受傷後 72 時間と 6 か月時点での経時的変化について検討した結果，AIS A 21 例中 2 例(1%)，AIS B 44 例中 16 例(36%)，AIS C 145 例中 115 例(79%)で AIS D への回復がみられた．AIS A と B の 1 段階以上の回復例のうち，A 群 81%，B 群 64% が受傷後 4 週以内に回復を認めた[5]．

以上のことから，不全損傷のなかでも AIS B と C は大いに機能改善が期待できる．また，AIS A に分類される外傷性脊髄損傷者においても，受傷後 8 週間以内に AIS A からの回復を示す可能性を考慮しなければならない．

運動機能以外にも，L2〜S1 領域の痛覚[6,7]，年齢[8,9]が機能改善に関連すると報告されている．

b 動作能力の予後

完全損傷の理学療法の到達レベルは残存レベルごとに獲得可能な動作の上限がおおむね確立している．不全損傷では病態と症状が多彩であるため，到達レベルは大きく変わりうるが，歩行が可能となる割合は高い[10]．歩行は日常生活活動(activities of daily living; ADL)の基盤をなしており，環境適応性の高い効率的な移動手段であるのみならず，体力の維持，精神機能賦活などにとっても有効な手段である．歩行障害は生活の自立を妨げ，社会的にも大きな不利益をもたらすことが予想されるため，不全損傷者の歩行再獲得への期待は大きい．しかし，歩行が可能といっても，不全脊髄損傷者の歩行は一般的に健常者に比べて歩行速度が低下し，エネルギー消費量も大きく，非効率的である[11]．また，歩行時の立脚相における股関節伸展が不足しているという報告もある[12]．

有地ら[13]は受傷後 1 か月時の C6・C8・L3 の motor score，Spinal Cord Independence Measure（SCIM）item 13，Walking Index for Spinal Cord Injury（WISCI Ⅱ），受傷時年齢が受傷後 6 か月後時の SCIM total-score に関連したと報告している．

別の報告[14]によれば，受傷後 6 週までに下肢の随意収縮が出現した者は実用歩行を獲得している．発症後 15 日以内の AIS グレードから 1 年後の 10 m 歩行の自立度を調査した報告では，A 群 8.3%，B 群 39.4%，C 群 61.8%，D 群 97.3% であった[15]．Waters ら[16]は不全頸髄損傷者 50 名の発症後 1 年における上肢筋力（upper extremity motor score; UEMS）と下肢筋力（lower extremity motor score; LEMS）を歩行不可能群，屋内歩行群，地域生活で必要とされる移動能力群の 3 つに分けて報告している．3 つの群の UEMS はそれぞれ 16.1 ± 9.6，22.3 ± 9.6，30.3 ± 10.8，LEMS はそれぞれ 9.7± 8.2，25.6 ± 5.1，36.9 ± 7.8 であった．

van Middendorp ら[15]は，発症後 15 日以内の米国脊髄損傷協会（American Spinal Injury Association; ASIA）評価基準に基づく神経学的機能（各髄節の筋力と感覚）と年齢のうち，受傷後 1 年後の屋内歩行自立に関連する因子は，年齢（65 歳未満），大腿四頭筋（L3）と腓腹筋（S1）の筋力，L3 と S1 の触覚であったと報告している．なお，当該研究における歩行自立の定義は独歩または歩行補助を使用して屋内 10 m を監視または介助なしに歩行できることと定めている．

Scivoletto ら[17]は動作能力に関連する身体機能について調査した．結果，Timed Up and Go Test（TUG）には下肢の痙縮（Composite Modified Ashworth Scale; CMAS）と近位 LEMS，6 分間歩行テスト（6MWT）には Berg（ベルグ）Balance Scale（BBS），CMAS，年齢，UEMS，10 m 歩行テスト（10MWT）には近位 LEMS，CMAS，WISCI には VAS（visual analogue scale：疼痛），BBS が有意に関連したと報告している．

van Hedel ら[18]は，対象者の ADL を，①車椅子を主体として移動，②屋内歩行には監視が必要（屋外は車椅子使用），③屋内歩行は自立（屋外は車椅子使用），④屋外歩行は自立しているが，歩行補助具が必要，⑤屋外歩行が独歩で自立の 5 段階に分類し，各段階の対象者の 10MWT を快適速度で測定した．結果，各段階の対象者の歩行速度はそれぞれ，① 0.02 ± 0.01 m/秒，② 0.34 ± 0.10 m/秒，③ 0.57 ± 0.17 m/秒，④ 0.88 ± 0.04 m/秒，⑤ 1.46 ± 0.04 m/秒であったと報告している．

Brotherton ら[19]によると地域生活で必要とされる移動能力が自立している者は，1 本杖かロフストランド杖を使用しており，短距離の歩行が自立している者では，歩行器を使用していた．筆者ら[20]は地域生活で必要とされる移動能力の自立に関連する身体機能を検討した結果，ASIA 評価基準の UEMS と LEMS が有意に関連し，そのカットオフ値は UEMS が 36.5，LEMS が 41.5 であったとしている．また，地域生活で必要とされる移動能力の自立に必要とされる歩行能力は 10MWT における快適速度 1.00 m/秒，最大速度 1.32 m/秒，6 分間歩行距離 472.5 m，WISCI Ⅱ 17.5 であったと報告した．

3 現状の動作能力

a 日常生活活動の評価

ADL の評価指標としては，一般的に機能的自立度評価法（Functional Independence Measure; FIM）が用いられることが多いが，FIM では脊髄損傷患者にとって重要な寝返り，起き上がり，プッシュアップなどのベッド上動作や除圧動作などの項目がなく，また，車椅子で移動する場合，電動であっても手動であっても同じスコアとなってしまうなど，機能的変化を十分にとらえることができない．このような理由から，近年，脊髄損傷独自の自立度評価指標としてSCIMが開発され[21)]，最新版としてはversion III[22)]が報告されている．セルフケア，呼吸と排泄管理，移動の3領域から構成され，17項目100点満点である．

b 歩行能力の評価

WISCIは2000年にDittunoらによって考案され，杖などの歩行補助具使用，下肢装具使用，介助度と10m歩行が可能かどうかで1〜19までの19レベルに分類する評価方法であったが，2001年に0〜20までの21レベルに分類するWISCI II[23)]に改訂された(▶表2)．2人介助は中等度から最大の介助，1人介助は最小介助を意味する．装具は片側または両側，短下肢または長下肢にかかわらず，使用しているかどうかで判断する．歩行器は車輪がない一般的なもの，クラッチはロフストランド杖または松葉杖，杖は普通のまっすぐな杖を指す．FIMとの相関は良好で，国による大きな差は認めず，国際的に有効な評価手段であるとされている．

▶表2 WISCI II

レベル	評価項目
0	介助しても立てない and/or 歩けない
1	平行棒内で，装具をつけて，2名の介助で，10m以下
2	平行棒内で，装具をつけて，2名の介助で，10m
3	平行棒内で，装具をつけて，1名の介助で，10m
4	平行棒内で，装具なしで，1名の介助で，10m
5	平行棒内で，装具をつけて，介助なしで，10m
6	歩行器で，装具をつけて，1名の介助で，10m
7	2本クラッチで，装具をつけて，1名の介助で，10m
8	歩行器で，装具なしで，1名の介助で，10m
9	歩行器で，装具をつけて，介助なしで，10m
10	1本杖かクラッチで，装具をつけて，1名の介助で，10m
11	2本クラッチで，装具なしで，1名の介助で，10m
12	2本クラッチで，装具をつけて，介助なしで，10m
13	歩行器で，装具なしで，介助なしで，10m
14	1本杖かクラッチで，装具なしで，1名の介助で，10m
15	1本杖かクラッチで，装具をつけて，介助なしで，10m
16	2本クラッチで，介助なしで，10m
17	何も使わず，1名の介助で，10m
18	装具をつけて，介助なしで，10m
19	1本杖かクラッチで，装具なしで，介助なしで，10m
20	何も使わず，介助なしで，10m

C 不全損傷者の理学療法

1 急性期から回復期における理学療法

Campbellらは数日間の不活動により筋力や筋線維サイズなどが減少し，脊髄興奮性が増加すると報告している[24)]．また，受傷後3〜5日後から骨密度低下が生じ[25)]，受傷後期間と骨密度は相関関係にあり[26)]，その低下は骨折の危険性増加因子である[27)]と報告されている．関節可動域においては，股関節伸展，膝関節伸展，足関節背屈制限が生じやすい．河野らによると，不全頸髄損傷者のASIA motor scoreは受傷後1か月間の回復が著しく，受傷後3か月を過ぎるとほとんどプラトーであった[28)]．

このため，脊椎の安定性や全身状態に問題なければ，積極的に離床トレーニングを行い，身体活動量の増加を目指す．また，予後の推定から歩行の再獲得が可能な不全損傷者については，早期から歩行トレーニングを開始する．下肢の支持性が低く，自力で歩行運動自体が行えない患者においては，立位・歩行トレーニングを行おうとすると患者と理学療法士双方の負担が大きく，立

▶図 2　BWSTT
股関節伸展を促すことができる.

位・歩行トレーニング量を担保することが困難となる．このため，長下肢装具(knee ankle foot orthosis; KAFO)を使用した歩行トレーニングや体重免荷トレッドミル歩行トレーニング(body weight supported treadmill training; BWSTT)(▶図 2)，ロボティクスを用いた歩行トレーニングを活用することが望ましい．

a 歩行トレーニング

(1) 機能改善のメカニズム

歩行再獲得を目標とした理学療法において重要となるのは，適切な運動指令を送信して歩行運動を発現し，歩行中の動作位相ごとに生じる体性感覚情報(荷重情報と股関節求心系)から円滑な四肢の協調運動を実現することである．脊髄損傷による感覚障害や筋緊張異常により，適切な運動指令を送信して円滑な四肢の協調運動を実現することが困難となる場合には，動作の難易度を調整することが重要となる．

脊髄レベルで生じる可塑的性質に関して，受傷後の神経線維自体の可塑性(anatomical plasticity)と感覚刺激の繰り返し入力による可塑性(synaptic plasticity あるいは use-dependent plasticity)があり[29]，歩行トレーニングによる機能回復のためのリハビリテーションは後者を理論的根拠にとらえた試みである．また，動作の反復(量)や歩行周期に応じた合目的的な神経入力もまた歩行再獲得には不可欠な要素となる．正しい動作の繰り返しとそれに付随する感覚情報(神経入力)を生起させ，歩行の運動調節に関与する神経結合を高めることが機能改善の原理となる．

(2) 歩行トレーニング方法

歩行トレーニング方法による効果を比較したシステマティックレビューにおいては[30]，歩行トレーニング間での有意な差はないものの，歩行能力改善の可能性が示されている．また，『理学療法ガイドライン第 2 版』[31] においても，BWSTT 群およびロボット使用群と対照群の介入前後の歩行速度・歩行耐容能の改善は同等であると判断されており，症例の個別性に配慮し，実施することが望ましいと結論づけられている．Lokomat® などのロボティクスを用いた歩行トレーニングは，正常歩行と同等の再現性の高い下肢ステッピング動作によって，繰り返しの歩行関連体性感覚入力を長時間担保できることが大きなメリットである．また，BWSTT も理学療法士が適宜介助を行うことができ，適切な歩容が維持できるように歩行速度や体重免荷量を設定することにより，疲労度を考慮しながら歩行トレーニング時間を担保することが可能となる(▶図 2)．

BWSTT やロボティクスを用いた歩行トレーニングは主にトレッドミル上で行うため，ステッピングに特化したトレーニングとして位置づけられる．このため，平地歩行トレーニングと併用して実施することが望まれる．

KAFO を用いた歩行トレーニングにおける下肢装具の役割は，運動の自由度を制約し，運動制御を単純化することである．KAFO は膝関節と足関節を固定しているため，患者は膝折れを心配

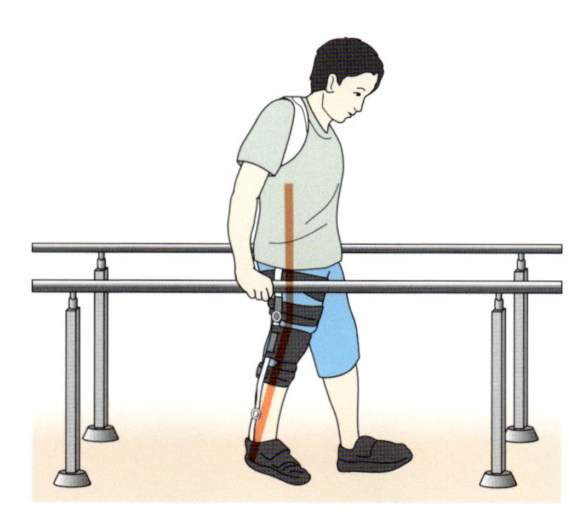

▶図 3　KAFO 歩行トレーニング
股関節伸展が可能.

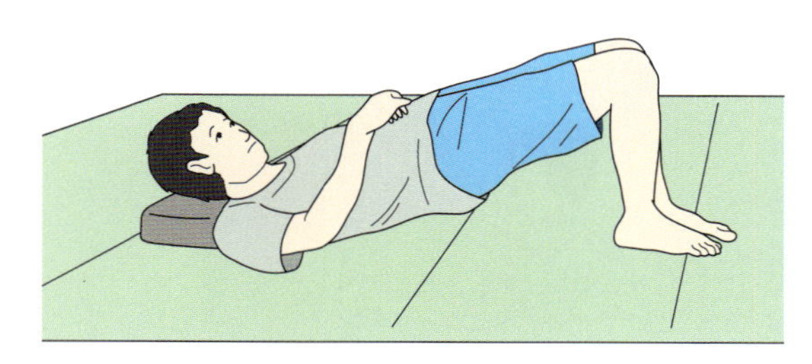

▶図 4　ブリッジ動作

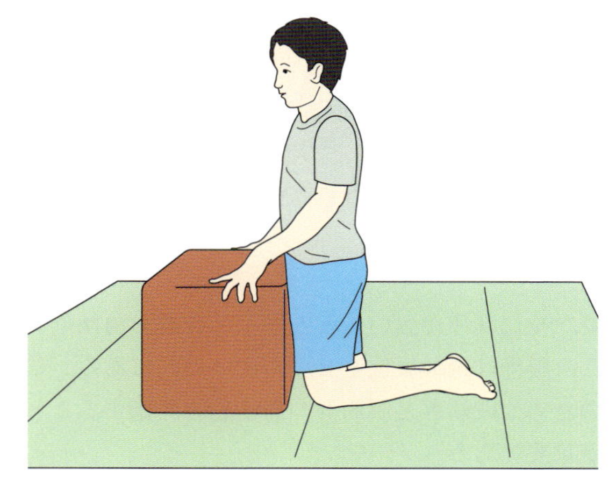

▶図 5　膝立ち

することなく麻痺肢へ荷重することができ，歩行獲得のために重要とされる脊髄の**中枢パターン発生器**(central pattern generator; CPG)の活動惹起に関連する股関節の動きに重点をおいた介入をより容易にする(▶**図 3**). CPG は自発的なリズム発現を生じる神経システムであるが，歩行中の動作位相ごとに生じる下肢荷重情報と股関節屈曲伸展による求心性入力情報が運動リズムの安定化，立脚–遊脚の位相転換のトリガーとして円滑な歩行運動出力の生成に貢献する[32]. また，左右のリズミカルな交互運動や腕振り動作[33]も歩行運動出力の円滑な生成に貢献すると報告されているため，トレッドミル歩行トレーニングにおける手すりの利用，歩行器や杖などの使用についても適宜検討する必要がある.

b 起居移乗動作・基本動作トレーニング

前述した早期からの歩行トレーニングは重要であるが，ADL が自立していない不全脊髄損傷者については，早期自立を目指して起居移乗動作トレーニングを積極的に実施する．また，歩行をはじめとした動作能力の向上を目的とした基本動作トレーニングも継続的に実施する.

代表的な基本動作トレーニングを下記に示す.

(1)　ブリッジ動作(▶**図 4**)

ブリッジ動作は体幹部のバランス制動が少なく，股関節周囲筋の支持性が必要となる．殿部をどの程度挙上できるか，腰椎伸展を抑制した骨盤軽度後傾位での挙上ができるかを評価することも可能である．さらに，片脚ブリッジやブリッジしたままの足踏み運動では支持側股関節のより強い伸展・内旋と腹部の筋活動が必要とされ，歩行に近い筋活動様式となる．腹部や殿部の筋活動が低下している症例では努力性の動作となり，下肢伸展筋の筋緊張異常が多く認められる．不全対麻痺者では上肢による代償を除くため，上肢は挙上位で行う.

(2)　膝立ち(▶**図 5**)

膝立ちは立位の前段階と考えられ，体幹部を制動しながらの股関節周囲筋の支持性が必要となる．不全脊髄損傷者は中殿筋や大殿筋などの仙髄

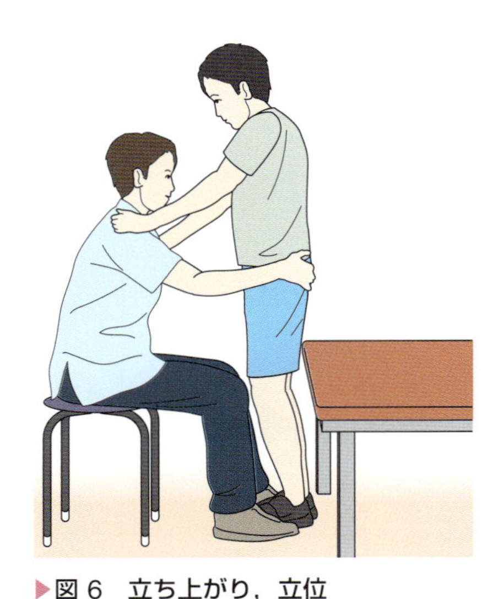

▶図 6　立ち上がり，立位

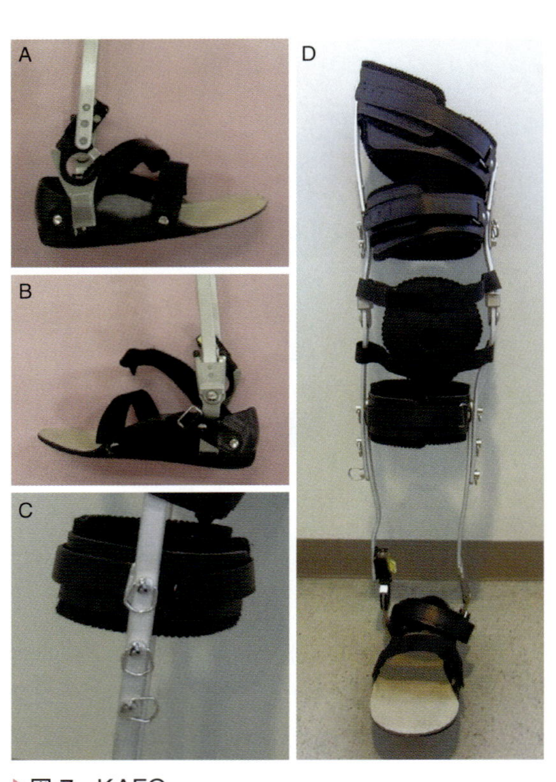

▶図 7　KAFO
A：Gait Solution，B：ダブルクレンザック，C：調整ねじ，D：KAFO の全体図

レベルに麻痺が強いことが多く，骨盤を前傾位にし，腰椎は過伸展位をとりやすい傾向にある．このため，殿筋群と腹筋群の筋活動を評価することが重要である．

(3)　立ち上がり，立位(▶図 6)

膝折れを防止するために理学療法士は前方に腰掛け，理学療法士の下腿を患者の膝蓋腱あたりに当て，立位をとる．左右前後の重心移動や膝屈伸運動を促す．最終的には片脚での支持ができ，対側下肢を脱力できるように進める．

2 機能回復が見込める不全脊髄損傷者への装具歩行トレーニング

KAFO から短下肢装具(ankle foot orthosis; AFO)へと展開する戦略は，機能回復の程度に応じて自由度の制限を徐々に解放し難度を高めていく**動的システム理論**(dynamical systems theory)に基づいた運動学習となる．一般的に，麻痺肢では遠位筋ほど麻痺が重度であり，足部の制御は歩行再建の重要な課題となることから，装具歩行トレーニングでは足関節運動の自由度を制限し，それでも歩行が困難であれば膝関節運動を制限する．動的システム理論における装具療法の展開は，これらの自由度の制限を解除していく手続きである．

機能回復が見込める患者については，早期から機能改善を見据えた KAFO を作製する．具体的な KAFO の構成については，膝継手はリングロック，外側足継手は油圧式足継手〔パシフィックサプライ社製 Gait Solution (GS)〕，内側足継手はダブルクレンザックを使用する(▶図 7)．患者の機能回復の程度に応じて，KAFO から semi-KAFO，AFO へとカットダウンする．その間，適宜，足尖部のカットダウンも行う(▶図 8)．

3 短下肢装具の効果や注意点

The Spinal Cord Injury Research Evidence (SCIRE) のシステマティックレビューによると，不全脊髄損傷者を対象とした報告において，AFO

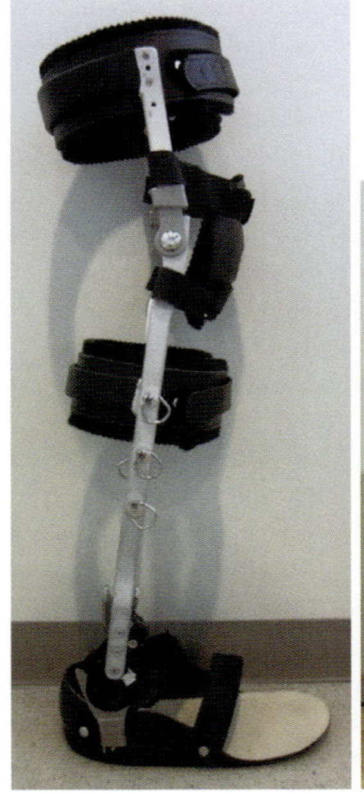
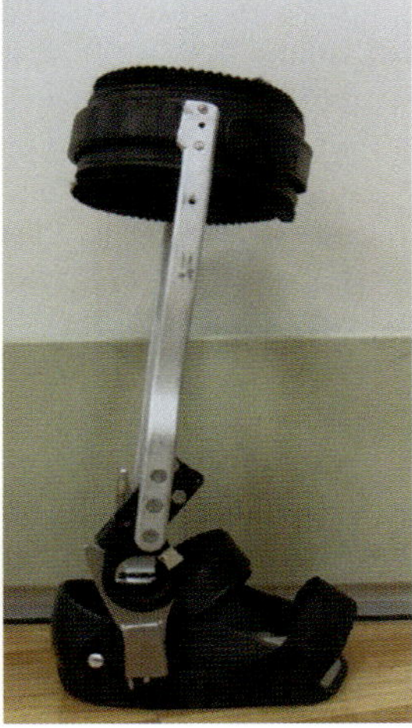

▶図 8　semi-KAFO(左)と AFO(右)

は下垂足がみられる者の歩行速度，歩幅，歩行率，6 分間歩行距離を増加させると報告されている[34, 35]．これは，AFO を装着することによって初期接地時の足関節背屈角度増加や立脚期および遊脚期の足関節最大背屈角度増加，立脚期の膝関節最大伸展角度増加や荷重応答期における膝関節屈曲角度が増加したことによるものと考えられる．しかし，遊脚期の膝関節運動と股関節運動に関しては，AFO の装着による一定の変化が認められていない[36]．

一方で，足関節底屈を固定する方式の AFO と油圧式制動機能付短下肢装具(GS)を使用したときの脳卒中片麻痺者における歩行時の足関節運動および関連する筋活動の変化についての報告[37]では，AFO では，着地直後の荷重応答期から足関節は常に背屈方向に運動し，立脚期の最大背屈角度が大きくなっており，この時，大きな背屈運動を止めようと過剰な下腿三頭筋の運動が生じている．そのうえで，足関節背屈と同時に下腿が前方に引き出され，膝関節屈曲位での歩行となることから，倒立振子の位置エネルギーを増加させることができず，歩行効率が低下した歩行パターンとなる．一方で，GS では，着地直後の荷重応答期において足関節は底屈方向に運動し，それに伴い前脛骨筋が明確に活動し，下腿三頭筋の過剰な活動はみられなくなる．その結果，健常者に近いパターンに変化することから，装具を適切に選択することは，より高い効果を生じされるための重要な手続きである．

●引用文献

1) Holtz, K.A., et al.: Prevalence and Effect of Problematic Spasticity After Traumatic Spinal Cord Injury. *Arch. Phys. Med. Rehabil.*, 98(6):1132–1138, 2017.
2) Burns, A.S., et al.: Clinical diagnosis and prognosis following spinal cord injury. *Handb. Clin. Neurol.*, 109:47–62, 2012.
3) Scivoletto, G., et al.: Neurologic recovery of spinal cord injury patients in Italy. *Arch. Phys. Med. Rehabil.*, 85(3):485–489, 2004.
4) Kawano, O., et al.: How much time is necessary to confirm the diagnosis of permanent complete cervical spinal cord injury? *Spinal Cord*, 58(3):284–289, 2020.
5) 出田良輔ほか：脊髄損傷後のリハビリテーション(リハビリ)治療標準化に向けたデータ集積システム構築. 日脊髄障害医会誌, 33(1):36–39, 2020.
6) Crozier, K.S., et al.: Spinal cord injury: Prognosis for ambulation based on sensory examination in patients who are initially motor complete. *Arch. Phys. Med. Rehabil.*, 72(2):119–121, 1991.
7) Oleson, C.V., et al.: Prognostic value of pinprick preservation in motor complete, sensory incomplete spinal cord injury. *Arch. Phys. Med. Rehabil.*, 86(5):988–992, 2005.
8) Oleson, C.V., et al.: Influence of Age Alone, and Age Combined With Pinprick, on Recovery of Walking Function in Motor Complete, Sensory Incomplete Spinal Cord Injury. *Arch. Phys. Med. Rehabil.*, 97(10):1635–1641, 2016.
9) Scivoletto, G., et al.: Effects on age on spinal cord lesion patients' rehabilitation. *Spinal Cord*, 41(8):457–464, 2003.
10) Scivoletto, G., et al.: Prediction of walking recovery after spinal cord injury. *Brain Res. Bull.*, 78(1):43–51, 2009.
11) Lapointe, R., et al.: Functional community ambulation requirements in incomplete spinal cord in-

jured subjects. *Spinal Cord*, 39(6):327–335, 2001.
12) van der Salm, A., et al.: Gait impairments in a group of patients with incomplete spinal cord injury and their relevance regarding therapeutic approaches using functional electrical stimulation. *Artif. Organs*, 29(1):8–14, 2005.
13) Ariji, Y., et al.: A prediction model of functional outcome at 6 months using clinical findings of a person with traumatic spinal cord injury at 1 month after injury. *Spinal Cord*, 58(11):1158–1165, 2020.
14) 須堯敦史ほか：脊髄損傷者における Frankel 分類の回復過程. 日脊髄障害医会誌, 22(1):94–95, 2009.
15) van Middendorp, J.J., et al.: A clinical prediction rule for ambulation outcomes after traumatic spinal cord injury: A longitudinal cohort study. *Lancet*, 377(9770):1004–1010, 2011.
16) Waters, R.L., et al.: Motor and sensory recovery following incomplete tetraplegia. *Arch. Phys. Med. Rehabil.*, 75(3):306–311, 1994.
17) Scivoletto, G., et al.: Clinical factors that affect walking level and performance in chronic spinal cord lesion patients. *Spine (Phila Pa 1976)*, 33(3):259–264, 2008.
18) van Hedel, H.J.A., et al.: Gait speed in relation to categories of functional ambulation after spinal cord injury. *Neurorehabil. Neural Repair*, 23(4):343–350, 2009.
19) Brotherton, S.S., et al.: Association between reliance on devices and people for walking and ability to walk community distances among persons with spinal cord injury. *J. Spinal Cord Med.*, 35(3):156–161, 2012.
20) Hasegawa, T., et al.: Physical impairment and walking function required for community ambulation in patients with cervical incomplete spinal cord injury. *Spinal Cord*, 52(5):396–399, 2014.
21) Catz, A., et al.: SCIM—spinal cord independence measure: A new disability scale for patients with spinal cord lesions. *Spinal Cord*, 35(12):850–856, 1997.
22) Catz, A., et al.: A multicenter international study on the Spinal Cord Independence Measure, version Ⅲ: Rasch psychometric validation. *Spinal Cord*, 45(4):275–291, 2007.
23) Dittuno, P.L., et al.: Walking index for spinal cord injury (WISCI Ⅱ): Scale revision. *Spinal Cord*, 39(12):654–656, 2001.
24) Campbell, M., et al.: Effect of Immobilisation on Neuromuscular Function In Vivo in Humans: A Systematic Review. *Sports Med.*, 49(6):931–950, 2019.
25) Bauman, W.A., et al.: Metabolic changes in persons after spinal cord injury. *Phys. Med. Rehabil. Clin. N. Am.*, 11(1):109–140, 2000.
26) Haider, I.T., et al.: Bone fragility after spinal cord injury: Reductions in stiffness and bone mineral at the distal femur and proximal tibia as a function of time. *Osteoporos. Int.*, 29(12):2703–2715, 2018.
27) Jiang, S.D., et al.: Osteoporosis after spinal cord injury. *Osteoporos. Int.*, 17(2):180–192, 2006.
28) 河野 修ほか：非骨傷性頸髄損傷の治療方針と今後の課題. *J. Spine Res.*, 2(5):995–998, 2011.
29) Raineteau, O., et al.: Plasticity of motor systems after incomplete spinal cord injury. *Nat. Rev. Neurosci.*, 2(4):263–273, 2001.
30) Mehrholz, J., et al.: Locomotor training for walking after spinal cord injury. *Cochrane Database Syst. Rev.*, 11:CD006676, 2012.
31) 日本理学療法士協会(監)：理学療法ガイドライン. 第2版, pp.72–73, 医学書院, 2021.
32) Dietz, V., et al.: Locomotor activity in spinal man: Significance of afferent input from joint and load receptors. *Brain*, 125(Pt 12):2626–2634, 2002.
33) Kawashima, N., et al.: Shaping appropriate locomotive motor output through interlimb neural pathway within spinal cord in humans. *J. Neurophysiol.*, 99(6):2946–2955, 2008.
34) Kim, C.M., et al.: Effects of a simple functional electric system and/or a hinged ankle-foot orthosis on walking in persons with incomplete spinal cord injury. *Arch. Phys. Med. Rehabil.*, 85(10):1718–1723, 2004.
35) Arazpour, M., et al.: Comparison of the effects of solid versus hinged ankle foot orthoses on select temporal gait parameters in patients with incomplete spinal cord injury during treadmill walking. *Prosthet. Orthot. Int.*, 37(1):70–75, 2013.
36) Tyson, S.F., et al.: A systematic review and meta-analysis of the effect of an ankle-foot orthosis on gait biomechanics after stroke. *Clin. Rehabil.*, 27(10):879–891, 2013.
37) Ohata, K., et al.: Effects of an ankle-foot orthosis with oil damper on muscle activity in adults after stroke. *Gait Posture*, 33(1):102–107, 2011.

（長谷川隆史）

第3章

完全損傷の理学療法

学習目標

- 脊髄損傷に対する評価とその実際について理解する.
- 脊髄損傷完全麻痺者の一連のリハビリテーション過程について理解する.
- 脊髄損傷完全麻痺者が日常生活活動を獲得するうえで重要かつ特徴的な理学療法の実際について学習する.
- 完全脊髄損傷者の予後について理解する.

本章では，国際的に広く使用される脊髄損傷者へ向けたさまざまな評価法の要約を説明する．また，理学療法の実践にあたっては急性期からの神経学的評価内容や完全脊髄損傷者の一連のリハビリテーション過程を理解し，治療方針の設定や理学療法実施における要点について理解しておくことが必要となる．

A 脊髄損傷の診断と評価

1 画像所見

脊椎外傷において，椎体後方に位置する脊髄実質に損傷が生じたか否かにより予後は大きく左右される．単純 X 線像にて脊椎の損傷を引き起こした骨傷の責任高位を明確に評価する必要がある．

a 中下位頸椎損傷

中下位頸椎損傷の場合，発生機序による特徴があり，頸椎に対する外力により分類する Allen-Ferguson（アレン・ファーガソン）分類が有用である．この分類に関する詳細は成書に譲る．脊髄損傷完全麻痺が好発しやすい画像所見として，compressive flexion 型損傷のように頸椎屈曲位で強い軸圧がかかる場合，隣接する損傷椎間の上位椎体は椎体前下方に涙滴型骨片を形成すると同時に後方に転位（▶図 1）し，脊髄を強く圧迫して重篤な麻痺を生じることが多い．また，頸椎への屈曲・回旋外力により椎体が前方へ転位し，椎間板損傷・後方靱帯群断裂を伴う前方脱臼骨折（▶図 2）も，脊髄挟撃の程度により麻痺が重篤となる．

b 胸・腰椎損傷

胸・腰椎損傷を臨床的に分類するには，Denis ら[1] の three column theory（▶図 3）が広く用いられる．anterior column（前柱）は前縦靱帯から椎体前方 1/2，middle column（中柱）は椎体後方 1/2～後縦靱帯，posterior column（後柱）はその後方の骨・関節・靱帯複合体の 3 つの要素に分け，損傷型を圧迫骨折・破裂骨折・脱臼骨折などに分類する[1]．ここで注意するべきは圧迫骨折と破裂骨折の定義の違いである．**圧迫骨折**は anterior column の損傷であり椎体後壁の骨折を伴わないのに対し，**破裂骨折**は軸方向性荷重により椎体後壁が損傷され，破裂骨片として脊柱管を占拠する骨折である．**脱臼骨折**は three column のすべて

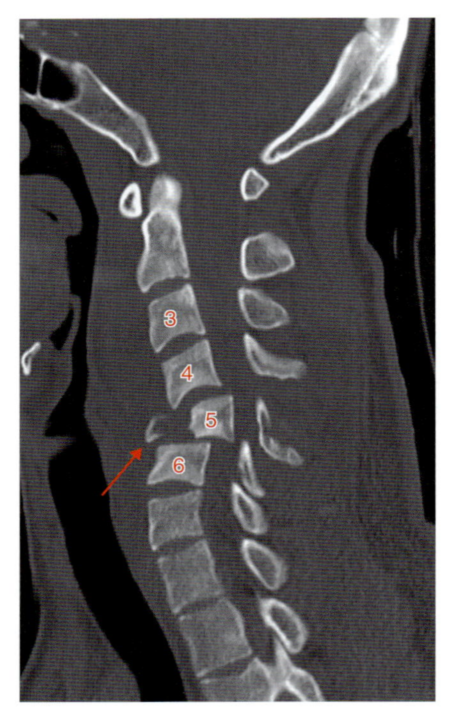

▶図 1　頸椎の CT 画像
矢印で示す場所に涙滴型骨片が存在し，本 CT 画像においては第 5 頸椎の椎体が骨折し，後方部分が全体的に脊柱管へ嵌入している．嵌入の程度が大きければ脊髄の挟撃の程度はより強くなり，麻痺は重篤となる．

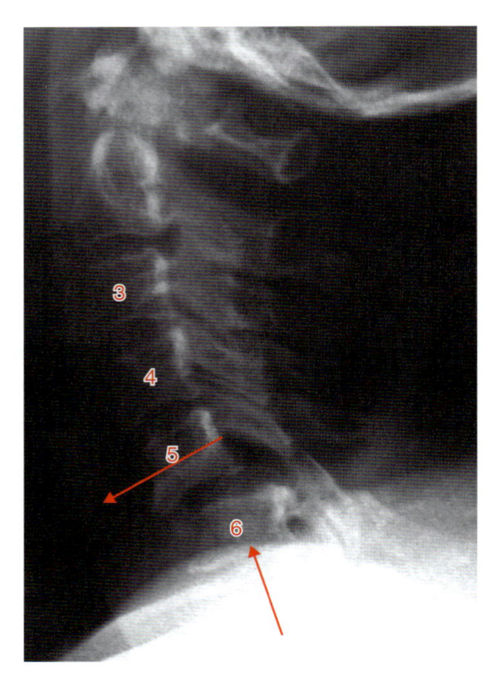

▶図 2　頸椎の前方脱臼骨折（単純 X 線像）
受傷直後の第 5 頸椎前方脱臼骨折である．尾側の椎体からみて骨的な連続性を示さない部位がどのようになっているかが重要である．この X 線像では第 6 頸椎に対して第 5 頸椎が前方に脱臼骨折を呈してる．

の要素が損傷され，椎体間の転位に椎間関節の脱臼を伴う骨折であり，非常に不安定な所見といえる．

C MRI

脊髄実質の損傷に対する評価としては MRI が有用であり，脊髄信号変化から損傷脊髄の範囲および程度を評価することが可能である．受傷直後には損傷した脊髄実質とその周辺組織は T2 強調画像の高信号が明瞭となる．脊髄実質の損傷がより大きければ高信号域は頭側から尾側にかけて拡大する．また，この時期の T1 強調画像では信号変化はわずかなことが多い．T1 低信号は受傷後 1〜3 か月で出現し，脊髄損傷部の終末像といわれ，脊髄実質の軟化や壊死（軟化巣）を示している（▶図 4）．

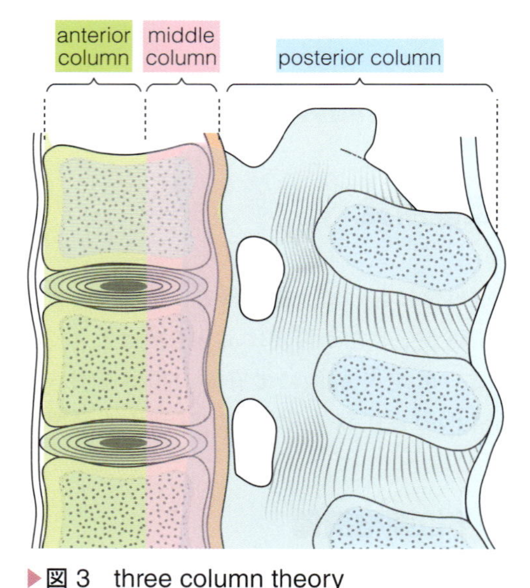

▶図 3　three column theory
Denis ら[1] は胸腰椎損傷を臨床的に分類するために anterior column を前縦靱帯〜椎体 1/2，middle column を椎体 1/2〜後縦靱帯，posterior column をその後方の骨・関節・靱帯複合体と分け，損傷タイプを分類している．

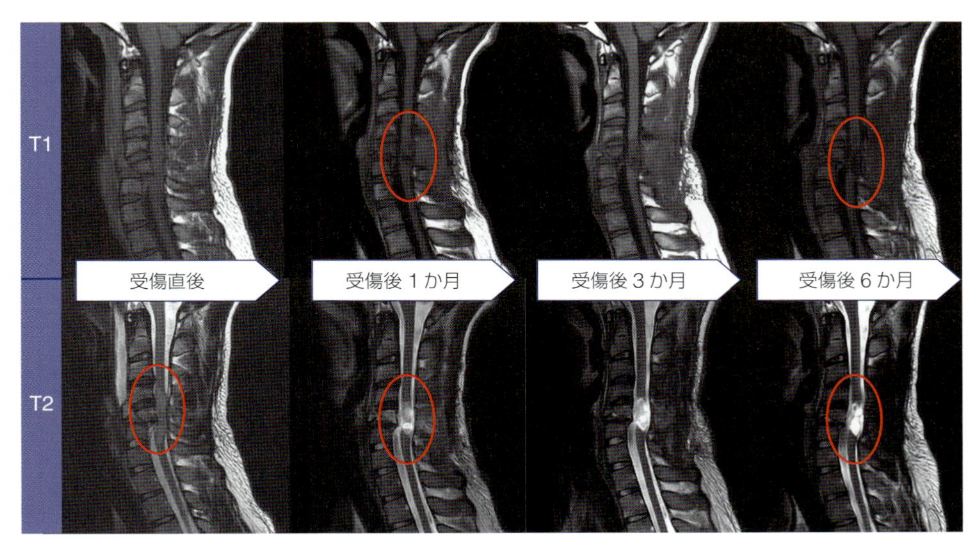

▶**図 4　MRI の経時的変化**
第 5 頸椎脱臼骨折後の受傷直後，1 か月，3 か月，6 か月の MRI 画像の経時的変化を示す．本症例は，1 か月時の T1 強調画像にて病変の低信号は大軟化を示した脊髄損傷完全麻痺者である．受傷 6 か月時の T1 および T2 で示す MRI は軟化の終末像である．

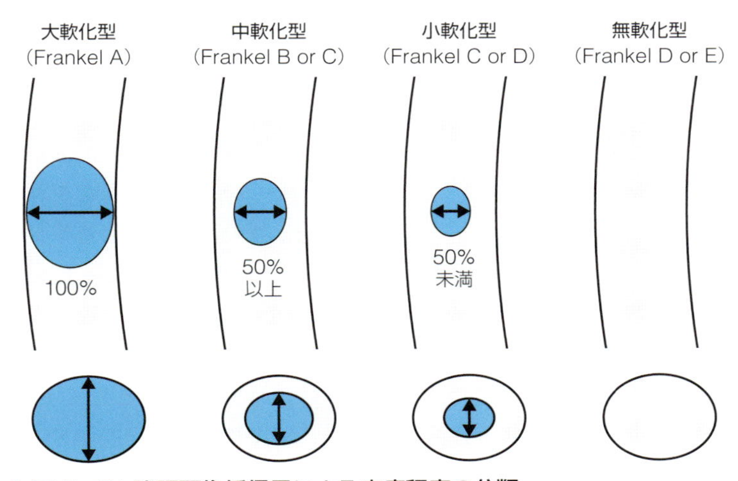

▶**図 5　T1 強調画像低信号による麻痺程度の分類**
植田らは，脊髄横径に対する病変の大きさにより，割合が 100% の場合は Frankel A(大軟化)，50% 以上の場合は B もしくは C(中軟化)，50% 未満ならば C もしくは D と麻痺の程度を推測している．
〔植田尊善：脊髄損傷の予後診断．越智隆弘ほか(編)：NEW MOOK 整形外科 12，整形外科 MRI 診断．pp.101–109，2002 より一部改変〕

d MRI における髄内信号変化と麻痺について

脊髄実質の軟化の大きさから，脊髄前後径・横径に対する病変を示す T1 低信号占有率によりおよその麻痺の程度を推測する(▶図 5)[2]．頸髄損傷の場合，椎体高位における軟化像の位置により，残存機能は推定可能となる(▶図 6)[3]．しかし，頸椎高位と髄節高位にはずれが生じるため，その点には注意を要する．

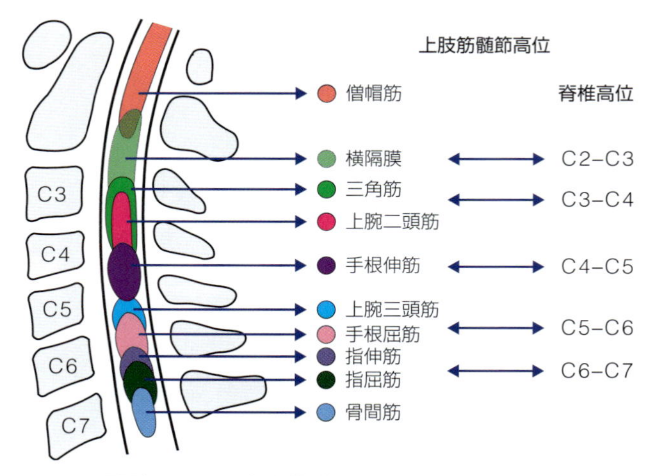

▶**図 6　頸髄における上肢筋髄節**
頸髄損傷完全麻痺者の場合，損傷する脊椎高位から残存しうる上肢筋髄節を推測できる．

画像所見をもとに脊椎不安定性の程度を評価し，さらに脊髄損傷における神経障害部位を裏づける臨床上の手段として，これらは有益な診断方法である．

2 脊髄損傷に用いられる神経学的評価

脊髄損傷の神経学的評価は，主に横断面における脊髄実質の損傷程度と損傷脊髄の高位により決定される．神経学的評価は被検者の協力が必要不可欠であり，検査の重要性を説明したうえで，わずかな筋収縮や感覚残存を見逃さないように注意して実施する．

a Frankel 分類

脊髄損傷の重症度評価にて多用される Frankel（フランケル）分類（▶**表 1**）[4] は，脊髄横断面における麻痺の状態だけでなく，運動機能や歩行などの日常生活活動（ADL）の面を含み，日常診療上簡便となっている．しかしその反面，急性期の麻痺評価や治療効果判定を行うには不十分な点も多い[4]．

b 脊髄損傷の神経学的分類のための国際基準

国際標準的評価として米国脊髄損傷協会（American Spinal Injury Association; ASIA）と国際脊髄学会（International Spinal Cord Society; ISCoS）により作成された「脊髄損傷の神経学的分類のための国際基準」（International Standards for Neurological Classification of Spinal Cord Injury; ISNCSCI）[5]（▶**図 7**）が世界的に最も広く普及している（2019 年改定）．ISNCSCI では，横断面評価として Frankel 分類に類似した ASIA 機能障害尺度（ASIA Impairment Scale; AIS）（▶**表 1**）[4] と，損傷高位である神経学的損傷レベル（neurological level of injury; NLI）で脊髄損傷の麻痺の程度と高位を分類できる．しかし，Frankel 分類と ASIA 機能障害尺度は**表 1** で示したように定義が異なることを認識しておくことが重要である．

c Zancolli の上肢機能分類

頸髄損傷者の麻痺の高位を判定するうえで，Zancolli（ザンコリ）の上肢機能分類（▶**表 2**）[6] はわが国で広く用いられる．特に頸髄損傷者では残

▶表 1　Frankel 分類と ASIA 機能障害尺度

	Frankel 分類	ASIA 機能障害尺度
A	● 損傷部以下の運動感覚が脱失	● 仙髄領域 S4–5 の運動感覚脱失
B	● 損傷部以下の運動完全麻痺であるが，仙髄領域などの感覚が残存	● 仙髄領域 S4–5 に感覚はあるが運動はなし．そして運動レベルの 4 レベル以上尾側に運動がない
C	● 損傷部以下に随意運動が残存するが，実用運動は不能	● VAC がある．もしくは S4–5 の LT，PP，DAP があり，運動レベルの 4 レベル以上尾側に運動がある ● single NLI より尾側の key muscle の半数未満が運動機能 grade 3 以上
D	● 損傷部以下にかなりの随意運動が残存しており，下肢を動かすあるいは歩行などができる	● AIS C の条件のもとに NLI より尾側の key muscle の半数以上が運動機能 grade 3 以上
E	● 回復 ● 運動感覚正常，膀胱直腸障害なし ● 深部腱反射の異常はあってよい	● 神経学的脱落所見があった患者が回復して運動感覚正常となったもの

VAC：voluntary anal contraction，LT：light touch，PP：pin prick，DAP：deep anal pressure，NLI：neurological level of injury，AIS：ASIA Impairment Scale

〔河野 修ほか：Frankel 分類と ASIA 機能障害尺度（AIS）．脊椎脊髄，33(4):383–388, 2020 より一部改変〕

▶表 2　Zancolli 分類

型	最低機能髄節	基本的機能筋	判定基準となる機能	
I. 肘屈筋	C5	● 上腕二頭筋 ● 上腕筋	A. 腕橈骨筋（－）	
			B. 腕橈骨筋（＋）	
II. 手関節伸筋	C6	● 長短橈側手根伸筋	A. 弱い手関節背屈	
			B. 強い手関節背屈	1. 円回内筋（－） 橈側手根屈筋（－）
				2. 円回内筋（＋） 橈側手根屈筋（－）
				3. 円回内筋（＋） 橈側手根屈筋（＋） 上腕三頭筋（＋）
III. 指の前腕伸筋	C7	● 総指伸筋 ● 小指伸筋 ● 尺側手根伸筋	A. 尺側手指の伸展は完全であるが，橈側の手指と母指の伸展は麻痺	
			B. すべての手指の伸展が完全であるが，母指伸展は弱い	
IV. 指の前腕屈筋 母指伸筋	C8	● 深指屈筋 ● 示指伸筋 ● 長母指伸筋 ● 尺側手根屈筋	A. 尺側の手指の屈曲は完全であるが，橈側の手指と母指の屈曲は麻痺．母指の伸展は完全	
			B. すべての手指の屈曲が完全であるが，母指の屈曲は弱い．母指球筋は弱い．手内筋は麻痺．浅指屈筋は（－）または（＋）	

〔Zancolli, E.: Surgery for the quadriplegic hand with active, strong wrist extension preserved. A study of 97 cases. *Clin. Orthop. Relat. Res.*, (112):101–113, 1975 より改変〕

存する髄節レベルが 1 つ変化すれば ADL の獲得能力は大きく異なる．たとえば C6A では ADL 遂行により多くの介助や環境調整を要する一方で，C6B3 では上腕三頭筋が機能し始めるため多くの動作が自立することが多い．このように，頸髄損傷者では麻痺の高位を詳細に評価することで到達目標や治療指針の参考となる．

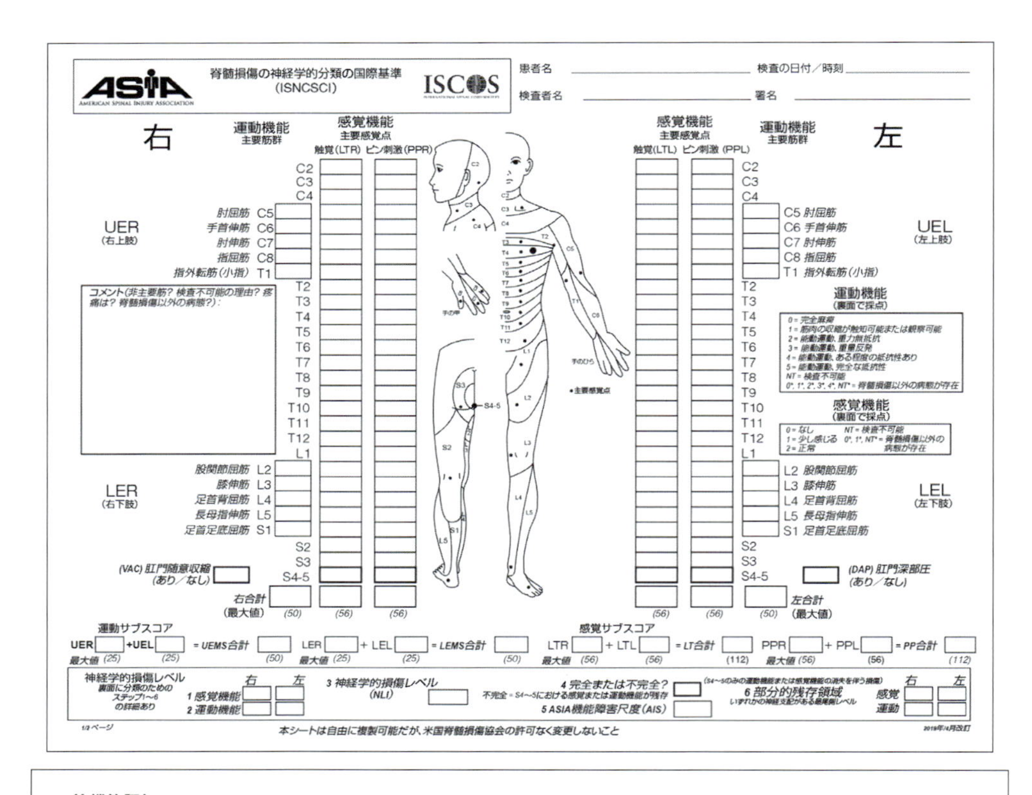

筋機能評価

0 = 完全麻痺

1 = 筋肉の収縮が触知可能または観察可能

2 = 重力負荷がなければ全可動範囲（ROM）の能動運動可能

3 = 重力負荷に逆らって全可動範囲（ROM）の能動運動可能

4 = 重力負荷に逆らい、また筋肉の特定位置で中程度の抵抗負荷がある状態でも全可動範囲（ROM）の能動運動可能

5 = （正常）重力負荷に逆らい、また完全な抵抗負荷がある状態でも、他に障害がない人で予想される機能的筋肉の位置で全可動範囲（ROM）の能動運動可能

NT = テスト不能（すなわち、固定、患者の重症度が判定できないほどの重度の疼痛、四肢切断、又は正常ROMの50%を超える拘縮のため）

0*, 1*, 2*, 3*, 4*, NT* = 脊髄損傷以外の病態が存在[a]

感覚の評価

0 = なし　1 = 少し感じる、感覚低下/感覚障害又は過敏症のいずれか

2 = 正常　NT = テスト不能

0*, 1*, NT* = 脊髄損傷以外の病態が存在[a]

[a]注記：異常な運動および感覚スコアは、脊髄損傷以外の病態による障害を示すため「*」の印を付ける必要があります。脊髄損傷以外の病態は、スコアが分類目的でどのように評価されるかについての情報と一緒にコメント欄に記載する必要があります（少なくとも正常／異常の分類）。

非主要筋肉をテストする場合：

AISで明らかにB分類の患者では、損傷を最も正確に分類する（AISでBとCを区別する）ために、両側の運動レベルより3レベルを超えて低い非主要筋機能を検査する必要があります。

運動	ルートレベル
肩：屈曲、伸展、外転、内転、内旋および外旋 肘：回外	C5
肘：回内 手首：屈曲	C6
指：近位関節の屈曲、伸展 親指：親指面での屈曲、伸展、外転	C7
指：MCP関節の屈曲 親指：手のひらに垂直な対立、内転、外転手のひらに垂直	C8
指：人差し指の外転	T1
股：内転	L2
股：外旋	L3
股：伸展、外転、内旋 膝：屈曲 足首：内がえしと外がえし つま先：MPとIP伸展	L4
母趾とつま先：DIPとPIPの屈曲及び外転	L5
母趾：内転	S1

ASIA機能障害尺度（AIS）

A = 完全麻痺。仙骨分節S4～5に感覚または運動機能が残存していない状態。

B = 感覚不全麻痺。運動機能は麻痺しているが、感覚は神経学的レベルより下位に残存し、S4～5の仙骨分節を含み（S4～5の触覚またはピン刺激、もしくは深部肛門内圧検査に反応する）、かつ体のいずれかの側面で、運動レベルより3レベルを超えて低い運動機能が残存しない状態。

C = 運動不全麻痺。随意肛門収縮（VAC）のある最尾側の仙骨分節で運動機能が残存する、または、患者は感覚不全麻痺の基準を満たし（LT、PP または DAP によって、最尾側仙骨部分節S4～5の大半で感覚機能が残存する）、かつ体のいずれかの側面で、同側運動レベルが3レベルを超えて低い運動機能が一部残存する状態。
（これに含まれる主要または非主要筋機能により、運動不全麻痺状態を判定。）AISがCの場合、単一神経学的レベルより下位の主要な筋機能の半分未満の筋肉がグレード3以上。

D = 運動不全麻痺。上で定義した単一神経学的レベル下位での主要な筋機能の少なくとも半分（半分以上）がグレード3以上の筋肉を有する運動不全麻痺状態。

E = 正常。ISNCSCIを用いて検査した感覚と運動機能が全項目で正常と評価され、患者に以前は欠陥があった場合、AISグレードはEです。初期の脊髄損傷がない場合は、AISの評価をされません。

NDの使用：感覚、運動及びNLI レベル、ASIA 機能障害尺度グレード、及び/又は部分的保存域（ZPP）が検査結果に基づいて決定できない場合に記録する。

脊髄損傷の神経学的分類の国際基準

ISCOS
INTERNATIONAL SPINAL CORD SOCIETY

2/2 ページ

分類のステップ

SCI患者の分類を決定するには、以下の順序が推奨される。

1 左右の感覚レベルを測定する。
感覚レベルは、ピン刺痛覚及び触覚の両方に対して、最も尾側の無傷の皮膚分節である。

2 左右の運動レベルを測定する。
背臥位検査で最低でもグレード3で、それ以上の分節の主要な筋機能が無傷（グレード5）と判断される、最も下位の主要な筋機能と定義されます。
注：検査すべき筋節がない領域では、それ以上の運動機能が正常であれば、運動レベルは感覚レベルと同じであると推定される、

3 神経学的損傷レベル（NLI）を決定する、。
これは、正常な（完全な）感覚機能および運動機能がそれぞれ両側にある場合、正常な感覚機能および反重力（3 以上）筋機能強度を有する脊髄の最尾部を指す、
NLI は、ステップ1と2で決定される、最も頭側の知覚と運動レベルです。

4 損傷が完全か不完全かを判断する。
（すなわち、仙骨温存の有無）
随意的肛門収縮 = **なし**、*かつ全てのS4-5感覚スコアが*0
そして深部肛門圧 = **なし**、*であれば損傷は***完全***である。*
*それ以外の場合、損傷は***不完全***である。*

5 ASIA 機能障害尺度（AIS）のグレードを判定する。
損傷は完全麻痺ですか?「はい」である場合、AIS=A

いいえ ↓

損傷は運動完全麻痺ですか?「はい」である場合、AIS=B

いいえ ↓　（いいえ = 患者が知覚不全麻痺と分類されている場合、随意肛門収縮または運動機能が当該体側で、運動レベルより3レベルを超えて低い）

神経学的損傷レベルより下位の主要筋群の 少なくとも半分（半分以上）がグレード3か、それよりも良好ですか?

いいえ ↓　**はい ↓**

AIS=C　**AIS=D**

感覚及び運動機能が全ての分節で正常であれば、AIS=E
注記：AIS E は、SCI が確認された患者が正常な機能を回復した場合の追跡検査に用いられる。最初の検査で障害が認められなければ、患者は神経学的に正常であり、ASIA 機能障害尺度は適用されない

6 部分的残存領域（ZPP）を決定する。
ZPPは、最も下部の仙髄分節S4-5に運動機能（VACなし）または感覚機能がない（DAPなし、LTなし、およびPP感覚なし）損傷にのみ使用されます。部分的に神経支配が残存する感覚および運動レベルの尾側の皮膚分節および筋節を指します。仙骨の感覚機能温存では、感覚ZPP は適用できないため、ワークシートのブロックに「NA」が記録される。したがって、VAC が存在する場合、運動ZPP は適用されず、「NA」と表記される。

▶図 7　ISNCSCI ワークシート
〔https://asia-spinalinjury.org/wp-content/uploads/2021/07/ASIA-ISNCSCI-SIDES-1-2_July-2021.pdf より〕

d ISNCSCI ワークシートの評価手順と要点[5)]（▶図 7）

ISNCSCI ではすべての分類手順や評価方法は定式化され，これまでに約 4 年に 1 度の周期で改訂を繰り返しており，最新版（第 8 版）は 2019 年改訂版である．なお，ISNCSCI ワークシートは ASIA 公式サイトよりダウンロード可能であり，詳細な評価方法も入手可能なため参照されたい[7)]．ここでは定式化された ISNCSCI の評価における評価手順と要点を簡単に説明する．

(1) 左右の感覚レベルの測定

感覚検査は左右それぞれ C2～S4–5 の 28 か所の感覚点にて触覚（light touch; LT）とピン刺激〔pin prick; PP（sharp and dull discrimination exam）〕にて評価する．すべての感覚検査は閉眼にて実施され，顔面（頬）を正常とみなして比較することを基本とする．

LT は触覚検査に類似し，ほぐした綿棒などで感覚点を 1 cm 区画内にてなぞることで検査する．顔面（頬）と比較した 3 段階評価（正常 2 点，鈍麻または過敏 1 点，脱失 0 点）にて判定する．テスト不能の場合は not testable（NT）を使用する．

PP は鋭鈍識別覚に類似しており，純粋な痛覚検査ではない．使い捨ての安全ピンなどを使用して，先の尖った端を sharp，丸い端を dull として区別することができるか，顔面（頬）と比較して強さが異なるかで判定する．

検査精度が疑わしい場合は下記を参考とする．

- 正常 2 点：10 回中 8 回以上の正解率．
- 鈍麻または過敏 1 点：顔面（頬）と比較して強さが異なる．
- 脱失 0 点：sharp と dull を区別できない．

これらから感覚機能の数字的な総和を算出する．LT と PP の左右それぞれの最高点が 56 点，計 112 点にて感覚の神経学的障害の程度を反映する．なお，感覚レベルの決定は正常感覚残存の最尾側髄節となる．

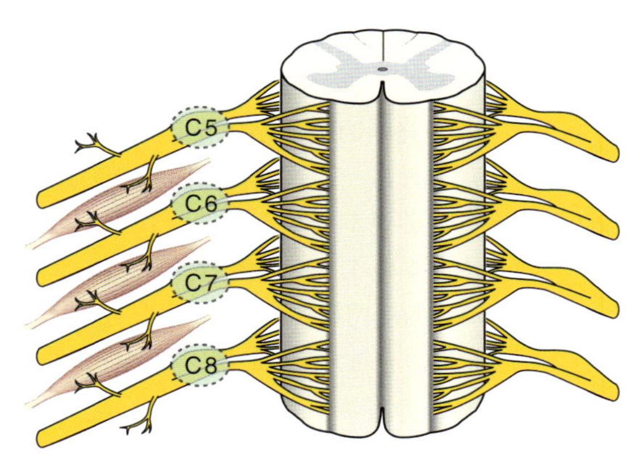

▶**図 8　運動レベル決定の考え方**
各 key muscle は 2 つの髄節分節から神経供給され，筋出力を発揮している．たとえば，C5 key muscle が 5，C6 key muscle が 3 の場合は運動レベルは C6 と判断される．しかし，C5 key muscle が 5，C6 key muscle が 2～0 の場合は C6 髄節の神経供給は不完全であり，運動レベルは C5 と判断する．

(2) 左右の運動レベルの測定

運動レベルの判定には上肢（C5–T1）・下肢（L2–S1）にてそれぞれ 5 つずつ，合計 20 部位の主要筋群（key muscle）の設定があり，これらの各筋を背臥位で個別的に筋力検査し，機能残存の有無を判定する．評点は 0～5 の 6 段階評価を用いて上肢合計 50 点と下肢合計 50 点の計 100 点満点で運動機能の数字的な総和を算出する．運動レベルの決定として筋力検査 3 以上の最も下位の key muscle が重要であり，そのレベルより上位の key muscle が正常（5）と判断される部位とする．運動レベルの決定には 1 つの key muscle に対して，その上下髄節間からの 2 つの重複する神経供給により筋出力がなされているという概念がもととなっている（▶図 8）．

(3) 神経学的損傷レベル（NLI）の決定

NLI とは脊髄損傷時の最も正常な高位レベルの頭側の位置を示す．左右いずれかの最も頭側の正常な感覚レベルもしくは運動レベルが NLI となる．NLI は C1 から S4–5 の範囲でいずれか 1 つに決定される．表記記号は頸髄では C，胸髄では T，腰髄では L，仙髄では S を用いる．

(4) 完全麻痺か不完全麻痺かの決定

完全もしくは不完全麻痺の判定には最も尾側の脊髄(S4–5)の神経学的機能が残存しているか否かにより判定される．これには**仙髄回避(sacral sparing)検査**が必要不可欠となる．仙髄領域の評価として S4–5 の LT もしくは PP の感覚残存の有無，随意的肛門収縮(voluntary anal contraction; VAC)の有無，深部肛門圧覚(deep anal pressure; DAP)の有無のどれか 1 つでも温存されていれば不完全麻痺と判定する．そのため，脊髄白質の外側部に位置する仙髄支配領域が最後まで温存されやすく，仙髄回避が認められないならば完全麻痺と診断される．これらの仙髄温存検査は侵襲程度を考慮すると医師による診察が望ましい．

(5) ASIA 機能障害尺度(AIS)の判定

ASIA 機能障害尺度(AIS)の詳細は**表 1** に示す．AIS A は完全麻痺，AIS B は感覚不全麻痺，AIS C・D は運動不全麻痺，AIS E は ISNCSCI にて感覚・運動ともに正常な場合である．注意すべきは motor sacral sparing である VAC が存在する場合は AIS C と判定する点である．また，AIS B と C を判定する際には，仙髄回避だけでなく正常運動レベルから 4 髄節以上尾側の key muscle の有無や非主要筋肉(non-key muscle)が残存するかなどの付帯条件があるので注意を要する．

(6) 部分的残存領域(zone of partial preservation; ZPP)の決定

ZPP は NLI から最も尾側の感覚もしくは運動機能がどの程度保たれているか特徴づけるための重要な情報として定義され，AIS に基づくものではない．ZPP 記載の必要条件は VAC のないすべての症例で運動 ZPP を記載する．感覚 ZPP は DAP もしくは S4–5 LT/PP のいずれも存在しない場合に記載する必要がある．

上記(1)～(6)の手順は一通りの ISNCSCI の要点をまとめたもので，実際に臨床で使用するにあたっては non-SCI condition には＊を使用するなど，細かい取り決めがいくつも存在するため，検査を行うには習熟する必要がある．

3 ADL 能力の評価

脊髄損傷者における ADL 評価では脊髄障害自立度評価法(spinal cord independence measure version Ⅲ; SCIM)が有用である．脊髄損傷では ADL に影響を及ぼす認知機能低下の存在は少ないとの考えから，認知項目に対する評価は含まれていない．外傷性脊髄損傷や非外傷性脊髄病変の患者にも適用でき，対麻痺・四肢麻痺のいずれにも適用可能である．SCIM はセルフケア 4 項目(0～20 点)，呼吸と排泄管理 4 項目(0～40 点)，移動 9 項目(0～40 点)の 3 領域から構成され，移動領域はさらに移動(室内とトイレ)，移動(屋内と屋外)の 2 つに分けられる．全 17 項目で合計スコアは最低 0 点から最大 100 点である．点数が高値であるほど ADL 自立度が高いことを意味する．SCIM の項目には，脊髄損傷者にとって重要な呼吸や排泄に関連する項目に対して高い配点が設定されている．採点基準は項目ごとに 2～9 段階で定義され，その項目の活動を遂行するために必要な介助量と，補助器具や環境調整の有無を考慮して作成されている．

4 呼吸機能評価

急性期から見逃してはならないものとして呼吸機能評価がある．特に頸髄損傷完全麻痺者の場合は生命維持において重要な項目である．受傷機転によっては血気胸，胸骨・肋骨骨折なども合併する可能性があるため情報を把握しておく．急性期では交感神経が遮断され副交感神経が優位となり，気道内分泌物の増加，気管支攣縮や随伴症状として呼吸筋の麻痺による拘束性換気障害と呼気筋麻痺による閉塞性換気障害を認めるため，混合性換気障害の症状を呈する．さらに，安静吸気の役割をなす横隔膜の支配神経は第 3～5 頸髄節で

▶表 3　頸髄の神経学的損傷レベル別の呼吸機能の特徴

NLI	特徴
C2–3	●横隔膜の麻痺により人工呼吸器を必要とする可能性が高い ●舌咽呼吸の獲得で人工呼吸器を短時間外すことが可能
C4	●横隔膜の働きが不十分であり，1 回換気量は低下するが自発呼吸は可能 ●日中は人工呼吸器を必要とする場面は少ないが，夜間の換気のみ必要となることがある
C5	●自発呼吸での生活が可能となるが，効果的な咳嗽が困難であり合併症に注意が必要となる
C6–8	●努力呼気の補助筋である大胸筋および小胸筋の働きにより咳嗽の増強が可能

〔佐々木貴之：頸髄損傷患者の呼吸理学療法．理学療法, 35(1): 47–55, 2018 より改変〕

あるため，高位であればあるほど呼吸機能は低下する傾向にある．そのため，肺活量や 1 回換気量の評価だけでなく，最大咳嗽流速(cough peak flow; CPF)，血液ガスデータなどの情報収集および単純 X 線画像による無気肺・肺炎などの合併症の有無の確認は重要である．損傷レベルに応じた慎重な呼吸機能評価を実施する．参考として，頸髄の神経学的損傷レベル別の呼吸機能の特徴について**表 3**[8] に示す．

B 脊髄損傷完全麻痺者の理学療法

外傷性脊髄損傷では受傷直後より損傷高位以下の運動障害，感覚障害および損傷高位レベルによっては自律神経障害による種々の随伴症状を呈し，多くの者では中枢神経麻痺は永続的に生じる．そのため，ADL の再獲得には長期的なリハビリテーションを要する．

1 脊髄損傷完全麻痺者の運動学習

脊髄損傷完全麻痺者(AIS A)の場合，損傷髄節以下の求心性感覚入力と遠心性運動出力が破綻するため，触覚や深部感覚からの情報伝達は得られず身体認識が障害され，受傷前に持ち合わせていた身体認識および動作感覚は一変する．今後 ADL を再獲得するうえで，残存する身体機能に適する新たな動作方法の習得が必要条件となる．

脊髄損傷完全麻痺者であれば損傷高位に応じた残存機能しか活用できず，さらにそのレベルによっては体幹および下肢機能はまったく機能していない．また，急性期には体幹や下肢の柔軟性が乏しいことが多く，座位不安定性は著明であり，長座位，端座位での座位保持は自力では困難である．こうした状況下において，麻痺筋を補い代償動作を駆使し，さらにさまざまな動作の手順を理解・経験したうえで環境調整下にて運動学習を行うことが必要となる．

動作介入初期では，レベルに応じた模倣となる動作を実際に見せることや，動画の視聴などによる運動観察療法を利用することが有効な手段の 1 つとなる．また動作方法を認識したうえで，実際の動作を繰り返し練習することにより動作に対する理解を深め，動作の習熟へとつなげることが重要である．

2 急性期からの ADL 獲得に向けた流れ

脊髄損傷完全麻痺のなかで，一般的に Zancolli 分類 C6B2 が環境調整下での ADL 全般の自立境界レベルであることが知られている．このレベルを通して急性期から在宅復帰までの一連のリハビリテーション過程と理学療法を進めるうえでの留意点について紹介する．

a 急性期のリハビリテーション

受傷直後は障害髄節以下の体性反射，深部腱反射，自律神経作用が消失して弛緩性麻痺となり，低血圧や徐脈，麻痺性イレウスなどを呈しやすい．経時的変化とともにこれらの反射は回復や亢進を示すが，脊髄損傷完全麻痺者の場合は数週間脊髄ショック期の状態が続くこともあるといわれている．

急性期の介入の注意点は多岐にわたり，特に呼吸障害，起立性低血圧症状への対応が重要となる．頸髄損傷では交感神経が遮断されて副交感神経が優位となり，気道内分泌物の増加や呼吸筋麻痺による肺活量・CPF が低下する．咳嗽力低下による道内分泌物の貯留を予防するため，必要に応じて喀痰介助や体位ドレナージを実施する．また，肺活量低下に伴う胸郭・肋間などの拘縮に対する予防や可動性維持のために，胸郭可動域練習も有効な手段となる．1 回換気量が低い症例では，呼吸筋トレーニングだけでなく，呼吸介助による呼吸筋リラクセーションなどの呼吸療法を実施し，損傷レベルに応じた慎重な管理を行う．

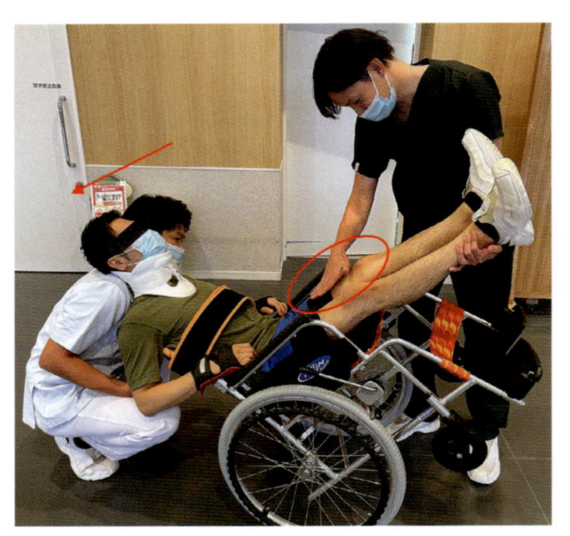

▶図 9　車椅子乗車中の起立性低血圧症状への対処方法

車椅子を後方へ倒すことで頭部を下方へ倒す頭低位をとり，下肢の挙上および下肢のタッピングを行う．下肢挙上することで必然的に血液分布の重心が心臓より上へ保たれ，重力の作用により自然と心拍出量が増加し，一時的な改善を見込める．

■早期離床と車椅子座位

ベッドサイドでは医師指示のもと，多くは術翌日よりベッドギャッチアップを開始し，座位耐久性向上をはかる．また，ギャッチアップ拡大に伴い早期から可能なかぎり標準型車椅子への乗車練習が推奨され，起立性低血圧症状を助長させないように受傷から 2 週間程度での車椅子座位獲得を目指す．付加的効果として，早期より車椅子座位姿勢を保持することで脊柱に対して鉛直方向に荷重がかかり，体幹可撓性の維持と姿勢変換による無気肺・肺炎予防に寄与する．普通型車椅子乗車中に起立性低血圧が生じた際の対処方法を**図 9** に示す．車椅子上での座位耐久性が徐々に向上すれば車椅子自走練習を開始し，屋内車椅子駆動自立を目指す．

b 全身調整期のリハビリテーション

全身調整期では，今後の ADL を見据えた残存機能を最大限に活かすためのコンディショニング管理が必要である．考慮すべきコンディショニング管理はのちの ADL 獲得に向けて，各関節の動きが，どのような動作に影響するのかを理解したうえで実施すべきである．

たとえば，床上動作の基本姿勢である長座位獲得に向け，ハムストリングは下肢伸展挙上(straight leg raising; SLR) 100° 程度の伸張を目指すことや，体幹の柔軟性拡大を考慮して関節可動域運動を行う．また，今後の前方移乗時の足上げ動作で必要となる股関節の屈曲・外転・外旋方向の複合的な関節可動域拡大も考慮する．次の段階では，床上動作やプッシュアップ動作を行う際には肩関節周囲筋は主要な力源であり，荷重関節へと変様することとなるため，拘縮に注意しつつ疼痛のない範囲下にて全可動域での伸張運動を行う．

■床上動作獲得に向けた準備

床上動作や移乗動作時に肘のロッキングを有効に行うために，肘関節の屈曲拘縮予防は非常に重要となる．肘ロッキング動作を行う際は，閉鎖性運動連鎖を使用して手掌が固定された状態にて肩関節屈曲・内転・内旋や前腕回内の動作を複合的に用いるため，反復練習が動作獲得に有効となる．そのため，早期からそれらの筋に対し漸増的な徒手抵抗運動や実際の肘ロッキング練習そのものを行うことが筋力強化運動などにもつながる（▶図 10）．

■代償動作を利用する機能手の調整

C6 レベルでは，手関節背屈により**テノデーシスアクション**（▶図 11）を利用し手指把持の代償動作を獲得する．そのため，手関節掌屈位での手指同時屈曲による伸筋腱の過度のストレッチは禁忌である．

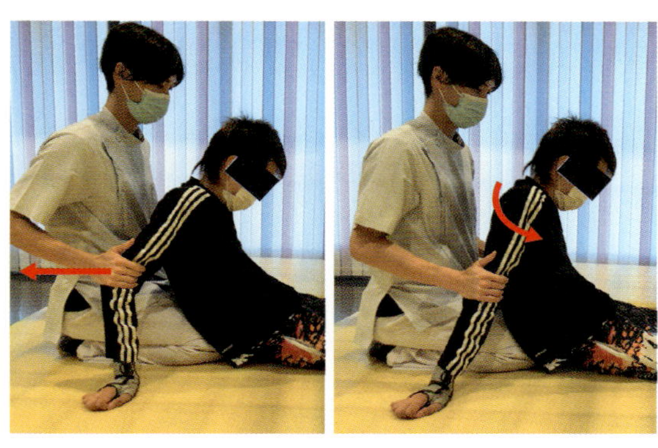

▶図 10　肘ロッキングを用いた筋力強化運動
療法士は後方へ位置し，CKC にて肘のロッキングに拮抗するように徒手抵抗運動を反復して行い，それに併せて大胸筋や三角筋前部線維を用いて肘のロッキングを練習する．

■痙縮の経時変化

脊髄ショック期を脱する時期から頸髄損傷完全麻痺者では徐々に痙縮が出現する．痙縮により座位バランスを崩すことや，感覚残存部位では筋肉痛様の疼痛を感じることもある．

図 12[9] に AIS 別での痙縮の経時変化を示す．頸髄損傷の AIS A では，上肢・下肢ともに受傷後徐々に modified Ashworth（アシュワース）Scale（MAS）の値は上昇する．しかし，AIS C の運動不全麻痺例と比較するとその上昇は緩徐である．適度な痙縮であれば筋萎縮や褥瘡の予防に働く．重度の痙縮は拘縮の助長，疼痛，胸腹部の締めつけ感による呼吸障害を呈することがあるが，これらの多くは不全麻痺例に多い．

■痙縮に対する運動療法

痙縮に対する運動療法として，他動的な関節可動域運動による筋組織や結合組織の伸張が有用であり，全身的な筋緊張の緩和が期待できる．特に

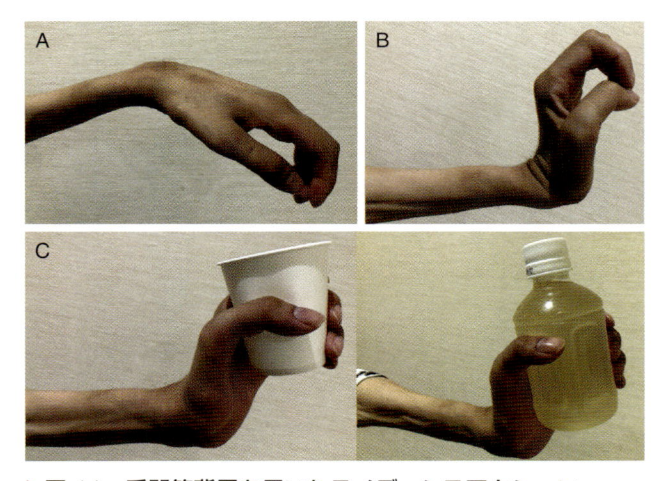

▶図 11　手関節背屈を用いたテノデーシスアクション
代償動作として手関節背屈による把持可能な機能手．
A：手関節の背屈筋を弛緩させた状態
B：手関節背屈位
C：コップやペットボトルを背屈位にて保持した状態

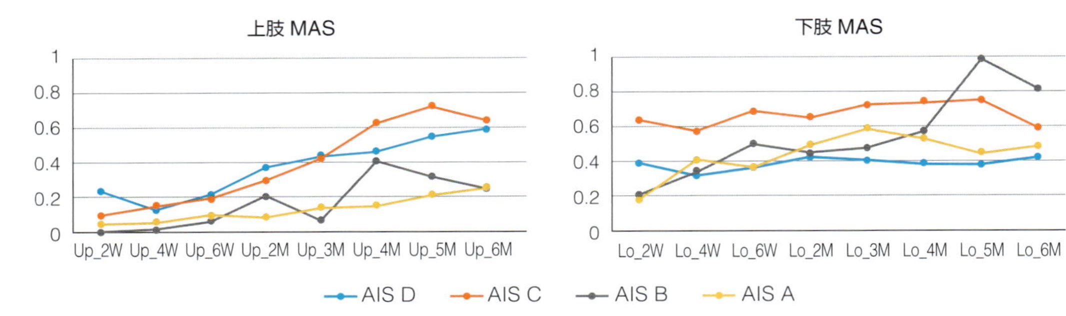

▶図 12　ASIA 機能障害尺度別での痙縮の経時的変化
2005〜2019 年の間に脊髄損傷データベースシステムに登録され，受傷後 14 日以内から，6 か月以上の観察が可能であった外傷性頚髄損傷者 238 名を対象とした．受傷 6 か月時の AIS をもとに経時的な MAS の上肢平均と下肢平均を AIS 別にそれぞれ示した．
〔Ideta, R., et al.: Time course of spasticity according to ASIA Impairment scale after traumatic spinal cord injury. Poster presented at: The 59tn International Spinal Cord Society Annual scientific meeting, 2020 より〕

持続的伸張(ストレッチ)では伸展受容器への伸張で閾値を上げ，反射弓への入力を減少させ，筋粘弾性を低下させる．また，痙縮筋の自動運動が可能な場合，積極的使用により拮抗筋に対する相反性抑制の改善となり，痙縮緩和や筋力増強効果が得られる．そのため，頚髄損傷完全麻痺者への関節可動域運動，ストレッチ，残存筋の筋力強化運動は積極的に実施すべきである．

過度の痙縮を示す場合は，薬物療法や温熱・寒冷を用いた物理療法などがしばしば併用される．重度の痙縮に対する観血的治療としてはバクロフェン髄注療法などが著明な効果を示す．

C 回復期のリハビリテーション

回復期では，実際の床上動作における前後・側方への移動や長座位でのプッシュアップ練習および寝返りや起き上がりを含む起居動作練習を開始する．C6B2 レベルのプッシュアップでは肘ロッキングの状態で前鋸筋による肩甲骨の外転，下制の作用により殿部挙上高さを獲得する(▶図 13)．このレベルでは肩周囲筋が弱く，翼状肩甲が存在する．

▶図 13　長座位プッシュアップにおける殿部挙上(C6B2)
C6B2 レベルの長座位プッシュアップであるが，良好な体幹柔軟性があり床と肩関節の距離が近くなることでプッシュアップのストロークを確保でき，十分な殿部挙上ができている状態．

■ ADL 再獲得に向けた移乗動作練習

受傷後 3 か月程度で前方移乗動作(▶図 14)の獲得を目指す．この時期では併行してベッド上での更衣練習や自己導尿練習を開始する．可能であれば端座位保持練習やベッド端での端座位プッシュアップ練習を始める．さらに動作習熟が得られれば，今後の側方移乗練習を意識して高低差のある端座位プッシュアップ練習の導入(▶図 15)や実際の側方移乗(▶図 16)を練習し，受傷 8〜10 か月での動作獲得を目指す．

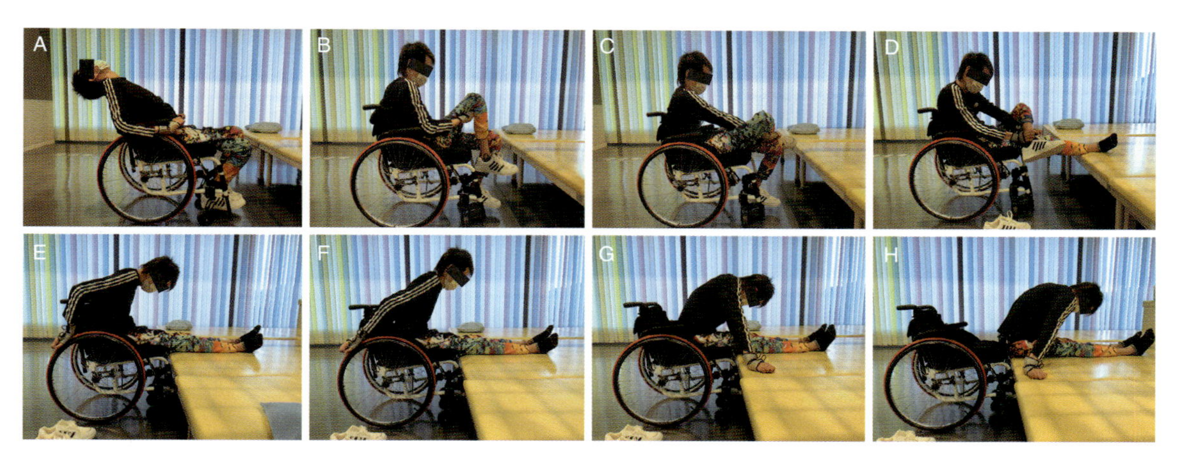

▶図 14　前方移乗動作の一連の動作(C6B2)

A：基底面を増やしバランス保持を行いやすくするため，体幹を伸展させ殿部を車椅子座面の前方にずらす.
B：体幹を前方に倒し，下肢を引き上げると同時に後方へ体幹を倒す．動作の際には挙上下肢と反対側の上肢を介助バーの内側に入れておく.
C，D：靴脱ぎ動作実施後，下肢を前方のベッド上へ乗せる.
E，F：車椅子をベッドまで接近させ，ブレーキをかけたのちに大車輪後方に手部を位置させ肘ロッキングさせることで体幹を前方に倒す.
G，H：体幹が前方へ倒れると同時にベッド端に手掌をつく．その後床上動作として前方移動する.

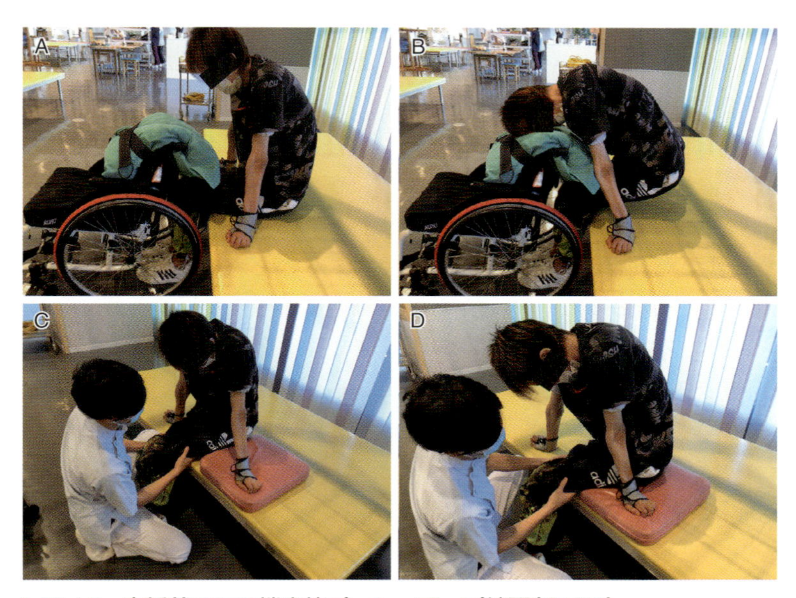

▶図 15　高低差のある端座位プッシュアップ練習(C6B2)

A：肘をロッキングし端座位保持を練習する.
B：端座位プッシュアップ練習では手掌と肩関節の位置と骨盤の位置関係が重要となる．強固なロッキングと手掌の位置が下肢に近い位置であればあるほど殿部挙上高さは向上するが，肘ロッキングは行いにくくなる.
C，D：5 cm 程度の高低差を利用した端座位プッシュアップ練習の応用方法．突然の肘折れリスクを考慮して療法士は必ず前方に位置する.

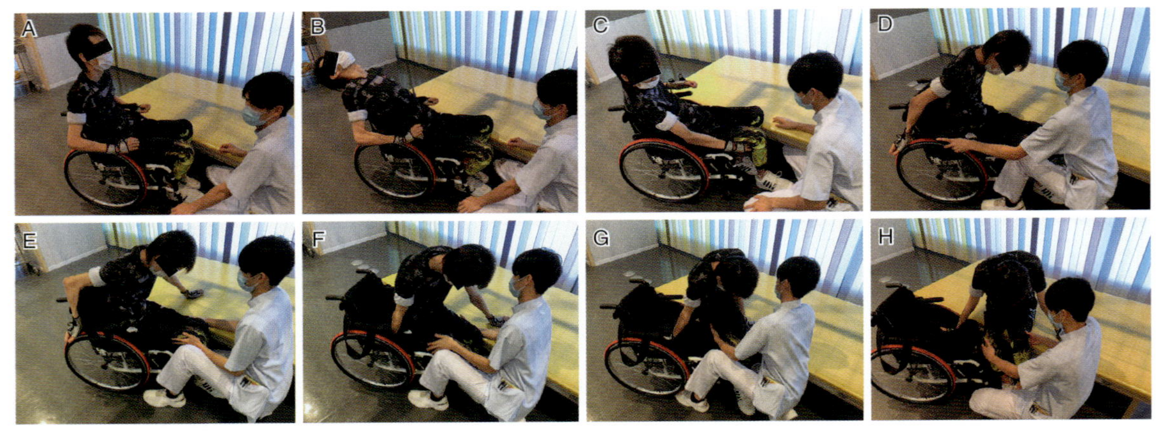

▶図 16　側方移乗動作の実際（C6B2）
A：ベッド端と車椅子の角度が 30° 程度になるように位置する．
B：体幹を伸展して殿部を車椅子座面前方にずらし，基底面を増やしてバランスを保持しやすくする．
C：下肢をフットプレートから下ろす．操作する上肢と反対側の上肢は転落防止として介助バーに引っかける．
D，E：大車輪後方に手掌をつき，肘をロッキングして体幹を起こす．体幹が前方に倒れると同時にベッド端に手掌をつく．
F，G，H：両肘ロッキングを行い，大胸筋・三角筋を作用しつつ体幹が前方に倒れることを制御し，前鋸筋にて身体を持ち上げる．移乗する方向と反対側に頭部を振るイメージをもち側方移乗する．
練習導入時，療法士は下肢の位置修正や車椅子の側方へのずれ防止，手掌を置く場所の操作介助，殿部の挙上介助をしつつ動作練習を行う．

■より難度の高い ADL 練習の導入と ADL 獲得時期

受傷後 6 か月以降ではベッド上での更衣動作や高床式でのトイレ動作は獲得可能な時期になる．また，自動車移乗や入浴動作など，さらに難度の高い ADL 動作獲得に向けたアプローチを実施する．ADL 動作を獲得する時期は年齢・体重・体型・性別・残存機能レベル・関節の柔軟性（肩甲帯を含む肩関節，体幹，ハムストリングス）・動作に対する理解度，痙縮の強さや異所性骨化などの合併症の有無などの要因が複雑に絡み合う．環境設定下でのすべての ADL が自立するまでに 1 年以上の期間を要する症例も少なくない．

■運動学習を意識した積極的な理学療法アプローチ

理学療法プログラム設定において，残存レベル別のゴールを念頭におき，次に獲得可能であろうと思われる動作が現時点では少し困難であっても，それらの動作を早め早めに取り入れる[10]．このような理学療法アプローチを繰り返すことでさまざまな動作に対する運動学習は形成され，動作の失敗から得られる経験もある．

■在宅復帰に向けた環境整備や情報提供

脊髄損傷完全麻痺者が在宅復帰するには環境調整下で実際の ADL 動作につなげることが望ましい．そのため，障害に応じた適切な住環境整備計画の立案や社会福祉資源情報の提供を同時に進めていくことが重要となる．

3 脊髄損傷高位レベルに応じた病態像の把握

脊髄損傷完全麻痺者のリハビリテーションの基本的な考えは，残存機能に応じた ADL の目標を念頭におき，それに向けて理学療法を進めていくことが重要となる．したがって，残存機能を正しく評価し，機能に応じた最終到達目標を明確に把握する必要がある．脊髄損傷完全麻痺者の損傷高位に応じた最終獲得機能を**表 4**[11] に示す．これらは臨床において病態像の把握に役立ち，適切な

▶表 4　損傷高位別の最終獲得機能

損傷高位		最終獲得機能
C1–C3		●自発呼吸が困難，呼吸は人工呼吸器管理．場合によっては非侵襲的陽圧換気療法の導入や横隔膜ペーシングの選択もある ●舌，頭部ポインタ，呼気型スイッチによる環境制御装置・電動車椅子操作
C4		●横隔膜の機能残存，人工呼吸器の離脱可能 ●頭頸部肩甲帯を用いて電動車椅子操作（チンコントロール式などにて顎や頭部の運動を利用） ●環境設定下にて食事支援ロボット（マイスプーン®）を使用して自立
C5		●前腕遠位部をハンドリムに押しつけ，屋内平地移動が車椅子駆動にて可能 ●スプリングバランサーや自助具を用いて机上動作可能 ●寝返り，起き上がり，移乗動作は要介助
C6	C6A	●一部の例でベッド柵を利用して寝返り，起き上がり動作は可能だが，多くは要介助
	C6B1	●ベッド上寝返り・起き上がりが自立．ベッド–車椅子間の移乗動作も約 70% の例で自立 ●高床式のトイレ環境調整下にて約半数が自立．一部の条件のよい症例では自動車運転も可能 ●一般的には環境調整下でのベッド–車椅子間移乗動作の獲得まで可能
	C6B2	●一般的には ADL 自立の上限 ●寝返り・起き上がりは支持物なしで可能．ベッド–車椅子間の移乗動作自立．トイレ移乗も環境調整下にて 8 割以上が可能 ●自動車移乗・車椅子の積載動作も 60% 以上で可能
	C6B3	●上肢の支持性が高まり，移乗動作はさらに容易となる．自動車移乗・車椅子の積載動作も 60% 以上で可能 ●約 20% の症例が床から車椅子への移乗動作を獲得．阻害因子のない症例では側方移乗動作が自立する例も存在する
C7–T1		●移乗動作は側方アプローチが可能．床から車椅子への移乗は C8A までは 20〜40%，C8B では 80% 以上が達成可能 ●車椅子を使用した生活における起居・移動・移乗動作は完全に自立
T2–L2		●明らかな阻害因子がない限り，車椅子を使用した ADL はすべて自立 ●交互型歩行装具を用いて交互歩行可能だが，練習手段のレベルで実用性はない
L3–L4		●左右のうち一側でもこのレベルで膝伸展が実用的となり，短下肢装具と両クラッチを用いての二点杖歩行，大振り歩行が可能となり，生活の一部分での実用的な移動手段としての歩行能力が備わる
L5 以下		●簡易的な短下肢装具，クラッチを使用して，長距離の移動を除けば車椅子を必要としない歩行能力が獲得される

〔水上昌文：脊髄損傷．居村茂幸（編）：筋骨格障害系理学療法学．p.143，医歯薬出版，2006 より〕

治療方針の設定の参考となる．

C 脊髄損傷後の機能予後

脊髄損傷後に出現する四肢もしくは両下肢麻痺は，遅発性麻痺を除けば受傷直後が最も重篤な状態である．臨床において，受傷後経過とともに麻痺の程度は多くの症例で回復を示し，その改善程度は脊髄実質の損傷具合に関連する．この機能変化は急性期に多くみられ，これは中枢神経である脊髄の神経細胞が再生しているというよりは，受傷後の脊髄浮腫の減少や脊髄ショック期を脱する影響が大きいと考えられている．

脊髄損傷完全麻痺者においても，受傷後 3 か月までは活発に神経学的機能回復が生じ，その後の回復は緩徐となる．**表 5**[12] に外傷性脊髄損傷後の AIS 別の受傷後 72 時間から 6 か月の変化率について示す．完全麻痺である AIS A の 18.9% が受傷後 6 か月までに不全麻痺（AIS B〜D）へ改善を示し，時間経過とともに機能変化は生じている．このように，脊髄損傷後のある一定の自然な改善がみられることは臨床で経験する．

そこで，脊髄損傷完全麻痺といつの段階で決定

▶表 5　受傷後 72 時間と受傷後 6 か月（345 名）での AIS の経時変化

		6 か月				
		A	B	C	D	E
72 時間	A（127 例）	103 81.1%	10 7.9%	12 9.4%	2 1.6%	0 0%
	B（44 例）	1 2.3%	8 18.2%	19 43.2%	16 36.4%	0 0%
	C（145 例）	2 1.4%	0 0%	25 17.2%	115 79.3%	3 2.1%
	D（29 例）	0 0%	0 0%	2 6.9%	21 72.4%	6 20.7%

上段：実症例数，下段：72 時間からの変化率

〔出田良輔ほか：外傷性脊髄損傷後の経時的 ASIA Impairment Scale（AIS）の変化率について．日脊髄障害医会誌，33(1):12–15, 2020 より〕

づけることが最も適切な時期かという議論に至る．河野らによれば，受傷後 8 週間以内に AIS A からの回復が認められない場合は，ほぼ確実に完全脊髄損傷者（AIS A）と分類できることを示した[13]．

神経学的機能回復は上述のように生じ，それに伴い獲得可能な ADL 能力も変化する．そのため，受傷後早期から頻回かつ精度の高い神経学的評価を行い，そのつど個々の残存機能に応じた効果的なリハビリテーション治療方針を設定し実施することが重要となる．

ADL を反映する評価法として SCIM が一般化されている．受傷後 6 か月時の SCIM 合計点の予測手段として，受傷時年齢と受傷後 1 か月時の 3 つの key muscle（C6：手関節背屈筋群，C8：中指末節の屈曲筋群，L3：膝伸展筋群）と 2 つの移動能力評価〔SCIM-item13 と Walking Index for Spinal Cord Injury（WISCI II）〕は有意な要因であり，これらの臨床所見も見落とすべきではない[14]．

脊髄損傷完全麻痺者の予後について述べたが，これらの予後を認識したうえで時期に応じた麻痺程度の回復を想定し，最終的な到達点を考慮したうえで積極的な理学療法・リハビリテーションを実施することが動作能力の向上に結びつくといえる．

●引用文献

1) Denis, F.: The three column spine and its significance in the classification of acute thoracolumbar spinal injuries. *Spine (Phila Pa 1976)*, 8(8):817–831, 1983.
2) 植田尊善：脊髄損傷の予後診断．越智隆弘ほか（編）：NEW MOOK 整形外科 12, 整形外科 MRI 診断．pp.101–109, 2002.
3) 植田尊善：頚髄損傷から見た頚髄高位診断．日整会誌，72:S396, 1998.
4) 河野　修ほか：Frankel 分類と ASIA 機能障害尺度（AIS）．脊椎脊髄，33(4):383–388, 2020.
5) Rupp, R. (eds.): International Standards for Neurological Classification of Spinal Cord Injury: Revised 2019. American Spinal Injury Association, Richmond, 2019.
6) Zancolli, E.: Surgery for the quadriplegic hand with active, strong wrist extension preserved. A study of 97 cases. *Clin. Orthop. Relat. Res.*, (112):101–113, 1975.
7) https://asia-spinalinjury.org/wp-content/uploads/2021/07/ASIA-ISNCSCI-SIDES-1-2_July-2021.pdf（2022 年 5 月 17 日閲覧）
8) 佐々木貴之：頚髄損傷患者の呼吸理学療法．理学療法，35(1):47–55, 2018.
9) Ideta, R., et al.: Time course of spasticity according to ASIA Impairment scale after traumatic spinal cord injury. Poster presented at: The 59tn International Spinal Cord Society Annual scientific meeting, 2020.
10) 戸渡富民宏：脊髄損傷の理学療法．吉尾雅春（編）：標準理学療法学 専門分野 運動療法学 各論．第 2 版，pp.201–226, 医学書院，2006.
11) 水上昌文：脊髄損傷．居村茂幸（編）：筋骨格障害系理学療法学．p.143, 医歯薬出版，2006.
12) 出田良輔ほか：外傷性脊髄損傷後の経時的 ASIA Impairment Scale（AIS）の変化率について．日脊髄障害医会誌，33(1):12–15, 2020.
13) Kawano, O., et al.: How much time is necessary to confirm the diagnosis of permanent complete cervical spinal cord injury? *Spinal Cord*, 58(3):284–289, 2020.
14) Ariji, Y., et al.: A prediction model of functional outcome at 6 months using clinical findings of a person with traumatic spinal cord injury at 1 month after injury. *Spinal Cord*, 58(11):1158–1165, 2020.

（有地祐人）

索引

＊用語は，五十音順で配列した．
＊数字で始まる用語は「数字・欧文索引」に掲載した．

和文

あ

アカシジア　312
アシュワーススケール変法（MAS）　73, 132, 412
アストロサイト　4
圧覚　112
圧迫骨折　421
アテローム血栓性脳梗塞　83
アテローム硬化　83
アパシー　37
アレン・ファーガソン分類　421
アロディニア　245, 246
アンダーソンの基準　86
アントン型の病態失認　154

い

医学管理　295
行きすぎによるふるえ　143
意識障害例への介入　276
意識的記憶　45
異常感覚　246
異常筋緊張　126
異常血管吻合　80
移乗動作の評価，Parkinson 病患者の　318
異常半球間抑制　228
異所性骨化　409
痛み
—— の原因による分類　243
—— の性質の評価　249
—— の強さの評価　248
位置覚の検査　117
一次進行型多発性硬化症（PPMS）　360, 368
一次性機能障害，脳卒中の　66
一次性脳損傷　385
一次損傷，脊髄損傷の　406
一次体性感覚の伝導路　114
意図の抗争　40
意味記憶　45
意味性の錯行為　188
意味ルート　192
陰性四徴候，筋萎縮性側索硬化症の　344
咽頭・頸部・上腕型 Guillain-Barré 症候群　371

う

ウィリス動脈輪　23
ウートフ徴候　359
ウェアリングオフ現象　312
ウェルニッケ失語　197
—— による病態失認　154
ウェルニッケ・マン肢位　203, 227
ウェルニッケ野　12
ウォルフ Motor Function Test（WMFT）　76, 233
うつ熱　408
運動イメージの低下　409
運動学シナジー　202
運動学習　141
——，脊髄損傷完全麻痺者の　429
運動学的指標，歩行障害の　214
運動覚の検査　117
運動機能回復のメカニズム，脊髄損傷後の　410
運動機能の回復，脳卒中発症後の　104
運動技能の記憶　46
運動時振戦　143
運動失調　116, 137
—— の種類　142
—— の発生メカニズム　141
—— の評価　146
—— の評価，多発性硬化症の　364
運動主体感　41
運動症状，Parkinson 病患者の　311
運動制御　141
運動前野　200
—— の損傷　48
運動単位　400
運動負荷
——，筋萎縮性側索硬化症における　352
——，多発性硬化症患者に対する　366
運動分解　143
運動麻痺　98, 100, 407
運動誘発電位（MEP）　363
運動力学的指標，歩行障害の　214
運動療法
——，筋萎縮性側索硬化症患者に対する　352
——，痙縮に対する　134
——，脳卒中後疼痛の　249

え

栄養介入，サルコペニア・フレイルへの　262
栄養管理，筋萎縮性側索硬化症患者に対する　345
栄養血管，小脳の　141
栄養障害，サルコペニアの　257
栄養療法，筋萎縮性側索硬化症の　346
疫学，痙縮の　129
エピソード記憶　45
エビデンス
——，Parkinson 病の理学療法の　319
——，理学療法の　106
エビデンスレベル　107
エラーレスラーニング　194
鉛管現象　126
嚥下障害　325
縁上回　8
延髄　4, 17
—— のスライス　10
延髄網様体脊髄路　99, 398

お

横隔膜機能障害　343
横隔膜麻痺　408
横橋線維　10

横側頭回　12
屋外歩行　284
オリーブ核　18
オリゴデンドロサイト　4
折りたたみナイフ現象　126
オンオフ障害　312
温痛覚　112
温度覚　118

か

下位運動ニューロン　101, 400
下位運動ニューロン障害　127
下位運動ニューロン徴候　342
外眼筋の麻痺　94
開脚歩行　61
介護保険法　368
外傷性くも膜下出血(tSAH)　384
外傷性髄液漏　388
外傷性脳内血腫(TICH)　383
外側運動制御系　47, 100, 201
外側溝　7
外側膝状体(LGB)　123
外側脊髄視床路　247, 398
外側皮質脊髄路　47, 99, 100, 127, 398, 399
外側腹側核(VL 核)　11, 123
改訂長谷川式簡易知能評価スケール(HDS-R)　72
外的キューを用いた運動療法　320
外転神経　7, 94
開頭外減圧　386
開頭血腫除去術　386
海馬　15, 16
灰白質　4
——, 脊髄の　397
外発性運動制御系　39
外発的注意　162
回復期
——, 脳卒中理学療法の　279
—— における機能回復, 脳卒中の　56
—— の理学療法, 頭部外傷の　390
—— のリハビリテーション, 完全損傷者の　432
回復期脳卒中後片麻痺患者に対する装具療法　285
回復メカニズム, 脳卒中の　53
外包　11
外乱負荷応答の練習　322
過活動膀胱　364
踵打歩行　115, 145
踵–脛試験　332
角回　8
拡散強調画像(DWI)　26
拡散テンソル画像(DTI)　26
拡散テンソルトラクトグラフィー(DTT)　102
学習性不使用　106, 229
覚醒・警戒ネットワーク　163
覚醒/持続性注意トレーニング　172
下行性伝導路　98, 398
下後頭前頭束　20
過興奮性, 伸張反射の　127
下肢運動障害に対するアプローチ　281
下肢装具　216
下縦束　18, 20
下小脳脚　10, 18, 21
下垂足　353
仮性球麻痺　326
下前頭回　8, 12
仮想現実　218, 238
家族関係の問題, 脳卒中後遺症者の　294
下側頭回　8
家族へのかかわり　301
可塑性
——, シナプスの　53
——, 神経の　53
——, 脳の　105
課題指向型練習　239, 275, 281
——, 関節可動域制限に対する　256
—— のポイント　238
肩関節痛　245
滑車神経　7, 94
滑動性運動　95
滑動性眼球運動評価　333
活動制限　64
活動性評価
——, 筋萎縮性側索硬化症の　347
——, 多発性硬化症の　362
活動レベルの評価法　231
合併症・随伴症状, 脊髄損傷の　407
寡動　315
下頭頂小葉　8, 14
簡易版マクギル疼痛質問表 2(SF-MPQ-2)　249
感覚刺激　171
感覚障害　112
——, Parkinson 病患者の　312
—— と疼痛の評価, 多発性硬化症の　363
感覚神経伝導速度　118
感覚性運動失調　116, 124, 145
感覚性失調　112
感覚麻痺　407
感覚モダリティの検査　117
感覚路　18
眼窩耳孔線(OM ライン)　8
眼窩前頭前野(OFC)　35, 37
眼球運動障害　94, 145
眼球運動の評価　333
眼球運動ループ　52
眼球共同運動　95
環境依存症候群　40
ガングリオシド　373
眼傾斜反応(OTR)　95
喚語困難　197
感情管理　296
眼症状　94
感情–情動的アパシー　37
冠状断　8
関節可動域
—— の維持・拡大, Guillain-Barré 症候群患者に対する　376
—— の評価, 不全損傷者の　413
関節可動域運動
——, Parkinson 病患者に対する　323
——, 多発性硬化症患者に対する　366
関節可動域制限　76, 254
—— に対する介入　255
—— の評価　255
—— の評価, Parkinson 病患者の　315
—— のメカニズム, 脳卒中における　254
関節可動域練習
——, 筋萎縮性側索硬化症患者に対する　352
——, 痙縮筋の　134
完全損傷, 脊髄の　410
—— の理学療法　421

完全な閉じ込め状態(TLS) 345
完全麻痺 101, 428
貫通損傷 382
観念運動失行 185
観念失行 185
間脳 14
—— の構造と機能 14
カンピロバクター 373
顔面神経 7
灌流領域，脳血管の 21

き

疑核 18
起居移乗動作・基本動作トレーニング，不全損傷者の 417
起居動作の評価，Parkinson 病患者の 318
拮抗失行 40
基底核
—— の構造と機能 14
—— のスライス 11
気道クリアランス 343
企図振戦 143
機能回復に影響する因子，脳卒中の 57
機能障害 64
機能的自立度評価法(FIM) 74, 350
機能的電気刺激(FES) 106, 217
機能予後
——, 脊髄損傷後の 435
——, 不全損傷者の 413
逆唱 316
逆説性歩行 320
逆向性健忘 46
球後視神経炎 359
弓状束 20
旧小脳 17
嗅神経 5
求心路遮断痛 123
急性運動軸索ニューロパチー(AMAN) 370
急性炎症性脱髄性多発ニューロパチー(AIDP) 370
急性期
——, 脳卒中理学療法の 266
—— における機能回復，脳卒中の 55
—— の理学療法，頭部外傷の 386
—— のリハビリテーション，完全損傷者の 429
急性期脳梗塞例の離床開始時期 267
急性期脳出血例の離床開始時期 268
急性期脳卒中の予後予測 273
急性硬膜外血腫(AEDH) 382
急性硬膜下血腫(ASDH) 383
急性増悪期の治療，多発性硬化症の 361
急性疼痛 243
球麻痺 326, 343
橋 4, 17
—— のスライス 10
橋核 10
胸郭可動域の維持・改善，Guillain-Barré 症候群患者に対する 376
胸郭可動域練習，筋萎縮性側索硬化症患者に対する 353
橋縦束 10
橋小脳路 10, 17
胸神経 397
協調運動 137
—— の神経機構 137
協調運動障害
——, 小脳性運動失調の 142
—— の評価 146
協調運動制御の機序 138
協調性の低下 112
胸椎損傷 421
橋底部 10, 17
協動収縮異常試験 364
共同収縮障害 144
共同性注視 95
橋被蓋部 17
橋網様体 17
橋網様体脊髄路 99, 398
橋腕 17
棘 54
局所性脳損傷 382
ギラン・バレー症候群(GBS) 101, 370
—— の理学療法 370
起立性低血圧 312, 408
ギルマン分類 329
筋萎縮性側索硬化症(ALS) 342
—— の理学療法 342
筋萎縮による筋力低下 343
筋強剛 126
筋緊張 126
—— の評価，不全損傷者の 412
筋緊張異常 145
筋緊張亢進 126
筋緊張低下 127
筋骨格系疼痛 245
筋シナジー 202
緊張性伸張反射 129
緊張性振動反射(TVR) 159
筋分節 399
筋力増強運動 281
——, Parkinson 病患者に対する 323
筋力低下の評価
——, Parkinson 病患者の 315
——, 多発性硬化症の 363
筋力の維持・増強，Guillain-Barré 症候群患者に対する 376

く

空間性注意 162
空間性の錯行為 188
空間定位ネットワーク 163
空間的多発性(DIS) 357
屈曲反射 401
首下がり 353
くも膜下出血(SAH) 23, 81, 88
—— の離床開始時期 268
くも膜下出血例の予後予測 274
グリア細胞 4
クリッピング術 81
車椅子駆動の評価，Parkinson 病患者の 319
車椅子座位，完全損傷者の 430
車椅子–ベッド間の移乗動作 287
クローヌス 128

け

経口ステロイド薬 361
痙縮 126, 364, 407
—— に対する運動療法，完全損傷者の 431
—— による痛み 244
—— の経時変化，完全損傷者の 431
—— の治療 133
—— の発生メカニズム 129
—— の病態 131

痙縮・筋緊張の評価，多発性硬化症の 364
頸神経 397
痙性片麻痺歩行 203
痙性歩行 363
痙性麻痺 101
経頭蓋磁気刺激(TMS) 102, 121
経頭蓋直流電気刺激(tDCS) 106, 121, 159, 195, 229, 252
経皮的電気神経刺激(TENS) 377
痙攣重積発作，頭部外傷患者の 388
結合性変化 57
血漿吸着療法(IAPP) 361
血漿交換療法(PE) 361, 374
血漿浄化療法(PP) 361
楔状束 398
血栓溶解療法 90, 91
ゲルストマン症候群 154
言語化されない半側身体失認 154
言語ネットワーク 198
幻肢 407
腱反射の亢進 129
健忘症 125
—— による病態失認 154
健忘症候群 46

こ

コイル塞栓術 81
抗 Parkinson 病薬 312
—— への配慮 319
構音障害 145
後外側核(LP 核) 123
後外側腹側核(VPL 核) 11, 113, 123
後角，脊髄の 397
後下小脳動脈 22
抗ガングリオシド抗体 373
高吸収，CT の 24
抗凝固療法 91
口腔内唾液分泌物スケール(OSS) 349
高血圧性脳出血 80
抗血小板療法 91
後索，脊髄の 397
後索内側毛帯系 112
後索-内側毛帯路 398
交叉性伸展反射 401
高次脳機能障害，頭部外傷の 390
拘縮 76
鉤状束 18, 20
高信号，MRI の 25
後脊髄小脳路 18, 398
後脊髄動脈 399
構造，中枢神経系の 4
拘束性障害 315
後大脳動脈 22
後頭橋路 21
行動性無視検査(BIT) 165
後頭前切痕 8
後頭・側頭・頭頂橋路 10
後頭頂皮質 203
後頭頂葉(PPC) 113
行動変容介入 298
後頭葉 7
後頭葉顔領域(OFA) 44
後頭葉腹外側領域(LOC) 44
後内側腹側核(VPM 核) 123
高頻度胸壁振動排痰補助装置(HFCWO) 354
興奮性シナプス後電位(EPSP) 55
興奮性神経毒性 58
興奮性の反射 401
後方循環系 22
後葉 17
交連線維 18, 20, 32
誤嚥 325, 343
誤嚥性肺炎 345, 390
誤嚥防止術 346
小刻み歩行 61
呼吸介助 375
呼吸管理，Guillain-Barré 症候群の 375
呼吸機能障害，Parkinson 病の 315
呼吸機能評価，完全損傷者の 428
呼吸障害
——，筋萎縮性側索硬化症の 343
—— に対する介入，Parkinson 病患者に対する 323
呼吸評価，筋萎縮性側索硬化症の 348
呼吸理学療法，筋萎縮性側索硬化症患者に対する 353
国際疾病分類(ICD) 63
国際障害分類(ICIDH) 63
国際生活機能分類(ICF) 64
黒質 10, 309
誤差に基づく学習 138
固縮 311, 314
古小脳 17
骨萎縮 408
骨格筋量減少 259
古典的条件づけ 45
固有受容感覚 112
ゴルジ腱器官 112

さ

サーキットトレーニング 218
最外包 11
再学習 56
最大咳嗽流速(CPF) 348, 429
最大吸気圧(MIP) 348
最大強制吸気量(LIC) 349
最大強制吸気量(MIC) 348
最大呼気圧(MEP) 348
サイトメガロウイルス 373
再発寛解型多発性硬化症(RRMS) 360, 368
再発予防期の治療，多発性硬化症の 361
再発率，脳卒中の 292
錯行為 188
サッケード 52, 95
左右識別障害 153
サルコペニア 257
—— の影響 259
サルコペニア・フレイル 254
——，脳卒中における 257
参加制約 64
ザンコリ分類 424, 425
三叉神経 7
三叉神経脊髄路核 18
残存機能評価，不全損傷者の 412

し

ジェスチャートレーニング 193
シェロングテスト 338
視蓋脊髄路 47, 100, 398
視覚失認 43
視覚性運動失調 43, 226
視覚性模倣失行 185, 191
視覚走査(探索)トレーニング 171
自覚的視覚垂直位(SVV) 95, 177
視覚的単語形状領域(VWFA) 45
視覚ネットワーク 32
視覚誘発電位(VEP) 363
弛緩性片麻痺歩行 203
弛緩性膀胱 364
弛緩性麻痺 101

時間測定障害　144
時間的多発性(DIT)　357
色彩失認　44
四丘体　17
持久力増強運動　283
——, Parkinson 病患者に対する　323
軸索　4
自原性抑制　403
自己効力感の向上　296
視索　94
四肢の失行　42
四肢麻痺　101
自主トレーニング，多発性硬化症患者に対する　366
視床　11, 14, 113, 123
—— の栄養血管　123
—— を構成する核　123
視床下核　14, 309
—— の損傷　52
視床核　14
歯状核赤核視床路　11
歯状核赤核淡蒼球ルイ体萎縮症(DRPLA)　327, 328
視床下部　14
視床症候群　123
視床上部　14
視床性運動失調　124
矢状断　8
視床枕(Pul)　11, 123
視床痛　123, 245
視床網様核(R 核)　123
視神経　5
視神経脊髄炎(NMO)　357
視神経脊髄型多発性硬化症(OSMS)　357
ジスキネジア　312
ジストニア　312
姿勢異常
—— に対する練習，Parkinson 病患者に対する　323
—— の評価，Parkinson 病患者の　317
姿勢管理，急性期脳卒中の　272
姿勢時振戦　143
姿勢制御　201
—— の練習，随意運動に伴う　322
姿勢制御障害，小脳性運動失調の　144
姿勢定位・姿勢制御ネットワーク　47
姿勢定位障害　174
姿勢的な垂直判断(SPV)　177
姿勢バランストレーニング，多発性硬化症患者に対する　367
姿勢バランス練習，Parkinson 病患者に対する　322
姿勢反射障害　311
姿勢不安定性の評価，Parkinson 病患者の　316
姿勢・歩行評価，筋萎縮性側索硬化症の　348
疾患別評価スケール　147
失行　42, 185
—— に対するリハビリテーション　193
—— の評価　186
実行システム，行為の　38
実行制御ネットワーク　163
失語症　197
—— の発生機序　197
失算　154
失書　154
失調歩行の特徴　340
失読失書　199
失文法　197
失名詞失語　197
自動調節能の破綻，脳血流の　86
自動膀胱　408
シナジー　202
シナプス前抑制　403
シナプスの可塑性　53
自発呼吸の練習，Guillain-Barré 症候群患者に対する　376
自発性アパシー　37
死亡率，脳卒中の　292
社会参加の意義　301
社会的行動障害　37
社会的不利　64
視野欠損　94
斜偏位　95
ジャルゴン　198
収集行動　41
重症度に合わせた介入，筋萎縮性側索硬化症患者の　351
重心移動能力の評価　316
自由神経　112
修正 Frailty Index 評価項目　260
住宅環境の調整　288
終末振戦　143
手指失認　153
樹状突起　54
出血性梗塞　84
受動的介入　119
受動的注意　162
主要筋群　427
順唱　316
純粋運動型 Guillain-Barré 症候群　371
純粋語聾　197
純粋失読　44, 199
上位運動ニューロン　101
上位運動ニューロン障害　126, 127
上位運動ニューロン徴候　342
使用依存性脳可塑性　228
使用依存的可塑性　106
障害像
——, 筋萎縮性側索硬化症の　346
——, 多発性硬化症の　362
——, 頭部外傷の　390
使用行動　40
上後頭前頭束　12, 19
上肢
—— の使用頻度をみる評価法　233
—— のポジショニング，脳卒中後疼痛の　252
上肢機能，道具操作に関与する　225
上肢機能障害　225
—— の評価　230
上視床放線　12
上縦束(SLF)　12, 18, 20
症状日記　319
上小脳脚　10, 21
上小脳脚交叉　11
上小脳動脈　22
上前頭回　8
上前頭溝　14
上側頭回　8, 12
衝動性眼球運動評価　333
衝動性急速眼球運動　52
上頭頂小葉　8, 14
小脳　4, 16, 200
—— の機能　141
—— の区分　139
—— の構造　16, 139
—— の歩行機能区分　330
小脳脚　5, 21

小脳性運動失調　116, 142
小脳性認知情動症候群(CCAS)　87, 141, 331
—— の評価　338
小脳虫部　17
小脳半球　16
小脳皮質　140
上放線冠　12
触圧覚・深部感覚　112
褥瘡　76, 409
触覚　112
—— の検査　117
触覚失認　118
除脳硬直　101
除皮質硬直　101
自律神経過反射，脊髄損傷の　409
自律神経機能の評価　335
自律神経系　403
自律神経障害　407
——, Guillain-Barré 症候群の　377
——, 筋萎縮性側索硬化症患者に対する　345
自律神経症状，Parkinson 病患者の　312
自律性反射　401
自律膀胱　408
視力・視覚の評価，多発性硬化症の　363
シルビウス裂　7, 12
耳漏　382
侵害受容性疼痛　243
神経栄養因子　54
神経核　4
神経学的所見
——, 筋萎縮性側索硬化症の　348
——, 多発性硬化症の　363
神経学的損傷レベル(NLI)　424, 427
神経学的評価，脊髄損傷の　424
神経筋疾患・脊髄損傷の呼吸リハビリテーションガイドライン　347
神経細胞　4
—— の再生　53
神経障害性疼痛　243
神経新生　53
神経生理学的検査　118
神経生理学的指標，歩行障害の　214
神経線維束の構造　18
神経損傷後のシナプスの変化　55
神経伝達物質　55
神経伝導検査(NCS)　372
神経難病の患者に対する医療等に関する法律　368
神経ネットワーク
—— の機能損傷　35
—— の結合性　57
神経の可塑性　53
神経発芽　54
心原性塞栓症　83
信号強度，MRI の　24
人工呼吸器関連肺炎(VAP)　345, 390
進行抑制の治療，多発性硬化症の　361
侵襲的人工呼吸療法(TPPV)　342, 346
新小脳　17
振戦　311, 314
身体イメージの変容　409
身体活動　296
——, 回復期脳卒中における　261
身体活動指導　276
身体構造・機能レベルの評価法　230
身体失認　153
—— の評価　156
身体障害，頭部外傷の　390
身体所有感　41, 153
身体図式　47, 155
身体的な垂直判断(SPV)　177
身体パラフレニア　154
身体部位失認　153
身体部位の道具化現象　188
身体部位符号化　192
身体ポインティング　158
診断基準
——, 筋萎縮性側索硬化症の　343
——, 多発性硬化症の　358
慎重な歩行パターン　208
伸張反射　127, 401
振動覚の検査　117
深部腱反射　129
心理的側面の評価，痛みの　249

す

随意運動　98
随意運動介助型電気刺激装置(IVES)　236
髄液シャント術　62
髄液漏　382
遂行機能　35
錐体　10, 17
錐体外路障害　126
錐体交叉　18
錐体路　127
錐体路障害　126
垂直判断の評価　177
水頭症　61
髄板内核群(IL 核)　123
水平断　8
水平断面像，各葉の　8
水抑制画像，MRI の　25
すくみ足(FOG)　317
スチュアート・ホームズ反跳現象　364
頭痛　248
ステップ長やステップ時間の非対称性　214
ステロイドパルス療法(IVMP)　361
ストラテジートレーニング　193
ストレッチ，筋萎縮性側索硬化症患者に対する　352
すり足歩行　61

せ

生活期，脳卒中理学療法の　291
生活不活発病　59
正常圧水頭症(NPH)　61
精神症状
——, Parkinson 病患者の　311
——, 水頭症の　62
精神・心理機能の問題，脳卒中後遺症者の　294
静的伸張反射　129
赤核脊髄路　47, 100, 398
脊髄　4
—— の機能　399
—— の血管　399
—— の構造　397
—— を通過する伝導路　398
脊髄空洞症　409
脊髄後索路　19
脊髄視床路　10, 17–19, 113
脊髄障害自立度評価法(SCIM)　428, 436
脊髄小脳　17, 141

脊髄小脳変性症(SCD) 327
—— 6 型(SCA6) 327, 328
—— 31 型(SCA31) 327, 328
—— の理学療法 327
脊髄小脳路 10
脊髄ショック 408
脊髄前角 18
脊髄相反性抑制 133
脊髄損傷 397
—— の原因 405
—— の神経学的分類のための国際基準(ISNCSCI) 412, 424
—— の病態 397
脊髄損傷後の可塑的変化 406
脊髄反射 203, 401
——, 抑制性の 404
脊髄分節 399
責任病巣
——, lateropulsion に関連する 181
——, pusher 現象の 176
——, 身体失認の 155
——, 半側空間無視の 163
舌咽神経 7
舌咽頭呼吸(GPB) 348, 354
舌下神経 7
舌下神経核 18
摂食, 嚥下の各段階 325
セルフケア動作の評価, Parkinson 病患者の 319
セルフタッチ 160
セルフマネジメント 295
前角, 脊髄の 397
前核(A 核) 15, 123
前額断 8
前下小脳動脈 22
宣言的記憶 45
前向性健忘 46
仙骨神経 397
潜在的記憶 45
前索, 脊髄の 397
前視床放線 12
前障 11
線条体 14, 309
全身持久力の評価, Parkinson 病患者の 315
全身調整期のリハビリテーション, 完全損傷者の 430
仙髄回避検査 428
前脊髄視床路 398
前脊髄小脳路 18, 398
前脊髄動脈 399
前側索系 113
尖足歩行 132
前大脳動脈 22
前庭小脳 17, 141
前庭性運動失調 145
前庭脊髄路 47, 99, 100, 398
前庭動眼反射 95
前頭橋路 10, 12, 21
前頭前野ループ 52
前頭側頭葉変性症(FTLD) 343, 344
穿頭ドレナージ術 386
前頭葉 7
前頭葉内側面の損傷 38
前頭連合野 32
—— の損傷 35
全般性注意 162
全般性注意障害 36
前皮質脊髄路 47, 99, 100, 127, 398, 399
前腹側核(VA 核) 11, 123
前方移乗動作, 完全損傷者の 432
前方循環系 22
前葉 17

そ

早期離床
——, 完全損傷者の 430
——, 脳卒中急性期の 266
—— のリスク 267
装具
——, 関節可動域制限に対する 255
——, 脳卒中後疼痛の 249
装具療法, 痙縮に対する 135
操作運動 225
相反抑制 403
相貌失認 44
阻害因子, 運動の 298
側角, 脊髄の 397
側索, 脊髄の 397
促進因子, 運動の 298
測定障害 143
測定障害評価 364
側頭橋路 21
側頭葉 7
側頭葉前方部
—— の側頭極の損傷 46
—— の底面の損傷 46
側頭葉内側部の損傷 46
側頭連合野 32
—— の損傷 43, 45
側脳室後角 11
側脳室三角 11
側脳室前角 11
側脳室体部 12
側方突進 48, 145, 174
粗大な触圧覚 112

た

体位変換 76
体温調節障害 408
耐久性練習
——, 筋萎縮性側索硬化症患者に対する 352
——, 多発性硬化症患者に対する 367
第三脳室 11
代償 56
帯状束 20
体性感覚ネットワーク 34
体性感覚の神経機構 112
体性感覚誘発電位(SEP) 118, 363
体性感覚連合野 113
体性反射 401
大脳 4
—— の構造 7
大脳基底核 200
—— による神経ネットワーク 49
—— の構造と機能 309
大脳基底核回路 50
大脳基底核障害 126
大脳脚 10, 17
大脳小脳 17, 141
大脳皮質 200
大脳皮質運動野の機能局在 54
大脳皮質活動の変化, 脳卒中発症後の 104
大脳皮質–基底核ループ 50
大脳辺縁系 15
—— の構造と機能 15
第四脳室 10, 17
多系統萎縮症(MSA) 327, 328
多シナプス反射 403
立ち上がり 418
—— の評価, Parkinson 病患者の 318

脱臼骨折　421
タップテスト　62
脱抑制　56
脱抑制メカニズム　247
脱力・筋力低下　363
他動的ストレッチ，関節可動域制限に対する　255
多発性硬化症(MS)　357
——, 視神経脊髄型　357
——, 二次進行型　360, 368
多発性硬化症・視神経脊髄炎診療ガイドライン 2017　362
短下肢装具(AFO)　216
—— の効果　418
単シナプス反射　401
単純血漿交換療法(SPE)　361
弾性　53
淡蒼球　4, 11, 14, 309
単麻痺　101

ち

知覚型視覚失認　43
知覚技能の記憶　46
遅発性外傷性脳内血腫(DTICH)　384
遅発性脳虚血　268
注意ネットワーク　34
注意の分類　162
中下位頸椎損傷　421
中隔核　15
注視麻痺　95
中小脳脚　10, 21
中心管　397
中心溝　7
中心後回　8, 14
中心後溝　14
中心前回　8
中心前溝　8, 14
中枢神経　101
中枢神経系
—— の構造　4
—— のネットワーク　32
中枢神経再構築　56
中枢性脳卒中後疼痛　245
—— に対する理学療法　252
中枢パターン発生器(CPG)　138, 202, 403, 417
中前頭回　8
中側頭回　8
中大脳動脈　22
中脳　4, 17
—— のスライス　10
中脳蓋　10, 17
中脳黒質　14, 17
中脳水道　10, 17
中脳被蓋　10, 17
聴覚ネットワーク　34
長下肢装具(KAFO)　216, 275
長期増強(LTP)　55, 141
長期抑圧(LTD)　55, 141
聴性脳幹反応(ABR)　363
超皮質性感覚失語　197
腸閉塞　408
直接作用型経口抗凝固薬(DOAC)　91
直接ルート，模倣の　192
治療
——, Guillain-Barré 症候群の　374
——, Parkinson 病の　312
——, 頭部外傷　385
——, 慢性硬膜下血腫の　386
治療プログラムの立案，脳卒中後の障害の　68
治療法，筋萎縮性側索硬化症の　346
沈下性肺炎　345
陳述記憶　45

つ

椎骨動脈　22
対麻痺　101
対麻痺型 Guillain-Barré 症候群　371
痛覚過敏　123
痛覚鈍麻　246
痛覚変調性疼痛　243, 244

て

ディアシーシス　87
定位　174
低吸収，CT の　24
低信号，MRI の　25
デジュリン・ルシー症候群　123
手続き記憶　45
手の回内・回外運動　332
テノデーシスアクション　431
デルマトーム　112, 399
てんかん発作，頭部外傷患者の　388
電気刺激　77
——, 脳卒中後疼痛の　251
電気刺激療法　275, 281, 282
——, 関節可動域制限に対する　256
——, 痙縮に対する　134
——, 上肢機能障害への　236
電気生理学的特徴，Guillain-Barré 症候群の　372
伝導失語　197
転導性
—— の欠如　36
—— の亢進　36
転倒，脳卒中片麻痺患者の　207
転倒予防に対する介入，脊髄小脳変性症患者に対する　340
転倒リスク　222
—— の評価，Parkinson 病患者の　316

と

土肥・Anderson の基準　87
統一多系統萎縮症評価尺度(UMSARS)　331
頭蓋骨円蓋部　382
頭蓋骨骨折　382
頭蓋底骨折　382
頭蓋内圧(ICP)　382
頭蓋内圧亢進　387
動眼神経　5, 94
等吸収，CT の　24
道具の強迫的使用　39
統合型視覚失認　43
動作能力の予後，不全損傷者の　413
動作の実用性　67
投射線維　18
等信号，MRI の　25
同側小脳　113
到達運動　225
頭頂間溝　14
頭頂橋路　21
頭頂後頭溝　8
頭頂部のスライス　14
頭頂葉　7
頭頂連合野　32
疼痛　312
——, 脊髄損傷後の　409
—— の評価，不全損傷者の　413
—— の分類　244

動的システム理論　418
動的伸張反射　129
島皮質　113
逃避反射　401
頭部外傷(TBI)　381
—— の理学療法　381
頭部外傷患者の離床　387
同名性半盲　94
島葉　8, 11
特殊核　15
特殊連合核　15
特発性正常圧水頭症(iNPH)　61
トップダウンアプローチ　170
トリプル H 療法　89
% 努力性肺活量　348
トレッドミル　216
トレッドミル歩行練習　281
——, Parkinson 病患者に対する　322
ドレナージテスト　62
トレンデレンブルグ歩行　363

な

内頸動脈　22
内耳神経　7
内側運動制御系　47, 100, 201
内側核　15
内側-後索毛帯路　398
内側膝状体(MGB)　123
内側縦束(MLF)　17, 18, 95
内側縦束吻側間質核(riMLF)　95
内側帯状皮質　113
内側毛体　10
内側毛帯　10, 17
内側毛帯系　248
内側毛帯路　10, 19
ナイダス　80
内的タイマーの歪み　144
内発性運動制御系　39
内発的注意　162
内部モデル　39, 138
内包後脚　11, 12
内包膝　11
内包前脚　11
難治性慢性疼痛　243
難病法　368

に

二次進行型多発性硬化症(SPMS)　360, 368
二次性機能障害　76, 254
二次性正常圧水頭症(sNPH)　61
二次性脳損傷　385
二次損傷，脊髄損傷の　406
二次的障害の予防　266
二重膜濾過療法(DFPP)　361
日差変動　319, 360
日常生活活動トレーニング，Guillain-Barré 症候群患者に対する　376
日常生活活動の評価，不全損傷者の　414
日内変動への配慮　319
——, 症状の　324
二点識別覚　118
日本版 modified Rankin Scale (mRS)　75
乳頭体　15
ニューロモデュレーション技術　238
ニューロン　4
認知運動戦略，Parkinson 病患者に対する　321
認知機能
—— の評価，Parkinson 病患者の　315
—— の問題，脳卒中後遺症者の　294
認知機能障害
——, Parkinson 病患者の　311
——, 水頭症の　61
認知技能の記憶　46
認知情動機能　141
認知的アパシー　37
認知的介入，上肢機能障害　238

の

脳
—— の可逆性　56
—— の可塑性　105
—— の構造　4
—— のフレイル　259
脳画像　4
—— の基礎知識　23
—— の限界　31
脳幹　4, 17
—— の構造　17
脳幹-脊髄投射系　200
脳灌流圧　86
脳機能画像　28
脳血管性認知症(VaD)　38
—— のタイプ　38
脳血管の走行　21
脳梗塞(C-INF)　23, 82, 90
——, 動脈解離による　85
脳挫傷　382
脳室ドレナージ　89
脳出血(ICH)　23, 80
脳循環の自動調節能　86
脳震盪　384
脳深部刺激療法(DBS)　312
脳脊髄液　61
脳卒中　63
—— の病態　80
—— のリハビリテーションの開始基準　91
脳卒中維持期の理学療法　78
脳卒中回復期の理学療法　77
脳卒中患者
—— の起居動作　287
—— の歩行と下肢運動障害　281
—— の歩行練習　283
脳卒中急性期の理学療法　76
脳卒中後
—— の機能回復機序　55
—— の障害　63
—— の脳内神経活動　57
脳卒中後うつ(PSD)　36
脳卒中後感覚障害　113
脳卒中後疼痛　243
—— の評価　248
—— の分類　244
脳卒中治療ガイドライン 2021　87, 91, 107, 171, 216, 236, 279, 283
脳卒中発症直後の脊髄反射経路　135
脳卒中片麻痺者の運動麻痺評価　102
脳地図の変化　54
脳底動脈　22
脳動静脈奇形(AVM)　80
能動的介入　119
能動的注意　162
脳ヘルニア　387
脳梁　18, 20
脳梁膝部　21
脳梁体部　21
脳梁膨大部　21
能力低下　64

は

パーキンソン病(PD)　309
パーキンソン病診療ガイドライン 2018　319
把握運動　225
把握操作運動　225
把握反射　39
バークラテロパルジョンスケール(BLS)　175
バーセルインデックス(BI)　74
肺炎　408
背外側核(LD 核)　123
背外側前頭前野(DLPFC)　35
—— の損傷　36
% 肺活量(%VC)　348
背側経路
——, 体性感覚の　34
——, 聴覚の　34
背側注意ネットワーク(DAN)　163
——, 両半球の　34
背側-背側視覚路　32, 225
—— の損傷　43
排痰　375
排痰機器　354
背内側核　11, 15, 123
排尿障害, 水頭症の　61
排尿・排泄の評価, 多発性硬化症の　364
廃用症候群　59, 126
廃用性変化の予防　266
白質　4
——, 脊髄の　397
薄束　398
歯車現象　126
場所領域(PPA)　45
パチニ小体　112
発芽　54
発語失行　197
発生メカニズム, 失行の　189
鼻-指試験　332
馬尾　397
バビンスキー型の病態失認　154
パペッツ回路　16, 45
バランス機能　222
バランス障害の評価　146
——, 脊髄小脳変性症患者の　334
バランストレーニング, 脊髄小脳変性症患者に対する　339
破裂骨折　421
反回抑制　403
半球間抑制　228
反射性膀胱　408
半身
—— の喪失感　154
—— の無感知・無使用　154
半側空間無視(USN)　41, 124, 162
—— の評価　165
—— のメカニズム　163
—— の臨床的サブタイプ　167
半側身体失認　41, 154
反張膝歩行　363
ハンチントン舞踏病　52
パントマイム練習　193
反復拮抗運動障害　144
反復拮抗運動障害評価　364
反復性経頭蓋磁気刺激(rTMS)　106, 229
半盲　94
半卵円のスライス　13

ひ

被殻　4, 11, 14
尾骨神経　397
膝立ち　417
膝のロッキング　115
皮質延髄路　10, 18, 99, 127
皮質核路　18, 99, 127
皮質間抑制　57
皮質橋路　10
皮質性小脳萎縮症(CCA)　327
皮質脊髄路(CST)　10, 18, 99, 127, 200, 227
皮質網様体脊髄路　47
皮質網様体路　99, 100
尾状核　4, 14
尾状核体部　12
尾状核頭部　11
非侵襲的人工呼吸療法(NPPV)　346
非侵襲的脳刺激　121
—— による介入　172
非宣言的記憶　45
左前頭-頭頂・側頭ネットワークの損傷　42
非陳述記憶　45
被動性検査　129
非特殊核　15
非反射性膀胱　408
皮膚分節　112, 399
びまん性軸索損傷(DAI)　384
びまん性脳腫脹(DBS)　385
びまん性脳損傷　384
評価
——, 感覚障害の　117
——, 失調症状の　331
——, 重心移動能力の　316
——, めまいの　333
評価法, 脳卒中理学療法の　71
病期別理学療法, Parkinson 病の　319
病型別の注意点, 脊髄小脳変性症の　339
表在痛覚　118
標準高次動作性検査(SPTA)　186
病巣, 失行の　189
病態
——, Guillain-Barré 症候群の　373
——, 脊髄損傷の　406
病態失認　41, 42, 153
—— の質問紙　157
病態像の把握, 脊髄損傷高位レベルに応じた　434
病態と疫学
——, 筋萎縮性側索硬化症の　342
——, 多発性硬化症の　357
病態無関心　154
病態メカニズム, 中枢性脳卒中後疼痛の　247
病的共同運動　102
比例回復ルール　105
鼻漏　382
疲労の評価, 多発性硬化症の　364

ふ

不安　409
フィードバック制御　116, 138
フィードフォワード制御　116, 138
フィッシャー症候群　371
フィッシャー分類　88
フィットネストレーニング　283
フーグルマイヤーアセスメント(FMA)　73, 102, 118, 230
不完全損傷, 脊髄の　410
不完全麻痺　101, 428
複合的アプローチ, 上肢機能障害への　240
副神経　7

腹側経路
——, 体性感覚の 34
——, 聴覚の 34
腹側視覚路 33, 227
腹側注意ネットワーク(VAN) 163
——, 右半球の 35
腹側–背側視覚路 33, 226
腹内側前頭前野(VMPFC) 35, 37
不顕性誤嚥 325
浮腫 76
不全損傷の理学療法 412
不全麻痺 101
プッシャー現象 174
プッシュアップ，完全損傷者の 432
物体認知 118
物理療法，身体失認の症例に対する 159
部分的残存領域(ZPP) 428
部分容積効果 31
ブラーク仮説 311
プライミング効果 45
フランケル分類 424
プリシェーピング 226
プリズムアダプテーション法 171
ブリッジ動作 417
ブルンストロームステージ 73
フレイル 257
—— の影響 259
ブローカ失語 197
ブローカ野 12
ブロードマン領域 113

へ

閉鎖性頭部外傷 382
ヘッブの学習則 106
ペナンブラ 56, 90
ベルグバランススケール(BBS) 75, 334
辺縁系 15, 32
辺縁系ループ 52
辺縁葉 15
辺縁連合野の損傷 45
扁桃体 15
便秘 312
片麻痺 101
—— の無認知 155
片麻痺憎悪 154
片葉小節葉 17

ほ

包括的運動失調評価 146
方向性注意 162
膀胱直腸障害 364
紡錘状回顔領域(FFA) 44
傍正中橋網様体(PPRF) 95
放線冠 12
ホーエン・ヤール重症度分類 312
歩行
—— に関する神経機構 200
—— の再獲得 214
—— の自動化 200
—— の評価，Parkinson 病患者の 317
—— を発動させる脳の領域 201
歩行支援ロボット 217
歩行障害 105, 200, 211
——, 小脳性運動失調の 145
——, 水頭症の 61
——, 脳卒中片麻痺の 203
—— の評価 147
歩行自立度 220
——, 脳卒中患者の 223
歩行自立度予測のアルゴリズム 274
歩行速度 211
歩行中
—— の安定性 207
—— の推進力 206
歩行トレーニング，不全損傷者の 416
歩行トレーニング方法 416
歩行能力
—— と歩行レベル 221
—— の評価，不全損傷者の 415
歩行評価 211
——, 脊髄小脳変性症患者の 333
歩行分析
——, 観察による 212
——, 機器を使用した 213
歩行リズム 201
歩行レベル 222
星型歩行 145
ポジショニング 76
——, 急性期脳卒中の 272
ボツリヌス毒素，関節可動域制限に対する 256
ボトムアップアプローチ 170
ホフマン反射 130
ホルネル症候群 181
本能性把握反応 39

ま

マイスネル小体 112
マシャド・ジョセフ病(MJD/SCA3) 327, 328
街並失認 44
末梢神経 5, 101
麻痺肢の人格化 154
慢性炎症性脱髄性多発神経炎(CIDP) 357
慢性硬膜下血腫(CSDH) 384
慢性疼痛 243
マンテスト 364

み・む

ミオトーム 399
右前頭–頭頂・側頭ネットワークの損傷 41
右前頭–頭頂ネットワークの損傷 41
ミクログリア 4
ミラーセラピー 106, 119, 238

無動 311, 315

め

迷走神経 7
迷走神経背側核 18
酩酊様歩行 145
メカニズム
——, サルコペニアの 257
——, フレイルの 258
メタ認知の利用 160
めまいの評価 333
メルケル触盤 112
免疫グロブリン大量静注療法(IVIg) 362, 374
免疫療法 374
メンタルプラクティス 281

も

毛包受容器 112
網様体 10, 18
網様体脊髄路 99, 100
模倣行動 40
模倣障害，失行で出現する 191

や・ゆ

薬物療法，筋萎縮性側索硬化症の　346
役割管理　295
ヤコブレフの回路　46

油圧式制動機能付短下肢装具(GS)　419
有意味なジェスチャー練習　193
有痛性感覚消失　123
有痛性強直性痙攣　359
指追い試験　332

よ

腰神経　397
腰椎損傷　421
腰椎ドレナージ　89
抑うつ　409
抑制システム，行為の　39
抑制性の反射　403
予後
　——, pusher 現象の　177
　——, 筋萎縮性側索硬化症の　345
　——　および回復過程，半側空間無視の　167
予後予測
　——, 急性期脳卒中の　273
　——, くも膜下出血例の　274
　——, 歩行自立度の　220
余剰幻肢　157
予測的運動制御機構　39
予測的姿勢調整(APA)　100
読み書きの障害　199

ら・り

ラクナ梗塞　84
ラバーハンド錯覚　156

リウマチ関節炎(RA)　357
理学療法
　——, Guillain-Barré 症候群の　374
　——, 感覚障害への　119
　——, 脊髄損傷完全麻痺者の　429
　——, 多発性硬化症の　366
　——, 脳卒中維持期の　78
　——, 脳卒中回復期の　77
　——, 脳卒中急性期の　76
　——　の効果判定　69
　——, 不全損傷者の　415
理学療法ガイドライン第 2 版　108, 170, 319, 347, 416
理学療法介入
　——, Parkinson 病患者に対する　320
　——, 脊髄小脳変性症の　338
理学療法士及び作業療法士法　67
離床開始時期
　——, 急性期脳梗塞例の　267
　——, 急性期脳出血例の　268
離床開始時期・基準，脳卒中急性期の　267
離床実施時間と頻度　269
離床実施方法，急性期脳卒中の　269
リスク管理，脳卒中の　80
立位　418
　——　や歩行に対する介入　172
立体覚　118
リハビリテーション，Parkinson 病の　312
リバーミードモビリティインデックス　75
両半球の前頭-頭頂ネットワークの損傷　43
臨床症状，Parkinson 病患者の　311

る・れ

ルフィニ終末　112

冷覚鈍麻　246
レイミステ反応　102
レジスタンストレーニング，脳卒中者に対する　261
レビー小体　310
連合型視覚失認　43
連合線維　18, 19, 32
連合反応　102
レンショウ抑制　403
レンズ核　11, 14

ろ

ロボット　276
ロボットスーツ HAL® 医療用下肢タイプ　352
ロボット療法，上肢機能障害への　237
ロンベルグテスト　364

わ

ワーキングメモリ　36
ワイドベース歩行　115
ワレンベルグ症候群　181

数字・欧文

Ib 抑制　403
II 群求心性線維による抑制　403
6 分間歩行距離　212
6 分間歩行距離テスト　75
8 つの入力-出力様式　186
10 m 歩行速度　75

A

α 運動ニューロン　400
α シヌクレイン　310
α-γ 連関　401
A 核(前核)　123
achromatopsia　44
Action Research Arm Test (ARAT)　75, 231
activity limitation　64
acute epidural hematoma (AEDH)　382
acute inflammatory demyelinating polyneuropathy (AIDP)　370
acute motor axonal neuropathy (AMAN)　370
acute subdural hematoma (ASDH)　383

ADL トレーニング，Guillain-Barré 症候群患者に対する　376
ADL 能力の評価，完全損傷者の　428
agnosia for streets　44
AHA/ASA ガイドライン 2016　283
akinesia　315
Allen-Ferguson 分類　421
ALS 特異的 QOL 尺度（ALSAQ-40）　351
ALS assessment questionnaire 40（ALSAQ-40）　351
ALS functional rating scale-revised（ALSFRS-R）　349
amnesia　125
amyotrophic lateral sclerosis（ALS）　342
—— の重症度分類　350
Anderson の基準　86
anesthesia dolorosa　123
anosodiaphoria　154
anosognosia　153
anticipatory postural adjustment（APA）　100
Anton 型の病態失認　154
apathy　37
arteriovenous malformation（AVM）　80
ASIA 機能障害尺度（AIS）　424
—— の判定　428
ASIA Impairment Scale（AIS）　424
asomatognosia　153
aspiration pneumonia　345
ataxia　116, 137
ataxic hemiparesis　124
ataxie optique　43
auditory brainstem evoked potential（AEP）　363
auto-activation apathy　37
AVERT 試験　91
AWGS（Asian Working Group for Sarcopenia）2019 の診断基準　259

B

Babinski 型の病態失認　154
Balance Evaluation Systems Test（BESTest）　335
Barthel Index（BI）　74
Behavioural Inattention Test（BIT）　165
Berg Balance Scale（BBS）　75, 222, 334
body part coding　192
body schema　155
Box and Block Test（BBT）　231
Braak 仮説　311
bradykinesia　315
brain contusion　382
Brain Frailty　259
branch atheromatous disease（BAD）　85
broad-based gait　61
Broca 失語　197
Broca 野　12
Brodmann 領域　113
Brunnstrom recovery stage（BRS）　73, 102
bulbar palsy　343
Burke lateropulsion scale（BLS）　175

C

Catherine Bergego Scale（CBS）　157, 165
caution gait　208
central pattern generator（CPG）　138, 202, 403, 417
cerebellar cognitive affective syndrome（CCAS）　87, 141, 331
cerebral infarction（C-INF）　23, 82, 90
chronic inflammatory demyelinating polyneuropathy（CIDP）　357
chronic subdural hematoma（CSDH）　384
CI 療法（constraint-induced movement therapy）　57, 76, 106, 158, 229, 236
Clinical Assessment Scale for Contraversive Pushing（SCP）　175
COACH（Cognitive Orthosis for Assisting aCtivities in the Home）システム　195
cognitive apathy　37
CogWatch　195
Composite Autonomic System Score 31（COMPASS31）　335
compressive flexion 型損傷　421
conduite d'approche　198
conjugate eye movement　95
connectivity　57
conscious hemiasomatognosia　153
coordinated movement　137
Corbetta らの仮説　165
cortical cerebellar atrophy（CCA）　327
corticospinal tract（CST）　200, 227
cough peak flow（CPF）　348, 429
crossed cerebellar diaschisis（CCD）　87
CT（computed tomography）　23
CT 値　23

D

deafferentation pain　123
deep brain stimulation（DBS）　312
Dejerine-Roussy 症候群　123
delayed traumatic intracranial hematoma（DTICH）　384
dendrite　54
dentatorubral-pallidoluysian atrophy（DRPLA）　327, 328
dentatorubrothalamic tract　11
diaschisis　87
diffuse axonal injury（DAI）　384
diffuse brain swelling（DBS）　385
diffusion tensor image（DTI）　26
diffusion tensor tractography（DTT）　102
diffusion weighted image（DWI）　26
digit span　316
direct oral anticoagulant（DOAC）　91
disability　64
dissemination in space（DIS）　357

dissemination in time (DIT) 357
Dizziness Handicap Inventory 333
dorsal attention network (DAN) 163
dorso-dorsal visual stream 225
dorsolateral prefrontal cortex (DLPFC) 35
dorsomedial nucleus (DM 核) 11
double filtration plasmapheresis (DFPP) 361
drop foot 353
drop head 353
dynamical systems theory 418
dysautoregulation 86
dysmetria 143

E

EB ウイルス 373
EDSS (expanded disability status scale) スコア 360, 364
El Escorial 改訂 Airlie House 診断基準 343
El Escorial の診断基準 343
emotional-affective apathy 37
equinus gait 132
error-based learning 138
excitatory neurotoxicity 58
excitatory post-synaptic potential (EPSP) 55
executive function 35

F

Fear-Avoidance Beliefs Questionnaire (FABQ) 249
Fisher 症候群 371
Fisher 分類 88
FLAIR 25
Fluff test 158
fractional anisotropy (FA) 26
Frankel 分類 424
freezing of gait (FOG) 317
frontal assessment battery (FAB) 315
frontotemporal lobar degeneration (FTLD) 343, 344
Fugl-Meyer Assessment (FMA) 73, 102, 118, 230
functional ambulation category (FAC) 211, 339
functional electrical stimulation (FES) 106, 217
Functional Independence Measure (FIM) 74, 350
fusiform face area (FFA) 44

G

γ 運動ニューロン 400
Gait Assessment and Intervention Tool (GAIT) 213
Gait Variability Index (GVI) 339
Gerstmann 症候群 154
Gilman 分類 329
Glasgow Coma Scale (GCS) 71
GLIM (Global Leadership Initiative on Malnutrition) 基準 258
glossopharyngeal breathing (GPB) 348, 354
Golgi 腱器官 112
grasping 225
GS (油圧式制動機能付短下肢装具) 419
Guillain-Barré 症候群 (GBS) 101, 370
——, 咽頭・頸部・上腕型 371
——, 純粋運動型 371
——, 対麻痺型 371
—— の理学療法 370

H

handicap 64
HDS-R (revised version of Hasegawa's dementiascale ; 改訂長谷川式簡易知能評価スケール) 72
Head Impulse Test 333
Hebb の学習則 106
high frequency chest wall oscillation (HFCWO) 354
Hmax/Mmax 133
Hoehn-Yahr 重症度分類 312
Hoffmann 反射 130
Horner 症候群 181
Hospital Anxiety and Depression Scale (HADS) 249
Hospital Frailty Risk Score 259
hot cross bun sign (HCBs) 338
Hughes の運動機能尺度 372
Huntington 舞踏病 52
hydrocephalus 61
hyperdense 24
hyperintense 25
hyperpathia 123
hypertonus 126
hypodense 24
hypointense 25
hypostatic pneumonia 345
hypothesis-driven approach 229
hypotonus 127

I

ICH ADAPT 試験 87
ideational apraxia 185
ideomotor apraxia 185
idiopathic NPH (iNPH) 61
IL 核 (髄板内核群) 123
immunoadsorption plasmapheresis (IAPP) 361
impairment 64
integrated volitional control electrical stimulator (IVES) 236
intension tremor 143
INTERACT2 試験 87
interhemispheric inhibition 228
Internal Cooperative Ataxia Rating Scale (ICARS) 331
International Classification of Functioning, Disability and Health (ICF) 64
International Classification of Impairments, Disabilities and Handicaps (ICIDH) 63
International Cooperative Ataxia Rating Scale (ICARS) 146
International Standards for Neurological Classification of Spinal Cord Injury (ISNCSCI) 412, 424
International Statistical Classification of Diseases and Related Health Problems (ICD) 63
intracranial hemorrhage (ICH) 23, 80
intracranial pressure (ICP) 382
intravenous immunoglobulin (IVIg) 362, 374

intravenous methylprednisolone (IVMP) 361
Inventory of Non-Ataxia Signs 332
ISNCSCI ワークシートの評価手順 427
isolated lateropulsion 181

J・K

Japan Coma Scale (JCS) 71
Kessler Foundation Neglect Assessment Process (KF-NAP) 165
key muscle 427
kinesie paradoxale 320
kinetic tremor 143
Kinsbourne の仮説 164

L

landmark agnosia 44
lateral occipital complex (LOC) 44
lateropulsion 48, 174, 180
—— of the body 180
—— と垂直判断 182
—— の理学療法 182
LD 核(背外側核) 123
learned non-use 106, 229
Lewy 小体 310
LGB(外側膝状体) 123
LIC 練習 354
limb activation 171
long-term depression (LTD) 55, 141
long-term potentiation (LTP) 55, 141
LP 核(後外側核) 123
lung insufflation capacity (LIC) 349

M

Machado-Joseph 病(MJD/SCA3) 327, 328
magnet gait 61
Mann テスト 364
margin of stability (MOS) 208
mass effect 88
maximal expiratory pressure (MEP) 348
maximal inspiratory pressure (MIP) 348
maximum insufflation capacity (MIC) 348
McDonald 診断基準(2010 年度版) 358
MD 核(背内側核) 123
medial longitudinal fasciculus (MLF) 17, 18, 95
Medical Outcome Study Short Form 36 76
Meissner 小体 112
Merkel 触盤 112
Mesulam の仮説 164
MGB(内側膝状体) 123
MIC 練習 354
Mini-Mental State Examination (MMSE) 71, 315
misoplegia 154
Modified Ashworth Scale (MAS) 73, 132, 412
modified Erasmus GBS Outcome Score (mEGOS) 374
modified Norris scale 四肢症状尺度・球症状尺度(日本語版) 350
modified Rankin(ランキン) Scale (mRS) 74, 260
Modified Tardieu(タルデュー) Scale (MTS) 132, 412
Montreal Cognitive Assessment 日本語版(MoCA-J) 315
MOS 36-item short-form health survey (SF-36) 351
Motor Activity Log (MAL) 233
motor evoked potential (MEP) 363
Motricity Index (MI) 73, 231
Movement Disorder Society-sponsored revision of the Unified Parkinson's Disease Rating Scale (MDS-UPDRS) 313
MRI (magnetic resonance imaging) 24
MSA-cerebellar variant (MSA-C) 328
MSA-parkinsonian variant (MSA-P) 328
multiple sclerosis (MS) 357
multiple system atrophy (MSA) 327, 328
muscle tone 126

N

National Institute of Health Stroke Scale (NIHSS) 72
nerve conduction studies (NCS) 372
neurogenesis 53
neurological level of injury (NLI) 424, 427
neuromyelitis optica (NMO) 357
neuropathic pain 243
neurotransmitter 55
neurotrophic factor 54
New Freezing of Gait Questionnaire (NFOGQ) 318
nociceptive pain 243
nociplastic pain 243
nonconscious hemiasomatognosia 153
noninvasive positive pressure ventilation (NPPV) 346
normal pressure hydrocephalus (NPH) 61
numerical rating scale (NRS) 248

O

occipital face area (OFA) 44
ocular torsion reflex (OTR) 95
OFC(眼窩前頭前野) 37
on-off 障害 312
operation 225
optic ataxia 226
opticospinal multiple sclerosis (OSMS) 357
optische ataxie 43
oral nutritional supplementation (ONS) 262
oral secretion scale (OSS) 349
orbitofrontal cortex (OFC) 35
orbitomeatal base line (OM ライン) 8
orientation 174
overshoot oscillation 143

P

Pacini 小体 112

Pain Catastrophizing Scale（PCS） 249
PainDETECT 日本語版 249
Papez 回路 16, 45
parahippocampal place area （PPA） 45
paramedian pontine reticular formation（PPRF） 95
Parkinson 病（PD） 51, 309
—— の理学療法 309
partial volume effect 31
participation restriction 64
penumbra 56
personification 154
PET 28
plasma exchange（PE） 361, 374
plasmapheresis（PP） 361
plastic change 53
plasticity 105
post activation depression 128
posterior parietal cortex（PPC） 113
post-stroke depression（PSD） 36
postural tremor 143
pre-central knob 14
preshaping 226
primary progressive multiple sclerosis（PPMS） 360, 368
prosopagnosia 44
Pul（視床枕） 11, 123
pure alexia 44
pusher 現象 48, 124, 174
—— と垂直判断の関係 177
—— の評価 175

Q・R

QOL の問題，脳卒中後遺症者の 294
QOL 評価，筋萎縮性側索硬化症患者の 351

R 核（視床網様核） 123
Raimiste 反応 102
reaching 225
regeneration 53
relapsing-remitting multiple sclerosis（RRMS） 360, 368
relearning 56
Renshaw 抑制 403
reorganization 56
repetitive transcranial magnetic stimulation（rTMS） 106, 229
rheumatoid arthritis（RA） 357
rigidity 126, 314
Rivermead Mobility Index 75
Romberg テスト 364
rostral interstitial nucleus of the medial longitudinal fasciculus （riMLF） 95
Ruffini 終末 112

S

SI 113
SII 113
saccade 95
sacral sparing 検査 428
Scale for the Assessment and Rating of Ataxia（SARA） 146, 331
SCD・MSA 標準リハビリテーションプログラム 339
schedule for the evaluation of individual quality of life-direct weighting（SEIQOL-DW） 351
Schellong テスト 338
secondary NPH（sNPH） 61
secondary progressive multiple sclerosis（SPMS） 360, 368
sense of agency 41
sense of ownership 41, 153
sensory ataxia 124
sensory evoked potential（SEP） 118
Short-From McGill Pain Questionnaire-2（SF-MPQ-2） 249
simple plasma exchange（SPE） 361
skew deviation 95
small-step gait 61
smooth pursuit eye movement 95
somatoparaphrenia 154
somatosensory evoked potential （SEP） 363
spasticity 126, 364
spastic movement disorder 132
SPECT 28
spinal cord independence measure version III（SCIM） 428, 436
spine 54
spinocerebellar ataxia type 6 （SCA6） 327, 328
spinocerebellar ataxia type 31 （SCA31） 327, 328
spinocerebellar degeneration （SCD） 327
sprouting 54
standard performance test for apraxia（SPTA） 186
State-Trait Anxiety Inventory （STAI） 249
Stewart-Holmes 反跳現象 364
stiff-knee gait 132
stroke care unit（SCU） 76
Stroke Impact Scale（SIS） 76
Stroke Impairment Assessment Set（SIAS） 103, 119
subarachnoid hemorrhage（SAH） 23, 81, 88
subjective postural vertical（SPV） 177
subjective visual vertical（SVV） 95, 177
substitution 56
superior longitudinal fasciculus （SLF） 12, 18, 20
supernumerary phantom limb 157
Sylvius 裂 7, 12

T

T1 強調画像 25
T2 強調画像 25
tactile agnosia 118
Tampa Scale for Kinesiophobia （TSK） 249
task-oriented training 239
terminal tremor 143
thalamic ataxia 124
thalamic pain 123, 245
thalamic syndrome 123
The cerebellar cognitive affective/Schmahmann syndrome scale 338
three column theory 421
Timed Up and Go Test（TUG） 74, 212, 318, 334
tonic vibration reflex（TVR） 159
totally locked in state（TLS） 345

tracheostomy positive pressure ventilation（TPPV） 342, 346
trailing limb angle（TLA） 206, 212
trail making test（TMT） 316
transcranial direct current stimulation（tDCS） 106, 121, 159, 195, 229, 252
transcranial magnetic stimulation （TMS） 102, 121
transcutaneous electrical nerve stimulation（TENS） 377
transfer package 239
traumatic brain injury（TBI） 381
traumatic intracerebral hematoma（TICH） 383
traumatic subarachnoid hemorrhage（tSAH） 384
tremor 314
Trendelenburg 歩行 363

U

Uhthoff 徴候 359
Unified Multiple System Atrophy Rating Scale（UMSARS） 331
Unified Parkinson's Disease Rating Scale（UPDRS） 313
unilateral spatial neglect（USN） 41, 124, 162
unmasking 56
use-dependent plasticity 106, 228
use-dependent reorganization 228

V

vascular dementia（VaD） 38
ventilator associated pneumonia （VAP） 345, 390
ventral anterior nucleus（VA 核） 11, 123
ventral attention network（VAN） 163
ventral lateral nucleus（VL 核） 11, 123
ventral posterolateral nucleus （VPL 核） 11, 113, 123
ventral visual stream 227
ventro-dorsal visual stream 226
ventromedial prefrontal cortex （VMPFC） 35, 37
vestibular eye movement 95
virtual reality（VR） 218, 238
visual analogue scale（VAS） 248
visual evoked potential（VEP） 363
visual word form area（VWFA） 45
voluntary movement 98
VPM 核（後内側腹側核） 123

W

Wallenberg 症候群 48, 181
wearing-off 現象 312
Wernicke 失語 197
—— による病態失認 154
Wernicke 野 12
Wernicke-Mann 肢位 203, 227
wide base gait 145
Willis 動脈輪 23
Wisconsin card sorting test （WCST） 315
Wolf Motor Function Test （WMFT） 76, 233

Y・Z

Yakovlev の回路 46

Zancolli 分類 424, 425
zone of partial preservation（ZPP） 428